ELIZABETH GEORGE

# Wer die Wahrheit sucht

*Buch*

Der Millionär Brouard plant auf der britischen Kanalinsel Guernsey ein Museum zum Gedenken an die deutsche Besatzung im Zweiten Weltkrieg. Doch schon einen Tag, nachdem er die Baupläne des amerikanischen Architekten vorgestellt hat, wird Brouard ermordet am Strand aufgefunden. Die junge Fotografin China River, die gemeinsam mit ihrem Bruder Cherokee die Architekturpläne von Kalifornien nach Guernsey gebracht hat, wird unter Mordverdacht verhaftet, nachdem man ihre Spuren am Tatort gefunden hat.
Cherokee bittet ihre Studienfreundin Deborah, vor Jahren mit Thomas Lynley liiert und mittlerweile mit dessen engstem Vertrauten Simon St. James verheiratet, um Hilfe. Deborah glaubt nicht an Chinas Schuld. Mit ihrem Mann Simon stellt sie eigene Nachforschungen an – und stößt dabei auf eine ganze Reihe von Personen, die auf irgendeine Weise in den Mord verstrickt sind. Als auf einmal ein rätselhaftes Gemälde auftaucht, nimmt der Fall eine neue Wendung ...

*Autorin*

Elizabeth George, die mit dem »Anthony Award«, dem »Agatha Award« und dem »Grand Prix de Litérature Policière« ausgezeichnet wurde, lebt in Huntington Beach, Kalifornien. Alle ihre Lynley-Havers-Bestseller wurden von der BBC verfilmt und auch im deutschen Fernsehen mit größtem Erfolg ausgestrahlt.

Von Elizabeth George außerdem bei Goldmann erschienen:

Die Romane mit Inspector Lynley und Sergeant Havers:
Gott schütze dieses Haus (09918) · Keiner werfe den ersten Stein (42203) · Auf Ehre und Gewissen (41350) · Mein ist die Rache (42798) · Denn bitter ist der Tod (42960) · Denn keiner ist ohne Schuld (43577) · Asche zu Asche (43771) · Im Angesicht des Feindes (44108) · Denn sie betrügt man nicht (44402) · Undank ist der Väter Lohn (44982) · Nie sollst du vergessen (45611) · Gott schütze dieses Haus / Mein ist die Rache. Zwei Romane in einem Band (13421)

Außerdem lieferbar:

Vergiss nie, dass ich dich liebe. Erzählungen (45725) · Elizabeth George (Hrsg.), Im Anfang war der Mord: Die spannendsten Kurzgeschichten von den besten Krimiautorinnen der Welt (45953) · Wort für Wort oder Die Kunst, ein gutes Buch zu schreiben (41664)

Elizabeth George

# Wer die Wahrheit sucht

Roman

Ins Deutsche übersetzt
von Mechthild Sandberg-Ciletti

GOLDMANN

Die Originalausgabe erschien unter dem Titel
»A Place of Hiding«
bei Bantam Dell, Random House Inc., New York.

Verlagsgruppe Random House FSC-DEU-0100
Das FSC-zertifizierte Papier *München Super* für Taschenbücher aus dem Goldmann Verlag liefert Mochenwangen Papier.

2. Auflage
Taschenbuchausgabe Januar 2007

Umschlaggestaltung: Design Team München
Umschlagfoto: The Bridgeman Art Library
SH · Herstellung: Str.
Druck und Bindung: GGP Media GmbH, Pößneck
Printed in Germany
ISBN-10: 3-442-46298-3
ISBN-13: 978-3-442-46298-8

www.goldmann-verlag.de

Dieses Buch handelt von Geschwistern.
Ich widme es meinem Bruder
Robert Rivelle George
in Liebe und Bewunderung für seine Begabung,
seinen Geist und seine Klugheit.

»Wir leben doch davon, dass der Freund den Freund verrät.
Ist das recht gehandelt?
Ich sage dir, wir sind kaum besser als die Politiker.«

John Gay – *Die Bettleroper*

# MONTECITO, KALIFORNIEN

*10. November, 14 Uhr 45*

Die Santa-Ana-Winde sind der Feind jedes Fotografen. Aber wie sollte man das einem egozentrischen Architekten beibringen, der fest glaubte, sein ganzes Renommee hinge davon ab, dass genau heute fünftausend Quadratmeter Bauland in Hanglage für die Nachwelt – und den *Architectural Digest* – im Bild festgehalten wurden. Alles Bemühen, ihm das zu erklären, wäre sinnlos gewesen, denn erreichte man, nachdem man mindestens zehnmal falsch abgebogen war, endlich den Treffpunkt, hatte man sich bereits verspätet, er war wütend, und der trockene Wind wirbelte schon solche Mengen Staub auf, dass man nur noch den Wunsch hatte, so schnell wie möglich zu verschwinden. Das ging aber nur, wenn man sich nicht erst lange mit ihm herumstritt, ob man die Aufnahmen überhaupt machen sollte. Also fotografierte man eben, ohne Rücksicht auf den Staub und die Steppenhexen, diese vom Wind getriebenen Knäuel aus vertrocknetem Unkraut und Pflanzenresten, die eigens von einem Team für Spezialeffekte importiert schienen, um eine kalifornische Parade-Immobilie mit Meeresblick im Wert von mehreren Millionen Dollar aussehen zu lassen wie Barstow im August. Und ohne Rücksicht darauf, dass einem die Staubkörner unter die Kontaktlinsen krochen, sich die Haut anfühlte wie aufgerautes Leder und das Haar wie verbranntes Heu. Wichtig war nur der Job; er war das Einzige, was zählte. Er finanzierte China Rivers Leben, und darum musste er getan werden.

Aber Spaß hatte sie dabei nicht. Als sie die Arbeit beendet hatte, waren ihre Kleider und ihre Haut von einer dicken Staubschicht bedeckt, und sie wollte – abgesehen von einem großen

Glas eiskalten Wassers und einem ausgedehnten Bad in einer kühlen Wanne – nur eines: weg von hier, runter von diesem Hügel und zum Strand. Darum sagte sie: »Das wär's dann. Die Abzüge können Sie sich übermorgen ansehen. Ein Uhr? In Ihrem Büro? Gut. Ich werde da sein.« Sie ging, ohne dem Mann die Chance zu einer Erwiderung zu geben. Seine Reaktion auf ihren abrupten Abgang war ihr ziemlich egal.

In ihrem museumsreifen Plymouth fuhr sie den Hang wieder hinunter, auf einer gut geteerten, glatten Straße, denn Schlaglöcher wurden in Montecito nicht geduldet. Der Weg führte sie an den Häusern der Superreichen von Santa Barbara vorbei, die ihr behütetes Luxusleben hinter hohen Mauern mit elektronisch gesteuerten Toren führten, wo sie in Designerpools badeten und sich danach mit Frotteetüchern abtrockneten, die so weich und weiß waren wie der Schnee in Colorado. Sie bremste gelegentlich aus Rücksicht auf einen der mexikanischen Gärtner, die hinter diesen schützenden Mauern schufteten, oder auf ein paar halbwüchsige Mädchen, die in eng sitzenden Bluejeans und knappen T-Shirts hoch zu Ross dahergaloppierten. Das Haar dieser Mädchen schwang im Sonnenlicht. Alle trugen sie es lang und glatt und glänzend, wie von innen heraus erleuchtet. Sie hatten eine makellose Haut und perfekte Zähne. Und nicht eine von ihnen hatte auch nur ein Gramm unerwünschtes Fett auf dem Körper – ganz gleich, wo. Wie auch? Nicht ein Milligramm zu viel konnte sich länger halten als die Viertelstunde, die sie brauchten, um auf die Badezimmerwaage zu steigen, einen hysterischen Anfall zu bekommen und sich über die Toilette zu werfen.

Einfach erbärmlich, dachte China, diese verwöhnte, magersüchtige Bande. Und was es für die kleinen Gänse noch schlimmer machte: Ihre Mütter sahen wahrscheinlich genauso aus, die perfekten Rollenvorbilder für ein Leben, das aus Fitnesswahn, Schönheitsoperationen, täglichen Massagen, wöchentlicher Maniküre und regelmäßigen Sitzungen beim Analytiker bestand. Es ging doch nichts über einen zahlungskräftigen Versorger, dem das Äußere seiner Frauen das Wichtigste war.

Wenn China in Montecito zu tun hatte, war es jedes Mal das

Gleiche, sie konnte nicht schnell genug wieder wegkommen. Heute erging es ihr nicht anders. Und der Wind und die Hitze dieses Tages trieben sie zusätzlich an, diesen Ort möglichst schnell hinter sich zu lassen. Sie drückten auf ihre Stimmung, und die war ohnehin schon übel genug. So etwas wie ein allgemeines Unbehagen belastete sie, seit heute Morgen der Wecker geklingelt hatte.

Nur der Wecker. Nicht das Telefon. Das war das Problem. Gleich beim Erwachen hatte sie automatisch den Drei-Stunden-Sprung errechnet: zehn Uhr in Manhattan. Warum hatte er noch nicht angerufen? Und in den darauf folgenden Stunden bis zu ihrem Aufbruch nach Montecito hatte sie fast unablässig auf das Telefon gestarrt und innerlich gekocht, was bei beinahe sechsundzwanzig Grad morgens um neun Uhr keine Kunst war.

Sie hatte versucht, sich zu beschäftigen. Sie hatte den ganzen Garten vorn und hinten und sogar den Rasen mit der Kanne gegossen. Sie hatte am Zaun mit Anita Garcia geschwatzt – Hey, China, macht dich das Wetter auch so fertig? Ich bin echt nur noch ein Wrack – und sich teilnahmsvoll angehört, wie sehr ihre Nachbarin in diesem letzten Monat ihrer Schwangerschaft unter Wassereinlagerungen in den Beinen litt. Sie hatte den Plymouth gewaschen und es dank sofortigem Trockenpolieren geschafft, dem Staub, der sich auf ihm niederlassen und sich in Schmiere verwandeln wollte, eine Nasenlänge voraus zu bleiben. Und zweimal war sie ins Haus gerannt, als das Telefon klingelte, aber es waren nur zwei so widerlich schmierige Vertretertypen gewesen, die sich immer erst erkundigten, wie es einem ging, ehe sie loslegten und einem einzureden versuchten, dass sich mit dem Wechsel der Telefongesellschaft auch das eigene Leben von Grund auf verändern würde.

Schließlich war es Zeit gewesen, nach Montecito aufzubrechen. Doch sie war nicht losgefahren, ohne vorher ein letztes Mal den Telefonhörer abzuheben, um sich zu vergewissern, dass ein Signal zu hören war, und ihren Anrufbeantworter zu überprüfen, um sicher zu sein, dass er Nachrichten aufzeichnete.

Die ganze Zeit über war sie wütend auf sich selbst, weil sie es nicht schaffte, ihm den Laufpass zu geben. Aber das war seit Jahren ihr Problem. Seit dreizehn Jahren, genau gesagt. Ach, verdammt, dachte sie, ich hasse die Liebe!

Schließlich klingelte das Telefon doch noch, ihr Handy, als sie auf der Rückfahrt vom Strand schon fast daheim angekommen war. Sie hatte es auf dem Sitz neben sich liegen, und keine fünf Minuten vor dem Stück holprigem Gehweg, von wo der betonierte Fußweg zu ihrer Haustür abbog, begann es zu klingeln. Sie nahm das Gespräch an und hörte Matts Stimme.

»Hallo, du Schöne.« Er wirkte ausgesprochen gut gelaunt.

»Hallo!« Sie ärgerte sich über die Erleichterung, die in ihr hochschoss, als wäre eine Flasche gärender Angst entkorkt worden, und sagte weiter nichts.

Er verstand sofort. »Bist du sauer?«

Sie schwieg. Soll er ruhig schmoren, dachte sie.

»Jetzt hab ich wohl endgültig verspielt?«

»Wo warst du?«, fragte sie gereizt. »Ich dachte, du wolltest heute Morgen anrufen. Ich hab extra zu Hause gewartet. Ich *hasse* das, Matt. Wieso kapierst du das nicht? Wenn du keine Lust hast zu reden, dann sag es vorher, dann kann ich mich darauf einstellen. Warum hast du nicht angerufen?«

»Tut mir Leid. Ich wollte ja. Ich habe den ganzen Tag immer wieder daran gedacht.«

»Und –?«

»Es klingt leider ziemlich dünn, China.«

»Versuch's trotzdem.«

»Okay. Gestern Abend wurde es plötzlich lausekalt. Ich bin den ganzen Morgen rumgerannt und habe versucht, einen anständigen Mantel zu finden.«

»Du konntest nicht von deinem Handy aus anrufen, während du unterwegs warst?«

»Ich habe es im Hotel liegen lassen. Tut mir wirklich Leid.«

Sie hörte die allgegenwärtigen Hintergrundgeräusche Manhattans, den Lärm, den sie immer hörte, wenn er aus New York anrief. Das Hupen der Autos in den Straßenschluchten, das Dröhnen der Presslufthämmer, das wie Geschützdonner klang.

Aber wenn er sein Handy im Hotel gelassen hatte, wieso stand er dann jetzt damit auf der Straße?

»Ich bin auf dem Weg zum Essen«, erklärte er. »Die letzte Besprechung. Des Tages, meine ich.«

Sie hatte den Wagen etwa dreißig Meter von ihrem Haus entfernt in eine freie Lücke eingeparkt. Sie hasste es, im stehenden Auto sitzen zu bleiben, die Klimaanlage des Wagens war zu schwach, um gegen die stickige Hitze im Innern anzukommen. Aber bei Matts letzter Bemerkung wurde die Hitze plötzlich unwichtig und war kaum noch wahrnehmbar. Chinas ganze Aufmerksamkeit war schlagartig auf die Bedeutung seiner Worte konzentriert.

Immerhin hatte sie mittlerweile gelernt, den Mund zu halten, wenn er eine seiner kleinen verbalen Bomben losließ. Früher einmal wäre sie bei einer Bemerkung wie: »Des Tages, meine ich«, wie ein Berserker über ihn hergefallen und hätte versucht, seine Andeutung zu zerpflücken, um ihn festzunageln. Aber im Lauf der Jahre hatte sie begriffen, dass Schweigen ebenso gut wirkte wie Forderungen oder Anschuldigungen. Und es garantierte ihr die überlegene Position, wenn er endlich aussprach, was auszusprechen er hatte vermeiden wollen.

Es kam dann auch in einem Wortschwall: »Also, pass auf, die Situation ist Folgende: Ich muss noch eine Woche hier bleiben. Ich habe die Möglichkeit, mit ein paar Leuten über eine Finanzierung zu reden. Ich muss unbedingt mit ihnen sprechen.«

»Ach, Mensch, Matt, hör doch auf!«

»Nein, wirklich. Hör mir zu, Baby. Diese Typen haben einem Filmemacher von der NYU letztes Jahr ein Vermögen nachgeschmissen. Sie sind auf der Suche nach einem Projekt. Hast du das gehört? Sie sind auf der *Suche*!«

»Woher weißt du das?«

»Ich hab's gehört.«

»Von wem?«

»Also habe ich angerufen, und es ist mir tatsächlich gelungen, einen Termin zu bekommen. Aber erst am nächsten Donnerstag. Deshalb muss ich bleiben.«

»Dann können wir Cambria vergessen.«

»Nein, das machen wir auf jeden Fall. Nur nächste Woche geht's eben nicht.«

»Klar. Wann dann?«

»Tja, das ist das Problem.« Der Straßenlärm am anderen Ende der Leitung schien einen Moment lauter zu werden, als hätte sich Matt, von den Menschenmengen der Stadt am Ende eines Arbeitstags vom Bürgersteig gedrängt, zwischen die Autos gestürzt.

Sie sagte: »Matt? Matt?«, und glaubte einen panikerfüllten Moment lang, die Verbindung wäre abgerissen. Verdammte Handys, verdammtes Netz!

Aber er meldete sich wieder, und es war ruhiger. Er sagte, er sei rasch in ein Restaurant gesprungen. »Für den Film geht es jetzt um alles, China. Wir haben einen Festivalsieger. Mindestens Sundance-Qualität, glaub mir, und du weißt, was das heißen kann. Ich enttäusche dich wirklich nicht gern, aber wenn ich diese Chance sausen lasse, bin ich's nicht wert, überhaupt mit dir wegzufahren. Nicht mal nach Kalamazoo in Michigan. So ist das nun mal.«

»Na gut«, sagte sie, aber es war gar nicht gut, und das würde er an ihrem ausdruckslosen Ton auch merken. Das letzte Mal hatte er es vor einem Monat geschafft, sich zwischen Kontaktgesprächen in Los Angeles und der Jagd nach Geldgebern kreuz und quer im ganzen Land zwei Tage freizuschaufeln, und davor waren es sechs Wochen gewesen, in denen er sich ohne einen Tag Pause der Verfolgung seines Traums gewidmet hatte, während sie sich in ihrer Verzweiflung in eine ungeplante Telefonaktion gestürzt hatte, um ein paar Kunden an Land zu ziehen. »Manchmal frage ich mich«, sagte sie, »ob du's je auf die Reihe kriegen wirst, Matt.«

»Ich weiß. Es kommt einem vor, als dauerte es eine Ewigkeit, einen Film ins Rollen zu bringen. Und manchmal ist es ja auch so. Du kennst doch die Storys. Jahre der Vorbereitung und dann – bum! – auf Anhieb ein Riesenerfolg. Und ich möchte das machen. Ich muss es machen. Es tut mir nur Leid, dass wir dadurch kaum noch Zeit füreinander haben.«

China hörte sich das alles an, während sie einen kleinen Jungen beobachtete, der auf seinem Dreirad den Gehweg hinunterstrampelte, gefolgt von seiner wachsamen Mutter und einem noch wachsameren Schäferhund. Der Kleine gelangte an eine Stelle, wo sich der Beton unter dem Druck einer Baumwurzel aufgewölbt hatte, und das Vorderrad seines Gefährts prallte gegen die Verwerfung. Er versuchte, das Hindernis zu überwinden, aber er war machtlos, bis seine Mutter ihm zu Hilfe kam. Diese Szene rief bei China eine unerklärliche Traurigkeit hervor.

Matt wartete auf ihre Reaktion. Sie hätte gern eine neue Art des Ausdrucks für ihre Enttäuschung gefunden, aber ihr fiel nichts ein. »Ich habe vorhin eigentlich nicht den Film gemeint, Matt«, sagte sie.

»Oh.«

Danach gab es nichts mehr zu bereden. Sie wusste, dass er in New York bleiben würde, um den Termin wahrzunehmen, den er sich so hart erkämpft hatte, und dass sie allein zurechtkommen musste. Wieder ein gebrochenes Versprechen; wieder eine Faust voll Sand im Getriebe des großen Lebensplans.

Sie sagte: »Also dann, Hals- und Beinbruch für die Besprechung.«

»Wir bleiben in Kontakt. Die ganze Woche. In Ordnung?«, erwiderte er. »Ist das okay für dich, China?«

»Hab ich eine Wahl?«, entgegnete sie und verabschiedete sich.

Sie nahm es sich selbst übel, dass sie das Gespräch so abrupt beendet hatte, aber ihr war heiß, sie fühlte sich elend, mutlos und niedergeschlagen … Man konnte es nennen, wie man wollte. Tatsache war, dass sie nichts mehr zu geben hatte.

Sie hasste jene Seite an sich, die an der Zukunft zweifelte, und meistens gelang es ihr, sie zu unterdrücken. Wenn sie jedoch mit ihr durchging und die Herrschaft an sich riss, um ihr das drohende Chaos vor Augen zu halten, führte das niemals zu etwas Gutem. Es machte sie zu einer ängstlichen Person, die sich an den Glauben in eine von ihr seit langem verabscheute Frauenrolle klammerte, in der die Frau sich einzig über den Mann definiert und daher mit allen Mitteln einen finden muss, um ihn zu heiraten und möglichst schnell mit einem Haufen Kindern festzunageln. Niemals würde sie sich dazu hergeben, schwor sie sich immer wieder. Und trotzdem wünschte es ein Teil von ihr.

Dieser trieb sie dazu, Fragen und Forderungen zu stellen und ihre Aufmerksamkeit auf ein *Wir* zu richten, statt auf das *Ich*. Und wenn das geschah, kam es zwischen ihr und dem Mann – der immer Matt gewesen war – zur Wiederholung einer Debatte, die sie seit nunmehr fünf Jahren führten. Stets ging es um Heirat und Ehe, und stets war der Ausgang der Gleiche: Auf der einen Seite sein offenkundiges Widerstreben – als brauchte sie das noch zu hören und zu sehen! –, auf der anderen ihre wütenden Vorwürfe und zum Schluss der Bruch, jeweils von demjenigen herbeigeführt, den die Differenzen, die zwischen ihnen aufbrachen, am heftigsten aufregten.

Aber eben diese Differenzen brachten sie auch immer wieder zusammen. Denn sie würzten die Beziehung mit einer unleugbaren Spannung, die bisher weder sie noch er bei einem anderen Partner gefunden hatten. Matt hatte es wahrscheinlich versucht, da war China sicher. Sie hatte es nicht versucht. Sie wusste seit Jahren, dass Matthew Whitecomb der Richtige für sie war.

Und bei dieser Erkenntnis war China wieder einmal angelangt, als sie ein paar Minuten später ihren Bungalow erreichte: einhundertzehn Quadratmeter Wohnfläche, Baujahr 1920, ehemaliges Wochenendhaus eines Angeleno, eines Bewohners des damaligen Los Angeles. Der Bungalow stand in Gesellschaft ähnlicher kleiner Häuser in einer von Palmen gesäumten Straße, nahe genug am Wasser, um in den Genuss der Meereswinde zu kommen, weit genug entfernt, um erschwinglich zu sein.

Es war ein bescheidenes Häuschen mit fünf kleinen Räumen – wenn man das Badezimmer mitrechnete – und nur neun Fenstern, einer breiten Vorderveranda und jeweils einem rechteckigen Fleckchen Garten hinten und vorn. Vorn begrenzte das Grundstück ein Lattenzaun, von dem der weiße Lack abblätterte und auf die Blumenbeete und den Gehweg fiel.

China schleppte ihre Fotoausrüstung zu dem Tor in diesem Zaun, nachdem sie das Telefongespräch mit Matt beendet hatte.

Die Hitze war hier kaum weniger drückend als draußen in den Hügeln, aber der Wind wehte nicht so stürmisch. Die Palmenblätter knisterten in den Bäumen wie ein Haufen Gebeine, und die Verbene vorn am Zaun, unter der der Boden so trocken war, als wäre er am Morgen nicht gewässert worden, ließ in der weißen Glut müde die lavendelblauen Sternblüten hängen.

Mit den schweren Fototaschen über der Schulter, hob China das schief hängende Tor an und stieß es auf, nichts anderes im Sinn, als sofort den Gartenschlauch zu holen und den Blumen Wasser zu geben. Aber bei dem Anblick, der sich ihr bot, vergaß sie dieses Vorhaben: Ein Mann, der bis auf die Unterhose nackt war, lag bäuchlings mitten auf ihrem Rasen, den Kopf auf ein Bündel aus Bluejeans und verwaschenem gelben T-Shirt gebettet. Schuhe waren nirgends zu sehen, seine Fußsohlen waren schwarz wie die Nacht und die Fersen so schwielig, dass die Haut wie Leder wirkte. Nach dem Sauberkeitsgrad seiner Fesseln und Ellbogen zu urteilen, hielt er nicht viel von Körperpflege. Auf ausreichendes Essen und körperliche Bewegung hingegen schien er durchaus Wert zu legen; er war kräftig gebaut, ohne dick zu sein. Und es war ihm offenbar wichtig, auch genug zu trinken, denn im Augenblick hielt er eine beschlagene Flasche Pellegrino in der Hand.

*Ihr* Pellegrino, wenn sie nicht alles täuschte. Das Wasser, nach dem sie die ganze Fahrt gelechzt hatte.

Er drehte sich träge herum und blinzelte, halb aufgerichtet auf seinen schmutzigen Ellbogen, zu ihr herauf. »Also, bei dir kann echt jeder ins Haus, China.« Er trank einen ausgiebigen Schluck aus der Flasche.

China warf einen Blick zur Veranda. Die Fliegengittertür und die Haustür standen weit offen. »Verdammt noch mal!«, schrie sie. »Bist du schon wieder bei mir eingebrochen?«

Ihr Bruder setzte sich auf und beschattete die Augen. »Hey, wie schaust du denn aus? Dreißig Grad im Schatten, und du rennst rum wie eine Motorradbraut im tiefsten Winter.«

»Und dich wird gleich einer wegen Exhibitionismus anzeigen. Herrgott noch mal, Cherokee, denkst du eigentlich nie nach?

Hier wohnen überall kleine Mädchen. Wenn eine dich so sieht, kreuzen hier binnen einer Viertelstunde die Bullen auf.« Sie runzelte die Stirn. »Hast du Sonnenschutz aufgelegt?«

»Du hast meine Frage nicht beantwortet«, sagte er. »Was soll die Ledermontur? Verspätete Rebellion?« Er lachte. »Wenn Mam diese Hose sähe, würde sie total –«

»Ich trag sie, weil ich sie mag«, unterbrach sie ihn. »Sie ist bequem.« Und ich kann sie mir leisten, fügte sie im Stillen hinzu. Das war beinahe der Hauptgrund: Aus reiner Lust für ein Stück sinnlosen Luxus Geld auszugeben, nachdem sie ihre ganze Kindheit und frühe Jugend hindurch in den Secondhand-Läden die abgelegten Klamotten anderer Leute durchstöbert hatte, um etwas zu finden, das einigermaßen passte, nicht abgrundtief scheußlich war und – darauf achtete sie ihrer Mutter zuliebe – nicht aus Fell oder Tierhaut verarbeitet war.

»Na klar.« Er sprang auf die Füße, als sie an ihm vorüber zur Veranda ging. »Leder bei einem Santa-Ana-Wind. Das ist doch mal so richtig gemütlich. Und so vernünftig.«

»Das ist *mein* Pellegrino!« Sie ließ ihre Fotoausrüstung fallen, sobald sie im Haus war. »Ich hab mich die ganze Heimfahrt darauf gefreut.«

»Wo warst du denn?« Als sie es ihm sagte, lachte er. »Aha! Aufnahmen für einen *Architekten*. Reich und schön, hoffentlich? Und zu haben? Das ist ja echt cool. Dann lass dich mal ansehen.« Er hob die Flasche mit dem Wasser an den Mund und musterte China, während er trank. Als er genug hatte, reichte er die Flasche an sie weiter und sagte: »Den Rest kannst du haben. Deine Haare schauen Scheiße aus. Hör endlich auf, sie zu bleichen. Das steht dir nicht. Und fürs Grundwasser sind die Chemikalien, die da durch den Abfluss rauschen, ganz bestimmt nicht gut.«

»Als ob dich das Grundwasser interessieren würde!«

»Hey, ich hab gewisse Prinzipien.«

»Respekt vor anderer Leute Eigentum gehört offensichtlich nicht dazu.«

»Du kannst von Glück reden, dass nur ich der Einbrecher war«, sagte er. »Wegzufahren und die Fenster offen zu lassen, ist schon ganz schön blöd. Und deine Fliegenfenster sind ein Witz. Für die hat ein Taschenmesser gereicht.«

China sah, wie ihr Bruder sich Zugang zu ihrem Haus verschafft hatte. Er hatte sich, wie das seine Art war, gar nicht bemüht, seine Spuren zu verwischen. In einem der beiden Wohnzimmerfenster fehlte das alte Fliegengitter, das nur mit Haken und Ösen am Fensterbrett verankert und daher für Cherokee leicht herauszunehmen gewesen war. Wenigstens war ihr Bruder so schlau gewesen, durch ein Fenster einzudringen, das der Straße abgewandt und außer Sicht der Nachbarn lag, von denen jeder sofort die Polizei geholt hätte.

Mit der Flasche in der Hand ging sie in die Küche, goss das, was von dem Mineralwasser noch übrig war, in ein Glas und warf ein Limettenschnitz hinein. Sie schwenkte es ein paar Mal herum, dann trank sie das Glas leer und stellte es, unbefriedigt und verärgert, ins Spülbecken.

»Was tust du überhaupt hier?«, fragte sie ihren Bruder. »Wie bist du hergekommen? Hast du dein Auto repariert?«

»Den Schrotthaufen?« Er ging auf nackten Füßen über das Linoleum zum Kühlschrank, öffnete ihn und wühlte in den Plastikbeuteln voll Obst und Gemüse herum. Mit einer roten Paprika in der Hand richtete er sich wieder auf, ging mit der Frucht zur Spüle und wusch sie gründlich, bevor er ein Messer aus einer Schublade nahm und sie durchschnitt. Er reinigte beide Hälften und reichte die eine seiner Schwester. »Ich hab einiges am Laufen, da brauch ich sowieso keinen Wagen.«

China biss nicht an. Sie kannte die Art ihres Bruders, sie mit Andeutungen zu locken. »Jeder Mensch braucht ein Auto.«

Sie legte die Paprika auf den Küchentisch und ging in ihr Schlafzimmer, um sich umzuziehen. In der Lederkluft schwitzte man bei diesen Temperaturen wie in einer Sauna. Man sah zwar toll aus darin, aber man fühlte sich beschissen.

»Ich hoffe, du bist nicht hergekommen, weil du dir meines ausleihen willst«, rief sie zu ihm hinaus. »Das bekommst du nämlich nicht. Frag Mam, ob sie dir ihres leiht. Ich nehme an, sie hat's noch.«

»Kommst du zu Thanksgiving runter?«, rief Cherokee zurück.

»Wen interessiert das?«

»Rate mal.«

»Ach, telefonieren kann sie wohl nicht?«

»Ich hab ihr erzählt, dass ich zu dir fahre, da hat sie gesagt, ich soll dich fragen. Also – kommst du?«

»Ich rede mal mit Matt.« Sie hängte die Lederhose und die Weste in den Schrank und warf die seidene Bluse zu den Sachen für die Reinigung. In einem losen Hawaii-Kleid und Sandalen ging sie wieder zu ihrem Bruder hinaus.

»Wo ist der gute Matt überhaupt?« Er hatte seine halbe Paprika schon gegessen und sich ihre Hälfte vorgenommen.

Sie riss sie ihm aus der Hand und biss hinein. Das Fruchtfleisch war kühl und süß, half ein wenig gegen die Hitze und den Durst. »Weg«, sagte sie. »Cherokee, würdest du dir bitte was anziehen?«

»Warum denn?« Er grinste anzüglich und schob ihr sein Becken entgegen. »Mach ich dich an?«

»Du bist nicht mein Typ.«

»Was heißt weg?«

»Er ist in New York. Geschäftlich. Also, ziehst du dir jetzt was über?«

Mit einem Schulterzucken ging er, und einen Moment später hörte sie die Fliegengittertür hinter ihm zuschlagen. In der muffigen Besenkammer, in der sie ihre Vorräte aufbewahrte, fand sie noch eine Flasche Wasser, goss sich ein Glas ein und gab ein paar Eiswürfel dazu.

»Du hast überhaupt nicht gefragt.«

Sie drehte sich herum. Cherokee präsentierte sich angekleidet – wie verlangt – in einem T-Shirt, das vom vielen Waschen eingegangen war, und einer Bluejeans, die tief auf seinen Hüften hing und so lang war, dass die Säume der Hosenbeine den Fußboden streiften. Nicht zum ersten Mal dachte China, als sie ihn betrachtete, dass er wie ein Anachronismus wirkte. Mit den zu langen rotblonden Locken, den schmuddeligen Kleidern, den nackten Füßen und seinem ganzen Auftreten nach hätte er ein verspäteter Hippie sein können. Was ihre gemeinsame Mutter zweifellos mit Stolz erfüllte, bei seinem Vater Beifall hervorrief und bei ihrem Vater Gelächter. Bei China jedoch – ärgerliche Ungeduld. Trotz seines Alters und seines straffen Körpers wirkte Cherokee immer noch so, als wäre er zu verletzlich, um das Leben allein zu meistern.

»Hey, du hast mich gar nicht gefragt«, sagte er noch einmal.

»Was denn?«

»Was ich am Laufen hab. Warum ich kein Auto mehr brauche. Ich bin übrigens per Anhalter gekommen. Aber das ist auch nicht mehr das, was es mal war. Ich bin seit gestern Mittag unterwegs.«

»Genau deswegen brauchst du ein Auto.«

»Aber nicht für das, was ich vorhabe.«

»Ich hab's dir schon gesagt, mein Auto kriegst du nicht. Das brauch ich für die Arbeit. Und wieso bist du nicht in der Uni? Hast du's wieder mal geschmissen?«

»Ich hab aufgehört. Ich brauche mehr Zeit für die Papers. Das ist ein Riesengeschäft, sag ich dir. Du hast keine Ahnung, wie viele gewissenlose Studenten es heutzutage gibt, China. Wenn ich daraus eine berufliche Karriere machen wollte, könnte ich mich wahrscheinlich mit vierzig zur Ruhe setzen.«

China verdrehte die Augen. Die *Papers* waren Prüfungsarbeiten, Hausarbeiten, Aufsätze, gelegentlich eine Magisterarbeit und, bisher, zwei Dissertationen. Cherokee schrieb sie für zahlungskräftige Studenten, die keine Lust hatten, sich selbst zu bemühen. Das hatte schon vor langem Anlass zu der Frage gegeben, warum Cherokee – der auf nichts, was er gegen Bezahlung geschrieben hatte, etwas Schlechteres als eine Zwei bekommen hatte – es nicht schaffte, sein Studium durchzuziehen. Es war nicht mehr zu zählen, wie oft er an der Universität von Kalifornien angefangen und wieder aufgehört hatte. Cherokee allerdings hatte eine simple Erklärung für seine durchwachsene Universitätskarriere: »Wenn mir die Uni für meine Arbeit das Gleiche bezahlen würde wie die Studenten, die mich anheuern, würde ich gern arbeiten.«

»Weiß Mam, dass du's schon wieder geschmissen hast?«, fragte China ihren Bruder.

»Ich häng nicht mehr am Gängelband.«

»Natürlich nicht.« China, die nichts zu Mittag gegessen hatte, merkte, dass sie hungrig war. Sie nahm aus dem Kühlschrank die Zutaten, die sie für einen Salat brauchte, und stellte einen Teller auf den Tisch – ein Wink, von dem sie hoffte, ihr Bruder würde ihn verstehen.

»Also frag mich endlich.« Er zog einen Stuhl zu sich heran und setzte sich. Aus dem bunten Korb in der Mitte des Tischs nahm er sich einen Apfel und schien erst, als er schon hineinbeißen wollte, zu merken, dass es eine künstliche Frucht war.

Sie packte den Romanasalat aus und begann, die Blätter zu zerpflücken. »Was soll ich dich fragen?«

»Das weißt du ganz genau. Du fragst absichtlich nicht. Okay, dann frag ich eben für dich. ›Was hast du denn Tolles vor, Cherokee? Was hast du am Laufen? Warum brauchst du kein Auto mehr?‹ Jetzt kommt die Antwort: Weil ich mir ein Boot kaufe. Und das Boot deckt alles ab – Transport, Einkommen, Unterkunft.«

»Träum weiter, Butch«, murmelte China. Cherokees Lebenseinstellung hatte in vielerlei Hinsicht eine fatale Ähnlichkeit mit der dieses Banditen aus dem Wilden Westen: Immer ging es darum, das schnelle Geld zu machen, etwas umsonst zu bekommen, gut zu leben.

»Nein«, widersprach er. »Das ist eine todsichere Sache. Das richtige Boot hab ich schon gefunden. Es liegt unten in Newport – ein Fischkutter. Im Augenblick nehmen sie Leute zum Fang mit raus. Gute Kohle. Sie fischen Tunfisch und Makrelen. Meistens sind es Tagesausflüge. Die richtig fette Kohle verdienen sie mit Fahrten runter zur Baja. Es muss einiges dran gemacht werden, aber ich würde auf dem Boot wohnen, während ich es richte. Was ich an Material brauche, würde ich mir dort in den Ausstattungsgeschäften besorgen – dazu brauche ich kein Auto –, und ich würde das ganze Jahr über Leute mit rausnehmen.«

»Was verstehst du denn schon von der Hochseefischerei? Und von Booten? Und woher willst du überhaupt das Geld nehmen?« China schnitt ein Stück Gurke in den Romanasalat. Sie betrachtete Cherokees unerwartetes Auftauchen im Licht ihrer letzten Frage und sagte: »Fang gar nicht erst davon an, Bruderherz.«

»Hey! Wofür hältst du mich? Ich sagte doch, dass ich was am Laufen habe, und das stimmt auch. Verdammt noch mal, ich dachte, du würdest dich für mich freuen. Ich hab nicht mal versucht, Mam anzupumpen.«

»Weil die so viel Geld hat!«

»Sie hat immerhin das Haus. Ich hätte sie bitten können, es mir zu überschreiben, damit ich eine zweite Hypothek aufnehmen und mir das Geld auf die Weise beschaffen kann. Sie hätte sofort mitgemacht, und das weißt du auch.«

China musste ihm zustimmen. Wann hatte ihre Mutter zu Cherokees zweifelhaften Projekten je nein gesagt? *Er hat Asthma*, pflegte sie in seiner Kindheit entschuldigend zu sagen. Und später war der Spruch zu: *Er ist eben ein Mann* mutiert.

»Bei mir brauchst du es jedenfalls auch nicht zu versuchen«, sagte China. »Was ich habe, ist für mich und Matt und die Zukunft.«

»Als ob ...« Cherokee stand auf, ging zur Küchentür und öffnete sie. Die Hände an den Rahmen gestützt, blickte er hinaus in den ausgedörrten Garten.

»Als ob was?«

»Ach, vergiss es.«

China wusch zwei Tomaten und begann, sie aufzuschneiden. Sie warf einen Blick auf ihren Bruder. Mit zusammengezogenen Augenbrauen stand er da und kaute auf der Unterlippe. Sie konnte in seinem Gesicht lesen wie in einem offenen Buch: Er heckte etwas aus.

»Ich hab was gespart«, sagte er. »Es reicht natürlich nicht, aber ich sehe eine Möglichkeit, mir einen ganz netten Batzen dazuzuverdienen.«

»Du willst behaupten, du hättest dir die ganze mühselige Tramperei hier herauf *nicht* angetan, um mich um einen kleinen Zuschuss zu bitten? Du hast dir vierundzwanzig Stunden am Straßenrand um die Ohren geschlagen, um mir einen Freundschaftsbesuch zu machen und von deinen Plänen zu erzählen?

Mich zu fragen, ob ich Thanksgiving zu Mam fahre? Logisch ist das nicht gerade. Es gibt Telefone. E-Mail. Telegramme. Zur Not auch Rauchzeichen.«

Er drehte sich zu ihr um und sah einen Moment schweigend zu, während sie eine Hand voll Champignons säuberte. »Wenn du's genau wissen willst«, sagte er schließlich, »hab ich zwei kostenlose Flugtickets nach Europa und dachte, meine kleine Schwester hätte vielleicht Lust, mitzukommen. Darum bin ich hier. Um zu fragen, ob du mitfliegst. Du warst doch noch nie dort, oder? Nenn's einfach ein vorzeitiges Weihnachtsgeschenk.«

China ließ das Messer sinken. »Wie, zum Teufel, bist du an zwei kostenlose Tickets nach Europa gekommen?«

»Kurierdienst.«

Kuriere, erklärte er, wurden eingesetzt, um Dokumente und Unterlagen von den Vereinigten Staaten an Bestimmungsorte rund um die Erde zu befördern, wenn der Absender fürchtete, die üblichen Beförderungsdienste wie Post, Federal Express oder UPS würden sie nicht sicher und rechtzeitig an den Empfänger ausliefern können. Unternehmen oder Privatpersonen kauften daher dem interessierten Reisenden ein Ticket an den Zielort – manchmal zahlten sie obendrein ein Honorar –, und sobald die Sendung in den Händen des Empfängers angelangt war, konnte der Kurier sich entweder ein paar schöne Tage vor Ort machen oder aber von dort aus weiterreisen, ganz wie er wollte.

Bei Cherokee war es so gewesen, dass er am Schwarzen Brett der Universität in Irvine eine Anzeige gesehen hatte – »von einem Anwalt in Tustin, wie sich herausstellte« –, in der es hieß, man suche einen Kurier zur Beförderung einer Sendung nach Großbritannien und sei bereit, neben zwei Flugtickets ein angemessenes Honorar zu bezahlen. Cherokee hatte sich beworben und war unter der Bedingung genommen worden, dass er »auf korrekte Kleidung und einen ordentlichen Haarschnitt« achtete.

»Fünftausend Dollar Honorar«, schloss Cherokee aufgekratzt. »Wenn das kein guter Deal ist!«

»Was?! Fünftausend Dollar?« China war augenblicklich misstrauisch. »Moment mal, Cherokee. Was ist das für eine Sendung?«

»Baupläne. Deswegen hab ich ja bei dem zweiten Ticket sofort an dich gedacht. Architektur – das ist doch genau dein Ding.« Cherokee kehrte an den Tisch zurück, drehte den Stuhl herum und ließ sich diesmal rittlings darauf nieder.

»Und warum bringt der Architekt die Pläne nicht selbst rüber? Oder mailt sie übers Internet? Dafür gibt's extra ein Programm, oder wenn der Empfänger es nicht hat, warum schickt er dann die Pläne nicht per Diskette rüber?«

»Keine Ahnung! Ist mir auch egal. Fünf Riesen und ein Flugticket, China. Überleg doch mal.«

»Eben!« China schüttelte den Kopf. »Das kann nicht sauber sein. Nein, auf mich brauchst du da nicht zu zählen.«

»Hey! Wir reden von *Europa*. Big Ben. Der Eiffelturm. Das Kolosseum!«

»Dann amüsier dich mal gut. Wenn du nicht vorher am Zoll wegen Heroinschmuggel verhaftet wirst.«

»Glaub mir, die Sache ist total einwandfrei.«

»Fünftausend Dollar, nur um ein harmloses Päckchen zu befördern? Das glaub ich nie.«

»Mensch, China, sei nicht so. Du *musst* mitkommen.«

In seiner Stimme schwang ein Unterton, der sich als Ungeduld zu tarnen suchte, aber zu Verzweiflung zu werden drohte, und China sagte argwöhnisch: »Was ist los, Cherokee? Sag mir die Wahrheit.«

Cherokee zupfte an der Vinylkordel rund um den Rand der Stuhllehne. »Also, der Deal läuft nur, wenn ich mit meiner Frau reise.«

»Was?«

»Ich meine, die Tickets sind für ein Ehepaar. Das wusste ich erst nicht, aber als der Anwalt gefragt hat, ob ich verheiratet bin, hab ich ja gesagt, weil ich ihm angesehen habe, dass er darauf gewartet hat.«

»Aber warum denn?«

»Ist doch völlig egal. Merkt doch kein Mensch, dass wir kein Paar sind. Wir haben den gleichen Nachnamen. Wir sehen uns nicht ähnlich. Wir tun einfach so –«

»Nein! Ich meine, warum muss ein Ehepaar das Päckchen rüberbringen? In ›korrekter Kleidung‹ und mit einem ›ordentlichen Haarschnitt‹. Damit sie nicht auffallen, sondern möglichst harmlos aussehen und auf keinen Fall Verdacht erregen? Mensch, Cherokee, jetzt schalte doch mal dein Hirn ein. Das ist garantiert eine Schmuggelgeschichte, und du landest im Knast.«

»Du siehst wirklich überall Gespenster. Ich hab's nachgeprüft. Wir haben es mit einem Anwalt zu tun. Er ist echt, sag ich dir.«

»Na klar, das erhöht mein Vertrauen ganz ungemein.« Sie verteilte kleine Karotten auf dem Tellerrand, streute eine Hand voll Kürbiskerne über den Salat, träufelte Zitrone darauf und trug den Teller zum Tisch. »Also, ich mach da nicht mit. Du musst dir schon eine andere Mrs. River suchen.«

»Aber es ist niemand anders da. Und selbst wenn ich auf die Schnelle jemanden finden könnte – auf den Tickets muss River stehen, und der Pass muss mit dem Ticket übereinstimmen und... Komm schon, China.« Er hörte sich an wie ein kleiner Junge, der nicht glauben konnte, dass sein schöner Plan, von dem er geglaubt hatte, er ließe sich mit einem Abstecher nach Santa Barbara leicht verwirklichen, ins Wasser zu fallen drohte. Das war typisch Cherokee: Hey, ich hab eine Idee – und natürlich machten die anderen einfach mit.

Aber China war dazu nicht bereit. Sie liebte ihren Bruder. Obwohl er der Ältere war, hatte sie ihn immer bemuttert, nicht nur in der Kindheit, sondern auch später noch, als sie beide Teenager gewesen waren. Aber so sehr sie Cherokee liebte, sie würde ihn keinesfalls bei einem Plan unterstützen, der zwar vielleicht leicht verdientes Geld, aber auch sie beide in Gefahr bringen würde.

»Kommt nicht in Frage«, sagte sie. »Vergiss es. Such dir einen Job. Irgendwann musst du mal dem wahren Leben ins Gesicht sehen.«

»Das versuch ich doch gerade.«

»Dann such dir eine *geregelte* Arbeit. Früher oder später musst du das sowieso tun. Dann am besten gleich.«

»Na toll!« Er sprang auf. »Das ist echt klasse, China. Such dir eine geregelte Arbeit. Sieh dem wahren Leben ins Gesicht. Und ich bemüh mich, hab sogar schon eine Idee, wie ich drei Fliegen mit einer Klappe schlage – Job, Haus und Geld –, aber dir ist das offensichtlich nicht gut genug. Es muss das wahre Leben sein und ein Job, so wie du ihn dir vorstellst.« Er stürmte zur Tür hinaus in den Garten.

China folgte ihm. Ein Vogelbad stand in der Mitte des vertrockneten Rasens, Cherokee kippte das Wasser aus, packte eine Drahtbürste neben dem Sockel und attackierte damit zornig schrubbend die Algen im geriffelten Becken. Er lief zum Haus, wo ein zusammengerollter Schlauch lag, drehte das Wasser auf und zog den Schlauch zum Vogelbecken, um es neu zu füllen.

»Jetzt hör doch mal zu«, sagte China.

»Vergiss es«, entgegnete er. »Du findest es blöd. Und mich findest du genauso blöd.«

»Hab ich das gesagt?«

»Ich will nicht so leben wie alle anderen – jeden Tag malochen von acht bis fünf für ein paar lausige Kröten –, aber das passt dir nicht. Für dich gibt es nur eine Art, sein Leben zu führen, und jeder, der andere Vorstellungen hat, ist unrealistisch und blöd und kann nur im Knast enden.«

»Wo kommt denn das alles her?«

»Deiner Ansicht nach soll ich mich für Peanuts krumm und bucklig schuften und die paar Mäuse auch noch brav auf die hohe Kante legen, damit ich am Ende mit einer Hypothek und einem Stall voll Kinder und einer Ehefrau dastehe, die vielleicht eine *bessere* Ehefrau und Mutter ist als Mam. Aber das ist *dein* Lebensentwurf! Nicht meiner.« Er schleuderte den Schlauch auf die Erde.

»Das hat mit Lebensentwürfen gar nichts zu tun. Hier geht's um vernünftige Überlegung. Schau dir doch mal genau an, was du da vorhast, was man dir anträgt!«

»Geld«, sagte er. »Fünftausend Dollar. Fünftausend Dollar, die ich, verdammt noch mal, brauche.«

»Um dir ein Boot zu kaufen, obwohl du von Booten nichts verstehst? Und mit irgendwelchen Leuten weiß Gott wohin zum Fischfang rauszufahren, von dem du auch keine Ahnung hast?

Denk doch wenigstens mal nach! Wenn schon nicht über das Boot, dann wenigstens über die Kuriergeschichte.«

»Ich?« Er lachte scharf. »Ich soll nachdenken? Und wann fängst du mal damit an?«

»Ich? Wie –«

»Ich kann's nicht fassen. Du sagst mir, wie ich mein Leben zu führen habe, während deines ein einziger Witz ist und du es nicht mal merkst. *Ich* biete dir eine Chance, da rauszukommen, zum ersten Mal seit Jahren – zehn Jahren oder mehr – was zu ändern, und dir fällt nichts Besseres ein, als –«

»Was? Wo soll ich rauskommen?«

»– mich niederzumachen, weil dir mein Lebensstil nicht gefällt. Dass deiner viel erbärmlicher ist, das siehst du gar nicht.«

»Was weißt du denn schon über mein Leben?« Sie war jetzt auch aufgebracht. Sie hasste diese Art ihres Bruders, die Dinge zu verdrehen. Wenn man mit ihm über die Entscheidungen sprechen wollte, die er getroffen hatte oder zu treffen gedachte, drehte er unweigerlich den Spieß um und nahm einen selbst aufs Korn. Immer ging er sofort zum Angriff über, dem man nur unbeschadet entkommen konnte, wenn man schlagfertig war. »Erst lässt du dich monatelang nicht sehen, dann brichst du in mein Haus ein, verlangst meine Hilfe bei irgendeinem zwielichtigen Geschäft, und wenn ich dann nicht spure, wie du es erwartet hast, bin plötzlich ich an allem schuld. Aber dieses Spiel mache ich nicht mit, mein Lieber.«

»Logo. Du machst nur Matts Spielchen mit.«

»Was soll das heißen?«, fragte China scharf, aber sie konnte es nicht ändern: Bei der Nennung von Matts Namen erschrak sie.

»Mein Gott, China. Du findest *mich* dumm! Aber wann wirst du eigentlich mal gescheit?«

»Wie meinst du das? Wovon redest du?«

»Na, dieses ganze Getue mit Matt. Du lebst für Matt. Du sparst für Matt. Lächerlich ist das. Ach was, jämmerlich! Mensch, du bist so blind, dass du bis heute nicht gemerkt hast –« Er brach ab, als wäre ihm plötzlich eingefallen, wo er sich befand, mit wem er zusammen war und wie sie an diesen Punkt gekommen waren. Er bückte sich, hob den Schlauch auf, trug ihn zum Haus zurück und stellte das Wasser ab. Mit übertriebener Genauigkeit rollte er den Schlauch wieder zusammen.

China sah ihm zu. Ihr war auf einmal, als sei ihr ganzes Leben – die Vergangenheit und die Zukunft – auf diesen einen Moment geschrumpft, in dem sie wusste und nicht wusste, beides zugleich.

»Was weißt du von Matt?«, fragte sie ihren Bruder.

Einen Teil der Antwort kannte sie schon. Sie waren alle drei Teenager in demselben heruntergekommenen Viertel einer Stadt namens Orange gewesen, wo Matt Surfer gewesen war, Cherokee sein Fan und China der Schatten der beiden. Einen anderen Teil der Antwort jedoch hatte sie nie erfahren, weil der in den Stunden und Tagen versteckt war, in denen die beiden Jungen allein losgezogen waren, um in Huntington Beach die Wellen zu reiten.

»Vergiss es.« Cherokee drängte sich an ihr vorbei und ging wieder ins Haus.

Sie folgte ihm. Aber er machte weder in der Küche noch im Wohnzimmer Halt. Er ging direkt nach vorn durch, zog die Fliegengittertür auf und trat auf die windschiefe Veranda. Erst dort blieb er stehen und sah mit zusammengekniffenen Augen zur hellen, heißen Straße hinaus, wo die Sonne auf die geparkten Autos herunterbrannte und ein Windstoß welkes Laub raschelnd über das Pflaster fegte.

»Ich finde, du solltest mir sagen, worauf du anspielst«, sagte China. »Du hast davon angefangen. Jetzt bring es auch zu Ende.«

»Vergiss es«, sagte er erneut.

»Du hast von jämmerlich gesprochen. Von lächerlich. Von einem Spiel.«

»Das ist mir nur so rausgerutscht«, sagte er. »Ich war sauer.«

»Du triffst Matt doch, wenn er seine Eltern besucht. Und dann redest du auch mit ihm, oder nicht? Was weißt du, Cherokee? Hat er –« Sie wusste nicht, ob sie es wirklich aussprechen konnte, so groß war ihre Angst vor der Gewissheit. Aber da waren seine langen Abwesenheiten, seine Reisen nach New York, seine Absagen. Er lebte zwar in Los Angeles, wenn er nicht auf Reisen war, aber wenn er wirklich einmal zu Hause war, hatte er fast immer so viel zu tun, dass nicht einmal Zeit für ein Wochenende mit ihr blieb. Sie hatte sich einzureden versucht, dass das alles – gemessen an den gemeinsam verbrachten Jahren – keine Bedeutung hatte. Aber ihre Zweifel waren gewachsen, und jetzt standen sie vor ihr und forderten, anerkannt oder verworfen zu werden.

»Hat Matthew eine andere?«, fragte sie ihren Bruder.

Prustend schüttelte er den Kopf. Aber es schien weniger eine Antwort auf ihre Frage zu sein als eine Reaktion auf die Tatsache, dass sie die Frage überhaupt gestellt hatte.

»Fünfzig Dollar und ein Surfbrett hab ich verlangt«, sagte er. »Ich hab für die Ware garantiert – sei einfach nett zu ihr, hab ich gesagt, dann macht sie schon mit –, und daraufhin hat er gezahlt.«

China hörte die Worte, und im ersten Moment weigerte sich ihr Hirn, sie aufzunehmen. Aber sie erinnerte sich; erinnerte sich, wie Cherokee damals mit dem Surfbrett nach Hause gekommen war und triumphierend gerufen hatte: »Matt hat es mir geschenkt!« Und sie erinnerte sich an das, was folgte: Sie war siebzehn Jahre alt gewesen, ungeküsst und unberührt, ohne jede Erfahrung mit jungen Männern, und eines Tages war Matthew Whitecomb gekommen – groß und schüchtern, auf dem Surfbrett ein Ass, aber Mädchen gegenüber ein Tollpatsch – und hatte sie vor Verlegenheit stammelnd gefragt, ob sie einmal mit ihm ausgehen würde. Nur war das nicht Verlegenheit gewesen, sondern das Verlangen danach, die Ware in Besitz zu nehmen, die er ihrem Bruder abgekauft hatte.

»Du hast mich *verkauft* –«

Cherokee drehte sich herum und sah sie an. »Er findet dich gut im Bett, China. Das ist es. Das ist alles. Weiter nichts.«

»Das glaube ich dir nicht.« Aber ihr Mund war trocken, trockener als ihre Haut sich im heißen Wüstenwind angefühlt hatte, trockener sogar als die ausgedörrte, brüchige Erde, in der die Blumen welkten und die Regenwürmer sich verkrochen.

Sie tastete hinter sich nach dem rostigen Knauf der alten Fliegengittertür und ging ins Haus. Ihr Bruder folgte ihr betreten, sie hörte es an seinem schlurfenden Schritt.

»Ich wollte es dir nicht sagen«, erklärte er. »Es tut mir Leid. Ich wollte es dir niemals sagen.«

»Hau ab!«, erwiderte sie. »Geh einfach weg. Los, geh!«

»Du weißt, dass ich die Wahrheit sage. Du weißt es, weil du schon lange spürst, dass es zwischen euch nicht stimmt, schon eine ganze Weile nicht mehr.«

»Ich weiß nichts Dergleichen«, behauptete sie.

»Doch, du weißt es. Und es ist besser, es zu wissen. Jetzt kannst du ihn gehen lassen.« Er trat hinter sie und legte ihr – ungewohnt zaghaft, wie ihr schien – die Hand auf die Schulter. »Komm mit nach Europa, China«, sagte er leise. »Da wird das Vergessen leichter.«

Sie schüttelte seine Hand ab und drehte sich nach ihm um. »Mit dir würde ich nicht mal vor die Tür gehen.«

## INSEL GUERNSEY
## Ärmelkanal

*5. Dezember, 6 Uhr 30*

Ruth Brouard fuhr erschrocken aus dem Schlaf. Irgendetwas stimmte nicht im Haus. Sie blieb still liegen und lauschte in die Dunkelheit, wie sie es vor vielen Jahren gelernt hatte, als es galt, abzuwarten, ob das Geräusch sich wiederholen würde, und daraus zu schließen, ob sie in ihrem Versteck sicher war oder fliehen sollte. Was für ein Geräusch das eben gewesen war, hätte sie in diesem Moment angestrengten Horchens nicht sagen können, aber es war nicht einer der gewohnten nächtlichen Laute gewesen wie das Ächzen des Hauses, das Klappern eines Fensters in seinem Rahmen, das Rauschen des Windes oder der Schrei einer Möwe, die im Schlaf gestört worden war. Ihr Puls begann schneller zu schlagen, während sie sich, immer noch angespannt lauschend, zwang, die verschiedenen Gegenstände im Zimmer zu unterscheiden, um jeden Einzelnen zu mustern und seinen Standort in der Dunkelheit mit jenem zu vergleichen, den er bei Tag innehatte, wenn weder Gespenster noch Einbrecher es wagen würden, den Frieden des alten Herrenhauses zu stören, in dem sie lebte.

Sie hörte nichts Ungewöhnliches mehr und schrieb ihr plötzliches Erwachen einem Traum zu, an den sie sich nicht erinnern konnte. Die Überempfindlichkeit ihrer Nerven lastete sie ihrer Fantasie an und dem Medikament, das sie einnahm, das stärkste Schmerzmittel, das der Arzt ihr anstelle des Morphiums, das ihr Körper brauchte, zu geben bereit war.

Sie stöhnte leise, als der Schmerz sich in ihren Schultern sammelte und in ihre Arme ergoss. Ärzte, dachte sie, waren moderne Krieger, ausgebildet, den Feind im Inneren bis auf die letzte Zelle zu bekämpfen. Darauf waren sie programmiert, und sie war dankbar dafür. Doch es gab Momente, da wusste der Patient mehr als der Arzt, und so ein Moment war jetzt gekommen. Sechs Monate, dachte sie. Zwei Wochen bis zu ihrem sechsundsechzigsten Geburtstag, den siebenundsechzigsten würde sie nicht mehr erleben. Nach einer Ruhepause von zwanzig Jahren, in der sie sich zum Optimismus hatte verführen lassen, hatte die teuflische Krankheit es geschafft, von ihrer Brust in ihre Knochen vorzustoßen.

Sie drehte sich vom Rücken auf die Seite, und ihr Blick fiel auf die rote Digitalanzeige des Weckers neben ihrem Bett. Es war später, als sie gedacht hatte. Sie hatte sich von der Jahreszeit irreführen lassen und wegen der Dunkelheit angenommen, es wäre erst zwei oder drei Uhr; aber es war schon halb sieben, nur eine Stunde vor der Zeit, zu der sie gewöhnlich aufstand.

In dem Zimmer nebenan nahm sie ein Geräusch wahr, aber kein ungewöhnliches, das Traum oder Fantasie entsprungen war. Es war das sachte Reiben von Holz auf Holz, als eine Schranktür geöffnet und wieder geschlossen, eine Kommodenschublade aufgezogen und wieder zugeschoben wurde. Etwas schlug mit gedämpftem Aufprall auf den Boden, und Ruth sah ihn augenblicklich vor sich, wie er in der Hast die Laufschuhe fallen ließ.

Er hatte sich wahrscheinlich schon in seine Badehose hineingezwängt – dieses Zipfelchen himmelblauen Lycras, das sie für einen Mann seines Alters absolut unpassend fand – und seinen Trainingsanzug darüber gezogen. Nun brauchte er nur noch in die Schuhe zu schlüpfen, und eben das tat er im Moment, wie ein Knarren des Schaukelstuhls Ruth verriet.

Lächelnd lauschte sie dem Tun ihres Bruders. Guy war so zuverlässig wie die Wiederkehr der Jahreszeiten. Er hatte gestern Abend gesagt, dass er am Morgen schwimmen gehen würde, also tat er das auch – wie im Übrigen jeden Morgen. Durch den Park pflegte er zur Straße zu laufen und in strammem Tempo, um warm zu werden, zum Strand hinunterzumarschieren, allein auf der schmalen Serpentinenstraße, die einen Zickzacktunnel in die Bäume schnitt. Mehr als alles andere bewunderte Ruth an ihrem

Bruder seine Fähigkeit, an seinen Plänen festzuhalten und sie zum Erfolg zu führen.

Sie hörte ihn seine Zimmertür schließen und wusste schon, wie es weitergehen würde: In der Dunkelheit würde er sich den Weg zum Wäscheschrank ertasten und ein Handtuch herausnehmen. Dafür würde er vielleicht zehn Sekunden brauchen, danach aber sicher fünf Minuten, um seine Schwimmbrille zu suchen, die er bei seiner Heimkehr gewöhnlich gedankenlos irgendwo hinzuwerfen pflegte, in den Messerkasten oder den Zeitungsständer oder aufs Büfett im Frühstückszimmer. Mit der Schwimmbrille in der Hand würde er in die Küche gehen, um sich einen Tee zu kochen – eine dampfende Mischung aus Ginkgo und Grüntee, die er stets auf seinen Morgenausflug mitnahm, als Belohnung nach einem Bad bei Wassertemperaturen, die gewöhnliche Sterbliche abgeschreckt hätten –, und dann losgehen, über den Rasen zu den Kastanien, zur Auffahrt dahinter und weiter bis zu der Mauer, die das Anwesen begrenzte. Wie immer. Wieder lächelte sie bei dem Gedanken an diese Zuverlässigkeit ihres Bruders, ein Wesenszug, den sie an ihm am meisten liebte und dem es zu verdanken war, dass Ruth sich geborgen fühlte, obwohl es eigentlich anders hätte sein müssen.

Sie sah zu, wie die Ziffern auf ihrer Digitaluhr umsprangen, während die Minuten verstrichen und ihr Bruder seine Vorbereitungen traf. Jetzt stand er wahrscheinlich am Wäscheschrank, jetzt ging er die Treppe hinunter, suchte die Schwimmbrille und verfluchte sein Gedächtnis, das ihn nun, da er sich den Siebzig näherte, immer öfter im Stich ließ, jetzt war er vermutlich in der Küche und genehmigte sich vielleicht sogar heimlich einen kleinen Imbiss vor dem Schwimmen.

In dem Moment, an dem das allmorgendliche Ritual Guy aller Voraussicht nach aus dem Haus führen würde, stand Ruth auf und hängte sich ihren Morgenrock um die Schultern. Mit nackten Füßen ging sie zum Fenster und zog den schweren Vorhang auf die Seite. Sie zählte von zwanzig rückwärts, und als sie bei fünf ankam, sah sie ihn unten aus dem Haus treten, so zuverlässig wie der Ablauf der Stunden, die den Tag bestimmten, wie der Dezemberwind, der das Salz des Ärmelkanals über das Land wehte.

Er hatte an, was er immer anhatte: eine rote Wollmütze, die er über das volle, ergrauende Haar tief in die Stirn gezogen trug, so dass sie seine Ohren bedeckte, den marineblauen Trainingsanzug, der an Ellbogen, Manschetten und Knien noch Flecken von der weißen Farbe hatte, mit der er im vergangenen Sommer den Wintergarten gestrichen hatte, Laufschuhe ohne Socken – das allerdings konnte sie von oben nicht erkennen, aber sie kannte ihren Bruder und wusste, wie er sich zu kleiden pflegte. Er trug die Thermoskanne mit dem Tee in der Hand. Ein Badetuch lag um seinen Hals. Die Schwimmbrille steckte vermutlich in einer seiner Taschen.

»Viel Spaß beim Schwimmen«, sagte sie, die Lippen an der eisigen Fensterscheibe. Und fügte hinzu, was er immer zu ihr sagte, was ihre Mutter ihnen vor langer Zeit zugerufen hatte, als der Fischkutter abgelegt hatte, um sie von zu Hause fort in die pechschwarze Nacht hinauszutragen: »*Au revoir et adieu, mes chéris.*«

Ihr Blick folgte ihm, als er wie jeden Morgen unten den Rasen überquerte, um die Bäume und die Auffahrt hinter ihnen zu erreichen.

Aber an diesem Morgen blieb er nicht allein. Als er bei den Kastanien anlangte, löste sich aus ihrem Schatten eine Gestalt und folgte ihm.

Vor sich sah Guy Brouard die Lichter im Haus der Duffys, einem kompakten Steinbau, der einen Teil der Grenzmauer des Besitzes bildete. In dem Häuschen mit dem steilen Giebeldach, in dem früher die Pächter des Freibeuters, der *Le Reposoir* zu Beginn des achtzehnten Jahrhunderts erbaut hatte, ihre Abgaben entrichten mussten, lebte jetzt das Ehepaar, das Guy und seiner Schwester bei der Pflege und Instandhaltung des Besitzes half: Kevin Duffy, der für die Außenarbeiten zuständig war, und seine Frau Valerie, die den Haushalt führte.

Das Licht im Haus verriet, dass Valerie schon auf den Beinen war, vermutlich machte sie gerade Kevin das Frühstück. Typisch

Valerie – Ehefrauen wie sie, die es als ihre Aufgabe und ihr Privileg betrachteten, für ihren Mann zu sorgen, gab es heute nicht mehr. Hätte er, sagte sich Guy, gleich so eine Frau gefunden, so hätte er es nicht nötig gehabt, sein ganzes Leben damit zu vertun, sämtliche sich bietenden Möglichkeiten durchzuprobieren, um vielleicht doch noch die Richtige zu finden.

Die beiden Frauen, mit denen er verheiratet gewesen war, hatten dem traurigen Stereotyp entsprochen. Ein Kind mit der Ersten, zwei Kinder mit der Zweiten, ein schönes Zuhause, schöne Autos, schöne Urlaube in der Sonne, Kindermädchen, Internate … das alles hatte nicht gezählt: Du arbeitest zu viel. Du bist nie zu Hause. Du liebst deine Arbeit mehr als mich. Endlose Variationen zu einem tödlichen Thema. Kein Wunder, dass er es nicht geschafft hatte, treu zu bleiben.

Guy ließ die kahlen Kastanien hinter sich und folgte der Auffahrt in Richtung zur Straße. Noch war alles still, aber als er das eiserne Tor erreichte und den einen Flügel aufzog, begannen in den Bombeersträuchern, im Schwarzdorn und im Efeu, der an der schmalen Straße wucherte und sich an der von Flechten überzogenen Steinmauer emporzog, die ersten Vögel zu zwitschern.

Es war kalt. Dezember. Was konnte man da anderes erwarten. So früh am Tag ging wenigstens noch kein Wind, wenn auch für später ein seltener Südostwind angesagt war, der das Schwimmen nach Mittag unmöglich machen würde. Aber es war ohnehin nicht zu erwarten, dass außer ihm jemand auf den Gedanken kam, im Dezember zu schwimmen. Das war einer der Vorteile, wenn man nicht kälteempfindlich war: Man hatte das Wasser für sich allein.

Und so war es Guy Brouard am liebsten. Denn beim Schwimmen ließ sich gut nachdenken, und er hatte meistens eine Menge nachzudenken.

Heute war das nicht anders. Mit der Grenzmauer des Besitzes zu seiner Rechten und den hohen Hecken des umgebenden Ackerlands zu seiner Linken, ging er durch das graue Morgenlicht die Straße entlang zur ersten scharfen Kurve auf dem Weg, der ihn den steilen Hügel hinunter zur Bucht führen würde. Er dachte darüber nach, was er in seinem Leben in den letzten Monaten angerichtet hatte, einiges bewusst und nach reiflicher Überlegung, anderes als Konsequenz von Ereignissen, die niemand hätte voraussehen können. Bei seinen engsten Weggefährten hatte er nicht nur Enttäuschung und Befremden hervorgerufen, sondern auch das Gefühl, betrogen worden zu sein. Und weil es seit langem seine Gewohnheit war, die Dinge, die ihm am meisten am Herzen lagen, für sich zu behalten, hatten sie nicht begreifen können, wie sie sich in ihren Erwartungen hinsichtlich seiner Person so gründlich hatten irren können. Nahezu ein Jahrzehnt lang hatte er sie ermuntert, in Guy Brouard den ewigen Wohltäter zu sehen, väterlich besorgt um ihre Zukunft und auf die großzügigste Weise bemüht, diese Zukunft zu sichern. Er hatte sie damit nicht irreführen wollen. Im Gegenteil, es war stets seine Absicht gewesen, jedem von ihnen seinen geheimen Traum zu erfüllen.

Aber nur so lange, bis er das erste Mal auf Ruths Gesicht die Grimasse des Schmerzes wahrgenommen hatte, die sie sich erlaubte, wenn sie dachte, er sähe es nicht, und bevor er begriffen hatte, was diese Grimasse bedeutete. Er hätte vermutlich nichts gemerkt, hätte sie nicht plötzlich angefangen, sich unter dem Vorwand, auf den Klippen wandern zu wollen, fortzustehlen. Am Icart Point mit seinen von Feldspatkristallen durchzogenen Gneisfelsen hole sie sich die Inspiration für eine künftige Petit-Point-Arbeit, behauptete sie. In Jerbourg, berichtete sie, bildeten die Schieferschichten im Stein Bänder in unterschiedlichem Grau, die es einem erlaubten, den Weg zu verfolgen, den Zeit und Natur bei der Ablagerung von Schlick und Sedimenten in dem uralten Gestein genommen hatten. Sie skizziere den Stechginster, sagte sie, und zeichne mit ihren Stiften Grasnelke und Lichtnelke in Rosa und Weiß. Sie sammle Margeriten, arrangiere sie auf der zerklüfteten Oberfläche eines Granitblocks und fertige Zeichnungen von ihnen an. Sie pflücke beim Wandern je nach Jahreszeit und persönlicher Neigung Glockenblumen, Ginster, Heidekraut, Stechginster, wilde Narzissen und Lilien. Aber irgendwie schafften es die Blumen nie bis nach Hause. »Sie haben zu lange im Auto gelegen, ich musste sie wegwerfen«, pflegte sie zu erklären. »Wilde Blumen halten nicht, wenn man sie pflückt.«

Monat um Monat war das so gegangen. Aber Ruth war keine Klippenwanderin. Sie war auch keine Blumensammlerin oder Geologiestudentin. Natürlich wurde Guy misstrauisch.

Anfangs glaubte er törichterweise, es gäbe endlich einen Mann im Leben seiner Schwester und es sei ihr peinlich, ihm das zu sagen. Dann aber sah er eines Tages ihren Wagen vor dem Princess-Elizabeth-Hospital stehen, und dieser Zufall, mit ihrem häufig schmerzverzerrten Gesicht und den langen Rückzügen in ihr Zimmer in Verbindung gebracht, zwang ihn, zur Kenntnis zu nehmen, was er nicht zur Kenntnis hatte nehmen wollen.

Seit der Nacht, als sie von Frankreichs Küste abgelegt hatten, um in einem Fischkutter unter Netzen versteckt die Flucht anzutreten, die viel zu lange hinausgezögert worden war, war sie in seinem Leben die einzige Konstante gewesen. Sie war sein Überlebensgrund gewesen, sein Ansporn, erwachsen zu werden, Pläne zu machen, erfolgreich zu sein.

Aber dies? Daran konnte er nichts ändern. Vor dem, woran seine Schwester jetzt litt, konnte kein Fischkutter in der Nacht sie retten.

Wenn er die anderen enttäuscht, befremdet und betrogen hatte, so war das nichts im Licht des drohenden Verlusts von Ruth.

Das morgendliche Schwimmen brachte ihm Erleichterung von den überwältigenden Ängsten, die diese Überlegungen auslösten. Er wusste, ohne das tägliche Bad in der Bucht würden die Gedanken an seine Schwester ihn aufzehren, ganz zu schweigen von dem Hadern mit seiner Ohnmacht, an ihrem Schicksal etwas zu ändern.

Die Straße, auf der er sich befand, war steil und schmal, die Ostküste der Insel war dicht bewaldet. Dank dem seltenen Auftreten rauer Winde aus Frankreich gediehen hier Bäume in üppiger Vielfalt. Das Geäst von Platanen und Kastanien, Eschen und Buchen bildete über Guy ein filigranes Gewölbe, das sich als graue Silhouette vom dunklen Zinn des noch beinahe nächtlichen Himmels abhob. Die Bäume standen auf schroffen, mit steinernen

Mauern befestigten Hängen, zu deren Füßen das Wasser aus einer weiter landeinwärts gelegenen Quelle floss und auf seinem raschen Lauf zum Meer die Felsen umspülte.

Die Straße führte in Serpentinen abwärts, vorbei an einer schattigen Wassermühle und einem Hotel im Stil eines Schweizer Chalets, das fehl am Platz wirkte und über den Winter geschlossen war. Sie endete an einem kleinen Parkplatz mit einer Imbissbude, die verriegelt und mit Brettern gesichert war, und einer glitschigen Granitrampe, die früher Pferdefuhrwerken Zugang zum *vraic* geboten hatte, einer für die Kanalinseln typischen Tangart, die den Bauern als Dünger diente.

Die Luft war still, die Möwen hatten sich noch nicht von ihren Ruheplätzen auf den Felsen erhoben. Das Wasser in der Bucht war ruhig, ein aschefarbener Spiegel, der die Farbe des heller werdenden Himmels reflektierte. Es gab keine Wellen an diesem geschützten Ort, nur den sanften Schlag von Wasser auf Kiesel, eine sachte Berührung, die im Tang die kontrastierenden Gerüche erwachenden Lebens und lautlosen Verfalls freizusetzen schien.

Bei dem Rettungsring, der von einem vor langer Zeit in den Fels getriebenen Haken herabhing, legte Guy sein Handtuch ab und stellte die Thermoskanne auf einen Stein mit glatter Oberfläche. Er zog seine Schuhe und die Hose seines Trainingsanzugs aus und griff in die Jackentasche nach der Schwimmbrille.

Seine Finger berührten jedoch nicht nur die Brille, sondern daneben ein kleines, in Stoff eingeschlagenes Objekt, das er herauszog und verwundert in der offenen Hand hielt. Nur sehr selten hatte er außer der Schwimmbrille etwas in seiner Jacke.

Der Gegenstand war in weißes Leinen eingehüllt. Als er den Stoff neugierig auseinander schlug, fand er einen kreisrunden Stein, der in der Mitte ein Loch hatte und ein Rad darstellen sollte: *énne rouelle dé faitot*. Ein Elfenrad.

Guy lächelte. Die Insel war ein Ort, an dem alter Volksglaube sich auch heute noch hielt. Man spottete vielleicht über die Idee, zum Schutz vor Hexen und ihresgleichen einen Talisman zu tragen, im Stillen jedoch verwarf man sie nicht so leicht. *Du solltest immer so einen bei dir tragen, Guy. Jeder braucht Schutz.*

Aber der Stein – ob Elfenrad oder nicht – hatte nicht die Kraft besessen, ihn so zu schützen, wie er sich geschützt geglaubt hatte. Das Unerwartete trat in jedermanns Leben, also hätte er sich eigentlich nicht wundern dürfen, als es auch in seines getreten war.

Er hüllte den Stein wieder in das Leinen und schob ihn in die Tasche, legte Jacke und Wollmütze ab und setzte die Schwimmbrille auf, ging über den schmalen Strand und watete ohne Zögern ins Wasser.

Es traf ihn wie ein Schock. Nicht einmal im Hochsommer war das Wasser im Ärmelkanal warm. An diesem düsteren Wintermorgen war es eiskalt und bedrohlich.

Aber daran dachte er nicht, als er resolut weiter hineinwatete und, sobald er ausreichend Tiefe hatte, sich vom Grund abstieß und zu schwimmen begann. Er mied die Tangzonen und bewegte sich schnell durch das Wasser.

So schwamm er hundert Meter weit hinaus bis zu dem Granitfelsen, der, wie eine Kröte geformt, die Stelle kennzeichnete, wo die Bucht mit dem Ärmelkanal zusammentraf. Hier machte er Halt, direkt am Auge der Kröte, einem Guanoklumpen, der sich in einer seichten Mulde im Stein angesammelt hatte. Er wandte sich dem Strand zu und begann, Wasser zu treten, die beste Methode, die er kannte, um sich für die kommende Skisaison in Österreich fit zu halten. Wie immer nahm er seine Brille ab, um seinen Augen ein paar Minuten lang ein klares Bild zu gönnen, und ließ seinen Blick gemächlich von den fernen baumbestandenen Hängen über raues, von Felsbrocken übersätes Gelände abwärts schweifen zum Strand, während er beim Wassertreten lautlos mitzählte.

Plötzlich stockte er.

Da war jemand. Dort am Strand, größtenteils im Schatten, stand eine Gestalt, die ihn beobachtete. Unverkennbar. Sie stand neben der Granitrampe, dunkel gekleidet mit einem Streifen Weiß am Hals, dem es vermutlich zu verdanken war, dass er überhaupt aufmerksam geworden war. Während Guy blinzelnd versuchte, die Gestalt schärfer in den Blick zu bekommen, trat diese von der Rampe fort und ging weiter den Strand entlang.

Ihr Ziel war klar. Sie ging zu seinen abgelegten Kleidern und kniete neben ihnen nieder, um etwas hochzuheben, die Jacke oder die Hose – das war auf diese Entfernung schwer zu erkennen.

Doch Guy konnte sich denken, worauf die Person es abgesehen hatte, und er fluchte. Er hätte seine Taschen durchsehen sollen, bevor er das Haus verlassen hatte. Ein gewöhnlicher Dieb hätte sich natürlich nicht für den kleinen durchbohrten Stein interessiert, den Guy Brouard in der Tasche trug. Aber ein gewöhnlicher Dieb hätte auch nie damit gerechnet, so früh an einem kalten Dezembermorgen die unbewachten Kleider eines Schwimmers am Strand vorzufinden. Wer immer die Person war – sie wusste, wer da draußen in der Bucht schwamm. Und sie suchte entweder den Stein oder kramte in Guys Kleidung, weil sie hoffte, ihn damit an Land zurückzulocken.

Verdammt noch mal, dachte er. Diese Zeit gehörte ihm allein. Er dachte nicht daran, sie mit irgendjemandem zu teilen. Wichtig war ihm jetzt nur seine Schwester und wie sie sterben würde.

Er begann, wieder zu schwimmen, durchquerte zweimal die Bucht und sah, als er schließlich erneut zum Strand blickte, mit Befriedigung, dass die Person, die ihn in seinem Alleinsein und seinem Frieden gestört hatte, verschwunden war.

Er schwamm ans Ufer und erreichte es außer Atem, nachdem er beinahe das Doppelte der Strecke zurückgelegt hatte, die er sonst morgens schwamm. Taumelnd und schlotternd vor Kälte rannte er aus dem Wasser zu seinem Handtuch.

Der Tee versprach rasche Abhilfe gegen die Kälte, und er goss sich aus der Thermosflasche einen Becher ein. Er war stark und bitter und vor allem heiß, und Guy trank den Becher leer, bevor er seine Badehose auszog und sich ein zweites Mal einschenkte. Jetzt trank er langsamer, trocknete sich dabei ab und rubbelte kräftig, um wieder warm zu werden. Er schlüpfte in seine Hose und ergriff seine Jacke, warf sie sich um die Schultern und setzte sich auf einen Felsen, um seine Füße zu trocknen. Erst nachdem er seine Laufschuhe angezogen hatte, schob er die Hand in die Tasche. Der Stein war noch da.

Er ließ sich das durch den Kopf gehen. Er ließ sich durch den Kopf gehen, was er vom Wasser aus gesehen hatte. Er reckte den Hals und suchte mit den Augen den Hang ab. Nirgends rührte sich etwas.

Er fragte sich, ob das, was er am Strand zu sehen geglaubt hatte, eine Täuschung gewesen war. Vielleicht war es gar kein Mensch aus Fleisch und Blut gewesen, sondern eine Ausgeburt seines Gewissens. Fleischgewordene Schuld, zum Beispiel.

Er zog den Stein heraus. Noch einmal packte er ihn aus und strich mit dem Daumen über die eingeritzten Initialen. Jeder braucht Schutz, dachte er. Die Schwierigkeit war, zu wissen, vor wem oder was.

Er spülte den Rest des Tees hinunter und goss sich noch einen Becher ein. In weniger als einer Stunde würde die Sonne aufgegangen sein. Er beschloss, diesen Moment heute Morgen abzuwarten.

# LONDON

*15. Dezember, 23 Uhr 15*

# 1

Ein Glück, dass man über das Wetter reden konnte. Eine Woche Regen, der kaum einmal länger als eine Stunde ausgesetzt hatte, war schon bemerkenswert, selbst für das, was man vom Dezember gewöhnt war. Und die Tatsache, dass große Teile von Somerset, Dorset, East Anglia, Kent und Norfolk überschwemmt waren – ganz zu schweigen von den Städten York, Shrewsbury und Ipswich, die zu drei Vierteln unter Wasser standen –, verbot praktisch nachträgliche Diskussionen über die Vernissage einer Ausstellung von Schwarz-Weiß-Fotografien in einer Galerie in Soho. Man konnte sich doch nicht über die paar Freunde und Verwandte auslassen, die das spärliche Eröffnungspublikum ausgemacht hatten, wenn außerhalb Londons Menschen Haus und Hof verloren, Tausende von Tieren in Sicherheit gebracht werden mussten und überall Grundbesitz zerstört wurde. Eine solche Naturkatastrophe zu ignorieren wäre schlicht unmenschlich.

Das jedenfalls versuchte Simon St. James sich einzureden.

Er war sich bewusst, dass er sich mit solchen Überlegungen nur über etwas hinwegzutäuschen suchte, aber er stellte sie trotzdem an. Er hörte den Wind an den Fensterscheiben rütteln und nahm das dankbar zum Anlass, um einen Versuch zu unternehmen, seine Gäste zum Bleiben zu überreden.

»Warum wartet ihr nicht, bis der Sturm ein bisschen nachlässt?«, fragte er. »Bei diesem Unwetter wird das eine mörderische Heimfahrt.« Er hörte selbst seinen eindringlichen Ton und hoffte, sie schrieben ihn seiner Sorge um ihr Wohlergehen zu und nicht der blanken Feigheit, die tatsächlich dahinter steckte. Dass Thomas Lynley und seine Frau keine drei Kilometer fahren mussten, um nach Hause zu gelangen, spielte keine Rolle; bei solchem Wetter jagte man keinen Hund auf die Straße.

Aber Lynley und Helen hatten schon die Mäntel an und standen drei Schritte von der Haustür entfernt. Lynley hielt den schwarzen Regenschirm in der Hand, dessen Zustand – er war trocken – verriet, wie lange er und Helen mit den St. James' im Arbeitszimmer am Feuer beisammen gesessen hatten. Zugleich ließ das Befinden Helens – die in diesem zweiten Monat ihrer Schwangerschaft selbst noch abends um elf von so genannter »morgendlicher Übelkeit« geplagt wurde – kaum Zweifel daran, dass der Aufbruch beschlossene Sache war, ob es nun in Strömen goss oder nicht.

St. James wollte die Hoffnung dennoch nicht aufgeben. »Wir haben noch nicht einmal über den Fleming-Prozess gesprochen«, sagte er zu Lynley, der bei Scotland Yard die Ermittlungen in diesem Mordfall geleitet hatte. »Die Sache ist ja schnell vor Gericht gekommen. Das hast du sicher begrüßt.«

»Simon, hör auf«, sagte Helen leise, nahm aber ihren Worten mit einem liebevollen Lächeln die Spitze. »Du kannst nicht ewig ausweichen. Sprich mit ihr darüber. Es ist doch sonst nicht deine Art, den Dingen aus dem Weg zu gehen.«

Es war leider genau seine Art, und hätte seine Frau Helen Lynleys Bemerkung gehört, sie hätte ihr sofort widersprochen. Das Leben mit Deborah war ein unruhiger Fluss voll gefährlicher Unterströmungen, die St. James wo immer möglich umschiffte.

Er warf einen Blick über die Schulter ins Arbeitszimmer. Einzig Kaminfeuer und Kerzen beleuchteten den Raum. Er hätte, dachte er, für mehr Helligkeit sorgen sollen. Unter anderen Umständen hätte man die gedämpfte Beleuchtung wahrscheinlich romantisch gefunden, unter den gegebenen jedoch verbreitete sie Grabesstimmung.

Aber wir haben keinen Leichnam, sagte er sich. Dies ist kein Todesfall. Nur eine Enttäuschung.

Deborah hatte fast zwölf Monate lang auf diesen Abend hingearbeitet. Sie hatte sich quer durch London fotografiert und eine großartige Sammlung schwarz-weißer Charakterporträts zusammengetragen: vom Fischhändler, der sich frühmorgens um fünf in Billingsgate der Kamera gestellt hatte, bis zum trinkfreudigen Playboy, der um Mitternacht in einen Nachtklub in Mayfair torkelte. Sie hatte die Stadt in ihrer ganzen kulturellen, ethnischen, sozialen und wirtschaftlichen Vielfältigkeit eingefangen und gehofft, die Eröffnung ihrer Ausstellung in einer kleinen, aber renommierten Galerie in der Little Newport Street würde gut genug besucht werden, um ihr eine Erwähnung in einer der Publikationen einzubringen, die gern von Sammlern auf der Suche nach neuen jungen Künstlern zu Rate gezogen wurden. Sie wolle nur eine Spur legen und den Leuten ihren Namen nahe bringen, hatte sie gesagt. Sie erwarte nicht, zu Anfang viel zu verkaufen.

Sie hatte die Rechnung ohne das miserable Wetter gemacht, das den Übergang vom Herbst in den Winter begleitete. Die Regenfälle im November hatten sie nicht sonderlich gekümmert. Um diese Jahreszeit war das Wetter meistens schlecht. Aber als der regnerische November in einen ebenso regnerischen Dezember übergegangen war, hatte sie Bedenken bekommen. Vielleicht, meinte sie, sollte sie die Ausstellung aufs Frühjahr verschieben. Ober sogar auf den Sommer, wenn die Tage lang waren und alle Welt bis spätabends unterwegs war.

St. James hatte ihr geraten, bei ihrer Planung zu bleiben. Niemals, hatte er gesagt, würde das schlechte Wetter sich bis Mitte Dezember halten. Es habe seit Wochen praktisch ununterbrochen geregnet, und das könne, rein statistisch gesehen, nicht mehr lange so weitergehen.

Aber es ging weiter. Tag für Tag und Nacht für Nacht, bis die Parks der Stadt Sümpfen glichen und in den Ritzen des Straßenpflasters Schimmel zu wachsen begann. Bäume verloren im durchweichten Erdreich ihren Halt und stürzten um, und die Keller der Häuser in der Nähe des Flusses verwandelten sich in Planschbecken.

Wären nicht St. James' Geschwister gewesen – die sämtlich mit Ehepartnern, Lebensgefährten und Kindern erschienen – und seine Mutter, so wären die einzigen Gäste bei der Ausstellungseröffnung seiner Frau deren Vater und eine Hand voll enger

Freunde gewesen, deren Loyalität offenbar stärker war als ihre Vorsicht, sowie fünf Fremde. Manch hoffnungsvoller Blick richtete sich auf diese Personen, bis sich herausstellte, dass drei von ihnen nur vor dem Regen in die Galerie geflüchtet waren und die beiden anderen lieber hier auf einen Tisch bei Mr. Kong's warteten als in der Schlange vor dem Restaurant.

Wie St. James bemühte sich auch der Galerist, ein Mann namens Hobart, Deborah zuliebe gute Miene zum bösen Spiel zu machen, und riet ihr: »Denken Sie sich nichts, Schätzchen. Die Ausstellung läuft noch den ganzen Monat, und sie ist erste Qualität. Schauen Sie, wie viel Sie schon verkauft haben.« Woraufhin Deborah mit der für sie typischen Ehrlichkeit antwortete: »Und schauen Sie, wie viele Verwandte meines Mannes hier sind, Mr. Hobart. Wenn er mehr als drei Geschwister hätte, hätten wir alles verkauft.«

Ganz Unrecht hatte sie damit nicht. St. James' Familie war großzügig in die Bresche gesprungen, aber für Deborah war es nicht das Gleiche, ob die Verwandten ihres Mannes ihre Bilder kauften oder Fremde. »Ich habe das Gefühl, sie haben nur aus Mitleid gekauft«, hatte sie im Taxi nach Hause niedergeschlagen gesagt.

Darum wäre St. James die Gesellschaft Thomas Lynleys und seiner Frau in diesem Moment so willkommen gewesen: Weil er nach dem Desaster dieses Abends zwangsläufig die Rolle des Verteidigers von Deborahs Talent und Können würde übernehmen müssen und sich dafür nicht gerüstet fühlte. Er wusste, dass sie ihm kein Wort glauben würde, auch wenn er selbst voll hinter jedem seiner Argumente stand. Wie so viele Künstler wollte sie ihre Kunst in irgendeiner Form von außen anerkannt sehen. Er war aber kein Außenseiter, darum half sein Zuspruch nichts. Und ebenso wenig der ihres Vaters, der ihr die Schulter getätschelt und philosophisch gesagt hatte: »Tja, das Wetter kann man nicht ändern«, bevor er nach oben in sein Bett verschwunden war. Aber mit Lynley und Helen war das anders, und darum wollte St. James sie dabei haben, wenn er es endlich schaffte, das Thema Vernissage anzusprechen.

Aber es sollte nicht sein. Er sah selbst, dass Helen todmüde war und Lynley entschlossen, sie so schnell wie möglich nach Hause zu bringen. »Fahrt vorsichtig«, sagte er darum nur.

»Kopf hoch!«, entgegnete Lynley mit einem Lächeln.

St. James sah ihnen nach, als sie durch den strömenden Regen die Cheyne Row hinaufeilten. Erst als sie ihren Wagen erreicht hatten, schloss er die Haustür und wappnete sich für das Gespräch, das ihn in seinem Arbeitszimmer erwartete.

Abgesehen von der kurzen Bemerkung zu Mr. Hobart, hatte Deborah sich bis zur Taxifahrt nach Hause bewundernswert tapfer gehalten. Sie hatte mit ihren gemeinsamen Freunden geplaudert, die Familie ihres Mannes freudig begrüßt und ihren alten Mentor, Mel Doxson, von Bild zu Bild geführt, um sich über sein Lob zu freuen, aber auch die kluge Kritik, die er an ihrer Arbeit äußerte, zur Kenntnis zu nehmen. Nur jemand, der sie sehr lange kannte – wie St. James –, hätte den trüben Schatten der Niedergeschlagenheit in ihren Augen bemerkt, hätte an ihren wiederholten schnellen Blicken zur Tür erkannt, wie sehr sie törichterweise ihre Hoffnungen auf die Zustimmung irgendwelcher Fremder gesetzt hatte, deren Meinung ihr unter anderen Umständen keinen Pfifferling wert gewesen wäre.

Sie stand bei seiner Rückkehr ins Zimmer noch immer dort, wo er sie zurückgelassen hatte, als er die Lynleys zur Tür brachte: vor der Wand, an der er stets eine Auswahl ihrer Fotografien hängen hatte. Die Hände auf dem Rücken zusammengekrampft, stand sie da und starrte die Bilder an.

»Ich habe ein ganzes Jahr meines Lebens vertan«, sagte sie. »Ich hätte in dieser Zeit einer geregelten Arbeit nachgehen und ausnahmsweise mal Geld verdienen können. Ich hätte bei Hochzeiten fotografieren können oder so was. Bei Debütantinnenbällen. Taufen. Bar-Mizwas. Geburtstagspartys. Ich hätte Porträts von eitlen alten Männern und ihren jungen Preiskühen machen können. Was noch?«

»Touristen im Kreis der Royals aus Pappe?«, meinte er. »Das hätte wahrscheinlich einiges eingebracht, wenn du dich vor dem Buckingham-Palast postiert hättest.«

»Es ist mir ernst, Simon«, erklärte sie, und an ihrem Ton merkte er, dass Unbekümmertheit von seiner Seite nichts leichter machen und ihr ganz gewiss nicht helfen würde, zu erkennen, dass die enttäuschende Resonanz an diesem einen Abend in Wirklichkeit nicht mehr war als ein vorübergehender Rückschlag.

Er trat neben sie vor die Wand und betrachtete ihre Bilder. Sie ließ ihn stets aus jeder Reihe, die sie produzierte, die Aufnahmen auswählen, die ihm die liebsten waren, und das, was im Moment an seiner Wand hing, gehörte seiner nicht unbedingt fachkundigen Meinung nach mit zum Besten, was sie je gemacht hatte: sieben Studien in Schwarz-Weiß, bei Tagesanbruch in Bermondsey aufgenommen, wo Händler, bei denen von der Antiquität bis zur Hehlerware alles zu haben war, gerade ihre Stände aufbauten. Ihn sprach die Zeitlosigkeit der Szenen an, der Eindruck eines London, das sich niemals änderte. Ihn faszinierten die Gesichter, wie das Licht der Straßenlampen auf sie fiel und wie die Schatten sie verzerrten. Ihn sprach an, was diese Gesichter ausdrückten: Hoffnung das eine, Durchtriebenheit ein anderes, Argwohn, Verdrossenheit, Geduld die übrigen Mienen. Er dachte, dass seine Frau mit der Kamera mehr als nur talentiert war. Sie besaß eine außergewöhnliche Begabung.

Er sagte: »Jeder, der sich im Bereich der Kunst einen Namen machen will, fängt ganz unten an. Nenne mir den Fotografen, den du am meisten bewunderst, und es wird garantiert jemand sein, der als kleiner Handlanger angefangen hat, als einer, der einem anderen, der einmal genauso angefangen hat, die Lampen und die Kabel schleppte. Es wäre schön, wenn es beim Erfolg nur darum ginge, gute Fotos zu machen und danach nur noch die Lorbeeren einzuheimsen. Aber so ist es eben nicht.«

»Mir geht's überhaupt nicht um die Lorbeeren.«

»Du meinst, du kommst dir vor wie der Hamster im Laufrad? Ein Jahr und wie viele Bilder später?«

»Zehntausenddreihundertzweiundzwanzig.«

»Und du bist wieder da, wo du angefangen hast. Richtig?«

»Keinen Schritt weiter. Ohne die geringste Ahnung, ob das alles hier – dieses Leben – überhaupt meine Zeit wert ist.«

»Mit anderen Worten, die Erfahrung allein reicht dir nicht. Du sagst, dass Arbeit nur etwas wert ist, wenn sie ein Resultat zeitigt, das du haben wolltest.«

»Nein, das ist es nicht.«

»Was dann?«

»Ich muss glauben, Simon.«

»Woran?«

»Ich kann nicht noch einmal ein Jahr als Freizeitkünstlerin vertun. Ich möchte mehr sein als Simon St. James' kunstbeflissene Ehefrau, die in Jeans und Springerstiefeln rumläuft und aus Jux und Tollerei ihre Kameras kreuz und quer durch London schleppt. Ich möchte etwas zu unserem Leben beisteuern. Und das kann ich nicht, wenn ich nicht glaube.«

»Solltest du dann nicht erst mal an den Entwicklungsprozess glauben? Wenn du dir jeden Fotografen ansähst, mit dessen Arbeit du dich befasst hast, würdest du dann nicht jemanden sehen, der anfangs –«

»Das meine ich nicht!« Sie drehte sich mit einer schwungvollen Bewegung zu ihm um. »Keiner braucht mich davon zu überzeugen, dass man ganz unten anfangen und sich langsam hocharbeiten muss. Ich bilde mir nicht ein, dass gleich nach meiner ersten Ausstellung die National Portrait Gallery bei mir anklopft und Proben meiner Arbeit haben will. Ich bin nicht blöd, Simon.«

»Das unterstelle ich auch nicht. Ich versuche nur, dir klar zu machen, dass der Misserfolg eines einzigen Abends – der übrigens sehr wohl in einen Erfolg umschlagen kann – überhaupt nichts besagt. Er ist lediglich eine Erfahrung, Deborah. Nicht mehr und nicht weniger. Was dir zu schaffen macht, ist deine Interpretation der Erfahrung.«

»Ach, wir sollen unsere Erfahrungen nicht interpretieren? Wir sollen sie einfach nur machen und sein lassen? Frisch gewagt ist nicht gewonnen? Meinst du es so?«

»Nein, und das weißt du auch. Jetzt fängst du an, dich aufzuregen, und das bringt uns beiden nichts –«

»Ich fange an, mich aufzuregen? Ich bin außer mir! Die ganze Zeit schon. Monatelang bin ich durch die Straßen gezogen. Monatelang habe ich in der Dunkelkammer gestanden. Ein Vermögen für Material ausgegeben. Ich kann so nicht weitermachen, wenn ich nicht glaube, dass das alles einen Sinn hat.«

»Und wodurch ist der bestimmt? Verkäufe? Erfolg? Einen Bericht im *Sunday Times Magazine*?«

»Nein. Natürlich nicht. Darum geht's überhaupt nicht, und das weißt du genau.« Mit einem erregten: »Ach, was soll das Ganze!«, drängte sie sich an ihm vorbei, bereit, aus dem Zimmer zu stürzen und die Treppe hinaufzulaufen, ohne ihm eine Chance zu geben, besser zu verstehen, was das für Dämonen waren, die sie von Zeit zu Zeit so schrecklich plagten. So war es immer zwischen ihnen: ihre Impulsivität und Leidenschaft gegen seine nüchterne Ruhe. Ihre unterschiedliche Sicht auf die Welt war eines der Elemente, die ihre Beziehung so reich machten. Leider war es auch eines der Elemente, die ihre Beziehung so schwierig machten.

»Dann sag mir, worum es geht!«, rief er. »Deborah! Sag es mir!«

An der Tür machte sie Halt. Sie sah aus wie die zürnende Medea mit dem langen Haar, das ihr, vom Regen kraus geworden, auf die Schultern hing, und den im Feuerschein metallisch blitzenden Augen.

»Ich muss an mich selbst glauben«, sagte sie. Es klang, als halte sie allein schon den Versuch zu sprechen für hoffnungslos, und das machte ihm deutlich, wie unerträglich es für sie war, dass er sie nicht verstanden hatte.

»Aber du musst doch wissen, dass deine Arbeit gut ist«, sagte er. »Wie kannst du solche Bilder machen« – mit einer Geste zur Wand – »und nicht wissen, dass deine Arbeit gut ist? Ach, was heißt gut? Großartig ist sie.«

»Weil wissen *hier* geschieht«, antwortete sie. Ihre Stimme war jetzt gedämpft, und ihr Körper – eben noch starr – entspannte sich, so dass sie in sich zusammenzusinken schien. Bei dem Wort *hier* berührte sie ihren Kopf und legte die Hand unter ihre linke Brust, als sie sagte: »Aber glauben geschieht hier. Bis jetzt ist es mir nicht gelungen, den Abstand zwischen den beiden zu überbrücken. Und wenn ich das nicht schaffe ... Wie soll ich fertig werden, womit ich fertig werden *muss*, um etwas hervorzubringen, was mich als Person bestätigt?«

Das ist es also, dachte er. Den Rest sagte sie nicht, und er war ihr dankbar dafür. Die Bestätigung als Frau durch die Geburt eines Kindes war ihr versagt geblieben. Sie war auf der Suche nach etwas, um sich selbst zu definieren.

Er sagte: »Liebes ...« Aber er fand keine weiteren Worte. Doch dieses eine Wort schien sie tiefer zu erschüttern, als sie ertragen konnte. Das Metall in ihren Augen schmolz, und sie hob die Hand, um ihn davon abzuhalten, zu ihr zu kommen und sie zu trösten.

»Immerzu«, sagte sie, »ganz gleich, was geschieht, flüstert eine Stimme in mir, dass ich mir etwas vormache.«

»Aber sind nicht alle Künstler mit diesen Selbstzweifeln geschlagen? Wahrscheinlich muss man lernen, sie zu besiegen, um zum Erfolg zu gelangen.«

»Aber ich habe bis heute kein Mittel gefunden, nicht auf die Stimme zu hören. Du spielst die große Künstlerin, sagt sie. Deine Fotografiererei ist nichts als Getue. Du vergeudest deine Zeit.«

»Wie kannst du im Ernst glauben, du machst dir was vor, wenn du fähig bist, solche Bilder hervorzubringen?«

»Du bist mein Mann«, entgegnete sie. »Was kannst du schon anderes sagen?«

St. James wusste, dass hier Widerspruch sinnlos war. Als ihr Mann wollte er ihr Glück. Sie wussten beide, dass er niemals ein Wort äußern würde, das dieses Glück zerstören könnte. Er fühlte sich geschlagen, und sie sah ihm das vermutlich an, denn sie sagte: »Ist der Augenschein nicht Beweis genug? Du hast es selbst gesehen. Es ist kaum ein Mensch gekommen, um sich meine Bilder anzuschauen.«

Nun waren sie also wieder da gelandet. »Das lag am Wetter.«

»Ich *spüre*, dass es nicht nur am Wetter lag.«

Es schien fruchtlos, darüber zu debattieren, was sie spürte oder nicht spürte, denn das war ein Thema wie ein Fass ohne Boden. Immer sachlich, sagte St. James: »Was hattest du dir denn erhofft? Was wäre angemessen gewesen für deine erste Ausstellung in London?«

Sie strich mit den Fingern über den weißen Türpfosten, als wäre dort die Antwort zu ertasten, während sie überlegte. »Ich weiß es nicht«, bekannte sie schließlich. »Ich glaube, ich habe Angst davor, es mir klar zu machen.«

»Dir was klar zu machen?«

»Ich sehe ein, dass meine Erwartungen völlig überzogen waren. Ich weiß, dass der Erfolg Zeit braucht, selbst wenn ich die nächste Annie Leibovitz wäre. Aber was ist, wenn meine Erwartungen an mich selbst genauso überzogen sind?«

»Wie meinst du das?«

»Na ja, vielleicht bin ich ja hier die Naive. Das ist die Frage, die ich mir den ganzen Abend gestellt habe. Kann es sein, dass die anderen mir nur nach dem Mund reden? Deine Familie, zum Beispiel. Unsere Freunde. Mr. Hobart. Kann es sein, dass sie meine Bilder nur über sich ergehen lassen? Sehr hübsch, Madam, ja, wir stellen sie in unserer Galerie aus, im Monat Dezember richten sie ja kaum Schaden an, da sind ohnehin alle so sehr mit Weihnachtseinkäufen beschäftigt, dass sie für Kunstausstellungen keinen Sinn haben. Außerdem brauchen wir in dieser Zeit, in der natürlich kein Mensch ausstellen will, *irgendwas* für unsere Wände. Könnte es so sein?«

»Das ist eine Beleidigung für alle. Für die Familie und für deine Freunde. Auch für mich, Deborah.«

Die Tränen, die sie bis dahin zurückgehalten hatte, begannen zu fließen. Sie drückte die Faust auf den Mund, als wüsste sie genau, wie kindisch ihre Reaktion auf den enttäuschenden Abend war. Aber er wusste, dass sie nicht anders konnte. Deborah war nun einmal Deborah.

»Sie ist ein wahnsinniges Sensibelchen, nicht wahr, mein Junge?«, hatte seine Mutter einmal bemerkt und dazu ein Gesicht gemacht, als hielte sie die Nähe zu Deborahs Emotionen für ebenso bedenklich wie den Kontakt zu einer Tuberkulosekranken.

»Ich *brauche* das«, sagte Deborah zu ihm. »Und wenn ich es

nicht bekommen soll, dann will ich es wissen. Denn *irgendetwas* brauche ich einfach. Kannst du das verstehen?«

Nun ging er doch zu ihr und nahm sie in die Arme. Er wusste, dass ihre Tränen nur entfernt dem deprimierenden Abend in der Little Newport Street galten. Er hätte ihr gern gesagt, dass das alles überhaupt keine Rolle spiele, aber er wollte nicht lügen. Er hätte ihr den Kampf gern abgenommen, aber er hatte seinen eigenen Kampf auszufechten. Er hätte ihnen beiden gern das gemeinsame Leben erleichtert, aber das stand nicht in seiner Macht.

Er drückte ihren Kopf an seine Schulter. »Mir brauchst du nichts zu beweisen«, sagte er, den Mund an ihrem weichen kupferroten Haar.

»Ach, wenn alles so leicht wäre, wie das zu wissen«, antwortete sie.

Er wollte gerade sagen, es sei so leicht, wie jeden einzelnen Tag zu leben, anstatt den Blick in eine Zukunft zu richten, die sie beide nicht kannten, als es an der Tür klingelte, so anhaltend und laut, als lehnte sich jemand auf die Klingel.

Deborah trat von ihm weg. Den Blick zur Tür gewandt, wischte sie sich das Gesicht ab. »Tommy und Helen müssen etwas vergessen haben ... Haben sie etwas liegen lassen?« Sie sah sich im Zimmer um.

»Ich glaube nicht.«

Es klingelte immer noch ohne Pause. Als sie ins Vestibül hinausgingen, kam Peach, der Dackel, aufgeregt kläffend aus der Küche im Souterrain heraufgeschossen. Deborah packte ihn und nahm ihn auf den Arm, obwohl er wie verrückt strampelte.

St. James öffnete die Tür. Er sagte: »Habt ihr es euch –« und brach ab, als er sah, dass weder Thomas Lynley noch seine Frau draußen standen, sondern ein Mann in einer dunklen Jacke – mit klatschnassem Haar und durchweichter Jeans, die ihm an den Schenkeln klebte –, der im Schatten des Hauses mit eingezogenem Kopf am Eisengeländer der obersten Treppenstufe lehnte.

Der Mann sah blinzelnd ins Licht und sagte zu St. James: »Sind Sie –« Er hielt inne, als sein Blick auf Deborah fiel, die mit dem Hund im Arm hinter ihrem Mann stand. »Gott sei Dank«, sagte er. »Ich glaub, ich bin ungefähr zehnmal im Kreis gefahren. Ich hab am Victoria-Bahnhof die Untergrundbahn genommen, aber in die falsche Richtung, und hab's erst gemerkt, als ... dann war der Stadtplan total durchnässt. Dann hat ihn mir der Wind weggeweht. Dann hab ich die Adresse verloren. Aber jetzt – Gott sei Dank ...«

Damit trat er ins Licht und sagte nur: »Debs! Es ist echt ein Wunder. Ich dachte schon, ich würde dich nie finden.«

*Debs.* Deborah traute ihren Ohren nicht. Mit einem Schlag war alles wieder da: die Zeit, der Ort, die Menschen. Sie setzte Peach auf den Boden und trat neben ihren Mann an die Tür, um besser sehen zu können. »Simon!«, rief sie. »Mein Gott! Ich kann nicht glauben –« Aber anstatt ihren Gedanken zu vollenden, suchte sie Gewissheit. Sie zog den Mann auf der Treppe ins Haus und sagte: »Cherokee?« Wie war es möglich, dass da unversehens der Bruder ihrer alten Freundin vor ihrer Tür stand? Aber er war es wirklich, es gab keinen Zweifel, und als ihr das klar wurde, rief sie: »Simon! Es ist Cherokee River.«

Simon schien verblüfft. Er schloss die Tür. Peach näherte sich vorsichtig dem Fremden und beschnüffelte seine Schuhe. Offenbar gefiel ihm nicht, was er dort zu riechen bekam. Er wich zurück und begann zu bellen.

»Hör auf, Peach«, sagte Deborah. »Das ist ein Freund.«

Woraufhin Simon sagte: »Wer ...?«, den Hund hochnahm und ihn beruhigte.

»Cherokee River«, wiederholte Deborah. »Das ist doch richtig?«, wandte sie sich an den Mann. Sie war zwar ziemlich sicher, dass er es war, aber seit sie ihn das letzte Mal gesehen hatte, waren immerhin an die sechs Jahre vergangen, und selbst in der Zeit ihrer Bekanntschaft war sie ihm nur etwa sechs-, siebenmal begegnet. Trotzdem sagte sie jetzt, ohne auf eine Antwort von ihm zu warten: »Komm mit ins Arbeitszimmer. Im Kamin brennt ein Feuer. Mein Gott, du bist ja völlig durchnässt. Was hast du für eine Verletzung am Kopf? Was *tust* du überhaupt hier?«

Sie führte ihn zu der Ottomane vor dem Feuer und nahm ihm seine Jacke ab. Die war früher vielleicht einmal wasserabweisend gewesen, jetzt aber tropfte das Wasser aus sämtlichen Fasern. Sie warf sie auf die Kaminplatte, wo Peach sie sofort inspizierte.

Simon sagte fragend: »Cherokee River?«

»Chinas Bruder«, erklärte Deborah.

Simon sah den Mann an, der zu frösteln begonnen hatte. »Aus Kalifornien?«

»Richtig. China. Aus Santa Barbara. Cherokee, was – komm, setz dich. Setz dich ans Feuer. Simon, haben wir irgendwo eine Decke? Und ein Handtuch?«

»Ich seh mal nach.«

»Aber mach schnell!«, drängte Deborah, als sie sah, dass es Cherokee vor Kälte schüttelte. Sein Gesicht war so weiß, dass es einen bläulichen Schimmer hatte, und seine Unterlippe blutete aus einer kleinen Bisswunde. Dazu hatte er die Verletzung an der Schläfe, die Deborah sich näher ansah. »Da muss ein Pflaster drauf«, sagte sie. »Was ist passiert, Cherokee? Du bist doch hoffentlich nicht überfallen worden?« Dann: »Nein, sag nichts. Erst wärmen wir dich mal auf.«

Sie eilte zu dem alten Barwagen, der unter dem Fenster zur Cheyne Row stand, und goss einen doppelten Brandy ein, den sie Cherokee brachte.

Cherokee hob das Glas zum Mund, aber seine Hände zitterten so stark, dass das Glas klappernd gegen seine Zähne schlug und der größte Teil des Brandys sich über sein ohnehin schon nasses T-Shirt ergoss.

»Mist«, sagte er. »Tut mir Leid, Debs.«

Seine Stimme, sein Zustand oder die Unsicherheit beim Trinken schienen Peach nicht zu gefallen. Der kleine Dackel hielt in seiner Inspektion von Cherokees Jacke inne und begann wieder zu kläffen.

Deborah versuchte, den Hund zu beruhigen, aber er gab erst Ruhe, als sie ihn aus dem Zimmer trug und in die Küche hinunterscheuchte. »Er bildet sich ein, er wäre ein Dobermann«, bemerkte sie ironisch. »Kein Bein ist vor ihm sicher.«

Cherokee lachte leise. Dann packte ihn ein so gewaltiger Schüttelfrost, dass ihm beinahe das Glas aus der Hand gefallen wäre. Deborah setzte sich zu ihm und legte ihm den Arm um die Schultern. »Tut mir Leid«, sagte er wieder. »Ich hab die totale Panik gekriegt.«

»Du brauchst dich nicht zu entschuldigen.«

»Ich bin im Regen herumgeirrt und drüben, beim Fluss, voll gegen den Ast von irgendeinem Baum gerannt. Ich dachte, es hätte aufgehört zu bluten.«

»Trink den Brandy«, sagte Deborah. Sie war erleichtert, zu hören, dass ihm nichts Schlimmeres passiert war. »Dann verarzte ich deinen Kopf.«

»Ist es schlimm?«

»Nur eine Platzwunde. Aber sie muss versorgt werden. Warte.« Mit einem Papiertuch, das sie aus ihrer Tasche zog, tupfte sie das Blut ab. »Ich kann es immer noch nicht fassen, dass du hier bist. Was tust du denn in London?«

Die Tür öffnete sich, und Simon kehrte mit einem Handtuch und einer Decke zurück. Deborah nahm ihm beides ab, legte die Decke um Cherokees Schultern und frottierte ihm mit dem Handtuch das Haar. Es war nur wenig kürzer als damals, als Deborah mit seiner Schwester in Santa Barbara zusammengewohnt hatte, und noch genauso dicht und lockig; ganz anders als das Chinas, so wie auch sein sehr sinnlich wirkendes Gesicht mit den schwerlidrigen Augen und den vollen Lippen, um die ihn zweifellos manche Frau beneidete, ganz anders war als das seiner Schwester. Er habe sämtliche Lockgene geerbt, hatte China River oft über ihren Bruder gesagt, während für sie nur asketische Schlichtheit übrig geblieben sei.

»Ich habe zuerst versucht, dich anzurufen.« Cherokee zog die Decke fest um sich. »Das war so um neun Uhr. China hatte mir deine Adresse und die Telefonnummer gegeben. Ich dachte nicht, dass ich sie brauchen würde, aber dann hatte die Maschine wegen des Wetters Verspätung. Und als der Sturm endlich nachließ, war es zu spät, um noch zur Botschaft zu gehen. Darum hab ich dann hier angerufen, aber es war niemand da.«

»Sie wollten zur Botschaft?« Simon nahm Cherokees Glas und goss Brandy nach. »Was ist denn passiert?«

Cherokee nahm das Glas mit einem Nicken des Danks entgegen. Seine Hände waren jetzt ruhiger. Er trank, aber schon beim ersten Schluck begann er zu husten.

»Du musst erst mal raus aus den nassen Sachen«, stellte Deborah fest. »Pass auf, ich lass dir ein Bad einlaufen, und während du in der Wanne liegst, werfen wir deine Sachen in den Trockner. Einverstanden?«

»Kommt nicht in Frage. Das geht nicht. Es ist – verdammt, wie spät ist es eigentlich?«

»Jetzt mach dir mal wegen der Uhrzeit keine Sorgen. Simon, zeigst du ihm das Gästezimmer? Und sieh nach, ob du was Trockenes zum Anziehen für ihn findest. – Keine Widerrede, Cherokee. Es macht überhaupt keine Umstände.«

Sie gingen nach oben. Während Simon nach trockenen Kleidern für den Gast suchte, ließ Deborah das Wasser einlaufen und legte Badetücher heraus. Als Cherokee sich zu ihr gesellte – in einem alten Morgenrock von Simon und mit einem von Simons Schlafanzügen über dem Arm –, reinigte sie die Wunde an seinem Kopf. Er zuckte zusammen, als sie die Haut mit Alkohol abtupfte. Sie hielt seinen Kopf fest und sagte: »Beiß die Zähne zusammen.«

»Hast du keinen Beißring?«

»Den gibt's nur bei größeren Operationen. Das hier zählt nicht.« Sie warf die Watte weg und griff nach einem Pflaster. »Sag mal, Cherokee, woher bist du eigentlich heute Abend gekommen? Doch bestimmt nicht aus Los Angeles. Du hast ja gar kein – hast du Gepäck?«

»Aus Guernsey«, antwortete er. »Ich bin von Guernsey rübergeflogen. Als ich heute Morgen gestartet bin, dachte ich, ich könnte alles heute erledigen und am Abend zurück sein. Darum hab ich nichts mitgenommen. Aber dann habe ich fast den ganzen Tag am Flughafen gehockt und auf besseres Wetter gewartet.«

Deborah fragte: »Alles?«

»Was?«

»Du sagtest, du wolltest *alles* heute erledigen. Was heißt alles?«

Cherokees Blick glitt zur Seite. Nur einen Moment, aber es reichte, um Deborah zu erschrecken. Als er gesagt hatte, er habe ihre Adresse von seiner Schwester, hatte Deborah angenommen, China habe sie ihm in den Staaten gegeben, vor seiner Abreise, nach dem Motto: »Ach, du fliegst nach London? Dann schau doch mal bei Deborah vorbei!« Doch bei genauerer Überlegung musste sie einsehen, dass dies in Anbetracht der Tatsache, dass sie seit fünf Jahren keinen Kontakt mehr mit Cherokees Schwester hatte, reichlich unwahrscheinlich war. Wenn also Cherokee mit ihrer Adresse in der Tasche und der ausdrücklichen Absicht, die amerikanische Botschaft aufzusuchen, Hals über Kopf von Guernsey nach London gekommen war, ihm selbst aber offensichtlich nichts fehlte…

»Cherokee«, sagte sie, »ist China was passiert? Bist du darum hergekommen?«

Er sah sie unglücklich an. »Sie ist verhaftet worden«, sagte er.

»Mehr habe ich ihn nicht gefragt.« Deborah hatte ihren Mann unten in der Küche entdeckt, wo er, umsichtig wie stets, Suppe aufgesetzt und den Toaster eingeschaltet hatte. Der zerschrammte Küchentisch, an dem Deborahs Vater im Lauf der Jahre Tausende von Mahlzeiten zubereitet hatte, war für eine Person gedeckt. »Ich dachte, es ist besser nach dem Bad… da kann er sich erst ein bisschen erholen. Ich meine, bevor er uns erklärt – *wenn* er uns überhaupt etwas erklären will…« Sie hatte ein schlechtes Gewissen und versuchte, sich einzureden, dass dafür kein Grund bestand. Freunde kamen und gingen, das war etwas ganz Normales im Leben. Aber sie war diejenige, die irgendwann aufgehört hatte zu schreiben. Weil China River zu einem Abschnitt von Deborahs Leben gehörte, den Deborah am liebsten vergessen wollte.

Simon, der mit einem Holzlöffel die Tomatensuppe umrührte, warf ihr einen Blick zu. Er schien ihr Widerstreben, mit Cherokee zu sprechen, als Furcht auszulegen, denn er sagte: »Es kann etwas ganz Simples sein.«

»Was kann an einer Verhaftung simpel sein?«

»Ich meine, nichts Weltbewegendes. Ein kleiner Verkehrsunfall. Ein Missverständnis im Supermarkt, das wie Ladendiebstahl aussieht. Etwas in der Art.«

»Er wollte bestimmt nicht wegen eines Verdachts auf Ladendiebstahl zur amerikanischen Botschaft, Simon. Außerdem würde sie so was niemals tun.«

»Wie gut kennst du sie denn?«

»Ich kenne sie gut«, erwiderte Deborah und fühlte sich veranlasst, es gleich noch einmal mit Nachdruck zu wiederholen. »Ich kenne China River wirklich gut.«

»Und ihren Bruder? Cherokee? Was ist das überhaupt für ein Name?«

»Der, den er bei seiner Geburt bekommen hat, nehme ich an.«

»Die Eltern stammen wohl aus der Sergeant-Pepper-Generation?«

»Hm. Die Mutter hatte eine radikale Ader. Sie war so eine Art Hippie – nein, warte, sie war Umweltschützerin. Richtig. Das war, bevor ich sie kennen lernte. Sie hat Bäume besetzt.«

Simon warf ihr einen schrägen Blick zu.

»Um zu verhindern, dass sie gefällt werden«, erklärte Deborah. »Und Cherokees Vater – die beiden haben verschiedene Väter, weißt du – gehörte auch zu den Umweltschützern. Hat er nicht…?« Sie überlegte. »Doch, ich glaube, er hat sich an Eisenbahnschienen gekettet… irgendwo in der Wüste.«

»Ebenfalls, um sie zu schützen, nehme ich an? Sie sind ja mittlerweile tatsächlich vom Aussterben bedroht.«

Deborah lächelte. Der Toast schoss in die Höhe. Peach war da wie der Blitz, in der Hoffnung, es werde etwas für ihn abfallen, wenn Deborah die Brote strich.

»Cherokee kenne ich eigentlich gar nicht so gut. Lange nicht so gut wie China. Ich habe ihn fast immer nur bei Familienbesuchen gesehen. Wenn wir zu Weihnachten oder Neujahr oder so zu Chinas Mutter gefahren sind. Sie lebte in – warte mal, die Stadt hatte den Namen einer Farbe…«

»Einer Farbe?«

»Rot, Grün, Gelb. Ach ja, Orange. Sie wohnte in einem Ort namens Orange und hat immer fürchterliches Zeug gekocht – Tofutruthahn, schwarze Bohnen, braunen Reis, Algenpastete, wirklich grauenvoll. Wir haben uns jedes Mal große Mühe gegeben, wenigstens ein bisschen was runterzuwürgen, bevor wir unter irgendeinem Vorwand verschwunden sind, um uns ein Restaurant zu suchen. Cherokee kannte einige höchst dubiose, aber durchweg preiswerte Spelunken.«

»Na, das ist doch schon mal was wert.«

»Wie gesagt, ich kenne ihn eigentlich nur von diesen Besuchen. Insgesamt habe ich ihn höchstens – hm, zehnmal gesehen. Einmal kam er nach Santa Barbara und verbrachte ein paar Nächte auf unserem Sofa. Zwischen ihm und China bestand damals so eine Art Hass-Liebe. Er ist älter, aber er benahm sich immer wie der Kleine, und das ärgerte sie maßlos. Andererseits tendierte sie dazu, ihn zu bemuttern, und das ärgerte *ihn* maßlos. Die Mutter der beiden – na ja, wirklich mütterlich war die nicht.«

»Hatte wohl zu viel mit den Bäumen zu tun?«

»Und mit tausend anderen Dingen. Sie war da und doch nicht da. Das verband China und mich. Neben der Fotografie. Und anderen Dingen. Die Mutterlosigkeit.« Deborah bestrich den Toast mit Butter, ohne Peach zu beachten, der hoffnungsvoll seine feuchte Schnauze an ihren Fuß drückte.

Simon drehte das Gas unter dem Suppentopf herunter und sah, an den Herd gelehnt, seine Frau an. »Das waren harte Jahre«, sagte er gedämpft.

»Tja. Hm.« Sie zwinkerte einmal und lächelte schnell. »Aber irgendwie haben wir uns durchgekämpft.«

»Ja, das ist wahr«, bestätigte Simon.

Peach hob mit gespitzten Ohren den Kopf. Alaska, die große graue Katze, die bisher faul auf dem Fensterbrett gelegen und die Regenbäche an der Scheibe beobachtet hatte, richtete sich auf und streckte sich genüsslich. Die scharfen Augen waren auf die Souterraintreppe neben dem altmodischen Küchenbüfett gerichtet, auf dem die Katze häufig ihr Nickerchen zu machen pflegte. Einen Augenblick später knarrte oben die Tür, und der Hund bellte kurz. Alaska sprang vom Fensterbrett und verschwand in der Speisekammer.

Von oben ertönte Cherokees Stimme. »Debs?«

»Wir sind hier unten«, antwortete Deborah. »Wir haben dir eine Suppe und Toast gemacht.«

Cherokee kam in die Küche. Er sah wieder einigermaßen menschlich aus. Zwar war er etwas kleiner als Simon und athletischer gebaut, aber Simons Schlafanzug und Morgenrock passten ihm gut, und er fror auch nicht mehr. Seine Füße allerdings waren nackt.

»Ach, ich hätte an Hausschuhe denken sollen«, sagte Deborah.

»Das geht schon so«, erklärte Cherokee. »Ihr wart klasse. Vielen Dank. Ich meine, so wie ich hier reingeplatzt bin, das war ja nicht gerade eine freudige Überraschung. Es ist total nett von euch, dass ihr mich aufgenommen habt.« Er nickte Simon zu, der den dampfenden Topf zum Tisch trug und die Schale mit Suppe füllte.

»Hör mal, das ist ein denkwürdiger Tag«, sagte Deborah. »Simon hat tatsächlich einen Karton Suppe aufgemacht. Sonst nimmt er immer nur Dosen.«

»Vielen Dank«, sagte Simon.

Cherokee lächelte, aber er sah todmüde aus, wie man eben aussieht, wenn am Ende eines schrecklichen Tages alle Energie aufgebraucht ist.

»Iss deine Suppe«, sagte Deborah. »Du bleibst übrigens über Nacht.«

»Kommt nicht in Frage. Das kann ich nicht –«

»Quatsch! Deine Kleider sind im Trockner und brauchen noch eine Weile. Du willst doch nicht jetzt, mitten in der Nacht, wieder losziehen und dir ein Hotel suchen?«

»Deborah hat Recht«, mischte sich Simon ein. »Platz ist genug. Wir freuen uns, wenn Sie bleiben.«

Cherokees Gesicht spiegelte Erleichterung und Dankbarkeit. »Danke. Ich komme mir vor…« Er schüttelte den Kopf. »Ich komme mir vor wie ein kleines Kind, das im Supermarkt verloren gegangen ist. Ihr kennt das doch sicher. Es merkt erst, dass die Mutter weg ist, wenn es von dem aufschaut, wovon es bis zu diesem Moment so gefesselt war – von einem Comic-Heft zum Beispiel –, und kriegt die große Panik. Genauso fühle ich mich. Hab ich mich gefühlt.«

»Jetzt bist du ja in Sicherheit«, beruhigte ihn Deborah.

»Ich wollte nicht auf euren Anrufbeantworter sprechen, als ich bei euch angerufen habe«, erklärte Cherokee. »Ich wollte nicht, dass es dich wie eine kalte Dusche trifft, Debs. Darum hab ich beschlossen, zu euch zu fahren, aber ich habe mich in der Untergrundbahn total verirrt und bin in Tower Hill gelandet, bevor ich begriffen hatte, wo ich falsch umgestiegen war.«

»Scheußlich«, murmelte Deborah.

»So ein Pech«, sagte Simon.

Ein Schweigen breitete sich zwischen ihnen aus, nur vom Geräusch des Regens durchbrochen, der auf die Steinplatten draußen vor der Küchentür prasselte und an den Fensterscheiben herabströmte. Drei Menschen – und ein hoffnungsvoller Hund – in einer mitternächtlichen Küche. Aber sie waren nicht allein. Die Frage stand im Raum. Sie schwebte unter ihnen wie ein lebendiges Geschöpf, dessen geräuschvoller Atem nicht überhört werden konnte. Weder Deborah noch ihr Mann griffen sie auf, und das brauchten sie auch gar nicht.

Cherokee tauchte den Löffel in die Suppenschale, führte ihn zum Mund und ließ ihn wieder sinken, ohne von der Suppe gekostet zu haben. Einen Moment lang hielt er den Blick gesenkt, dann hob er den Kopf und sah von Deborah zu ihrem Mann.

»Also, es war so«, begann er.

Es sei alles seine Schuld, erklärte er. Ohne ihn wäre China gar nicht erst auf die Idee gekommen, nach Guernsey zu reisen.

Aber er hatte Geld gebraucht, und als ihm dieser Auftrag angeboten worden war, ein Päckchen von Kalifornien auf die Kanalinseln zu befördern und dafür nicht nur den Flug, sondern auch noch ein Honorar bezahlt zu bekommen – na ja, so was konnte man doch nicht ausschlagen!

Er hatte China gebeten, mit ihm zu fliegen, weil der Auftrag vorsah, dass ein Mann und eine Frau gemeinsam die Ware beförderten, und auch zwei Tickets bereitlagen. Warum nicht?, hatte er sich gedacht. Warum nicht China fragen? Die kam doch sowieso nie aus ihren vier Wänden raus.

Er hatte sie überreden müssen. Das nahm ein paar Tage in Anspruch, aber sie hatte gerade mit Matt Schluss gemacht – Debs erinnere sich doch sicher an Chinas Freund, den Filmemacher, mit dem sie seit Ewigkeiten zusammen war? – und fand schließlich, ein Tapetenwechsel könnte ihr nur gut tun. Sie hatte ihn angerufen, um ihm Bescheid zu geben, und er hatte alles Nötige veranlasst. Sie sollten das Päckchen in Tustin, südlich von LA, abholen und nach Guernsey zu einem Ort in der Nähe von St. Peter Port bringen.

»Was war denn in dem Päckchen?« Deborah stellte sich eine Festnahme wegen Drogenbesitzes am Flughafen vor, mit knurrenden Hunden, die China und Cherokee zähnefletschend bedrohten.

Nichts Verbotenes, antwortete Cherokee. Baupläne. Der Anwalt, der ihn angeheuert hatte –

»Ein Anwalt?«, warf Simon ein. »Nicht der Architekt?«

Nein. Cherokee war von einem Anwalt beauftragt worden, und China hatte das verdächtig gefunden, noch verdächtiger als die üppige Bezahlung und die kostenlosen Flugtickets. Sie hatte deshalb darauf bestanden, das Päckchen vor Antritt der Reise zu öffnen.

Wenn China gefürchtet hatte, die Versandröhre, die ziemlich umfangreich war, enthalte Drogen, Waffen, Sprengstoff oder irgendeine andere Schmuggelware, die sie beide ins Gefängnis bringen würde, so legten sich ihre Befürchtungen, sobald sie den Inhalt sah. Es waren Baupläne, wie angegeben. Sie war beruhigt. Ebenso Cherokee, den Chinas Misstrauen, wie er zugab, nervös gemacht hatte.

Sie waren also nach Guernsey geflogen, um die Pläne abzugeben, und hatten vorgehabt, von dort aus nach Paris und Rom weiterzureisen. Eine große Tour würde es nicht werden: Die konnten sie sich beide nicht leisten und wollten deshalb in jeder Stadt nur zwei Tage verbringen. Aber in Guernsey erfuhren ihre Pläne eine unerwartete Änderung. Sie hatten mit einem schnellen Austausch am Flughafen gerechnet: Papiere gegen die vereinbarte Bezahlung –

»In welcher Größenordnung?«, erkundigte sich Simon.

Fünftausend Dollar, antwortete Cherokee und fügte angesichts ihrer ungläubigen Mienen hastig hinzu, klar, das sei echt der Wahnsinn und es sei auch der Hauptgrund dafür gewesen, dass China darauf bestanden hatte, das Päckchen aufzumachen, denn wer, zum Teufel, sei so verrückt, einen solchen Haufen Geld für die simple Beförderung eines Pakets von Los Angeles nach Europa hinzulegen?

Doch wie sich dann herausstellte, ging es bei dem ganzen Deal um wahnsinnige Beträge. Der Mann, für den die Baupläne bestimmt waren, hatte Geld wie Heu und offenbar die Gewohnheit, damit nach Lust und Laune um sich zu werfen.

Aber am Flughafen wurden sie nicht, wie erwartet, von einem Beauftragten mit einem Scheck oder einem Aktenkoffer voll Geld abgeholt, sondern von einem einsilbigen Mann namens Kevin Soundso, der sie in einen Lieferwagen verfrachtete und zu einem sehr coolen Landsitz einige Kilometer entfernt fuhr.

China habe wahnsinnige Angst bekommen bei dieser Wendung der Ereignisse, die ja echt einigermaßen beunruhigend gewesen sei: Plötzlich mit einem wildfremden Typen, der keine fünf Wörter zu ihnen sagte, in einem Auto eingesperrt, das sei schon sehr seltsam gewesen. Aber es habe auch etwas Abenteuerliches gehabt, und Cherokee selbst sei fasziniert gewesen.

Der Wagen brachte sie zu einem imposanten Herrenhaus, das mitten in einem Riesenanwesen thronte. Das Haus war uralt – und komplett restauriert –, und in China erwachte bei seinem Anblick sofort das Interesse der Fotografin. Hier war eine ganze Doppelseite für den *Architectural Digest* und wartete nur darauf, von ihr fotografiert zu werden.

Spontan beschloss sie, Aufnahmen zu machen. Nicht nur vom Haus, sondern von dem ganzen weitläufigen Besitz mitsamt Park und Teich und vorgeschichtlicher Grabstätte. Sie wusste, dass sich ihr hier eine Gelegenheit bot, die vielleicht nie wiederkommen würde, und war bereit, Zeit, Geld und Arbeit zu investieren, obwohl gar nicht sicher war, dass sie einen Abnehmer für die Bilder finden würde.

Cherokee hatte nichts dagegen einzuwenden gehabt. Er beschloss, in der Zeit, die sie brauchen würde – vielleicht zwei Tage, wie sie meinte –, die Insel zu erkunden, die so weit ganz cool zu sein schien. Die Frage war nur, ob der Besitzer mitmachen würde. Manche Leute mochten ihre Häuser nicht in Zeitschriften abbilden lassen, weil sie fürchteten, das könnte Einbrecher auf dumme Gedanken bringen.

Aber Guy Brouard, so hieß der Mann, dem das Anwesen gehörte, gefiel die Idee. Er lud Cherokee und China ein, über Nacht oder auch länger zu bleiben und sich so viel Zeit wie nötig für die Fotos zu nehmen. Meine Schwester und ich leben ganz allein hier, sagte er. Besuch ist uns immer eine willkommene Abwechslung.

Wie sich zeigte, war auch der Sohn des Mannes da, und Cherokee dachte zunächst, Brouard hoffe vielleicht, China und sein Sohn würden sich zusammentun. Aber der Sohn war ein ungeselliger Typ und ließ sich nur zu den Mahlzeiten sehen. Dafür war die Schwester sehr nett, und Brouard selber auch. Cherokee und China fühlten sich wie zu Hause.

China und Guy fuhren gleich total auf einander ab. Sie interessierten sich beide für Architektur – sie von Berufs wegen, er weil er ein Gebäude plante. Er nahm sie sogar mit zu dem Platz, auf dem das Projekt entstehen sollte, und zeigte ihr diverse Gebäude auf der Insel, die geschichtliche Bedeutung hatten. China solle die ganze Insel fotografieren, sagte er, einen Bildband über Guernsey machen. So klein die Insel sei, sie habe eine ereignisreiche und lange Geschichte, die sich in ihren Bauten spiegle.

An ihrem vierten und letzten Abend bei den Brouards fand im Haus ein lange geplantes Fest statt, eine Riesenfete mit Scharen aufgedonnerter Leute. Cherokee und China kannten den Anlass nicht, aber sie erfuhren ihn zu mitternächtlicher Stunde, als Guy

Brouard alle seine Gäste zusammentrommelte und verkündete, die Entscheidung über den Entwurf für das von ihm geplante Gebäude – ein Museum, wie sich herausstellte – sei nun endlich gefallen. Trommelwirbel und Hochspannung, bevor er den Namen des Architekten nannte, dessen Pläne China und Cherokee aus Kalifornien mitgebracht hatten, danach knallende Champagnerkorken und ein Feuerwerk. Ein Aquarell des Gebäudes wurde auf einer Staffelei ausgestellt, wo die Festgäste es ausgiebig bewunderten und dann fortfuhren, sich mit Brouards Champagner voll laufen zu lassen.

Es wunderte Cherokee und seine Schwester nicht, dass am nächsten Morgen kein Mensch im Haus auf den Beinen war. Gegen halb neun gingen sie in die Küche und suchten in der Annahme, dass es ganz in Ordnung sei, wenn sie frühstückten, während die Familie Brouard sich nach der langen Nacht ausschlief, Getreideflocken, Kaffee und Milch zusammen. Nach dem Frühstück riefen sie ein Taxi und ließen sich zum Flughafen fahren, ohne noch einmal jemanden aus dem Haus gesehen zu haben.

Sie flogen nach Paris, klapperten zwei Tage lang die Sehenswürdigkeiten ab, die sie bisher nur auf Bildern bewundert hatten, und zogen weiter nach Rom. Aber als sie dort am Flughafen durch den Zoll gehen wollten, wurden sie von Beamten der Interpol aufgehalten.

Man brachte sie nach Guernsey zurück, wo sie, wie man ihnen sagte, als Zeugen gesucht wurden. Als sie wissen wollten, als Zeugen wofür, erklärte man ihnen nur: »Ein schwerer Zwischenfall macht Ihre unverzügliche Rückkehr auf die Insel erforderlich.«

Wie sich zeigte, war es die Polizei von St. Peter Port, die ihre Rückkehr eingeleitet hatte. Sie wurden in getrennten Einzelzellen festgehalten; Cherokee vierundzwanzig ziemlich unangenehme Stunden lang; China drei albtraumhafte Tage lang, die in einen Auftritt vor dem Untersuchungsrichter und der nachfolgenden Überführung ins Untersuchungsgefängnis mündeten, in dem sie jetzt noch saß.

»Aber weswegen denn?«, fragte Deborah. Sie griff über den Tisch und umfasste Cherokees Hand. »Cherokee, was werfen sie ihr vor?«

»Mord.« Er hob seine andere Hand und drückte die Finger auf die Augen. »Es ist völlig irre. Sie beschuldigen China, Guy Brouard umgebracht zu haben.«

# 2

Deborah schlug die Bettdecke zurück und schüttelte die Kissen auf. Selten hatte sie sich so unnütz gefühlt. In Guernsey saß China in einer Gefängniszelle, und sie werkelte hier im Gästezimmer herum wie eine brave Hausfrau, weil sie nicht wusste, was sie tun sollte. Ein Teil von ihr hätte am liebsten die nächste Maschine zu den Kanalinseln genommen, ein anderer wollte direkt in Cherokees Herz eintauchen, um seine Angst zu lindern. Und ein weiterer Teil von ihr drängte danach, Listen aufzustellen, Pläne zu schmieden, Instruktionen zu geben und unverzüglich etwas zu unternehmen, um beide Rivers wissen zu lassen, dass sie nicht allein waren auf der Welt. Und noch lieber wäre ihr gewesen, jemand anders hätte das alles getan, denn sie fühlte sich dem allem nicht gewachsen.

Um Chinas Bruder, der verlegen hinter ihr an der Kommode stand, irgendetwas zu sagen, drehte sie sich nach ihm um. »Wenn du in der Nacht etwas brauchst – wir sind einen Stock tiefer.«

Cherokee nickte. Er wirkte elend und mutlos. »Sie hat es nicht getan«, sagte er. »Oder kannst du dir vorstellen, dass China auch nur einer Fliege etwas zuleide tun würde?«

»Nie im Leben.«

»Als wir klein waren, musste ich immer kommen und die Spinnen aus ihrem Zimmer holen. Sie stand auf dem Bett und kreischte, weil sie eine an der Wand gesehen hatte, und wenn ich dann kam, um das Biest zu erschlagen, schrie sie: ›Tu ihr nichts! Tu ihr nichts!‹«

»Ja, so kenne ich sie auch.«

»Lieber Gott, hätte ich doch das Ganze nicht angezettelt. Hätte ich sie doch nicht gedrängt, mitzukommen. Ich muss was tun und weiß nicht, was.«

Man sah ihm an, dass er Angst hatte. Unablässig drehte er den Bindegürtel von Simons Morgenrock zwischen den Fingern. Deborah musste daran denken, dass China stets wie die ältere der beiden gewirkt hatte. Cherokee, was soll ich nur mit dir machen, hatte sie oft am Telefon gesagt. Wann wirst du endlich erwachsen werden?

Jetzt, dachte Deborah. Jetzt, da die Umstände von ihm eine Reife erforderten, zu der er vielleicht gar nicht fähig war.

»Schlaf dich erst mal aus«, sagte sie, weil sie sonst keinen Trost für ihn hatte. »Morgen ist auch noch ein Tag.« Damit ging sie.

Sie war tief bekümmert. China River war in der schlimmsten Zeit ihres Lebens ihre beste Freundin gewesen, und sie stand tief in ihrer Schuld. Dass China jetzt in Schwierigkeiten war und allein auf sich gestellt sein sollte ... Deborah verstand Cherokees Angst um seine Schwester nur zu gut.

Als sie ins Schlafzimmer kam, saß Simon auf dem Stuhl mit der steifen Lehne, den er immer benutzte, wenn er seine Beinschiene abnahm. Er war gerade dabei, die Klettstreifen aufzuziehen, seine Hose war zu den Füßen hinuntergeschoben, seine Krücken lagen neben dem Stuhl auf dem Boden.

Er wirkte kindlich und verwundbar wie stets in dieser Situation, und Deborah musste, wenn sie ihn so vorfand, immer all ihre Selbstbeherrschung aufbieten, um nicht zu ihm zu eilen und ihm ihre Hilfe anzubieten. Sein Gebrechen war für sie die große ausgleichende Kraft zwischen ihnen. Sie hasste es um seinetwillen, weil sie wusste, wie sehr er es hasste, aber sie hatte schon vor langem akzeptiert, dass der Unfall, der ihm als jungem Mann in den Zwanzigern einen Teil seiner Bewegungsfähigkeit geraubt hatte, ihn für sie erst erreichbar gemacht hatte. Ohne dieses Ereignis hätte er geheiratet, während sie noch in der Pubertät steckte, und sie weit hinter sich gelassen. Die Zeit im Krankenhaus und der langsamen Genesung und die nachfolgenden dunklen Jahre der Depression hatten diese Pläne zunichte gemacht.

Aber er wollte nicht in seiner Hilfsbedürftigkeit wahrgenommen werden. Darum ging sie direkt zur Kommode, um dort umständlich die wenigen Schmuckstücke abzulegen, die sie trug, und auf das Geräusch der zu Boden fallenden Beinschiene zu warten. Als sie es hörte und gleich darauf sein leises Stöhnen beim Aufstehen, drehte sie sich um. Er stand auf seine Krücke gestützt und sah sie liebevoll an.

»Danke dir«, sagte er.

»Tut mir Leid. Bin ich immer so leicht zu durchschauen?«

»Nein. Du bist immer so einfühlsam. Aber ich glaube, ich habe dir nie richtig dafür gedankt. Das kommt davon, wenn eine Ehe glücklicher ist, als ihr gut tut: Man nimmt den anderen als selbstverständlich hin.«

»Nimmst du mich also als selbstverständlich hin?«

»Nicht bewusst.« Er neigte ein wenig den Kopf zur Seite und betrachtete sie. »Offen gesagt, du gibst mir gar nicht die Chance dazu.« Er kam zu ihr, und sie legte ihre Arme um seine Taille. Er küsste sie sanft und dann lange, während er sie mit einem Arm an sich gedrückt hielt, bis sie das Verlangen spürte, das sich in ihnen beiden regte.

Sie sah zu ihm hinauf. »Ich bin froh, dass du noch so auf mich wirkst. Und noch froher, dass ich noch so auf dich wirke.«

Er berührte ihre Wange. »Hm. Ja. Trotzdem ist jetzt in Anbetracht der Dinge wahrscheinlich nicht die Zeit …«

»Wofür?«

»Gewisse interessante Variationen dieser Wirkung, von der du sprichst, näher zu erforschen.«

»Ach so.« Sie lächelte. »Vielleicht ist jetzt aber doch die Zeit dazu, Simon. Wir erfahren doch jeden Tag, wie schnell das Leben sich ändert. Alles, was wichtig ist, kann in einem Augenblick vorbei sein. Darum ist jetzt die Zeit.«

»Zu erforschen …?«

»Nur wenn wir es gemeinsam tun.«

Und das taten sie im milden Schein der Lampe, der ihre Körper vergoldete, Simons graublaue Augen verdunkelte und die sonst verborgenen bleichen Stellen, wo ihr Blut heiß pulsierte, glutrot färbte. Danach lagen sie ineinander verschlungen auf dem Bettüberwurf, den zu entfernen sie sich nicht die Zeit genommen hatten. Deborahs Kleider waren auf dem Boden verteilt, wo ihr Mann sie hingeworfen hatte, und Simons Hemd hing zerknittert von seinem Arm herab.

»Ich bin froh, dass du dich noch nicht hingelegt hattest«, sagte sie, die Wange an seiner Brust. »Ich dachte, du würdest vielleicht schon schlafen. Du hast unten in der Küche so müde ausgesehen. Aber ich konnte ihn doch nicht einfach im Gästezimmer absetzen und verschwinden. Wie schön, dass du wach geblieben bist. Danke, Simon.«

Er streichelte ihr Haar und schob, wie es seine Gewohnheit war, die Hand in die Fülle, bis seine Finger ihren Kopf spürten. Zart ließ er sie dort auf ihrer Haut spielen, und sie merkte selbst, wie ihr Körper sich unter der Liebkosung entspannte.

»Alles in Ordnung mit ihm?«, fragte er. »Gibt es jemanden, den wir notfalls anrufen können?«

»Notfalls?«

»Na ja, für den Fall, dass er morgen bei der Botschaft nicht das erreicht, was er will. Ich vermute, die haben dort schon mit der Polizei in Guernsey gesprochen. Wenn sie niemanden rübergeschickt haben...« Deborah spürte, wie ihr Mann mit den Schultern zuckte. »Dann spricht alles dafür, dass sie nicht vorhaben, irgendwas zu tun.«

Deborah richtete sich auf. »Du glaubst doch nicht, dass China diesen Mord tatsächlich begangen hat?«

»Aber nein.« Er zog sie wieder an sich. »Ich wollte damit nur sagen, dass sie sich in den Händen der Polizei eines fremden Landes befindet und die Botschaft möglicherweise nicht bereit ist, etwas zu unternehmen, was über das amtliche Protokoll und die übliche Verfahrensweise hinausgeht. Darauf sollte Cherokee vorbereitet sein. Und wenn es so sein sollte, wird er vielleicht jemanden brauchen, der ihm den Rücken stärkt. Vielleicht ist er sogar aus diesem Grund hierher gekommen.«

Simons Stimme war bei der letzten Bemerkung leiser geworden, und Deborah hob wieder den Kopf, um ihn anzusehen. »Was?«

»Nichts.«

»Das ist doch nicht alles, Simon, ich höre es an deiner Stimme.«

»Bist du die Einzige, die er in London kennt?«

»Wahrscheinlich, ja.«

»Aha.«

»Aha?«

»Dann wird er dich vielleicht brauchen, Deborah.«

»Und würde dich das stören?«

»Nein, das nicht. Aber gibt es nicht noch andere nahe Angehörige?«

»Nur ihre Mutter.«

»Die Baumbesetzerin. Tja, es wäre vielleicht ratsam, sie anzurufen. Was ist mit dem Vater? Du sagtest, die beiden hätten verschiedene Väter.«

Deborah verzog das Gesicht. »Ihrer ist im Gefängnis, Simon. Das war er zumindest, als wir zusammenwohnten.« Als sie Simons Irritation bemerkte – hinter der vielleicht das Klischee vom Apfel steckte, der nicht weit vom Stamm fällt –, fügte sie hinzu: »Es war nichts Schlimmes. Ich meine, er hatte niemanden umgebracht. China hat nie viel über ihn gesagt, aber ich weiß, dass er mit Drogen zu tun hatte. Ein geheimes Labor irgendwo? Ja, ich glaube, das war's. Er hat jedenfalls nicht auf der Straße gestanden und mit Heroin gedealt.«

»Das ist immerhin ein Trost.«

»Sie ist nicht wie er, Simon.«

Sie nahm sein Brummen als Zeichen widerwilliger Zustimmung.

Danach lagen sie schweigend beieinander, glücklich in ihrer Zweisamkeit, ihr Kopf auf seiner Brust, seine Finger in ihrem Haar.

In Momenten wie diesem liebte Deborah ihren Mann auf eine andere Art. Sie fühlte sich ihm eher gleichwertig. Diese Wahrnehmung entsprang nicht nur ihrem ruhigen Gespräch, sondern auch – und für sie war das vielleicht das Wichtigere – dem, was dem Gespräch vorausgegangen war. Dass ihr Körper ihm solche Lust bereiten konnte, schien das Ungleichgewicht zwischen ihnen aufzuheben, und dass sie diese Lust miterleben durfte, erlaubte ihr, sich ihrem Mann für den Moment sogar überlegen zu fühlen. Aus diesem Grund war für sie die eigene Lust seit langem zweitrangig geworden, worüber die emanzipierten Frauen ihrer Welt entsetzt gewesen wären, wie Deborah wusste. Aber so war es nun einmal.

»Ich habe mich schrecklich benommen«, murmelte sie schließlich. »Heute Abend, meine ich. Es tut mir Leid, Liebster. Ich mache es dir wirklich nicht leicht.«

Simon hatte keine Mühe, ihrem Gedankensprung zu folgen. »Ja, Erwartungen sind etwas Tückisches. Im Voraus geplante Enttäuschungen.«

»Stimmt, ich hatte alles genau geplant. Massen von Leuten, die – Champagnergläser in der Hand – voll ehrfürchtiger Bewunderung vor meinen Bildern stehen. ›Mein Gott, die Frau ist ein Genie‹, sagt einer zum anderen. ›Allein diese Idee, eine Polaroid zu nehmen ... Ich muss auf der Stelle so ein Bild haben ... Ach, was sage ich! Ich muss mindestens zehn haben.‹«

»›Die neue Wohnung in Canary Wharf schreit geradezu nach solchen Fotos‹«, fügte Simon hinzu.

»›Ganz zu schweigen vom Sommerhaus in den Cotswolds.‹«

»›Und der Villa bei Bath.‹«

Sie lachten. Dann schwiegen sie. Deborah richtete sich auf, um ihren Mann anzusehen.

»Es tut immer noch weh«, bekannte sie. »Nicht mehr so stark, lange nicht mehr. Aber ein bisschen schon noch.«

»Ja«, sagte er. »Schnellen Trost gibt es nicht, wenn einem etwas verwehrt wird. Wir alle wollen haben, was wir ersehnen. Und wenn wir es nicht bekommen, so heißt das nicht, dass wir aufhören, uns danach zu sehnen. Das weiß ich nur zu gut. Glaub mir. Das weiß ich.«

Sie sah schnell von ihm weg, als sie begriff, dass das, wovon er sprach, weit tiefer ging als der Stich der Enttäuschung dieses Abends. Sie war dankbar, dass er verstand, immer verstanden hatte, auch wenn seine Kommentare zu ihrem Leben noch so sehr von kühler Sachlichkeit und scharfer Logik bestimmt schienen. In ihren Augen brannten Tränen, aber die sollte er nicht sehen. Sie wollte ihm in diesem Moment die Akzeptanz der Ungerechtigkeit des Lebens zum Geschenk machen. Als es ihr gelungen war, den Schmerz zurückzudrängen, wandte sie sich ihm wieder zu und sagte in einem Ton, von dem sie hoffte, er drücke Entschlossenheit aus: »Ich werde mal richtig in mich gehen. Vielleicht werde ich ganz neue Wege beschreiten.«

Er betrachtete sie auf die für ihn typische Art, mit einem unverwandten Blick, der selbst Anwälte nervös machte, wenn er als Gutachter vor Gericht aussagte, und seine Studenten unweigerlich zum Stottern brachte. Doch für sie war der Blick gemildert durch sein Lächeln.

»Wunderbar«, sagte er, als er sie erneut an sich zog. »Ich würde gern sofort ein paar Vorschläge machen.«

Deborah war schon vor Tagesanbruch aufgestanden. Nachdem sie stundenlang wach gelegen hatte, war sie schließlich in einen unruhigen Schlaf gefallen, der sie durch ein Labyrinth unverständlicher Träume geführt hatte. Sie war wieder in Santa Barbara, aber nicht als diejenige, die sie damals gewesen war – eine junge Studentin am Brooks Institute for Photography –, sondern als eine ganz andere, eine Art Ambulanzfahrerin, die schnellstens ein Spenderherz zur Transplantation aus einem Krankenhaus abholen musste, das sie nicht finden konnte. Ohne die Lieferung würde der Patient, der aus irgendeinem Grund nicht in einem Operationssaal lag, sondern in der Autoreparaturwerkstatt der Tankstelle, hinter der sie und China früher gewohnt hatten, innerhalb einer Stunde sterben, zumal sein Herz bereits entfernt worden und nur noch ein klaffendes Loch in seiner Brust vorhanden war. Ob der Patient, der teilweise verhüllt auf der erhöhten Plattform der Werkstatt lag, ein Mann oder eine Frau war, war nicht zu erkennen.

In ihrem Traum raste sie verzweifelt durch die von Palmen gesäumten Straßen, ohne ihrem Ziel näher zu kommen. Sie konnte sich an nichts in Santa Barbara erinnern, und niemand war bereit, ihr mit einer Beschreibung des Wegs zu helfen.

Als sie erwachte, war sie schweißnass und zitterte vor Kälte. Sie sah auf die Uhr, glitt leise aus dem Bett und ging ins Badezimmer, wo sie die schlimmsten Reste des Albtraums abwusch. Bei ihrer Rückkehr ins Schlafzimmer murmelte Simon in der Dunkelheit ihren Namen und fragte: »Wie spät ist es? Was tust du?«

»Ich habe etwas Fürchterliches geträumt«, sagte sie.

»Nicht von Kunstsammlern, die dir mit dem Scheckbuch gewinkt haben?«

»Nein, leider nicht. Eher von Kunstsammlern, die mir mit Annie Leibovitz gewinkt haben.«

»Ach so. Na, es hätte schlimmer sein können.«

»Wie denn?«

»Es hätte Karsch sein können.«

Sie lachte und sagte, er solle weiterschlafen. Es sei noch früh, ihr Vater sei bestimmt noch nicht auf, und sie selbst würde ganz sicher nicht wie ihr Vater die Treppe rauf und runter laufen, um ihm seinen Morgentee zu bringen. »Dad verwöhnt dich«, teilte sie ihrem Mann mit.

»Ich finde das nur recht und billig als Gegenleistung dafür, dass ich ihn von dir befreit habe.«

Sie hörte das Rascheln der Laken, als er sich ausstreckte und mit einem wohligen Seufzer wieder dem Schlaf überließ. Sie ging nach unten.

Peach spähte aus seinem Korb neben dem Herd, als sie sich in der Küche eine Tasse Tee kochte, und Alaska kam weiß bestäubt, als hätte sie die Nacht auf einem löcherigen Mehlsack verbracht, aus der Speisekammer. Beide Tiere pirschten sich an sie heran, während sie, an den Spülstein unter dem Souterrainfenster gelehnt, darauf wartete, dass das Teewasser heiß wurde. Sie lauschte dem Regen, der immer noch auf den Platz vor der Hintertür fiel. Nur in der Nacht hatte er einmal kurz aufgehört, irgendwann nach drei Uhr, als sie noch wach gelegen hatte, dem Chor schriller Stimmen ausgeliefert, die ihr sagten, was sie tun sollte: mit sich, ihrem Leben, ihrer Karriere und vor allem mit und für Cherokee River.

Sie warf einen nachdenklichen Blick auf Peach, als Alaska begann, ihr sanft, aber nachdrücklich um die Beine zu streichen. Der Hund hasste es, sich die Pfoten nass zu machen – ein Regentropfen, und er weigerte sich, vor die Tür zu gehen. An einen Spaziergang war also nicht zu denken. Aber eine Stippvisite in den Garten, um das Notwendige zu erledigen, konnte man ihm schon zumuten. Doch als hätte der Dackel Deborahs Gedanken gelesen, verschwand er schleunigst in seinem Korb, während Alaska zu miauen begann.

»Glaub ja nicht, du kannst dich drücken«, sagte Deborah zu dem Hund, der sie mit seelenvollem Blick ansah, wie er das immer tat, wenn er besonders Mitleid erregend wirken wollte. »Wenn du jetzt nicht rausgehst, marschiert Dad nachher mit dir zum Fluss runter. Das weißt du doch.«

Peach schien bereit, dieses Risiko einzugehen. Er legte den Kopf auf die Pfoten und schloss die Augen. »Na schön«, sagte Deborah. Sie füllte den Napf der Katze mit der täglichen Futterration und stellte ihn sorgfältig außer Reichweite des Hundes. Sie wusste, er würde sich darüber hermachen, sobald sie ihm den Rücken kehrte, auch wenn er jetzt tiefen Schlaf vortäuschte. Sie goss ihren Tee auf und trug ihn nach oben, im Dunkeln ihren Weg ertastend.

Es war kalt im Arbeitszimmer. Sie schloss die Tür und zündete das Gasfeuer an. In einem Hefter auf einem der Bücherborde hatte sie eine Serie kleiner Polaroidfotos gesammelt, die sie zu dem Thema, mit dem sie sich als Nächstes beschäftigen wollte, gemacht hatte. Sie trug den Hefter zum Schreibtisch, setzte sich in Simons abgewetzten Ledersessel und sah die Bilder durch.

Sie dachte an Dorothea Lange und stellte sich die Frage, ob sie die Fähigkeit hatte, die nötig war, um in *einem* Gesicht, dem *richtigen* Gesicht, einen unvergesslichen Ausdruck einzufangen, der eine ganze Ära charakterisieren konnte. Sie hatte kein von Staubstürmen und Missernten zermürbtes *dust bowl*-Amerika der Dreißigerjahre erlebt, ein riesiges Trockengebiet, dessen Hoffnungslosigkeit sich im Antlitz einer Nation eingegraben hatte. Und sie wusste, wenn es ihr gelingen sollte, ein Abbild dieser, ihrer eigenen Epoche einzufangen, musste sie über die Grenzen hinausdenken, die seit langem durch dieses beeindruckende, schmerzvolle und ausgehöhlte Gesicht einer Frau und ihrer Kinder und einer Generation der Verzweiflung ausgedrückt wurden. Zumindest der halben Arbeit glaubte sie, gewachsen zu sein: Jenem Teil, bei dem es um das Denken ging. Aber war der andere Teil wirklich das, was sie wollte – noch einmal zwölf Monate durch die Straßen ziehen, noch einmal zehn- oder zwölftausend Fotos schießen, unablässig bemüht, hinter die von Mobiltelefonen und ewiger Eile beherrschte Welt zu sehen, die die Wahrheit dessen, was wirklich da war, verzerrte. Selbst wenn sie das schaffte, was würde es ihr auf lange Sicht bringen? Im Augenblick wusste sie es ganz einfach nicht.

Seufzend legte sie die Fotos auf den Schreibtisch. Nicht zum ersten Mal überlegte sie, ob nicht China den vernünftigeren Weg gewählt hatte. Mit kommerzieller Fotografie ließen sich Miete, Essen und Kleidung bezahlen. Das musste nicht unbedingt ein seelenloses Geschäft sein. Und eben weil sie in der glücklichen Lage war, nicht für Miete, Essen und Kleidung sorgen zu müssen, drängte es sie, an anderer Stelle einen Beitrag zu leisten. Wenn sie schon nicht gebraucht wurde, um ihre wirtschaftliche Situation zu verbessern, konnte sie wenigstens ihre Begabung dazu nutzen, etwas für die Gesellschaft zu tun, in der sie lebte.

Aber würde sie das tatsächlich damit erreichen, dass sie sich der kommerziellen Fotografie zuwandte? Und was wollte sie überhaupt fotografieren? Chinas Bilder hatten ganz direkt mit ihrem Interesse an Architektur zu tun. Sie hatte es sich von Beginn an zum Ziel gesetzt, eine Fotografin von Gebäuden zu werden, und tat heute beruflich das, was sie sich vorgenommen hatte. Sie war sich nicht untreu geworden wie Deborah sich, ihrer Meinung nach, untreu werden würde, wenn sie den Weg des geringsten Widerstands ging und auf kommerzielle Fotografie umstieg. Und was würde sie dann überhaupt fotografieren? Kindergeburtstagsfeste? Rockstars, die gerade aus dem Gefängnis entlassen wurden?

Gefängnis … Ach Gott. Mit einem leisen Aufstöhnen stützte

sie den Kopf in die Hände und schloss die Augen. Wie wichtig waren diese Überlegungen, gemessen an der Situation, in der China sich befand? China, die für sie in Santa Barbara da gewesen war, eine liebevolle Freundin in einer Zeit, da sie eine solche am dringendsten gebraucht hatte. *Ich habe euch beide doch zusammen gesehen, Debs. Wenn du es ihm sagst, kommt er bestimmt mit der nächsten Maschine zurück und sagt dir, dass er dich heiraten will. Das will er doch.* Aber so will ich es nicht, hatte Deborah entgegnet. So nicht.

Also hatte China alles Notwendige veranlasst, hatte sie in die Klinik gefahren, hatte hinterher an ihrem Bett gesessen und war der erste Mensch gewesen, den sie gesehen hatte, als sie die Augen öffnete. »Hey, Mädchen«, hatte sie mit so viel Liebe gesagt, dass Deborah glaubte, nie wieder in ihrem Leben eine solche Freundin zu finden.

Freundschaft verlangte Handeln. Sie durfte nicht zulassen, dass China sich länger als nötig allein fühlte. Aber was tun? Was –

Irgendwo im Flur draußen vor dem Arbeitszimmer knarrte eine Diele. Deborah hob den Kopf. Wieder knarrte es. Sie stand auf, ging schnell durch das Zimmer und riss die Tür auf.

Im diffusen Licht einer Straßenlampe, das von draußen hereinfiel, konnte sie Cherokee River erkennen, der gerade seine Jacke vom Heizkörper nahm, auf dem Deborah sie zum Trocknen ausgebreitet hatte. Seine Absicht war klar.

»Willst du etwa weg?«, fragte Deborah ungläubig.

Cherokee wirbelte herum. »Mann! Du hast mich zu Tode erschreckt. Wo kommst du denn plötzlich her?«

Deborah zeigte zum Arbeitszimmer, wo auf Simons Schreibtisch die Lampe brannte und das Gasfeuer seinen flackernden Schein zur Zimmerdecke hinaufwarf. »Ich bin schon eine ganze Weile auf. Hab alte Fotos durchgesehen. Aber was tust du hier? Wohin willst du?«

Er trat von einem Fuß auf den anderen und fuhr sich mit einer für ihn typischen Geste mit der Hand durch die Haare. »Ich konnte nicht schlafen.« Er wies zur Treppe ins obere Stockwerk. »Ich weiß, ich krieg kein Auge mehr zu – weder hier noch sonst wo –, solange ich nicht jemanden nach Guernsey rübergelotst hab. Darum hab ich mir gedacht, ich geh mal zur Botschaft –«

»Wie spät ist es denn überhaupt?« Deborah warf einen Blick zu ihrem Handgelenk und sah, dass sie ihre Uhr nicht umgelegt hatte. Aber die Düsternis draußen – wenn auch durch den unerträglichen Regen verstärkt – verriet ihr, dass es nicht viel später als sechs Uhr sein konnte. »Die Botschaft macht noch lange nicht auf.«

»Ja, aber ich wollte als Erster da sein, falls dort großer Andrang herrscht.«

»Das kannst du auch noch sein, wenn du erst eine Tasse Tee trinkst. Oder Kaffee, wenn du willst, und etwas isst.«

»Nein. Ihr habt schon genug getan. Ihr habt mich hier aufgenommen und verpflegt und alles. Ihr habt mir echt aus der Patsche geholfen.«

»Und darüber bin ich froh. Aber ich lass dich jetzt nicht gehen. Das wäre Quatsch. Ich fahr dich hin – rechtzeitig, damit du als Erster da bist, wenn dir das wichtig ist.«

»Du musst aber nicht –«

»Ich weiß, dass ich nicht muss«, unterbrach Deborah mit Entschiedenheit, »aber ich will. Also, lass die Jacke hier und komm mit.«

Cherokee schien einen Moment zu überlegen. Er schaute zur Tür, durch deren drei Glasscheiben das Licht sickerte. Sie konnten beide das Rauschen des Regens hören, und wie um ihm zu demonstrieren, wie unfreundlich er empfangen würde, wenn er sich hinauswagte, schoss wie eine gigantische Faust ein Windstoß vom Fluss herauf und schüttelte die Äste der Platane auf der Straße, dass es laut krachte.

Er sagte widerstrebend: »Okay. Danke.«

Deborah ging ihm voraus in die Küche hinunter. Peach schaute auf und knurrte. Alaska, die wie immer tagsüber auf dem Fensterbrett hockte, warf ihnen einen Blick zu, zwinkerte einmal und wandte sich wieder der Beobachtung der Regenbäche auf der Fensterscheibe zu.

»Benimm dich«, sagte Deborah zu dem Hund und forderte

Cherokee auf, sich an den Tisch zu setzen, wo dieser stumm auf die von Messerkerben und Brandringen gezeichnete Holzplatte hinunterblickte. Wieder setzte Deborah Wasser auf und holte die Teekanne aus dem Küchenschrank. »Ich mach dir auch gleich was zu essen«, sagte sie. »Wann hast du das letzte Mal richtig gegessen?« Sie sah zu ihm hinüber. »Gestern bestimmt nicht.«

»Doch, die Suppe bei euch.«

Sie prustete geringschätzig. »Du kannst China nicht helfen, wenn du keine Kraft hast.« Aus dem Kühlschrank nahm sie Eier und Schinkenspeck, Tomaten aus dem Korb beim Spülstein und Pilze aus der dunklen Ecke neben der Tür, die nach draußen führte, wo ihr Vater sie in einem großen Papierbeutel aufbewahrte, der zwischen den Regenmänteln der Hausbewohner an einem Haken hing.

Cherokee stand auf und trat zum Fenster über dem Spültisch. Alaska beschnupperte seine Finger, als er die Hand ausstreckte, um sie zu streicheln, dann senkte sie huldvoll den Kopf und erlaubte ihm, sie hinter den Ohren zu kraulen. Deborah, die bemerkte, wie Cherokee sich in der Küche umschaute, als wollte er sich jede Einzelheit einprägen, sah plötzlich mit seinen Augen all die kleinen Dinge, die für sie eine Selbstverständlichkeit waren: von den Sträußen getrockneter Kräuter, die ihr Vater aufzuhängen pflegte, zu den kupfernen Töpfen und Pfannen an der Wand über dem Herd, von den abgetretenen alten Bodenfliesen zum Küchenbüfett mit dem Geschirr und den Fotos von Simons Nichten und Neffen.

»Das Haus ist echt cool«, murmelte Cherokee.

Für Deborah war es einfach das Haus, in dem sie seit ihrer Kindheit lebte. Als die mutterlose kleine Tochter von Simons unentbehrlichem Faktotum war sie hierher gekommen und war als Simons Frau geblieben. Sie kannte jeden Luftzug in diesem Haus, sie kannte die Probleme mit den alten Rohren und den Mangel an elektrischen Steckdosen. Für sie war es schlicht ihr Zuhause. »Es ist alt und zugig, und die meiste Zeit macht es einen Haufen Ärger«, sagte sie.

»Ehrlich? Für mich schaut's aus wie eine hochherrschaftliche Villa.«

»Findest du?« Sie legte neun Scheiben Schinkenspeck in eine Pfanne und schob diese in den Grill. »Eigentlich gehört es der Familie von Simon. Es war eine Katastrophe, als er es übernommen hat. Mäuse in den Wänden und Füchse in der Küche. Er und mein Vater haben fast zwei Jahre gebraucht, um es wieder bewohnbar zu machen. Theoretisch könnten jetzt jederzeit seine Brüder oder seine Schwester hier mit einziehen, da das Haus ja nicht uns allein gehört. Aber das würden sie nie tun. Sie wissen, dass er und mein Vater die ganze Arbeit allein gemacht haben.«

»Ach, Simon hat Geschwister?«, bemerkte Cherokee.

»Ja, zwei Brüder – in Southampton, da ist die Familienfirma, eine Reederei – und eine Schwester, die in London lebt. Sie hat früher als Model gearbeitet, jetzt will sie als Interviewerin irgendwelcher obskuren Prominenten bei einem noch obskureren Fernsehsender, den kein Mensch einschaltet, Karriere machen.« Deborah lachte. »Sie ist schon eine Type. Sidney, meine ich, Simons Schwester. Ihre Mutter ist völlig verzweifelt, weil sie einfach nicht zur Ruhe kommt. Sie wechselt die Liebhaber wie die Hemden, und jeder ist immer – endlich, endlich – der Mann ihrer Träume.«

»Muss schön sein, so eine Familie zu haben«, sagte Cherokee.

Der sehnsüchtige Unterton veranlasste Deborah, die am Herd stand, sich umzudrehen. »Möchtest du vielleicht deine Mutter anrufen?«, fragte sie. »Du kannst das Telefon da auf dem Küchenschrank benutzen. Oder das im Arbeitszimmer, wenn du ungestört sein möchtest. Es ist jetzt ...« Sie sah zur Wanduhr hinauf und rechnete. »Es ist jetzt erst Viertel nach zehn Uhr abends in Kalifornien.«

»Nein, das kann ich nicht.« Cherokee kehrte zum Tisch zurück und ließ sich auf einen Stuhl fallen. »Ich hab's China versprochen.«

»Aber sie hat das Recht –«

»China und unsere Mutter?«, unterbrach Cherokee. »Nein, die beiden können überhaupt nicht miteinander. Verstehst du, unsere Mam war keine besonders tolle Mutter, nicht so wie andere Mütter, und China will nicht, dass sie von dieser Geschichte was erfährt. Ich vermute – na ja, eine andere Mutter würde sich wahrscheinlich ins nächste Flugzeug setzen, aber bei unserer Mam brauchst du damit nicht zu rechnen. Könnte ja sein, dass eine gefährdete Spezies gerettet werden muss. Warum ihr also überhaupt was davon sagen? So sieht's jedenfalls China.«

»Was ist mit ihrem Vater? Ist er ...« Deborah zögerte. Chinas Vater war immer ein heikles Thema gewesen.

Cherokee zog eine Augenbraue hoch. »Eingesperrt, meinst du? O ja. Er sitzt wieder mal. Es ist also niemand da, den wir anrufen könnten.«

Sie hörten, dass jemand die Treppe zur Küche herunterkam. Deborah, die den Tisch deckte, lauschte den unregelmäßigen Schritten eines vorsichtigen Abstiegs. »Das ist Simon«, sagte sie. Er war früher aufgestanden als sonst, lange vor ihrem Vater, und das würde diesem gar nicht recht sein.

Joseph Cotter hatte Simon während seiner langen Rekonvaleszenz nach dem schweren, durch Trunkenheit am Steuer verursachten Autounfall gepflegt, und er mochte es gar nicht, wenn Simon sich seiner häuslichen Fürsorge entzog.

»Zum Glück hab ich genug für drei gemacht«, sagte Deborah, als ihr Mann eintrat.

Der blickte vom Herd zum gedeckten Tisch. »Ich hoffe, das Herz deines Vaters ist stark genug, um diesen Schock auszuhalten«, sagte er.

»Sehr witzig.«

Simon gab ihr einen Kuss und nickte Cherokee zu. »Sie sehen viel besser aus heute Morgen. Was macht der Kopf?«

Cherokee tippte an das Pflaster unter seinem Haaransatz. »Besser. Ich hatte eine gute Pflegerin.«

»Ja, sie weiß, was sie tut«, sagte Simon.

Deborah schlug die Eier in die Pfanne und verrührte sie. »Ich habe Cherokee versprochen, dass ich ihn nach dem Frühstück zur amerikanischen Botschaft fahre«, sagte sie.

»Aha.« Simon sah Cherokee an. »Die Polizei von Guernsey hat die Botschaft noch nicht informiert? Das ist ungewöhnlich.«

»Doch, doch«, sagte Cherokee. »Aber sie haben niemanden geschickt. Sie haben nur angerufen, um sicherzustellen, dass sie einen Anwalt hat, der sie bei Gericht vertritt. Danach hieß es, wunderbar, das ist gut, sie hat also einen Rechtsbeistand, rufen Sie uns an, wenn Sie noch irgendwas brauchen. Ich sagte, ich brauche *Sie*. Ich brauche Sie *hier*. Ich habe ihnen erzählt, dass wir nicht mal auf der Insel waren, als es passiert ist. Aber sie sagten nur, die Polizei hätte Beweise, und sie könnten nichts tun, solange das Spiel läuft. Das haben sie wirklich gesagt. Als wär das ein Baseballspiel oder so was.« Er stand abrupt auf und trat vom Tisch weg. »Ich brauche jemanden von der Botschaft auf der Insel. Diese ganze Sache ist doch ein abgekartetes Spiel, und wenn ich nichts dagegen unternehme, kommt's zum Prozess und einer Verurteilung, bevor der Monat um ist.«

»Kann denn die Botschaft wirklich nichts tun?« Deborah stellte das Frühstück auf den Tisch. »Simon, weißt du das?«

Ihr Mann ließ sich die Frage durch den Kopf gehen. Er wurde nicht oft für Botschaften tätig, weit häufiger für staatliche Behörden oder für Strafverteidiger, die vor Gericht einen unabhängigen Sachverständigen brauchten, um diesen oder jenen Laborbefund der Polizei in Frage zu stellen. Doch er kannte sich gut genug aus, um sagen zu können, was die amerikanische Botschaft Cherokee anbieten würde, wenn er am Grosvenor Square vorsprach.

»Die Botschaft kümmert sich darum, dass der jeweils Beschuldigte ein ordnungsgemäßes Verfahren bekommt«, sagte er. »Sie wird dafür sorgen, dass in Chinas Fall die rechtsstaatlichen Prinzipien gewahrt werden.«

»Und das ist alles, was sie tun können?«, fragte Cherokee.

»So ziemlich, ja«, antwortete Simon bedauernd, aber sein Ton wurde ermutigender, als er zu sprechen fortfuhr. »Ich denke, man wird sicherstellen, dass sie einen guten Anwalt bekommt. Man wird den Mann überprüfen und sich vergewissern, dass er nicht erst vor drei Wochen seine Zulassung erhalten hat, und man wird dafür sorgen, dass alle Personen in den Staaten, die China informieren möchte, informiert werden. Man wird veranlassen, dass ihr ihre Post zugestellt wird, und man wird sie in die regelmäßigen Besuchsrunden aufnehmen. Ich bin sicher, die Leute von der Botschaft werden tun, was in ihrer Macht steht.« Er betrachtete Cherokee einen Moment, dann sagte er aufmunternd: »Es ist ja noch früh am Tag.«

»Aber wir waren doch nicht mal dort, als das alles passierte«, wiederholte Cherokee wie betäubt. »Ich habe denen das immer wieder gesagt, aber sie haben mir nicht geglaubt. Am Flughafen gibt's doch bestimmt Aufzeichnungen. Ich meine darüber, wann wir abgeflogen sind. Es muss doch Passagierlisten geben.«

»Natürlich«, sagte Simon. »Wenn Sie zum Zeitpunkt des Todes schon abgeflogen waren, so wird sich das schnell herausstellen.« Zerstreut spielte er mit seinem Messer und begann, damit gegen seinen Teller zu klopfen.

»Was ist, Simon?«, fragte Deborah. »Was?«

Er sah Cherokee an und blickte dann an ihm vorbei zum Küchenfenster, wo Alaska sich putzte und immer wieder Pause machte, um mit der Pfote nach den Regenbächen zu schlagen, als könnte sie diese aufhalten. Er sagte mit Bedacht: »Man muss das mit kühler Vernunft betrachten. Wir sprechen hier nicht von einem Dritte-Welt-Land und auch nicht von einem totalitären Staat. Die Polizei in Guernsey würde niemals jemanden ohne Beweise festnehmen. Das heißt« – er legte das Messer aus der Hand – »die Realität ist folgende: Es gibt etwas Eindeutiges, das sie veranlasst zu glauben, sie hätten den Täter, den sie suchen.« Wieder richtete er seinen Blick auf Cherokee und musterte auf die für ihn typische ruhig forschende Art dessen Gesicht, als suchte er Gewissheit, dass der andere mit dem umgehen konnte, was er zum Abschluss sagen würde. »Sie müssen vorbereitet sein.«

»Worauf?« Unwillkürlich hielt Cherokee sich an der Tischkante fest.

»Auf das, was Ihre Schwester möglicherweise getan hat. Ohne Ihr Wissen.«

# 3

»Schneckenwein haben wir's genannt, Frankie. Das Gesöff, das wir damals statt Tee getrunken haben. Das hab ich dir nie erzählt, hm? Tja, ich hab nie viel darüber geredet, wie schlecht es damals mit dem Essen geworden ist. Man denkt nicht gern an diese Zeiten. Die verdammten Krauts... Was die unserer Insel angetan haben...«

Frank Ouseley schob seine Hände behutsam unter den Achselhöhlen seines Vaters hindurch, während der alte Mann weiterschwatzte. Er hob ihn von dem Plastikhocker, der in der Wanne stand, und stellte seinen linken Fuß auf die zerschlissene Matte, die das kalte Linoleum bedeckte. Er hatte am Morgen die Heizung ganz aufgedreht, aber es kam ihm immer noch kalt im Badezimmer vor. Die eine Hand am Arm seines Vaters, um diesen zu stützen, zog er das Handtuch vom Halter und schüttelte es aus. Er legte es seinem Vater fest um die Schultern, die so schlaff und faltig waren wie der ganze alte Körper. Graham Ouseley war zweiundneunzig Jahre alt, und das Fleisch hing an seinen Knochen wie zäher Brotteig.

»Wir haben damals alles in die Kanne geschmissen, was wir kriegen konnten«, fuhr Graham fort und lehnte seinen mageren Körper an Franks etwas rundere Schulter. »Gehackte Pastinaken, zum Beispiel, wenn's welche gab. Die haben wir natürlich vorher geschmort. Kamelienblätter, Lindenblüten und Zitronenmelisse. Und zum Schluss haben wir noch Natron dran getan, damit die Blätter ein bisschen ergiebiger waren. Und das Ganze hieß dann Schneckenwein. Ich meine, Tee konnte man das ja wirklich nicht nennen.« Er lachte glucksend, und seine knochigen Schultern zuckten. Aus dem Lachen wurde ein Husten. Aus dem Husten ein krampfhaftes Ringen um Atem. Frank packte seinen Vater, um ihn auf den Beinen zu halten.

»Ruhig, Dad.« Er hielt den gebrechlichen Körper fester, obwohl er immer fürchtete, der kräftige Griff würde eines Tages viel schlimmeren Schaden anrichten als ein Sturz, und die alten

Knochen würden unter seinen Händen brechen wie die zarten Beinchen eines Regenpfeifers. »Komm. Ich helf dir aufs Klo.«

»Ich muss nicht«, protestierte Graham und versuchte, seinen Sohn abzuschütteln. »Was ist los mit dir? Wirst du vergesslich, oder was? Ich hab doch erst vor dem Baden gepinkelt.«

»Ja, ich weiß. Ich will ja auch nur, dass du dich hinsetzt.«

»Meinen Beinen fehlt nichts. Ich kann prima stehen. Das hab ich damals bei den Krauts gelernt. Man hat still dagestanden und so getan, als würde man um Fleisch anstehen. Nachrichten austauschen? Nie im Leben. Ein Funkempfänger im Misthaufen? Bei mir doch nicht. Wenn man so ausgeschaut hat, als würde man genauso gern ›Heil Anstreicher‹ rufen wie ›Gott schütze den König‹, haben sie einen in Ruhe gelassen. Man musste nur vorsichtig sein, dann konnte man tun, was man wollte.«

»Ich weiß, Dad«, sagte Frank geduldig. »Das hast du mir erzählt.« Er ließ seinen Vater trotz dessen Proteste auf den Toilettensitz hinuntergleiten und begann, ihn abzutrocknen. Mit einiger Besorgnis achtete er dabei auf den Atem seines Vaters und wartete darauf, dass er sich wieder beruhigen würde. Herzinsuffizienz, hatte der Arzt gesagt. Es gibt natürlich Medikamente, die er nehmen kann. Aber ich will offen sein: In diesem fortgeschrittenen Alter ist es nur eine Frage der Zeit. Es ist ein Geschenk Gottes, Frank, dass er so lange gelebt hat.

Im ersten Moment hatte Frank bei dieser Nachricht gedacht, nein, nicht jetzt! Noch nicht! Aber nun war er bereit, seinen Vater gehen zu lassen. Ihm war bewusst, dass er sich glücklich preisen konnte, ihn so lange, bis in sein eigenes sechstes Jahrzehnt hinein, um sich gehabt zu haben. Er hatte zwar gehofft, sein Vater würde wenigstens noch anderthalb Jahre durchhalten, aber mittlerweile hatte er sich damit abgefunden – mit einem Schmerz, der wie ein Netz schien, dem er niemals entkommen würde –, dass dies nicht sein sollte.

»Ach ja?«, fragte Graham und kniff die Augen zusammen, während er in seinem Gedächtnis kramte. »Hab ich dir das alles schon mal erzählt, mein Junge? Wann denn?«

Zwei- oder dreihundert Mal, dachte Frank. Seit seiner Kindheit bekam er die Geschichten seines Vaters aus dem Zweiten Weltkrieg zu hören, und die meisten kannte er auswendig. Die Deutschen hatten Guernsey in Vorbereitung auf die geplante Invasion Englands fünf Jahre lang besetzt gehalten, und immer drehten sich die Erzählungen seines Vaters darum, wie die Bevölkerung damals gelitten hatte – ganz zu schweigen davon, was die Leute sich alles hatten einfallen lassen, um die Unternehmungen der Deutschen auf der Insel zu sabotieren. So wie andere Kinder mit der Muttermilch aufgezogen wurden, war Frank mit den Geschichten seines Vaters groß geworden. Vergiss das nie, Frankie. Ganz gleich, was in deinem Leben geschieht, mein Junge, das darfst du nie vergessen.

Er hatte es nicht vergessen, und im Gegensatz zu vielen Kindern, die der ewig gleichen Geschichten, die die Eltern ihnen am Volkstrauertag zu erzählen pflegten, nach einer Weile müde geworden waren, hatte Frank Ouseley an den Lippen seines Vaters gehangen und gewünscht, er wäre ein Jahrzehnt früher zur Welt gekommen und hätte wenigstens als Kind an diesen schweren und heroischen Zeiten teilhaben können.

So etwas gab es heute nicht mehr. Die Auseinandersetzungen auf den Falkland-Inseln oder am Golf, diese kurzen, hässlichen Kriege, die praktisch um nichts geführt wurden und nur das Volk zu fahnenschwingendem Patriotismus aufstacheln sollten, konnte man damit nicht vergleichen, und schon gar nicht den Konflikt in Nord-Irland, wo er selbst gedient und sich, ständig auf der Hut vor Heckenschützen, gefragt hatte, was, zum Teufel, er in diesem Konfessionskrieg verloren hatte, der von Verbrechern geschürt wurde, die seit mehr als hundert Jahren aufeinander schossen. Von Heldentum konnte da nirgends die Rede sein, denn es gab keinen eindeutig identifizierbaren Feind, gegen den man das Vaterland bis in den Tod verteidigen konnte. Nein, diese Geschichten hatten mit dem Zweiten Weltkrieg nichts gemein.

Nachdem er seinen Vater sicher auf den Toilettenrand gesetzt hatte, griff er nach den Kleidern, die sauber gefaltet in einem Stapel auf dem Waschbecken lagen. Er machte die Wäsche selbst, da waren die Unterhose und das Unterhemd nicht ganz so weiß, wie sie vielleicht hätten sein können, aber die Sehkraft seines Vaters ließ stetig nach, und Frank war ziemlich sicher, dass es ihm nicht auffiel.

Wenn er seinen Vater ankleidete, ging das ganz mechanisch vor sich, indem er ihm die einzelnen Kleidungsstücke in immer derselben Reihenfolge überzog. Es war ein Ritual, das er einmal beruhigend gefunden hatte, weil es den Tagen mit Graham eine Gleichförmigkeit verlieh, die zu versprechen schien, dass diese Tage ewig fortdauern würden. Jetzt jedoch beobachtete er den alten Mann besorgt und fragte sich, ob die Atemlosigkeit und die wächserne Blässe seiner Haut Vorboten des nahenden Endes ihres gemeinsamen Lebens waren, das sich nun schon über eine Spanne von mehr als fünfzig Jahren erstreckte. Vor zwei Monaten noch wäre er vor dem Gedanken zurückgeschreckt. Vor zwei Monaten wollte er nichts anderes als Zeit genug, um den Bau des Graham-Ouseley-Kriegsmuseums zu verwirklichen, damit sein Vater am Morgen der Eröffnung stolz das Band durchschneiden konnte. Die vergangenen sechzig Tage aber hatten alles grundlegend verändert, und das war jammerschade, denn das, was ihn und seinen Vater zusammenschweißte, solange er denken konnte, war ihrer beider Bestreben, jedes Andenken an die Jahre der deutschen Besatzung auf der Insel zu sammeln. Das war ihr gemeinsames Lebenswerk und ihrer beider Leidenschaft, die auf der Liebe zur Geschichte und der Überzeugung beruhte, dass die heutige und die künftige Bevölkerung Guernseys darüber aufgeklärt werden sollte, was ihre Vorfahren erduldet hatten.

Dass aus ihren Plänen nun nichts werden würde, wollte Frank seinen Vater vorläufig nicht wissen lassen. Warum sollte er ihm, da seine Tage ohnehin gezählt waren, einen Traum zerstören, den er sich gar nicht erlaubt hätte, wäre nicht unversehens Guy Brouard in ihr Leben getreten.

»Was steht heute an?«, fragte Graham, als Frank ihm die Trainingshose über dem eingefallenen Hinterteil hochzog. »Wird Zeit, mal nach dem Bauplatz zu sehen. Die müssten jetzt eigentlich jeden Tag anfangen, stimmt's, Frankie? Da wirst du doch dabei sein und den ersten Spatenstich machen, wie sich das gehört. Oder will Guy das selber machen?«

Frank wich den Fragen aus, wie er seit dem Tod Guy Brouards jedem Gespräch über den Mann ausgewichen war. Er hatte seinem Vater die Nachricht vom grausamen Tod ihres Freundes und Wohltäters bislang vorenthalten, weil er fürchtete, sie könnte bei seinem Gesundheitszustand zu viel für ihn sein. Außerdem konnten sie im Moment sowieso nur warten, ob sein Vater nun Bescheid wusste oder nicht: Es war noch nicht bekannt, wie Guy Brouard über seinen Nachlass verfügt hatte.

Frank sagte: »Ich wollte heute Morgen mal die Uniformen durchsehen. Mir kam's so vor, als würden sie feucht werden.« Das war eine Lüge. Die zehn Uniformen in ihrem Besitz – von den Wehrmachtsmänteln mit den dunklen Krägen bis zu den abgewetzten Overalls, die die Fliegerabwehr der Luftwaffe getragen hatte – waren in säurefreiem Seidenpapier und luftdichten Behältern sicher aufbewahrt, für den Tag, an dem sie in die Glasvitrinen wandern würden, in denen sie fortan bleiben sollten. »Ich versteh nicht, wie das passieren konnte, aber wenn es wirklich so ist, müssen wir was tun, ehe sie anfangen, stockig zu werden.«

»Da hast du verdammt Recht«, pflichtete sein Vater ihm bei. »Darum musst du dich kümmern, Frankie. Die ganzen Klamotten. Die müssen gepflegt werden.«

»Genau, Dad«, antwortete Frank mechanisch.

Sein Vater schien zufrieden. Er ließ sich das dünne Haar kämmen und sich danach ins Wohnzimmer führen, wo Frank ihm in seinen Lieblingssessel half und ihm die Fernbedienung für das Fernsehgerät in die Hand drückte. Er hatte keine Sorge, dass sein Vater auf den Lokalsender schalten und eben jene Neuigkeiten über Guy Brouard erfahren würde, die er ihm verschweigen wollte. Die einzigen Programme, die Graham Ouseley sich ansah, waren Kochsendungen und Seifenopern. Bei Ersteren pflegte er sich aus Gründen, die seinem Sohn bis heute unklar waren, Notizen zu machen. Letztere verfolgte er wie gebannt und ließ sich beim Abendessen über die Freuden und Leiden der Protagonisten aus, als wären es seine Nachbarn.

In Wirklichkeit hatten die Ouseleys keine Nachbarn. Vor Jahren hatte es einmal welche gegeben: Zwei Familien hatten in den kleinen Häusern gewohnt, die sich in schnurgerader Reihe an die alte Mühle mit dem Namen *Moulin des Niaux* anschlossen. Doch nach und nach hatten Frank und sein Vater diese Häuser aufgekauft, und nun war in ihnen die riesige Sammlung untergebracht, mit der das Kriegsmuseum ausgestattet werden sollte.

Frank holte seine Schlüssel. Nachdem er im Wohnzimmer nach der Heizung gesehen und den Heizlüfter eingeschaltet hatte, da ihm die Wärme, die den alten Rohren entströmte, zu dürftig schien, ging er in das Haus hinüber, das direkt an das grenzte, in dem er und sein Vater seit zweiundvierzig Jahren lebten. Die Häuser standen, wie gesagt, alle in einer Reihe, und die Ouseleys bewohnten das am weitesten von der Mühle entfernte, deren altes Rad nachts ächzte und stöhnte, wenn der Wind durch das schmale Tal namens Talbot Valley pfiff.

Die Haustür klemmte, als Frank sie aufstoßen wollte. Der alte Steinboden war uneben, und in den Jahren, seit ihnen das Haus gehörte, hatten Frank und sein Vater es nicht für nötig gehalten, Abhilfe zu schaffen. Sie benutzten das Haus hauptsächlich als Lager, und in ihren Augen war eine Tür, die klemmte, eine Kleinigkeit im Vergleich zu all den anderen Problemen, vor die ein altes Haus seine Besitzer stellte. Es war wichtiger, dafür zu sorgen, dass Dach und Fenster dicht waren. Wenn die Heizung ordentlich funktionierte und eine Balance zwischen Trockenheit und Feuchtigkeit gewahrt werden konnte, ließ so eine widerspenstige Tür sich leicht übersehen.

Doch Guy Brouard hatte das nicht getan. Er hatte die Tür gleich bei seinem ersten Besuch bei den Ouseleys erwähnt. »Das Holz hat sich verzogen«, sagte er. »Das heißt, dass es hier feucht ist, Frank. Haben Sie Vorsorge dagegen getroffen?«

»Das ist der Boden, nicht die Feuchtigkeit«, hatte Frank erklärt. »Obwohl wir die hier leider auch haben. Wir versuchen, die Temperatur hier drinnen gleichmäßig zu halten, aber im Winter… Es ist wahrscheinlich die Nähe des Mühlbachs.«

»Was Sie brauchen, ist höher liegender Grund.«

»Ja, nur kriegt man den hier auf der Insel nicht so leicht.«

Guy hatte nicht widersprochen. Es gab auf Guernsey keine extremen Bodenerhebungen, außer vielleicht die Küstenfelsen am Südende der Insel, die steil zum Ärmelkanal abfielen. Doch die Nähe des Kanals mit der salzgeschwängerten Luft, die von ihm aufstieg, machte die Küste als Lagerort für die Sammlung ungeeignet – selbst wenn man dort Platz für sie gefunden hätte, was höchst unwahrscheinlich war.

Den Vorschlag mit dem Museum hatte Guy nicht sofort gemacht. Er hatte zunächst vom Ausmaß der Sammlung der Ouseleys keine Vorstellung gehabt, war, als er ins Talbot Valley kam, nur einer Einladung Franks gefolgt, die dieser bei dem geselligen Beisammensein zum Abschluss eines Vortrags bei der historischen Gesellschaft ausgesprochen hatte. Sie hatten sich über dem Marktplatz von St. Peter Port in dem alten, seit langem schon der Guille-Allès-Bibliothek einverleibten Versammlungssaal getroffen, um sich einen Vortrag über die Ermittlungen der Alliierten im Jahr 1945 zum Fall Hermann Göring anzuhören. Der hatte sich allerdings als eine trockene Rekapitulation von Fakten herausgestellt, die einem Werk mit dem Titel *The Consolidated Interrogation Report* entnommen waren. Die meisten Mitglieder schliefen schon nach zehn Minuten ein, Guy Brouard jedoch schien jedes Wort des Redners zu verschlingen, und Frank hatte daraus die Hoffnung geschöpft, in ihm einen Gesinnungsgenossen zu finden. Er hatte ihn nach dem Ende des Vortrags angesprochen, ohne zu wissen, wer er war, und zu seiner Überraschung erfahren, dass dies der Mann war, der das verwahrloste Thibeault Manor zwischen St. Martin und St. Peter Port übernommen und seine Renaissance als *Le Reposoir* bewerkstelligt hatte.

Wäre Guy Brouard nicht so ein geselliger Mensch gewesen, hätte Frank an diesem Abend wahrscheinlich nur ein paar Höflichkeiten mit ihm ausgetauscht und wäre seiner Wege gegangen. Doch Guy hatte ein Interesse an Franks Bemühungen gezeigt, die Erinnerung an die deutsche Besatzung wach zu halten, das dieser schmeichelhaft fand, darum hatte er ihn eingeladen, ihn in *Moulin des Niaux* zu besuchen.

Guy war zweifellos in dem Glauben gekommen, die Einladung sei nicht mehr als die höfliche Geste eines Mannes mit einem Steckenpferd, der sich über das Interesse eines anderen an seiner Beschäftigung freut. Aber beim Anblick des ersten Raums voller Kisten und Kartons, Schuhschachteln mit Patronen und Orden, Kriegsgerät, das ein halbes Jahrhundert alt war, Bajonetten und Messern und Gasmasken und Fernmeldegeräten hatte er leise und beifällig durch die Zähne gepfiffen und sich auf eine längere Besichtigung eingerichtet.

Diese Besichtigung hatte mehr Zeit als einen Tag in Anspruch genommen. Viel mehr. Guy Brouard war über zwei Monate lang regelmäßig nach *Moulin des Niaux* gekommen, um das Material in den anderen beiden Häusern zu sichten. Als er schließlich gesagt hatte: »Sie brauchen ein Museum für diese Schätze, Frank«, war in Frank der Keim gelegt.

Wie ein Traum war es ihm damals vorgekommen. Seltsam, nun sehen zu müssen, dass aus dem Traum langsam ein Albtraum geworden war.

Frank trat zu dem metallenen Aktenschrank, in dem er und sein Vater alle Kriegsdokumente aufbewahrten, die ihnen im Lauf der Zeit in die Hände gefallen waren. Sie besaßen dutzendweise alte Ausweise, Lebensmittelkarten und Führerscheine, auch deutsche Bekanntmachungen, auf denen für solche Kapitalverbrechen wie das Aussenden von Brieftauben die Todesstrafe angedroht wurde, sowie zahllose deutsche Anordnungen zu jedem erdenklichen Thema, durch die man das tägliche Leben der Inselbewohner zu kontrollieren versucht hatte. Ihr kostbarster Besitz war ein halbes Dutzend Exemplare des kleinen Untergrundblatts G.I.F.T., dessen Verbreitung drei Männer aus Guernsey das Leben gekostet hatte.

Diese Blätter nahm Frank jetzt aus dem Aktenschrank, trug sie zu einem alten Stuhl mit geflochtenem Sitz und setzte sich, wobei er sie vorsichtig auf dem Schoß hielt. Es waren lose Blätter, und von dem auf dünnes Papier getippten Text waren so viele Durchschläge angefertigt worden, wie man Blätter unter die Walze einer alten Schreibmaschine hatte einspannen können. Die

Blätter waren so hauchdünn, dass es ein Wunder war, wie sie auch nur einen Monat überstanden hatten, geschweige denn mehr als ein halbes Jahrhundert; jedes von ihnen ein Zeugnis des Muts von Männern, die sich von den Anordnungen und Drohungen der Nazis nicht hatten einschüchtern lassen.

Wäre Frank nicht sein Leben lang die Bedeutung der Geschichte nahe gebracht worden, wäre ihm nicht von Kindheit an bis in sein einsames Erwachsenendasein hinein eingebläut worden, welch unschätzbaren Wert jedes scheinbar noch so belanglose Erinnerungsstück an die Besatzungszeit darstellte, er hätte vielleicht gedacht, dass eines dieser Blätter als Symbol für den Widerstand eines Volkes ausreiche. Aber ein Exemplar allein war einem fanatischen Sammler niemals genug, und wenn es das leidenschaftliche Bestreben dieses Sammlers war, die Erinnerung wach zu halten und die Wahrheit ans Licht zu bringen, damit die Worte *Nie wieder!* eine Bedeutung erhielten, die nicht dem Zahn der Zeit zum Opfer fallen würde, dann gab es einfach kein Zuviel.

Ein Scheppern vor dem Haus zog Frank an das schmutzige Fenster. Draußen stieg gerade ein junger Bursche von einem alten Fahrrad und klappte den Ständer herunter. Er wurde von einem zottigen Hund begleitet, der immer an seiner Seite blieb.

Es war Paul Fielder mit seinem Taboo.

Frank überlegte stirnrunzelnd, was der Junge hier wollte, da er den langen Weg von Le Bouet heraufgeradelt war, wo er mit seinen Eltern und Geschwistern in einem der tristen Reihenhäuser wohnte, die die Gemeinde auf der Ostseite der Insel für diejenigen Bürger hatte errichten lassen, deren Einkommen mit ihrer Fortpflanzungsfreude nicht Schritt hielten. Paul Fielder war Guy Brouards besonderer Schützling gewesen und häufig mit ihm nach *Moulin des Niaux* gefahren, wo er inmitten der im Haus gelagerten Kartons zu hocken pflegte und mit den beiden Männern zusammen deren Inhalt erforschte. Aber allein war er noch nie gekommen, und Frank war nicht erfreut, ihn zu sehen.

Paul zog den schmutzigen grünen Rucksack zurecht, der wie ein Buckel auf seinem Rücken saß, und steuerte das Wohnhaus an. Frank trat einen Schritt zur Seite, um nicht gesehen zu werden. Graham würde sich auf Pauls Klopfen hin nicht rühren. Morgens um diese Zeit war er in seine erste Seifenoper vertieft und unempfänglich für alles, was sich jenseits des Bildschirms abspielte. Und wenn Paul Fielder auf sein Klopfen keine Antwort erhielt, würde er wieder fahren. Darauf verließ sich Frank.

Aber der Köter hatte anderes im Sinn. Während Paul zögernd den Weg zum hintersten Haus einschlug, sprang Taboo schnurstracks zu der Tür, hinter der Frank wie ein die Entdeckung fürchtender Einbrecher kauerte. Erst schnüffelte der Hund unten an der Türritze, dann bellte er, woraufhin Paul seinen Kurs änderte.

Während Taboo winselnd an der Tür scharrte, klopfte Paul. Es war ein zaghaftes Klopfen, so aufreizend wie die ganze Art des Jungen.

Frank legte die alten Nachrichtenblätter in den Hefter zurück und schob diesen in den Aktenschrank. Er stieß die Schublade zu, wischte sich die Hände an der Hose ab und zog die Haustür auf.

»Paul!«, rief er in herzlichem Ton und blickte mit gespielter Überraschung über den Jungen hinweg zum Fahrrad. »Du meine Güte! Bist du den ganzen Weg geradelt?« Aus der Vogelperspektive war es nicht weit von Le Bouet zum Talbot Valley. Aus der Vogelperspektive war auf der Insel kein Ort sehr weit vom anderen entfernt. Aber auf den schmalen Serpentinenstraßen, die die einzigen Verbindungen zwischen den Ortschaften darstellten, war der Weg erheblich weiter. Frank war sicher, dass Paul die Strecke noch nie vorher geradelt war, und es erstaunte ihn fast ein wenig, dass der Junge überhaupt allein hergefunden hatte. Er war nicht gerade einer der Hellsten.

Paul sah blinzelnd zu ihm auf. Er war klein für seine sechzehn Jahre, sehr mädchenhaft in seiner Erscheinung. Im elisabethanischen Zeitalter, als beim Theater Knaben gefragt waren, die als Frauen durchgehen konnten, hätte er die Bühne im Sturm erobert. Aber heutzutage sah das ganz anders aus. Schon bei der ersten Begegnung mit Paul hatte Frank sich vorgestellt, wie schwer der Junge es haben musste, vor allem in der Schule, wo er mit seiner zarten Aprikosenhaut, dem lockigen rotblonden Haar und den langen seidigen Wimpern für die Rabauken unter seinen Mitschülern wahrscheinlich ein willkommenes Opfer war.

Bei Franks scheinheiligem Willkommen schossen Paul die Tränen in die ängstlichen grauen Augen. Hastig hob er den Arm und wischte sich mit dem abgetragenen Flanell seines Hemds über das Gesicht. Er hatte keine Jacke an, was bei diesem Wetter Wahnsinn war, und die dünnen Arme mit den knochigen Handgelenken ragten blass aus den zu kurzen Hemdsärmeln hervor. Er wollte etwas sagen, aber er brachte nur ein ersticktes Schluchzen zustande. Taboo ergriff die Gelegenheit, um ins Haus zu schlüpfen.

Es blieb ihm nichts anderes übrig, als den Jungen hereinzubitten. Nachdem Frank das getan hatte, drückte er ihn auf den Stuhl mit dem geflochtenen Sitz hinunter und machte die Tür zu, um die Dezemberkälte nicht länger hereinzulassen. Aber als er sich herumdrehte, sah er, dass Paul aufgestanden war. Er hatte seinen Rucksack abgeworfen wie eine Last, die er loswerden wollte, und stand vorgebeugt über einem Stapel Kartons, als wollte er entweder den Inhalt in Augenschein nehmen oder seinen Rücken der Peitsche darbieten.

Frank vermutete, dass beides zutraf. Die Kartons gehörten zu den Dingen, die Paul Fielder mit Guy Brouard verbunden hatten und erinnerten ihn zweifellos gleichzeitig daran, dass Guy Brouard für immer von ihm gegangen war.

Ganz gewiss war der Junge aufs Tiefste getroffen von Guys Tod, ganz gleich, ob er wusste, auf welch grausame Weise sein Gönner ums Leben gekommen war. Bei dem Leben, das ihm als einem von vielen Kindern vermutlich von seinen Eltern bereitet wurde, die zu wenig anderem als Trinken und Beischlafen taugten, war er unter der großherzigen Zuwendung Guy Brouards aufgeblüht. Frank hatte zwar bei den Gelegenheiten, wenn Paul Guy nach *Moulin des Niaux* begleitet hatte, nie Anzeichen dieses Aufblühens bemerkt, aber er hatte den schweigsamen Jungen auch vor Guys Eintritt in sein Leben nicht gekannt. Vielleicht war die nahezu stumme Wachsamkeit, durch die Paul sich auszeichnete, wenn sie zu dritt die in den Häusern gelagerten Stücke aus der Besatzungszeit durchsahen, bereits ein großartiger Schritt heraus aus einem früheren krankhaften Schweigen.

Pauls magere Schultern zuckten, und sein Hals, an dem sich das feine Haar wie bei einem Renaissance-Engel ringelte, schien zu zart, seinen Kopf zu tragen, den er jetzt auf den obersten Karton des Stapels sinken ließ. Sein Körper bäumte sich. Er schluckte krampfhaft.

Frank fühlte sich hilflos. Er trat an den Jungen heran und tätschelte ihm unbeholfen die Schulter. »Ist ja gut, ist ja gut«, sagte er und fragte sich, was er sagen würde, wenn der Junge darauf fragte: Was denn? Was denn? Aber Paul sagte gar nichts und verharrte in seiner Haltung. Taboo setzte sich ihm zu Füßen, wie um ihn zu bewachen.

Frank hätte dem Jungen zum Trost gern gesagt, er trauere genauso sehr um Guy Brouard wie er, aber er wusste, dass wahrscheinlich auf der ganzen Insel niemand außer Guys Schwester ähnlich tiefen Schmerz empfand wie Paul. Er hätte ihm also nur entweder unzulängliche Worte des Trosts anbieten können oder die Möglichkeit, die Arbeit fortzuführen, die sie zusammen mit Guy begonnen hatten. Aber den Trost hätte er, darüber war er sich im Klaren, nicht glaubhaft übermitteln können, und die Arbeit wollte er nicht anbieten. Es blieb also nichts anderes, als den Jungen fortzuschicken.

»Es tut mir Leid, dass du so traurig bist, Paul«, sagte er. »Aber müsstest du nicht in der Schule sein? Es sind doch noch keine Ferien, oder?«

Paul hob den Kopf, um Frank anzusehen. Er wischte sich die Nase mit dem Handballen ab. Er sah so jammervoll und so hoffnungsvoll zugleich aus, dass Frank mit einem Schlag begriff, warum der Junge zu ihm gekommen war.

Du lieber Gott, er suchte *Ersatz*, einen zweiten Guy Brouard, der sich um ihn kümmern, ihm einen Grund geben würde zu – ja, wozu? An seinen Träumen festzuhalten? Weiter nach ihrer Erfüllung zu streben? Was hatte Guy Brouard diesem armen Jungen versprochen? Sicherlich nichts, das zu erreichen Frank

Ouseley, der nie eigene Kinder gehabt hatte und sich um seinen zweiundneunzigjährigen Vater kümmern musste, ihm hätte helfen können. Schon weil er selbst genug zu tragen hatte an der Last der von einer unbegreiflichen Realität jäh zunichte gemachten Erwartungen.

Wie zur Bestätigung von Franks Verdacht schniefte Paul noch einmal und atmete dann wieder ruhig. Er wischte sich ein letztes Mal die Nase und schaute sich um, als würde er sich erst jetzt bewusst, wo er sich befand. Er biss sich auf die Unterlippe und zupfte mit beiden Händen am ausgefransten Saum seines Hemds. Dann ging er durch den Raum zu einem Stapel Kartons, die mit schwarzem Filzstift oben und an den Seiten mit dem Wort »Sortieren« beschriftet waren.

Frank sank der Mut. Es war so, wie er gedacht hatte: Der Junge war hergekommen, um sich ihm anzuschließen und zum Zeichen dieses Zusammenhalts die Arbeit fortzuführen. So ging das nicht.

Paul hob den obersten Karton vom Stapel und stellte ihn behutsam auf den Boden. Taboo gesellte sich zu ihm, als er neben dem Karton in die Hocke ging, und während der Hund sich in gewohnter Haltung niederließ, den zottigen Kopf auf den Pfoten, den treu ergebenen Blick auf seinen schweigsamen Herrn gerichtet, öffnete Paul bedachtsam, wie er es bei Guy und Frank wohl hundert Mal gesehen hatte, den Karton. Drinnen war ein Durcheinander von Kriegsorden, alten Gürtelschließen, Stiefeln, Uniformmützen der deutschen Luftwaffe und des Heeres und andere Kleidungsstücke, die die feindlichen Soldaten damals in der fernen Vergangenheit getragen hatten. Er machte es genauso, wie Frank und Guy es immer gemacht hatten: Er breitete eine Plastikplane auf dem Steinboden aus und begann, die Gegenstände herauszulegen, um jeden Einzelnen in das Ringbuch einzutragen, das sie zur Katalogisierung benutzten.

Er stand auf, um das Ringbuch zu holen, das hinten in der Schublade des Aktenschranks lag, aus der Frank kurz vorher die G.I.F.T.-Nachrichtenblätter genommen hatte. Frank sah seine Chance gekommen.

»Hey! Moment mal, junger Mann«, rief er und eilte durch den Raum, um die Schublade wieder zuzustoßen, die der Junge gerade aufgezogen hatte. Er bewegte sich so schnell und sprach so laut, dass der Hund bellend aufsprang.

Frank packte die Gelegenheit beim Schopf. »Was, zum Teufel, fällt dir ein?«, fragte er scharf. »Ich arbeite hier. Du kannst doch nicht einfach so reinplatzen und alles an dich reißen. Das sind unbezahlbare Objekte. Sie sind leicht zerbrechlich und nicht zu ersetzen. Hast du verstanden?«

Paul riss die Augen auf. Er öffnete den Mund, um etwas zu sagen, aber nicht ein Wort kam ihm über die Lippen. Taboo bellte unablässig.

»Und schaff den Köter hier raus, verdammt noch mal«, fuhr Frank fort. »Denkst du eigentlich überhaupt nicht nach, Junge? Das Vieh hier hereinzubringen, wo es – man braucht es ja bloß anzuschauen – so was von bissig ist!«

Als er sah, dass Taboo die Nackenhaare aufstellte bei seinem Geschimpfe, machte er sich auch das zunutze und legte noch etwas an Lautstärke zu, als er rief: »Los, bring ihn raus, Junge, bevor ich ihn eigenhändig rausschmeiße.«

Paul zog den Kopf ein, machte aber keinerlei Anstalten zu gehen. Hektisch sah Frank sich nach einer Möglichkeit um, dem Jungen Beine zu machen. Sein Blick fiel auf den Rucksack. Er packte ihn und schwang ihn drohend nach Taboo, der jaulend zurückwich.

Der Scheinangriff auf den Hund wirkte. Paul stieß einen unartikulierten Schrei aus und rannte, von Taboo gefolgt, zur Tür. Nur einmal hielt er kurz an, um Frank den Rucksack zu entreißen, den er sich im Weiterlaufen über die Schulter warf.

Durch das Fenster beobachtete Frank mit hämmerndem Herzen ihre Flucht. Das Fahrrad war uralt und konnte normalerweise wahrscheinlich höchstens auf Schritttempo gebracht werden, aber der Junge trat so hektisch in die Pedale, dass er mit seinem Hund am Mühlbach entlang in Rekordzeit in Richtung Straße verschwunden war.

Erst als sie außer Sicht waren, kam Frank wieder zur Ruhe.

Der Schlag seines Herzens hatte so laut in seinen Ohren gedröhnt, dass er das Klopfen an der Wand, die dieses Lagerhaus mit dem Wohnhaus verband, nicht gehört hatte.

Er lief sofort los, um zu sehen, was sein Vater wollte, und traf ihn an, als er gerade auf wackligen Beinen mit einem Holzhammer in der Hand zu seinem Sessel zurückschlurfte.

»Dad?«, rief er. »Alles in Ordnung? Was ist los?«

»Kann man denn nicht mal im eigenen Haus seinen Frieden haben?«, fragte der Alte entrüstet. »Was ist los mit dir heute Morgen, mein Junge? Machst da drüben einen Krach, dass ich nicht mal den Fernseher hören kann.«

»Tut mir Leid«, sagte Frank. »Der Junge war hier. Allein. Ohne Guy. Du weißt schon, Paul Fielder. Aber das geht wirklich nicht, Dad. Ich will nicht, dass der hier allein rumschnüffelt. Ich meine, ich vertrau ihm ja, aber wir haben hier einiges Wertvolle, und er kommt aus – na ja, ziemlich ärmlichen Verhältnissen ...« Er wusste, dass er zu schnell redete, aber er konnte nicht anders. »Ich möchte nicht riskieren, dass er was mitgehen lässt und irgendwo verscheuert. Er hat einfach einen Karton aufgemacht, weißt du, und reingelangt, ohne zu fragen, und ich –«

Graham Ouseley griff nach der Fernbedienung und stellte den Fernsehapparat so laut ein, dass Frank fürchtete, ihm würde das Trommelfell platzen. »Geh und kümmere dich um deine Geschäfte«, befahl er seinem Sohn. »Du siehst doch, dass ich hier zu tun habe.«

Mit Taboo an seiner Seite radelte Paul, so schnell er konnte. Er machte keine Pause, um zu verschnaufen, nicht einmal um zu überlegen, sondern jagte wie gehetzt aus dem Talbot Valley hinaus, viel zu dicht an der mit Efeu überwachsenen Befestigungsmauer, die den Hang stabilisierte, in den die Straße eingeschnitten war. Wäre er vernünftiger Überlegung fähig gewesen, so hätte er vielleicht an der Einbuchtung der Straße angehalten, von der aus ein Fußweg den Hügel hinaufführte. Er hätte sein Fahrrad stehen lassen und dem Pfad durch die Wiesen folgen können, auf denen die rotbraunen Milchkühe weideten. Um diese Jahreszeit gab es hier keine Wanderer, er wäre in Sicherheit gewesen und hätte in der Einsamkeit ruhig darüber nachdenken können, was er als Nächstes tun sollte. Aber er hatte nur Flucht im Sinn, denn er hatte die Erfahrung gemacht, dass auf wütendes Schimpfen Schläge folgten. Lange schon war Flucht für ihn die einzige Rettung.

Er strampelte also das Tal entlang und entdeckte eine Ewigkeit später, als es ihm endlich einfiel, sich zu fragen, wo er eigentlich war, dass sein Fahrrad ihn an den einzigen Ort gebracht hatte, an dem er je Geborgenheit und Glück gefunden hatte. Er befand sich vor dem Eisentor von *Le Reposoir*, das wie so oft in der Vergangenheit wie in Erwartung seiner Ankunft offen stand.

Er bremste ab. Taboo stand hechelnd neben ihm. Ein Messerstich brennenden Schuldgefühls durchzuckte ihn, als ihm die unerschütterliche Treue des kleinen Hundes bewusst wurde. Taboo hatte gebellt, um ihn vor Mr. Ouseleys Ausbruch zu schützen. Er hatte sich dem Zorn eines Fremden ausgesetzt. Und dann war er ohne Zögern mit ihm über die halbe Insel gerannt. Paul ließ krachend sein Fahrrad fallen und kniete nieder, um den Hund zu umarmen. Taboo leckte ihm freudig das Ohr, als hätte sein Herr ihn nicht über seiner Flucht ignoriert und vergessen. Paul musste bei dem Gedanken daran einen Aufschrei unterdrücken. In seinem ganzen Leben hatte er von keinem so viel Liebe empfangen wie von diesem Hund. Nicht einmal von Guy Brouard.

Aber Paul wollte jetzt nicht an Guy Brouard denken. Er wollte nicht daran denken, wie das Leben in der Vergangenheit mit Mr. Brouard gewesen war, und noch weniger wollte er an die Zukunft ohne Mr. Brouard denken.

Er tat darum das Einzige, was er tun konnte: Er machte weiter, als hätte sich nichts geändert.

Er richtete sein Fahrrad auf und trat durch das offene Tor. Statt jedoch aufzusitzen, schob er das Rad unter den Kastanienbäumen hindurch, und Taboo trabte zufrieden neben ihm her. In der Ferne verbreiterte sich die gekieste Auffahrt fächerförmig vor dem steinernen Herrenhaus, dessen Fenster in der trüben Dezembersonne zu blinken schienen.

Früher wäre er um das Haus herum zum Wintergarten gegangen, um von dort aus einzutreten, hätte in der Küche Halt gemacht, wo Valerie Duffy gesagt hätte: »Na, das ist doch mal eine hübsche Morgenüberraschung!« Und sie hätte ihm zugelächelt und einen Imbiss angeboten, ein selbst gebackenes, süßes Brötchen oder vielleicht einen Teekuchen. Und bevor sie ihn zu Mr. Brouard hätte gehen lassen, der vielleicht in seinem Arbeitszimmer gewesen wäre oder in der Galerie, hätte sie gesagt: »Komm, setz dich, Paul, und sag mir, ob das in Ordnung ist. Ich stell das Mr. Brouard nur auf den Tisch, wenn du mir grünes Licht gibst.« Und dann hätte sie noch gesagt: »Du kannst es damit runterspülen«, und hätte ihm Milch oder Tee oder eine Tasse Kaffee gebracht oder manchmal auch eine Tasse heiße Schokolade, die so köstlich duftete, dass ihm das Wasser im Mund zusammenlief. Und Taboo hätte auch was bekommen.

Aber an diesem Morgen schlug Paul nicht den Weg zum Wintergarten ein. Mit Mr. Guys Tod war alles anders geworden. Er ging zu den Stallungen hinter dem Haus, wo Mr. Guy in einer ehemaligen Sattelkammer die Werkzeuge aufbewahrte. Während Taboo sich an den interessanten Gerüchen in Sattelkammer und Stall ergötzte, nahm Paul Werkzeugkasten und Säge, schulterte die bereitliegenden Bretter und trottete wieder hinaus. Er pfiff Taboo, der sofort angerannt kam und zum Teich vorausflitzte, der in einiger Entfernung hinter der Nordwestseite des Hauses lag. Auf dem Weg dorthin musste Paul an der Küche vorbei. Als er durch das Fenster hineinschaute, erkannte er Valerie Duffy. Aber als sie ihm zuwinkte, senkte er den Kopf. Er schob beim Gehen die Füße durch den Kies, um das Knirschen der Steinchen unter seinen Schuhsohlen zu hören. Er mochte das Geräusch, und ganz besonders hatte es ihm immer gefallen, wenn sie zu zweit über den Kies gegangen waren, er und Mr. Guy. Ihre Schritte hatten sich ähnlich angehört, die Schritte von zwei Männern, die an ihre tägliche Arbeit gingen, und dieses Geräusch hatte Paul stets die Gewissheit gegeben, dass alles möglich war, sogar, selbst einmal so zu werden wie Guy Brouard.

Nicht dass er Mr. Guys Leben nachleben wollte. Er hatte

andere Träume. Doch die Tatsache, dass Mr. Guy – damals ein Flüchtlingskind aus Frankreich – mit Nichts angefangen und es auf seinem selbst gewählten Weg zu höchstem Erfolg gebracht hatte, bedeutete für Paul, dass er Gleiches erreichen konnte. Alles war möglich, wenn man nur bereit war, etwas dafür zu tun.

Und Paul war bereit, war es seit dem Tag, an dem er Mr. Guy zum ersten Mal begegnet war. Zwölf Jahre alt war er gewesen, ein magerer kleiner Junge in den Kleidern seines älteren Bruders, die bald an den nächstjüngeren Bruder weitergereicht würden, als er dem Herrn in Jeans die Hand gegeben und nichts Besseres zu sagen gewusst hatte als »So weiß!«, während er mit abgrundtiefer Bewunderung das blütenweiße T-Shirt angestarrt hatte, das Mr. Guy unter dem dunkelblauen Pulli mit dem V-Ausschnitt trug. Sofort hatte ihn eine so heiße Verlegenheit gepackt, dass er meinte, er müsste ohnmächtig werden. Wie kann man nur so blöd sein, hatten die Stimmen in seinem Kopf gekreischt. Du bist echt total bescheuert, Paulie.

Aber Mr. Guy hatte verstanden, was er meinte. Er hatte gesagt: Damit habe ich nichts zu tun. Das ist Valeries Werk. Sie macht die Wäsche. So eine wie sie gibt's kein zweites Mal. Eine echte Hausfrau. Leider nicht meine Frau. Sie ist mit Kevin verheiratet. Du wirst sie beide kennen lernen, wenn du nach *Le Reposoir* kommst. Das heißt, natürlich nur, wenn du willst. Was meinst du? Sollen wir es miteinander versuchen?«

Paul wusste nicht, was er darauf antworten sollte. Seine Lehrerin hatte ihn sich zuvor vorgeknöpft und ihm das Projekt erklärt – Erwachsene aus der Gemeinde machten irgendwas mit Kindern –, aber er hatte nicht richtig hingehört, weil ihn die Goldfüllung in einem ihrer Zähne abgelenkt hatte. Sie war ziemlich weit vorn und glitzerte, wenn die Lehrerin sprach, in der elektrischen Beleuchtung des Klassenzimmers. Er versuchte zu sehen, ob sie noch mehr solche Füllungen hatte, und überlegte, wie viel ihr Gebiss wohl wert war.

Als daher Mr. Guy von *Le Reposoir* und Valerie und Kevin erzählte – auch von seiner kleinen Schwester Ruth, die Paul sich daraufhin prompt als kleines Mädchen vorstellte, bis die erste

Begegnung mit ihr ihn eines Besseren belehrte –, nahm Paul das alles auf und nickte, denn er wusste, dass das von ihm erwartet wurde, und er tat stets, was man von ihm erwartete, weil alles andere ihn in Verwirrung und Panik gestürzt hätte. So hatte seine Freundschaft mit Mr. Guy begonnen.

Diese Freundschaft bestand hauptsächlich darin, dass sie zusammen auf Mr. Guys Grundstück herumwerkelten, weil es außer Fischen, Schwimmen und Wandern auf den Klippenwegen für zwei Männer nicht viel zu tun gab auf Guernsey. So wenigstens war es gewesen, bis sie das Museumsprojekt in Angriff genommen hatten.

Hastig verbannte er die Gedanken an das Museumsprojekt, die ihn an die schreckliche Szene mit Mr. Ouseley erinnerten, und marschierte, so schnell er konnte, zum Teich, wo er und Mr. Guy begonnen hatten, das Winterquartier für die Enten wiederaufzubauen.

Es waren nur noch drei Enten übrig: ein Männchen und zwei Weibchen. Die anderen waren tot. Paul war dazugekommen, wie Mr. Guy eines Morgens ihre zerfetzten und blutigen Kadaver begraben hatte, unschuldige Opfer eines räuberischen Hundes. Oder eines gemeinen Menschen. Mr. Guy hatte sie Paul nicht genau ansehen lassen. Er hatte gesagt: »Bleib, wo du bist, Paul, und halte Taboo fern.« Paul hatte zugesehen, wie Mr. Guy jeden der armen Vögel in ein eigenes Grab legte, das er selbst aushob, wobei er immer wieder sagte: »Ach, verdammt. So unnötig. Herrgott noch mal.«

Es waren zwölf Enten und sechzehn Küken, und jedes Tier bekam ein eigenes Grab, das mit Steinen umgrenzt und mit einem Kreuz versehen wurde, und der ganze Entenfriedhof wurde noch einmal eingezäunt. Wir ehren Gottes Geschöpfe, hatte Mr. Guy gesagt. Wir sollten nicht vergessen, dass auch wir zu ihnen gehören.

Taboo allerdings musste man das erst beibringen, und ihn zu lehren, Gottes Enten zu ehren, war ein schwieriges Unterfangen für Paul gewesen. Doch Mr. Guy hatte ihm versprochen, dass Geduld sich lohnen würde, und so war es auch gewesen. Taboo war jetzt sanft wie ein Lamm im Umgang mit den drei verbliebenen Enten und reagierte mit solcher Gleichgültigkeit auf sie, dass sie ebenso gut gar nicht hätten da sein können. Er lief sofort los zur Erforschung der Düfte im Schilf in der Nähe eines Stegs, der sich über das Wasser spannte, während Paul seine Last zum Ostufer des Teichs schleppte, wo er und Mr. Guy bei der Arbeit gewesen waren.

Bei dem Entenmassaker waren auch die Winterställe der Vögel zerstört worden, und in den Tagen vor dessen Tod hatten Paul und sein Gönner an ihrer Wiederherstellung gearbeitet.

Mit der Zeit hatte Paul begriffen, dass Mr. Guy ihm nacheinander unterschiedliche Arbeiten zuwies, um herauszufinden, für welches Handwerk er sich am ehesten eignete. Paul hätte ihm gern gesagt, dass Schreinern, Mauern, Fliesenlegen und Anstreichen schön und gut seien, nur leider nicht das, was zu einer Karriere als RAF-Düsenjägerpilot führte. Aber er hatte sich nicht offen zu diesem Traum bekennen wollen und sich deshalb bereitwillig in jede Arbeit gestürzt, die ihm aufgetragen wurde. Die Stunden, die er in *Le Reposoir* verbrachte, waren Stunden fern von zu Hause, und das war ihm nur recht.

Er legte das Holz und die Werkzeuge ein Stück vom Wasser entfernt nieder und nahm seinen Rucksack ab. Nachdem er sich vergewissert hatte, dass Taboo in Sichtweite war, öffnete er den Werkzeugkasten und musterte den Inhalt, während er sich zu erinnern versuchte, was Mr. Guy ihn über das Bauen von Gegenständen gelehrt hatte. Die Bretter waren schon geschnitten. Das war gut, denn er war nicht sehr geschickt mit der Säge. Als Nächstes mussten die Sachen wahrscheinlich mit Nägeln zusammengefügt werden. Fragte sich nur, was wo angefügt wurde.

Unter einer Schachtel mit Nägeln entdeckte er ein gefaltetes Blatt Papier, und ihm fielen die Skizzen ein, die Mr. Guy angefertigt hatte. Er ergriff das Papier, breitete es auf dem Boden aus und kniete sich davor, um sich die Pläne anzusehen.

Ein großes eingekreistes A hieß, hier fängst du an. Das große eingekreiste B hieß, das folgt als Nächstes. Großes eingekreistes C war der Schritt, der auf B folgte, und so weiter und so fort, bis der Entenstall fertig war. Kinderleicht, dachte Paul. Er sah das Holz nach den Brettern durch, die den Buchstaben in der Skizze entsprachen.

Aber da gab es ein Problem. Die Bretter waren nicht mit Buchstaben gekennzeichnet. Sie trugen Zahlen, und obwohl auf der Zeichnung auch Zahlen waren, stimmten sie nur teilweise miteinander überein, und *alle* hatten zusätzlich Bruchzahlen, und im Bruchrechnen war Paul eine absolute Niete. Er wusste nie, was die obere Zahl im Verhältnis zur unteren bedeutete. Er wusste, es hatte was mit Teilung zu tun. Unten geteilt durch oben oder umgekehrt, damit man den kleinsten gemeinsamen Nenner herausfand oder so was. Ihm schwirrte der Kopf, als er auf die Zahlen starrte, und er musste daran denken, wie furchtbar es jedes Mal war, wenn er an die Tafel gerufen wurde und die Lehrerin sagte: »Herrgott noch mal, du sollst den Bruch *kürzen*, Paul. Nein! Nein! Zähler und Nenner ändern sich, wenn du richtig teilst, du dummer Kerl!«

Gelächter von allen Seiten. Paulie Fielder hat ein Brett vorm Kopf. Paulie Fielder hat ein Spatzenhirn.

Paul starrte immer noch auf die Zahlen, starrte, bis sie verschwammen. Er packte das Blatt Papier und knüllte es zusammen. Dumm, dumm, hoffnungslos dumm. Ja, klar, fang an zu heulen, du kleine Schwuchtel.

»Ah! Da bist du!«

Paul wandte sich hastig um. Valerie Duffy kam den Fußweg vom Haus herunter. Ihr langer schwingender Rock streifte die Farne am Weg. Sie trug etwas akkurat Zusammengefaltetes auf ihren geöffneten Händen. Als sie näher kam, erkannte Paul ein Hemd.

»Hallo, Paul«, sagte sie mit einer Munterkeit, die bemüht klang. »Wo ist denn dein vierbeiniger Freund heute Morgen?« Und als Taboo mit Begrüßungsgebell am Teichufer entlang herbeisprang, sagte sie: »Da bist du ja, Tab! Warum hast du mich nicht in der Küche besucht, hm?«

Sie stellte die Frage zwar Taboo, aber Paul wusste, dass sie ihm galt. Sie unterhielt sich häufig auf diese Art mit ihm. Sie richtete ihre Bemerkungen immer gern an den Hund und tat das auch jetzt, als sie sagte: »Morgen ist die Beerdigung, Tab, und ich muss dir leider sagen, dass Hunde nicht in die Kirche dürfen. Aber wenn es nach Mr. Brouard ginge, wärst du dabei, Schatz. Und die Enten auch. Aber ich hoffe doch, unser Paul kommt. Mr. Brouard hätte es sich gewünscht.«

Paul sah an seinen schäbigen Kleidern hinunter und wusste, dass er unmöglich zu der Beerdigung gehen konnte. Er hatte keinen richtigen Anzug, und außerdem hatte ihm kein Mensch was davon gesagt, dass die Beerdigung morgen war. Er fragte sich, wie das passieren konnte.

Valerie sagte: »Ich habe gestern in Le Bouet angerufen und mit Pauls Bruder über die Beerdigung gesprochen, Tab. Weißt du, was ich glaube? Dass Billy Fielder seinem Bruder nicht ausgerichtet hat, was ich ihm gesagt habe. Na ja, das hätte ich mir ja denken können, so wie Billy ist. Ich hätte immer wieder anrufen sollen, bis ich Paul selbst oder seine Eltern erreicht hätte. Ich bin froh, dass du Paul hergebracht hast, Taboo, jetzt weiß er wenigstens Bescheid.«

Paul wischte sich die Hände an seiner Jeans ab. Den Kopf gesenkt, scharrte er mit den Füßen im sandigen Boden am Teichufer. Er dachte an die vielen Leute, die zum Begräbnis von Guy Brouard kommen würden, und war froh, dass man ihm nichts gesagt hatte. Wie er sich fühlte, seit Mr. Guy tot war, war so schon schlimm genug. Auch noch unter die Leute zu gehen, das war unmöglich. All die Blicke, all die heimlichen Vermutungen, all das Getuschel. Das ist der kleine Paul Fielder, Mr. Guys ganz besonderer Freund. Und die Mienen, die diese Worte – *besonderer Freund* – begleiten würden, die hochgezogenen Brauen, die weit aufgerissenen Augen, die Paul verraten würden, dass die Sprecher mehr sagten als bloße Worte.

Er blickte auf, um zu prüfen, ob Valerie ihn mit dieser Miene ansah, mit den hochgezogenen Brauen und den aufgerissenen Augen. Aber das tat sie nicht, und er konnte endlich die Schultern entspannt sinken lassen. Seit seiner Flucht aus *Moulin des Niaux* waren sie so verkrampft, dass sie begonnen hatten, wehzutun. Jetzt aber war es, als wäre die Kneifzange um sein Schlüsselbein plötzlich geöffnet worden.

»Wir fahren um halb zwölf morgen Mittag los«, sagte Valerie, diesmal direkt zu Paul. »Du kannst mit mir und Kev fahren, Paul. Mach dir wegen der Kleidung keine Sorgen. Schau, ich habe dir ein Hemd mitgebracht. Du kannst es behalten. Kev sagt, er hat noch zwei von der Sorte, und er braucht keine drei davon. Und eine Hose …« Sie musterte ihn nachdenklich. Paul spürte die Hitze an jeder Stelle seines Körpers, die ihr Blick berührte. »In einer von Kev würdest du versinken. Aber ich könnte mir vorstellen, dass eine von Mr. Brouards Hosen … komm, jetzt mach dir deswegen keine Gedanken, Kind. Mr. Brouard wäre bestimmt einverstanden. Er hat dich sehr gern gehabt, Paul. Aber das weißt du ja. Ganz gleich, was er gesagt oder getan hat, er war … Er hat dich gern gehabt …« Sie geriet ins Stocken.

Paul spürte ihren Schmerz wie einen Sog, der aus ihm herauslockte, was er unterdrücken wollte. Er sah von Valerie weg zu den drei übrig gebliebenen Enten und fragte sich, wie sie alle in Zukunft zurechtkommen sollten, wenn Mr. Guy nicht mehr da war, um sie zusammenzuhalten, ihnen eine Richtung zu geben und ihnen zu sagen, wie es weitergehen sollte.

Er hörte, wie Valerie sich schnäuzte, und wandte sich ihr wieder zu. Sie lächelte unsicher. »Es wäre jedenfalls schön, wenn du mitkämst. Aber wenn du nicht willst, dann mach dir deswegen keine Vorwürfe. Eine Beerdigung ist nicht für jeden das Richtige, manchmal ist es das Beste, sich der Lebenden zu erinnern, indem wir selbst leben. Das Hemd gehört auf jeden Fall dir. Es ist für dich.« Sie schaute sich um, offenbar auf der Suche nach einer sauberen Stelle, wo sie es ablegen konnte, und sagte: »Ah, da!«, als sie Pauls Rucksack liegen sah. Schon wollte sie ihn öffnen, um das Hemd hineinzustecken.

Mit einem Aufschrei riss Paul ihr das Hemd aus der Hand und schleuderte es weg. Taboo bellte scharf.

»Aber Paul!«, rief Valerie verblüfft. »Ich wollte dich nicht – es ist kein *altes* Hemd, Kind. Es ist fast –«

Paul packte den Rucksack. Er blickte hastig nach rechts und

links. Flucht war nur auf dem Weg möglich, den er gekommen war. Und Flucht war notwendig.

Er rannte auf dem Fußweg zurück, und Taboo lief ihm kläffend hinterher. Paul schluchzte auf, als er vom Weg auf den Rasen gelangte, auf dessen anderer Seite das Haus lag. Er merkte plötzlich, dass er es müde war, davonzulaufen. Es kam ihm vor, als wäre er sein Leben lang davongelaufen.

# 4

Ruth Brouard beobachtete die Flucht des Jungen. Sie befand sich in Guys Arbeitszimmer, als Paul aus dem Laubengang an der Grenze zwischen Rasen und Teich herausgerannt kam. Sie war gerade dabei, einen Stapel Kondolenzkarten durchzusehen, die schon am Vortag eingetroffen waren, die zu öffnen sie aber bisher nicht den Mut gehabt hatte. Zuerst hörte sie den Hund bellen, dann sah sie den Jungen, der unten über den Rasen rannte. Gleich darauf erschien Valerie Duffy, in den Händen das Hemd, das sie Paul gebracht hatte, das verschmähte Geschenk einer Mutter, deren eigene Söhne flügge geworden waren und das heimische Nest verlassen hatten, als sie noch nicht darauf vorbereitet gewesen war.

Sie hätte mehr Kinder bekommen sollen, dachte Ruth, als sie Valerie zum Haus zurückgehen sah. Manche Frauen wurden mit einem Hunger nach Mutterschaft geboren, den nichts stillen konnte, und Valerie Duffy schien eine von ihnen zu sein.

Ruth behielt sie im Auge, bis sie verschwand, vermutlich in der Küche direkt unter Guys Arbeitszimmer, das Ruth gleich nach dem Frühstück aufgesucht hatte. Es war der einzige Ort, wo sie ihm jetzt nahe sein konnte, umgeben von all den sichtbaren Dingen, die, wie um der grauenvollen Art seines Sterbens zu spotten, bezeugten, dass Guy Brouard ein gutes Leben gehabt hatte. Überall im Arbeitszimmer ihres Bruders gab es diese Zeugnisse zu sehen: an den Wänden, auf den Bücherregalen, auf dem schönen alten Renaissance-Tisch in der Mitte des Raums. Hier waren die Zertifikate, die Fotografien, die Auszeichnungen, die Pläne und die Dokumente. Abgeheftet lagen hier Korrespondenz und Empfehlungsschreiben, die so manchen, der sich als würdig erwies, in den Genuss der weithin bekannten Brouardschen Großzügigkeit gebracht hatten. Und eindrucksvoll zur Schau gestellt stand hier das Modell eines Bauwerks, das Guy der Insel, die sein Zuhause geworden war, als Geschenk versprochen hatte. Es hätte die Vollendung seines Lebenswerks werden sollen, ein Monument zum Gedenken an die Leiden der Inselbewohner, wie er es genannt hatte. Von einem Mann gestiftet, der ebenfalls gelitten hatte.

Als Guy an jenem Morgen nicht vom Schwimmen zurückgekommen war, hatte Ruth sich zunächst keine Sorgen gemacht. Gewiss, er war eigentlich immer pünktlich und zuverlässig, aber als sie ihn nicht wie sonst im Frühstückszimmer angetroffen hatte, fertig angekleidet und auf die Rundfunknachrichten konzentriert, während er auf sein Frühstück wartete, hatte sie vermutet, er hätte nach dem Schwimmen bei den Duffys vorbeigeschaut und eine Kaffeepause mit Valerie und Kevin eingelegt. Das hatte er hin und wieder getan. Er hatte die beiden gern gehabt. Ruth hatte deshalb nach einem Augenblick der Überlegung ihren Kaffee und ihre Grapefruit zum Telefon im Damenzimmer mitgenommen und bei den Duffys angerufen.

Valerie meldete sich. Nein, sagte sie, Mr. Brouard sei nicht bei ihnen. Sie habe ihn seit dem frühen Morgen, als sie ihn auf dem Weg zum Schwimmen gesehen habe, nicht mehr zu Gesicht bekommen. Was los sei? Ob er noch nicht zurück sei? Wahrscheinlich sei er irgendwo auf dem Gelände ... vielleicht bei den Skulpturen. Er habe Kevin gegenüber erwähnt, dass er sie umstellen wolle. Dieser große menschliche Kopf im tropischen Garten? Vielleicht versuche er, sich darüber schlüssig zu werden, wo er ihn haben wolle, sie, Valerie, wisse nämlich mit Sicherheit, dass der Kopf eines der Stücke war, die Mr. Brouard anders platzieren wollte. Nein, Kev sei nicht bei ihm. Kev sitze hier in der Küche.

Noch immer war Ruth nur verwundert. Sie ging ins Badezimmer ihres Bruders hinauf, wo er sich nach dem Schwimmen normalerweise umzog. Aber weder seine Badehose noch sein Trainingsanzug waren da, und auch kein feuchtes Handtuch, das zusätzlicher Beweis für seine Rückkehr gewesen wäre.

Da spürte sie einen ersten Anflug von Beunruhigung, und ihr fiel ein, was sie von ihrem Fenster aus beobachtet hatte, als sie am Morgen ihrem Bruder auf seinem Weg zur Bucht nachgeschaut hatte: diese Gestalt, die sich in der Nähe des Hauses der Duffys aus dem Schutz der Bäume gelöst hatte, als Guy vorbeigekommen war.

Sie ging zum Telefon und rief noch einmal die Duffys an. Kevin versprach ihr, zur Bucht hinunterzulaufen.

Er war im Laufschritt zurückgekommen, aber nicht zu ihr. Erst als am Ende der Auffahrt der Rettungswagen erschien, war er gekommen, um sie zu holen.

Das war der Beginn des Albtraums gewesen. Und er war mit dem Verlauf der Stunden immer schrecklicher geworden. Anfangs hatte sie geglaubt, Guy hätte einen Herzinfarkt gehabt, aber als sie nicht mit ihm zusammen ins Krankenhaus fahren durfte, sondern dem Rettungswagen in dem von Kevin gelenkten Auto folgen musste, als Guy fortgebracht wurde, ehe sie ihn sehen konnte, wusste sie, dass etwas Entsetzliches passiert war, das alles auf immer verändert hatte.

Sie hoffte auf einen Schlaganfall. Dann wäre er wenigstens noch am Leben. Aber schließlich teilten sie ihr mit, dass er tot war, und erläuterten ihr die Umstände seines Todes. Dieser Erklärung entsprang ein neuer Albtraum, der sie seither ständig begleitete: Guy hilflos und allein im Kampf um sein Leben, in Todesqualen.

Lieber hätte sie geglaubt, ihr Bruder habe sein Leben durch einen Unglücksfall verloren. Die Gewissheit, dass er ermordet worden war, hatte sie zerbrochen und ihr Leben auf zwei Fragen reduziert: Warum? Wer? Aber das war gefährliches Terrain.

Das Leben hatte Guy gelehrt, dass er sich nehmen musste, was er haben wollte, dass ihm nichts geschenkt werden würde. Aber mehr als nur ein Mal hatte er genommen, ohne zu bedenken, ob das, was er haben wollte, auch das war, was er haben sollte. Die Folge dieses Handelns war Leiden für andere gewesen. Seine Ehefrauen, seine Kinder, seine Geschäftsfreunde, seine … andere eben.

Du kannst so nicht weitermachen, ohne dass dabei jemand zu Grunde geht, hatte sie zu ihm gesagt. Und ich kann nicht untätig zusehen.

Aber er hatte sie liebevoll ausgelacht und ihr einen Kuss auf die Stirn gedrückt. Frau Oberlehrerin Brouard, hatte er sie geneckt. Gibst du mir eins auf die Finger, wenn ich nicht gehorche?

Der Schmerz war zurück. Er bohrte sich in ihr Rückgrat wie ein spitzer Dorn, der durch ihren Nacken getrieben wurde und dann vereiste, bis die entsetzliche Kälte sich anfühlte wie Feuer. Er sandte Tentakel abwärts, jedes von ihnen eine kriechende Giftschlange der Krankheit. Er trieb sie Rettung suchend aus dem Zimmer.

Sie war nicht allein im Haus, aber sie fühlte sich allein, und hätte nicht der teuflische Krebs sie in den Klauen gehabt, sie hätte vielleicht gelacht.

Sechsundsechzig Jahre alt und unversehens aus dem Schoß brüderlicher Liebe gerissen. Wer hätte in jener fernen Nacht, als ihre Mutter geflüstert hatte: *Promets-moi de ne pas pleurer, ma petite chatte. Sois forte pour Guy*, gedacht, dass es einmal so kommen würde?

Sie wünschte, sie könnte das Vertrauen ihrer Mutter wahren, wie sie das sechzig Jahre lang getan hatte. Aber jetzt musste sie der Wahrheit ins Auge sehen: Sie konnte für niemanden stark sein.

Margaret Chamberlain war noch keine fünf Minuten mit ihrem Sohn zusammen, da drängte es sie schon, ihn herumzukommandieren: Halt dich gerade, Herrgott noch mal! Schau den Leuten ins Gesicht, wenn du mit ihnen sprichst! Behandle gefälligst mein Gepäck nicht so grob! Pass auf den Fahrradfahrer dort auf! Setz doch den Blinker, wenn du abbiegst! Aber es gelang ihr, die Flut von Kommandos zurückzuhalten. Er war unter ihren vier Söhnen derjenige, den sie am meisten liebte und der ihre Geduld auf die härteste Probe stellte – das Letztere schrieb sie seinem väterlichen Erbe zu, das ein anderes war als das ihrer drei übrigen Söhne. Aber da er soeben den Vater verloren hatte, war sie bereit, seine mehr oder weniger irritierenden Eigenheiten zu übersehen. Fürs Erste.

Er erwartete sie in der so genannten Ankunftshalle des Flughafens von Guernsey. Als sie mit dem Trolley, auf dem ihr Gepäck gestapelt war, durch die Tür kam, lungerte er am Schalter einer Mietwagenfirma herum. Er hätte mit der attraktiven Rothaarigen, die dort beschäftigt war, schwatzen können wie ein normaler Mann, wäre er einer gewesen. Aber nein, er tat so, als wäre er in das Studium einer Straßenkarte vertieft, und ließ wieder einmal eine Gelegenheit verstreichen, die das Leben ihm praktisch in den Schoß warf.

Margaret seufzte. »Adrian?«, sagte sie. Und dann, als er nicht reagierte, noch einmal: »Adrian!«

Beim zweiten Mal hörte er sie und blickte auf. Er trat an den Mietwagenschalter und legte die Karte zurück. Die Rothaarige fragte, ob sie etwas für ihn tun könne, aber er antwortete nicht. Sah sie nicht einmal an. Sie fragte noch einmal. Er klappte den Kragen seiner Jacke hoch und drehte ihr den Rücken zu, anstatt zu antworten. »Der Wagen steht draußen«, sagte er ohne ein Wort der Begrüßung zu seiner Mutter und hievte ihre Koffer vom Gepäckkarren.

»Wie wär's mit ›Hattest du einen guten Flug, Mama?‹«, meinte Margaret. »Wäre es nicht einfacher, das Gepäck auf dem Karren zum Auto zu bringen, Schatz?«

Mit den Koffern bepackt, ging er davon. Sie konnte nur folgen. Sie warf einen Blick zum Mietwagenschalter und lächelte entschuldigend, für den Fall, dass die Rothaarige mitbekommen hatte, was für einen Empfang ihr Sohn ihr bereitete. Dann eilte sie ihm nach.

Der Flughafen bestand aus einem einzigen Gebäude am Rand einer einzigen Rollbahn, die an brachliegende Felder grenzte. Der Parkplatz war kleiner als der ihres Heimatbahnhofs in England, es war daher einfach, Adrian zu folgen. Als sie ihn einholte, war er schon dabei, ihre beiden Koffer hinten in einen Range Rover zu befördern, der, wie sie sehr schnell feststellte, für Fahrten auf den schmalen Straßen Guernseys denkbar ungeeignet war.

Sie war noch nie auf der Insel gewesen. Sie war von Adrians Vater schon geschieden gewesen, als der sich von Chateaux Brouard zurückgezogen und auf Guernsey niedergelassen hatte. Adrian jedoch hatte seinen Vater seit dessen Umzug häufig besucht, und es war ihr deshalb absolut unverständlich, warum er hier mit einem halben Möbelwagen herumkurvte, wo doch offensichtlich ein Mini das richtige Gefährt gewesen wäre. Aber sie verstand vieles nicht, was ihr Sohn tat, das galt auch für seinen jüngst gefassten Entschluss, die einzige Beziehung, die er in seinen siebenunddreißig Lebensjahren mit einer Frau gehabt hatte, zu beenden. Sie fragte sich immer noch, wie es dazu gekommen war. Er hatte zur Erklärung lediglich gesagt: »Wir hatten unterschiedliche Vorstellungen«, was sie keinen Moment lang glaubte, da sie aus einem sehr intimen Gespräch mit der jungen Frau wusste, dass Carmel Fitzgerald zu heiraten gehofft hatte, und ferner aus einem ebenso intimen Gespräch mit ihrem Sohn wusste, dass Adrian sich glücklich geschätzt hatte, eine junge, leidlich hübsche Frau gefunden zu haben, die bereit war, sich mit einem Mann zusammenzutun, der der Lebensmitte nahe war und nie anderswo als im Haus seiner Mutter gelebt hatte. Außer in diesen grauenvollen drei Monaten, als er sich an der Universität versucht hatte – aber *darüber* wurde am besten kein Wort verloren. Was also war geschehen?

Margaret wusste, dass sie diese Frage nicht stellen durfte, jedenfalls nicht jetzt, so kurz vor Guys Beerdigung. Aber sie würde sie stellen, und zwar bald.

»Wie wird denn die arme Ruth damit fertig, Darling?«, fragte sie.

Adrian bremste an einer Verkehrsampel ab. »Ich hab sie nicht gesehen.«

»Wieso? Kommt sie nicht aus ihrem Zimmer heraus?«

Er blickte auf die Ampel, seine ganze Aufmerksamkeit auf den

Moment gerichtet, da sie auf Gelb umspringen würde. »Ich meine, ich hab sie gesehen, aber nicht *gesehen*. Ich weiß nicht, wie sie damit fertig wird. Sie hat es mir nicht gesagt.«

Und es würde ihm natürlich nicht einfallen, sie zu fragen. So wenig wie es ihm einfallen würde, seiner Mutter eine klare Antwort zu geben, anstatt in Rätseln zu sprechen. Margaret sagte: »Aber gefunden hat nicht sie ihn?«

»Kevin Duffy. Der Hausmeister.«

»Es muss ein schrecklicher Schlag für sie sein. Die beiden waren ja – sie waren praktisch ihr Leben lang zusammen.«

»Ich verstehe nicht, warum du hierher kommen wolltest, Mutter.«

»Guy war mein Mann, Darling.«

»Nummer eins von vieren«, sagte Adrian überflüssigerweise. Margaret wusste sehr wohl, wie oft sie verheiratet gewesen war. »Ich dachte, man ginge nur zur Beerdigung, wenn sie sterben, solange man noch mit ihnen verheiratet ist.«

»Wie kannst du so vulgär sein, Adrian!«

»Ach, das ist vulgär? Um Gottes willen, das geht natürlich nicht.«

Margaret sah ihren Sohn an. »Warum benimmst du dich so?«

»Wie?«

»Guy war mein Mann. Ich habe ihn einmal geliebt. Von ihm habe ich dich. Wenn es mein Bedürfnis ist, ihm Respekt zu zollen, indem ich an seiner Beerdigung teilnehme, dann werde ich das tun.«

Adrian lächelte auf eine Art, die an seiner Ungläubigkeit keinen Zweifel ließ. Margaret hätte ihm am liebsten eine heruntergehauen. Ihr Sohn kannte sie zu gut.

»Du hast dir immer schon eingebildet, eine gute Lügnerin zu sein. Aber so gut bist du gar nicht«, sagte er. »Meinte Tante Ruth denn, ich würde etwas – hm, was käme in Frage? – Perverses, Verbotenes, schlicht Verrücktes tun, wenn du nicht hier bist? Oder glaubt sie, dass ich es schon getan habe?«

»Adrian! Wie kannst du nur – selbst im Scherz –«

»Ich scherze nicht, Mutter.«

Margaret wandte den Kopf zum Fenster. Sie wollte nichts mehr hören von der verdrehten Denkweise ihres Sohnes.

Die Ampel schaltete um, und Adrian donnerte über die Kreuzung.

Sie fuhren durch eine von Häusern gesäumte Straße. Nachkriegsbungalows standen neben heruntergekommenen viktorianischen Reihenhäusern, an die sich hier und dort kleine Hotels lehnten, die um diese Jahreszeit geschlossen waren. Nach einer Weile wichen die besiedelten Gebiete auf der Südseite der Straße offenem Land, wo noch die ursprünglichen, aus Stein erbauten Bauernhäuser erhalten waren. Am Straßenrand standen die weißen Holzkästen, in denen die Bauern zu anderen Zeiten des Jahres selbst gezogene Kartoffeln oder Gewächshausblumen zum Verkauf anzubieten pflegten.

»Deine Tante hat mich angerufen wie alle anderen«, sagte Margaret. »Es wundert mich sowieso, dass du es nicht getan hast.«

»Es kommt sonst kein Mensch«, sagte Adrian, in dieser für ihn typischen Art das Thema wechselnd, die einen wahnsinnig machen konnte. »Nicht mal JoAnna und die Mädchen. Bei JoAnna kann ich's verstehen – wie viele Geliebte hat Dad während seiner Ehe mit ihr verbraucht? Aber ich dachte, die Mädchen würden vielleicht kommen. Sie haben ihn zwar gehasst wie die Pest, aber ich war sicher, die reine Geldgier würde ihnen Beine machen. Das Testament, meine ich. Die wollen doch wissen, was sie bekommen. Vermutlich einen Haufen Geld, wenn es ihm jemals eingefallen ist, wegen dem, was er ihrer Mutter angetan hat, ein schlechtes Gewissen zu bekommen.«

»Bitte sprich nicht so über deinen Vater, Adrian. Du, als sein einziger Sohn, der hoffentlich eines Tages heiraten und Söhne in die Welt setzen wird, die seinen Namen tragen, solltest meiner Meinung nach –«

»Aber sie kommen nicht«, fuhr Adrian störrisch und mit erhobener Stimme fort, als wollte er seine Mutter mundtot machen. »Obwohl ich fast damit gerechnet habe, dass JoAnna kommen würde, wenn auch nur, um dem Alten einen Pfahl ins Herz zu treiben.« Adrian lächelte vor sich hin, und Margaret wurde kalt bei diesem Lächeln. Es erinnerte sie allzu sehr an die schlimmen Zeiten ihres Sohnes, wenn er so tat, als wäre alles in Ordnung, während sich in seinem Inneren ein Orkan zusammenbraute.

Es wäre ihr lieber gewesen, nicht fragen zu müssen, andererseits aber wollte sie Bescheid wissen. Sie nahm ihre Handtasche, öffnete sie und tat so, als suchte sie nach einem Pfefferminzbonbon, während sie wie beiläufig sagte: »Die Salzluft hier tut wahrscheinlich gut. Wie sind deine Nächte, seit du hier bist, Darling? Waren schlechte dabei?«

Er warf ihr einen schnellen Blick zu. »Du hättest nicht darauf bestehen sollen, dass ich auf sein verdammtes Fest gehe, Mutter.«

»*Ich* habe darauf bestanden?« Margaret tippte sich mit den Fingern auf die Brust.

»›Du musst hingehen, Darling.‹« Seine Stimme war der ihren plötzlich zum Verwechseln ähnlich. »›Du hast ihn seit einer Ewigkeit nicht mehr gesehen. Hast du seit September wenigstens mal mit ihm telefoniert? Nein? Na bitte, da siehst du es. Dein Vater wird tief enttäuscht sein, wenn du nicht kommst.‹ Und das konnten wir doch nicht zulassen«, sagte Adrian. »Guy Brouard darf nicht enttäuscht werden, wenn er sich etwas wünscht. Aber er hat es sich gar nicht gewünscht. Er wollte mich überhaupt nicht hier haben. Du wolltest das. Er hat es mir selbst gesagt.«

»Adrian, nein! Das ist nicht – ich hoffe – du – du hast dich doch nicht mit ihm gestritten?«

»Du hast geglaubt, er würde sich das mit dem Geld noch mal überlegen, wenn ich ihm in seinem großen Moment meine Referenz machen würde. Stimmt's?«, fragte Adrian. »Du hast geglaubt, er würde so glücklich sein, mich auf seiner blöden Party zu sehen, dass er endlich nachgeben und das Geschäft finanzieren würde. Darum ging's doch, du kannst es ruhig zugeben.«

»Ich habe keine Ahnung, wovon du redest.«

»Du willst doch nicht behaupten, er hätte dir nichts davon gesagt, dass er es abgelehnt hatte, das Geschäft zu finanzieren? Im September? Bei unserem kleinen – Gespräch. ›Du hast kein ausreichendes Erfolgspotenzial, Adrian. Tut mir Leid, mein Junge, aber ich werfe nun mal mein Geld nicht gern zum Fenster hinaus.‹ Dafür gibt er es an anderer Stelle mit vollen Händen aus.«

»Das hat dein Vater wirklich gesagt? Zu wenig Potenzial?«

»Unter anderem, ja. Die Idee ist gut, sagte er. Den Internetzugang kann man immer verbessern, und das scheint mir der richtige Weg zu sein. Aber bei dem, was du vorzuweisen hast, Adrian ... nicht, dass du irgendetwas vorzuweisen hast, und das heißt, dass wir jetzt mal die Gründe für diese magere Bilanz unter die Lupe nehmen müssen.«

Margaret spürte, wie die Wut ätzend in ihren Magen schoss. »Hat er wirklich ...? Wie konnte er ...?«

»Komm, setz dich, mein Junge. Komm. So. Du hast einige Probleme gehabt, nicht wahr. Diese Geschichte im Garten des Schulleiters, als du zwölf warst? Und das Desaster mit deinem Studium, als du neunzehn warst? Das ist nicht gerade das, was man sich bei jemandem wünscht, dem man sein Geld anvertrauen möchte, mein Junge.«

»Das hat er tatsächlich gesagt? Er hat diese Dinge zur Sprache gebracht? Ach, Darling, das tut mir so Leid«, sagte Margret. »Ich könnte weinen. Und du bist danach trotzdem hergekommen? Zu ihm. Warum?«

»Weil ich ein Vollidiot bin.«

»Sag so was nicht!«

»Ich wollte es noch einmal versuchen. Ich dachte, wenn ich diese Sache irgendwie ins Rollen brächte, könnten Carmel und ich – ich weiß auch nicht – noch mal von vorn anfangen. Ich dachte, das wäre es wert, noch mal herzukommen und mich von ihm niedermachen zu lassen – wenn ich die Beziehung mit Carmel retten könnte.«

Er hatte seine Aufmerksamkeit ganz auf das Fahren konzentriert, während er seiner Mutter alles erzählte, und Margaret verspürte tiefes Mitleid mit ihm, trotz all seiner Eigenheiten, die ihr so oft auf die Nerven fielen. Er hatte ein viel schwereres Leben gehabt als seine Stiefbrüder. Und an vielem, was es so schwer gemacht hatte, trug sie Schuld. Wenn sie ihm erlaubt hätte, mehr Zeit mit seinem Vater zu verbringen, so viel Zeit, wie Guy gewünscht hatte, gefordert, zu erzwingen versucht hatte ... Das war natürlich ausgeschlossen gewesen. Aber wenn sie es zugelassen hätte und das Risiko eingegangen wäre, dann wäre Adrians Weg vielleicht leichter gewesen und sie hätte sich nicht in diesem Maße schuldig fühlen müssen.

»Und hast du dann noch einmal mit ihm über das Geld gesprochen? Bei diesem Besuch, Darling?«, fragte sie. »Hast du ihn gebeten, dir bei dem neuen Unternehmen unter die Arme zu greifen?«

»Ich bin gar nicht dazu gekommen. Ich habe ihn nie allein erwischt. Das Busenwunder hing dauernd an ihm dran, damit ich nur ja nicht an ihn rankomme und mir was von der Kohle unter den Nagel reiße, auf die sie selbst es abgesehen hatte.«

»Das Busenwunder?«

»Seine Neueste. Du wirst sie nachher kennen lernen. Sie hat ihn keinen Moment aus den Augen gelassen, und sobald er einen Gedanken hatte, der nicht direkt mit ihr zu tun hatte, hat sie ihm ihren Atombusen unter die Nase geschoben. Hat immer für Ablenkung gesorgt, die Gute. Darum sind wir nie zum Reden gekommen. Und dann war es zu spät.«

Margaret hatte Ruth bei ihrem Anruf nicht gefragt, weil diese so leidend geklungen hatte, und ihrem Sohn hatte sie die Frage nicht gleich bei ihrer Ankunft gestellt, weil sie zuerst sehen wollte, in welcher Verfassung er war. Doch jetzt hatte er ihr das Stichwort gegeben, und sie reagierte sofort.

»Wie ist dein Vater eigentlich gestorben?«

Sie hatten ein Waldgebiet erreicht, wo sich auf der westlichen Straßenseite eine hohe, üppig von Efeu bewachsene Steinmauer entlangzog, während auf der Ostseite in dichten Gruppen Platanen, Kastanien und Ulmen standen. An manchen Stellen zeigte sich zwischen den Bäumen der ferne Ärmelkanal, stahlgrau blitzend in den winterlichen Lichtverhältnissen. Margaret konnte sich nicht vorstellen, dass es jemanden reizte, in diesem Wasser zu schwimmen.

Adrian antwortete nicht sofort auf ihre Frage. Nachdem sie an einigen Feldern vorübergefahren waren, bremste er an der Mauer vor einem Eisentor, das offen stand. In die Mauer eingelegte Kacheln wiesen den Namenszug des Anwesens auf, *Le Reposoir*. Adrian lenkte den Wagen über die Auffahrt zu einem imposanten alten Haus: ein vierstöckiger Bau aus grauem Stein, dessen Dach von einer Art Aussichtsplattform gekrönt war, einem *widow's walk* nach amerikanischem Vorbild, zu dem sich ein früherer Eigentümer die Inspiration vielleicht aus Neu-England geholt hatte. Unter dieser luftigen und von einer Balustrade umgebenen Terrasse ragten Dachfenster hervor, unter denen die Fassade von perfekter Ausgewogenheit war.

Guy hatte, wie Margaret feststellte, im Ruhestand nicht schlecht gelebt. Aber das war kaum eine Überraschung.

Zum Haus hin verließ die Auffahrt den Schutz der Bäume und umrundete eine Rasenfläche, in deren Mitte eine beeindruckende Bronzeskulptur eines jungen Mannes und einer jungen Frau beim Schwimmen mit Delphinen stand. Adrian folgte dem Rundweg und hielt den Range Rover vor einer breiten Treppe an, die zu einer weißen Haustür hinaufführte. Die Tür war geschlossen und blieb geschlossen, als er endlich auf Margarets Frage antwortete.

»Er ist erstickt«, sagte er. »Unten an der Bucht.«

Margaret war verwirrt. Ruth hatte berichtet, dass ihr Bruder nicht vom Schwimmen zurückgekommen war, dass ihm unten am Strand jemand aufgelauert und ihn ermordet hatte. Aber Guy war erstickt, das hatte doch mit Mord nichts zu tun. Ja, wenn Adrian gesagt hätte, er sei erstickt *worden*, aber das waren nicht seine Worte gewesen.

»Erstickt?«, wiederholte Margaret. »Aber Ruth sagte doch, dein Vater sei ermordet worden.« Und einen verrückten Moment lang erwog sie die Möglichkeit, dass ihre ehemalige Schwägerin sie belogen hatte, um sie aus irgendeinem Grund auf die Insel zu locken.

»O ja, es war Mord«, sagte Adrian. »Das, was Dad im Hals steckte, nimmt man normalerweise nicht in den Mund. Auch nicht versehentlich.«

# 5

»Also, dass ich mal hier landen würde, hätte ich mir nicht träumen lassen.« Cherokee River blieb einen Moment stehen, um das Schild vor Scotland Yard zu betrachten, und ließ den Blick von den metallisch silbernen Lettern zu dem strenge Autorität ausstrahlenden Gebäude mit den uniformierten Wachen wandern.

»Ich weiß nicht, ob es uns weiterhelfen wird«, bekannte Deborah, »aber ich denke, es ist einen Versuch wert.«

Es war kurz vor halb elf, der Regen hatte endlich nachgelassen. Der Schauer, der sie bei ihrem Aufbruch zur amerikanischen Botschaft begleitet hatte, war zum dünnen Dauerregen abgeflaut, vor dem sie sich unter einem von Simons großen schwarzen Schirmen verkrochen.

Sie hatten sich recht hoffnungsvoll auf den Weg gemacht. Trotz der verzweifelten Lage, in der seine Schwester sich befand, hielt Cherokee nach dem Motto, das kriegen wir schon hin, an dieser positiven Einstellung fest, die nach Deborahs Erinnerung den meisten Amerikanern eigen war, die sie in Kalifornien kennen gelernt hatte. Er war ein Bürger der Vereinigten Staaten, der mit einem Anliegen zur Botschaft seines Landes unterwegs war. Er hatte geglaubt, wenn er, als Steuerzahler, in der Botschaft erschien und die Fakten vorlegte, würden augenblicklich die nötigen Anrufe getätigt und Chinas Entlassung durchgesetzt werden.

Anfangs schien es, als wäre Cherokees Glaube an die Macht der Botschaft gerechtfertigt. Nachdem sie sich informiert hatten, an wen sie sich wenden mussten – die Special-Services-Abteilung, die man nicht durch das imposante Tor unter der imposanten Flagge am Grosvenor Square betrat, sondern von der weit bescheideneren Brook Street aus –, nannten sie am Empfang Cherokees Namen, woraufhin ein kurzer Anruf eine erstaunlich und befriedigend prompte Reaktion zeitigte. Nicht einmal Cherokee hatte erwartet, von der Leiterin der Special-Services-Abteilung persönlich empfangen zu werden. Von irgendeinem Untergebenen zu ihr geführt zu werden, das ja, aber nicht gleich hier, am

Empfang, von ihr begrüßt zu werden. Aber so geschah es. Konsulin Rachel Friestat, mit energischem Händedruck, der nur beruhigend wirken konnte, führte Deborah und Cherokee ohne Umschweife in ihr Büro, wo sie ihnen Kaffee und Kekse anbot und darauf bestand, dass sie sich an den Heizlüfter setzten, um trocken zu werden.

Rachel Friestat wusste über alles Bescheid. Sie war innerhalb von vierundzwanzig Stunden nach Chinas Verhaftung von der Polizei von Guernsey angerufen worden. Das entsprach, wie sie erklärte, den Vereinbarungen der Haager Konventionen. Sie hatte sogar mit China selbst gesprochen und sie gefragt, ob jemand von der Botschaft nach Guernsey kommen und sich dort um ihre Belange kümmern solle.

»Sie sagte, das sei nicht nötig«, teilte Rachel Friestat Cherokee und Deborah mit. »Sonst hätten wir sofort jemanden hingeschickt.«

»Aber es ist dringend nötig«, widersprach Cherokee. »Die wollen ihr da drüben mit falschen Beschuldigungen was anhängen. Das weiß sie. Wieso sagte sie dann …?« Er fuhr sich mit der Hand durchs Haar und murmelte: »Das verstehe ich überhaupt nicht.«

Rachel Friestat nickte anteilnehmend, doch ihre Miene machte deutlich, dass sie diesen Vorwurf der »falschen Beschuldigungen« schon häufiger gehört hatte. Sie sagte: »Unsere Möglichkeiten sind beschränkt, Mr. River, und Ihre Schwester weiß das. Wir haben uns mit ihrem Anwalt in Verbindung gesetzt, und der hat uns versichert, dass er bei jeder polizeilichen Vernehmung ihrer Schwester anwesend ist. Wir sind bereit, alle Anrufe in die Staaten zu tätigen, die ihre Schwester wünscht. Sie sagte allerdings ausdrücklich, dass im Augenblick niemand angerufen werden soll. Und sollte die amerikanische Presse den Fall verfolgen, so werden wir alle Anfragen beantworten. Die Lokalpresse in Guernsey berichtet bereits, aber sie ist durch die relativ isolierte Lage Guernseys und Knappheit der Mittel eingeschränkt, so dass da nicht viel mehr geschieht, als dass man die wenigen Einzelheiten abdruckt, die die Polizei herausgibt.«

»Aber genau das ist es doch!«, rief Cherokee. »Die Polizei versucht mit allen Mitteln, ihr was anzuhängen.«

Rachel Friestat trank einen Schluck Kaffee und blickte Cherokee über den Rand der Tasse hinweg an. Deborah sah ihr am Gesicht an, dass sie Alternativen abwog, so wie man das tut, wenn man schlechte Nachrichten zu übermitteln hat, und sie ließ sich Zeit mit ihrer Entscheidung. »In dieser Hinsicht kann die amerikanische Botschaft Ihnen leider nicht helfen«, sagte sie schließlich zu Cherokee. »Es mag wahr sein, aber wir können nicht eingreifen. Wenn Sie glauben, dass Ihre Schwester mit falschen Anschuldigungen ins Gefängnis gebracht werden soll, müssen Sie sich unverzüglich Hilfe holen. Aber die Hilfe muss von innen kommen, nicht von außen, von uns.«

»Wie meinen Sie das?«, fragte Cherokee.

»Nun, vielleicht ein Privatdetektiv ...«, antwortete die Konsulin.

Sie waren unverrichteter Dinge wieder abgezogen und hatten in der folgenden Stunde festgestellt, dass ein Privatdetektiv auf der Insel Guernsey so schwer aufzutreiben war wie Eiskrem in der Sahara. Daraufhin waren sie quer durch die Stadt zur Victoria Street gefahren, wo sich jetzt New Scotland Yard vor ihnen erhob, ein Gebäudekomplex aus Beton und Glas im Herzen von Westminster.

Sie traten ein und schüttelten ihren Schirm über der Gummimatte aus. Cherokee blieb vor der Ewigen Flamme stehen, während Deborah zum Empfang ging und ihr Anliegen vorbrachte.

»Wir wollen zum stellvertretenden Superintendent Thomas Lynley. Wir sind nicht angemeldet, aber wenn er im Haus ist und uns empfangen kann ...? Deborah St. James.«

Die beiden uniformierten Beamten am Empfang musterten Deborah und Cherokee so scharf, als wären sie überzeugt davon, dass sie Bomben um den Bauch trugen. Der eine Beamte telefonierte, während der andere eine Lieferung von Federal Express in Empfang nahm.

Deborah wartete, bis der Beamte, der telefonierte, zu ihr sagte: »Haben Sie ein paar Minuten Geduld«, dann ging sie zu Cherokee zurück, der fragte: »Glaubst du, das bringt was?«

»Keine Ahnung«, antwortete sie. »Aber wir müssen alles versuchen.«

Keine fünf Minuten später erschien Tommy selbst, und Deborah nahm das als gutes Zeichen. Er sagte: »Hallo, Deb, das ist ja eine Überraschung«, küsste sie auf die Wange und wartete darauf, mit Cherokee bekannt gemacht zu werden.

Die beiden Männer hatten einander nie kennen gelernt. Trotz Tommys häufiger Besuche in Kalifornien, als Deborah dort lebte, hatten sich ihre Wege nie gekreuzt. Tommy hatte natürlich von Chinas Bruder gehört und kannte seinen Namen, der so ungewöhnlich war, dass man ihn nicht so leicht vergaß. »Ah, Chinas Bruder«, sagte er, als Deborah Cherokee mit Namen vorstellte, und bot ihm auf die ungezwungene Art, die typisch für ihn war, die Hand. »Zeigst du Cherokee die Stadt?«, fragte er Deborah. »Oder dass du Freunde in fragwürdigen Gebäuden hast?«

»Keines von beiden«, antwortete sie. »Können wir dich kurz sprechen? Unter vier Augen? Hast du Zeit? Das ist ein – na ja, eher dienstlicher Besuch.«

Tommy zog eine Augenbraue hoch. »Aha«, sagte er nur und führte sie zum Aufzug, der sie nach oben in sein Büro brachte.

Als stellvertretender Superintendent saß er nicht in seinem gewohnten Zimmer, sondern im Büro des Superintendent, seines Vorgesetzten, der noch wegen der Folgen eines Attentats, das im vergangenen Monat auf ihn verübt worden war, im Krankenhaus lag.

»Wie geht es dem Superintendent?«, fragte Deborah, die gleich beim Eintreten sah, dass Tommy auf seine gutherzige Art nicht eine der Fotografien, die Superintendent Malcolm Webberly gehörten, durch eigene ersetzt hatte.

Tommy schüttelte den Kopf. »Nicht gut.«

»Wie schrecklich.«

»Für alle.« Er bat sie, Platz zu nehmen, und setzte sich zu ihnen, den Oberkörper vorgebeugt, die Ellbogen auf die Knie gestützt. Was kann ich für euch tun?, schien seine Haltung zu sagen, und Deborah rief sich in Erinnerung, dass er ein sehr beschäftigter Mann war.

Sie berichtete ihm, warum sie zu ihm gekommen waren, und Cherokee ergänzte den Bericht mit markanten Details, die er für notwendig hielt. Tommy hörte zu, wie er nach Deborahs Erfahrung immer zuhörte: Den Blick der braunen Augen auf den jeweils Sprechenden gerichtet, während er alle anderen Geräusche aus den in der Nähe befindlichen Büros auszublenden schien.

»Wie nahe sind Ihre Schwester und Mr. Brouard sich gekommen, als Sie beide bei ihm zu Gast waren?«, fragte Tommy, als Cherokee seine Ausführungen beendet hatte.

»Sie waren öfter zusammen. Sie haben sich gut verstanden, weil sie beide an Architektur interessiert waren. Aber das war's dann auch schon, jedenfalls soweit ich's mitgekriegt hab. Er war nett zu ihr. Aber zu mir war er auch nett. Er schien ganz allgemein ein netter Mensch gewesen zu sein.«

»Vielleicht aber auch nicht«, meinte Tommy.

»Ja, klar. Logisch. Wenn jemand ihn umgebracht hat.«

»Wie ist er eigentlich umgekommen?«

»Er ist erstickt. Das hat der Anwalt rausgekriegt, nachdem China beschuldigt worden war. Das ist übrigens alles, was der Anwalt in Erfahrung gebracht hat.«

»Sie meinen, er wurde erdrosselt?«

»Nein. Er ist erstickt. An einem Stein.«

»An einem Stein?«, wiederholte Tommy. »Du meine Güte! An was für einem Stein denn? Einem Kiesel vom Strand?«

»Keine Ahnung. Wir wissen im Moment nicht mehr. Nur dass es ein Stein war und er daran erstickt ist. Oder, genauer gesagt, dass meine Schwester ihn irgendwie damit erstickt hat, da sie ihr ja vorwerfen, ihn getötet zu haben.«

»Du siehst, Tommy«, warf Deborah ein, »es ist völlig unsinnig.«

»Wie soll China ihn denn mit dem Stein erstickt haben?«, fragte Cherokee aufgebracht. »Wie soll überhaupt jemand ihn damit erstickt haben? Wie soll das gegangen sein? Hat er einfach den Mund aufgemacht und sich den Stein in die Kehle stoßen lassen?«

»Das ist eine gute Frage«, meinte Lynley zustimmend.

»Es kann genauso gut ein Unglücksfall gewesen sein«, fuhr Cherokee fort. »Er kann doch den Stein aus irgendeinem Grund in den Mund genommen haben.«

»Es muss Hinweise darauf geben, dass es anders gewesen ist, wenn die Polizei eine Verhaftung vorgenommen hat«, wandte Tommy ein. »Wenn ihm jemand den Stein mit Gewalt in die Kehle gestoßen hat, hat er sicher am Gaumen Verletzungen erlitten. Vielleicht auch an der Zunge. Hätte er ihn versehentlich geschluckt... Ja. Ich kann mir vorstellen, wieso sie sofort auf Mord gekommen sind.«

»Aber warum sofort auf China?«, fragte Deborah.

»Es muss noch andere Indizien geben, Deb.«

»Meine Schwester hat niemanden umgebracht!« Cherokee sprang auf und ging erregt zum Fenster. Dort drehte er sich um. »Wieso kapiert das niemand?«

»Kannst du etwas tun?«, fragte Deborah Tommy. »In der Botschaft haben sie uns vorgeschlagen, jemanden zu engagieren, aber ich dachte, du könntest vielleicht... Kannst du da mal anrufen? Bei der Polizei? Und ihnen klar machen...? Ich meine, offensichtlich werten sie nicht alles ordnungsgemäß aus. Das muss man ihnen sagen.«

Tommy machte ein nachdenkliches Gesicht. »Streng genommen, fällt diese Sache nicht in den Zuständigkeitsbereich von Großbritannien, Deb. Die Polizeibeamten werden zwar hier ausgebildet, und die Behörden können um Rechtshilfe bitten, aber von hier aus etwas anzuleiern... Wenn du das gehofft hast, muss ich dich enttäuschen, das geht nicht.«

»Aber –« Deborah hob beschwörend die Hand, merkte, dass diese Geste einer flehentlichen Bitte nahe kam, fand dies erbärmlich und ließ die Hand in den Schoß sinken. »Wenn sie wenigstens wüssten, dass man hier nicht einfach gleichgültig zusieht, dann würde das vielleicht...«

Tommy blickte forschend in ihr Gesicht, dann lächelte er. »Du änderst dich nie, hm?«, fragte er liebevoll. »Na schön. Mal sehen, was ich tun kann.«

Es dauerte nur ein paar Minuten, die richtige Nummer in

Guernsey festzustellen und den ermittelnden Polizeibeamten ausfindig zu machen, der die Morduntersuchung dort leitete. Mord war auf der Insel etwas so Ungewöhnliches, dass Tommy nur das Wort auszusprechen brauchte, um augenblicklich mit dem zuständigen Mann verbunden zu werden.

Aber der Anruf brachte ihnen nichts ein. Von New Scotland Yard ließ man sich in St. Peter Port offensichtlich nicht beeindrucken. Als Tommy erklärte, wer er war und warum er anrief, und anbot, die Kollegen zu unterstützen, soweit das in der Macht der Metropolitan Police stünde, bekam er zu hören – wie er Deborah und Cherokee gleich nach Ende des Telefongesprächs berichtete –, auf den Kanalinseln sei alles unter Kontrolle. Und im Übrigen würde man sich, wenn Unterstützung tatsächlich gebraucht werde, an die Kollegen in Cornwall oder Devon wenden wie sonst auch.

»Wir sind etwas in Sorge, weil es sich bei der verhafteten Person um eine Ausländerin handelt«, sagte Tommy.

Tja, hm, das sei mal eine interessante Abwechslung, nicht wahr, mit der die Polizei von Guernsey aber ohne weiteres allein fertig werden könne.

»Tut mir Leid«, sagte er nach dem Gespräch zu Deborah und Cherokee.

»Ja, und was, zum Teufel, sollen wir jetzt tun?« Cherokee stellte die Frage mehr sich selbst als den anderen.

»Ihr müsst euch jemanden suchen, der bereit ist, mit den Betroffenen zu sprechen«, sagte Tommy. »Wenn einer meiner Leute gerade Urlaub hätte, würde ich euch vorschlagen, ihn zu bitten, sich ein wenig umzuhören. Ihr könnt das natürlich auch selbst tun, aber es wäre hilfreich, wenn ihr eine Polizeibehörde im Rücken hättet.«

»Was muss denn unternommen werden?«, fragte Deborah.

»Zuerst muss mal jemand Fragen stellen«, antwortete Tommy, »um herauszubekommen, ob es vielleicht einen Zeugen gibt, der unbeachtet geblieben ist. Ihr müsst herausfinden, ob dieser Brouard Feinde hatte: Wie viele, wer sie sind, wo sie leben, wo sie sich zum Zeitpunkt seines Todes aufgehalten haben. Ihr braucht jemanden, der das Beweismaterial auswerten kann. Ihr könnt mir glauben, dass die Polizei jemanden hat, der das für sie erledigt. Und ihr müsst sicherstellen, dass keine Spuren oder Hinweise übersehen worden sind.«

»In Guernsey gibt es niemanden«, sagte Cherokee. »Wir haben es versucht. Debs und ich. Bevor wir zu Ihnen gekommen sind.«

»Dann denkt mal über Guernsey hinaus.« Tommy sah Deborah an, und sie wusste, was dieser Blick bedeutete.

Sie hatten bereits, was sie brauchten.

Aber sie würde ihren Mann auf keinen Fall um Hilfe bitten. Er hatte ohnehin so viel zu tun. Außerdem hatte sie das Gefühl, dass der größte Teil ihres Lebens von den zahllosen Gelegenheiten gekennzeichnet war, da sie bei Simon Hilfe gesucht hatte: Angefangen bei jenen fernen Tagen, als die kleine ABC-Schützin, die von den Schulkameraden gnadenlos drangsaliert wurde, von ihrem Mr. St. James – einem Neunzehnjährigem mit einem stark ausgeprägten Sinn für Fairness – gerettet wurde, indem der ihren Peinigern einen Riesenschrecken einjagte, bis zum heutigen Tag, da die Ehefrau die Geduld ihres Mannes, der nichts weiter wollte, als sie glücklich zu sehen, häufig auf eine harte Probe stellte. Nein, sie konnte ihm das nicht aufbürden.

Sie würden es allein versuchen, sie und Cherokee. Das schuldete sie China, aber weit mehr noch: Sie schuldete es sich selbst.

Zum ersten Mal seit Wochen fiel Sonnenlicht zart wie Jasmintee auf eine der beiden Waagschalen der Justitia vor dem Old Bailey, als Deborah und Cherokee dort ankamen. Sie hatten beide weder Tasche noch Rucksack bei sich und daher keine Schwierigkeiten, hineinzukommen. Ein paar Fragen brachten ihnen die Auskunft, die sie brauchten: Gerichtssaal 3.

Die Besuchergalerie war oben und im Moment nur spärlich besetzt von drei Touristen in durchsichtigen Regenmänteln und einer Frau, die ein Taschentuch in ihrer Hand zusammenknüllte. Unten bot sich der Gerichtssaal wie eine Szene aus einem historischen Drama dar. Der Richter – rote Robe, strenge Stahlrandbrille und mächtige Perücke, deren Haarpracht in Schafslocken auf seine Schultern herabfiel – thronte in einem grünen Ledersessel, einem von fünf auf einem Podium am Kopf des Saals, das ihn über seine unbedeutenderen juristischen Kollegen erhob. Diese, die schwarz gekleideten Anwälte für die Verteidigung und die Anklage, saßen auf einer der vorderen Bänke, die im rechten Winkel zum Richterpodium standen. Hinter ihnen hatten ihre Mitarbeiter Platz genommen. Gegenüber waren die Geschworenen und dazwischen saß wie ein Schiedsrichter der Protokollführer. Die Anklagebank befand sich direkt unterhalb der Galerie, und hier saß der Angeklagte mit einem Gerichtsbeamten. Gegenüber war der Zeugenstand, und auf den richteten Deborah und Cherokee ihre Aufmerksamkeit.

Der Kronanwalt, der die Anklage vertrat, kam soeben zum Ende seines Kreuzverhörs des sachverständigen Zeugen der Verteidigung, Mr. Allcourt-St.-James. Er bezog sich auf ein umfangreiches Schriftstück, und wenn er auch Simon mit »Sir« ansprach und »Mr. Allcourt-St.-James, wenn Sie gestatten« sagte, war nicht zu überhören, dass er jegliche Meinung, die nicht mit den Schlussfolgerungen der Polizei und damit der Kronanwaltschaft übereinstimmte, anzweifelte.

»Mir scheint, Sie wollen unterstellen, dass die Laborarbeit von Dr. French zu wünschen übrig lässt, Mr. Allcourt-St.-James«, sagte er gerade, als Deborah und Cherokee sich auf einer Bank vorn auf der Galerie niederließen.

»Keineswegs«, entgegnete Simon. »Ich unterstelle lediglich, dass die Menge an Rückständen, die auf der Haut des Angeklagten gefunden wurde, mit seiner beruflichen Arbeit als Gärtner durchaus zu vereinbaren ist.«

»Wollen Sie dann auch behaupten, dass es Zufall ist, dass man bei Mr. Casey« – mit einer Kopfbewegung deutete er zu dem Mann in der Anklagebank, von dem Deborah und Cherokee nur den Hinterkopf sahen – »Spuren genau der Substanz gefunden hat, mit der Constance Garibaldi vergiftet wurde?«

»Da Aldrin zur Beseitigung von Garteninsekten verwendet wird und da dieses Verbrechen in eben der Zeit verübt wurde, zu der diese Insekten weit verbreitet sind, kann ich nur sagen, dass die Aldrinspuren auf der Haut des Angeklagten durchaus mit seiner beruflichen Arbeit zu erklären sind.«

»Ungeachtet seines fortdauernden Streits mit Mrs. Garibaldi?«

»Ganz recht. Ja.«

Der Kronanwalt machte noch einige Minuten so weiter, wobei er sich auf seine Aufzeichnungen bezog und einmal kurz mit seinen Mitarbeitern auf der hinteren Bank sprach. Schließlich entließ er Simon mit einem »Danke, Sir« aus der Vernehmung, und da auch die Verteidigung keine weiteren Fragen hatte, konnte Simon den Zeugenstand verlassen.

Als er aufstand, erblickte er oben auf der Galerie Deborah und Cherokee.

Sie erwarteten ihn vor dem Gerichtssaal. »Also, wie ist es gelaufen?«, fragte er. »Können die Amerikaner helfen?«

Deborah berichtete, was sie von Rachel Friestat gehört hatten. »Und Tommy kann uns auch nicht weiterhelfen, Simon«, fügte sie hinzu. »Es ist eine Frage der Zuständigkeit. Und selbst wenn dieses Problem nicht wäre, würde sich die Polizei von Guernsey Hilfe aus Cornwall oder Devon holen, wenn sie welche brauchte. Sie wenden sich nie an Scotland Yard. Ich hatte den Eindruck – du nicht auch, Cherokee? –, dass sie ein bisschen gereizt reagierten, als Tommy das Wort Unterstützung auch nur erwähnte.«

Simon nickte und rieb sich nachdenklich das Kinn. Um sie herum nahmen die Geschäfte am Strafgericht weiter ihren Lauf, Justizangestellte eilten mit Akten durch den Flur, Anwälte schlenderten, in Diskussionen über Strategie und Taktik vertieft, gemächlich vorüber.

Deborah beobachtete ihren Mann. Sie sah, dass er eine Lösung für Cherokees Probleme zu finden suchte, und war ihm dankbar dafür. Wie leicht hätte er sagen können: Tja, das wär's dann wohl. Wir können nur noch die Dinge ihren Lauf nehmen lassen und abwarten, wie es ausgeht. Aber das entsprach nicht seinem Naturell. Dennoch wollte sie ihn wissen lassen, dass sie nicht ins Old Bailey gekommen waren, um ihm eine zusätzliche Last aufzubürden, sondern lediglich, um ihm Bescheid zu sagen, dass sie nach Guernsey fliegen würden, sobald Deborah zu Hause ein paar Sachen gepackt hatte.

Das sagte sie ihm und glaubte, er würde es ihr danken. Aber sie täuschte sich.

Als seine Frau ihm mitteilte, was sie vorhatte, stand für St. James in Sekundenschnelle fest, dass dieser Einfall völlig verrückt war. Aber er dachte nicht daran, ihr das zu sagen. Es war ihr ernst, sie war voll guter Absichten, und vor allem sorgte sie sich um ihre kalifornische Freundin. Außerdem musste man auch an den jungen Mann denken.

St. James hatte Cherokee River gern in seinem Haus aufgenommen. Es war das Mindeste, was er für den Bruder der Frau tun konnte, die in Amerika die engste Freundin seiner Frau gewesen war. Aber wenn Deborah jetzt beabsichtigte, zusammen mit einem Menschen, den sie nur flüchtig kannte, Detektiv zu spielen, so war das etwas anderes. Die beiden riskierten dabei ernsten Ärger mit der Polizei oder Schlimmeres, wenn sie durch Zufall tatsächlich auf den Mörder Guy Brouards stoßen sollten.

Da er aber Deborahs Seifenblase nicht einfach platzen lassen wollte, überlegte er, wie er ihr schonend beibringen könnte, dass ihr Plan unrealistisch war. Er führte sie und Cherokee zu einer Bank, wo sie sich alle niedersetzen konnten, und sagte zu Deborah: »Was hoffst du denn da drüben zu erreichen?«

»Tommy meinte –«

»Ich weiß, was er gesagt hat. Aber wie ihr bereits herausgefunden habt, gibt es in Guernsey keinen Privatdetektiv, den Cherokee engagieren könnte.«

»Ich weiß. Deswegen –«

»Wenn ihr also nicht inzwischen einen in London gefunden habt, verstehe ich nicht, was du mit einer Reise nach Guernsey bezweckst. Es sei denn, du willst China moralische Unterstützung geben. Was natürlich absolut verständlich wäre.«

Deborah presste die Lippen aufeinander. Er wusste, was sie dachte: dass er viel zu sachlich, zu logisch, zu sehr der objektive Wissenschaftler sei, in einer Situation, in der Gefühl gefragt war.

Und nicht nur Gefühl, sondern unverzügliches Handeln, wenn auch noch so wenig durchdacht.

»Ich habe nicht vor, einen Privatdetektiv zu engagieren, Simon«, erklärte sie kühl. »Jedenfalls nicht gleich. Cherokee und ich … Wir setzen uns mit Chinas Anwalt zusammen, sehen uns das Beweismaterial der Polizei an, und wir reden mit jedem, der bereit ist, mit uns zu sprechen. Wir sind ja nicht die Polizei, also werden die Leute keine Scheu vor uns haben, und wenn jemand etwas weiß … wenn die Polizei etwas übersehen hat … Wir werden die Wahrheit aufdecken.«

»China ist unschuldig«, stimmte Cherokee ein. »Die Wahrheit – sie ist irgendwo da drüben. Und China braucht –«

»Das heißt, dass ein anderer schuldig ist«, unterbrach St. James, »und das macht die ganze Situation nicht nur sehr heikel, sondern auch gefährlich.« Er sagte nicht, was er an dieser Stelle am liebsten gesagt hätte: Ich verbiete dir, zu reisen. Sie lebten schließlich nicht im achtzehnten Jahrhundert. Deborah war unabhängig, wenn auch nicht in finanzieller Hinsicht. Er konnte sie von der Reise abhalten, indem er ihr den Geldhahn zudrehte, oder was man sonst tat, um einer Frau die finanzielle Bewegungsfreiheit zu rauben. Aber solche Schikanen waren unter seinem Niveau. Er war immer schon der Auffassung gewesen, dass vernünftige Argumente wirksamer waren als Zwang. »Wie wollt ihr die Leute finden, mit denen ihr sprechen könnt?«

»Ich denke doch, dass es in Guernsey Telefonbücher gibt«, antwortete Deborah.

»Ich meine, woher wollt ihr wissen, mit wem ihr euch unterhalten müsst«, sagte St. James.

»Cherokee weiß das. Und China auch. Sie haben bei Brouard im Haus gewohnt und sind anderen Leuten begegnet. Sie wissen die Namen.«

»Aber warum sollten diese Leute mit Cherokee sprechen? Oder mit dir, wenn sie von deiner Verbindung zu China erfahren?«

»Sie werden nichts davon erfahren.«

»Glaubst du im Ernst, dass die Polizei ihnen das nicht sagen wird? Und selbst wenn sie mit euch sprechen, selbst wenn ihr in dieser Hinsicht Erfolg habt, wie soll es weitergehen?«

»Womit?«

»Mit den Hinweisen, den Indizien. Wie wollt ihr das Material auswerten? Wie wollt ihr es erkennen, wenn ihr etwas Neues entdeckt?«

»Ich hasse es, wenn du –« Deborah wandte sich Cherokee zu. »Würdest du uns einen Moment allein lassen?«

Cherokee blickte von ihr zu St. James. »Das geht zu weit«, sagte er. »Du hast genug getan. Erst die Botschaft, dann Scotland Yard. Lass mich einfach nach Guernsey zurückfliegen, dann werde ich –«

»Lass uns einen Moment allein«, wiederholte Deborah mit Nachdruck. »Bitte.«

Cherokee schien versucht, zu widersprechen, aber er unterließ es. Er ging weg, um eine Liste mit Prozessdaten zu studieren, die an einem Anschlagbrett hing.

Zornig sagte Deborah zu St. James: »Warum tust du das?«

»Ich versuche nur, dir klar zu machen –«

»Du hältst mich für total unfähig, stimmt's?«

»Nein, das stimmt nicht.«

»Unfähig, mit Leuten ein Gespräch zu führen, die vielleicht bereit wären, uns etwas zu erzählen, was sie der Polizei verschwiegen haben. Etwas, das entscheidend sein und dazu führen könnte, dass China aus dem Gefängnis freikommt.«

»Deborah, bitte glaub nicht –«

»China ist meine Freundin«, sagte sie leise und heftig. »Und ich werde ihr helfen. Sie war für mich da, Simon. Damals in Kalifornien. Sie war der *einzige* Mensch –« Deborah brach ab und schüttelte mit einem Blick zur Decke den Kopf, als könnte sie damit nicht nur die Erregung, sondern auch die Erinnerung abschütteln.

St. James wusste, was ihr durch den Kopf ging. China war in jenen Jahren, als er Deborah im Stich gelassen hatte, als Seelenfreundin und Vertraute für sie da gewesen. Und ohne Zweifel war sie auch da gewesen, als Deborah sich in Thomas Lynley verliebt hatte, und vielleicht hatte sie mit Deborah zusammen diese Liebe und ihre traurigen Folgen beweint.

Er wusste dies, aber er konnte es im Moment so wenig ansprechen, wie er sich vor aller Öffentlichkeit entkleiden und seine körperliche Beeinträchtigung zur Schau stellen würde. Deshalb sagte er nur: »Liebes, hör mir zu. Ich weiß, dass du helfen willst.«

»Ach ja?«, fragte sie bitter.

»Natürlich. Aber du kannst nicht blindlings in Guernsey herumstochern, nur weil du helfen willst. Dir fehlt die Sachkenntnis, und –«

»Oh, vielen Dank!«

»– die Polizei wird davon überhaupt nichts wissen wollen. Du brauchst aber ihre Unterstützung, Deborah. Wenn sie dir nicht bis in jede Einzelheit sagen, was sie gegen China in der Hand haben, gibt es für dich keine Möglichkeit, festzustellen, ob China wirklich unschuldig ist.«

»Du glaubst doch nicht, dass sie eine Mörderin ist! Mein Gott!«

»Ich glaube gar nichts. Ich bin nicht persönlich beteiligt wie du. Und das ist genau das, was du brauchst: einen Unbeteiligten.«

Noch während er sprach, wurde ihm bewusst, dass er sich zur Hilfe verpflichtet hatte. Sie hatte ihn nicht darum gebeten und würde ihn jetzt, nach diesem Gespräch, erst recht nicht darum bitten. Aber er sah es als die einzige Lösung.

Sie brauchte seine Hilfe, und fast sein ganzes Leben lang hatte er Deborah stets eine helfende Hand geboten, gleichgültig, ob sie sie angenommen hatte oder nicht.

# 6

Paul Fielder suchte sein so genanntes Geheimversteck auf, nachdem er vor Valerie Duffy geflüchtet war. Die Werkzeuge ließ er einfach liegen. Er wusste, dass das nicht in Ordnung war, Mr. Guy hatte ihm erklärt, dass die Pflege und Instandhaltung der

Werkzeuge Bestandteil guter Handwerksarbeit war, aber er würde ja später wieder herkommen. Er würde sich um die andere Seite des Hauses herumschleichen, wo Valerie ihn nicht sehen konnte, die Werkzeuge einräumen und wieder ins Stallgebäude bringen. Wenn alles ruhig war, würde er vorher vielleicht sogar noch an den Entenställen arbeiten. Und den Entenfriedhof inspizieren, um sich zu vergewissern, dass Stein- und Muschelkreise rund um die kleinen Gräber unversehrt waren. Er wusste, dass er das alles bewerkstelligen musste, bevor Kevin Duffy auf die liegen gelassenen Werkzeuge stieß; denn wenn er sie dort im feuchten Gras und Unkraut am Teich vorfand, würde er nicht erfreut sein.

Paul flüchtete nicht weit. Er fuhr mit seinem Rad nur vorn um das Haus herum und dann in den Wald an der Ostseite der Auffahrt. Er rumpelte über den rauen, von Laub übersäten Weg unter den Bäumen, zwischen Farn und Rhododendron hindurch, bis er zur zweiten Abzweigung nach rechts kam. Hier ließ er sein klappriges Fahrrad neben dem bemoosten Stumpf einer vom Sturm gefällten Platane liegen, der, innen völlig ausgehöhlt, allen möglichen Tieren Zuflucht bot. Von hier an wurde der Pfad zu holprig für das Fahrrad. Er machte sich deshalb zu Fuß auf den Weg, den Rucksack auf dem Rücken und an seiner Seite Taboo, der glücklich war, herumstromern zu können, anstatt wie sonst, an den uralten Menhir jenseits der Schulhofmauer gebunden, geduldig warten zu müssen, neben sich einen Napf mit Wasser und eine Hand voll Hundebiskuits, die ihm reichen mussten, bis Paul ihn am Ende des Tages holte.

Der Ort, dem Paul entgegenstrebte, war eines der Geheimnisse, die er mit Mr. Guy gehabt hatte. Ich denke, wir kennen uns jetzt gut genug, um etwas Besonderes miteinander zu teilen, hatte Mr. Guy beim ersten Mal gesagt, als er Paul den Platz gezeigt hatte. Wenn du willst – wenn du meinst, dass du dazu bereit bist –, weiß ich, wie wir unsere Freundschaft besiegeln können, mein Prinz.

So hatte er Paul genannt, *mein Prinz*. Nicht von Anfang an, natürlich, aber später, als sie sich besser kennen lernten und es so schien, als seien sie durch eine tiefe Seelenverwandtschaft miteinander verbunden. Sie waren natürlich nicht miteinander verwandt, und Paul hätte auch nie geglaubt, sie könnten es sein. Aber es hatte zwischen ihnen ein Zusammengehörigkeitsgefühl bestanden, und als Mr. Guy ihn das erste Mal *mein Prinz* genannt hatte, da war Paul sicher gewesen, dass auch er dieses Gefühl verspürte.

Paul hatte also zustimmend genickt. Er war längst bereit, die Freundschaft mit diesem wichtigen Mann, der in sein Leben getreten war, zu besiegeln. Er wusste zwar nicht recht, was das hieß, eine Freundschaft besiegeln, aber immer, wenn er mit Mr. Guy zusammen war, floss ihm das Herz über, und Mr. Guys Worte konnten eigentlich nur bedeuten, dass es ihm genauso ging. Und darum würde es gut sein, was immer es auch hieß. Das wusste Paul.

Eine Zuflucht der Geister, hatte Mr. Guy diesen besonderen Ort genannt. Es war eine kuppelförmige Bodenerhebung, dicht mit Gras bewachsen und von einem ausgetretenen Pfad umgeben.

Die Zuflucht der Geister befand sich jenseits des Waldes, hinter einer Trockenmauer auf einer Wiese, wo früher die frommen Guernsey-Rinder gegrast hatten. Sie war von Unkraut überwuchert und drohte, schon bald unter Brombeersträuchern und Farngestrüpp zu verschwinden, weil Mr. Guy keine Rinder hatte, die den Wildwuchs abweideten, und weil die Gewächshäuser, die an die Stelle der Rinder gerückt waren, abgebaut und fortgebracht worden waren, als Mr. Guy den Besitz gekauft hatte.

Paul kletterte über die Mauer und ließ sich drüben auf den Fußweg hinunterfallen. Taboo folgte ihm. Der Weg schlängelte sich durch den Farn zu dem überwachsenen Hügel und mündete in einen zweiten Pfad, der um den Hügel herum zur Südwestseite führte. Hier, hatte Mr. Guy Paul einmal erklärt, hatten die Menschen uralter Zeit, die diesen Ort nutzten, das Licht der Sonne am stärksten und am längsten empfangen.

Eine Holztür, weit jüngeren Ursprungs als der Erdhügel, befand sich auf etwa halbem Weg um ihn herum. Sie war an zwei aufrecht stehenden Steinen unter einem quer liegenden Deckstein verankert und mit einem Vorhängeschloss gesichert.

Ich habe Monate gebraucht, um den Zugang zu finden, hatte Mr. Guy ihm erzählt. Ich wusste, was das war. Es war leicht zu erraten. Was sonst hätte ein Erdhügel mitten auf einer Wiese zu suchen? Aber den Eingang zu finden ... Es war teuflisch, Paul. Dreck hatte sich angehäuft, alles war voller Buschwerk und Gestrüpp – die Torsteine hier waren völlig überwachsen. Selbst als ich die ersten Steine unter der Erde entdeckte, brauchte ich Monate, um zwischen den Torsteinen und den Tragsteinen im Inneren des Hügels zu unterscheiden – Monate, mein Prinz. Aber ich finde, es hat sich gelohnt. Jetzt habe ich hier einen Ort für mich allein, und glaub mir, Paul, jeder braucht einen Ort für sich allein.

Es hatte Paul überrascht, dass Mr. Guy bereit gewesen war, diesen besonderen Ort mit ihm zu teilen. Ihm war die Kehle wie zugeschnürt gewesen vor Glück, und er hatte gelächelt wie ein Tor. Gegrinst wie ein dummer August. Aber Mr. Guy hatte es richtig verstanden. Er hatte gesagt: Neunzehn-drei-siebenundzwanzig-fünfzehn. Kannst du dir das merken? Das ist die Zauberzahl, mit der wir hineinkommen. Ich verrate sie nur besonderen Freunden, Paul.

Paul hatte sich die Zahlenkombination gewissenhaft eingeprägt und stellte sie jetzt ein. Er schob das Schloss in die Tasche und stieß die Tür auf. Sie war kaum einen Meter zwanzig hoch. Er nahm den Rucksack ab, um mehr Bewegungsfreiheit zu haben, und drückte ihn an die Brust, als er halb geduckt unter dem Türsturz hindurchtrat.

Taboo, der vor ihm war, blieb plötzlich stehen, hob witternd die Schnauze und knurrte. Es war dunkel hier drinnen, das schwache Dezemberlicht, das durch die Tür fiel, reichte nicht aus, um die Finsternis zu durchdringen, und obwohl das Geheimversteck abgeschlossen gewesen war, zögerte Paul bei der Reaktion des Hundes. Er wusste, dass es auf der Insel Geister gab; Geister der Toten, Geister, die Hexen gehorchten, und Elfen, die in Hecken und Bächen hausten. Auch wenn er einen menschlichen

Eindringling nicht zu fürchten brauchte, konnte es gut sein, dass etwas anderes in dem Hügel sein Unwesen trieb.

Doch Taboo fürchtete sich offensichtlich nicht vor Geistern. Die Steine beschnuppernd, die den Boden bildeten, wagte er sich weiter in die Höhle vor, verschwand im Vorraum und stieß von dort ins Zentrum des Bauwerks vor, wo die Decke immerhin so hoch war, dass ein Mensch aufrecht stehen konnte. Nach einer Weile kehrte der Hund zu Paul zurück, der immer noch unschlüssig an der Tür stand, und wedelte mit dem Schwanz.

Paul bückte sich und drückte seine Wange an das drahtige Fell des Hundes. Taboo leckte ihm die Wange und duckte sich. Er sprang drei Schritte zurück und kläffte einmal hell, eine Aufforderung zum Spiel. Doch Paul kraulte ihm nur die Ohren, schloss die Tür und tauchte mit dem Hund in die Dunkelheit dieses stillen Gewölbes ein.

Er kannte sich gut genug aus, um sich ohne Licht zurechtzufinden, und während er mit einer Hand den Rucksack an die Brust gedrückt hielt, schob er die andere an der feuchten Steinmauer entlang, um sich den Weg zur Mitte der Höhle zu ertasten. Mr. Guy hatte ihm erklärt, dass dies ein Platz von großer Bedeutung war, ein steinerner Raum, den die Menschen der Vorzeit aufgesucht hatten, um ihre Toten auf die letzte Reise zu schicken. Man nannte diesen Hügel einen Dolmen, und es gab sogar einen Altar – wenn der auch in Pauls Augen mehr wie ein abgeschliffener alter Stein aussah, der sich nur ein paar Zentimeter über den Boden erhob – und eine zweite Kammer, wo religiöse Rituale stattgefunden hatten, über die man nur Mutmaßungen anstellen konnte.

Paul hatte zugehört, sich umgesehen und in der Kälte gefröstelt bei diesem ersten Besuch im Geheimversteck. Und als Mr. Guy die Kerzen angezündet hatte, die er in einer flachen Nische zu Füßen des Altarsteins aufbewahrte, hatte er gesehen, dass Paul zitterte, und sofort reagiert.

Er hatte ihn in die zweite Kammer geführt, die eine Form hatte wie zwei muschelförmig aneinander gelegte Hände und in die man hineingelangte, indem man sich hinter einen aufrecht stehenden Stein zwängte, der wie ein Standbild in der Kirche aufragte und eingeritzte Verzierungen trug. In dieser zweiten Kammer hatte Mr. Guy ein Feldbett aufgebaut. Er hatte Decken und ein Kissen dort gehabt, Kerzen und einen kleinen Holzkasten.

Er hatte gesagt: Ich komme manchmal hierher, um nachzudenken, um allein zu sein und zu meditieren. Meditierst du auch manchmal, Paul? Weißt du, was das ist, den Geist zur Ruhe zu bringen? Zu leeren, so dass nichts bleibt als du und Gott und das Wesen aller Dinge? Hm? Nein? Nun, vielleicht können wir das zusammen versuchen, ein wenig üben. Hier. Nimm die Decke. Komm, ich zeige dir alles.

Geheime Orte, dachte Paul. Besondere Orte, die man mit besonderen Freunden teilte. Oder Orte, wo man allein sein konnte, wenn man das Bedürfnis hatte, allein zu sein. Wie jetzt.

Aber Paul war vorher noch nie allein hier gewesen. Dies war das erste Mal.

Er tappte vorsichtig in die zentrale Kammer des Dolmen und tastete sich zum Altarstein vor. Wie ein Blinder schob er seine Hände über die flache Oberfläche des Steins zu der Nische, in der die Kerzen waren. Neben den Kerzen lag eine Blechdose, die einmal Pfefferminzbonbons enthalten hatte, und in ihr waren, vor der Feuchtigkeit geschützt, die Streichhölzer. Er stellte seinen Rucksack auf den Boden, zündete eine Kerze an und befestigte sie mit ein paar Tropfen Wachs auf dem Altarstein.

Mit ein wenig Licht war ihm nicht mehr so ängstlich zumute, ganz allein in dieser feuchten, düsteren Höhle. Er ließ den Blick über die alten Granitmauern schweifen, das Dachgewölbe, den narbigen Boden. Unglaublich, dass die Menschen der Vorzeit ein solches Bauwerk errichten konnten, hatte Mr. Guy gesagt. Wir mit unseren Handys, unseren Computern und dem ganzen Kram bilden uns ein, der Steinzeit haushoch überlegen zu sein. Aber schau dir das hier an, mein Prinz, schau dir das einmal an. Was haben wir in den letzten hundert Jahren erbaut, von dem wir sagen können, dass es in hunderttausend Jahren noch stehen wird? Nichts! Komm, Paul, sieh dir nur mal diesen Stein an …

Und während er schaute, legte ihm Mr. Guy eine Hand auf die

Schulter und folgte mit der anderen den Spuren, die viele Hände vor ihm in den Stein gearbeitet hatten, der die Nebenkammer mit Mr. Guys Feldbett und den Decken bewachte. Dorthin, in diese Nebenkammer, ging Paul jetzt mit seinem Rucksack am Arm und einer zweiten brennenden Kerze in der Hand. Taboo folgte ihm, als er sich an dem steinernen Wächter vorbeidrängte. Er stellte den Rucksack auf den Boden und die Kerze auf die Holzkiste, die voller Wachsflecken von anderen Kerzen war. Er nahm eine der Decken vom Feldbett, faltete sie zusammen und legte sie für Taboo auf den kalten Steinboden. Der Hund sprang dankbar auf das Lager und drehte sich dreimal im Kreis, um es sich zu Eigen zu machen, bevor er sich aufseufzend niederlegte. Er ließ den Kopf auf die Pfoten sinken und richtete seinen Blick auf Paul.

Dieser Hund glaubt, ich will dir etwas Böses tun, mein Prinz.

Aber nein. Das war einfach Taboos Art. Er wusste, was für eine wichtige Rolle er im Leben seines Herrn spielte – als einziger Freund und einziger Gefährte, bis Mr. Guy aufgetaucht war –, und er wollte Paul wissen lassen, dass er seine Rolle kannte. Da er es ihm nicht sagen konnte, begleitete er ihn mit Blicken: auf Schritt und Tritt den ganzen Tag lang, jeden Tag.

Genauso hatte Paul Mr. Guy mit Blicken begleitet, wann immer sie zusammen gewesen waren. Und im Gegensatz zu anderen Menschen in Pauls Leben hatte Mr. Guy der unverwandte Blick seines Freundes nie gestört. Findest du das interessant?, hatte er gefragt, wenn er sich rasierte, während sie zusammen waren. Und nie machte er sich darüber lustig, dass Paul sich trotz seines Alters noch nicht zu rasieren brauchte. Wie kurz soll ich es schneiden lassen?, fragte er, wenn Paul ihn zum Friseur in St. Peter Port begleitete. Gehen Sie nur schön vorsichtig mit der Schere um, Hal. Wie Sie sehen, habe ich meinen Leibwächter mit, der Ihnen genau auf die Finger sieht. Und dann hatte er Paul zugezwinkert und das Zeichen gegeben, das *Freunde bis zum Tod* bedeutete: Die gekreuzten Finger der rechten Hand auf die Handfläche der linken gedrückt.

Nun war der Tod da.

Paul spürte, wie ihm Tränen in die Augen stiegen, und er unterdrückte sie nicht. Er war ja nicht zu Hause und auch nicht in der Schule. Hier durfte er Mr. Guy vermissen. Er weinte so viel und so lange, wie er weinen musste, bis ihm der Magen wehtat und seine Augen brannten. Und im Kerzenlicht sah Taboo ihn mit treuen Augen an, bedingungslose Akzeptanz und Liebe im Blick.

Als Paul schließlich leer geweint war, begriff er, dass er sich an das Gute erinnern musste, das er durch die Bekanntschaft mit Mr. Guy erlebt hatte: All der Dinge, die Mr. Guy ihn gelehrt, die er durch ihn schätzen gelernt, an die zu glauben er ihn ermutigt hatte. Wir sind zu Höherem bestimmt, als uns nur durch das Leben zu schlagen, hatte sein Freund ihm mehr als einmal erklärt. Wir sind dazu bestimmt, die Vergangenheit zu klären, um eine heile Zukunft möglich zu machen.

Ein Beitrag zu dieser Vergangenheitsklärung hatte das Museum sein sollen. Sie hatten deswegen viele Stunden mit Mr. Ouseley und seinem Vater verbracht. Diese beiden und Mr. Guy hatten Paul gelehrt, welche Bedeutung Dinge haben konnten, die er früher achtlos weggeworfen hätte: die Gürtelschließe, zum Beispiel, die, unter Unkraut versteckt und seit Jahrzehnten begraben, auf dem Gelände von Fort Doyle gelegen hatte, bis ein Sturm das Erdreich von einem Felsbrocken weggefegt hatte; die unbrauchbare Laterne von einem Flohmarkt; der verrostete Orden; die Knöpfe; der erdverkrustete Teller. Diese Insel ist ein wahrer Friedhof, hatte Mr. Guy gesagt, und wir werden hier einiges exhumieren. Möchtest du dabei helfen? Die Antwort war einfach. Er wollte bei allem helfen, was Mr. Guy tat.

Zusammen mit Mr. Guy und Mr. Ouseley hatte er sich in die Arbeit für das Museum gestürzt. Auf all seinen Wegen auf der Insel hielt er die Augen offen, um vielleicht etwas zu der umfangreichen Sammlung beitragen zu können.

Und schließlich hatte er tatsächlich etwas gefunden. Er war mit seinem Fahrrad nach La Congrelle gefahren, wo die Nazis einen ihrer hässlichsten Wachtürme erbaut hatten: ein futuristischer Betonklotz mit Schießscharten, aus denen ihre Flakgeschütze alles abschießen konnten, was sich der Küste näherte.

Aber er war nicht gekommen, um nach irgendwelchen Relikten der fünf Jahre währenden deutschen Besatzung zu suchen. Er war hergekommen, um sich das letzte Auto anzuschauen, das hier abgestürzt war.

In La Congrelle gab es einen der wenigen Küstenfelsen auf der Insel, zu dem man mit dem Auto hinausfahren konnte. Andere Felsen konnte man nur zu Fuß erreichen, nachdem man seinen Wagen auf einem sicheren Parkplatz abgestellt hatte, aber in La Congrelle war es möglich, bis an den Rand des Abgrunds hinauszufahren. Die Stelle eignete sich hervorragend dazu, einen Selbstmord als Unfall zu tarnen, man brauchte nämlich nur am Ende der Straße von der Rue de la Trigale nach rechts zum Kanal abzubiegen und auf den letzten fünfzig Metern durch Gras und niedrig stehenden Farn zu beschleunigen. Ein letzter kräftiger Tritt aufs Gaspedal, wenn das Land vor der Kühlerhaube verschwand, und der Wagen schoss über die Kante und stürzte die Felswand hinunter in den Abgrund, bis er entweder von zackigen Granitspitzen abgefangen wurde oder direkt ins Wasser klatschte, oder in Flammen aufging.

Das Auto, das Paul sich anschauen wollte, war verbrannt. Außer rußschwarzem verbogenem Metall und einem verkohlten Sitz war nichts von ihm übrig, etwas enttäuschend nach der langen Radfahrt gegen den Wind. Hätte es mehr zu sehen gegeben, so hätte Paul vielleicht den gefährlichen Abstieg gewagt, um das Wrack näher in Augenschein zu nehmen. So aber richtete er sein Interesse auf das Gebiet um den Wachturm.

Es hatte hier vor kurzem einen Steinschlag gegeben, das erkannte er an der Lage der Steine und an den Verwüstungen des Stück Bodens, aus dem sie sich gelöst hatten. An den frisch herausgebrochenen Steinbrocken hafteten keine Gras- oder Lichtnelken, die überall auf den Klippen in Büscheln wucherten. Und die Felsbrocken, die zum Wasser hinuntergestürzt waren, waren im Gegensatz zu den schon länger dort unten liegenden Icart-Gneisblöcken frei von Vogelmist.

Es war ein sehr gefährlicher Ort, und Paul, ein Kind der Insel, wusste das. Aber er hatte von Mr. Guy gelernt, dass die Erde oftmals Geheimnisse preisgab, wenn sie sich dem Menschen öffnete, und aus diesem Grund beschloss er, sich ein wenig genauer umzusehen.

Er ließ Taboo oben auf der Klippe zurück und suchte sich einen Weg quer über den klaffenden Einschnitt, den der Steinschlag hinterlassen hatte. Er achtete sorgfältig darauf, dass er mit den Händen stets festen Halt an einem Granitzacken hatte, und querte auf diese Weise langsam und sich gleichzeitig abwärts bewegend den Felshang.

Auf halber Höhe etwa entdeckte er es, so dick mit einem halben Jahrhundert Erde, getrocknetem Schlamm und Kieseln verkrustet, dass er zuerst glaubte, es wäre nichts weiter als ein ovaler Stein. Aber als er es mit dem Fuß lostrat, sah er etwas glänzen wie Metall, eine Rundung, die sich aus dem Inneren des Objekts hervorkrümmte. Also hob er es auf.

Hier, an der Felswand hängend, konnte er es nicht untersuchen, darum trug er es, zwischen Kinn und Brust geklemmt, nach oben. Dort schälte er in Gesellschaft von Taboo, der das Ding neugierig beschnupperte, die Kruste zunächst mit seinem Taschenmesser, dann mit den Fingern ab, um zu sehen, was die Erde so viele Jahre lang verborgen hatte.

Wer konnte sagen, wie es hierher gekommen war? Die Nazis hatten sich nicht die Mühe gemacht, hinter sich aufzuräumen, als ihnen klar wurde, dass der Krieg verloren war und die Invasion Englands niemals stattfinden würde. Sie kapitulierten und ließen wie die geschlagenen Eindringlinge, die die Insel vor ihnen besetzt gehalten hatten, alles zurück, was mitzunehmen ihnen zu beschwerlich war.

Da war es kein Wunder, dass man rund um einen Wachturm, der einst von Soldaten besetzt gewesen war, immer wieder Teile ihrer Hinterlassenschaft fand. Dieses Ding hier war zwar kein persönliches Besitzstück, aber es wäre den Nazis zweifellos sehr nützlich gewesen, hätten die Alliierten oder Widerstandskämpfer versucht, hier zu landen.

Im Halbdunkel des Geheimverstecks griff Paul jetzt in seinen Rucksack. Er hatte das Fundstück Mr. Ouseley bringen wollen, als seinen ersten stolzen Beitrag. Aber das konnte er jetzt nicht mehr – nach der Szene an diesem Morgen –, er würde ihn hier zurücklassen, wo er sicher war.

Von Taboo aufmerksam beobachtet, öffnete Paul die Schnallen des Rucksacks, griff hinein und nahm den Schatz heraus, den er in ein altes Handtuch eingewickelt hatte. Er schlug das Handtuch auseinander, um, so wie das alle tun, die sich der Suche nach den Spuren der Geschichte verschrieben haben, seinen Fund ein letztes Mal verzückt zu betrachten, bevor er ihn zur Aufbewahrung an einem sicheren Ort verstaute.

Er vermutete, dass die Handgranate längst nicht mehr gefährlich war. Sie war zweifellos jahrelang der Witterung ausgesetzt gewesen, bevor sie von Erde zugedeckt worden war, und der Stift, der früher vielleicht die Sprengladung in ihrem Inneren gezündet hätte, war wahrscheinlich längst festgerostet. Trotzdem war es besser, sie nicht in seinem Rucksack herumzutragen. Weder Mr. Guy noch sonst jemand musste ihm sagen, dass es ratsam war, sie an einem Ort zu verwahren, wo niemand an sie herankam. Jedenfalls so lange, bis er sich überlegt hatte, was er mit ihr anfangen wollte.

In der Nebenkammer des Dolmen, in der er und Taboo sich jetzt befanden, war das Geheimfach. Mr. Guy hatte es ihm gezeigt: ein natürlicher Spalt zwischen zwei Mauersteinen des Dolmen. Ursprünglich sei dieser Spalt vermutlich nicht da gewesen, hatte Mr. Guy ihm erklärt. Doch Zeit, Witterung und die Bewegungen der Erde ... Nichts von Menschenhand Geschaffenes kann der Natur auf Dauer unbeschadet standhalten.

Der Uneingeweihte hätte das Geheimfach, das sich auf der einen Seite neben dem Feldbett befand, für eine Lücke zwischen den Steinen gehalten. Aber wenn man die Hand tief hineinschob, entdeckte man hinter dem Stein, der dem Feldbett am nächsten war, eine zweite, breitere Öffnung, und das war das Geheimfach, wo man das aufbewahren konnte, was zu kostbar war, um es fremden Blicken auszusetzen.

Wenn ich dir das zeige, dann hat das etwas zu bedeuten, Paul. Etwas, das größer ist als Worte. Und größer als Gedanken.

Paul schätzte, dass das Geheimfach für die Granate genug Raum bot. Er hatte es schon früher einmal mit eigener Hand erforscht, von Mr. Guys Hand geführt und seinen leisen, beruhigenden Worten begleitet: Im Augenblick ist das Fach leer. Es würde mir nicht einfallen, dir einen gemeinen Streich zu spielen, mein Prinz. Daher wusste Paul, dass hinter dem Stein ausreichend Platz war für zwei übereinander gelegte Hände, also auch mehr als ausreichend Platz für eine Granate. Und tief genug war das Fach auch. Sein Ende hatte Paul nicht ertasten können, so weit er seinen Arm auch hineingestreckt hatte.

Er schob das Feldbett auf die Seite und die Holzkiste mit der Kerze in die Mitte der Kammer. Taboo reagierte auf diese Veränderungen seiner Umgebung mit Winseln, und Paul tätschelte ihm den Kopf und tippte ihm liebevoll auf die Schnauze. Keine Sorge, bedeutete die Geste. Wir sind hier sicher. Niemand außer dir und mir kennt das Versteck.

Die Granate fest in der Hand, legte sich Paul auf den kalten Steinboden, schob seinen Arm in den engen Spalt, der etwa fünfzehn Zentimeter hinter der Öffnung breiter wurde. Er konnte nicht weit ins Innere des Geheimfachs hineinsehen, aber er hatte die Lage der zweiten Öffnung noch in Erinnerung und war sicher, die Granate ohne Problem dahinter ablegen zu können.

Aber es gab doch ein Problem. Keine zehn Zentimeter tief im Spalt stieß er völlig unerwartet auf Widerstand, auf etwas Festes und Unverrückbares.

Er schnappte erschrocken nach Luft und zog seine Hand zurück, aber er brauchte nur einen Moment, um sich darüber klar zu werden, dass dieses Ding, auf das er gestoßen war, nichts Lebendiges war, und dass daher zu Furcht kein Anlass bestand. Vorsichtig legte er die Granate auf dem Feldbett ab und hielt die Kerze näher an die Öffnung des Spalts.

Das Dumme war, dass er nicht gleichzeitig in das Loch hineinleuchten und hineinsehen konnte. Darum streckte er sich wieder auf dem Bauch aus und schob zuerst seine Hand, dann seinen Arm in das Geheimfach.

Seine Finger ertasteten den Gegenstand: fest, aber doch nachgiebig, nicht hart, glatt, zylinderförmig. Er umfasste ihn mit der ganzen Hand und begann, ihn herauszuziehen.

Das hier ist ein besonderer Ort, ein Ort voller Geheimnisse, und er ist jetzt unser Geheimnis. Deines und meines. Kannst du ein Geheimnis bewahren, Paul?

Ja, das konnte er. Und wie er das konnte! Während Paul das Ding zu sich heranzog, erkannte er, was Mr. Guy im Inneren des Dolmen versteckt hatte.

Die Insel war ja ein Land der Geheimnisse, und der Dolmen war ein geheimer Ort in diesem Land voll begrabener und verschwiegener Erinnerungen, die die Menschen vergessen wollten. Paul fand es nicht verwunderlich, dass tief im uralten Erdreich, das immer noch Orden, Säbel, Patronen und andere Gegenstände freigab, die mehr als ein halbes Jahrhundert in ihm geborgen gewesen waren, etwas noch Wertvolleres verschüttet lag, aus Freibeuterzeiten oder noch früheren Tagen vielleicht, auf jeden Fall etwas Kostbares. Und was er da aus dem Spalt zwischen den Steinen zog, war der Schlüssel zum Versteck dieses lang verschütteten Gegenstands.

Er hatte ein letztes Geschenk von Mr. Guy gefunden, der ihm schon so viel geschenkt hatte.

»*Énne rouelle dé faitot*«, sagte Ruth Brouard in Antwort auf Margaret Chamberlains Frage. »Man benutzte sie bei Scheunen.«

Margaret hatte den Verdacht, dass Ruth sich absichtlich unklar ausgedrückt hatte. Es wäre jedenfalls typisch für sie. Margaret hatte sie nie besonders gut leiden können, obwohl sie während ihrer Ehe mit Guy mit Ruth hatte zusammenleben müssen. Ruth hatte sich viel zu sehr an Guy geklammert, und allzu viel Anhänglichkeit zwischen Geschwistern war unschicklich. Das roch nach... Margaret wollte nicht einmal daran denken. Sie wusste natürlich, dass diese beiden Geschwister – jüdischer Herkunft wie sie selbst, aber im Zweiten Weltkrieg vom Schicksal schwer geschlagen, so dass man in Bezug auf ihr Verhalten gewisse Zugeständnisse machen musste – unter den Nazis, diesem Inbegriff des Bösen, ihre ganze Familie verloren hatten und so von Kindheit an gezwungen gewesen waren, einander alles zu sein. Aber dass Ruth in all den nachfolgenden Jahren sich niemals ein eigenes Leben aufgebaut hatte, war nicht nur fragwürdig und präviktorianisch, es machte sie in Margarets Augen zu einer Frau, die ihre Bestimmung verfehlt hatte, zu einem minderwertigen Geschöpf, das nur ein halbes Leben gelebt hatte, und noch dazu ein Leben im Schatten ihres Bruders.

Margaret mahnte sich zur Geduld. »Bei Scheunen?«, wiederholte sie. »Das verstehe ich nicht, meine Liebe. Der Stein muss doch ziemlich klein gewesen sein. Um in Guys Mund zu passen, meine ich.« Sie sah, wie ihre ehemalige Schwägerin bei der letzten Bemerkung zusammenzuckte, als weckte das Sprechen darüber ihre dunkelsten Fantasien über die Art und Weise, wie Guy den Tod gefunden hatte: in tödlichen Zuckungen liegend, die Hände vergeblich in seinen Hals gekrallt. Tja, das konnte man nicht ändern. Margaret brauchte Gewissheit und würde sie bekommen.

»Wozu wäre er in einer Scheune benutzt worden, Ruth?«

Ruth sah von der Stickerei auf, mit der sie bereits beschäftigt gewesen war, als Margaret sie im Damenzimmer gefunden hatte. Es war ein sehr großes Stück Leinwand, auf einen hölzernen Rahmen gespannt, der seinerseits auf einem Ständer befestigt war. Und vor diesem Ständer saß Ruth, eine schmächtige kleine Gestalt in schwarzer Hose und einer übergroßen schwarzen Strickjacke, die wahrscheinlich Guy gehört hatte. Die Brille mit den runden Gläsern war ihr auf die Nasenspitze hinuntergerutscht, und sie schob sie mit kindlich kleiner Hand wieder hinauf.

»Man benutzt den Stein nicht *in* der Scheune«, erklärte sie. »Er hängt an einem Ring mit den Schlüsseln zur Scheune. So hat man es jedenfalls früher gehalten. Heute gibt es ja kaum noch Scheunen in Guernsey. Der Stein sollte die Scheune vor bösen Geister schützen, Margaret.«

»Ach so. Ein Talisman.«

»Ja.«

»Aha.« Lächerlich, diese Inselbewohner, dachte Margaret. Talismane gegen böse Geister. Hokuspokus zur Abwehr von Kobolden. Hexen auf den Klippen. Teufel auf der Lauer. Sie hätte nie geglaubt, dass ihr verflossener Ehemann auf solchen Quatsch hereinfallen würde. »Haben sie dir den Stein gezeigt? Hast du ihn erkannt? Hat er Guy gehört? Ich frage nur, weil es ihm so gar nicht ähnlich sah, Talismane und dergleichen mit sich herumzutragen. Zumindest sah es dem Mann nicht ähnlich, den ich kannte. Erhoffte er sich davon Glück bei irgendeiner Unternehmung?«

Bei einer Frau?, dachte sie, sagte es aber nicht, obwohl sie beide wussten, dass die Frage im Raum stand. Das Einzige, was Guy Brouard neben seinen Geschäften – bei denen, wie einst bei König Midas, alles, was er anfasste, zu Gold wurde, so dass er gar keinen Glücksbringer brauchte – interessierte, war die Eroberung von Frauen und die damit verbundene Jagd. Das hatte Margaret allerdings erst herausgefunden, als sie eines Tages auf der Suche nach dem Scheckbuch ihres Mannes in seinem Aktenkoffer ein Damenhöschen entdeckt hatte, spaßeshalber von der Stewardess aus Edinburgh dort hineingesteckt, mit der er sie betrog. Damit war ihre Ehe beendet gewesen. In den folgenden zwei Jahren war es nur noch darum gegangen, ihren Anwalt eine Vereinbarung aushandeln zu lassen, die ihr eine sorgenfreie Zukunft garantierte.

»Das einzige Unternehmen, mit dem er sich in letzter Zeit befasst hat, war das Kriegsmuseum.« Ruth beugte sich wieder über ihre Stickerei und zog die Nadel geschickt durch den Stoff mit dem Bild, das darauf vorgezeichnet war. »Und deswegen hat er sicher keinen Glücksbringer getragen. Er brauchte keinen. Die Sache entwickelte sich gut, so viel ich weiß.« Sie blickte wieder hoch, die Nadel über dem Stoff. »Hat er dir von dem Museum erzählt, Margaret? Hat Adrian dir davon erzählt?«

Margaret wollte nicht über Adrian sprechen, weder mit ihrer ehemaligen Schwägerin noch mit sonst jemandem. Sie sagte daher: »Ja. Ja, natürlich. Das Museum. Ja, ich wusste davon.«

Ruth lächelte, nach innen gekehrt und liebevoll. »Er war sehr stolz darauf. Etwas in dieser Art für die Insel tun zu können. Etwas Bleibendes zu schaffen, das gut und sinnvoll ist.«

Ganz im Gegensatz zu seinem Leben, dachte Margaret. Sie war nicht hier, um sich Lobreden auf Guy Brouard anzuhören, den großen Gönner. Sie war einzig hier, um dafür zu sorgen, dass Guy Brouard sich wenigstens im Tod als Gönner seines einzigen Sohnes erweisen würde.

»Und was wird jetzt aus seinen Plänen?«, fragte sie.

»Ich denke, das hängt von den Bestimmungen des Testaments ab«, antwortete Ruth. Es klang vorsichtig. Zu vorsichtig, fand Margaret. »Von Guys Testament, meine ich. Natürlich, wessen sonst? Ich habe seinen Anwalt noch nicht gesprochen.«

»Und warum nicht?«, erkundigte sich Margaret.

»Wahrscheinlich, weil es dann Realität wird. Unabänderlich. Dem weiche ich noch aus.«

»Wäre es dir eine Hilfe, wenn ich mit dem Anwalt spräche? Ich nehme dir die Formalitäten gern ab, Ruth.«

»Danke dir, Margaret, das ist lieb von dir, aber ich muss das selbst in die Hand nehmen. Ich muss – und ich werde! Bald. Wenn – wenn es mir richtig erscheint.«

»Natürlich«, murmelte Margaret und sah zu, wie ihre ehemalige Schwägerin die Nadel von unten durch den Stoff schob und feststeckte, ein Zeichen, dass sie für den Moment mit ihrer Arbeit fertig war. Sie bemühte sich, die Anteilnahme in Person zu sein, aber innerlich konnte sie es nicht erwarten, zu erfahren, wie ihr geschiedener Mann sein ungeheures Vermögen aufgeteilt hatte. Vor allem wollte sie wissen, ob er an Adrian gedacht hatte. Lebend hatte er seinem Sohn das Geld verweigert, das dieser für sein neues Geschäft brauchte, aber mit seinem Tod musste er ihm doch endlich geben, was er ihm bis dahin versagt hatte. Und das würde Carmel Fitzgerald und Adrian wieder zusammenbringen. Adrian würde endlich heiraten und ein normaler Mann werden, der ein normales Leben führte, ohne seltsame Vorkommnisse, derentwegen man sich sorgen musste.

Ruth war zu einem kleinen Sekretär getreten und hatte einen zierlichen Schattenfugenrahmen in die Hand genommen. In ihm eingeschlossen war die Hälfte eines Medaillons, die sie wehmütig betrachtete. Es war, wie Margaret sah, dieses alberne Abschiedsgeschenk, das *Maman* den Kindern am Bootshafen übergeben hatte. *Je vais conserver l'autre moitié, mes chéris. Nous le reconstituerons lorsque nous nous retrouverons.*

Ja, ja, schon gut, hätte Margaret gern gesagt. Ich weiß, dass sie dir fehlt, aber wir haben was zu erledigen.

»Früher ist besser als später, meine Liebe«, sagte sie behutsam. »Du solltest mit ihm sprechen. Es ist doch recht wichtig.«

Ruth stellte den Rahmen wieder weg, ohne jedoch den Blick von ihm zu wenden. »Ganz gleich, mit wem ich spreche, es wird nichts ändern«, sagte sie.

»Aber es wird Klarheit schaffen.«

»Wenn Klarheit notwendig ist.«

»Nun, du musst doch wissen, wie er sein – na ja, was er wünschte. Das musst du doch wissen. Bei einem Nachlass, der so groß ist wie seiner, heißt gewarnt sein gewappnet sein, Ruth. Sein Anwalt würde mir da sicher zustimmen. Hat er sich übrigens schon bei dir gemeldet? Der Anwalt, meine ich. Er muss schließlich wissen ...«

»O ja. Er weiß es.«

Und?, dachte Margaret. Aber sie sagte beschwichtigend: »Ah ja, ich verstehe. Nun, alles zu seiner Zeit, meine Liebe. Wenn du dich dazu bereit fühlst.«

Hoffentlich bald, dachte sie. Sie wollte nicht länger als unbedingt nötig auf dieser infernalischen Insel bleiben müssen.

Dies eine wusste Ruth Brouard über ihre ehemalige Schwägerin: Ihre Anwesenheit in *Le Reposoir* hatte mit ihrer gescheiterten Ehe mit Guy, mit Schmerz oder Bedauern über die Art und Weise ihrer Trennung oder mit Respekt vor seiner Person nichts zu tun. Die Tatsache, dass sie bisher nicht das mindeste Interesse an der Frage gezeigt hatte, wer Guy ermordet hatte, verriet Ruth klar und deutlich, worum es ihr wirklich ging. Überzeugt, dass Guy Geld wie Heu gehabt hatte, war sie entschlossen, sich ihren Anteil zu holen. Wenn nicht für sich selbst, so auf jeden Fall für Adrian.

Rachsüchtiges Luder, hatte Guy sie genannt. Sie hat ein Arsenal von Ärzten, die bereit sind, zu bestätigen, dass er zu labil ist, um sich anderswo als bei seiner verdammten Mutter aufzuhalten, Ruth. Sie macht den armen Jungen völlig kaputt. Als ich ihn das letzte Mal gesehen habe, hatte er am ganzen Körper einen Nesselausschlag. Ich bitte dich. In seinem Alter! Sie ist wirklich verrückt.

So war es Jahr für Jahr gewesen, Ferienbesuche wurden vorzeitig abgebrochen oder ganz abgesagt, bis Guy seinen Sohn schließlich nur noch im Beisein seiner geschiedenen Frau sehen durfte. Sie *überwacht* uns, hatte Guy wütend berichtet. Wahrscheinlich, weil sie genau weiß, dass ich ihn sonst so lange bearbeiten würde, bis er endlich die Nabelschnur durchtrennt – wenn nötig mit einer Axt. Dem Jungen fehlt nichts, was sich nicht durch ein paar Jahre an einer anständigen Schule in Ordnung bringen ließe. Und ich meine damit nicht eines dieser Gelobt-sei-was-hart-macht-Internate mit eiskalten Duschen und Prügelstrafe. Ich spreche von einer *modernen* Schule, wo er Selbstständigkeit erfahren würde, die er bestimmt nicht lernt, solange sie ihn am Gängelband hält.

Aber Guy hatte sich mit seinen Ansichten nie durchgesetzt. Das Resultat war Adrian, so wie er heute war, siebenunddreißig Jahre alt, ohne eine besondere Begabung oder Fähigkeit, über die er sich hätte definieren können. Bekannt waren einzig Misserfolge auf allen Gebieten, vom Sport bis zur Liebe, die direkt auf Adrians Beziehung zu seiner Mutter zurückzuführen waren. Man brauchte kein Psychologe zu sein, um zu dieser Schlussfolgerung zu gelangen. Aber Margaret würde das natürlich niemals so sehen, denn dann müsste sie ja zumindest einen Teil der Verantwortung für die niemals endenden Probleme ihres Sohnes übernehmen. Und das würde sie nie akzeptieren.

So war sie. Eine Frau, die stets alle Schuld von sich wies und kein Mitleid kannte.

Der arme Adrian, mit einer solchen Mutter geschlagen zu sein. Dass sie es gut meinte, bedeutete gar nichts, wenn man sah, was sie letztlich anrichtete.

Ruths Blick ruhte auf Margaret, während diese so tat, als betrachtete sie interessiert das einzige Andenken, das Ruth von ihrer Mutter hatte: das für immer zerbrochene kleine Medaillon. Sie war eine stattliche Frau, blond, mit resolut hochgekämmtem Haar und einer Sonnenbrille – mitten im grauen Dezember? Höchst seltsam, eigentlich! –, die sie auf den Kopf geklemmt hatte. Ruth konnte sich nicht vorstellen, dass ihr Bruder einmal mit dieser Frau verheiratet gewesen war. Aber sie hatte sich die beiden nie als Paar vorstellen können – was das Sexuelle anging, ja, gut, der Sexualtrieb, der nun einmal Teil der menschlichen Natur war, ließ ja die seltsamsten Paarungen entstehen. Aber niemals, was das Emotionale anging, den nährenden Teil, jenen Teil, den sie – die auf diesem Gebiet keine Erfahrung hatte – sich als die fruchtbare Erde vorstellte, in die man die Familie und die Zukunft pflanzte.

So wie sich die Dinge zwischen ihrem Bruder und Margaret entwickelten, hatte sich schnell gezeigt, dass Ruths Vermutung, dass sie nicht zueinander passten, richtig war. Hätten sie nicht in einem seltenen Moment hitziger Leidenschaft den bedauernswerten Adrian gezeugt, wäre nach Beendigung der Ehe wahrscheinlich jeder seiner Wege gegangen: Sie – froh, so viel Geld aus den Trümmern der Beziehung herausgeschlagen zu haben; er – gern bereit, sich von diesem Geld zu trennen, wenn er damit einen seiner schlimmsten Fehler so gut wie ungeschehen machen konnte. Aber Adrian war da gewesen, und Margaret war nicht in der Versenkung verschwunden. Denn Guy hatte seinen Sohn geliebt – auch wenn dieser seine Hoffnungen enttäuschte –, und solange er Adrian sagte, musste er auch Margaret sagen. Bis einer von ihnen beiden starb: Guy oder Margaret.

Aber darüber wollte Ruth nicht nachdenken und erst recht nicht sprechen, obwohl ihr klar war, dass sie das Thema nicht ewig meiden konnte.

Als hätte Margaret ihre Gedanken gelesen, legte sie das Medaillon wieder auf den Sekretär und sagte: »Ruth, Liebste, aus Adrian habe ich bisher keine zehn Worte darüber herausbekommen, was eigentlich passiert ist. Ich hoffe, du wirst es nicht als makaber empfinden, aber ich möchte *verstehen*, wie das geschehen konnte. Der Guy, den ich kannte, hatte in seinem ganzen Leben nicht einen Feind. Na ja, da waren natürlich seine Frauen, und Frauen haben es nicht besonders gern, wenn man sie abschiebt. Aber selbst wenn er –«

»Margaret! Bitte!«, sagte Ruth.

»Warte!«, entgegnete Margaret und sprach hastig weiter. »Es hat doch keinen Sinn, sich etwas vorzumachen, Ruth. Das ist wirklich nicht der Moment dafür. Wir wissen beide, wie er war. Aber was ich sagen wollte, ist, dass eine Frau, selbst wenn sie abgeschoben wurde, dass so eine Frau selten … aus Rache … Du weißt, was ich meine. Wer also …? Es sei denn, es war diesmal eine verheiratete Frau, und der Ehemann ist dahinter gekommen …? Obwohl Guy ja solche Frauen im Allgemeinen gemieden hat.« Margaret spielte mit einer der drei schweren Goldketten, die sie um den Hals trug. Sie hatte einen Anhänger, eine übermäßig große, unförmige Perle, die wie ein Klümpchen erstarrtes Kartoffelpüree zwischen ihren Brüsten lag.

»Er hatte keine –« Ruth verstand nicht, warum es so schmerzte, es zu sagen. Sie hatte ihren Bruder gekannt und hatte gewusst, wer er war – ein Mensch mit unendlich vielen guten Seiten und nur einer Seite, die finster war, unheilvoll, gefährlich. »Er hatte keine Affäre. Niemand ist abgeschoben worden.«

»Aber hat die Polizei nicht eine Frau festgenommen?«

»Doch.«

»Und sie und Guy waren nicht –?«

»Aber nein. Sie war nur ein paar Tage hier. Es hatte nichts mit – ach, *nichts*.«

Margaret neigte den Kopf leicht zur Seite, Ruth sah ihr an, was sie dachte. Wenn es um Sex gegangen war, hatten Guy Brouard gewöhnlich ein paar Stunden genügt, um an sein Ziel zu gelangen. Gleich würde Margaret in dieser Richtung zu bohren anfangen. Ihr listiger Gesichtsausdruck verriet deutlich, dass sie nach einem Ansatzpunkt suchte, der nicht morbide Neugier und ihre Auffassung durchklingen lassen würde, dass ihr Exmann, der Schürzenjäger, bekommen hatte, was er verdiente, sondern nur Anteilnahme an Ruths Schmerz über den Verlust ihres Bruders, den sie mehr als ihr eigenes Leben geliebt hatte.

Aber es blieb Ruth erspart, dieses Gespräch führen zu müssen. An der Tür erklang ein zaghaftes Klopfen, und gleich darauf sagte jemand mit unsicherer Stimme: »Ruthie? Ich – ich störe doch nicht …?«

Ruth und Margaret drehten sich um. Eine Frau stand an der Tür und hinter ihr ein hoch aufgeschossenes, junges Mädchen, der der Umgang mit ihren langen Gliedern noch nicht vertraut war.

»Anaïs«, sagte Ruth. »Ich habe euch gar nicht kommen hören.«

»Wir haben unseren Schlüssel benützt.« Anaïs zeigte den Messingschlüssel, Symbol ihres Platzes in Guys Leben, das traurig auf ihrer offenen Hand lag. »Ich hoffe, das war – ach, Ruth, ich kann es nicht glauben … ich kann es immer noch nicht …« Sie begann zu weinen.

Das junge Mädchen hinter ihr schaute verlegen weg und wischte sich die Hände an ihrer Hose ab. Ruth ging durchs Zimmer und nahm Anaïs Abbott in die Arme. »Du kannst den Schlüssel benutzen, solange du willst. Guy hätte es so gewünscht.«

Während Anaïs weinend an ihrer Schulter lag, streckte Ruth der fünfzehnjährigen Tochter der Frau die Hand entgegen. Jemima lächelte flüchtig – sie und Ruth hatten sich immer gut verstanden –, aber sie kam nicht näher. Sie blickte an Ruth vorbei zu Margaret und dann zu ihrer Mutter und sagte leise und gequält: »Mami!« Sie konnte solche Demonstrationen nicht leiden. Ruth hatte in der Zeit, seit sie das Mädchen kannte, mehr als einmal beobachtet, wie unangenehm ihr die Neigung ihrer Mutter zu öffentlicher Zurschaustellung ihrer Gefühle war.

Margaret räusperte sich vielsagend. Anaïs löste sich aus Ruths Armen und zog ein Päckchen Papiertaschentücher aus der Jackentasche ihres Hosenanzugs. Sie war von Kopf bis Fuß in Schwarz gekleidet und trug auf dem sorgfältig frisierten, rotblonden Haar ein schmales Hütchen.

Ruth machte die Frauen miteinander bekannt, eine etwas peinliche Angelegenheit: geschiedene Frau, derzeitige Geliebte, Tochter der derzeitigen Geliebten. Auf ein paar höfliche Floskeln der Begrüßung zwischen Anaïs und Margaret folgte augenblicklich die gegenseitige Begutachtung.

Sie hätten unterschiedlicher kaum sein können. Abgesehen davon, dass sie beide blond waren – Guy hatte immer ein Faible für Blondinen gehabt –, gab es keine Ähnlichkeiten zwischen den beiden Frauen, außer vielleicht was ihre Herkunft anging, denn, um der Wahrheit die Ehre zu geben, Guy hatte immer auch ein Faible für das Gewöhnliche gehabt.

Und ganz gleich, was für eine Schulbildung die beiden genossen hatten, wie sie sich kleideten, wie sie sich verhielten und wie sie sich ausdrückten, immer noch brach bei Anaïs hin und wieder das mittelenglische Landmädel durch, und Margarets Mutter, die Putzfrau, meldete sich stets dann, wenn es ihrer Tochter am wenigsten passte.

Sonst jedoch waren sie so verschieden wie Tag und Nacht. Margaret groß, stattlich, überkorrekt gekleidet und dominant; Anaïs ein zerbrechliches Vögelchen, dem grässlichen Zeitgeist entsprechend dünn bis zur Auszehrung – bis auf den unverkennbar künstlichen und viel zu üppigen Busen – und stets wie eine Frau gekleidet, die niemals auch nur ein Kleidungsstück anlegt, ohne sich den Beifall ihres Spiegels geholt zu haben.

Margaret war selbstverständlich nicht nach Guernsey gekommen, um eine der vielen Gespielinnen ihres verflossenen Ehemanns kennen zu lernen, geschweige denn, zu trösten oder zu unterhalten. Nachdem sie also mit Würde und geheuchelter Freundlichkeit: »Freut mich, Sie kennen zu lernen«, gemurmelt hatte, sagte sie zu Ruth: »Wir sprechen uns später, Liebste«, umarmte sie, küsste sie auf beide Wangen und sagte: »Liebste Ruth«, als wollte sie Anaïs Abbot mit dieser untypischen und leicht erschreckenden Geste wissen lassen, dass eine von ihnen beiden eine gewisse Stellung in dieser Familie innehatte und die andere ganz entschieden nicht. Danach ging sie, eine Wolke Chanel 5 hinter sich herziehend. Zu früh am Tag für so einen Duft, dachte Ruth. Aber so etwas merkte Margaret natürlich nicht.

»Ich hätte bei ihm sein müssen«, sagte Anaïs mit erstickter Stimme, nachdem sich die Tür hinter Margaret geschlossen hatte. »Ich wollte bleiben, Ruthie. Seit es passiert ist, denke ich unaufhörlich, wäre ich nur die Nacht geblieben, ich wäre am

Morgen mit ihm zur Bucht hinuntergegangen. Nur um ihm zuzusehen. Es war so eine Freude, ihm zuzusehen. Und ... O Gott, o Gott, warum musste das geschehen?«

Warum gerade mir?, meinte sie, auch wenn sie es nicht sagte. Ruth war nicht so leicht etwas vorzumachen. Sie hatte zu lange miterlebt, wie ihr Bruder mit seinen Frauen umgegangen war, um nicht mittlerweile genau sagen zu können, an welchem Punkt seines ewigen Spiels von Verführung, Ernüchterung und Rückzug er jeweils angelangt war. Zum Zeitpunkt seines Todes war Guy mit Anaïs Abbott praktisch fertig gewesen. Wenn er es Anaïs nicht direkt gesagt hatte, so hatte diese es zweifellos mehr oder weniger deutlich gespürt.

Ruth sagte: »Komm, setzen wir uns. Soll ich Valerie bitten, uns Kaffee zu machen? Jemima, Kind, möchtest du etwas haben?«

Jemima antwortete zögernd: »Hast du was da, was ich Biscuit geben kann? Er ist vor dem Haus. Er wollte heute Morgen nicht fressen, und –«

»Aber Entchen«, unterbrach ihre Mutter sie. Der Tadel war durch ihren Gebrauch von Jemimas Kindernamen offenkundig, die zwei Wörter sagten alles, was Anaïs nicht aussprach: Kleine Mädchen interessieren sich für ihre Hündchen. Junge Frauen interessieren sich für junge Männer. »Der Hund wird schon nicht verhungern. Es wäre besser gewesen, du hättest ihn zu Hause gelassen, wo er hingehört. Und wie ich dir gesagt habe. Wir können von Ruth nicht verlangen –«

»Entschuldige!« Jemima schien zu glauben, ihre Erwiderung sei heftiger ausgefallen, als sich das in Ruths Beisein gehörte, denn sie senkte augenblicklich den Kopf und zupfte mit der einen Hand an der Naht ihrer langen Hose aus gediegenem Wollstoff. Sie war nicht wie ein gewöhnlicher Teenager gekleidet, das arme Mädchen, und schuld daran waren ein Kurs an einer Londoner Modelschule, den sie im Sommer besucht hatte, sowie der wachsame Blick ihrer Mutter, die es völlig in Ordnung fand, im Kleiderschrank ihrer Tochter herumzukramen. Sie sah aus wie ein Model aus der *Vogue*. Aber auch wenn sie gelernt hatte, sich zu schminken, ihre Haare zu stylen und sich auf dem Laufsteg zu bewegen, war sie die linkische Jemima geblieben, das Entchen ihrer Mutter und in der Tat so tollpatschig wie ein Küken, das nicht ins Wasser darf.

Ruth, der das junge Mädchen Leid tat, sagte: »Dieser niedliche kleine Hund? Er ist wahrscheinlich todunglücklich ganz allein da draußen, Jemima. Möchtest du ihn hereinholen?«

»Unsinn«, sagte Anaïs. »Dem Hund geht es gut. Er ist zwar taub, aber seinen Augen und seiner Nase fehlt nichts. Er weiß genau, wo er ist. Lass ihn draußen.«

»Ja. Natürlich. Aber vielleicht mag er ein bisschen Hackfleisch. Es ist auch noch ein Rest Auflauf von gestern Mittag da. Geh in die Küche, Jemima, und lass dir von Valerie etwas davon geben. Du kannst es in der Mikrowelle warm machen, wenn du willst.«

Jemima hob den Kopf, und der Ausdruck in ihrem Gesicht freute Ruth mehr, als sie erwartet hatte. »Wenn es okay ist …?«, sagte das junge Mädchen mit einem Blick zu ihrer Mutter.

Anaïs war klug genug, zu wissen, wann es sinnvoller war, nachzugeben. Sie sagte: »Ach, Ruthie, das ist lieb von dir. Wir wollen dir wirklich nicht zur Last fallen.«

»Das tut ihr auch nicht«, erwiderte Ruth. »Lauf schon, Jemima. Lass uns zwei alte Mädchen ein bisschen schwatzen.«

Sie hatte den Ausdruck »alte Mädchen« nicht herabwürdigend gemeint, aber als Jemima ging, sah sie, dass er so angekommen war. Bei dem Alter, zu dem sich Anaïs bekannte – sechsundvierzig –, hätte sie Ruths Tochter sein können. Sie scheute auch keine Mühe, um tatsächlich so auszusehen. Denn sie wusste besser als die meisten Frauen, dass ältere Männer sich von weiblicher Jugend und Schönheit ebenso angezogen fühlten, wie weibliche Jugend und Schönheit sich häufig und zweckmäßigerweise von Männern mit den Mitteln zur Erhaltung dieser Attribute angezogen fühlten. Das Alter spielte weder im einen noch im anderen Fall eine Rolle. Aussehen und Geld waren alles. Jedoch vom Alter zu sprechen, das war ein Fauxpas gewesen. Aber Ruth unternahm keinen Versuch, sich für den Ausrutscher zu entschuldigen. Sie trauerte um ihren Bruder. Da musste man ihr dergleichen nachsehen.

Anaïs trat zu dem Ständer mit der Stickerei und betrachtete das jüngste Bild des Gesamtwerks.

»Das Wievielte ist das?«, fragte sie.

»Nummer fünfzehn, glaube ich.«

»Und wie viele kommen noch?«

»So viele, wie nötig sind, um die ganze Geschichte zu erzählen.«

»Alles? Auch Guys – Ende?« Anaïs hatte stark gerötete Augen, aber sie weinte nicht mehr, und Ruth hatte den Eindruck, dass sie ihre eigene Frage nutzte, um zum Anlass ihres Besuchs in *Le Reposoir* überzuleiten. »Jetzt ist alles anders, Ruth. Ich mache mir Sorgen um dich. Wirst du denn zurechtkommen?«

Einen Moment lang glaubte Ruth, sie spräche von ihrer Krebskrankheit und der Auseinandersetzung mit dem bevorstehenden Tod. Sie sagte: »Ich denke, ich werde es schon schaffen.« Aber Anaïs befreite sie sofort aus dem Irrtum, sie sei gekommen, um ihr für die kommenden Monate Obdach, Pflege oder auch nur seelische Hilfe anzubieten.

Sie sagte nämlich: »Hast du das Testament schon gelesen, Ruthie?« Und als wüsste sie im Grunde genau, wie vulgär diese Frage war, fügte sie hinzu: »Konntest du dich vergewissern, dass du versorgt bist?«

Ruth antwortete der Geliebten ihres Bruders das Gleiche, was sie zuvor seiner geschiedenen Frau geantwortet hatte. Es gelang ihr, ruhig zu bleiben, obwohl sie die andere Frau am liebsten mit aller Schärfe darüber aufgeklärt hätte, wem es zustand, sich für die Verteilung von Guys Vermögen zu interessieren, und wem nicht.

»Oh.« Anaïs' Ton machte ihre Enttäuschung deutlich. Keine Testamentseröffnung bedeutete Ungewissheit darüber, ob, wann und wie sie die vielfältigen Ausgaben würde decken können, die sie seit der Begegnung mit Guy gehabt hatte, um sich jung zu erhalten. Es bedeutete auch, dass die Wölfe der Nobelvilla, die sie mit ihren Kindern am Nordende der Insel, in der Nähe der Bucht *Le Grand Havre* bewohnte, näher rückten. Ruth hatte von Anfang an vermutet, dass Anaïs Abbott weit über ihre Verhältnisse lebte. Finanzierswitwe oder nicht – *mein Mann war Finanzier*, wer wusste überhaupt, was das hieß in diesen Zeiten des rapiden Aktienverfalls und der taumelnden Finanzmärkte. Er konnte natürlich ein Finanzgenie gewesen sein und das Geld anderer Leute vermehrt haben wie Jesus die fünf Brote vor den Hungrigen, oder ein Investmentbroker, der aus fünf Pfund fünf Millionen machen konnte, wenn man ihm nur genug Zeit ließ und das nötige Vertrauen entgegenbrachte. Er konnte aber auch nichts weiter als ein kleiner Angestellter bei der Barclay's Bank gewesen sein, dessen Lebensversicherung es der trauernden Witwe erlaubt hatte, sich in höheren Kreisen als denen zu bewegen, in denen sie durch Geburt und Heirat zu Hause war. Auf jeden Fall brauchte man, um in diese Kreise hineinzukommen und in ihnen zu verkehren, eine Menge Geld: für das Haus, die Kleidung, den Wagen, die Urlaubsreise ... ganz zu schweigen von alltäglichen Bedürfnissen wie essen und trinken. Es war daher anzunehmen, dass Anaïs Abbott sich mittlerweile in ernsthaften finanziellen Nöten befand. Sie hatte in ihre Beziehung mit Guy einiges investiert. Damit diese Investition sich für sie lohnte, hätte Guy am Leben bleiben und den Hafen der Ehe mit ihr ansteuern müssen.

Ruth empfand zwar eine gewisse Aversion gegen Anaïs Abbott, weil sie überzeugt war, dass die Frau von Anfang an nach Plan gearbeitet hatte, aber sie wusste auch, dass man ihre Machenschaften wenigstens teilweise entschuldigen musste. Guy hatte sie ja in der Tat glauben lassen, dass eine Heirat möglich wäre, eine schöne gesetzliche Trauung. Hand in Hand vor einem Geistlichen oder einige Minuten lächelnden Errötens auf dem Standesamt. Dass Anaïs aus Guys Großzügigkeit gewisse Schlüsse gezogen hatte, war verständlich. Ruth wusste, dass er es gewesen war, der Jemima nach London geschickt hatte, und sie hatte kaum Zweifel daran, dass er auch der Grund dafür gewesen war, dass Anaïs' Brüste sich heute wie zwei feste, vollkommen symmetrische Honigmelonen vor einem Brustkorb wölbten, der von Natur aus eigentlich zu schmächtig für sie war. Aber war das alles bezahlt? Oder stand die Bezahlung noch aus?

Das war die Frage. Die Antwort ließ nicht lange auf sich warten.

Anaïs sagte: »Er fehlt mir, Ruth. Er war – du weißt, ich habe ihn geliebt. Du weißt, wie *sehr* ich ihn geliebt habe.«

Ruth nickte. Der Krebs, der langsam ihr Rückgrat auffraß, forderte ihre Aufmerksamkeit. Mehr als nicken konnte sie nicht, wenn der Schmerz da war und sie sich darauf konzentrierte, ihn zu beherrschen.

»Er war alles für mich, Ruth. Mein Fels in der Brandung. Der Mittelpunkt meines Lebens.« Anaïs senkte den Kopf. Einige Löckchen stahlen sich unter ihrem kleinen Hut hervor und lagen wie die Spuren einer männlichen Liebkosung auf ihrem Nacken. »Er hatte eine ganz eigene Art, mit den Dingen umzugehen … seine Ideen … das, was er getan hat … Wusstest du, dass es seine Idee war, Jemima nach London auf die Modelschule zu schicken? Wegen der Selbstsicherheit, sagte er. Das war typisch Guy. Er war so voller Liebe und Großzügigkeit.«

Ruth nickte wieder, fest in der Umklammerung des Schmerzes. Sie presste die Lippen zusammen und unterdrückte ein Stöhnen.

»Es gab nichts, was er nicht für uns getan hätte«, fuhr Anaïs fort. »Der Wagen – die Kosten für seinen Unterhalt – der Pool im Garten … Immer war er für uns da, immer bereit, zu helfen und zu geben. Ach, er war ein wunderbarer Mensch. Ich werde nie wieder jemandem begegnen, der ihm auch nur nahe kommt … Er war so gut zu mir. Und jetzt ohne ihn …? Mir ist, als hätte ich alles verloren. Hat er dir erzählt, dass er in diesem Jahr Schuluniformen gestiftet hat? Nein, natürlich nicht. Er hat nicht darüber gesprochen, weil er den Stolz der Menschen nicht verletzen wollte, denen er geholfen hatte. So war er. Er hat sogar … Ruth, dieser unendlich gute, liebenswerte Mensch hat es sich nicht nehmen lassen, mir einen monatlichen Zuschuss zu geben. ›Du bedeutest mir so unvorstellbar viel, und ich möchte, dass du mehr bekommst, als du selbst geben kannst.‹ Ich habe ihm gedankt, Ruth, immer wieder. Aber ich habe ihm nie genug gedankt. Und ich wollte, dass du erfährst, wie gut er war. Was er mir Gutes getan hat, um mir zu helfen. Ruth.«

Sie hätte ihr Anliegen nicht deutlicher machen können. Ruth fragte sich, wie weit diese Leute, die angeblich um ihren Bruder trauerten, in ihrer Geschmacklosigkeit noch gehen würden.

Aber sie sagte nur: »Danke dir für diese Würdigung Guys, Anaïs. Zu hören, dass du seine Güte zu schätzen wusstest...« Und er *war* gut, schrie Ruths Herz, er war die Güte selbst. »Es ist sehr lieb von dir, dass du hergekommen bist, um mir das zu sagen. Ich danke dir dafür. Du bist ein guter Mensch.«

Anaïs öffnete den Mund, um etwas zu sagen. Sie holte sogar noch Luft, aber dann erkannte sie offenbar, dass es nichts mehr zu sagen gab. Sie konnte jetzt nicht rundheraus Geld verlangen, ohne taktlos und habgierig zu erscheinen. Und selbst wenn ihr das gleichgültig gewesen wäre, war sie wahrscheinlich nicht bereit, in nächster Zukunft das Image der finanziell unabhängigen Witwe aufzugeben, der eine erfüllte Beziehung wichtiger war als Geld. Zu lange schon lebte sie dieses Image.

Also sagte sie nichts mehr, und Ruth auch nicht, während sie zusammen im Damenzimmer saßen. Was hätte es auch noch zu sagen gegeben?

# 7

Im Lauf des Tages besserte sich das Wetter in London und erlaubte es den St. James' und Cherokee River, nach Guernsey zu fliegen. Sie erreichten die Insel am späten Nachmittag, und während sie über dem Flughafen kreisten, sahen sie unten im schwindenden Licht die dünnen grauen Bänder schmaler Straßen, die sich scheinbar planlos durch steinerne Dörfer und zwischen kahlen Feldern über das Land schlängelten. Das letzte Sonnenlicht funkelte auf dem Glas zahlloser Gewächshäuser im Landesinneren, und die laubfreien Bäume in den Tälern und an den Hängen der Hügel kennzeichneten jene Gebiete, die Winden und Stürmen weniger stark ausgesetzt waren. Es war von der Luft aus gesehen eine abwechslungsreiche Landschaft, die sich an Ost- und Südküste der Insel zu steilen Klippen auftürmte, und im Westen und Norden sanft zu stillen Buchten abfiel.

Um diese Jahreszeit machte die Insel einen verlassenen Eindruck. Im späten Frühjahr und im Sommer waren die verschlungenen Straßen von Urlaubern bevölkert, die die Strände, die Klippenwege oder die Häfen aufsuchten, Guernseys Kirchen, Schlösser und Festungen besichtigten, die wanderten, schwammen, Ausflüge mit Booten oder Fahrrädern machten und die Straßen und Hotels füllten. Doch im Dezember gab es auf der Insel nur drei Gruppen von Menschen: Die eigentlichen Inselbewohner, die Gewohnheit, Tradition und Liebe zur Insel dort hielten, Steuerflüchtlinge, die so viel wie möglich von ihrem Geld vor dem Zugriff ihrer jeweiligen Regierung schützen wollten, und Banker, die in St. Peter Port beschäftigt waren und an den Wochenenden heim nach England flogen.

Nach St. Peter Port begaben sich auch die St. James' und Cherokee River. Es war die größte Stadt der Insel und der Regierungssitz. Hier befanden sich das Polizeipräsidium und die Kanzlei von China Rivers Anwalt.

Cherokee war den größten Teil der Reise sehr gesprächig gewesen. Er war vom Hundertsten ins Tausendste gekommen, als hätte er Angst vor einem Schweigen zwischen ihnen und dem, was es bedeuten könnte, und St. James hatte überlegt, ob dieses unablässige Wortbombardement sie davon abhalten sollte, über die Sinnlosigkeit der Mission nachzudenken, in der sie unterwegs waren. Wenn China River verhaftet und unter Anklage gestellt worden war, mussten hinreichend Beweise gegen sie vorliegen, um ihr den Prozess zu machen. Und wenn es direkte Beweise waren und nicht nur Indizien, würde es für St. James kaum Möglichkeiten geben, sie anders zu interpretieren als die Sachverständigen der Polizei.

Aber nach einer Weile schien es gar nicht mehr so, als wollte Cherokee sie mit seinem Dauermonolog von Gedanken über ihr gemeinsames Vorhaben ablenken, sondern eher so, als versuchte er krampfhaft, sie für sich einzunehmen. St. James spielte den unbeteiligten Zuschauer bei alledem, das fünfte Rad an einem Wagen auf schlingernder Fahrt ins Ungewisse. Und ihm war gar nicht wohl bei dieser Fahrt.

Cherokee erzählte vor allem von seiner Schwester. Chine – wie er sie nannte – hatte endlich das Surfen gelernt. Ob Debs das gewusst habe? Ihr Freund Matt – hatte Debs ihn mal kennen gelernt? Musste sie ja, richtig? –, also, er hatte es endlich geschafft, sie ins Wasser rauszulotsen ... ich meine, weit genug raus, sie hatte ja immer eine Riesenpanik vor Haien. Er hat ihr die Grundlagen beigebracht und sie jeden Tag üben lassen, und an dem Tag, an dem sie schließlich auf dem Brett stand ... Sie hatte endlich erfasst, worum es ging. Geistig erfasst, meine ich. Das Zen des Surfen.

Cherokee wollte immer, dass sie zum Surfen zu ihm runter nach Huntington käme ... im Februar oder März, wenn die Wellen stürmisch werden konnten, aber sie kam nie, weil in ihrem Kopf eine Fahrt nach Orange County eine Fahrt zu Mam war, und Chine und Mam ... Die beiden kamen nicht miteinander klar. Sie waren einfach zu verschieden. Mam machte immer irgendwas falsch. Zum Beispiel, als Chine das letzte Mal übers Wochenende runtergekommen war – lag wahrscheinlich schon mehr als zwei Jahre zurück –, da hatte sie ein Riesending daraus gemacht, dass Mam kein einziges sauberes Glas im Haus hatte. Natürlich hätte sich Chine selber ein Glas spülen können, aber darum ging's nicht. Mam hätte sie vorher spülen müssen, weil wenn man die Gläser vorher spülte, dann *bedeutete* das was. Wie, zum Beispiel, ich liebe dich oder willkommen oder es ist schön, dass du hier bist. Na ja, er, Cherokee, schaute jedenfalls immer, dass er sich raushielt, wenn die zwei loslegten. Sie waren beide echt gute Menschen, Mam und Chine, wirklich. Sie waren eben nur so verschieden. Aber immer wenn Chine in den Canyon kam – Debs wusste doch, dass Cherokee im Canyon lebte? Modjeska. Landeinwärts. In der Blockhütte. Na, jedenfalls stellte Cherokee seitdem überall saubere Gläser auf, wenn Chine ihn besuchte. Er hatte zwar nicht viele, aber die, die da waren – immer blitzblank. Wenn Chine saubere Gläser wollte, dann bekam sie saubere Gläser. Aber komisch war es schon, nicht? Worüber Menschen sich aufregen konnten ...

Den ganzen Flug über hörte Deborah Cherokees weitschweifiger Suada zu. Er sprang zwischen Reminiszenz, Enthüllung und Erklärung hin und her, und binnen einer Stunde gewann St. James den Eindruck, dass ihn, neben der ganz natürlichen Angst um seine Schwester, heftige Schuldgefühle plagten. Hätte er sie nicht gedrängt, ihn zu begleiten, wäre sie nie in die Situation geraten, in der sie sich nun befand. Er war zumindest teilweise schuld. *Jeder kann mal in der Scheiße landen*, so formulierte er es, aber in dieser besonderen Scheiße wäre China eindeutig nicht gelandet, wenn Cherokee nicht darauf gedrungen hätte, dass sie mitkommen sollte. Und er hatte deshalb darauf gedrungen, weil er sie gebraucht hatte, erklärte er, weil er ohne sie den Auftrag gar nicht bekommen hätte. Aber er hatte ihn unbedingt haben wollen, hatte das Geld haben wollen, weil er endlich einen Job für sich gefunden hatte, von dem er glaubte, dass er ihn fünfundzwanzig Jahre oder länger machen könnte, ohne die Wände hochzugehen, und weil er eine Anzahlung auf die Grundausrüstung leisten musste. Einen Fischkutter. Ja, genau so war's: China River saß hinter Gittern, weil ihr Bruder, dieses Arschloch, unbedingt einen Fischkutter kaufen wollte.

»Aber du konntest doch nicht wissen, was passieren würde«, wandte Deborah ein.

»Nein, aber das macht's auch nicht besser. Ich muss sie da rausholen, Debs.« Und mit einem aufrichtigen Lächeln zu ihr und dann zu St. James: »Danke, dass ihr mir geholfen habt. Das kann ich nie wieder gutmachen.«

St. James wollte ihm sagen, dass seine Schwester ja noch nicht aus dem Gefängnis heraus war und dass auch eine Freilassung gegen Kaution, sofern sie gewährt wurde, zu diesem Zeitpunkt sehr wahrscheinlich nur ein Aufschub sei. Aber er sagte nur: »Wir werden tun, was wir können.«

Woraufhin Cherokee antwortete:« Danke. Ihr seid große Klasse.«

Woraufhin wiederum Deborah sagte: »Wir sind deine Freunde, Cherokee.«

Cherokee schienen die Gefühle zu übermannen, was sich

flüchtig in seinem Gesicht widerspiegelte. Er konnte nur nicken und jene merkwürdige Geste mit der Hand zu machen, die Amerikaner gern gebrauchten, um so ziemlich alles von Dankbarkeit bis zu politischer Zustimmung auszudrücken.

Aber vielleicht drückte sie bei ihm in diesem Moment etwas ganz anderes aus.

St. James konnte sich dieses Gedankens nicht erwehren, der ihn eigentlich seit dem Moment verfolgte, als er zur Galerie des Gerichtssaals Nr. 3 hinaufgeblickt und seine Frau und den Amerikaner gesehen hatte: Schulter an Schulter, die Köpfe zusammengesteckt. Irgendwas stimmte nicht mehr auf der Welt. Es war eine gefühlsmäßige Überzeugung, die St. James nicht erklären konnte. Und dieses Gefühl, dass die Zeiten aus den Fugen geraten waren, machte es ihm schwer, sich der Freundschaftserklärung seiner Frau an Cherokee River anzuschließen. Er sagte nichts, und als Deborahs Blick ihn fragte, warum, sandte er keinen antwortenden Blick zurück. Er wusste, dass diese Reaktion zwischen ihnen nichts besser machen würde. Sie war immer noch ärgerlich wegen des Gesprächs im Old Bailey.

Nach ihrer Ankunft in der Stadt stiegen sie am Ann's Place in einem Hotel ab, das früher einmal ein Regierungsgebäude gewesen war. Danach trennten sie sich: Cherokee und Deborah wollten zum Untersuchungsgefängnis, um zu versuchen, China zu sehen; St. James machte sich auf den Weg zur Polizei, um den Beamten ausfindig zu machen, der die Ermittlungen leitete.

Ihm war nicht wohl dabei. Er wusste, dass er dort eigentlich nichts zu suchen hatte, und die Vorstellung, sich in ein Ermittlungsverfahren zu drängen, bei dem seine Mitarbeit nicht erwünscht war, behagte ihm nicht. In England gab es wenigstens Fälle, auf die er verweisen konnte, wenn er bei einer Polizeibehörde vorsprach und um Informationen bat. Praktisch überall in England brauchte er nur zu sagen: Sie erinnern sich an die Bowen-Entführung? ... Und an diesen Erdrosselungsfall letztes Jahr in Cambridge? St. James hatte bei der Arbeit mit den britischen Polizeibehörden die Erfahrung gemacht, dass die Beamten im Allgemeinen bereit waren, ihre Kenntnisse mit ihm zu teilen, und sich von seinen Bemühungen, Neues herauszufinden, nicht irritieren ließen, wenn er zuvor ausreichend Gelegenheit gehabt hatte, zu erklären, wer er war, und einen gemeinsamen Nenner mit ihnen zu finden. Aber hier lagen die Dinge anders. Um hier die Kooperationsbereitschaft der Polizei zu gewinnen oder wenigstens die wenn auch widerwillige Duldung seines Kontakts mit den Leuten, die das Verbrechen direkt betraf, würden Hinweise auf Kriminalfälle, an denen er mitgearbeitet, oder auf Strafprozesse, bei denen er als Gutachter mitgewirkt hatte, gar nichts nützen. Das hieß, dass er sich, um Zugang zum Kreis der Ermittler zu erhalten, auf sein bescheidenstes Talent verlassen musste: die Gabe, mit anderen Menschen in Beziehung zu treten.

Auf seinem Weg über den Ann's Place zur Hospital Lane, die ihn zur Polizeidienststelle führte, dachte er über das Wesen menschlicher Beziehungen nach. Vielleicht, sagte er sich, war sein Unvermögen auf diesem Gebiet und seine individuelle Art – immer und ewig der kühle Wissenschaftler, stets in Gedanken, den Blick nach innen gerichtet, stets damit beschäftigt, zu bedenken, abzuwägen, zu prüfen, während andere Menschen einfach *lebten* – die Quelle seines Unbehagens in Bezug auf Cherokee River.

»Ja, an das Surfen erinnere ich mich«, hatte Deborah gesagt, und ihre Miene hatte sich schlagartig verändert, als ihr das gemeinsame Erlebnis wieder eingefallen war. »Wir sind damals alle drei zusammen am Meer gewesen … Weißt du noch? Wo war das eigentlich?«

Cherokee hatte ein nachdenkliches Gesicht gemacht, ehe er gesagt hatte: »Na klar! Das war in Seal Beach, Debs. Da geht's leichter als in Huntington. Es ist geschützter.«

»Richtig, ja! Seal Beach. Du hast mich in die Wellen rausgejagt und auf dem Brett herumturnen lassen, und ich habe dauernd gebrüllt, dass ich gleich den Pier ramme.«

»Der nirgendwo in deiner Nähe war«, sagte er. »Nie im Leben hättest du dich lange genug auf dem Brett gehalten, um *irgendwas* zu rammen.«

Sie lachten zusammen; wieder war eine Verbindung hergestellt, ein unbeschwerter Moment zwischen zwei Menschen, in dem sie freudig anerkannten, dass ein gemeinsames Band bestand, das die Gegenwart mit der Vergangenheit verknüpfte.

Und so, dachte St. James, ist das bei allen, die ein Stück gemeinsamer Geschichte haben. Ja, genau so ist es.

Er ging über die Straße auf das Polizeipräsidium von Guernsey zu. Es stand hinter einer imposanten Mauer aus einem mit Feldspat geäderten Stein, ein L-förmiger Bau mit vier Fensterreihen in beiden Flügeln, auf dem die Fahne von Guernsey flatterte. Drinnen nannte er dem Dienst habenden Wachbeamten seinen Namen und reichte ihm seine Karte. Ob es möglich wäre, fragte er, den leitenden Untersuchungsbeamten im Mordfall Brouard zu sprechen. Oder sonst vielleicht den Pressebeauftragten der Abteilung.

Der Wachtmeister inspizierte seine Karte mit einer Miene, die besagte, dass erst einmal diverse Anrufe über den Ärmelkanal hinweg getätigt würden, um festzustellen, wer genau dieser forensische Wissenschaftler war, der hier bei ihnen auf der Matte stand. St. James war das nur recht; wenn telefoniert wurde, dann mit New Scotland Yard und der Kronanwaltschaft oder mit der Universität, an der er dozierte, und das würde ihm den Weg ebnen.

Es dauerte zwanzig Minuten. St. James trat von einem Fuß auf den anderen und las ein halbes Dutzend mal die Anschläge am Schwarzen Brett. Aber es waren zwanzig Minuten, die sich lohnten, denn schließlich erschien Detective Chief Inspector Louis Le Gallez von der Kriminalpolizei und führte St. James in die Einsatzzentrale, ein riesiger Raum mit Stichbalken – eine ehemalige Kapelle –, den sich Fitnessgeräte mit Aktenschränken, Computertischen, Anschlagbrettern und Porzellantafeln teilten.

Chief Inspector Le Gallez wollte natürlich wissen, was einen forensischen Wissenschaftler aus London an einer Morduntersuchung in Guernsey interessierte, zumal diese bereits abgeschlossen war. »Wir haben die Täterin«, sagte er, die Arme vor der Brust verschränkt und ein Bein über eine Ecke des Tischs geschwungen. Er ließ sein Körpergewicht – das für einen so kleinwüchsigen Mann beträchtlich war – auf der Tischkante ruhen und strich mit

St. James' Karte an seiner inneren Handkante auf und ab. Er schien eher neugierig als argwöhnisch.

St. James entschied sich für Offenheit. Der Bruder der Beschuldigten habe in seiner verständlichen Erschütterung über das Schicksal seiner Schwester ihn, St. James, um Hilfe gebeten, nachdem er vergeblich versucht habe, die amerikanische Botschaft zum Handeln anzuspornen.

»Die Amerikaner haben das Ihre getan«, erklärte Le Gallez. »Ich weiß nicht, was dieser Mann noch erwartet. Er war übrigens selbst auch verdächtig. Aber das waren sie alle. Jeder, der auf Brouards Fest gewesen war, am Abend, bevor er dran glauben musste. Die halbe Insel war dort. Das hat die Sache verdammt kompliziert gemacht, das können Sie mir glauben.«

Le Gallez sprach gleich weiter, als wäre ihm völlig klar, worauf St. James nach dieser Bemerkung über die Party das Gespräch würde lenken wollen. Sämtliche Leute, die am Abend vor dem Mord bei Brouard gewesen waren, seien vernommen worden, sagte er, aber es sei nichts dabei herausgekommen, was am ersten Verdacht der ermittelnden Beamten etwas geändert hatte: Wenn jemand sich wie die Geschwister River am Morgen des Mordes klammheimlich aus Brouards Haus gestohlen hatte, musste er genauer in Augenschein genommen werden.

»Und alle anderen Gäste konnten für die Mordzeit Alibis nachweisen?«, fragte St. James.

Das habe er damit nicht sagen wollen, antwortete Le Gallez. Aber so wie die Beweise ineinander griffen, sei es für den Fall völlig unerheblich, was alle anderen am Morgen der Ermordung von Guy Brouard getan hatten.

Was sie gegen China Rivers in der Hand hätten, sei vernichtend, und es bereitete Le Gallez offensichtliches Vergnügen, die Einzelheiten aufzulisten. Ihre vier Beamten von der Spurensicherung hätten sich mit dem Tatort befasst und ihr Pathologe mit dem Leichnam. Die River habe am Tatort einen Teilabdruck hinterlassen, einen Fußabdruck, der zwar zur Hälfte von einem breiten Tangblatt verwischt war, aber in den Sohlen ihrer Schuhe hätten sie Sandkörner gefunden, die genau dem groben Sand an der Bucht entsprachen, und die Abdrücke eben dieser Schuhe stimmten mit dem gefundenen Teilabdruck überein.

»Aber sie kann ein anderes Mal an der Bucht gewesen sein«, gab St. James zu bedenken.

»Richtig. Ich kenne die Story. Sie konnten sich auf Brouards Anwesen frei bewegen, wenn Brouard sie nicht gerade selbst herumgeführt hat. Aber das erklärt nicht, wie ihre Haare in den Reißverschluss der Trainingsjacke gekommen sind, die er an dem Morgen anhatte, als er umgebracht wurde. Oder wie seine Haare an ihren Umhang gekommen sind.«

»Was für ein Umhang?«

»Na, wie so eine schwarze Decke. Keine Ärmel, nur am Hals ein Knopf.«

»Ein Cape?«

»Und auf dem Stoff waren seine Haare, genau da, wo man erwarten kann, sie zu finden, wenn sie ihm den Arm um den Hals gelegt hat, um ihn ruhig zu halten. Sie hat dummerweise nicht daran gedacht, das Ding hinterher auszubürsten.«

St. James sagte: »Die Art, wie er getötet wurde – ziemlich ungewöhnlich, finden Sie nicht auch? Mit dem Stein, meine ich. Wenn er ihn nicht selbst versehentlich geschluckt hat –«

»Wohl kaum«, unterbrach ihn Le Gallez.

»– dann muss er ihm mit Gewalt in die Kehle gestoßen worden sein. Aber wie? Bei einem Kampf? Haben Sie Spuren eines Kampfes gefunden? Am Strand vielleicht? Oder an seinem Leichnam? An China River, als Sie sie festgenommen haben?«

Le Gallez schüttelte den Kopf. »Kein Kampf. War auch gar keiner nötig. Deswegen haben wir ja von Anfang an nach einer Frau gesucht.« Er trat zu einem der Tische und ergriff einen darauf stehenden Plastikbehälter, dessen Inhalt er auf seine offene Hand schüttelte. Er sah ihn durch, sagte: »Ah, das geht«, und pickte eine angebrochene Rolle Polos heraus. Er schälte einen der Drops aus dem Papier, hielt ihn hoch, um ihn St. John zu zeigen, und sagte: »Der Stein, mit dem wir es zu tun haben, ist nur wenig größer als das hier. Mit einem Loch in der Mitte, so dass man ihn an einen Schlüsselring hängen kann. Und rundherum mit eingeritzten Mustern. Jetzt passen Sie auf!« Er steckte das Bonbon in den Mund und schob es mit der Zunge in die Backentasche. »Man kann beim Küssen mehr weitergeben als Bakterien«, sagte er.

St. James verstand, hatte aber dennoch seine Zweifel. Le Gallez' Theorie erschien ihm höchst unwahrscheinlich. Er sagte: »Aber sie hätte einiges mehr tun müssen, als nur den Stein weiterzugeben. Sicher, es ist möglich, dass sie ihn ihm in den Mund geschoben hat, wenn sie ihn küsste, aber doch bestimmt nicht die Kehle hinunter. Wie sollte sie das bewerkstelligt haben?«

»Sie hat ihn überrumpelt«, sagte Le Gallez. »Er ist verblüfft, als er plötzlich den Stein im Mund hat. Sie hat beim Kuss eine Hand in seinem Nacken, er befindet sich in der richtigen Stellung. Ihre andere Hand liegt auf seiner Wange, und in dem Moment, wo er zurückschreckt, weil sie ihm den Stein in den Mund geschoben hat, umschlingt sie ihn mit einem Arm, drückt ihn nach hinten und stößt ihm die Finger in den Hals. Samt dem Stein. Und schon ist er erledigt.«

»Nehmen Sie es mir nicht übel, aber ich halte das für reichlich unwahrscheinlich«, sagte St. James. »Ihr Staatsanwalt kann doch unmöglich glauben, dass er damit... haben Sie hier Geschworene?«

»Spielt überhaupt keine Rolle. Die Geschichte mit dem Stein braucht keinen Menschen zu überzeugen«, sagte Le Gallez. »Es ist nur eine Theorie, die vor Gericht vielleicht überhaupt nicht zur Sprache kommen wird.«

»Und warum nicht?«

Le Gallez lächelte dünn. »Weil wir einen Zeugen haben, Mr. St. James«, antwortete er. »Und ein Zeuge ist mehr wert als hundert Sachverständige und tausend schöne Theorien.«

Im Untersuchungsgefängnis erfuhren Deborah und Cherokee, dass sich in den vierundzwanzig Stunden, seit Cherokee nach London aufgebrochen war, um Hilfe zu holen, einiges getan hatte. Der Anwalt hatte es geschafft, China auf Kaution freizubekommen, und hatte ihr eine andere Unterkunft gesucht. Die

Gefängnisverwaltung wusste selbstverständlich, wo sie sich aufhielt, aber man gab die Information nicht heraus.

Deborah und Cherokee fuhren unverrichteter Dinge wieder in Richtung St. Peter Port und hielten bei der ersten Telefonzelle an, die sie an der Vale Road entdeckten, dort, wo die Straße sich dem weiten Blick auf die Belle-Greve-Bucht öffnete. Cherokee sprang aus dem Wagen, um den Anwalt anzurufen, und Deborah beobachtete durch die Glaswand der Zelle, wie er beim Sprechen in verständlicher Erregung mit der Faust gegen das Glas schlug. Obwohl sie sich nicht sonderlich gut aufs Lippenlesen verstand, konnte sie deutlich Cherokees aufgebrachtes »Hey, Mann, jetzt hören *Sie* mal zu« erkennen. Das Gespräch dauerte nur drei oder vier Minuten, nicht lange genug, um Cherokee in irgendeiner Hinsicht zu beruhigen, aber es genügte ihm, um herauszufinden, wohin seine Schwester gebracht worden war.

»Er hat sie in irgendeine Wohnung in St. Peter Port verfrachtet«, berichtete er, als er wieder in den Wagen stieg und den Gang einlegte. »So eine Wohnung, die man im Sommer mieten kann. ›Ich habe sie gern aufgenommen‹, hat er gesagt. Was immer das heißen soll.«

»Eine Ferienwohnung«, sagte Deborah. »Sie würde sonst bis zum Frühjahr leer stehen.«

»Wie auch immer. Der Kerl hätte mir ja eine Nachricht zukommen lassen können. Schließlich geht's um meine Schwester. Ich hab ihn gefragt, warum er mir nichts davon gesagt hat, dass er sie rausholen wollte, und er sagte – weißt du, was er gesagt hat? – ›Miss River hat mich nicht beauftragt, jemandem ihren Aufenthaltsort bekannt zu geben.‹ Als *wollte* sie sich versteckt halten.«

Zurück in St. Peter Port kostete es sie, obwohl sie die Adresse hatten, einige Mühe, die Ferienwohnanlage zu finden, wo China untergebracht war. Die Stadt war ein Gewirr von Einbahnstraßen: schmale Gassen, die sich vom Hafen aus den steilen Hang hochzogen, Wege durch eine Stadt, die schon existierte, lange bevor man an Autos überhaupt gedacht hatte. Deborah und Cherokee marschierten mehrmals an alten Stadtvillen georgianischen Stils und Zeilen viktorianischer Reihenhäuser entlang, ehe sie schließlich auf die Queen-Margaret-Apartments stießen, die an der Ecke Saumarez Street auf dem höchsten Punkt der Clifton Street standen. Sie boten dem Urlauber einen Blick, für den er im Frühling und Sommer teuer bezahlen musste: Unten breitete sich der Hafen aus, deutlich sichtbar erhob sich die Festung Castle Cornet auf ihrer Landzunge, wo sie einst die Stadt vor Eindringlingen geschützt hatte, und an einem Tag, der nicht durch tief hängende Dezemberwolken getrübt war, konnte man am fernen Horizont wie in der Luft schwebend die Küste Frankreichs erkennen.

An diesem Tag jedoch, in der frühen Abenddämmerung, war der Ärmelkanal eine aschgraue Masse bewegter Landschaft. Lichter schienen auf einen Hafen, in dem die Vergnügungsboote fehlten, und in der Ferne wirkte die Festung wie eine Anhäufung kreuzweise schraffierter Kinderbauklötze, die planlos zusammengewürfelt auf einer Elternhand ruhten.

In den Queen-Margaret-Apartments galt es erst einmal, jemanden zu finden, der ihnen den Weg zu Chinas Wohnung zeigen konnte. Sie stöberten schließlich in einem Ein-Zimmer-Apartment des leer stehenden Komplexes einen unrasierten und wenig appetitlich riechenden Menschen auf, der hier offenbar als Hausmeister fungierte, wenn er nicht gerade wie jetzt vor einem Brettspiel saß, bei dem man glänzende schwarze Steine in muldenartige Vertiefungen auf einem schmalen Holzbrett befördern musste.

»Augenblick«, sagte er, als Cherokee und Deborah in sein Zimmer traten. »Ich muss nur schnell – verdammt! Er hat mich wieder erwischt.«

Bei diesem »Er« schien es sich um seinen imaginären Gegner zu handeln, dessen Spielzüge er selbst machte, wozu er offenbar jedes Mal zur anderen Seite des Tischs hinüberlief. Mit einem Zug fegte er auf seiner Seite sämtliche Steine weg und sagte dann: »Was kann ich für Sie tun?«

Als sie ihm erklärten, sie wollten zu seiner Mieterin – sie sagten »Mieterin« im Singular, weil offensichtlich war, dass zu dieser Jahreszeit kein Mensch sonst hier wohnte –, tat er so, als hätte er keine Ahnung, worum es ging. Erst als Cherokee sagte, er solle Chinas Anwalt anrufen, gab er indirekt zu erkennen, dass die Frau, der man einen Mord zur Last legte, sich irgendwo im Gebäude befand. Er ging zum Telefon, tippte eine Nummer ein und sagte, als der andere Teilnehmer sich meldete: »Hier ist einer, der behauptet, er wär Ihr Bruder …« Und mit einem Blick zu Deborah: »Er hat so eine Rothaarige dabei.« Nachdem er ungefähr fünf Sekunden zugehört hatte, sagte er: »In Ordnung«, und rückte endlich mit der Sprache heraus. Die Person, die sie suchten, sagte er, sei in Wohnung B im Ostflügel des Gebäudes.

Es war nicht weit zu gehen. China erwartete sie an der Tür. Sie sagte nur: »Du bist gekommen!«, und eilte in Deborahs ausgebreitete Arme.

Deborah drückte sie an sich. »Natürlich bin ich gekommen«, sagte sie. »Ich wollte nur, ich hätte vorher gewusst, dass du in Europa bist. Warum hast du mich nicht benachrichtigt, dass du kommst? Warum hast du nicht angerufen? Ach, es ist so *schön*, dich zu sehen.« Sie blinzelte gegen das Brennen in ihren Augen an, überrascht von diesem Ansturm der Gefühle, der ihr zeigte, wie sehr sie die Freundin in den Jahren, seit der Kontakt abgebrochen war, vermisst hatte.

»Es tut mir Leid, dass es unter diesen Umständen sein muss.« China lächelte flüchtig. Sie war weit dünner, als Deborah sie in Erinnerung hatte, und das Gesicht unter dem modisch geschnittenen Haar sah aus wie das eines verlorenen Kindes. Ihre Baum- und Tierschützermutter hätte einen Anfall bekommen beim Anblick ihrer Kleidung: schwarzes Leder von oben bis unten, Hose, Weste, Halbstiefel. Das Schwarz betonte die Blässe ihrer Haut.

»Simon ist auch mitgekommen«, sagte Deborah. »Wir holen dich hier heraus. Mach dir keine Sorgen.«

China warf einen Blick auf ihren Bruder, der die Tür hinter sich geschlossen hatte und in die kleine Kochnische gegangen war, wo er von einem Fuß auf den anderen trat und ein Gesicht machte, als wünschte er sich angesichts so viel weiblicher Gefühlsduselei auf einen anderen Stern. »Ich wollte doch nicht, dass du sie herbringst«, sagte sie. »Ich wollte nur, dass du dir bei ihnen Rat holst, wenn du welchen gebraucht hättest. Aber – ich bin froh, dass du sie mitgebracht hast, Cherokee. Danke.«

Cherokee nickte. »Wollt ihr zwei –?«, begann er. »Ich meine, ich kann ja einen Spaziergang machen oder so was. Hast du Essen im Haus? Weißt du was, ich geh mal los und such einen Laden.« Und schon war er, ohne eine Antwort seiner Schwester abzuwarten, zur Wohnungstür hinaus.

»Typisch Mann«, sagte China, als er weg war. »Nur keine Tränen.«

»Dabei sind wir doch noch gar nicht so weit.«

China kicherte, und Deborah wurde es ein wenig leichter ums Herz. Sie konnte sich nicht vorstellen, wie es war, in einem fremden Land des Mordes beschuldigt und festgehalten zu werden. Aber wenn sie etwas dazu tun konnte, ihre Freundin die bedrohliche Situation, in der sie sich befand, wenigstens ab und zu vergessen zu machen, so wollte sie das tun. Und sie wollte China Sicherheit geben, sie wissen lassen, wie nahe sie ihr immer noch stand.

Darum sagte sie: »Ich habe dich vermisst. Ich hätte öfter schreiben sollen.«

»Du hättest schreiben sollen, fertig«, erwiderte China. »Ich habe dich auch vermisst.« Sie zog Deborah zur Kochnische. »Ich mach uns Tee. Ich kann gar nicht glauben, wie unheimlich ich mich freue, dich zu sehen.«

»Nein, den Tee mache ich, China«, sagte Deborah. »Du fängst jetzt nicht schon wieder an, mich zu bemuttern. Ich dreh den Spieß zur Abwechslung mal um, und du wirst dir das brav gefallen lassen.« Sie schob die Freundin zu dem Tisch unter dem Ostfenster, auf dem ein gelber Kanzleiblock und ein Kugelschreiber lagen. Das oberste Blatt des Blocks trug Daten in großer Druckschrift; die Bemerkungen darunter waren in Chinas vertrauter, geschwungener Handschrift geschrieben.

China sagte: »Das war damals auch eine schlimme Zeit für dich. Es hat mir viel bedeutet, alles für dich zu tun, was ich konnte.«

»Ich habe mich ziemlich erbärmlich benommen«, sagte Deborah. »Ich weiß nicht, wie du es mit mir ausgehalten hast.«

»Du warst weit weg von zu Hause, hattest Riesenprobleme und hast versucht, irgendwie klarzukommen. Ich war deine Freundin. Ich musste dich nicht *aushalten*. Ich musste nur ein bisschen Anteil nehmen. Und das war, ehrlich gesagt, verdammt einfach.«

Ein Gefühl der Wärme durchzog Deborah, und sie wusste, dass diese Reaktion zwei verschiedene Ursprünge hatte. Einmal entsprang sie dem Glück der Freundschaft zwischen Frauen, und sie hatte ihre Wurzel auch in einer schmerzvollen Zeit ihrer Vergangenheit. China River gehörte dieser Zeit an und hatte Deborah hindurchgeholfen.

Deborah sagte: »Ich bin so – wie soll ich es ausdrücken? – froh, dich zu sehen? Aber das klingt recht egozentrisch. Dir geht es schlecht, und ich bin froh, dich zu sehen. Ich bin eine ganz schön egoistische Ziege.«

»Ach, ich weiß nicht.« Chinas Stimme klang nachdenklich. Dann lächelte sie. »Ich meine, die wahre Frage ist doch: Kann eine Ziege egoistisch sein?«

Sie lachten. Deborah ging in die kleine Küche, ließ Wasser in den elektrischen Kessel laufen und schaltete ihn ein. Sie nahm Becher, Tee, Zucker und Milch, und in einem der zwei Küchenschränke entdeckte sie sogar ein Päckchen, das dem Aufdruck zufolge etwas Essbares enthielt, was Guernsey Gâche hieß. Deborah öffnete es und fand ein kastenförmiges Gebäck, das eine Kreuzung zwischen Rosinenkuchen und Früchtebrot zu sein schien. Besser als gar nichts.

China sprach erst wieder, als Deborah alles auf den Tisch gestellt hatte. Und dann murmelte sie so leise, dass Deborah es beinahe überhört hätte: »Ich habe dich auch vermisst.«

Deborah drückte ihr die Schulter. Sie goss den Tee ein, gab Milch und Zucker dazu. Sie wusste, dass die kleine Zeremonie nicht lange als Trost für die Freundin vorhalten würde, aber einen Becher Tee zu halten, die Hand um ihn zu schmiegen und sie von der Wärme durchdringen zu lassen – das hatte für Deborah immer etwas Magisches gehabt, als wäre die dampfende Flüssigkeit nicht aus den Blättern einer asiatischen Pflanze gebraut, sondern aus den Wassern Lethes.

China schien Deborahs Absicht zu erraten; als sie ihren Becher hob, sagte sie: »Die Engländer und ihr Tee.«

»Wir trinken auch Kaffee.«

»Aber nicht in Momenten wie diesem.« China hielt den Becher so, wie Deborah es sich gewünscht hatte. Sie schaute zum Fenster hinaus, wo vor tiefgrauem Hintergrund als flimmernde gelbe Palette die Lichter der Stadt angingen, als das letzte Tageslicht der Dunkelheit wich. »Ich kann nicht fassen, wie früh es hier dunkel wird.«

»Das liegt an der Jahreszeit.«

»Ich bin einfach die Sonne gewöhnt.« China trank von ihrem Tee und stellte den Becher auf den Tisch. Mit einer Gabel stocherte sie in einem Stück Guernsey Gâche herum, aß aber nicht. »Tja, ich werde mich wohl damit anfreunden müssen. Mit dem Mangel an Sonnenlicht. Wenn sie mich einsperren.«

»Dazu wird's nicht kommen.«

»Ich habe es nicht getan.« China hob den Kopf und sah Deborah direkt in die Augen. »Ich habe diesen Mann nicht getötet, Deborah.«

In Deborah krampfte sich alles zusammen bei dem Gedanken, China könnte glauben, sie – Deborah – müsse von dieser Tatsache erst noch überzeugt werden. »Mein Gott, natürlich nicht. Ich bin nicht hergekommen, um mir ›persönlich ein Bild zu machen‹. Und Simon auch nicht.«

»Aber sie haben Indizien gegen mich«, sagte China. »Haare von mir. Meine Schuhe. Fußabdrücke. Ich komme mir vor wie in so einem Traum, wo man zu schreien versucht und keiner einen hört, weil man gar nicht schreien kann, weil man ja in einem Traum ist. Es ist ein Teufelskreis, verstehst du?«

»Ich wollte, ich könnte dich da rausholen.«

»Sie waren auf seinen Kleidern«, sagte China. »Die Haare. *Meine* Haare. Sie waren auf seinen Kleidern, als man ihn gefunden hat. Und ich habe keine Ahnung, wie sie dahin gekommen sind. Ich habe versucht, mich zu erinnern, aber ich kann es nicht erklären.« Sie wies zu dem gelben Block. »Ich habe jeden Tag rekapituliert, so gut ich konnte. Hat er mich mal in den Arm genommen? Aber warum hätte er das tun sollen, und wenn ja, wieso erinnere ich mich nicht daran? Der Anwalt möchte, dass ich behaupte, zwischen uns wäre was gewesen. Kein Sex, sagt er, so weit solle ich nicht gehen. Aber Nachstellungen von seiner Seite. Die *Hoffnung* auf Sex. Gewisse Dinge zwischen uns, die zum Sex geführt haben könnten. Berührungen und dergleichen. Aber da war nichts, und ich kann nicht das Gegenteil behaupten. Ich meine, zu lügen würde mir nichts ausmachen. Du kannst mir glauben, ich würde lügen wie gedruckt, wenn mir das helfen könnte. Aber wer, zum Teufel, würde meine Behauptungen bestätigen? Er hat mich nie angerührt. Okay, er hat mir vielleicht mal die Hand auf den Arm gelegt oder so was, aber das war auch schon alles. Wenn ich jetzt aussage, dass meine Haare an seinen Sachen waren, weil er – was? Mich umarmt oder geküsst hat?, dann steht meine Aussage gegen die sämtlicher Zeugen, die sagen werden, dass er mich nicht mal angeschaut hat. Wir könnten kontern, indem wir Cherokee aussagen lassen, aber nie im Leben würde ich von meinem Bruder verlangen, dass er für mich lügt.«

»Er will dir unbedingt helfen.«

China antwortete mit einem Kopfschütteln, das resigniert wirkte. »Er hat praktisch sein Leben lang immer irgendeinen Schwindel am Laufen gehabt. Erinnerst du dich an seine Geschäfte auf dem Rummelplatz? Diese pseudo-indianischen Kunstgegenstände, die er jede Woche den Leuten aufgeschwatzt hat? Pfeilspitzen, Keramikscherben, Werkzeuge – was ihm eingefallen ist. Sogar *ich* habe ihm fast geglaubt, sie wären echt.«

»Du willst doch nicht sagen, dass Cherokee …?«

»Nein, nein. Ich meine nur, ich hätte mir die Sache mit dieser Reise zweimal überlegen müssen – besser noch, zehnmal. Er findet immer alles total easy, ganz ohne Haken, zu schön, um wahr zu sein, aber trotzdem wahr … Mir hätte klar sein müssen, dass es bei dieser Geschichte um mehr geht, als ein paar harmlose Baupläne über den Ozean zu transportieren. Ich meine nicht, dass Cherokee was im Schilde führte. Ich meine, dass jemand anderer was ausgeheckt hatte.«

»Dich als Sündenbock zu benutzen«, sagte Deborah.

»Das ist die einzige Erklärung, dir mir einfällt.«

»Das würde heißen, dass alles, was geschehen ist, geplant war. Sogar dass man einen Amerikaner hier herüberlotst, um ihm den schwarzen Peter zuzuschieben.«

»Zwei Amerikaner«, verbesserte China. »Zur Sicherheit: Wenn der eine als Verdächtiger nicht überzeugend sein sollte, ist immer noch der andere da. Und wir beide sind prompt in die Falle reingestolpert. Zwei doofe Kalifornier, die noch nie in Europa waren – es ist klar, dass diese Leute genau so jemanden gesucht haben. Zwei naive Trottel, die keine Ahnung haben würden, was sie tun sollten, wenn sie hier Probleme bekämen. Und der Abschuss ist, dass ich gar nicht mitkommen wollte. Ich wusste gleich, dass die Sache stinkt. Aber ich hab's mein Leben lang nicht fertig gebracht, meinem Bruder eine Bitte abzuschlagen.«

»Er ist todunglücklich, dass alles so gekommen ist.«

»Er ist immer todunglücklich«, erwiderte China. »Dann fühle *ich* mich schuldig. Du musst ihm eine Chance geben, sage ich mir. Du weißt, er würde das Gleiche für dich tun.«

»Er dachte wohl, er würde dir mit der Reise was Gutes tun. Wegen Matt. Damit du ein bisschen Abstand bekommst. Er hat es mir übrigens erzählt. Das mit euch beiden. Von der Trennung. Das tut mir wirklich Leid. Ich hatte Matt immer gern.«

China drehte ihren Becher in der Hand. Sie starrte ihn so intensiv und so lange an, dass Deborah schon glaubte, sie wolle mit ihr nicht über ihre langjährige Beziehung zu Matt Whitecomb sprechen. Aber gerade als Deborah das Thema wechseln wollte, begann China zu erzählen.

»Am Anfang war es hart. Man wartet keine dreizehn Jahre darauf, dass ein Mann sich für einen entscheidet. Das ist viel zu lang. Ich glaube, irgendwie hab ich immer gewusst, dass es mit uns nichts werden würde. Aber ich hab eben so lang gebraucht, um den Mut zu finden, Schluss zu machen. Ich hatte Angst vor dem Alleinsein. Was mache ich ganz allein an Silvester? Wer schickt mir am Valentinstag Blumen? Wie verbringe ich den vierten Juli? Man muss sich mal vorstellen, wie viele Beziehungen wahrscheinlich nur aufrechterhalten werden, damit die Leute die Feiertage nicht allein verbringen müssen.« China schob den Teller mit ihrem Stück Guernsey Gâche mit einem kleinen Schauder von sich weg. »Ich kann das nicht essen. Tut mir Leid.« Dann sagte sie: »Tja, jetzt muss ich mich um Wichtigeres sorgen als Matt Whitecomb. Warum ich jahrelang versucht habe, aus einer tollen sexuellen Beziehung eine Ehe samt Häuschen mit Garten und niedlicher Kinderschar rauszukitzeln, darüber kann ich nachdenken, wenn ich alt bin. Jetzt muss ich erst mal – Es ist schon komisch, wie das manchmal läuft. Wenn ich nicht hier säße und Angst haben müsste, ins Gefängnis zu wandern, würde ich jetzt vielleicht darüber grübeln, warum ich so lange gebraucht habe, um zu erkennen, wie Matt wirklich ist.«

»Wie denn?«

»Er ist ein riesiger Feigling. Ich hatte es dauernd vor der Nase, aber ich wollte es nicht sehen. Nur ein Ton davon, dass vielleicht was Dauerhafteres als immer nur Wochenenden und Kurzurlaube ganz schön wäre, und schon war er weg. Eine unerwartete Geschäftsreise. Ein Haufen Arbeit zu Hause. Bedenkzeit. Wir haben uns in den dreizehn Jahren so oft getrennt, dass die Beziehung anfing, so was wie ein wiederkehrender Albtraum zu werden. In dieser Beziehung ging's allmählich nur noch um die Beziehung, verstehst du? Stundenlang wurde darüber geredet, warum wir Schwierigkeiten haben, warum ich das eine will und er das andere, warum er abhaut und ich klammere, warum er das Gefühl hat, zu ersticken, und ich mir verlassen vorkomme. Wieso, zum Teufel, haben Männer solche Angst davor, sich einzulassen?« China ergriff ihren Löffel und rührte ihren Tee um. Sie sah Deborah an. »Du bist wahrscheinlich nicht die Richtige für diese Frage. Du hast ja in dieser Hinsicht nie Probleme gehabt.«

Deborah kam nicht dazu, ihr die Tatsachen ins Gedächtnis zu rufen, dass sie während ihres dreijährigen Aufenthalts in Amerika von Simon völlig getrennt gewesen war. Ein Klopfen an der

Wohnungstür hinderte sie daran. Mit einem Matchsack über der Schulter kam Cherokee herein.

Er stellte den Sack ab und sagte: »Ich bin raus aus dem Hotel, Chine. Ich lass dich doch hier nicht allein.«

»Es ist aber nur ein Bett da.«

»Dann schlaf ich auf dem Boden. Du brauchst Familie um dich, und die bin ich.«

Keine Widerrede, sagte sein Ton.

China seufzte. Sie sah nicht erfreut aus.

Die Kanzlei von China Rivers Anwalt befand sich in der New Street, nicht weit vom Royal Court House, dem Justizgebäude, entfernt. Chief Inspector Le Gallez hatte den Anwalt angerufen, um ihm den Besuch von St. James anzukündigen, und dieser musste keine fünf Minuten warten, als ihn die Sekretärin in das Büro ihres Chefs führte.

Roger Holberry wies einladend zu einem der drei Sessel, die sich um einen kleinen Tisch gruppierten, und nachdem die beiden Männer sich gesetzt hatten, teilte St. James dem Anwalt die Fakten mit, die er von Le Gallez erhalten hatte. Er wusste, dass Holberry bereits im Besitz dieser Fakten war, doch um festzustellen, ob Le Gallez ihm vielleicht dies oder jenes unterschlagen hatte, mussten sie ihre Informationen vergleichen. Nur so ließen sich eventuelle Lücken finden und schließen.

Holberry schien nichts gegen eine Zusammenarbeit einzuwenden zu haben. Le Gallez, sagte er, habe ihn bei seinem Anruf über St. James informiert. Der Chief Inspector war nicht glücklich darüber, dass die Verteidigung offenbar Verstärkung bekommen hatte, aber er war ein ehrlicher Mensch und hatte nicht die Absicht, sie bei ihren Bemühungen, China Rivers Unschuld zu beweisen, zu behindern. »Er hat keinen Zweifel daran gelassen, dass Sie seiner Ansicht nach nicht viel werden ausrichten können«, sagte Holberry. »Er ist davon überzeugt, dass seine Beweiskette lückenlos ist.«

»Was für Befunde bezüglich der Leiche haben Sie von der Gerichtsmedizin?«

»Bisher nur das, was die äußere Untersuchung ergeben hat. Unter anderem Ablagerungen unter den Fingernägeln.«

»Keine toxikologischen Befunde? Gewebeanalyse? Organuntersuchungen?«

»Dafür ist es noch zu früh. Die Proben müssen alle nach Großbritannien geschickt werden, und da landen sie erst mal in der Warteschleife. Wie der Tod herbeigeführt wurde, steht allerdings eindeutig fest. Das hat Le Gallez Ihnen sicher gesagt.«

»Ja, durch den Stein.« St. James berichtete dem Anwalt, dass er Le Gallez darauf hingewiesen hatte, wie unwahrscheinlich die Vermutung war, eine Frau könnte einem erwachsenen Mann einen Stein so tief in die Kehle stoßen, dass er daran erstickte. »Und wenn keine Spuren eines Handgemenges festgestellt wurden... Was haben denn die Ablagerungen unter den Fingernägeln ergeben?«

»Nichts, außer ein paar Sandkörnchen.«

»Und am Körper des Toten, was hat man da gefunden? Blutergüsse, Hautabschürfungen oder sonst etwas in dieser Richtung?«

»Wieder nichts«, antwortete Holberry. »Le Gallez weiß, dass er praktisch nichts in der Hand hat. Er verlässt sich vollkommen auf seine Zeugin. Brouards Schwester hat etwas gesehen. Was, das weiß der Himmel. Le Gallez hat es uns bisher nicht verraten.«

»Könnte sie selbst es getan haben?«

»Möglich. Aber unwahrscheinlich. Die Leute, die die beiden kennen, sagen übereinstimmend, dass sie sehr an ihrem Bruder gehangen hat. Sie haben fast ihr ganzes Leben lang zusammengelebt. Sie hat sogar für ihn gearbeitet, als er sein Unternehmen aufbaute.«

»Was ist das für ein Unternehmen?«

»Chateaux Brouard«, sagte Holberry. »Sie haben einen Haufen Geld gemacht und sich in Guernsey niedergelassen, als er sich vom Geschäft zurückzog.«

Chateaux Brouard. St. James hatte von dem Konzern gehört: eine Kette kleiner, exklusiver Hotels, ehemalige Landhäuser, mit

Niederlassungen im gesamten Vereinigten Königreich. Nichts Spektakuläres, Häuser, die geschichtliche Tradition, Antiquitäten, erlesenes Essen und Ruhe boten; das Richtige für Leute, die Ungestörtheit und Anonymität suchten, Schauspieler, die sich dem Medienrummel einmal ein paar Tage lang entziehen wollten, und Politiker mit heimlichen Affären. Das Unternehmen Chateaux Brouard hielt sich streng an den Grundsatz, dass Diskretion die Mutter des geschäftlichen Erfolgs ist.

»Sie sagten, sie wolle vielleicht jemanden schützen«, bemerkte St. James. »Wer könnte das sein?«

»Als Erster fällt mir da der Sohn ein, Adrian.« Holberry erklärte, dass auch Guy Brouards siebenunddreißigjähriger Sohn Adrian in der Nacht vor dem Mord Gast im Haus seines Vaters gewesen war. Weiter, meinte er, wäre das Ehepaar Duffy zu nennen, Valerie und Kevin, die seit dem Tag, an dem Brouard sich auf dem Besitz niedergelassen hatte, praktisch zum Inventar von *Le Reposoir* gehörten.

»Ruth Brouard könnte für jeden dieser Leute lügen«, sagte Holberry. Sie sei bekannt für ihre Loyalität zu den Menschen, die ihr nahe standen. Und zumindest von den Duffys sei umgekehrt die gleiche Loyalität zu erwarten. »Ruth und Guy Brouard waren beliebt. Er hat hier auf der Insel viel Gutes getan und nie mit seinem Geld gegeizt. Und sie ist seit Jahren bei den Samaritern aktiv.«

»Menschen also, die allem Anschein nach keine Feinde hatten«, bemerkte St. James.

»Tödlich für die Verteidigung«, sagte Holberry. »Aber an dieser Front ist noch nicht alles verloren.«

Beim zufriedenen Ton seiner Stimme horchte St. James auf. »Sie haben etwas entdeckt.«

»Mehrere Dinge, ja«, bestätigte Holberry. »Sie können sich als bedeutungslos erweisen, aber man muss ihnen nachgehen, denn die Polizei hat sich von Anfang an für niemand anderen als die Geschwister River ernsthaft interessiert.«

Er berichtete von einer engen Beziehung zwischen Guy Brouard und einem sechzehnjährigen Jungen, Paul Fielder, der in einem

Viertel namens Le Bouet am falschen Ende der Stadt lebte. Brouard hatte sich im Rahmen eines städtischen Programms zur Förderung benachteiligter Jugendlicher durch erwachsene Gemeindemitglieder mit Paul Fielder angefreundet, der ihm als Schützling zugeteilt worden war. Er hatte Paul praktisch adoptiert, wovon die Eltern des Jungen vermutlich nicht unbedingt begeistert gewesen waren, ebenso wenig wie wahrscheinlich Brouards leiblicher Sohn. Da konnte es leicht zu Ausbrüchen negativer Gefühle gekommen sein, vor allem von Eifersucht, und wozu Eifersucht manchen führen konnte, das wusste man ja.

Weiter sei da dieses Fest gewesen, das Guy Brouard am Vorabend seines Todes veranstaltet hatte, fuhr Holberry fort. Alle Welt hatte seit Wochen gewusst, dass es stattfinden würde. Jemand, der Brouard nach dem Leben trachtete und ihn möglichst in einem schwachen Moment überrumpeln wollte – wie zum Beispiel nach einer durchfeierten Nacht –, konnte also im Voraus genau geplant haben, wie der Mord sich am besten bewerkstelligen und einer anderen Person in die Schuhe schieben ließ. Wie schwierig wäre es denn gewesen, heimlich nach oben zu laufen, während die Party in vollem Gang war, und falsche Spuren zu legen, vielleicht sogar mit China Rivers Schuhen zur Bucht hinunterzulaufen und ein oder zwei Abdrücke zu hinterlassen, die die Polizei später finden würde? Ja, dieses Fest und der Mord hätten miteinander zu tun, erklärte Holberry mit Entschiedenheit, und das in mehr als einer Hinsicht.

»Auch diese Geschichte mit dem Museumsarchitekten muss unter die Lupe genommen werden«, fuhr er fort. »Was da passiert ist, kam völlig unerwartet und war nicht sauber, so etwas kann nur provozieren.«

»War denn der Architekt an dem Abend da?«, fragte St. James. »Ich dachte, er ist in Amerika.«

»Nicht *der* Architekt. Ich spreche von dem Architekten, der ursprünglich vorgesehen war, ein Mann namens Bertrand Debiere. Er ist von hier und war genau wie alle anderen davon überzeugt, dass er mit seinem Entwurf den Auftrag für Brouards Museumsbau erhalten würde. Warum auch nicht! Brouard hatte ein Modell des Gebäudes und zeigte es seit Wochen jedem, der sich dafür interessierte. Es war Debiers eigene Arbeit. Als Brouard dann auf dem Fest den Namen des Architekten bekannt gab, für den er sich entschieden hatte ...« Holberry zuckte mit den Schultern. »Man kann es Debiere nicht verübeln, dass er glaubte, er wäre der Auserwählte.«

»Rache?«

»Wer kann das sagen? Man sollte meinen, dass die Polizei ihn sich etwas genauer angesehen hätte, aber er ist ein Einheimischer. Also werden sie ihn wahrscheinlich ungeschoren lassen.«

»Weil Amerikaner von Natur aus eher zu Gewalt neigen?«, erkundigte sich St. James. »Schulmassaker, Todesstrafe, jedem seine Waffe und so weiter?«

»Das ist es weniger. Es ist die Art des Verbrechens.« Holberry blickte hoch, als leise quietschend die Tür aufging. Diskret, aber offenkundig entschlossen, für heute Schluss zu machen, trat seine Sekretärin ein, in der einen Hand einen Stapel Briefe, in der anderen einen Kugelschreiber. Sie hatte schon ihren Mantel an und trug die Handtasche am Arm. Holberry nahm ihr die Schriftstücke ab und unterzeichnete eines nach dem anderen, während er weitersprach. »Hier auf der Insel hat es seit Jahren keinen kaltblütigen Mord mehr gegeben. Der Letzte liegt so weit zurück, dass man sich selbst bei der Polizei nicht mehr daran erinnern kann, und das will was heißen. Es hat natürlich Verbrechen aus Leidenschaft gegeben, auch tödliche Unglücksfälle und Selbstmorde. Aber vorsätzlichen Mord? Seit Jahrzehnten nicht.«

Er unterschrieb das letzte Schriftstück, reichte der Sekretärin die Briefe zurück und wünschte ihr gute Nacht. Als sie gegangen war, stand er auf, trat zu seinem Schreibtisch und begann, die Papiere darauf zu ordnen. Einige verstaute er in einem Aktenkoffer, der auf dem Stuhl stand, und sagte dabei: »In Anbetracht dieser Lage der Dinge ist die Polizei leider geneigt, zu glauben, dass ein Einheimischer niemals imstande wäre, ein derartiges Verbrechen zu begehen.«

»Vermuten Sie denn, dass es neben dem Architekten noch andere Kandidaten gibt?«, fragte St. James. »Einheimische, meine ich, die Grund gehabt haben könnten, Guy Brouard den Tod zu wünschen?«

Holberry legte die Papiere aus der Hand, während er sich die Frage durch den Kopf gehen ließ. Draußen wurde eine Tür geöffnet und geschlossen, die Sekretärin auf dem Heimweg. »Meiner Meinung nach«, sagte Holberry, »hat man sich nicht einmal oberflächlich damit befasst, was für eine Position Guy Brouard hier innehatte. Er war der Weihnachtsmann: Hier ein gutes Werk, dort eine Stiftung, ein Anbau für das Krankenhaus, und was brauchen Sie sonst noch? Wenden Sie sich einfach an Mr. Brouard. Er war der Mäzen von einem halben Dutzend Künstlern – Maler, Bildhauer, Glasbildner, Kunstschlosser –, und er bezahlte mehr als einem Jugendlichen das Studium in England. Manche sahen es als Dank an die Gemeinde, die ihn aufgenommen hatte. Aber es würde mich nicht wundern, zu hören, dass andere es anders nennen.«

»Sie meinen, wer Geld nimmt, der muss sich revanchieren?«

»So in der Richtung, ja.« Holberry klappte seinen Aktenkoffer zu. »Wer Geld gibt, erwartet im Allgemeinen eine Gegenleistung, ist es nicht so? Wenn wir den Pfaden von Brouards Geld auf der Insel folgen, werden wir, denke ich, früher oder später dahinter kommen, was als Gegenleistung erwartet wurde.«

# 8

Gleich früh am Morgen sorgte Frank Ouseley dafür, dass eine der Bauersfrauen aus der Rue des Rocquettes ins Tal herunterkommen und nach seinem Vater sehen würde. Er hatte nicht vor, länger als drei Stunden von zu Hause wegzubleiben, aber er war eben nicht ganz sicher, wie lange die Trauerfeier, die Bestattung und der nachfolgende Empfang dauern würden, und sich einen Teil der Zeremonie zu sparen, war undenkbar. Er wollte seinen Vater auf keinen Fall längere Zeit allein lassen, deshalb telefonierte er herum, bis er eine mitleidige Seele fand, die versprach, ein- oder zweimal mit dem Fahrrad herunterzukommen. »Mit einer süßen Überraschung für Ihren Dad. Er isst doch gern mal was Süßes, nicht?«

Das sei nicht nötig, hatte Frank versichert. Aber wenn sie seinem Vater unbedingt eine Freude machen wolle – er möge am liebsten etwas mit Äpfeln.

Fuji, Braeburn, Pippin?, fragte die Frau.

Das mache wirklich keinen Unterschied. Tatsache war, dass sie ihm einen gebackenen Klumpen Sägemehl als Apfelstrudel hätte unterjubeln können. Sein Vater hatte zu seiner Zeit weit Schlimmeres gegessen und überlebt, um es seither zum allgemeinen Gesprächsthema zu machen. Frank hatte den Eindruck, dass sein Vater mit dem nahenden Lebensende immer häufiger von der fernen Vergangenheit sprach. Vor einigen Jahren, als das angefangen hatte, war es Frank ganz recht gewesen, denn bis dahin hatte sich Graham Ouseley, trotz seines ausgeprägten Interesses am Zweiten Weltkrieg im Allgemeinen und der Besatzung Guernseys im Besonderen, mit Berichten über eigene Leiden und Verdienste in dieser schrecklichen Zeit auf bewundernswerte Weise zurückgehalten. Franks diesbezügliche Fragen hatte er stets mit den Worten: »Es ging nicht um mich, mein Junge, es ging um uns alle« abgewehrt, und Frank hatte es schätzen gelernt, dass sein Vater es nicht nötig hatte, sich mit Erzählungen aufzuplustern, in denen er die Hauptrolle spielte. Aber als ahnte er, dass der Tod näher rückte, und als wollte er seinem einzigen Sohn ein Vermächtnis der Erinnerung hinterlassen, hatte Graham begonnen, ins Detail zu gehen. Und als dieser Prozess einmal ins Rollen gekommen war, schienen die Kriegserinnerungen kein Ende nehmen zu wollen.

An diesem Morgen hatte Graham einen Monolog über den Peilwagen losgelassen, den die Nazis benutzt hatten, um die letzten Kurzwellensender zu orten, mit denen die Inselbewohner sich Informationen von den so genannten Feinden holten, vor allem von den Franzosen und Engländern. »Der Letzte, den sie erwischt haben, ist in Fort George erschossen worden«, berichtete Graham. »So ein armes Schwein aus Luxemburg. Es heißt, dass sie ihn mit dem Peilwagen erwischt haben, aber wenn du mich fragst, ist er hingehängt worden. Denunzianten hat's genug gegeben, Schweine, die sich an die Deutschen verkauft haben, und Spitzel. Kollaborateure, Frank, die andere, ohne mit der Wimper zu zucken, ans Messer geliefert haben. In der Hölle sollen sie braten.«

Danach ließ er sich über die »V« – die Victory-Kampagne – aus und erzählte von den vielen, vielen Orten auf der Insel, wo auf gar nicht so geheimnisvolle Weise sich plötzlich der zweiundzwanzigste Buchstabe des Alphabets zeigte: in Kreide, in Malerfarbe, in noch feuchtem Zement und immer zur ohnmächtigen Wut der Nazis.

Und zum Schluss kam G.I.F.T. – *Guernsey Independent From Terror* – an die Reihe, Graham Ouseleys persönlicher Beitrag zum Widerstand. Das Jahr, das er im Gefängnis verbrachte, hatte er der Veröffentlichung dieses Nachrichtenblatts zu verdanken. Neunundzwanzig Monate lang schafften er und zwei Gleichgesinnte es, das Blatt zu verbreiten, ehe die Gestapo bei ihm an die Tür klopfte. »Ich bin angezeigt worden«, sagte Graham zu seinem Sohn. »Genau wie diese Amateurfunker. Vergiss eines nie: Wenn's hart auf hart geht, geben die Feiglinge klein bei. Es ist immer das Gleiche. Die Leute werden zu Verrätern, wenn sie was für sich rausschlagen können. Aber wir werden dafür sorgen, dass sie am Ende büßen. Es kann lang dauern, aber sie werden bezahlen.«

Als Frank ging, sprach sein Vater, der es sich mittlerweile vor dem Fernsehapparat bequem gemacht hatte, um seine erste Soap des Tages nicht zu verpassen, immer noch über dieses Thema. Frank erklärte ihm, dass Mrs. Petit in der nächsten Stunde nach ihm sehen würde, weil er selbst in einer dringenden geschäftlichen Angelegenheit nach St. Peter Port müsse. Von der Beerdigung sagte er nichts, weil er Guy Brouards Tod noch immer nicht erwähnt hatte.

Zum Glück fragte sein Vater nicht, was das denn für eine geschäftliche Angelegenheit sei. Ein Crescendo dramatischer Musik aus dem Fernsehapparat verlangte seine Aufmerksamkeit, und sofort war er gefesselt von der Szene auf dem Bildschirm, in der zwei Frauen, ein Mann, eine Art Terrier und eine intrigante Schwiegermutter vorkamen. Frank nutzte die Gelegenheit und ging.

Es gab auf der Insel keine Synagoge für die kleine, hier ansässige jüdische Gemeinde, deshalb hatte man für die Trauerfeier zu Ehren Guy Brouards, obwohl er keiner christlichen Konfession angehört hatte, die Town Church, nicht weit vom Hafen von St. Peter Port, gewählt. Die Martinskirche, zu deren Gemeinde *Le Reposoir* eigentlich gehörte, hielt man für zu klein, um den vielen Trauernden, die in Anbetracht der Bedeutung des Toten und seiner großen Beliebtheit auf der Insel erwartet wurden, Platz zu bieten. Nahezu zehn Jahre hatte er hier gelebt und war den Einheimischen so ans Herz gewachsen, dass nicht weniger als sieben Geistliche die Trauerfeierlichkeiten für ihn zelebrierten.

Frank schaffte es in letzter Minute, ein wahres Wunder in Anbetracht der Parksituation in der Stadt. Aber die Polizei hatte beide Parkplätze am Albert-Pier für die Trauergäste reserviert, und wenn auch Frank nur am hintersten Ende eine Lücke fand, gelang es ihm dank flotter Gangart gerade noch, vor dem Sarg und der Familie in die Kirche hineinzuhuschen.

Adrian Brouard hatte sich zum Ersten Leidtragenden ernannt, sein gutes Recht, denn er war ja Guy Brouards ältester Nachkomme und einziger Sohn. Aber natürlich wusste jeder, der mit Guy Brouard befreundet gewesen war, dass es zwischen Vater und Sohn seit drei Monaten keinerlei Kommunikation mehr gegeben hatte; und was vor dieser Kälteperiode an Kommunikation stattgefunden hatte, war vor allem durch Machtkämpfe gekennzeichnet gewesen. Wahrscheinlich, vermutete Frank, hatte die Mutter Adrians bei dessen Aufstellung unmittelbar hinter dem Sarg kräftig die Hand im Spiel gehabt. Und um dafür sorgen zu können, dass er blieb, wo er war, hatte sie sich direkt hinter ihm platziert.

Die arme Ruth kam erst an dritter Stelle, gefolgt von Anaïs Abbott mit ihren zwei Kindern, die es irgendwie geschafft hatte, sich zu dieser Gelegenheit in die Familie hineinzudrängen. Ruth selbst hatte wahrscheinlich einzig die Duffys gebeten, sie auf diesem schweren Gang zu begleiten, aber Valerie und Kevin waren noch hinter die Abbotts verbannt worden und vermochten es nicht, ihr von dieser Stelle aus Trost zu spenden. Frank hoffte, ein wenig werde sie wenigstens die große Zahl von Trauergästen trösten, die gekommen waren, um ihrer Zuneigung zu ihr und ihrem Bruder – Freund und Wohltäter so vieler Menschen – Ausdruck zu verleihen.

Frank selbst hatte den längsten Teil seines Lebens die Freundschaft mit anderen gemieden. Was er brauchte, war durch die Beziehung zu seinem Vater abgedeckt worden. Von dem Tag an, als seine Mutter im Stausee ertrunken war, hatten er und sein Vater fest zusammengehalten. Frank, der nicht nur Zeuge der verzweifelten Bemühungen seines Vaters geworden war, die Mutter zu retten und wieder zum Leben zu erwecken, sondern auch der schrecklichen Vorwürfe, mit denen dieser sich quälte, weil er meinte, nicht schnell und kompetent genug gehandelt zu haben, hatte sich seinem Vater seither untrennbar verbunden gefühlt. Frank, das Kind, fand, der Vater habe mit seinen vierzig Jahren allzu viel Schmerz und Kummer erlebt, und beschloss, beidem in Zukunft ein Ende zu bereiten. Er hatte dieser Aufgabe einen großen Teil seines Lebens gewidmet, und als er eines Tages Guy Brouard begegnet war, winkte die Aussicht auf eine Männerfreundschaft so verlockend wie der Apfel im Garten Eden. Wie ein Verhungernder hatte er in diesen Apfel hineingebissen, ohne daran zu denken, dass schon ein einziger Biss zur ewigen Verdammnis gereicht hatte.

Die Trauerfeier schien kein Ende zu nehmen. Neben Adrian Brouard, der die Trauerrede stockend von einem dreiseitigen, mit Maschine geschriebenen Konzept ablas, musste auch noch jeder der anwesenden Geistlichen seinen eigenen Vers aufsagen. Die Gemeinde sang die angemessenen Hymnen, und eine Sängerin, die irgendwo in den Höhen der Kirche verborgen war, erhob die Stimme zum getragenen Lebwohl.

Damit war der erste Teil abgeschlossen. Als Nächstes standen die Bestattung und der Empfang auf dem Plan, beide sollten in *Le Reposoir* stattfinden.

Die Wagenkolonne, die zum Herrenhaus aufbrach, war von beeindruckender Länge. Sie zog sich vom Albert-Pier bis weit über die Victoria Marina hinaus den Quay entlang. Im Schritttempo bewegte sie sich unter den mächtigen, winterlich kahlen Bäumen am Fuß des steilen Hangs das *Val des Terres* hinauf. Weiter folgte sie der Straße stadtauswärts, auf der Ostseite das reiche Viertel Fort George mit großen modernen Villen, geschützt hinter hohen Hecken und Toren, und westlich die bescheideneren Wohngebiete der gewöhnlichen Leute: Straßen und Alleen aus dem neunzehnten Jahrhundert, dicht bebaut mit Doppel- und Reihenhäusern im Stil ihrer Zeit, an denen die Jahre sichtlich nicht spurlos vorübergegangen waren.

Kurz bevor der Zug die Gemeindegrenze von St. Martin erreichte, wandte er sich nach Osten. Die Wagen fuhren unter Bäumen auf der schmalen Straße weiter, die in eine noch schmalere überging, auf der einen Seite von einer hohen Steinmauer, auf der anderen von einer Hecke begrenzt.

Weit geöffnet wartete das zweiflügelige Tor zu Guy Brouards Besitz. Der Leichenwagen bog ab, und die Trauergäste folgten. Frank parkte seinen Wagen an der Auffahrt und schlug wie alle anderen um ihn herum den Weg zum Herrenhaus ein.

Ein paar Schritte weiter bekam er Gesellschaft. Direkt neben ihm sagte jemand: »Das ändert alles«, und als er den Kopf hob, sah er Bertrand Debiere an seiner Seite.

Der Architekt sah schlecht aus. Ohnehin zu dünn für seine übermäßige Körpergröße, schien er seit dem Fest in *Le Reposoir* weiter an Gewicht verloren zu haben. Das Weiß seiner Augäpfel war kreuz und quer von feinen roten Äderchen durchzogen, und seine an sich schon hohen Wangenknochen stachen spitz hervor.

»Hallo, Nobby.« Frank nickte zum Gruß. Er gebrauchte den Spitznamen des Mannes ganz selbstverständlich. Er war an der höheren Schule Debieres Geschichtslehrer gewesen, und es war nicht seine Art, große Umstände zu machen, wenn er einen ehemaligen Schüler traf. »Ich hab Sie beim Gottesdienst gar nicht gesehen.«

Wenn es Debiere störte, dass Frank ihn mit seinem Spitznamen angesprochen hatte, ließ er es sich nicht anmerken. Wahrscheinlich aber war es ihm gar nicht aufgefallen, weil alle seine Freunde ihn so nannten. Er sagte: »Oder sind Sie da anderer Meinung?«

»Wie bitte?«

»Dass sich jetzt alles geändert hat. Dass wir zum ursprünglichen Plan zurückkehren müssen. Zu meinem. Wir können nicht erwarten, dass Ruth die Dinge in die Hand nehmen wird. Sie hat von dieser Art von Architektur keine Ahnung, und ich kann mir nicht vorstellen, dass sie große Lust haben wird, sich damit zu beschäftigen.«

»Ach so«, sagte Frank. »Das Museum.«

»Es wird trotzdem gebaut. Das würde Guy so wollen. Aber die Pläne müssen geändert werden. Ich habe mit ihm darüber gesprochen – wissen Sie das vielleicht schon? Ich weiß, wie dick Sie mit Guy waren, da hat er Ihnen sicher erzählt, dass ich ihn mir vorgeknöpft habe. Noch am selben Abend. Nach dem Feuerwerk. Ich hatte mir den Aufriss noch mal angeschaut, und da war deutlich zu erkennen – ich meine, für jeden, der was von Architektur versteht –, dass dieser Kerl aus Kalifornien was hingehauen hat, was vorn und hinten nicht stimmt. Wie nicht anders zu erwarten von jemandem, der sich das Gelände nie angesehen hat. Ganz schön eingebildet, wenn Sie mich fragen. Ich hätte mir das nie erlaubt, und das hab ich Guy auch gesagt. Ich weiß, dass ich ihn schon fast überzeugt hatte, Frank.«

Debieres Stimme war drängend. Frank warf ihm einen Blick zu, während sie dem Zug der Trauergäste folgten, der sich zum Westflügel des Hauses hin bewegte. Er sagte nichts, obwohl er Debiere ansah, dass dieser seine Zustimmung erwartete. Der feine Schweißfilm auf seiner Oberlippe verriet ihn.

»Diese vielen Fenster, Frank«, fuhr Debiere fort. »Als gäbe es bei St. Saviour's einen tollen Blick oder so was, den wir mit einbeziehen müssen. Er hätte gewusst, dass von so was nicht die Rede sein kann, wenn er sich mal hierher bemüht hätte, um sich das Gelände anzuschauen. Und wenn man sich überlegt, wie viel man heizen muss bei diesen ganzen verdammten Riesenfenstern. Es wird ein Vermögen kosten, das Haus auch außerhalb der Saison geöffnet zu lassen, wenn das Wetter schlecht ist. Sie wollen es doch sicher das ganze Jahr durch offen halten, nicht wahr? Wenn es mehr für die Leute hier gedacht ist als für die Touristen, dann muss es auch zu Zeiten geöffnet sein, zu denen die Einheimischen kommen. Mitten im Sommer, wenn hier alles voll ist, tun sie das bestimmt nicht. Meinen Sie nicht auch?«

Frank wusste, dass er irgendetwas sagen musste. Schweigen wäre seltsam gewesen. Er sagte deshalb: »Geben Sie Acht, dass Sie das Pferd nicht vom Schwanz her aufzäumen, Nobby. Ich denke, man sollte vorläufig erst mal abwarten.«

»Aber Sie sind doch ein Verbündeter, oder?«, fragte Debiere. »F-frank, Sie s-sind doch auf m-meiner Seite?«

Das plötzliche Stottern verriet die hochgradige ängstliche Erregung. So war es schon in der Schule gewesen, wenn er aufgerufen und unvorbereitet ertappt wurde. Debiere hatte infolge seines Sprachfehlers immer verletzlicher gewirkt als seine Kameraden; er hatte etwas Rührendes an sich gehabt; dieses Handicap, das ihm nicht erlaubte, seine Gefühle zu verbergen, wie andere das taten, verdammte ihn auch zur Aufrichtigkeit um jeden Preis.

Frank sagte: »Es geht hier nicht um Verbündete und Gegner, Nobby. Diese ganze Geschichte hier« – er machte eine Kopfbewegung zum Haus, die sich auf all das bezog, was dort vorgegangen war, die Entscheidungen, die gefällt, und die Träume, die zerstört worden waren – »geht mich nichts an. Ich hatte gar nicht die Möglichkeiten, um da mitzureden. Jedenfalls nicht in der Weise, wie Sie sich das vielleicht vorstellen.«

»A-aber er hatte sich für m-mich entschieden, Frank, das wissen S-sie doch auch. Für meinen Entwurf. M-meinen Plan. Und ich – ich – F-frank, ich br-brauche diesen A-A-A-Auftrag.« Er spie das letzte Wort aus. Sein Gesicht war schweißnass vor Anstrengung. Er war lauter geworden, und mehrere Leute auf dem Weg zur Begräbnisstätte sahen neugierig zu ihnen herüber.

Frank trat aus der Prozession heraus und zog Debiere mit sich. Der Sarg wurde, seitlich am Wintergarten vorbei, in Richtung des Skulpturengartens nordwestlich am Haus vorbeigetragen. Wie passend, dachte Frank, als er das sah – Guy im Tod von den

Künstlern umgeben, die er im Leben so großzügig unterstützt hatte.

Er zog Debiere an der Front des Wintergartens entlang, bis sie außer Sicht der Trauergäste waren. »Es ist zu früh, um in dieser Sache irgendetwas zu sagen, Nobby. Wenn in seinem Testament keine entsprechende Verfügung –«

»In seinem Testament ist kein Architekt genannt«, fiel Debiere ihm ins Wort. »Darauf können Sie sich verlassen.« Er tupfte sich das Gesicht mit einem Taschentuch ab und schien in dieser kleinen Verschnaufpause auch die Kontrolle über seine Zunge wiederzugewinnen. »Wenn er genug Zeit zur Überlegung gehabt hätte, wäre Guy zu den ursprünglichen Plänen zurückgekehrt, Frank, glauben Sie mir. Sie wissen doch, wie loyal er der Insel gegenüber war. Die Vorstellung, dass er einen Architekten wählen würde, der nicht aus Guernsey kommt, ist absurd. Das hätte er früher oder später erkannt. Jetzt kommt es nur darauf an, dass wir uns zusammensetzen und überzeugende Gründe dafür finden, den Architekten zu wechseln. Und das dürfte ja wohl nicht schwierig sein. Wir brauchen uns nur die Pläne vorzunehmen, und ich kann Ihnen innerhalb von zehn Minuten alles aufzeigen, was an seinem Entwurf problematisch ist. Es geht nicht nur um die Fenster, Frank. Dieser Amerikaner hat ja nicht einmal eine Vorstellung davon, um was für eine Art Sammlung es sich handelt.«

»Aber Guy hatte sich entschieden«, widersprach Frank. »Es wäre eine Missachtung seines Andenkens, sich nicht an seine Entscheidung zu halten, Nobby. Nein, sagen Sie jetzt nichts. Hören Sie mir einen Moment zu. Ich verstehe, dass Sie enttäuscht sind. Ich weiß, Guys Wahl sagt Ihnen nicht zu. Aber die Entscheidung lag bei Guy, und wir müssen mit ihr leben.«

»Guy ist tot.« Debiere unterstrich jede Silbe mit einem Faustschlag in seine offene Hand. »Ganz gleich, welche Architektur für den Bau er gewählt hat, wir können jetzt das Museum so erbauen, wie wir es für richtig halten. *Und* wie es am zweckmäßigsten ist. Das ist Ihr Projekt, Frank. War es von Anfang an. Sie besitzen die Ausstellungsstücke. Guy wollte Ihnen lediglich ein Haus für sie geben.«

Er war seiner absonderlichen Erscheinung und Sprache zum Trotz sehr überzeugend. Unter anderen Umständen hätte Frank sich vielleicht zu seiner Auffassung bekehren lassen. Doch in der gegebenen Situation musste er fest bleiben. Sonst würde es einen Skandal geben.

»Ich kann Ihnen nicht helfen, Nobby«, sagte er. »Es tut mir Leid.«

»Aber Sie könnten mit Ruth reden. Auf Sie hört sie.«

»Das kann sein, aber ich wüsste ehrlich gesagt nicht, was ich sagen sollte.«

»Ich würde Sie instruieren. Ich würde Ihnen vorher erläutern, was Sie sagen müssen.«

»Wenn Sie das so genau wissen, dann sprechen Sie selbst mit ihr.«

»Aber auf mich hört sie doch nicht. Jedenfalls lang nicht so wie auf Sie.«

Frank breitete die Hände aus. »Es tut mir Leid, Nobby. Wirklich. Was kann ich noch sagen?«

Nobby, dem das letzte Fell weggeschwommen war, sah niedergeschlagen aus. »Sie könnten sagen: Es tut mir leid, Nobby, ich werde etwas tun, um die Dinge zu ändern. Aber das ist Ihnen wahrscheinlich zu viel, Frank.«

Tatsächlich war es zu wenig, dachte Frank. Eben weil sich die Situation geändert hatte, standen sie da, wo sie in diesem Moment standen.

St. James bemerkte, wie die beiden Männer sich aus der Prozession zur Begräbnisstätte lösten. Er sah, wie intensiv sie miteinander sprachen, und nahm sich vor, herauszufinden, wer sie waren. Zunächst aber folgte er den übrigen Trauergästen auf ihrem Weg.

Deborah ging neben ihm. Ihre Schweigsamkeit den ganzen Morgen über sagte ihm, dass das Gespräch, das sie beim Frühstück geführt hatten, sie immer noch belastete. Es war eine jener sinnlosen Auseinandersetzungen gewesen, bei der nur einer der Streitenden versteht, worum es eigentlich geht. Und der war unglücklicherweise nicht er gewesen. Er hatte lediglich bei Deborah angefragt, ob sie es für vernünftig halte, sich zum Frühstück nur gegrillte Tomaten und Champignons zu bestellen, woraufhin sie mit einer Rekapitulation ihrer gesamten gemeinsamen Geschichte antwortete. Das zumindest hatte er am Ende gefolgert, nachdem Deborah ihm vorgeworfen hatte, sie ständig zu »gängeln, als wäre ich unfähig, auch nur einen eigenen Entschluss zu fassen. Ich habe genug davon. Ich bin ein erwachsener Mensch und wäre dir dankbar, wenn du endlich mal anfingst, mich entsprechend zu behandeln.«

Er hatte erstaunt die Augen aufgerissen, dann den Blick auf die Speisekarte gesenkt und sich gefragt, wie es von einem Gespräch über Proteine zu Anklagen wegen herzloser Bevormundung gekommen war. »Wovon redest du, Deborah?«, hatte er törichterweise gefragt, und diese Frage, die zeigte, dass er ihrer Logik nicht hatte folgen können, hatte direkt ins Desaster geführt.

Ein Desaster war es allerdings nur in seinen Augen gewesen. In ihren war es ganz eindeutig ein Moment gewesen, in dem endlich lang vermutete, aber unaussprechliche Wahrheiten über ihre Ehe zutage kamen. Er hatte gehofft, sie würde ihm die eine oder andere Wahrheit auf der Fahrt zur Trauerfeier und danach zur Beerdigung offenbaren, aber das hatte sie nicht getan. So vertraute er nun darauf, dass sich mit dem Verstreichen einiger Stunden die Dinge zwischen ihnen von selbst regeln würden.

»Das muss der Sohn sein«, murmelte ihm Deborah zu. Sie standen hinten in der Trauergemeinde an einem Hang, der sanft zu einer Mauer emporstieg. Innerhalb dieser Mauer und vom Rest des Geländes getrennt, war ein Garten. Wege schlängelten sich zwischen gepflegten Büschen und Blumenbeeten unter Bäumen hindurch, die, jetzt kahl, mit Bedacht so gepflanzt waren, dass sie steinernen Sitzbänken und kleinen Teichen Schatten spendeten. Überall waren moderne Skulpturen zu sehen: eine Granitfigur in zusammengekauerter Haltung; eine Elfe in Kupfer, von Grünspan überzogen, unter den Blättern einer Palme; drei Bronzemädchen mit Schleppen aus Seetang; eine marmorne Nymphe, die eben einem Teich entstieg. Eine erhöhte Terrasse mit einer einsamen Bank unter einer überwachsenen Pergola an ihrem hinteren Ende überblickte die Anlage. Auf dieser Terrasse, zu der fünf Stufen hinaufführten, war das Grab ausgehoben worden, vielleicht damit künftige Generationen, wenn sie den Garten betrachteten, gleichzeitig die letzte Ruhestätte des Mannes vor Augen hatten, der ihn geschaffen hatte.

St. James sah, dass der Sarg schon in die Grube hinuntergelassen worden war, die letzten Gebete waren gesprochen. Eine blonde Frau, die eine Sonnenbrille trug, als befände sie sich bei einer Beerdigung in Hollywood, trieb jetzt den Mann an ihrer Seite an, vorzutreten. Als sie mit Worten nichts erreichte, versetzte sie ihm einen kleinen Stoß in Richtung zum Grab. In dem Erdhaufen daneben wartete eine mit schwarzen Bändern geschmückte Schaufel.

St. James stimmte Deborah zu: Das musste der Sohn sein, Adrian Brouard, der Einzige, der, neben Ruth Brouard und den Geschwistern River, am Vorabend der Ermordung seines Vaters im Haus gewohnt hatte.

Brouard verzog gereizt den Mund. Er wehrte seine Mutter ab und näherte sich dem Erdhaufen. Vom ehrfürchtigen Schweigen der Menge begleitet, nahm er eine Schaufel voll Erde und kippte sie auf den Sarg hinunter. Der dumpfe Aufprall, als die Erde das Holz traf, klang wie das Echo einer zufallenden Tür.

Adrian Brouard folgte eine Frau, die etwas Vogelähnliches hatte und so schmächtig war, dass man sie von hinten leicht für einen pubertären Knaben hätte halten können. Sie reichte die Schaufel feierlich an Adrian Brouards Mutter weiter, der, nachdem sie ihre Pflicht getan hatte, die Schaufel von einer dritten Frau aus der Hand gerissen wurde, noch ehe sie diese wieder in den Erdhaufen stoßen konnte.

Rund um das Grab erhob sich Gemurmel, und St. James sah sich die Frau genauer an. Unter dem riesigen schwarzen Hut, den sie trug, war von ihrem Gesicht kaum etwas zu erkennen, aber es war immerhin zu sehen, dass sie eine tolle Figur hatte, die sie mit einem engen anthrazitgrauen Kostüm zusätzlich zur Geltung brachte. Nachdem auch sie ihr Häufchen Erde in die Grube geworfen hatte, übergab sie die Schaufel einem linkischen jungen Mädchen mit hängenden Schultern. Sie erwies dem Toten ihre Reverenz und wollte die Schaufel dann einem Jungen reichen, der etwa in ihrem Alter und seinem Aussehen nach vermutlich ihr Bruder war. Doch anstatt nun seinerseits dem Ritual Genüge zu tun, wandte sich der Junge plötzlich mit einer heftigen Bewegung ab und drängte sich zwischen den Trauergästen hindurch.

Neuerliches Gemurmel erhob sich.

»Was hat das denn zu bedeuten?«, fragte Deborah leise.

»Tja, das sollte man sich auf jeden Fall näher ansehen«, antwortete St. James. Er erkannte die Gelegenheit, die sich ihm durch das Verhalten des Jungen bot. »Meinst du, du kannst ihm mal auf den Zahn fühlen, Deborah? Oder möchtest du lieber zu China zurück?«

Er hatte Deborahs Freundin noch immer nicht kennen gelernt und war nicht sicher, ob er sie überhaupt kennen lernen wollte, wenn er auch den Grund für sein Widerstreben nicht zu fassen bekam. Aber er wusste, dass ein Zusammentreffen unvermeidlich war, und redete sich deshalb ein, er wolle ihr etwas Positives mitteilen können, wenn es so weit war. Bis dahin jedoch sollte Deborah jederzeit die Freiheit haben, ihre Freundin zu besuchen. Sie hatte das heute noch nicht getan, und die beiden Amerikaner fragten sich vermutlich, was ihre Londoner Freunde inzwischen erreicht hatten.

Cherokee hatte schon früh am Morgen angerufen, um zu hören, was St. James bei der Polizei erfahren hatte. Er hatte auf St. James' mageren Bericht in bemüht heiterem Ton geantwortet, ein Zeichen dafür, dass seine Schwester in der Nähe war. Am Ende des Gesprächs erklärte er, er habe vor, zu der Beerdigung zu gehen. Er beharrte auf seinem Entschluss, an der »action«, wie er es formulierte, teilzunehmen, und ließ sich erst davon abbringen, als St. James taktvoll darauf hinwies, dass seine Anwesenheit einen unnötigen Eklat auslösen könnte, der es dem wahren Mörder vielleicht gestatten würde, in der Menge unterzutauchen. Gut, dann werde er eben warten, was sie herausfänden, sagte er. Und China würde ebenfalls warten.

»Du kannst zu ihr fahren, wenn du möchtest«, sagte St. James jetzt zu seiner Frau. »Ich schaue mich hier noch ein bisschen um. Ich finde sicher jemanden, der mich später wieder mit in die Stadt zurücknimmt.«

»Ich bin nicht nach Guernsey gekommen, um herumzusitzen und Chinas Händchen zu halten«, erwiderte Deborah.

»Ich weiß. Deshalb –«

Sie ließ ihn nicht aussprechen. »Ich werde sehen, was ich aus ihm herausbekommen kann, Simon.«

St. James blickte ihr nach, als sie in Richtung des Jungen davonging. Er seufzte und fragte sich, warum die Kommunikation mit Frauen – besonders mit seiner Ehefrau – häufig dadurch ausgezeichnet war, dass man über die eine Sache sprach und dabei krampfhaft versuchte, den Subtext zu lesen, der sich auf eine ganz andere Sache bezog. Und er dachte darüber nach, wie seine Unfähigkeit, Frauen zu verstehen, sich auf seine Tätigkeit hier in Guernsey auswirken würde, da es ja immer mehr so aussah, als hätte Guy Brouard im Leben wie im Tod eine Menge mit Frauen zu tun gehabt.

Als Margaret Chamberlain gegen Ende des Empfangs den Fremden mit dem lahmen Bein auf Ruth zugehen sah, wusste sie, dass er nicht wegen der Trauerfeier da war. Er hatte ihrer Exschwägerin am Grab nicht kondoliert wie alle anderen, sondern hatte den nachfolgenden Empfang dazu genutzt, um auf eine Art, die etwas Taxierendes an sich hatte, gemächlich sämtliche geöffneten Räume zu durchwandern. Margaret hatte trotz des Hinkens und der Beinschiene zuerst vermutet, er wäre vielleicht ein Einbrecher, aber als er sich schließlich Ruth vorstellte – ihr sogar eine Karte überreichte –, begriff sie, dass er etwas ganz anderes war. Und seine Anwesenheit musste mit Guys Tod zu tun haben. Oder mit der Aufteilung seines Vermögens, über die man ihnen nun, sobald der letzte Trauergast gegangen war, endlich reinen Wein einschenken würde.

Ruth hatte nicht früher mit Guys Anwalt sprechen wollen. Es war, als wüsste sie, dass schlechte Nachrichten zu erwarten waren, die sie allen ersparen wollte. Allen oder einem, dachte Margaret. Die Frage war nur, wem.

Sollte sich herausstellen, dass Adrian derjenige war, den sie schonen wollte, dass Guy also tatsächlich seinen einzigen Sohn enterbt hatte, so würde sie – Margaret – dafür sorgen, dass es einen Riesenskandal gab. Sie würde ihre ehemalige Schwägerin vor Gericht zerren und sämtliche schmutzige Wäsche waschen, die es zu waschen gab. Natürlich würde Ruth alle möglichen Begründungen für die Entscheidung ihres Bruders vorbringen, aber die sollten nur *versuchen*, ihr vorzuwerfen, sie hätte die Beziehung zwischen Vater und Sohn untergraben; die sollten nur einen einzigen Versuch unternehmen, sie als diejenige hinzustellen, die schuld war, dass Adrian leer ausgegangen war ... Sie würden sich wundern, wenn sie die Gründe dafür nannte, warum sie ihren Sohn nicht zu seinem Vater gelassen hatte. Jeder dieser Gründe hatte einen Namen und einen Titel, allerdings keinen von der Art, der in den Augen der Öffentlichkeit so etwas wie ein Freibrief für mehr oder weniger ernste Verfehlungen war: Danielle, die Stewardess; Stephanie, die Stripperin; MaryAnn, die Hundefriseurin; Lucy, das Zimmermädchen.

*Das* waren die Gründe, warum Margaret den Sohn vom Vater fern gehalten hatte. Was wäre das für ein Beispiel für den Jungen gewesen?, könnte sie jedem erwidern, der meinte, ihr Handeln in Frage stellen zu müssen. Wäre dies das richtige Rollenvorbild für einen Jungen im Alter von acht, zehn oder fünfzehn Jahren gewesen? Wenn der Vater ein Leben führte, das längere Aufenthalte seines Sohnes bei ihm verbot, war das dann die Schuld des Sohnes? Und sollte ihm jetzt vorenthalten werden, was ihm durch Blutsbande zustand, nur weil die Kette der Geliebten seines Vaters im Lauf der Jahre niemals abgerissen war?

Nein. Es war ihr gutes Recht gewesen, die beiden einander fern zu halten, ihre Zusammentreffen auf kurze oder vorzeitig abgebrochene Besuche zu beschränken. Adrian war schließlich ein sensibles Kind gewesen, und es war ihre Pflicht als liebende Mutter, ihn zu schützen und nicht den Exzessen seines Vaters auszusetzen.

Sie beobachtete ihren Sohn, der an der Seite des Saals lauerte, in dem sich, von zwei Feuern gewärmt, die an beiden Enden des Raums brannten, einige der Trauergäste eingefunden hatten. Er versuchte offensichtlich, sich unauffällig zur Tür zu schleichen, entweder, um dem Empfang ganz zu entkommen, oder um ins Speisezimmer zu verschwinden, wo auf dem edlen Mahagonitisch ein opulentes Büfett aufgebaut war. Margaret runzelte die Stirn. Das war unmöglich. Er hätte sich unter die Gäste mischen müssen. Anstatt an der Wand entlangzukriechen wie ein Käfer, hätte er ein Auftreten an den Tag legen müssen, wie es dem Spross des reichsten Mannes, den die Kanalinseln je gesehen hatten, entsprach. Wie konnte er mehr vom Leben erwarten als das, was es jetzt war – die Enge des Hauses seiner Mutter in St. Albans –, wenn er sich nicht ein bisschen Mühe gab?

Margaret eilte zur anderen Seite des Saals und fing ihren Sohn an der Tür zum Durchgang ins Speisezimmer ab. Sie hakte sich bei ihm ein und sagte, ohne auf seine Versuche, sie abzuschütteln, zu achten, mit einem Lächeln: »Ach, hier bist du, Darling. Ich brauche dringend jemanden, der mir die Leute zeigt, die ich noch kennen lernen muss. Es wäre natürlich hoffnungslos, sich mit allen bekannt machen zu wollen, aber es sind doch sicher einige wichtige Leute da, die zu kennen für die Zukunft nützlich sein könnte.«

»Was für eine Zukunft?« Adrian versuchte, mit seiner Hand die ihre wegzuschieben, aber sie packte seine Finger und drückte zu und lächelte weiter, als dächte er nicht daran, ihr zu entkommen.

»Deine, natürlich. Wir müssen langsam anfangen, dafür zu sorgen, dass sie gesichert ist.«

»Ach was? Und wie willst du das anstellen, Mutter?«

»Nun, ein Wörtchen hier, ein Wörtchen dort«, erwiderte sie leichthin. »Man kann erstaunlich viel Einfluss nehmen, wenn man weiß, mit wem man reden muss. Dieser düster-romantisch aussehende Mann da drüben, zum Beispiel, wer ist das?«

Statt zu antworten, bemühte sich Adrian, sich von seiner Mutter zu lösen. Aber sie war größer als er – und auch gewichtiger – und hielt ihn fest an Ort und Stelle.

»Darling?«, sagte sie mit strahlender Munterkeit. »Der Mann dort mit den Flicken auf den Ellbogen? Der so ein bisschen wie ein überfütterter Heathcliff aussieht.«

Adrian warf einen flüchtigen Blick auf den Mann. »Das ist einer von Dads Künstlern. Von denen wimmelt's hier nur so. Sie sind alle gekommen, um sich mit Ruth gut zu stellen, für den Fall, dass sie den Löwenanteil geerbt hat.«

»Wo sie sich doch mit dir gut stellen sollten. Sehr seltsam«, kommentierte Margaret.

Er sah sie mit einem Blick an, den sie lieber gar nicht erst deuten wollte. »Also, Mutter, die sind doch nicht dumm.«

»Wieso?«

»Die wissen, dass Dad sein Geld nicht mir –«

»Darling, das spielt überhaupt keine Rolle. Wem dein Vater sein Geld vermachen *wollte* und wer es am Ende bekommt, das sind möglicherweise zwei Paar Stiefel. Der kluge Mann baut vor.«

»Die kluge Frau auch, Mutter?«

Sein Ton war gehässig. Margaret konnte nicht verstehen, womit sie das verdient hatte. Sie sagte: »Wenn wir hier vom letzten Verhältnis deines Vaters mit dieser Mrs. Abbott sprechen, so kann ich, glaube ich, ruhig sagen –«

»Du weißt, verdammt noch mal, genau, dass wir das nicht tun.«

»– dass in Anbetracht des Faibles deines Vaters für jüngere Frauen –«

»Ja, genau, Mutter. Herrgott noch mal, würdest du dir ausnahmsweise mal selbst zuhören?«

Margaret brach verwirrt ab. Sie dachte nach. »Was habe ich denn gesagt? Worüber?«

»Über Dad. Über seine Frauen. Über sein Faible für *jüngere* Frauen. Wie wär's, wenn du zur Abwechslung mal nachdenkst. Ich bin sicher, du wirst es schaffen, zwei und zwei zusammenzuzählen.«

»Was meinst du denn nur, Darling? Ich weiß wirklich nicht –«

»›Nimm sie mit zu deinem Vater, damit sie es mit eigenen

Augen sieht, Darling‹«, zitierte ihr Sohn. »›Das schlägt keine Frau so ohne weiteres aus.‹ Du hattest gesehen, dass Carmel Zweifel bekommen hatte an der Beziehung zu mir, richtig? Wahrscheinlich hast du das sogar erwartet. Und du dachtest, wenn ihr klar würde, wie viel Geld sie zu erwarten hat, wenn sie es geschickt anstellt, dann würde sie bei mir bleiben. Als hätte ich sie dann noch gewollt! Als würde ich sie jetzt noch wollen!«

Ein kalter Hauch streifte Margarets Nacken. »Willst du sagen ...?« Aber sie wusste es schon. Sie blickte sich um und empfand ihr lächelndes Gesicht wie eine Totenmaske. Sie zog ihren Sohn aus dem Saal, führte ihn durch den Flur, am Speisezimmer vorüber in den Anrichteraum und schloss die Tür. Sie mochte nicht daran denken, wohin dieses Gespräch führen würde. Sie *wollte* nicht daran denken. Noch weniger mochte oder wollte sie daran denken, was das Ergebnis dieses Gesprächs vielleicht über die jüngste Vergangenheit aussagen würde. Doch sie konnte nicht mehr aufhalten, was sie selbst ins Rollen gebracht hatte.

»Was willst du mir sagen, Adrian?« Sie lehnte sich mit dem Rücken gegen die Tür, damit er ihr nicht entkommen konnte. Es gab eine zweite Tür – zum Speisezimmer –, aber sie war sicher, dass er nicht dorthin fliehen würde. Zu viele Menschen, wie das Stimmengemurmel verriet. Und er fing an, seine Zuckungen zu bekommen – seine Augen wurden glasig –, Vorboten eines Zustands, in dem er sich vor Fremden gewiss nicht zeigen wollte.

Als er nicht gleich antwortete, wiederholte Margaret ihre Frage. Sie sprach jetzt trotz ihrer Ungeduld in milderem Ton, als sie sah, wie er litt. »Was ist passiert, Adrian?«

»Das weißt du doch«, antwortete er teilnahmslos. »Du weißt, wie er war, also weißt du auch den Rest.«

Margaret umschloss sein Gesicht mit ihren Händen. »Nein«, sagte sie. »Ich kann nicht glauben ...« Sie drückte fester zu. »Du warst sein Sohn. Da hätte er die Grenze gezogen. Du warst sein Sohn.«

»Als hätte das irgendeine Bedeutung gehabt.« Adrian riss sich von ihr los. »Du warst seine Frau. Hatte das vielleicht eine Bedeutung?«

»Aber Guy und *Carmel*? Carmel Fitzgerald? Die nicht fähig war, auch nur einen amüsanten Satz hervorzubringen. An die jede witzige Bemerkung ver–« Margaret brach ab. Sie schaute weg.

»Genau. Und deshalb war sie für mich die perfekte Frau«, sagte Adrian. »Sie kannte keine witzigen Männer, darum war sie für mich leichte Beute.«

»So habe ich das nicht gemeint. So etwas habe ich nie gedacht. Sie ist ein reizendes Mädchen. Du und sie –«

»Ist doch völlig egal, was du gedacht hast. Es ist die Wahrheit. Er hat sofort gesehen, dass sie leicht zu haben war. Dad hat das gesehen, und da musste er natürlich zugreifen. Er hat doch nie eine Gelegenheit verstreichen lassen, schon gar nicht, wenn sie ihm praktisch in den Schoß fiel, Mutter –« Seine Stimme brach.

Das Klappern von Geschirr und Besteck aus dem anschließenden Speisezimmer verriet, dass die Angestellten des Partyservice begonnen hatten, das Büfett abzutragen. Der Empfang näherte sich seinem Ende. Margaret warf einen Blick zu der Tür hinter ihrem Sohn. Sie wusste, dass sie jederzeit gestört werden konnten. Der Gedanke, dass jemand ihn so sehen würde, mit feuchtem Gesicht und zitternden Lippen, war ihr unerträglich. Innerhalb eines Augenblicks war er wieder das Kind und sie die Frau, die sie als seine Mutter immer gewesen war, hin und her gerissen zwischen dem Impuls, ihm zu sagen, er solle sich gefälligst zusammenreißen, bevor jemand sehe, was für ein winselnder Jammerlappen er sei, und dem Wunsch, ihn an ihre Brust zu drücken und zu trösten, während sie seinen Widersachern Rache schwor.

Aber der Gedanke an Rache führte Margaret sehr schnell zu dem Mann zurück, der Adrian heute war. Und das Blut rann ihr eisig durch die Adern, als sie daran dachte, welche Form die Rache vielleicht hier in Guernsey angenommen hatte.

Die Türklinke hinter ihrem Sohn klapperte, die Tür flog auf und traf ihn im Rücken. Eine grauhaarige Frau streckte den Kopf herein, sah Margarets starres Gesicht, sagte: »Oh! Entschuldigung!«, und verschwand wieder. Aber ihr Eindringen war Zeichen genug. Margaret drängte ihren Sohn auf den Flur hinaus.

Sie führte ihn nach oben in ihr Schlafzimmer, froh, dass Ruth sie im Westflügel des Hauses untergebracht hatte, abseits von Guys und ihrem eigenen Zimmer. Hier würden sie und ihr Sohn ungestört sein, und das war es, was sie brauchten – Ungestörtheit.

Sie drückte Adrian auf den Hocker vor ihrem Toilettentisch und nahm eine Flasche Single Malt Whisky aus ihrem Koffer. Ruth war bekanntermaßen knauserig mit Alkohol, und deshalb hatte Margaret ihre eigenen Vorräte mitgebracht. Sie goss volle zwei Fingerbreit Whisky ein und kippte ihn hinunter. Dann goss sie noch einmal ein und reichte das Glas ihrem Sohn.

»Ich mag nichts –«

»Doch, du magst. Das beruhigt die Nerven.« Sie wartete, bis er ihr gehorcht hatte und das geleerte Glas in der Hand hielt. Dann sagte sie: »Bist du ganz sicher, Adrian? Du weißt, er hat gern geflirtet. Vielleicht war es nichts weiter. Hast du sie zusammen gesehen? Hast du –« Es widerstrebte ihr, nach den hässlichen Details zu fragen, aber sie brauchte Fakten.

»Ich brauchte sie gar nicht zusammen zu sehen. Sie war mir gegenüber danach verändert. Ich habe es sofort gemerkt.«

»Hast du ihn darauf angesprochen? Es ihm auf den Kopf zugesagt?«

»Natürlich. Wofür hältst du mich?«

»Und was hat er gesagt?«

»Er hat es bestritten. Aber ich habe ihn gezwungen –«

»Gezwungen?« Sie hielt den Atem an.

»Ich habe gelogen. Ich habe behauptet, sie hätte es zugegeben. Da hat er es auch zugegeben.«

»Und dann?«

»Nichts. Carmel und ich sind nach England zurückgeflogen. Den Rest weißt du.«

»Mein Gott, wie konntest du hierher zurückkommen?«, fragte sie. »Er hatte praktisch vor deiner Nase mit deiner Verlobten geschlafen. Warum bist du –«

»Weil du keine Ruhe gegeben hast, wenn du dich erinnerst«, antwortete Adrian. »Weißt du noch, was du zu mir gesagt hast? Dass er sich so *freuen* würde, mich zu sehen?«

»Aber wenn ich das gewusst hätte, hätte ich doch niemals vorgeschlagen, geschweige denn insistiert... Adrian, um Gottes willen! Warum hast du mir nichts erzählt?«

»Weil ich beschlossen hatte, es zu benutzen«, sagte er. »Ich dachte mir, wenn ihn vernünftige Argumente nicht dazu bringen könnten, mir das Darlehen zu geben, das ich brauchte, dann vielleicht Schuldgefühle. Ich hatte nur leider vergessen, dass Dad gegen Schuldgefühle immun war. Er war gegen alles immun.« Er lächelte. Margaret gefror das Blut in den Adern, als ihr Sohn hinzufügte: »Na ja, gegen *fast* alles, wie sich gezeigt hat.«

# 9

Deborah folgte dem halbwüchsigen Jungen in einigem Abstand. Mit Fremden Gespräche anzuknüpfen, war nicht gerade ihre Stärke, aber sie dachte nicht daran, das Feld zu räumen, ohne es wenigstens versucht zu haben. Ihrem Widerstreben nachzugeben, das hätte nur die Bedenken bestätigt, die Simon bei ihrem Plan geäußert hatte, mit Cherokee – der für ihn offenbar nicht zählte – nach Guernsey zu reisen und China zu helfen. Deshalb war sie doppelt entschlossen, sich nicht von der ihr eigenen Scheu besiegen zu lassen.

Der Junge wusste nicht, dass sie hinter ihm war. Er schien kein festes Ziel zu haben. Nachdem er die Schar der Trauergäste im Skulpturengarten hinter sich gelassen hatte, hielt er auf ein Oval aus frischem grünem Rasen zu, das jenseits eines eleganten Wintergartens am einen Ende des Hauses lag. Am Rand der Rasenfläche sprang er zwischen zwei Rhododendren hindurch und hob vom Boden den dünnen Ast einer Kastanie auf, die in der Nähe einer Gruppe von drei Stallgebäuden stand. Vor dieser Gebäudegruppe bog er plötzlich nach Osten ab. Zwischen Bäumen hindurch konnte Deborah in der Ferne eine Steinmauer erkennen, hinter der sich Wiesen und Felder ausbreiteten. Doch anstatt diesen Weg weiterzuverfolgen – den sichersten, um die Beerdigung und alles, was dazu gehörte, hinter sich zu lassen –, folgte er der gekiesten Straße, die zum Haus zurückführte. Beim Gehen schlug er mit seinem Ast wie mit einer Gerte gegen das üppige Buschwerk an der Auffahrt, die eine Reihe peinlich gepflegter Gärten östlich vom Haus begrenzte. Er betrat keinen dieser Gärten, sondern schlug sich durch die Bäume jenseits des Gebüschs und begann, schneller zu gehen, als er offenbar jemanden hörte, der sich den in diesem Gebiet abgestellten Autos näherte.

Deborah verlor ihn aus den Augen. Unter den Bäumen war es dunkel, und er war von Kopf bis Fuß braun gekleidet und in dieser Umgebung daher schwer zu erkennen. Sie lief einfach in der Richtung weiter, die sie ihn hatte einschlagen sehen, und entdeckte ihn bald wieder auf einem Weg, der zu einer Wiese hinunter abfiel. Etwa in der Mitte der Wiese erhob sich hinter einer Gruppe zarter Ahornbäume das Schindeldach eines Gebäudes, das wie ein japanisches Teehaus aussah. Das Ensemble war von einem kunstvollen, mit kräftigen roten und schwarzen Akzenten versehenen Holzzaun umgeben, den man mit Öl behandelt hatte, um seine ursprüngliche satte Farbe zu erhalten. Es war, wie sie jetzt sah, ein weiterer Garten.

Der Junge überquerte eine zierliche Holzbrücke, die sich über eine Bodenvertiefung schwang. Er warf seine Gerte weg, suchte sich seinen Weg über einige Trittsteine und näherte sich einer Bogenpforte im Zaun. Er stieß sie auf und trat in den Garten. Die Pforte fiel lautlos hinter ihm zu.

Deborah eilte ihm nach, überquerte wie er die Brücke über einen kleinen Graben, in dem man mit Rücksicht darauf, was dort wuchs, graue Steine angeordnet hatte. Als sie zur Pforte kam, bemerkte sie, was sie zuvor nicht gesehen hatte: eine Bronzeplakette, die in das Holz eingelassen war. *A la mémoire de Miriam et Benjamin Brouard, assassinés par les Nazis à Auschwitz. Nous n'oublierons jamais*. Deborah verstand genug, um zu begreifen, dass dies ein Garten des Gedenkens war.

Die Welt, die sie hinter der Pforte erwartete, unterschied sich von allem, was sie bisher von *Le Reposoir* gesehen hatte. Das üppige und ausufernde Wachstum von Büschen und Bäumen war hier durch strenge Ordnung gezähmt. Den Bäumen hatte man einen großen Teil des Laubs genommen, die Büsche waren zu klaren, dem Auge gefälligen Formen geschnitten. Miteinander verschmolzen sie zu einer Komposition, die den Blick zu einer weiteren Bogenbrücke lenkte. Sie überspannte einen großen unregelmäßig geformten Seerosenteich, und jenseits stand das Teehaus, dessen Dach Deborah zuvor gesehen hatte. Eine seiner Türen, nach Art japanischer Privathäuser mit Papier bespannt, war aufgeschoben.

Deborah folgte dem Weg an der Umgrenzung des Gartens entlang und überquerte die Brücke. Unter ihr schwammen große, farbenprächtige Karpfen, vor ihr zeigte sich das Innere des Teehauses, ein einziger Raum, mit einem niedrigen Ebenholztisch ausgestattet, um den herum auf den traditionellen Binsenmatten sechs Sitzkissen lagen.

An der Breitseite des Teehauses zog sich eine tiefe Veranda entlang, zu der man über zwei Stufen gelangte. Deborah versuchte gar nicht erst, unbemerkt zu bleiben, als sie hinaufging. Besser, dachte sie, wenn der Junge sie für einen Trauergast hielt, dem ebenfalls nach einem Spaziergang zumute war, und nicht für jemanden, der ihm absichtlich gefolgt war, um mit ihm zu reden, obwohl er wahrscheinlich gar nicht reden wollte.

Er kniete vor einem Teakschränkchen, das auf der anderen Seite des Teehauses in die Wand eingebaut war. Die Tür stand offen, und er war gerade dabei, einen schweren Papierbeutel aus dem Schränkchen zu nehmen. Deborah sah zu, wie er ihn mühsam herausbugsierte, öffnete, darin herumkramte und einen Plastikbehälter herauszog.

Plötzlich drehte er sich um und sah Deborah. Er zeigte kein Erschrecken beim unerwarteten Anblick der Fremden, sondern sah sie ruhig und offen an. Nach einem Moment richtete er sich auf, ging an ihr vorbei auf die Veranda hinaus und weiter zum Seerosenteich.

Als er an ihr vorüberkam, sah sie, dass in dem Behälter kleine runde Kügelchen waren. Er trug sie ans Wasser, wo er sich auf einem glatten grauen Felsbrocken niedersetzte und eine Hand voll Kügelchen aus dem Behälter nahm, um sie den Fischen zuzuwerfen. Im Wasser wirbelte es augenblicklich in allen Regenbogenfarben.

Deborah sagte: »Macht es dir was aus, wenn ich zuschaue?«

Der Junge schüttelte den Kopf. Er war vielleicht siebzehn Jahre alt, und sein Gesicht war voller Pickel. Er errötete, als sie sich zu ihm auf den Felsen setzte. Eine Weile beobachtete sie schweigend die Fische, die mit gierigen Mäulern nach allem schnappten, was sich auf der Wasseroberfläche bewegte. Sie können froh sein, dachte sie, dass sie hier in diesem geschützten Gewässer leben, wo alles, was sich an der Oberfläche regt, tatsächlich Nahrung ist und nicht Köder.

»Ich mag Beerdigungen nicht«, sagte sie. »Ich glaube, das kommt daher, dass ich bei der ersten noch ziemlich klein war. Meine Mutter ist gestorben, als ich sieben war, und jedes Mal, wenn ich auf einer Beerdigung bin, wird alles wieder lebendig.«

Der Junge sagte nichts, doch die Hand, die das Futter ins Wasser warf, bewegte sich kaum wahrnehmbar langsamer. Davon ermutigt, fuhr Deborah zu sprechen fort.

»Das ist eigentlich merkwürdig, denn damals, als es geschehen war, habe ich es gar nicht so stark empfunden. Man kann natürlich sagen, das käme daher, dass ich nicht verstanden habe, was passiert war. Aber ich habe es verstanden. Ich wusste genau, was es heißt, wenn jemand stirbt: Dass er dann für immer fort ist und ich ihn nie wiedersehe; dass er vielleicht bei Gott und den Engeln ist, jedenfalls an einem Ort, an den ich noch lange, lange nicht komme. O ja, ich wusste, was es heißt. Ich wusste nur nicht, was es alles mit einschließt. Das habe ich erst viel später begriffen, als diese Mutter-Tochter-Geschichten, die sich vielleicht zwischen uns entwickelt hätten, einfach nicht passierten – mit niemandem.«

Noch immer schwieg er. Aber er hielt in der Fütterung der Fische inne und sah nur zu, wie sie nach den Futterklümpchen schnappten. Sie erinnerten Deborah an Menschen, die gesittet an der Bushaltestelle anstehen und sich beim Eintreffen des Busses plötzlich in einen wilden Haufen stoßender Ellbogen, Knie und Regenschirme verwandeln.

Sie sagte: »Sie ist seit fast zwanzig Jahren tot, und ich frage mich noch heute manchmal, wie es gewesen wäre. Mein Vater hat nie wieder geheiratet, ich habe sonst keine Familie, und oft denke ich, wie schön es wäre, wenn es außer uns zwei noch andere gäbe. Wenn meine Eltern, zum Beispiel, mehr Kinder bekommen hätten. Meine Mutter war erst zweiunddreißig, als sie starb, mir, mit meinen sieben Jahren, erschien sie damals uralt, aber heute weiß ich, dass sie noch viele Jahre vor sich gehabt hätte, um weitere Kinder zu bekommen. Schade, dass nichts daraus geworden ist.«

Jetzt sah der Junge sie an. Sie strich sich das Haar aus dem Gesicht. »Entschuldige. Ich rede wohl ein bisschen viel, hm? Das passiert mir manchmal.«

»Möchten Sie auch mal?« Er hielt ihr den Plastikbehälter hin.

»Das ist nett«, sagte sie. »Gern. Danke.« Sie schob die Hand in die Dose, rutschte an den Rand des Felsbrockens und ließ die Kügelchen von ihren Fingern herab ins Wasser tropfen. Die Fische kamen herbeigeschossen, einander rücksichtslos bekämpfend in ihrer Gier. »Sie bringen das Wasser richtig zum Brodeln. Das müssen ja Hunderte sein.«

»Einhundertdreiundzwanzig.« Der Junge sprach leise – Deborah hatte Mühe, seine Worte zu verstehen – und hielt den Blick auf den Teich gerichtet. »Er stockt den Bestand immer wieder auf, weil die Vögel sie jagen. Große Vögel. Manchmal auch eine Möwe, aber die sind meistens nicht stark genug und auch nicht schnell genug. Und die Fische sind clever. Sie verstecken sich. Deshalb ragen die Felsen so weit über das Ufer hinaus: damit sie sich darunter verstecken können, wenn die Vögel kommen.«

»Tja, man muss an alles denken«, sagte Deborah. »Aber dieses Fleckchen hier ist wirklich schön, nicht? Ich bin ein bisschen herumgelaufen, ich wollte weg von dem ganzen Beerdigungsrummel, und da habe ich plötzlich das Teehaus und den Zaun gesehen. Ich dachte, hier würde es sicher ruhig sein. Friedlich. Deshalb bin ich hergekommen.«

»Lügen Sie doch nicht.« Er stellte die Dose mit dem Fischfutter zwischen ihnen auf den Boden, als zöge er eine Grenze. »Ich habe Sie gesehen.«

»Du hast mich –?«

»Ja, Sie sind mir nachgegangen. Ich habe Sie schon hinten bei den Ställen bemerkt.«

»Ah.« Deborah ärgerte sich, so unvorsichtig gewesen zu sein. Und mehr noch ärgerte sie sich darüber, ihrem Mann Recht geben zu müssen. Aber, zum Teufel noch mal, es stimmte nicht, dass dies nicht ihre Sache war, wie Simon zweifellos behaupten würde, und sie war entschlossen, es zu beweisen. »Ich habe dich am Grab beobachtet«, bekannte sie. »Als du die Schaufel nehmen solltest. Ich hatte den Eindruck, du bist völlig – ich dachte – ich meine, ich habe ja auch jemanden verloren, obwohl es schon lange her ist – also dachte ich, du würdest vielleicht – ich sehe ein, das war ziemlich arrogant von mir. Aber es ist schlimm, einen Menschen zu verlieren. Manchmal hilft es, darüber zu sprechen.«

Er packte den Plastikbehälter und kippte die Hälfte des Inhalts ins Wasser, das sofort wieder zu brodeln begann. »Ich brauche über nichts zu sprechen. Schon gar nicht über ihn«, sagte er.

Deborah horchte auf. »War Mr. Brouard ...? Um dein Vater zu sein, war er ein bisschen alt, aber anscheinend gehörst du zur Familie. War er vielleicht dein Großvater?« Sie wartete. Sie war überzeugt, wenn sie nur geduldig genug war, würde es herauskommen, was immer auch ihn so heftig erregte. »Ich bin übrigens Deborah St. James«, sagte sie, um es ihm leichter zu machen. »Ich bin aus London hergekommen.«

»Extra zur Beerdigung?«

»Ja. Ich mag zwar, wie gesagt, Beerdigungen eigentlich nicht. Aber wer mag sie schon?«

Er prustete verächtlich. »Meine Mutter. Die hat's echt drauf. Aber sie hat auch Übung.«

Deborah hielt es für das Klügste, darauf nichts zu sagen. Der Junge würde schon noch erklären, was er meinte, und er tat es, wenn auch indirekt.

Er sagte, er heiße Stephen Abbott, und fügte hinzu: »Ich war auch sieben. Er ist in einen Whiteout geraten. Wissen Sie, was das ist?«

Deborah schüttelte den Kopf.

»Das passiert, wenn eine Wolke runterkommt. Oder der Nebel. Oder was auch immer. Aber es ist echt schlimm. Man kann nichts mehr erkennen, die Hänge nicht, die Skipisten nicht, gar nichts. Rundherum ist alles weiß, der Schnee und die Luft. Man verliert die Orientierung. Und manchmal –« Er wandte sich ab. »Manchmal kommt man darin um.«

»Dein Vater?«, fragte sie. »Das tut mir Leid, Stephen. Wie schrecklich, einen Menschen, den man liebt, auf so eine Art zu verlieren.«

»Sie sagte, er würde schon runterfinden. Er kennt sich aus, hat sie gesagt. Er weiß, was er tun muss. Erfahrene Skifahrer finden sich immer zurecht. Aber es hat zu lange gedauert, und dann kam ein Schneesturm, ein richtiger Blizzard, und er war meilenweit von der Stelle entfernt, wo er eigentlich hätte sein sollen. Sie haben ihn erst nach zwei Tagen gefunden. Er hatte versucht abzusteigen und sich das Bein gebrochen. Und sie sagten – sie sagten, wenn sie nur sechs Stunden früher gekommen wären…« Er schlug mit der Faust in die restlichen Kügelchen, so dass sie aus der Dose auf den Felsen spritzten. »Er wäre vielleicht am Leben geblieben. Aber das hätte *sie* nicht besonders gefreut.«

»Warum nicht?«

»Weil sie dann nicht auf Männerfang hätte gehen können.«

»Ach so.« Deborah konnte es sich vorstellen. Ein Kind verliert den geliebten Vater und erlebt, wie seine Mutter sich danach zuerst dem einen Mann zuwendet und dann dem Nächsten, vielleicht, um sich dem Schmerz nicht stellen zu müssen, den sie nicht ertragen kann, vielleicht auch in dem verzweifelten Bemühen, zu ersetzen, was sie verloren hat. Sie konnte sich vorstellen, wie das auf ein Kind wirken musste: Als hätte die Mutter den Vater nie geliebt.

Sie sagte: »Und Mr. Brouard war einer dieser Männer? Stand deine Mutter deshalb heute am Grab vorn bei der Familie? Das war doch deine Mutter, nicht? Die Frau, die vor dir und dem jungen Mädchen – deine Schwester? – Erde in die Grube geworfen hat?«

»Ja«, antwortete er, »das war meine Mutter.« Er fegte die verstreuten Kügelchen ins Wasser wie weggeworfenen Kinderglauben. »Die blöde Kuh«, nuschelte er. »Diese saublöde Kuh.«

»Warum? Weil sie wollte, dass du so tust, als gehörtest du –«

»Sie glaubt, sie wär so schlau«, unterbrach er. »Sie glaubt, sie wär so eine supergeile Nummer … Klar, Mama, brauchst dich nur hinzulegen, und schon fressen sie dir alle aus der Hand. Bis jetzt hat's zwar nicht hingehauen, aber wenn du's lang genug probierst, wird's schon noch klappen.« Stephen packte den Behälter mit dem Fischfutter, sprang auf und lief ins Teehaus zurück.

Wieder folgte ihm Deborah.

Als sie die Tür erreicht hatte, sagte sie: »Die Menschen tun manchmal die merkwürdigsten Dinge, wenn sie jemanden sehr vermissen, Stephen. Für alle anderen sieht es völlig irrational aus. Gefühllos. Oder auch durchtrieben. Aber wenn es uns gelingt, unsere eigene Sicht mal beiseite zu lassen, und wir versuchen zu verstehen, was hinter diesem Verhalten steckt –«

»Gleich als er tot war, hat sie damit angefangen!« Stephen schob den Beutel mit dem Fischfutter wieder in das Schränkchen und knallte die Tür zu. »Mit einem von der Bergwacht. Bloß hab ich da noch nicht gewusst, was abgeht. Das hab ich erst gecheckt, als wir in Palm Beach waren, und da hatten wir schon in Mailand gelebt und dann in Paris, und immer war sie mit irgendeinem Typen zusammen, immer … Darum sind wir jetzt auch hier, verstehen Sie? Weil der letzte Typ in London war, und sie ihn nicht dazu kriegen konnte, sie zu heiraten, und sie jetzt Panik hat, denn was soll sie tun, wenn ihr das Geld ausgeht und sie keinen Mann hat?«

Stephen begann, heftig zu weinen, Tränen der Schmerzes und der Demütigung. Voller Mitgefühl ging Deborah zu ihm. »Setz dich hier hin, Stephen«, sagte sie. »Bitte, setz dich.«

»Ich hasse sie«, stieß er hervor. »Echt, ich hasse sie. Dieses blöde Luder. Sie ist so dämlich, dass sie nicht mal kapiert –« Er konnte vor Schluchzen nicht weitersprechen.

Deborah zog ihn zu einem der Sitzkissen hinunter. Kniend sank er darauf, mit zuckendem Körper, den Kopf auf die Brust gedrückt.

Deborah berührte ihn nicht, obwohl es sie dazu drängte. Siebzehn Jahre und abgrundtiefe Verzweiflung. Sie wusste, wie das war. Nirgends ein Lichtstrahl, niemals endende Nacht, eine Hoffnungslosigkeit, die sich wie ein Leichentuch über einen legte.

»Es fühlt sich an wie Hass, weil es so stark ist«, sagte sie. »Aber es ist kein Hass. Es ist etwas ganz anderes. Die Kehrseite der Liebe, denke ich. Hass zerstört. Aber das hier...? Das, was du empfindest...? Das würde nichts Böses tun. Folglich ist es kein Hass. Wirklich nicht.«

»Aber Sie haben sie doch gesehen«, rief er. »Sie haben doch gesehen, wie sie ist.«

»Nur eine Frau, Stephen.«

»Nein. Das ist nicht alles. Sie haben gesehen, was sie getan hat.«

Deborah wurde hellhörig. »Was sie getan hat?«, wiederholte sie.

»Sie ist zu alt. Damit wird sie nicht fertig. Sie will einfach nicht sehen... Und ich kann's ihr nicht sagen. Wie hätte *ich* ihr das sagen sollen?«

»Was denn?«

»Dass es zu spät ist. Für alles. Dass er sie nicht liebt, nicht einmal scharf auf sie ist. Dass sie tun kann, was sie will, und sich doch nichts ändern wird. Dass nichts hilft. Kein Sex und keine Schönheitsoperation. Nichts. Sie hatte ihn längst verloren, und sie war zu blöd, um es zu sehen. Dabei hätte sie es merken müssen. Wieso hat sie's nicht gemerkt? Wieso hat sie immer weiter versucht, noch schöner und noch besser zu sein? Ihn anzuheizen, obwohl er doch schon längst nichts mehr von ihr wollte.«

Deborah hörte aufmerksam zu und dachte an all das, was der Junge zuvor erzählt hatte. Was seine Worte zu bedeuten hatten, war klar: Guy Brouard hatte sich von der Mutter des Jungen abgewandt. Die logische Schlussfolgerung war, dass er sich jemand anderem zugewandt hatte. Aber es konnte auch sein, dass der

Mann sich *etwas* anderem zugewandt hatte. Wenn er Stephens Mutter nicht mehr gewollt hatte, was hatte er dann gewollt? Das mussten sie herausfinden.

Schmutzig, verschwitzt und außer Atem, den Rucksack schief auf dem Rücken, traf Paul Fielder in *Le Reposoir* ein. Obwohl er gewusst hatte, dass es viel zu spät war, war er auf seinem Rad zuerst von Le Bouet zur Town Church gefahren und am Wasser entlanggehetzt, als wären die vier Reiter der Apokalypse hinter ihm her. Es war ja möglich, dass der Beginn von Mr. Guys Trauerfeier sich aus irgendeinem Grund verzögert hatte. Dann würde er doch noch dabei sein können, wenn auch vielleicht nur zum letzten Teil.

Aber als er sah, dass auf der North Esplanade und auf den Parkplätzen am Pier keine Autos standen, war ihm klar, dass Billys Plan aufgegangen war. Sein älterer Bruder hatte es geschafft, ihm die Teilnahme an der Beerdigung seines einzigen Freundes zu vermasseln.

Paul hatte sofort gewusst, dass Billy sein Fahrrad demoliert hatte. Er hatte die hässliche Handschrift seines Bruders erkannt, sobald er hinausgekommen war und es gesehen hatte – den aufgeschlitzten Hinterreifen, die herabgerissene Kette, die nicht weit entfernt im Dreck lag. Mit einem Schrei war er ins Haus zurückgerannt, wo sein Bruder in der Küche mit einem Becher Tee und geröstetem Brot am Tisch saß. Eine brennende Zigarette lag im Aschenbecher neben ihm und eine zweite, die er vergessen hatte, rauchte auf dem Abtropfbrett über dem Spülstein vor sich hin. Er tat so, als sähe er sich eine Talkshow im Fernsehen an, während ihre kleine Schwester auf dem Fußboden mit einer Tüte Mehl spielte, aber in Wirklichkeit suchte er Streit und wartete nur darauf, dass Paul ins Haus stürmen und ihn anschreien würde.

Paul erkannte das sofort, als er in die Küche kam. Billys höhnisches Grinsen verriet es ihm.

Früher einmal wäre er vielleicht zu den Eltern gelaufen. Früher einmal hätte er sich vielleicht sogar wütend auf seinen Bruder gestürzt, ohne sich um den Unterschied von Größe und Körperkraft zu kümmern. Aber die Zeiten waren vorbei. Die Fleischerei, die so lange bestanden hatte – eine Institution unter den Geschäften am Market Square mit seinen stolzen alten Häusern und den schönen Kolonnaden –, hatte ihre Türen für immer geschlossen, die Familie hatte ihre Einkommensquelle verloren. Seine Mutter saß jetzt bei Boots in der High Street an der Kasse, und sein Vater arbeitete im Straßenbau, wo die Tage lang und hart waren. Sie waren um diese Zeit beide nicht zu Hause, aber selbst wenn einer von ihnen da gewesen wäre, wäre es Paul nicht eingefallen, ihm auch noch seine Probleme aufzubürden. Und es selbst mit Billy aufnehmen – nein. Er war zwar manchmal ein bisschen langsam, aber er war nicht dumm. Genau das wollte Billy, dass jemand sich mit ihm anlegte. Das wollte er schon seit Monaten und hatte eine Menge getan, um es zu erreichen. Er wollte sich prügeln, und es war ihm egal, mit wem.

Paul jedoch gönnte ihm kaum einen Blick, sondern trat schnurstracks zum Schrank unter der Spüle und holte den alten Werkzeugkasten ihres Vaters heraus.

Billy folgte ihm nach draußen und ließ ihre kleine Schwester einfach mit der Mehltüte auf dem Küchenboden sitzen. Zwei andere Geschwister stritten sich im oberen Stockwerk. Billy hätte eigentlich dafür sorgen müssen, dass sie sich auf den Weg zur Schule machten. Aber Billy tat selten das, was er eigentlich tun sollte. Er lungerte lieber den ganzen Tag hinten im verwilderten Garten herum und trank ein Bier nach dem anderen.

»Oh!«, sagte er mit künstlicher Anteilnahme, als sein Blick auf Pauls misshandeltes Fahrrad fiel. »Was ist denn da passiert, Paulie? Hat da jemand was an deinem Rad gedreht?«

Paul beachtete ihn nicht. Er hockte sich auf den Boden und nahm zuerst einmal den aufgeschlitzten Reifen ab. Taboo, der das Fahrrad bewacht hatte, beschnupperte es misstrauisch und winselte leise. Paul hielt in seiner Arbeit inne und brachte Taboo zum nächsten Laternenpfahl. Dort band er den Hund fest und wies zum Boden, um ihm zu bedeuten, dass er sich niederlegen sollte. Taboo gehorchte, aber es war offenkundig, dass es ihm nicht gefiel. Er traute Pauls Bruder nicht über den Weg, und Paul wusste, dass der Hund lieber dicht an seiner Seite geblieben wäre.

»Du musst wohl weg?«, fragte Billy scheinheilig. »Und jetzt hat jemand dein Rad demoliert. So was Fieses. Die Leute sind echt gemein.«

Paul wollte nicht weinen, weil er wusste, dass es seinem Bruder dann noch mehr Spaß machen würde, ihn zu quälen. Sicher würde Billy es befriedigender finden, ihn brutal zusammenzuschlagen, anstatt ihn nur in Tränen zu sehen, aber besser als gar nichts waren Tränen allemal. Doch Paul war entschlossen, ihm keinerlei Genugtuung zu ermöglichen. Er hatte längst begriffen, dass sein Bruder kein Herz hatte und auch kein Gewissen. Sein ganzer Lebenszweck bestand darin, anderen das Leben zur Hölle zu machen.

Paul ignorierte ihn also, und das passte Billy gar nicht. Er lehnte sich an die Hausmauer und zündete sich eine weitere Zigarette an.

Hoffentlich verfault deine Lunge, dachte Paul. Aber er sagte es nicht. Er ging schweigend daran, den alten Reifen zu flicken, legte sich die Viereckflicken und die Gummilösung zurecht, um mit ihnen den gezackten Schnitt zu schließen.

»Jetzt lass mich mal überlegen, wo mein kleiner Bruder heute Morgen hin wollte«, sagte Billy und zog nachdenklich an seiner Zigarette. »Vielleicht zur Mama unten bei Boots? Oder wollt er vielleicht Dad das Mittagessen auf die Baustelle bringen? Hm. Glaub ich eher nicht. Dafür sind die Klamotten zu fein. Hey, wo hat er überhaupt das Hemd her? Hoffentlich nicht aus *meinem* Schrank. Klauen wird nämlich bestraft. Vielleicht sollte ich mal nachschauen. Nur zur Sicherheit.«

Paul reagierte nicht. Er wusste, dass Billy nur mutig war, wenn der andere Angst zeigte. Den Mut, anzugreifen brachte er nur auf, wenn seine Opfer kuschten, so wie ihre Eltern kuschten. Paul packte tiefe Niedergeschlagenheit bei dem Gedanken. Sie ließen ihn Monat für Monat wie einen nicht zahlenden Gast in ihrem Haus leben, weil sie fürchteten, was er tun würde, wenn sie ihn hinauswarfen.

Paul war einmal wie sie gewesen und hatte mit ihnen zusammen tatenlos zugesehen, wie Billy das Eigentum der Familie auf Flohmärkten verscherbelte, um sich sein Bier und seine Zigaretten beschaffen zu können. Aber das hatte sich geändert, als Mr. Guy in sein Leben getreten war, Mr. Guy, der immer zu wissen schien, wie Paul ums Herz war, und der immer darüber sprechen konnte, ohne zu predigen oder Forderungen zu stellen oder irgendwas anderes als Kameradschaft dafür zu erwarten.

Halte den Blick auf das gerichtet, was wichtig ist, Prinz. Alles andere? Kümmere dich nicht darum, wenn es nicht deinen Träumen im Weg steht.

Darum konnte er sein Fahrrad richten, während sein Bruder sich über ihn lustig machte und ihn zu Tränen oder zum Kampf zu reizen suchte. Paul verschloss seine Ohren und konzentrierte sich. Den Reifen flicken, die Kette reinigen.

Er hätte den Bus zur Stadt nehmen können, aber das fiel ihm erst ein, als er sein Fahrrad wieder repariert hatte und auf halbem Weg zur Kirche war. Da war er schon so fertig, dass er sich nicht einmal mehr wegen seiner Dummheit selbst beschimpfte. So sehr hatte er sich gewünscht, beim Abschied von Mr. Guy dabei zu sein, dass er, als die Linie Fünf Richtung Norden vorbeizuckelte und ihn daran erinnerte, was hätte sein können, nur einen Gedanken hatte: Wie leicht es wäre, direkt vor den Bus zu fahren und allem ein Ende zu machen.

Da begann er endlich, zu weinen, aus Frustration und Verzweiflung. Er weinte um die Gegenwart, in der nun keines seiner Ziele mehr erreichbar schien, und um die Zukunft, die trostlos und leer war.

Obwohl er sah, dass kein einziges Auto mehr da war, ging er in die Town Church hinein. Zuerst aber nahm er Taboo auf den Arm. Er nahm den Hund mit, obwohl er wusste, dass das nicht in Ordnung war. Es war ihm egal. Mr. Guy war auch Taboos Freund gewesen, und außerdem würde er den Hund nicht einfach draußen auf der Straße lassen, da der ja gar nicht wusste, was los war.

Drinnen hing noch der Geruch nach Blumen und abgebrannten Kerzen in der Luft, und rechts von der Kanzel stand ein Banner mit der Aufschrift *Requiescat in Pace*. Aber das waren die einzigen Zeichen dafür, dass hier eine Trauerfeier stattgefunden hatte. Nachdem er einmal langsam den Mittelgang hinaufgeschritten war und sich vorgestellt hatte, er wäre einer der Trauergäste, ging er wieder hinaus zu seinem Fahrrad. Er wollte nach *Le Reposoir*.

Er hatte am Morgen die besten Kleider zusammengesucht, die er finden konnte, und gewünscht, er wäre nicht davongelaufen, als Valerie Duffy ihm am Tag zuvor das Hemd ihres Mannes angeboten hatte. So hatte er nur eine schwarze Hose mit Flecken darauf, seine abgetretenen alten Schuhe, die Einzigen, die er besaß, und ein Flanellhemd, das sein Vater früher an kalten Tagen in der Fleischerei getragen hatte. Um den Hals hatte er eine Strickkrawatte geschlungen, die ebenfalls seinem Vater gehörte, und über dem Ganzen trug er den roten Anorak seiner Mutter. Er wusste, dass er erbärmlich aussah, aber er konnte es nicht ändern.

Alles, was er auf dem Körper hatte, war entweder verdreckt oder durchgeschwitzt, als er den Brouardschen Besitz erreichte. Deshalb schob er sein Fahrrad hinter einen riesigen Kamelienbusch an der Mauer und lief mit Taboo an seiner Seite nicht die Auffahrt hinauf, wo jeder ihn hätte sehen können, sondern hielt sich unter den Bäumen.

Vorn sah er ab und zu Leute allein oder in kleinen Gruppen aus dem Haus kommen, und als er halb versteckt seitlich der Auffahrt einen Moment abwartete, um zu sehen, was vorging, kam ihm der Leichwagen entgegen, in dem der Sarg von Mr. Guy gewesen war, fuhr langsam an ihm vorüber und zum Tor hinaus, um den Rückweg zur Stadt einzuschlagen. Paul sah ihm nach, bevor er sich wieder dem Haus zuwandte. Er hatte auch das Begräbnis versäumt. Er hatte alles versäumt.

Sein ganzer Körper zog sich zusammen und bäumte sich gleichzeitig auf, als etwas sich so gewaltsam zu befreien suchte, wie er es eingesperrt halten wollte. Er nahm seinen Rucksack ab und drückte ihn fest an die Brust und hoffte, dass die Freundschaft mit Mr. Guy nicht durch das Werk eines Augenblicks zunichte gemacht, sondern vielmehr durch eine Botschaft, die Mr. Guy hinterlassen hatte, für immer geweiht und gesegnet worden war.

Hier, mein Prinz, ist ein besonderer Ort, ein Ort nur für dich und mich. Wie gut kannst du ein Geheimnis bewahren, Paul?

Besser als alles andere, schwor Paul Fielder. Besser als seine Ohren vor dem Spott seines Bruders zu verschließen, besser, als das sengende Feuer dieses Verlusts zu ertragen, ohne sich völlig aufzulösen. Ja, besser als alles andere.

Ruth Brouard führte St. James nach oben in das Arbeitszimmer ihres Bruders. Es befand sich in der Nordwestecke des Hauses und blickte in der einen Richtung auf eine ovale Rasenfläche und den Wintergarten hinunter, in der anderen auf eine halbmondförmige Gebäudegruppe, vermutlich die ehemaligen Stallungen. Rundherum breiteten sich Park und Gärten, ferne Koppeln, Felder und Wälder aus. St. James sah, dass die Skulpturen nicht auf den eingefriedeten Garten beschränkt waren, in dem Guy Brouard bestattet worden war, sondern sich über den ganzen Besitz ausdehnten. Hier und dort waren zwischen ungehindert wachsenden Bäumen und Sträuchern geometrische Figuren in Marmor, Bronze, Granit oder Holz zu erkennen.

»Ihr Bruder war ein Förderer der schönen Künste.« St. James wandte sich vom Fenster ab, als Ruth Brouard leise die Tür hinter ihnen schloss.

»Mein Bruder hat alles und jeden gefördert«, sagte sie.

Sie sah nicht gesund aus. Ihre Bewegungen waren mühevoll, und ihre Stimme klang erschöpft. Sie ging zu einem Sessel und ließ sich vorsichtig darin nieder. Ihre Augen hinter den Brillengläsern zogen sich einen Moment zusammen, man hätte es für ein schmerzhaftes Zucken halten können, wäre ihr Gesicht nicht so maskenhaft starr geblieben.

In der Mitte des Zimmers stand ein Tisch aus Nussbaumholz und auf ihm das Modell eines Gebäudes in einer Landschaft, welche die vor dem Bauwerk vorbeiführende Straße ebenso einschloss wie den Park dahinter, mitsamt den Bäumen und Sträuchern, die dort einmal wachsen würden. Das detailliert gearbeitete Modell zeigte nicht nur Türen und Fenster des zukünftigen Gebäudes, sondern, von geübter Hand sauber ausgeführt, auch die Inschrift, die seine Fassade einmal zieren sollte. *Graham Ouseley Kriegsmuseum* stand in Stein gemeißelt auf dem Fries.

»Graham Ouseley.« St. James trat von dem Modell zurück. Es war ein geduckter Bau, einem Bunker ähnlich, nur das Portal zeichnete sich durch himmelstrebende Dramatik nach Art von Le Corbusier aus.

»Ja«, sagte Ruth Brouard. »Er ist von hier. Ein sehr alter Mann. Über neunzig. Ein Held der Besatzungszeit.« Mehr sagte sie nicht, es war klar, dass sie wartete. Sie war sofort zu einem Gespräch mit St. James bereit gewesen, nachdem sie der Karte, die er ihr überreicht hatte, seinen Namen und seine berufliche Tätigkeit entnommen hatte. Aber sie wollte offenbar erst einmal abwarten und hören, was er wollte, bevor sie etwas preisgab.

»Ist das hier der Entwurf des einheimischen Architekten?«, erkundigte sich St. James. »Ich habe gehört, dass er für Ihren Bruder ein Modell hergestellt hat.«

»Ja«, antwortete Ruth. »Das ist von einem Architekten aus St. Peter Port. Aber mein Bruder hat sich dann doch nicht für seinen Entwurf entschieden.«

»Wissen Sie, warum nicht? Der Bau sieht doch sehr geeignet aus.«

»Ich habe keine Ahnung. Mein Bruder hat mit mir nicht darüber gesprochen.«

»Es muss eine arge Enttäuschung für den hiesigen Architekten gewesen sein. Er scheint sich eine Menge Arbeit gemacht zu haben.« St. James beugte sich wieder über das Modell.

Ruth Brouard bewegte sich in ihrem Sessel hin und her, als versuchte sie, es bequemer zu haben. Sie rückte ihre Brille zurecht und faltete die kleinen Hände im Schoß. »Mr. St. James«, sagte sie, »wie kann ich Ihnen behilflich sein? Sie sagten, dass Sie wegen des Todes meines Bruders hier sind. Da Sie Forensiker sind … Haben Sie mir etwas Neues mitzuteilen? Sind Sie deshalb gekommen? Man sagte mir, dass weitere Organuntersuchungen vorgenommen werden.« Sie geriet ins Stocken, offenbar fiel es ihr schwer, auf so sachliche Art von ihrem Bruder zu sprechen. Sie senkte einen Moment den Kopf, dann sprach sie weiter. »Man sagte mir, dass Organ- und Gewebeuntersuchungen durchgeführt werden. In England, so viel ich weiß. Sie sind aus London, vielleicht sind Sie also hergekommen, um mir etwas mitzuteilen. Obwohl ich denke, dass Mr. Le Gallez sich persönlich herbemüht hätte, um mich zu unterrichten, wenn man etwas entdeckt hätte. Etwas Unerwartetes.«

»Mr. Le Gallez weiß, dass ich hier bin, aber er hat mich nicht geschickt«, sagte St. James. Dann erklärte er gewissenhaft, was ihn nach Guernsey geführt hatte, und schloss mit den Worten: »Miss Rivers Anwalt sagte mir, dass Sie die Zeugin sind, auf deren Aussage Chief Inspector Le Gallez seine Beweisführung stützt. Ich bin hergekommen, weil ich Ihnen zu dieser Aussage gern einige Fragen stellen würde.«

Sie sah von ihm weg. »Miss River«, sagte sie.

»Sie und ihr Bruder waren vor dem Mord einige Tage in Ihrem Haus zu Gast, wie ich hörte.«

»Und sie hat Sie gebeten, ihr zu helfen, von der Schuld an dem, was geschehen ist, loszukommen?«

»Ich habe sie noch nicht kennen gelernt«, sagte St. James. »Ich habe auch noch nicht mit ihr gesprochen.«

»Und wieso sind Sie dann –«

»Meine Frau und Miss River sind alte Freundinnen.«

»Und Ihre Frau kann nicht glauben, dass ihre alte Freundin meinen Bruder ermordet hat.«

»Es stellt sich die Frage nach dem Motiv«, entgegnete St. James. »Wie weit hatte sich die Bekanntschaft zwischen Miss River und Ihrem Bruder entwickelt? Ist es möglich, dass sie ihn bereits vor ihrem Besuch hier gekannt hat? Miss Rivers Bruder hat nichts Dergleichen gesagt, aber er weiß es vielleicht nicht. Wie ist es mit Ihnen?«

»Wenn sie irgendwann früher einmal in England war, wäre es möglich. Sie könnte meinen Bruder dort kennen gelernt haben. Aber nur dort. Mein Bruder war nie in Amerika. Soweit ich weiß.«

»Soweit Sie wissen?«

»Theoretisch könnte er irgendwann einmal drüben gewesen sein, ohne mir etwas davon zu sagen, aber ich wüsste nicht, warum. Oder auch, wann. Wenn er drüben war, muss es lange her sein. Seit wir hier leben, in Guernsey, nein. Das hätte er mir gesagt. Wenn er in den letzten neun Jahren reiste, was selten vorkam, seit er sich vom Geschäft zurückgezogen hatte, ließ er mich stets wissen, wo er zu erreichen war. Da war er sehr zuverlässig. Er war überhaupt ein zuverlässiger und guter Mensch.«

»Und hat niemandem Grund gegeben, ihn bis auf den Tod zu hassen? Außer China River, die aber auch keinen Grund gehabt zu haben scheint?«

»Ich habe keine Erklärung dafür.«

St. James trat vom Modell des Museumsbaus zurück und setzte sich Ruth Brouard gegenüber in einen zweiten Sessel. Auf einem kleinen runden Tisch, der zwischen ihnen stand, bemerkte er eine Fotografie und nahm sie zur Hand: Sie zeigte eine jüdische Großfamilie rund um einen Esstisch, die Männer mit Gebetskäppchen, ihre Frauen hinter ihnen stehend, mit aufgeschlagenen Büchern in den Händen. Zwei Kinder waren in der Gruppe, ein kleines Mädchen und ein Junge. Das Mädchen trug eine Brille, der Junge gestreifte Hosenträger. Am Kopf der Tafel stand ein ehrwürdiger alter Mann, im Begriff, die Matze, das ungesäuerte Passahbrot, zu brechen. Hinter ihm auf einer Kredenz mit einem silbernen Tafelaufsatz brannten Kerzen, deren Strahlen auf ein Gemälde an der Wand fielen, und neben ihm stand, das Gesicht ihm zugewandt und eine Hand auf seiner Schulter, eine Frau, die offensichtlich seine Ehefrau war.

»Ihre Familie?«, sagte er zu Ruth Brouard.

»Wir haben in Paris gelebt«, antwortete sie. »Vor Auschwitz.«

»Das tut mir Leid.«

»Es kann Ihnen gar nicht Leid genug tun.«

St. James stimmte zu. »Ja, das glaube ich.«

Seine Zustimmung schien Ruth Brouard eine gewisse Befriedigung zu verschaffen, wie vielleicht auch die Behutsamkeit, mit der er das Bild wieder auf seinen Platz stellte. Denn sie erklärte, den Blick auf das Modell in der Mitte des Raums gerichtet, ruhig und ohne Groll:

»Ich kann Ihnen nur sagen, was ich an dem Morgen gesehen habe, Mr. St. James. Ich kann Ihnen nur sagen, was ich tat. Ich ging zu meinem Schlafzimmerfenster und sah meinen Bruder Guy aus dem Haus kommen. Als er die Bäume erreichte und auf die Auffahrt hinaustrat, folgte sie ihm. Ich habe sie gesehen.«

»Sie sind sicher, dass es China River war?«

»Zuerst war ich mir nicht sicher«, antwortete sie. »Kommen Sie. Ich zeige es Ihnen.«

Sie ging ihm voraus durch einen Korridor, in dem alte Stiche des Herrenhauses hingen. Nicht weit von der Treppe entfernt öffnete sie eine Tür und führte ihn in einen Raum, der unverkennbar ihr Schlafzimmer war; schlicht, aber edel mit alten Möbeln eingerichtet, einziger Schmuck ein sehr großer gestickter Wandbehang. Er zeigte mehrere Einzelszenen, die nach Art alter Wandteppiche eine zusammenhängende Geschichte erzählten: die Geschichte einer Flucht. Ein nächtlicher Aufbruch im Angesicht eines heranrückenden Heeres; eine eilige Fahrt zur Meeresküste; eine stürmische Überfahrt; eine Landung in der Fremde. Nur zwei der in den einzelnen Szenen abgebildeten Figuren waren stets dieselben: ein kleines Mädchen und ein Junge.

Ruth Brouard trat in eine Fensternische und zog die dünnen Vorhänge zurück, die das Glas verhüllten. »Kommen Sie«, sagte sie zu St. James. »Schauen Sie.«

St. James trat zu ihr. Das Fenster ging nach vorn hinaus. Unter ihnen wand sich die Auffahrt um eine mit Gras und Büschen bepflanzte Grünanlage. Dahinter dehnten sich Rasenflächen zu einem kleinen Haus in der Ferne. Das dichte Wäldchen, das das Haus umgab, zog sich bis zur Auffahrt hinauf und wieder zurück zum Herrenhaus.

Ihr Bruder war wie gewöhnlich vorn aus dem Haus gekommen, berichtete Ruth Brouard. Er hatte den Rasen in Richtung zum kleinen Haus überquert und war zwischen den Bäumen verschwunden. Unter diesen Bäumen war China River hervorgetreten und ihm gefolgt. Sie war deutlich zu sehen gewesen. Sie war ganz in Schwarz gekleidet gewesen, in einen Umhang mit hochgeschlagener Kapuze, aber Ruth hatte sie sofort erkannt.

Woran?, wollte St. James wissen. Hätte nicht irgendjemand Miss Rivers Umhang nehmen können? Gerade so ein Umhang war doch als Kleidungsstück für Frauen genauso geeignet wie für Männer. Und legte das nicht nahe –

»Ich habe mich nicht allein darauf verlassen, Mr. St. James«, sagte Ruth Brouard. »Ich fand es merkwürdig, dass sie meinem Bruder um diese Zeit folgte, es schien keinen Grund dafür zu geben. Es hat mich beunruhigt. Ich dachte, meine Augen hätten mich vielleicht getrogen, darum ging ich zu ihrem Zimmer. Sie war nicht da.«

»Vielleicht war sie irgendwo im Haus.«

»Ich habe überall nachgesehen. Im Badezimmer. In der Küche. In Guys Arbeitszimmer. Im Wohnzimmer. Oben in der Galerie. Sie war nirgends im Haus, Mr. St. James, weil sie meinem Bruder folgte.«

»Hatten Sie Ihre Brille auf, als Sie Miss River draußen unter den Bäumen bemerkten?«

»Deswegen habe ich ja im Haus nachgesehen«, antwortete Ruth Brouard. »Weil ich die Brille zuerst, als ich zum Fenster hinausgeschaut habe, nicht trug. Sie schien es zu sein – ich habe mit der Zeit gelernt, Formen und Größen ziemlich sicher zu taxieren –, aber ich wollte sicher sein.«

»Warum? Hatten Sie irgendeinen Verdacht gegen sie oder jemand anderen?«

Ruth Brouard zog den dünnen Vorhang wieder zu, und während sie mit der Hand glättend über den zarten Stoff strich, sagte sie: »Jemand anderen? Nein, nein. Natürlich nicht«, aber die scheinbare Beiläufigkeit ihrer Antwort, veranlasste St. James, nachzufragen.

»Wer war zur fraglichen Zeit sonst noch im Haus, Miss Brouard?«

»Miss Rivers Bruder. Ich. Und Adrian, der Sohn meines Bruders.«

»Wie war seine Beziehung zu seinem Vater?«

»Gut. Ganz in Ordnung. Sie haben sich nicht allzu häufig gesehen. Dafür hatte seine Mutter schon vor langer Zeit gesorgt. Aber wenn sie zusammen waren, gingen sie sehr liebevoll miteinander um. Natürlich hatten sie ihre Differenzen. Wo gibt es die nicht zwischen Vater und Sohn? Aber es war nichts Ernstes. Es war nichts, was nicht gerichtet werden konnte.«

»Da sind Sie sicher?«

»Aber ja, natürlich. Adrian ist... Er ist ein guter Junge, aber er hatte es schwer im Leben. Die Scheidung seiner Eltern war hart für ihn. Er liebte sie beide, aber er musste sich für einen entscheiden. So etwas fordert Missverständnisse heraus und führt zur Entfremdung. Und es ist nicht fair.« Sie schien einen Unterton in ihrer Stimme zu hören und holte tief Luft, als wollte sie ihn unter Kontrolle bringen. »Sie haben sich so geliebt, wie Väter und Söhne einander lieben, wenn keiner die Möglichkeit hat, den anderen in seinem Wesen zu erfassen.«

»Was glauben Sie, wohin solche Liebe führen kann?«

»Nicht zu Mord. Das versichere ich Ihnen.«

»Sie lieben Ihren Neffen«, stellte St. James fest.

»Familie bedeutet mir mehr als den meisten Menschen«, sagte sie. »Aus offensichtlichen Gründen.«

St. James nickte. Er erkannte die Wahrheit ihrer Worte. Und er erkannte noch etwas, eine Realität, die er aber in diesem Moment nicht mit ihr zu erörtern brauchte. Er sagte: »Ich würde mir gern den Weg anschauen, den ihr Bruder an dem Morgen zur Bucht hinuntergegangen ist, Miss Brouard.«

Sie sagte: »Er ist gleich östlich vom Verwalterhaus. Ich rufe bei den Duffys an und sage ihnen Bescheid, dass Sie meine Zustimmung zur Besichtigung haben.«

»Ist es eine private Bucht?«

»Nein, nein. Aber wenn Sie am Verwalterhaus vorbeikommen, wird Kevin Sie bemerken. Er ist sehr um unsere Sicherheit besorgt. Ebenso seine Frau.«

Aber nicht besorgt genug, dachte St. James.

# 10

St. James traf Deborah unter den Kastanien an der Auffahrt wieder. Sie berichtete ihm von ihrem Gespräch im japanischen Garten und zeigte dabei nach Südosten. Zu seiner Erleichterung schien ihre frühere Verstimmung vergessen, und er musste wieder einmal daran denken, wie ihm sein Schwiegervater Deborah beschrieben hatte, als er – mit, wie er hoffte liebenswerter, altmodischer Förmlichkeit – um ihre Hand angehalten hatte. »Deb ist ein Rotschopf, vergiss das nicht, mein Junge«, hatte Joseph Cotter gesagt. »Sie wird dir ganz schön die Hölle heiß machen, aber dafür ist sie überhaupt nicht nachtragend.«

Sie hatte ihre Sache mit dem Jungen gut gemacht. Sie war scheu, aber ihr mitfühlendes Wesen öffnete ihr den Zugang zu anderen Menschen, der St. James immer verschlossen geblieben war. Diese Gabe der Empathie bewährte sich in ihrem Beruf – die Menschen waren viel eher bereit, sich fotografieren zu lassen, wenn sie wussten, dass die Person hinter der Kamera ein Mensch wie »du und ich« war – so wie sein ruhiges Temperament und seine analytische Denkweise ihm in seiner Arbeit zugute kamen. Und ihr erfolgreiches Gespräch mit Stephen Abbott unterstrich die Tatsache, dass in der gegebenen Situation mehr nötig war als Technik und gute Laborarbeit.

»Diese andere Frau, die dann nach vorn kam und Erde ins Grab warf«, schloss Deborah, »die mit dem riesigen Hut, war also offenbar die letzte Geliebte. Sie gehörte nicht zur Familie, auch wenn sie allem Anschein nach hoffte, eines Tages dazuzugehören.«

»›Sie haben gesehen, was sie getan hat‹«, murmelte St. James. »Wie hast du diese Bemerkung des Jungen verstanden, Deborah?«

»Was sie getan hat, um attraktiv zu wirken, vermute ich«, antwortete Deborah. »Ich meine, es war ja nicht zu übersehen, nicht wahr? Auch wenn man dergleichen hier nicht so häufig sieht wie in den Staaten, wo ein großer Busen anscheinend die fixe Idee der ganzen Nation ist.«

»Du meinst nicht, es heißt, dass sie etwas ganz anderes ›getan‹ hat?«, fragte St. James. »Zum Beispiel, ihren Geliebten getötet, als der ihr eine andere Frau vorzog?«

»Weshalb hätte sie das tun sollen, wenn sie hoffte, er würde sie heiraten?«

»Vielleicht *musste* sie ihn töten.«

»Warum?«

»Obsession. Eifersucht. Rasende Wut, die sich nur auf eine Art stillen lässt. Oder vielleicht auch etwas viel Simpleres: Vielleicht hatte er sie in seinem Testament bedacht, und sie musste ihn töten, bevor er Gelegenheit hatte, es zu ändern.«

»Du vergisst das Problem, über das wir schon gesprochen haben«, wandte Deborah ein. »Wie soll eine Frau es geschafft haben, Guy Brouard diesen Stein in den Hals zu stoßen, Simon?«

»Da müssen wir auf Chief Inspector Le Gallez' Kusstheorie zurückgreifen«, sagte St. James, »so unwahrscheinlich sie sein mag. ›Sie hatte ihn verloren.‹ Gab es eine andere Frau?«

»Sicher nicht China«, erklärte Deborah.

St. James hörte den überzeugten Ton. »Du bist also ganz sicher.«

»Sie hat mir erzählt, dass sie vor kurzem mit Matt Schluss gemacht hat. Sie liebte ihn sei Ewigkeiten, seit sie siebzehn war. Ich kann mir nicht vorstellen, dass sie sich so schnell mit einem anderen Mann einlassen würde.«

Das führte auf gefährliches Gelände, das nicht nur Deborah, sondern auch China River vertraut war. Es war noch gar nicht so lange her, dass Deborah sich von ihm getrennt und einen anderen Mann gefunden hatte. Sie hatten nie darüber gesprochen, wie schnell sie sich Thomas Lynley zugewandt hatte, aber das hieß nicht, dass ihnen nicht beiden klar war, welche entscheidende Rolle ihr Schmerz und ihr Zustand innerer Bedürftigkeit dabei gespielt hatten.

Er sagte: »Aber gerade jetzt wäre sie doch anfälliger denn je. Könnte es nicht sein, dass sie ein Abenteuer brauchte – das Brouard vielleicht weit ernster nahm als sie –, um sich wieder aufzubauen?«

»Nein, das entspricht eigentlich nicht ihrer Art.«

»Aber nur mal angenommen –«

»Gut, nur mal angenommen ... Aber sie hat ihn nicht *getötet*, Simon. Du wirst zugeben, dazu müsste sie erst mal ein Motiv haben.«

Das gab er gern zu. Trotzdem waren vorgefasste Meinungen seiner Erfahrung nach so oder so gefährlich. Er sagte deshalb am Schluss seines Berichts über das Gespräch mit Ruth Brouard, vorsichtshalber: »Sie hat im ganzen Haus nach China gesucht. Aber sie war nirgends zu finden.«

»Sagt *sie*«, entgegnete Deborah. »Es könnte doch sein, dass sie lügt.«

»Das ist richtig. Die Rivers waren nicht die einzigen Gäste im Haus. Adrian Brouard war auch da.«

»Hätte er denn einen Grund gehabt, seinem Vater nach dem Leben zu trachten?«

»Ausschließen können wir es nicht.«

»Sie ist seine Tante«, sagte Deborah. »Und in Anbetracht ihrer Biografie – des Schicksals ihrer Eltern, des Holocaust – würde sie wahrscheinlich vor fast nichts zurückschrecken, um einen Angehörigen ihrer Familie zu schützen. Oder siehst du das anders?«

»Nein.«

St. James begleitete sie durch die Bäume zu dem Fußweg, der sie nach Ruth Brouards Beschreibung zu der Bucht bringen musste, wo ihr Bruder jeden Morgen geschwommen war. Als sie an dem kleinen Haus vorbeikamen, das er von Ruth Brouards Fenster aus gesehen hatte, bemerkte er, dass zwei der Fenster auf den Fußweg führten. Gut möglich, dachte er, dass das Verwalterehepaar, das, wie er gehört hatte, hier lebte, den Informationen, die er von Ruth Brouard erhalten, etwas hinzufügen konnten.

Als der Weg sich tiefer in den Wald schlängelte, wurde es kühler und feuchter. Dank der natürlichen Fruchtbarkeit des Landes oder zielstrebigem menschlichem Einwirken, gedieh hier üppiges Grün, das den Pfad vom umliegenden Land abschirmte. Direkt am Wegrand standen dichte Rhododendronbüsche, die mit einem halben Dutzend verschiedener Farnarten abwechselten. Der Boden war weich von liegen gebliebenem Herbstlaub, und oben breiteten sich die kahlen Äste der Kastanien aus, die im Sommer einen grünen Tunnel bildeten. Es war still, nur das leise Geräusch ihrer Schritte war zu hören.

Aber so blieb es nicht lange. St. James bot gerade seiner Frau die Hand, um ihr über eine Pfütze zu helfen, als kläffend ein struppiger kleiner Hund aus dem Gebüsch hervorschoss.

»Hoppla!« Deborah fuhr erschrocken zusammen, dann lachte sie. »Ach, ist der nicht süß? Komm her, du kleiner Schlingel. Wir tun dir nichts.«

Sie streckte dem Tier die Hand hin. Im selben Moment brach ein Junge in einer roten Jacke durch die Büsche, packte den Hund und nahm ihn auf den Arm.

»Entschuldigung!«, sagte St. James lächelnd. »Wir haben deinen Hund anscheinend erschreckt.«

Der Junge blickte stumm von Deborah zu St. James. Der Hund bellte weiter.

»Miss Brouard sagte uns, dass das hier der Weg zur Bucht ist«, bemerkte St. James. »Sind wir noch richtig, oder sind wir irgendwo falsch abgebogen?«

Der Junge schwieg immer noch. Er sah ziemlich schmuddelig aus, mit fettigem Haar, das ihm am Kopf klebte, und schmutzverschmiertem Gesicht. Die Hände, die den Hund hielten, waren schwarz vor Dreck, und seine dunkle Hose hatte über dem Knie einen Fettfleck. Er wich ein paar Schritte zurück.

»Wir haben dich hoffentlich nicht auch erschreckt?«, sagte Deborah. »Wir dachten, hier wäre weit und breit keine –«

Sie brach ab, als der Junge auf dem Absatz kehrtmachte und wieder in die Büsche floh. Der zerfledderte alte Rucksack, den er auf dem Rücken trug, hüpfte auf und nieder wie ein Sack Kartoffeln.

»Was war denn das?«, fragte Deborah verwundert.

St. James war genauso verwundert. »Das werden wir herausfinden müssen.«

Durch eine Pforte in der Mauer, in einiger Entfernung von der

Auffahrt gelangten sie auf die schmale Straße. Die Autos mit den Trauergästen waren abgefahren, so dass der Weg offen vor ihnen lang und sie den Abstieg zur Bucht etwa hundert Meter vom großen Tor entfernt, mühelos fanden.

Zwischen Wäldern und mit Steinmauern befestigten Hängen, zu deren Füßen ein Bach plätscherte, führte der Weg in steilen Serpentinen abwärts, zu breit, um als Fußweg, zu schmal, um als Straße gelten zu können. Hier gab es keine Häuser, nur ein einsames Hotel, das über den Winter geschlossen war. Im Schatten der Bäume stand es versteckt in einer Mulde am Hang.

Unten in der Ferne wurde der Ärmelkanal sichtbar, sein Wasser war von dem bisschen Sonnenlicht gesprenkelt, das die Wolkendecke zu durchdringen vermochte. Gleichzeitig wurde das Kreischen der Möwen hörbar, die in den Granitfelsen der Küstenklippen rund um die hufeisenförmige Bucht kreisten. Stechginster und Mauerpfeffer wuchsen hier in ungehinderter Fülle, und wo das Erdreich tiefer war, kennzeichnete dorniges Gestrüpp die Stellen, an denen im Frühjahr Schwarzdorn und Brombeeren grünen würden.

Am Ende des Abstiegs lag ein kleiner Parkplatz wie ein Daumenabdruck in der Landschaft. Er war leer, kein Wunder zu dieser Jahreszeit. Der Ort war wie geschaffen für ein ungestörtes Bad oder andere Tätigkeiten, bei denen Zeugen nicht erwünscht waren.

Eine aus Steinen errichtete Mole schützte den Parkplatz vor der Erosion durch Ebbe und Flut, und auf der einen Seite dieser Mauer führte eine schräge Rampe zum Wasser hinunter, dicht bedeckt mit Büscheln toten Tangs, in denen es zu einer anderen Jahreszeit von Fliegen und Mücken gewimmelt hätte. Doch mitten im Dezember rührte sich nichts in den verrottenden Pflanzen, und St. James und Deborah konnten unbelästigt über sie hinweg zum Strand hinunterklettern, wo die Wellen in gleichförmigem Rhythmus gegen Steine und groben Sand schlugen.

»Kein Wind«, stellte St. James fest, den Blick zur Öffnung der Bucht gerichtet. »Das ist günstig zum Schwimmen.«

»Aber das Wasser ist eiskalt«, sagte Deborah. »Ich frage mich, wie er das geschafft hat. Mitten im Dezember. Das ist doch ungewöhnlich.«

»Manche Menschen mögen eben die Extreme«, meinte St. James. »Komm, schauen wir uns mal um.«

»Wonach genau?«

»Vielleicht hat die Polizei etwas übersehen.«

Der eigentliche Tatort war nicht schwer zu finden, er war noch gekennzeichnet von den Spuren polizeilicher Aktivität – ein Streifen gelben Absperrungsbands, zwei weggeworfene Filmdosen und ein Klümpchen weißer Gips, das herabgetropft war, als jemand einen Abdruck gemacht hatte. An dieser Stelle begannen St. James und Deborah mit ihrer Suche und setzten sie in immer größer werdenden Kreisen fort.

Sie kamen nur langsam voran. Den Blick fest zu Boden gerichtet, zogen sie einen Kreis nach dem anderen, drehten die größeren Steine, auf die sie stießen, um, teilten vorsichtig Tangbüschel, siebten den Sand, indem sie ihn durch ihre Finger rieseln ließen. So verging eine Stunde. Sie fanden den Deckel eines Babygläschens, ein ausgebleichtes Stoffband, eine leere Evianflasche und achtundsiebzig Pence in Münzen.

Als sie zur Mole kamen, schlug St. James vor, sie sollten an verschiedenen Enden anfangen und aufeinander zu arbeiten. Wenn sie zusammentrafen, sagte er, würden sie einfach weitermachen, so dass am Ende jeder von ihnen die ganze Mauer inspiziert hätte.

Sie mussten mit großer Sorgfalt zu Werke gehen, denn die Steine waren hier schwerer, und es gab mehr Ritzen und Spalten, in die etwas hineinfallen konnte. Doch obwohl sie sich beide im Schneckentempo vorwärts bewegten, standen sie mit leeren Händen da, als sie auf halbem Weg zusammentrafen.

»Sehr verheißungsvoll ist das nicht«, sagte Deborah.

»Nein«, stimmte St. James zu. »Aber es war ja von Anfang an nur eine kleine Chance.« Er ruhte sich einen Moment aus, die Arme verschränkt, den Blick aufs Wasser gerichtet. Er dachte über Lügen nach: Über die Lügen, die Menschen erzählen, und über die Lügen, die Menschen glauben. Manchmal war Lügner und Belogener derselbe. Man brauchte etwas nur oft genug zu erzählen, dann glaubte man es auch.

»Du bist beunruhigt, nicht?«, fragte Deborah. »Wenn wir nichts finden...«

Er legte den Arm um sie und gab ihr einen Kuss auf die Schläfe. »Komm, machen wir weiter«, forderte er sie auf. Aber er sagte nicht, was er dachte: Dass etwas zu finden, verhängnisvoller sein konnte, als das Pech, nichts zu finden.

Wie die Krebse krochen sie weiter, St. James behindert durch die Beinschiene, die ihm das Gehen auf den größeren Steinen schwerer machte als seiner Frau. Vielleicht war das der Grund, warum der Triumphschrei über einen Fund etwa fünfzehn Minuten später von Deborah kam.

»Hier!«, rief sie. »Simon, schau dir das an!«

Er drehte sich um. Sie hatte das Ende der Mole erreicht, jene Stelle, wo die Rampe zum Wasser abfiel. Sie wies zu der Ecke, an der Mauer und Rampe zusammenstießen, und als St. James sich auf den Weg zu ihr machte, ging sie in die Knie, um besser erkennen zu können, was sie entdeckt hatte.

»Was ist es?«, fragte er, als er neben ihr war.

»Etwas aus Metall«, sagte sie. »Ich wollte es nicht herausholen.«

»Wie tief unten ist es?«, fragte er.

»Höchstens dreißig Zentimeter, würde ich sagen. Wenn du willst –«

»Hier.« Er reichte ihr ein Taschentuch.

Um den Gegenstand erreichen zu können, musste sie ihr Bein in eine Öffnung zwängen. Sie tat es und schob sich weit genug hinunter, um den Gegenstand, den sie von oben gesehen hatte, zu fassen zu bekommen und herausholen zu können.

Es war ein Ring. In ihrer offenen Hand hielt Deborah ihn, auf das Taschentuch gebettet, ihrem Mann zur Begutachtung hin.

Er schien aus Bronze zu sein, der Größe nach für einen Mann bestimmt. Geschmückt war er mit einem Totenkopf über gekreuzten Knochen. Auf dem Schädel standen die Zahlen 39/40, darunter waren vier Wörter in deutscher Sprache eingraviert. St.

James kniff die Augen zusammen, um sie erkennen zu können: *Die Festung im Westen.*

»Aus dem Krieg«, meinte Deborah, während sie den Ring musterte. »Aber er hat bestimmt nicht die ganze Zeit hier gelegen.«

»Nein. Da wäre er in einem anderen Zustand.«

»Aber was …?«

St. James schlug das Taschentuch um den Ring, ließ ihn aber in Deborahs Hand liegen. »Er muss untersucht werden«, sagte er. »Le Gallez wird ihn auf Fingerabdrücke prüfen wollen. Viel wird nicht drauf sein, aber schon ein Teilabdruck wäre eine Hilfe.«

»Wie ist es möglich, dass sie den übersehen haben?«, fragte Deborah, und St. James entnahm ihrem Ton, dass sie keine Antwort erwartete.

Dennoch sagte er: »Le Gallez genügt offenbar die Aussage einer alten Frau, die nicht einmal eine Brille trug. Ich denke, wir können ruhig davon ausgehen, dass er nicht mit übergroßem Eifer nach Hinweisen suchte, die ihre Aussage widerlegen könnten.«

Deborah blickte zu dem kleinen weißen Bündel in ihrer Hand hinunter und sah dann ihren Mann an. »Der Ring könnte ein Beweisstück sein«, sagte sie. »Gegen die Haare, die sie gefunden haben, gegen den Fußabdruck und die Zeugenaussagen, die vielleicht gelogen sind. Mit dem Ring könnte sich alles ändern, meinst du nicht, Simon?«

»Vielleicht, ja«, stimmte er zu.

Margaret Chamberlain war hoch zufrieden, dass sie auf einen Termin für die Testamentseröffnung unmittelbar nach dem Empfang gedrungen hatte. »Ruf den Anwalt an, Ruth«, hatte sie am Vortag zu ihrer ehemaligen Schwägerin gesagt. »Sag ihm, er soll nach der Beerdigung herkommen.« Als sie daraufhin von Ruth gehört hatte, dass Guys Anwalt sowieso an den Feierlichkeiten teilnehmen würde – noch so eine von Guys lästigen Inselbekanntschaften, um die man sich bei der Beerdigung würde kümmern müssen –, hatte sie das ganz hervorragend gefunden. Das war Schicksal, eindeutig. Nur für den Fall, dass ihre Exschwägerin vorhatte, ihr einen Strich durch die Rechnung zu machen, hatte Margaret sich den Mann gleich selbst vorgeknöpft, als sie ihn am Büfett beim Verspeisen eines Krabbenbrötchens entdeckt hatte. Miss Brouard, teilte sie ihm mit, wünsche die Testamentsverlesung unmittelbar nach dem Empfang, sobald der letzte Gast gegangen war. Er habe doch die erforderlichen Unterlagen bei sich? Ja? Wunderbar. Und würde es irgendwelche Schwierigkeiten bereiten, die Einzelheiten durchzugehen, sobald man ungestört sei? Nein? Bestens.

Nun waren sie also im Wohnzimmer versammelt. Die Zusammensetzung der Gruppe allerdings gefiel Margaret gar nicht.

Ruth hatte auf Margarets Betreiben hin nicht nur mit Guys Anwalt Verbindung aufgenommen. Sie hatte zu der Testamentsverlesung außerdem eine Runde von Leuten zusammengerufen, die nichts Gutes ahnen ließ. Es konnte nur eines bedeuten: Ruth kannte den Inhalt des Testaments und wusste, dass es Vermächtnisse an Personen enthielt, die nicht zur Familie gehörten. Warum hätte sie sonst einen Kreis praktisch wildfremder Leute zu diesem ernsten familiären Anlass gebeten? Ganz gleich, wie liebevoll Ruth sie begrüßte und ihnen ihre Plätze zuwies, es waren Fremde, jedenfalls in den Augen Margarets, die jedem diesen Stempel aufdrückte, der mit dem Verstorbenen nicht verwandt oder verschwägert war.

Zu diesen Fremden zählten auch Anaïs Abbott in voller Kriegsbemalung und ihre Tochter, die eine im schwarzen Kostümchen, dessen Rock sich hauteng um den kleinen Hintern schmiegte, die andere in einem Bolerojäckchen, in dem sie wie ein Zirkusaffe aussah. Der mürrische Sohn war anscheinend verschwunden, denn während sich die Gesellschaft im oberen Wohnzimmer versammelte, unter einem weiteren von Ruths grässlichen Stickbildern aus dem Leben einer Vertriebenen – das, so schien es, das Leben als Pflegekind bei fremden Leuten darstellte, als wäre sie das einzige Kind gewesen, das in den Jahren nach dem Krieg dieses Schicksal erlitten hatte –, rang Anaïs unaufhörlich die Hände und erzählte jedem, der es hören wollte, Stephen sei »in seinem Kummer einfach fortgelaufen.« Jedes Mal füllten sich dabei in peinlicher Zurschaustellung ewiger Liebe und Treue zu dem Verstorbenen ihre Augen mit Tränen.

Neben den Abbotts waren die Duffys da. Kevin – Verwalter, Gärtner, Hausmeister von *Le Reposoir*, kurz: Guys Faktotum – stand abseits an einem Fenster, schaute zum Park hinunter und ließ, offenbar aus Prinzip, allenfalls einmal ein Brummen hören. Seine Frau Valerie hielt die Hände im Schoß zusammengekrampft. Ihr ratloser Blick flog bald zu ihrem Mann, bald zu Ruth, bald zu dem Anwalt, der dabei war, sein Aktenköfferchen auszupacken. Sie schien überhaupt nicht zu verstehen, was sie bei dieser Veranstaltung sollte.

Schließlich war noch Frank Ouseley da, der Margaret nach der Bestattung vorgestellt worden war, eingefleischter Junggeselle, wie sie gehört hatte, und ein sehr guter Freund von Guy. Sein Seelenfreund sozusagen, ihm verbunden durch das leidenschaftliche Interesse an den Zeiten des Zweiten Weltkriegs, das die beiden Männer miteinander geteilt hatten. Für Margaret war das genug, um ihn mit Argwohn zu betrachten. Er war, wie sie inzwischen wusste, die treibende Kraft hinter diesem hirnverbrannten Museumsprojekt und womöglich verantwortlich dafür, dass weiß der Himmel wie viele Millionen von Guys Geld in andere Taschen als die ihres Sohnes fließen würden. Sie fand ihn ausgesprochen abstoßend mit seinem unmöglichen Tweedanzug und den schlecht überkronten Schneidezähnen. Außerdem war er dick, das sprach zusätzlich gegen ihn. Dicke Bäuche zeugten von Gefräßigkeit, und die wiederum zeugte von Gier.

Und er sprach mit Adrian, der offensichtlich sogar zu dumm war, um einen Gegner zu erkennen, wenn er ihn vor sich hatte. Wenn sich die Dinge in der nächsten halben Stunde so entwickelten, wie Margaret fürchtete, konnte es gut sein, dass sie sich mit diesem feisten Kerl vor Gericht wiedertreffen würden. Adrian hätte doch wirklich so klug sein können, wenigstens das zu bedenken, und sich dem Mann fern zu halten.

Margaret seufzte. Während sie ihren Sohn beobachtete, fiel ihr zum ersten Mal seine große Ähnlichkeit mit seinem Vater auf und dass er alles tat, um diese Ähnlichkeit zu verleugnen: Das Haar trug er sehr kurz, damit ja nicht Guys Locken zum Vorschein kommen konnten; er kleidete sich nachlässig, war stets glatt rasiert, um keine Erinnerung an Guys gepflegten Bart aufkommen zu lassen. Aber seine Augen, schwerlidrig mit glutvollem Blick wie die seines Vaters, konnte er nicht verändern. Und auch nicht seinen Teint, der um einiges dunkler war als der des Durchschnittsengländers.

Sie ging zum offenen Kamin, wo er mit dem Freund seines Vaters stand, und hakte sich bei ihm unter. »Setz dich zu mir, Darling«, sagte sie. »Sie haben doch nichts dagegen, wenn ich ihn Ihnen entführe, Mr. Ouseley?«

Frank Ouseley wurde durch Ruth einer Antwort enthoben, die in diesem Moment die Tür schloss, zum Zeichen, dass alle da waren. Margaret führte Adrian zu einem Sofa, das Teil einer Sitzgruppe in der Nähe des Tisches war, auf dem Guys Anwalt – ein gertenschlanker Mann namens Dominic Forrest – seine Papiere bereitgelegt hatte.

Margaret entging nicht, dass alle sich anstrengten, möglichst unaufgeregt zu wirken. Das galt auch für ihren Sohn, den sie nur mit Mühe dazu gebracht hatte, überhaupt an dieser Sitzung teilzunehmen. Er saß mit ausdrucksloser Miene da und bekundete durch seine ganze Haltung, wie wenig es ihn interessierte, wie sein Vater über sein Vermögen verfügt hatte.

Margaret war das egal; sie interessierte es in höchstem Maße. Sie war denn auch ganz wache Aufmerksamkeit, als Forrest seine Halbbrille aufsetzte und sich räusperte. Er hatte nicht versäumt, sie darauf aufmerksam zu machen, dass diese Art der Testamentsverlesung aufs Höchste ungewöhnlich war. Normalerweise, hatte er erklärt, wählte man einen vertraulichen Rahmen, um den Begünstigten die sie betreffenden Verfügungen zur Kenntnis zu bringen, damit sie sich in aller Ruhe mit der neuen Situation auseinander setzen und eventuelle Fragen stellen konnten, ohne dass andere, die ihnen vielleicht nicht unbedingt wohlgesinnt waren, etwas von der Entwicklung der Dinge erfuhren.

Was, wie Margaret wusste, nichts anderes hieß, als dass Mr. Forrest viel lieber mit jedem Begünstigten allein gesprochen hätte, um später jedem eine eigene Rechnung schicken zu können. Ein widerwärtiger Mensch.

Ruth kauerte wie ein Huhn auf der Kante eines Queen-Anne-Sessels nicht weit von Valerie Duffy. Kevin Duffy blieb am Fenster stehen, Frank Ouseley am offenen Kamin. Anaïs Abbott und ihre Tochter nahmen auf einem zweisitzigen Sofa Platz, wo die eine fortfuhr, die Hände zu ringen, und die andere krampfhaft versuchte, ihre Giraffenbeine irgendwie so unterzubringen, dass sie nicht auffielen.

Mr. Forrest setzte sich und schwenkte einmal kurz mit lockerem Handgelenk seine Papiere. Der letzte Wille Mr. Guy Brouards, begann er, sei am zweiten Oktober dieses Jahres verfasst, unterzeichnet und bezeugt worden. Es sei ein einfaches Dokument.

Margaret war nicht sonderlich glücklich mit der Entwicklung der Dinge. Sie machte sich auf unangenehme Enthüllungen gefasst. Und das war klug von ihr, wie sich zeigte. Kurz und bündig unterrichtete Mr. Forrest die Versammelten, dass Guy Brouards gesamter Nachlass sich aus einem einzigen Bankkonto und einem Wertpapierportefeuille zusammensetzte. Der Kontobestand und der Wertpapierbestand sollten gemäß dem geltenden Erbrecht in zwei gleiche Teile geteilt werden. Die eine Hälfte sollte, wiederum nach geltendem Erbrecht, unter den drei Kindern des Erblassers gedrittelt werden. Die zweite Hälfte fiel zu gleichen Teilen an Paul Fielder und Cynthia Moullin.

Ruth, geliebte Schwester und lebenslange Gefährtin des Verstorbenen, wurde mit keinem Wort erwähnt. Aber wenn man das ungeheure Vermögen Guys bedachte – die Immobilien in England, Frankreich, Spanien und auf den Seychellen, seine internationalen Unternehmensbeteiligungen, sein Wertpapiervermögen, seine Kunstsammlung und *Le Reposoir* –, dieses Vermögen, das in seinem Testament nicht einmal *angesprochen* wurde, so brauchte man nicht viel zu überlegen, um zu begreifen, was Guy getan hatte: Er hatte seinen Kindern unmissverständlich klar gemacht, was er von ihnen hielt, und gleichzeitig bestens für das Wohl seiner Schwester vorgesorgt. Mein Gott, dachte Margaret, er muss ihr noch zu seinen Lebzeiten alles überschrieben haben.

Als Mr. Forrest zum Schluss seiner Ausführungen kam, herrschte fassungsloses Schweigen, und nur langsam wurde zumindest bei Margaret die Fassungslosigkeit von Empörung verdrängt. Sie war sofort überzeugt, dass Ruth diese ganze Veranstaltung nur inszeniert hatte, um sie zu demütigen. Ruth hatte sie nie gemocht. Von Anfang an nicht. Und in den Jahren, in denen sie – Margaret – Guy seinen Sohn vorenthalten hatte, war bei Ruth zweifellos ein abgrundtiefer Hass gegen sie gewachsen. Welch eine Genugtuung ihr dieser Augenblick bereiten musste, in dem sie miterleben konnte, wie Margaret Chamberlain ihre gerechte Strafe bekam: in Form der bitteren Erkenntnis, dass Guys Nachlass bei weitem nicht ihren Erwartungen entsprach, und ihr Sohn obendrein aus diesem Nachlass weniger erhielt als zwei wildfremde Personen namens Fielder und Moullin.

Zum Kampf bereit wandte Margaret sich ihrer ehemaligen Schwägerin zu. Doch in Ruths Gesicht erblickte sie eine Wahrheit, die sie nicht glauben mochte. Ruth war so bleich geworden, dass ihre Lippen kreidig wirkten, und ihr Gesichtsausdruck sagte deutlicher als alle Worte, dass das Testament ihres Bruders allem widersprach, was sie erwartet hatte. Sah man diese Reaktion in Zusammenhang mit ihrer Einladung an die anderen, der Testamentsverlesung beizuwohnen, so verriet sie allerdings noch weit mehr. Für Margaret stand fest: Ruth hatte nicht nur von der Existenz eines *früheren* Testaments gewusst, sie hatte auch den Inhalt dieses Testaments gekannt.

Warum sonst hätte sie Guys letzte Geliebte zu diesem Termin gebeten? Warum Frank Ouseley? Die Duffys? Es konnte dafür nur einen Grund geben: Ruth hatte sie alle in gutem Glauben eingeladen, weil Guy in einem früheren Testament jedem von ihnen etwas hinterlassen hatte.

Und was ist mit Adrian?, dachte Margaret. Was ist mit meinem Sohn? Ein dünner roter Schleier schien sich vor ihren Blick zu ziehen, als sie begriff, was geschehen war: Ihrem Sohn Adrian sollte verweigert werden, was ihm von Rechts wegen zustand... Er war von seinem Vater praktisch enterbt worden... Er sollte es sich gefallen lassen, weniger zu erhalten als zwei Wildfremde – Fielder und Moullin, wer auch immer das sein mochte!... Sein Vater hatte offensichtlich über den Großteil seines Vermögens bereits anderweitig verfügt... Adrian sollte buchstäblich mit *nichts* abgefertigt werden, und das von dem Mann, der ihn in die Welt gesetzt und ihn dann kampflos aufgegeben hatte, dem es offensichtlich überhaupt nichts ausgemacht hatte, seinen Sohn aufzugeben und die darin enthaltene Zurückweisung noch dadurch zu zementieren, dass er mit der Geliebten seines Sohnes ein Verhältnis anfing, gerade als diese zu einer dauerhaften Bindung bereit war, die Adrians Leben für immer verändern und ihn endlich hätte heilen können... Es war unvorstellbar! Eine einzige Gewissenlosigkeit. Aber dafür würde jemand bezahlen!

Margaret wusste noch nicht, wer und wie. Aber sie war entschlossen, für Gerechtigkeit zu sorgen.

Das hieß, dass man zuerst diesen beiden Fremden das Geld entreißen musste, das Guy ihnen vermacht hatte. Was waren das überhaupt für Leute? Wo lebten sie? Was hatten sie mit Guy zu tun gehabt?

Es gab zwei Personen, die diese Fragen beantworten konnten. Die eine war Dominic Forrest, der seine Papiere wieder einpackte und dabei etwas von amtlichen Wirtschaftsprüfern, Bankauskünften und Anlageberatern erzählte. Die andere war Ruth, die nun zu Anaïs Abbott eilte – ausgerechnet zu dieser Person! – und ihr murmelnd Trost zusprach.

Forrest, vermutete Margaret, würde wahrscheinlich nicht bereit sein, zusätzliche Informationen herauszurücken. Aber Ruth, in ihrer Eigenschaft als ihre ehemalige Schwägerin und als Tante von Adrian, der von seinem Vater so schlecht behandelt worden war... Ja, von Ruth würde schon etwas zu erfahren sein, wenn man es richtig anfing.

Margaret, die plötzlich bemerkte, dass Adrian, der neben ihr saß, heftig zitterte, riss sich von ihren Spekulationen los. Sie war von ihren Überlegungen, was jetzt zu tun war, so absorbiert gewesen, dass sie überhaupt nicht darüber nachgedacht hatte, was dieser Moment für Adrian bedeutete. Natürlich war Adrians Beziehung zu seinem Vater immer schwierig gewesen, da diesem ja seine sexuellen Abenteuer stets wichtiger gewesen waren als eine enge Verbindung zu seinem eigen Fleisch und Blut. Aber vom eigenen Vater so behandelt zu werden, das war grausam, weit grausamer, als ein Leben ohne Vater hätte sein können. Und Adrian litt darunter.

Sie wandte sich ihm zu. Sie wollte ihm sagen, dass dies noch lange nicht das Ende sei, dass es immer noch den Rechtsweg gebe, Möglichkeiten der Regelung durch Manipulation oder Druck, Mittel und Wege jedenfalls, um zu erreichen, was man wollte. Er solle sich deshalb keine Sorgen machen und nicht glauben, dass die testamentarischen Verfügungen seines Vaters etwas anderes seien als der Ausdruck einer momentanen Geistesgestörtheit, hervorgerufen durch weiß der Himmel was ... Das alles wollte sie ihm sagen, wollte ihn in den Arm nehmen, ihn aufmuntern und mit ihrem eisernen Willen stärken. Aber sie sah, dass das alles gar nicht nötig war.

Denn Adrian weinte nicht. Er lachte. Lautlos.

Valerie Duffy war, von verschiedenen Sorgen geplagt, zu der Testamentsverlesung gegangen, und nur eine dieser Sorgen war am Ende beschwichtigt. Sie brauchte nicht länger zu fürchten, dass sie mit Guy Brouards Tod Heim und Lebensunterhalt verlieren würde. Die Tatsache, dass *Le Reposoir* im Testament mit keinem Wort erwähnt worden war, legte nahe, dass über den Besitz bereits an anderer Stelle verfügt worden war, und Valerie glaubte zu wissen, wem er jetzt gehörte. Das bedeutete, das sie und Kevin keine Angst zu haben brauchten, gleich morgen an die Luft gesetzt zu werden.

Valeries übrige Sorgen jedoch blieben. Sie hatten mit Kevins Verschlossenheit zu tun, die sie im Allgemeinen nicht störte, jetzt aber nervös machte.

Sie war mit ihrem Mann auf dem Heimweg. Das Herrenhaus im Rücken, schritten sie über das Grundstück zu ihrem Häuschen. Valerie hatte die Reaktionen der im Wohnzimmer Anwesenden gesehen und in jedem der Gesichter die enttäuschten Hoffnungen erkannt. Anaïs Abbott hatte auf finanzielle Befreiung aus der Grube gehofft, die sie sich mit ihren kostspieligen Bemühungen, Guy Brouard bei der Stange zu halten, selbst gegraben hatte. Frank Ouseley hatte mit einer Geldzuwendung gerechnet, die ausreichen würde, seinem Vater ein Denkmal zu errichten. Margaret Chamberlain hatte ein Vermögen erwartet und gehofft, damit ihren Sohn, der immer noch unter ihrem Dach lebte, endlich in die Welt hinausschicken zu können. Und Kevin …? Nun, Kevin hatte natürlich eine Menge Dinge im Kopf, die mit Testamenten und Vermächtnissen überhaupt nichts zu tun hatten, folglich hatte er der Einladung zu dieser Testamentseröffnung auch ganz ohne Erwartungen Folge geleistet.

Sie warf ihm einen schnellen Seitenblick zu. Sie wusste, dass er es unnatürlich finden würde, wenn sie sich überhaupt nicht äußerte, aber sie wollte vorsichtig sein und nicht zu viel sagen. Es gab Dinge, über die man besser nicht sprach.

»Was meinst du, sollen wir Henry anrufen?«, fragte sie schließlich.

Kevin, der sich in den Kleidern, welche die meisten Männer wie selbstverständlich trugen, nicht wohl fühlte, lockerte seinen Schlips und öffnete den obersten Hemdknopf. »Ich denke, er wird es bald genug erfahren«, sagte er. »Spätestens bis zum Abend weiß es garantiert die halbe Insel.«

Valerie wartete, aber mehr sagte er nicht. Sie wäre gern erleichtert darüber gewesen, doch er sah sie nicht an, und das verriet ihr, dass er ihr auswich.

»Ich frage mich, wie er reagieren wird«, sagte sie.

»Wirklich, Schatz?«, fragte Kevin.

Er sprach so leise, dass Valerie ihn kaum hörte, aber schon sein Ton hätte ausgereicht, sie frösteln zu lassen. »Warum fragst du das, Kev?«, sagte sie in der Hoffnung, ihn zum Reden zu bringen.

Er antwortete: »Was die Leute angeblich tun, und was sie tatsächlich tun, das ist oft zweierlei.« Er sah sie an.

Das Frösteln wich einer Kälte, die ihre Beine hinaufkroch und in ihren Magen schoss, wo sie eisig liegen blieb. Valerie wartete darauf, dass ihr Mann auf das nahe liegende Thema zu sprechen käme, über das in diesem Moment wahrscheinlich alle, die im Wohnzimmer gesessen hatten, nachdachten oder diskutierten. Als er das nicht tat, sagte sie: »Henry war bei der Trauerfeier, Kev. Hast du mit ihm gesprochen? Zur Bestattung ist er auch mitgekommen. Und zum Empfang. Hast du ihn dort gesehen? Das kann doch eigentlich nur heißen, dass er und Mr. Brouard bis zum Ende Freunde waren. Gott sei Dank. Es wäre schrecklich gewesen, wenn Mr. Brouard im Streit mit jemandem gestorben wäre, besonders mit Henry. Ein Bruch in seiner Freundschaft mit Mr. Brouard hätte Henrys Gewissen bestimmt belastet, nicht wahr? Und das hätte er sicher nicht gewollt.«

»Nein, sicher nicht«, stimmte Kevin zu. »Ein schlechtes Gewissen ist was Scheußliches. Es hält einen nachts wach. Man muss dauernd daran denken, was man getan hat.« Mitten auf dem Rasen blieb er plötzlich stehen. Auch Valerie hielt inne. Ein Windstoß brachte salzige Luft und mit ihr die Erinnerung an das, was unten an der Bucht geschehen war.

»Glaubst du«, sagte Kevin, nachdem gut dreißig Sekunden verstrichen waren, ohne dass Valerie etwas auf seine Bemerkung erwidert hatte, »Henry wird sich wundern, wenn er von diesem Testament erfährt?«

Sie schaute weg, da sie wusste, dass er noch immer versuchte, sie mit seinem Blick aus der Reserve zu locken. Er konnte sie eigentlich immer zum Sprechen bringen, denn auch nach siebenundzwanzig Jahren Ehe liebte sie ihn wie beim ersten Mal, als er ihr die Kleider vom hitzigen Körper gestreift und diesen Körper mit seinem Körper geliebt hatte. Sie wusste, wie viel ein solches körperliches Einverständnis mit einem Mann bedeutete, und aus Furcht vor seinem Verlust drängte es sie, zu sprechen und Kevin dafür um Verzeihung zu bitten, dass sie getan hatte, was niemals zu tun sie versprochen hatte.

Doch der Sog von Kevins Blick war nicht stark genug. Er zog sie bis an den Rand des Abgrunds, aber er konnte sie nicht verleiten, sich ins sichere Verderben zu stürzen. Sie schwieg beharrlich, und das zwang ihn dazu, weiterzusprechen.

Er sagte: »Ich kann mir nicht vorstellen, dass er sich nicht seine Gedanken machen wird. Das Testament ist ungewöhnlich, das fordert doch Fragen heraus. Und wenn er sie nicht stellt...« Kevin blickte zu den Ententeichen hinüber und zum kleinen Entenfriedhof, in dem die verstümmelten Körper der unschuldigen Vögel lagen. »Es gibt zu vieles«, sagte er, »was für einen Mann Macht bedeutet, und wenn ihm seine Macht genommen wird, dann steckt er das nicht so einfach weg. Er kann das nicht mit einem Lächeln und einem Schulterzucken abtun und sagen: ›Ach, so viel hat es sowieso nicht bedeutet‹. Jedenfalls nicht, wenn er seine Macht erkannt hat. Und sie verloren hat.«

Valerie setzte sich wieder in Bewegung. Sie wollte sich nicht noch einmal vom Blick ihres Mannes aufspießen lassen wie ein gefangener Schmetterling der Spezies *wortbrüchiges Frauenzimmer*. »Denkst du denn, dass so was passiert ist, Kev? Dass jemand seine Macht verloren hat? Glaubst du, dass es darum geht?«

»Ich weiß es nicht«, antwortete er. »Du?«

Eine andere Frau hätte vielleicht mit gespielter Ahnungslosigkeit gesagt: »Wieso sollte ich...?«, aber Koketterie war nicht Valeries Sache. Sie wusste genau, warum ihr Mann ihr diese Frage stellte, und sie wusste, wohin es führen würde, wenn sie ihm direkt antwortete: zu einer Überprüfung gegebener Versprechen und einer Erörterung versuchter Rationalisierungen.

Aber abgesehen davon, dass es gewisse Themen gab, die Valerie im Gespräch mit ihrem Mann mied, ging es jetzt um ihre persönlichen Gefühle, die auch berücksichtigt sein wollten. Denn es war nicht leicht, mit der Erkenntnis zu leben, dass man wahrscheinlich am Tod eines guten Menschen schuld war. Dies tagein, tagaus mit sich herumzutragen, während man versuchte, den Alltag zu bewältigen, war belastend genug. Doch die Last wurde untragbar, wenn man obendrein hinnehmen sollte, dass noch ein anderer von dieser Schuld wusste. Da blieb nur Ausweichen und Ablenken. Alles andere schien ins Verderben zu führen, zum schnellen Sturz in den tiefen Abgrund verletzter Vereinbarungen und zurückgewiesener Verantwortung.

Mehr als alles wünschte sie sich, sie könnte das Rad zurückdrehen. Aber das war unmöglich. Und so ging sie stetigen Schritts dem Haus entgegen, wo wenigstens Beschäftigung auf sie beide wartete und sie vorübergehend die Kluft vergessen lassen würde, die sich so schnell zwischen ihnen auftat.

»Hast du den Mann gesehen, der mit Miss Brouard gesprochen hat?«, fragte Valerie ihren Mann. »Den mit dem kranken Bein? Sie ist mit ihm nach oben gegangen, kurz bevor der Empfang vorbei war. Ich habe ihn hier noch nie gesehen. Was meinst du – ist das vielleicht ihr Arzt? Sie ist nicht gesund, das weißt du doch, Kev, nicht wahr? Sie versucht, es zu verheimlichen, aber es wird zusehends schlimmer. Wenn sie doch darüber sprechen würde, dann könnte ich ihr besser helfen. Ich kann ja verstehen, dass sie nichts sagen wollte, solange er noch lebte – sie wollte ihn nicht beunruhigen –, aber jetzt, wo er tot ist ... Wir könnten viel für sie tun, Kev, wir beide. Wenn sie es zulassen würde.«

Sie ließen den Rasen hinter sich und überquerten einen Teil der Auffahrt, der vorn an ihrem Haus vorbeiführte. Valerie war als Erste an der Haustür und wäre schnurstracks ins Haus gegangen, hätte ihren Mantel aufgehängt und ihre Arbeit da wieder aufgenommen, wo sie sie unterbrochen hatte, hätten nicht Kevins Worte sie aufgehalten.

»Wann hörst du auf, mich zu belügen, Val?«

Es war genau die Art Frage, die sie zu einer anderen Zeit hätte beantworten *müssen*. Sie hätte der in ihr enthaltenen Unterstellung über die sich verändernde Natur ihrer Beziehung nur entgegentreten können, indem sie ihrem Mann gegeben hätte, was er verlangte. Aber die Entscheidung wurde ihr diesmal abgenommen; noch während Kevin sprach, trat der Mann, über den sie sich eben unterhalten hatten, aus dem Gebüsch am Fußweg zur Bucht.

Er war in Begleitung einer rothaarigen Frau. Als die beiden die Duffys bemerkten, tauschten sie ein paar Worte aus und kamen unverzüglich zum Haus. Der Mann stellte sich als Simon St.

James vor und die Rothaarige als seine Frau Deborah. Sie seien aus London zur Beerdigung gekommen, erklärte er und fragte die Duffys, ob er sie kurz sprechen könne.

Das letzte Medikament in der Reihe der Analgetika – das ihr Onkologe als das »allerletzte Mittel« bezeichnet hatte, das sie versuchen würden – konnte die mörderischen Schmerzen in Ruths Knochen nicht mehr eindämmen. Nun war es offensichtlich Zeit, das Morphium einzusetzen. Die Zeit für ihren Körper war gekommen, aber noch nicht die Zeit für ihren Geist, die der Moment bestimmen würde, da sie sich in ihrem Bemühen, selbst zu entscheiden, wie ihr Leben enden würde, geschlagen gab. Und bis diese Zeit kam, wollte Ruth ihr Leben weiterleben, als gäbe es den Feind in ihrem Körper nicht.

Sie war am Morgen mit starken Schmerzen erwacht, die sich im Lauf des Tages nicht gelegt hatten. In den ersten Stunden hatte sie sich so ausschließlich darauf konzentriert, ihren Pflichten gegenüber ihrem Bruder, seiner Familie, seinen Freunden und der Gemeinde nachzukommen, dass es ihr gelungen war, das Feuer, das ihren Körper im Griff hielt, zu ignorieren. Aber als die Gäste sich verabschiedeten, wurde es zunehmend schwieriger, den machtvollen Forderungen der Krankheit zu widerstehen. Die Testamentsverlesung hatte immerhin für Ablenkung gesorgt; ebenso das, was ihr folgte.

Das Gespräch mit Margaret war zum Glück überraschend kurz ausgefallen. »So werde ich das nicht stehen lassen«, hatte ihre ehemalige Schwägerin wutentbrannt und mit einem Gesicht erklärt, als hätte man ihr ranzige Butter vorgesetzt. »Aber im Moment möchte ich nur wissen, wer, zum Teufel, diese Leute sind.«

Ruth wusste, dass sie von den zwei Personen sprach, die Guy neben seinen Kindern in seinem Testament bedacht hatte. Sie gab Margaret die gewünschte Auskunft und sah ihr nach, als sie, schon zu einem Kampf gewappnet, dessen Ausgang – wie Ruth wusste – höchst zweifelhaft war, aus dem Zimmer rauschte.

Blieb der Rest. Frank Ouseley hatte es ihr überraschend leicht gemacht. Als sie mit verlegenen Entschuldigungen zu ihm getreten war und ihm versicherte, dass man ganz gewiss etwas tun könne, um die Situation zu ändern, da Guy ja bezüglich des Kriegsmuseums keinen Zweifel an seinen Wünschen gelassen habe, hatte Frank erwidert: »Machen Sie sich nur deswegen keine Sorgen, Ruth«, und sich ohne das geringste Anzeichen von Groll von ihr verabschiedet. Aber wenn man bedachte, was er und Guy an Zeit und Mühe in ihr Projekt investiert hatten, musste er natürlich trotzdem enttäuscht sein, und deshalb hatte Ruth ihn nicht gleich gehen lassen, sondern noch gesagt, er dürfe nicht glauben, die Lage sei aussichtslos, sie sei überzeugt, dass man etwas tun könne, um seinen Traum zu verwirklichen. Guy habe gewusst, wie viel das Projekt Frank bedeute, und es sei gewiss seine Absicht gewesen … Aber mehr konnte sie nicht sagen. Sie verstand auch noch nicht, was ihr Bruder getan und warum er es getan hatte, und wollte nicht riskieren, ihn und seine Wünsche zu verraten.

Frank hatte ihre Hand mit seinen beiden Händen umfasst und gesagt: »Das hat alles Zeit, Ruth. Sorgen Sie sich jetzt nicht darum.«

Damit war er gegangen und hatte sie der Auseinandersetzung mit Anaïs überlassen.

Wie im Schock, schoss es Ruth durch den Kopf, als sie sich der Geliebten ihres Bruders zuwandte. Anaïs saß stumm und starr auf dem zweisitzigen Sofa, auf dem sie zur Testamentsverlesung Platz genommen hatte, und sie war allein. Jemima war geflohen, sobald Ruth zu ihr gesagt hatte: »Vielleicht schaust du mal, wo Stephen geblieben ist, Kind …« In ihrer Hast war sie mit einem ihrer großen Füße über ein Sitzkissen gestolpert und hätte beinahe einen Beistelltisch umgerissen. Ihre Eile war verständlich. Jemima kannte ihre Mutter und ahnte wahrscheinlich, was in den nächsten Wochen an töchterlicher Liebe von ihr verlangt werden würde. Anaïs würde sowohl eine Vertraute als auch einen Sündenbock brauchen. Die Zeit würde zeigen, welche Rolle sie ihrer linkischen Tochter zuzuteilen gedachte.

Nun waren Ruth und Anaïs allein. Ruth wusste nicht, was sie

der anderen Frau sagen sollte. Ihr Bruder, der trotz seiner Schwächen ein guter und großzügiger Mensch gewesen war, hatte in seinem früheren Testament in einer Weise für Anaïs – und ihre Kinder – vorgesorgt, die diese all ihrer Sorgen enthoben hätte. So hatte Guy sich all seinen Frauen gegenüber verhalten. Wann immer er mit einer Frau länger als drei Monate zusammen gewesen war, hatte er sein Testament entsprechend der Innigkeit ihrer Beziehung geändert. Ruth wusste das, weil Guy jede Änderung seiner Verfügungen mit ihr besprochen hatte. Mit Ausnahme dieses letzten und endgültigen Testaments hatte Ruth jedes Einzelne im Beisein Guys und seines Anwalts gelesen, weil Guy immer sicher sein wollte, dass sie wusste, wie er seinen Nachlass aufgeteilt sehen wollte.

Das letzte Testament, das Ruth zu Gesicht bekommen hatte, war etwa sechs Monate nach Beginn der Beziehung zwischen ihrem Bruder und Anaïs Abbott aufgesetzt worden. Die beiden waren gerade aus Sardinien zurückgekehrt, wo sie allem Anschein nach nicht viel mehr getan hatten als den Liebesakt in all seinen Variationen zu genießen. Guy hatte mit glasigem Blick erklärt: »Das ist die Frau meines Lebens, Ruth«, und das geänderte Testament hatte diese optimistische Einschätzung widergespiegelt. Ruth hatte die Geliebte ihres Bruders zur Testamentsverlesung gebeten, da sie glaubte, dieses Dokument sei noch gültig; doch Anaïs war ihrem Gesichtsausdruck nach offenbar überzeugt, sie hätte es aus Bosheit getan.

Ruth wusste nicht, was in diesem Moment das größere Übel wäre: Anaïs glauben zu lassen, sie habe, nur um sie zu verletzen, dafür gesorgt, dass sie ihre Hoffnungen *coram publico* zunichte gemacht sah, oder ihr zu sagen, dass ein früheres Testament existiert hatte, das sie um vierhunderttausend Pfund reicher gemacht und die Rettung aus ihrem derzeitigen Dilemma bedeutet hätte. Ruth entschied sich für das Erstere. Sie zog sich zwar nicht gern den Unwillen anderer zu, aber wenn sie Anaïs von dem früheren Testament berichtete, würde das beinahe zwangsläufig zu einem Gespräch darüber führen, warum es geändert worden war.

Sie setzte sich. »Anaïs«, sagte sie, »es tut mir entsetzlich Leid. Ich weiß nicht, was ich sonst sagen soll.«

Anaïs schaute Ruth an, als käme sie langsam wieder zu Bewusstsein, und sagte: »Wenn er sein Geld Teenagern hinterlassen wollte, warum dann nicht meinen Kindern? Jemima und Stephen. Hat er nur so getan…« Sie drückte sich ein Sofakissen auf den Bauch. »Warum hat er mir das angetan, Ruth?«

Ruth wusste nicht, wie sie es ihr erklären sollte. Es ging Anaïs schon schlecht genug. Ihr noch mehr zuzumuten, schien unmenschlich. Sie sagte: »Ich vermute, es hatte damit zu tun, dass Guy seine eigenen Kinder infolge der Scheidungen verloren hatte, Anaïs. An ihre Mütter. Ich denke, er sah in der Beziehung zu diesen anderen jungen Leuten die Möglichkeit, der Vater zu sein, der er seinen eigenen Kindern nicht mehr sein konnte.«

»Und meine Kinder genügten ihm nicht?«, fragte Anaïs scharf. »Jemima? Und Stephen? Waren sie denn unwichtig? So unbedeutend für ihn, dass zwei fremde –«

»Sie waren Guy nicht fremd«, korrigierte Ruth. »Er hatte Paul Fielder und Cynthia Moullin seit Jahren gekannt.« Länger als dich und deine Kinder, hätte sie gern hinzugefügt, tat es aber nicht, weil sie dieses Gespräch beendet sehen wollte, bevor es zu Dingen führte, über die zu sprechen sie nicht ertragen konnte. »Du weißt von dem Förderprogramm für benachteiligte Jugendliche, Anaïs. Du weißt, wie engagiert Guy war.«

»Und so haben sie sich in sein Leben eingeschlichen. In der Hoffnung… Sie lernten Guy kennen, sie kamen hierher, sie sahen sich um und wussten, wenn sie es geschickt anstellten, bestand eine gute Chance, dass er ihnen etwas vermachen würde. So war es. Genau so.« Sie schleuderte das Kissen auf die Seite.

Ruth staunte über Anaïs' Fähigkeit, sich etwas vorzumachen. Sie hätte beinahe gesagt: Und bei dir war es nicht so, meine Liebe? Du hast dich tatsächlich aus bedingungsloser Liebe an einen Mann gebunden, der beinahe fünfundzwanzig Jahre älter war als du? Das glaube ich dir nicht, Anaïs. Aber sie sagte stattdessen: »Ich denke, er vertraute darauf, dass Jemima und Stephen unter deiner Obhut im Leben gut vorankommen würden.

Die anderen beiden hingegen… Sie haben nie die Vorteile gehabt, die deine Kinder genießen. Er wollte ihnen helfen.«

»Und was ist mit mir? Was soll aus mir werden?«

Ah, dachte Ruth, jetzt sind wir beim springenden Punkt angelangt. Aber sie wollte Anaïs auf ihre Frage nicht antworten und sagte deshalb nur: »Es tut mir Leid, meine Liebe.«

»Ja, natürlich«, erwiderte Anaïs. Sie sah sich um, als wäre sie gerade wach geworden, und musterte ihre Umgebung, als erblickte sie sie zum ersten Mal. Sie nahm ihre Sachen und stand auf, um zu gehen. An der Tür blieb sie stehen und drehte sich zu Ruth um. »Er hat Versprechungen gemacht«, sagte sie. »Er hat mir einiges gesagt, Ruth. Hat er mich belogen?«

Ruth gab die einzige Antwort, von der sie glaubte, sie der anderen mit gutem Gewissen geben zu können. »Ich habe nie erlebt, dass mein Bruder gelogen hat.«

Und er hatte auch nie gelogen, keine einziges Mal, nicht ihr gegenüber. *Sois forte*, hatte er zu ihr gesagt. *Ne crains rien. Je reviendrai te chercher, petite sœur.* Und er hatte sein Versprechen gehalten: Er war zurückgekommen, um sie aus der Pflegefamilie herauszuholen, zu der man sie in diesem schwer geplagten Land gebracht hatte und in der zwei Flüchtlingskinder aus Frankreich nur bedeuteten, dass man noch zwei Mäuler stopfen, noch zwei Pflegefamilien finden musste und sich nur darauf verlassen konnte, dass eines Tages ein dankbares Elternpaar kommen und sie holen würde. Als die Eltern nicht gekommen waren und das Ungeheuerliche, das in den Lagern geschehen war, bekannt wurde, war Guy gekommen. Um ihr die Angst zu nehmen, hatte er, sein eigenes Entsetzen niederkämpfend, geschworen: *Cela n'a pas d'importance, d'ailleurs rien n'a d'importance.* Sein Leben war ein einziger Versuch gewesen zu beweisen, dass sie ohne Eltern – wenn nötig sogar ohne Freunde – in einem Land überleben konnten, das sie sich nicht ausgesucht, in das vielmehr andere sie hineingeworfen hatten. Nein, Ruth konnte ihren Bruder nicht als Lügner sehen und hatte ihn nie als solchen gesehen, obwohl sie wusste, dass er einer gewesen sein und ein wahres Netz der Täuschung geschaffen haben musste, um zwei

Ehefrauen und Dutzende von Geliebten an der Nase herumzuführen.

Als Anaïs gegangen war, dachte Ruth über diese Fragen nach. Sie betrachtete sie im Licht von Guys Aktivitäten in den letzten Monaten. Eines war klar: Wenn er sie in Bezug auf dieses letzte Testament belogen hatte, und sei es nur durch Unterlassung, konnte er auch in anderen Dingen gelogen haben.

Sie stand auf und ging in das Arbeitszimmer ihres Bruders.

# 11

»Und Sie haben keinerlei Zweifel daran, was Sie an dem Morgen gesehen haben?«, fragte St. James. »Wie spät war es, als sie an Ihrem Haus vorüberkam?«

»Kurz vor sieben«, antwortete Valerie Duffy.

»Also noch nicht ganz hell.«

»Nein. Aber ich hab am Fenster gestanden.«

»Warum?«

Sie zuckte mit den Schultern. »Ich hatte mir eine Tasse Tee gemacht. Kevin war noch nicht unten. Das Radio lief. Ich hab nur dagestanden, und bin im Kopf den kommenden Tag durchgegangen. Wie man das eben so tut.«

Sie waren im Wohnzimmer. Valerie hatte sie dorthin geführt, während Kevin einige Minuten in der Küche verschwunden war, um Teewasser aufzusetzen. Sie saßen unter der niedrigen Decke, zwischen Regalen voller Fotoalben, großer Kunstbände und sämtlicher Videos, die Sister Wendy je gemacht hatte. Schon unter den günstigsten Umständen wäre es mit vier Personen im Raum eng geworden. So aber, noch dazu mit Büchertürmen auf dem Fußboden und diversen Kartonstapeln an den Wänden – ganz zu schweigen von den Familienfotos, die überall herumstanden –, fühlte man sich überwältigt. Übrigens auch von den Zeugnissen von Kevin Duffys erstaunlicher Bildung. Wer hätte von einem Hausmeister und Gärtner erwartet, dass er ein abgeschlossenen Studium der Kunstgeschichte vorweisen konnte? Vielleicht hingen deshalb an den Wänden neben den Familienfotos Kevins gerahmte Universitätsurkunden sowie mehrere Porträts des ehemaligen Studenten, jung und ohne Ehefrau.

»Die Eltern meines Mannes waren der Ansicht, dass der Sinn der Bildung die Bildung ist«, hatte Valerie wie als Antwort auf eine nahe liegende und unausgesprochene Frage erklärt. »Sie fanden nicht, dass sie unbedingt zu einem Job führen müsse.«

Keiner der beiden Duffys hatte St. James' Recht, über Guy Brouards Tod nachzuforschen, in Frage gestellt. Nachdem er ihnen über seine berufliche Tätigkeit Auskunft gegeben und seine Karte überreicht hatte, waren sie ohne weiteres bereit gewesen, mit ihm zu sprechen. Sie fragten auch nicht, warum er in Begleitung seiner Frau erschienen war, und St. James hütete sich, ihnen zu sagen, dass Deborah mit der Frau, die unter Mordanklage stand, gut bekannt war.

Valerie berichtete ihnen, dass sie normalerweise um halb sieben aufstand und Kevin das Frühstück machte, bevor sie ins Herrenhaus hinüberging, um den Brouards ihr Frühsstück zuzubereiten. Mr. Brouard, erklärte sie, hatte immer gern etwas Warmes zu sich genommen, wenn er vom Schwimmen zurückgekommen war, und sie war an diesem besonderen Morgen trotz der vorangegangenen langen Nacht so früh aufgestanden wie immer, weil Mr. Brouard gesagt hatte, dass er wie üblich zum Schwimmen wollte. Und wirklich war er am Fenster vorübergekommen, während sie mit ihrem Tee dort gestanden hatte. Keine halbe Minute später hatte sie eine Gestalt in einem dunklen Umhang gesehen, die ihm folgte.

Ob dieser Umhang eine Kapuze gehabt habe, wollte St. James wissen.

Ja.

Ob die Kapuze hochgeschlagen gewesen sei?

Ja, sagte Valerie Duffy. Aber das Gesicht der Frau hatte sie trotzdem erkannt, denn diese war ganz nahe an dem Lichtschein, der aus dem Fenster fiel, vorübergegangen und deshalb leicht zu erkennen gewesen.

»Es war die Amerikanerin«, sagte Valerie. »Da bin ich sicher. Ich habe ihre Haare gesehen.«

»Es kann nicht jemand anderer von ähnlicher Statur gewesen sein?«, fragte St. James.

»Keinesfalls«, behauptete Valerie.

»Auch keine andere Blondine?«, warf Deborah ein.

Valerie versicherte ihnen, sie habe China River gesehen. Und es habe sie auch nicht gewundert, sagte sie. China River sei ja während ihres Aufenthalts in *Le Reposoir* ganz dick mit Mr. Brouard gewesen. Diese Geschichte mit der Amerikanerin habe sich selbst für Mr. Brouards Verhältnisse, der mit Frauen generell gut konnte, rasant entwickelt.

St. James sah, wie seine Frau die Stirn runzelte, und zögerte selbst, Valerie Duffy zu glauben. Die Leichtigkeit, mit der sie ihre Antworten gab, machte ihn stutzig. Und es fiel auf, dass sie es bewusst vermied, ihrem Mann ins Gesicht zu sehen.

Deborah war es, die höflich fragte: »Haben Sie auch etwas von alledem beobachtet, Mr. Duffy?«

Kevin Duffy stand, an ein Bücherregal gelehnt, schweigend im Schatten. Sein dunkles Gesicht war unergründlich. »Val ist morgens im Allgemeinen vor mir auf«, sagte er kurz.

Was vermutlich heißen sollte, dass er nichts gesehen hatte. St. James fragte trotzdem: »Und an diesem besonderen Tag?«

»Wie immer«, antwortete Kevin Duffy.

Deborah sagte zu Valerie: »Ganz dick – inwiefern?« Als Valerie sie verständnislos ansah, fügte sie erläuternd hinzu: »Sie sagten, China River sei ganz dick mit Mr. Brouard gewesen. Es würde mich interessieren, in welcher Hinsicht.«

»Sie sind immer miteinander rumgezogen. Ihr hat's hier gefallen, und sie wollte alles fotografieren. Er wollte dabei zuschauen. Und er wollte ihr unbedingt alles auf der Insel zeigen.«

»Was war mit ihrem Bruder?«, fragte Deborah. »Ist der nicht mit den beiden herumgezogen, wie Sie sagen?«

»Manchmal ja. Manchmal ist er aber auch hier geblieben oder hat auf eigene Faust was unternommen. Ich hatte den Eindruck, dass ihr das gepasst hat, der Amerikanerin, meine ich. Dann waren sie nur zu zweit. Sie und Mr. Brouard. Aber wie gesagt, wundern braucht einen das nicht. Er konnte gut mit Frauen.«

»Aber Mr. Brouard hatte doch bereits eine Freundin, nicht wahr?«, bemerkte Deborah. »Mrs. Abbott.«

»Er hatte immer irgendeine Frau am Bändel, aber nicht immer lang. Mrs. Abbott war die Letzte, bevor die Amerikanerin aufkreuzte.«

»Und gab es noch jemanden?«, fragte St. James.

Aus irgendeinem Grund schien die Luft plötzlich zu knistern. Kevin Duffy verlagerte sein Gewicht auf den anderen Fuß, und Valerie strich mit energischer Bewegung über ihren Rock. »So viel ich weiß, nicht«, antwortete sie.

St. James und Deborah tauschten einen Blick. In Deborahs Gesicht spiegelte sich die plötzliche Erkenntnis, dass sie ihre Ermittlungen noch in ganz andere Richtungen verfolgen mussten. St. James stimmte ihr zu. Aber es durfte nicht unbeachtet bleiben, dass hier eine weitere Zeugin stand, die China River beobachtet hatte, wie sie Guy Brouard zur Bucht hinunter gefolgt war – und eine weit bessere Zeugin als Ruth Brouard, wenn man die geringe Entfernung zwischen dem Verwalterhaus und dem Fußweg zur Bucht bedachte.

Er sagte zu Valerie: »Haben Sie das alles auch Chief Inspector Le Gallez erzählt?«

»Aber ja.«

St. James überlegte, was es bedeuten mochte, dass weder Le Gallez noch China Rivers Anwalt diese Informationen an ihn weitergegeben hatten. Er sagte: »Wir sind auf etwas gestoßen, was Sie vielleicht kennen«, und zog das Taschentuch mit dem Ring heraus, den Deborah zwischen den Steinen der Mole gefunden hatte. Er schlug das Tuch auseinander und hielt den Ring zuerst Valerie, dann Kevin Duffy hin. Keinem von beiden schien das Stück etwas zu sagen.

»Schaut aus wie was aus dem Krieg«, meinte Kevin Duffy. »Aus der Besatzungszeit. Ein Naziring, vermute ich. Totenkopf und gekreuzte Knochen. Das hab ich schon mal gesehen.«

»Einen ähnlichen Ring?«, fragte Deborah.

»Nein. Ich meinte das Totenkopfzeichen.« Kevin warf seiner Frau einen Blick zu. »Kennst du jemanden, der so einen Ring hat, Val?«

Sie schüttelte den Kopf, während sie den Ring auf St. James' offener Hand betrachtete. »Es ist sicher ein Andenken«, sagte sie zu ihrem Mann und fügte zu Deborah und St. James gewandt hinzu: »Hier auf der Insel liegt viel von dem Zeug herum. Der Ring kann praktisch von überall her sein.«

»Zum Beispiel?«, sagte St. James.

»Aus einem Militarialaden«, antwortete Valerie. »Oder aus einer Privatsammlung.«

»Vielleicht hat ihn irgendein Halbstarker verloren«, meinte Kevin Duffy. »Das Totenkopfzeichen – so was könnte jungen Rechtsradikalen gefallen. Damit kann man angeben und fühlt sich gleich wie ein echter Mann. Aber der Ring war ein bisschen zu groß, und so ist er ihm unbemerkt vom Finger gerutscht.«

»Sonst noch eine Möglichkeit?«, fragte St. James.

Die Duffys überlegten. Wieder flog ein Blick von einem zum anderen. Dann sagte Valerie langsam, wie nachdenkend: »Mir fällt sonst nichts ein.«

Frank Ouseley fühlte, dass ein Asthmaanfall bevorstand, als er seinen Wagen in die Fort Road lenkte. Da er seines Wissens auf der kurzen Fahrt von *Le Reposoir* hierher keinerlei Stoffen ausgesetzt gewesen war, die seinen Bronchien hätten schaden können, konnte er nur folgern, dass dies eine Vorausreaktion auf das bevorstehende Gespräch war.

Dabei war das Gespräch gar nicht notwendig. Frank war für Guy Brouards letzte Verfügungen über sein Vermögen schließlich nicht verantwortlich; Guy hatte ihn in dieser Angelegenheit nie um Rat gefragt. Er hätte es nicht nötig gehabt, sich zum Überbringer schlechter Nachrichten zu machen, zumal der Inhalt des Testaments wahrscheinlich schon in wenigen Tagen auf der ganzen Insel bekannt sein würde, wenn der Klatsch wie gewöhnlich funktionierte.

Aber er fühlte sich irgendwie verpflichtet, ein Gefühl, das seine

Wurzeln in der Zeit hatte, als er noch als Lehrer tätig gewesen war. Dass er dieser Verpflichtung jedoch nicht mit Freuden nachkam, das sagten ihm seine plötzlichen Atemprobleme.

Als er vor dem Haus in der Fort Road anhielt, nahm er seinen Inhalator aus dem Handschuhfach und benutzte ihn. Während er auf das Nachlassen des beklemmenden Gefühls wartete, bemerkte er auf der öffentlichen Wiese auf der anderen Straßenseite einen hoch aufgeschossenen dünnen Mann, der mit zwei kleinen Jungen Fußball spielte. Sie waren alle drei keine Champions.

Ein leichter kalter Wind empfing Frank, als er aus dem Wagen stieg. Er zog seinen Mantel an und ging zur Wiese hinüber. Die Bäume an ihrem Rand waren kahl; in diesem höher gelegenen Gebiet der Insel war die Witterung rauer. Vor dem grauen Himmel bewegten sich die nackten Äste wie bittende Arme, und auf ihnen hockten Vögel wie Zuschauer des Ballspiels, das unter ihnen stattfand.

Auf dem Weg zu Bertrand Debiere und seinen beiden Söhnen versuchte Frank, sich seine einleitenden Bemerkungen zurechtzulegen. Debiere bemerkte ihn nicht gleich, und das war ihm recht, denn er fürchtete, dass sein Gesicht verriet, was sein Mund nicht sagen wollte.

Die beiden kleinen Jungen genossen lautstark die ungeteilte Aufmerksamkeit ihres Vaters. Debieres so häufig von unterdrückten Wut- und Angstgefühlen verkrampftes Gesicht war entspannt beim Spiel mit den Kindern. Gefühlvoll schob er ihnen immer wieder den Ball zu und feuerte sie mit Aufmunterungsrufen an, wenn sie versuchten, ihn zu ihm zu schießen. Der ältere Junge war, wie Frank wusste, sechs Jahre. Er würde einmal so groß werden wie sein Vater und wahrscheinlich der gleiche Tollpatsch. Der Jüngere war vier, ein fröhliches Kind, das ausgelassen im Kreis herumrannte und mit den Armen wedelte, wenn der Ball zu seinem Bruder flog. Sie hießen Bertrand junior und Norman, keine besonders glückliche Namenswahl für heutige Zeiten, aber das würden sie erst mitbekommen, wenn sie zur Schule gingen und sich Spitznamen wünschten, die zeigen würden, dass sie, anders als früher ihr Vater, bei ihren Schulkameraden akzeptiert und anerkannt waren.

Genau das war der Grund, weshalb Frank sich seinem ehemaligen Schüler gegenüber verpflichtet fühlte: Debieres Weg durch die Pubertät war steinig gewesen, und Frank hatte nicht so viel getan, wie er hätte tun können, um ihm diesen Weg zu ebnen.

Bertrand junior entdeckte ihn zuerst. Er hielt mitten im Lauf inne und starrte Frank an. Seine gelbe Wollmütze trug er tief ins Gesicht gezogen, so dass seine Haare vollständig bedeckt und nur seine Augen sichtbar waren. Norman benutzte die Gelegenheit, um sich zu Boden zu werfen und im Gras zu wälzen wie ein Hund, den man gerade von der Leine gelassen hat. »Regen, Regen, Regen«, rief er aus unerfindlichem Grund immer wieder und strampelte dazu mit den Beinen.

Debiere drehte sich um, sein Blick folgte dem seines Sohnes. Als er Frank bemerkte, fing er den Ball auf, den Bertrand junior zu ihm geschossen hatte, und warf ihn seinem Sohn mit den Worten zurück: »Pass mal einen Moment auf deinen kleinen Bruder auf, Bert.« Als er sich anschickte, Frank entgegenzugehen, stürzte Bertrand junior sich prompt auf den kleinen Norman und begann, ihn am Hals zu kitzeln.

Debiere begrüßte Frank mit einem Nicken und sagte: »Die beiden sind ungefähr genauso sportlich wie ich. Aus Norman kann vielleicht noch mal was werden, aber vorläufig ist seine Konzentrationsspanne gleich null. Aber sie sind zwei gute Jungs. Gut in der Schule. Bert liest und rechnet wie eine Eins. Bei Norman kann man noch nichts sagen.«

Frank konnte verstehen, dass der schulische Erfolg seiner Kinder Debiere viel bedeutete. Der junge Nobby war immer von Schulproblemen geplagt gewesen und hatte darunter gelitten, dass seine Eltern das darauf geschoben hatten, dass er unter lauter Mädchen in der Familie der einzige Junge gewesen war – und daher in der Entwicklung hinterherhinkte.

»Das haben sie von ihrer Mutter«, sagte Debiere. »Die kleinen Glückspilze. Bert«, rief er, »sei nicht so grob mit ihm.«

»Okay, Dad«, rief der Junge zurück.

Frank sah, wie Debiere sich bei dem Wort *Dad* in die Brust warf. Die Familie war der Mittelpunkt seines Lebens, und einzig für die Familie hatte er sich in die unangenehme Situation gebracht, in der er jetzt steckte. Die Bedürfnisse seiner Familie – ob real oder eingebildet – hatten bei ihm von Anfang an oberste Priorität genossen.

Als Debiere sich von seinen Kindern abwandte, um Frank seine Aufmerksamkeit zu widmen, wurde sein Gesicht hart, als wüsste er schon, was kommen würde, und wollte sich dagegen wappnen. In seinen Augen blitzte etwas wie feindselige Erwartung. Frank hätte am liebsten gesagt, er könne keinesfalls für Debieres unbesonnene Entscheidungen verantwortlich gemacht werden, Tatsache war jedoch, dass er sich in gewisser Weise eben doch verantwortlich fühlte. Das kam daher, dass er es nicht geschafft hatte, dem Jungen, der bei ihm im Klassenzimmer gesessen hatte und von den anderen gehänselt wurde, weil er ein wenig langsam und ein wenig merkwürdig war, ein besserer Freund zu sein.

Er sagte: »Ich komme gerade aus *Le Reposoir*, Nobby. Von der Testamentseröffnung.«

Debiere wartete, ohne etwas zu sagen. Ein Muskel zuckte in seiner Wange.

»Ich glaube, Adrians Mutter hatte das veranlasst«, fuhr Frank fort. »Da spielt sich anscheinend irgendein Drama ab, von dem wir anderen keine Ahnung haben.«

Debiere sagte: »Und?« Es gelang ihm, gleichgültig auszusehen, obwohl er das, wie Frank wusste, nicht war.

»Es ist ein bisschen seltsam, muss ich leider sagen. Nicht das, was einige wahrscheinlich erwartet haben.« Frank berichtete von dem Bankkonto, dem Portefeuille, den Vermächtnissen für Adrian Brouard und seine Halbschwestern, für die beiden einheimischen Jugendlichen.

Debiere runzelte die Stirn. »Aber was hat er denn –? Er besaß doch ein ungeheures Vermögen, mit einem Bankkonto und einem Wertpapierpaket ist das nicht abgetan. Wie hat er sich da rausgewunden?«

»Mit Hilfe von Ruth«, meinte Frank.

»Aber er kann ihr *Le Reposoir* nicht hinterlassen haben.«

»Nein, natürlich nicht. Das hätte das Gesetz nicht zugelassen.«

»Ja, aber was hat er dann getan?«

»Keine Ahnung. Irgendwelche juristischen Tricks wahrscheinlich. Er hat sich bestimmt was einfallen lassen. Und sie hat mitgemacht.«

Debieres Haltung lockerte sich ein wenig, die Stirn glättete sich. Er sagte: »Na, das ist doch wunderbar. Ruth weiß, was er vorhatte. Sie wird das Projekt übernehmen und weiterführen. Wenn es losgeht, muss man sich mit ihr zusammensetzen und sich diese Pläne aus Kalifornien ansehen. Man muss ihr begreiflich machen, dass ihr Bruder sich für den schlechtest möglichen Entwurf entschieden hatte. Völlig ungeeignet für das Gelände, ach was, für diesen Teil der Welt. Überhaupt nicht wirtschaftlich, was die Instandhaltung betriff, und die Kosten für den Bau selbst–«

»Nobby«, unterbrach Frank, »so einfach ist das nicht.«

Hinter ihnen brüllte einer der Jungen, und Debiere drehte sich hastig um. Bertrand junior hatte seine Wollmütze abgenommen und war dabei, sie seinem kleinen Bruder über das Gesicht zu stülpen. »Bert!«, rief Debiere scharf. »Bert! Hör sofort auf! Wenn du nicht friedlich spielen kannst, musst du rein.«

»Aber ich hab doch nur –«

»Bertrand!«

Der Junge riss seinem Bruder die Mütze herunter und begann, mit dem Ball über den Rasen zu dribbeln. Norman rannte ihm hinterher.

Debiere beobachtete die beiden einen Moment, ehe er sich wieder Frank zuwandte. Des früheren Anflugs von Erleichterung beraubt, wirkte seine Miene jetzt argwöhnisch.

»Was heißt, nicht so einfach?«, fragte er. »Wieso? Was könnte es Einfacheres geben, Frank? Sie wollen mir doch nicht sagen, dass Ihnen der Entwurf des Amerikaners gefällt?«

»Nein, nein.«

»Also dann…«

»Es geht darum, was sich aus diesem Testament ergibt.«

»Aber Sie haben doch eben gesagt, dass Ruth …« Debieres Gesicht bekam wieder diesen verkrampften Ausdruck, den Frank von früher kannte. Dahinter verbargen sich Zorn und Wut eines einsamen Jungen, dem von keinem die Freundschaft zuteil wurde, die seinen Weg leichter oder zumindest weniger einsam gemacht hätte. »Also gut, was ergibt sich aus dem Testament?«

Frank hatte über diese Frage gründlich nachgedacht. Er hatte sie auf der Fahrt hierher aus sämtlichen Blickwinkeln betrachtet. Hätte Guy Brouard eine Weiterführung des Museumsprojekts gewünscht, so hätte sich das in seinem Testament niedergeschlagen. Ganz gleich, wie oder wann er über den Rest seines Vermögens verfügt hatte, er hätte einen angemessenen Betrag für die Errichtung des Kriegsmuseums hinterlassen. Da er es nicht getan hatte, war für Frank alles klar.

Debiere hörte mit wachsender Ungläubigkeit zu, als er ihm seine Auffassung erläuterte.

»Haben Sie denn völlig den Verstand verloren?«, fragte er empört, als Frank zum Ende gekommen war. »Wozu hat er dann dieses Riesenfest veranstaltet? Wozu die feierliche Bekanntmachung seiner Pläne? Der Champagner und das Feuerwerk? Wozu die großartige Vorstellung dieser beschissenen Aufrisszeichnung?«

»Ich habe keine Erklärung dafür. Ich kann mich nur an die Fakten halten, die wir haben.«

»Aber was an dem Abend los war, gehört auch zu den Fakten, Frank. Und auch, was er gesagt hat. Wie er sich verhalten hat.«

»Ja, aber was hat er denn tatsächlich gesagt?«, beharrte Frank. »Hat er irgendwann einmal von der Grundsteinlegung gesprochen? Von Daten für die Fertigstellung? Finden Sie es nicht seltsam, dass er das nie getan hat? Meiner Ansicht nach gibt es dafür nur einen Grund.«

»Und der wäre?«

»Er hatte gar nicht die Absicht, das Museum zu bauen.«

Debiere starrte Frank an. Hinter ihm tollten seine Kinder auf der Wiese herum. In der Ferne, aus der Richtung von Fort George, kam ein Mann im blauen Trainingsanzug mit einem Hund an der

Leine auf die Wiese gejoggt. Er machte das Tier los, und es rannte mit fliegenden Ohren in Riesensätzen auf die Bäume zu. Debieres Jungen kreischten vor Vergnügen, aber diesmal drehte ihr Vater sich nicht herum. Er blickte vielmehr an Frank vorbei zu den Häusern in der Fort Road, richtete sein Augenmerk im Besonderen auf sein eigenes Haus: einen großzügigen Bau, gelb mit weiß abgesetzt, mit einem großen Garten für die Kinder. Drinnen saß wahrscheinlich Caroline Debiere über ihrem Roman, diesem lang erträumten Roman, zu dem Debiere seine Frau gedrängt hatte. Gehorsam hatte sie die Stellung als Redakteurin bei der *Architectural Review* aufgegeben, mit der sie glücklich gewesen war, bevor sie und Debiere sich zusammengetan und ein Wolkenkuckucksheim gebaut hatten, in das jetzt, mit Guy Brouards Tod, die grausame Realität einzubrechen drohte.

Debieres Gesicht lief rot an, als ihm bewusst wurde, was Frank da eben gesagt hatte. »N-n-icht die A-a-a-absicht... Niemals? W-wollen S-sie sagen, d-d-dieser M-mistkerl...« Er brach ab. Er schien sich zur Ruhe zwingen zu wollen, aber es gelang ihm nicht.

Frank half ihm. »Ich will damit nicht sagen, dass er uns alle zum Narren gehalten hat. Aber ich glaube, dass er es sich anders überlegte. Aus irgendeinem Grund. Ja, ich glaube, so war's.«

»A-aber was s-sollte d-d-dann die P-party?«

»Das weiß ich nicht.«

»U-und d-d-« Wieder brach er ab und kniff fest die Augen zusammen. Sein ganzes Gesicht verzog sich. Dreimal hintereinander sagte er das Wort »dann«, als wäre es eine Zauberformel, die ihn von seinem Gebrechen befreien würde, und als er danach wieder sprach, stotterte er nicht mehr. »Was sollte dann die große Bekanntmachung, Frank? Und diese Zeichnung? Er hat sie eigens rausgeholt. Sie waren doch dabei. Er hat sie jedem gezeigt. Er – mein Gott. Warum das alles?«

»Ich weiß es nicht. Ich kann es nicht sagen. Ich verstehe es ja auch nicht.«

Debiere musterte ihn prüfend. Er trat einen Schritt zurück, wie um ihn besser sehen zu können. Seine Augenbrauen zogen sich zusammen, sein Gesicht verkrampfte sich mehr denn je. »Da habt ihr mich schön angeschmiert«, sagte er. »Genau wie früher.«

»Angeschmiert? Wieso?«

»Na, Sie und Brouard, ihr habt mich doch schon immer für dumm verkauft und euch dann über mich kaputtgelacht. Wie damals in der Schule, da haben Sie auch mit den Jungs gemauschelt. Aber tun Sie Nobby nicht in *unsere* Gruppe, Mr. Ouseley. Wir schauen ja alle total doof aus, wenn der vorn an die Tafel muss.«

»Was reden Sie da? Haben Sie mir überhaupt zugehört?«

»Klar. Ich weiß genau, wie es gelaufen ist. Erst baut man ihn auf und dann lässt man ihn zusammenfallen. Man lässt ihn glauben, er hätte den Auftrag, und dann zieht man ihm den Boden weg. Die Regeln sind die Gleichen. Nur das Spiel ist ein bisschen anders.«

»Nobby!«, sagte Frank. »Hören Sie sich doch mal selber zu! Glauben Sie im Ernst, Guy hätte das inszeniert – hätte das *alles* nur um des bescheidenen Vergnügens willen inszeniert, Sie zu demütigen?«

»Ja, das glaube ich.«

»So ein Quatsch. Warum hätte er das tun sollen?«

»Weil es ihm Spaß gemacht hat. Weil er sich so den Kick geholt hat, der ihm fehlte, seit er seine Firma verkauft hatte. Weil er sich dann mächtig gefühlt hat.«

»Das ist doch Unsinn.«

»Finden Sie? Dann schauen Sie sich doch mal seinen Sohn an. Schauen Sie sich Anaïs an, die arme Kuh. Und schauen Sie sich selbst an, Frank.«

*Wir müssen etwas unternehmen, Frank. Das ist Ihnen doch auch klar?*

Frank wandte seinen Blick ab. Er spürte die Beklemmung, die immer stärker wurde. Obwohl auch hier die Luft nichts enthielt, was seine Atmung hätte beeinträchtigen können.

»Er sagte: ›Ich habe Ihnen geholfen, soweit es mir möglich war‹«. Debiere erwiderte leise. »Er sagte: ›Ich habe Ihnen unter die Arme gegriffen, mein Junge. Mehr können Sie nicht erwarten. Und ganz sicher nicht auf Dauer, guter Mann.‹ Aber er hatte es versprochen. Er hat mich glauben lassen…« Debiere zwinkerte heftig und wandte sich ab. Niedergeschlagen schob er die Hände in die Hosentaschen, und sagte noch einmal: »Er hat mich glauben lassen…«

»Ja«, murmelte Frank, »darauf hat er sich verstanden.«

Nicht weit vom Haus des Verwalters trennten sich St. James und seine Frau. Gegen Ende ihres Gesprächs mit den Duffys war ein Anruf von Ruth Brouard gekommen, daraufhin hatte St. James, der noch einmal ins Herrenhaus zurückwollte, um mit Ruth Brouard zu sprechen, Deborah den Ring anvertraut, den sie in der Bucht gefunden hatten. Sie sollte ihn zur möglichen Identifizierung zu Chief Inspector Le Gallez bringen. Es war angesichts seiner Verzierungen unwahrscheinlich, dass man einen brauchbaren Fingerabdruck auf ihm finden würde, aber man musste es versuchen. Da St. James kein Werkzeug zur Hand hatte, um ihn zu untersuchen – dazu auch gar nicht berechtigt war –, würde Le Gallez alles weitere veranlassen müssen.

»Ich komme schon irgendwie zurück. Wir treffen uns dann im Hotel«, sagte St. James. Er sah Deborah ernst an und fügte hinzu: »Kannst du einigermaßen mit der Sache leben, Schatz?«

Er meinte nicht den Auftrag, den er ihr gegeben hatte, sondern das, was sie von den Duffys gehört hatten, insbesondere von Valerie, die nicht zu erschüttern war in ihrer Überzeugung, dass die Frau, die Guy Brouard zur Bucht gefolgt war, China River gewesen war.

Deborah sagte: »Vielleicht hat sie einen Grund, uns glauben zu machen, zwischen China und Guy Brouard wäre etwas gewesen. Wenn er bei Frauen so gut ankam, warum dann nicht auch bei Valerie?«

»Sie ist älter als die anderen.«

»Älter als China. Aber bestimmt nicht viel älter als Anaïs Abbott. Höchstens ein paar Jahre, wenn du mich fragst. Damit ist sie immer noch – hm – zwanzig Jahre jünger als Brouard war.«

Ihre Argumentation war nicht von der Hand zu weisen, auch wenn er den Eindruck hatte, dass sie vor allem sich selbst zu überzeugen suchte. Dennoch sagte er: »Le Gallez hat uns nicht alles verraten, was er weiß. Warum sollte er auch? Ich bin ein Fremder für ihn, und selbst wenn ich das nicht wäre, wäre es nicht so einfach. Kein ermittelnder Beamter würde ohne weiteres jemandem Einblick in seine Akten gewähren, der bei Mordfällen normalerweise in einem ganz anderen Ressort arbeitet. Aber für ihn bin ich nicht einmal der Fachmann aus der anderen Abteilung. Für ihn bin ich nichts weiter als ein Fremder, der ohne Referenzen aufgekreuzt ist und hier genau genommen nichts zu suchen hat.«

»Du glaubst also, dass da noch mehr ist. Ein Motiv. Eine Verbindung. Irgendwo. Zwischen Guy Brouard und China. Simon, ich kann mir das nicht vorstellen.«

St. James betrachtete sie liebevoll. Er liebte sie und wollte nichts anderes, als sie beschützen. Aber er wusste auch, dass er ihr die Wahrheit schuldete. Darum sagte er: »Ja, Liebes, ich halte es für möglich, dass da mehr ist.«

Deborah zog die Brauen zusammen. Sie blickte über seine Schulter hinweg zu der Stelle, wo der Fußweg zur Bucht in einer Gruppe Rhododendron-Büsche verschwand. »Ich kann es nicht glauben«, sagte sie. »Selbst wenn sie wirklich so labil war. Wegen Matt, meine ich. Wenn so was passiert – so ein Bruch zwischen Männern und Frauen – dann braucht das trotzdem seine Zeit, Simon. Eine Frau muss das Gefühl haben, dass zwischen ihr und dem nächsten Mann mehr ist. Sie will nicht glauben, dass es nichts weiter ist als – na ja, Sex eben ...« Eine tiefe Röte breitete sich auf ihrem Hals aus und schoss in ihre Wangen hinauf.

St. James wollte sagen: So war es für dich, Deborah. Sie hatte ganz ohne Absicht ihrer beider Liebe das schönste Kompliment gemacht, das es gab: Indem sie ihm gesagt hatte, dass sie sich nach ihm nicht leichten Herzens Thomas Lynley zugewandt hatte. Aber es waren nicht alle Frauen wie Deborah. Andere hätten nach dem Ende einer langen Liebesbeziehung die schnelle Selbstbestätigung in Form einer Affäre gesucht. Zu wissen, dass sie noch begehrenswert waren, wäre ihnen wichtiger gewesen, als zu wissen, dass sie geliebt wurden. Aber das alles konnte er an dieser Stelle nicht sagen. Es spielte zu tief in Deborahs Beziehung zu Lynley hinein; zu tief in seine eigene Freundschaft mit dem Mann.

Er sagte darum nur: »Lass uns versuchen, für alles offen zu bleiben. Bis wir mehr wissen.«

»In Ordnung«, sagte sie.

»Wir sehen uns später.«

»Im Hotel.«

Er küsste sie flüchtig und küsste sie dann noch mal. Ihr Mund war weich, und ihre Hand berührte seine Wange. Er wollte bei ihr bleiben. »Verlang Le Gallez persönlich«, sagte er. »Gib den Ring keinem anderen.«

»Nein. Natürlich nicht.«

Er ging zum Haus zurück.

Deborah sah ihm nach, wie er davonging, in seiner natürlichen Anmut behindert durch die Schiene am Bein. Sie wollte ihn zurückrufen und ihm erklären, dass sie China River *kannte*; auf eine Weise kannte, deren Ursprung eine Notlage war, von der er nichts verstand; auf eine Weise, die zwischen zwei Frauen eine Freundschaft mit vollkommenem Verstehen heranwachsen lässt. Es gibt Bereiche einer gemeinsamen Geschichte zweier Frauen, wollte sie ihrem Mann sagen, die begründen eine Form der Wahrheit, die niemals zerstört und niemals geleugnet werden kann und die keine langen Erklärungen braucht. Die Wahrheit *ist* einfach, und wie eine Frau sich im Rahmen dieser Wahrheit verhält, ist klar, wenn die Freundschaft echt ist. Aber wie das einem Mann erklären? Und nicht irgendeinem Mann, sondern ihrem Ehemann, der seit mehr als einem Jahrzehnt in dem Bemühen lebte, seine körperliche Versehrtheit zu negieren – wenn nicht gar völlig zu leugnen –, indem er sie wie eine Kleinigkeit behandelte, obwohl sie doch, wie Deborah wusste, einen großen Teil seiner Jugend zerstört hatte.

Es ging nicht. Sie konnte nur alles tun, was in ihrer Macht stand, um ihm zu zeigen, dass die China River, die sie kannte, keine leichtfertige Verführerin war, schon gar nicht eine Mörderin.

Sie setzte sich in den Wagen und fuhr, den Windungen des *Val des Terres* folgend, den bewaldeten Hang hinunter nach St. Peter Port, wo sie direkt oberhalb der Havelet Bucht aus dem Wald herauskam. Unten am Wasser waren nur wenige Fußgänger zu erkennen. Eine Straße hangaufwärts herrschte in den Banken, denen die Kanalinseln ihre Berühmtheit verdankten, zu jeder Jahreszeit reger Betrieb; hier unten jedoch rührte sich kaum etwas: keine Steuerflüchtlinge, die auf ihren Booten die Sonne genossen, keine Touristen, die eifrig Fotos von der Festung und der Stadt schossen.

Deborah parkte in der Nähe des Hotels am Ann's Place, keine Minute zu Fuß vom Polizeipräsidium entfernt, das in der Hospital Lane lag. Sie blieb noch einen Moment im Wagen sitzen, nachdem sie den Motor ausgeschaltet hatte. Bis zu Simons Rückkehr aus *Le Reposoir* blieb ihr mindestens noch eine Stunde, und sie beschloss, die Zeit mit einer kleinen Abweichung von dem Auftrag, den er ihr gegeben hatte, zu nutzen.

In St. Peter Port gab es keine großen Entfernungen. Zu Fuß gelangte man in weniger als zwanzig Minuten überall hin, und im Zentrum – ein von Straßen umgebenes, etwas unförmiges Oval, das mit der Vauvert begann und sich gegen den Uhrzeigersinn bis zur Grange Road krümmte – brauchte man sogar nur die Hälfte der Zeit, um von A nach B zu kommen. Doch die Straßen der alten Stadt waren kaum breit genug für ein Auto und wanden sich an der Flanke des Hangs hinauf, an dem St. Peter Port vom Hafen aus langsam emporgewachsen war.

Kreuz und quer durch diese Straßen und Gassen eilte Deborah zu den Queen-Margaret-Apartments. Doch als sie dort ankam und an die Tür klopfte, fand sie Chinas kleine Wohnung zu ihrer Enttäuschung leer vor. Sie kehrte zurück zum vorderen Teil des Gebäudes und überlegte, was sie tun sollte.

China konnte überall sein – bei ihrem Anwalt, bei der Polizei, beim Einkaufen oder einen Spaziergang machen – und war wahrscheinlich in Begleitung ihres Bruders unterwegs. Deborah beschloss, sich auf die Suche zu machen. Sie würde in Richtung Polizeipräsidium gehen, zuerst würde sie zur High Street laufen und dieser folgend sich dann den Weg zurück zum Hotel suchen.

Gegenüber dem Apartmentkomplex führte eine Treppe zwischen hohen Mauern und steinernen Häusern zum Hafen hinunter, über die Deborah hinabging, bis sie am Ende der Treppe in eines der älteren Stadtviertel gelangte, wo auf der einen Straßenseite sich ein immer noch imposantes altes Gebäude aus rötlichem Stein entlangzog und auf der anderen Seite hinter einer Reihe gewölbter Türnischen Geschäfte waren, in denen man Blumen, Geschenke und Obst kaufen konnte.

Das imposante alte Gebäude sah trotz seiner hohen Fenster düster aus, und es schien leer zu stehen, denn sogar an diesem trüben Tag brannte drinnen kein Licht. Aber der Schein trog. Ein Teil des alten Baus wurde noch genutzt, offenbar als Markthalle. Die Stände befanden sich hinter einem großen blauen Tor an der Market Street, das weit offen stand. Deborah überquerte die Straße und ging zu diesem Tor.

Als Erstes wehte ihr der unverwechselbare Geruch entgegen: Blut und Fleisch einer Metzgerei. In Glasvitrinen waren Koteletts, Bratenstücke und Hackfleisch ausgelegt, aber es gab nur noch sehr wenige Stände in dieser Fleischerhalle, in der das Geschäft früher offensichtlich geblüht hatte. Zwar hätte das Gebäude mit seinen Schmiedeeisenarbeiten und Stuckverzierungen China als Fotografin sicher interessiert, aber Deborah wusste, dass der Geruch nach toten Tieren beide Rivers sofort verscheucht hätte. Es wunderte sie daher nicht, dass sie die Geschwister in der Halle nicht fand. Als sie sich sicherheitshalber auch noch im restlichen Teil des Gebäudes umschaute, sah sie, dass dort, wo einmal Dutzende florierender kleiner Geschäfte gewesen waren, nichts geblieben war als verödete Hallen. Im Mittelteil der großen Halle, wo unter dem hohen Deckengewölbe ihre Schritte widerhallten, gab es eine Reihe Stände mit heruntergelassenen Jalousien. Quer darüber hatte jemand mit Leuchtstift »Scheiß-Safeway« geschrieben und damit wahrscheinlich die Gefühle einiger Händler wiedergegeben, die von der Supermarktkette zum Aufgeben gezwungen worden waren.

Auf der anderen Seite der Fleischerhalle entdeckte Deborah einen Obst- und Gemüsestand, an dem noch verkauft wurde und gegenüber von ihm war wieder die Straße. Sie kaufte einen Strauß Gewächshauslilien, bevor sie das Gebäude verließ und sich die Geschäfte draußen ansah.

In den kleinen Läden gegenüber konnte sie durch die Fenster mühelos die Leute erkennen, die drinnen einkauften, so wenige waren es. China und Cherokee waren nicht unter ihnen.

Deborah überlegte, was sie tun sollte, und fand die Antwort gleich neben der Treppe, die sie heruntergekommen war: ein kleines Lebensmittelgeschäft, das den stolzen Namen *Channel Islands Cooperative Society* trug. Das hörte sich so an, als könnte es den beiden Rivers gefallen, die trotz allem immer noch die Kinder ihrer Veganermutter waren.

Kurz entschlossen betrat Deborah den Laden. Sie hörte sie sofort, denn der Verkaufsraum war klein, allerdings mit hohen Regalen vollgestellt, so dass man die Kunden von draußen durch das Fenster nicht sehen konnte.

»Ich will aber nichts«, sagte China gerade gereizt. »Wenn ich nicht essen kann, dann kann ich nicht essen. Könntest du vielleicht essen, wenn du in meiner Lage wärst?«

»Aber irgendwas muss es doch geben«, entgegnete Cherokee. »Hier. Wie wär's mit Suppe?«

»Ich hasse Dosensuppen.«

»Aber du hast sie doch oft zum Abendessen gemacht.«

»Eben. Würdest du was wollen, was dich erinnert? Moteldreck, Cherokee. *Schlimmer* als Wohnwagen.«

Deborah bog am Ende des Gangs um die Ecke und entdeckte die beiden vor einem kleinen Aufbau mit Campbell-Suppendosen. Cherokee hielt eine Tomatensuppe mit Reis in der einen Hand und einen Beutel Linsen in der anderen. China hatte einen Einkaufskorb am Arm, der nichts außer einem Brot, einer Packung Spagetti und einem Glas Tomatensoße enthielt.

»Debs!« Cherokees Lächeln war Begrüßung, aber noch mehr

Erleichterung. »Ich brauche eine Verbündete. Sie weigert sich zu essen.«

»Ist gar nicht wahr.« China sah erschöpft aus, mehr noch als am vergangenen Tag, mit dunklen Schatten unter den Augen. Sie hatte versucht, diese mit Make-up zu kaschieren, aber es war ihr nicht gelungen. »Cooperative«, sagte sie. »Ich dachte, das wäre Naturkost. Aber …« Sie wies mit einer hoffnungslosen Geste auf den Laden.

Die einzigen frischen Waren in der Cooperative waren allem Anschein nach Eier, Käse, abgepacktes Fleisch und Brot. Alles andere gab es entweder in Dosen oder tiefgekühlt. Enttäuschend für jemanden, der es gewöhnt war, in den Biomärkten Kaliforniens herumzustöbern.

»Cherokee hat Recht«, erklärte Deborah. »Du musst essen.«

»Ich geb's auf.« Cherokee begann, wahllos Waren in den Einkaufskorb zu werfen. China schien zu müde, um zu streiten. Minuten später hatten sie alles, was sie brauchten.

Draußen konnte Cherokee es kaum erwarten, zu hören, was der Tag den St. James' bisher gebracht hatte. Deborah schlug vor, sie sollten zuerst in das Apartment zurückkehren, aber China sagte: »Bloß nicht! Ich muss raus. Gehen wir lieber ein Stück spazieren.«

Sie gingen zum Hafen hinunter, überquerten die Promenade und schlenderten zum längsten der Piers, der sich in die Havelet-Bucht hinaus bis zu der Halbinsel erstreckte, auf der die Festung Castle Cornet stand, ehemals Wächterin der Stadt.

An dem Bauwerk vorbei gingen sie bis zum Ende des Piers, wo China schließlich zur Sache kam. »Es ist schlimm, hm?«, sagte sie zu Deborah. »Ich seh's dir am Gesicht an. Also, raus damit.« Trotz ihrer energischen Worte richtete sie den Blick aufs Wasser, das in einer gewaltigen wogenden Masse unter ihnen lag. Nicht sehr weit entfernt erhob sich noch eine Insel – war es Sark? Alderney? Deborah wusste es nicht – wie ein schlafendes Seeungeheuer aus dem Dunst.

»Was gibt's, Debs?« Cherokee stellte die Einkaufstüten ab und wollte sich bei seiner Schwester einhängen.

China trat von ihm weg. Sie machte ein Gesicht, als sei sie auf das Schlimmste gefasst. Deborah war stark versucht, die Dinge in ein positives Licht zu rücken, aber es gab nichts Positives, und selbst wenn sie etwas gefunden hätte – sie schuldete den Freunden die Fakten.

Sie berichtete den Geschwistern deshalb ohne Beschönigung, was sie und Simon bei ihren Gesprächen in *Le Reposoir* erfahren hatten. China erkannte sofort, welche Richtung die Gedanken jedes logisch überlegenden Menschen nehmen mussten, so bald er hörte, dass sie nicht nur viel Zeit mit Guy Brouard allein verbracht hatte, sondern auch noch beobachtet worden war – allem Anschein nach von mehr als einer Person –, wie sie ihm am Morgen vor seiner Ermordung gefolgt war.

Sie sagte: »Du glaubst, ich hätte was mit ihm gehabt, stimmt's, Deborah? Na prima.« Ihr Ton war eine Mischung aus Feindseligkeit und Verzweiflung.

»Also, ich –«

»Klar, wieso auch nicht? Das würde jeder glauben. Ein paar Stunden mit ihm allein, ein paar Tage ... Und er war stinkreich. Na klar, wir haben's getrieben wie die Karnickel.«

Deborah war verblüfft über die derbe Ausdrucksweise. So kannte sie China nicht, sie war immer die Romantischere von ihnen beiden gewesen, jahrelang einem Mann treu, mit Träumen von einer Zukunft in Pastell.

»Dass er mein Großvater hätte sein können, hat mich überhaupt nicht gestört«, fuhr China fort. »Mann, es ging schließlich um einen Haufen Kohle. Ist doch egal, mit wem man bumst, wenn Geld dabei rausspringt, oder?«

»Chine!«, protestierte Cherokee. »Hör auf!«

Noch während ihr Bruder sprach, schien China bewusst zu werden, was sie gesagt hatte. Mehr noch, sie schien blitzartig zu begreifen, wie ihre Worte sich auf Deborahs Leben beziehen ließen, denn sie sagte hastig: »O Gott, Deborah, tut mir Leid.«

»Ist schon in Ordnung«, sagte Deborah.

»Ich wollte nicht ... ich dachte nicht an dich und ... du weißt schon.«

An mich und Tommy, dachte Deborah. China wollte sagen, dass sie nicht an Tommy und Tommys Geld gedacht hatte. Es hatte nie eine Rolle gespielt, aber es war immer da gewesen, nicht mehr als eines von tausend Dingen, die von außen so verlockend aussahen, wenn man nicht wusste, wie es drinnen aussah. Sie sagte: »Es ist schon gut. Ich weiß.«

China sagte: »Es ist nur ... Glaubst du wirklich, dass ich ... Mit ihm? Glaubst du das?«

»Sie hat doch nur erzählt, was sie gehört hat, Chine«, warf Cherokee ein. »Wir müssen schließlich wissen, was die Leute denken.«

China ging zornig auf ihn los. »Hör zu, Cherokee. Halt du gefälligst die Klappe. Du weißt doch gar nicht, wovon du ... Ach, vergiss es. Halt einfach die Klappe, okay?«

»Ich hab doch nur versucht –«

»Dann hör auf damit. Und hör auf, ständig um mich herumzuschwirren wie eine Glucke. Ich krieg ja kaum noch Luft. Auf Schritt und Tritt rennst du mir hinterher.«

»Hey, keiner hat dir das an den Hals gewünscht«, entgegnete Cherokee.

Sie antwortete mit einem Auflachen, das brach, und unterdrückte das aufsteigende Schluchzen, indem sie die Faust auf den Mund drückte. »Bist du eigentlich total bescheuert?«, rief sie. »Alle haben sie's mir an den Hals gewünscht. Ein Sündenbock wird gebraucht. Und die Beschreibung passt genau auf mich.«

»Und deswegen sind jetzt deine Freunde hier.« Cherokee sah Deborah lächelnd an und wies mit einer Kopfbewegung auf die Lilien, die sie in der Hand trug. »Freunde mit Blumen. Wo hast du die gekauft, Debs?«

»In der Markthalle.« Impulsiv hielt sie China die Blumen hin. »Ich finde, des Apartment kann was Freundliches gebrauchen.«

China betrachtete erst die Blumen, dann Deborah. »Du bist die beste Freundin, die ich je gehabt habe.«

»Das freut mich.«

China nahm die Blumen. Ihr Gesicht wurde weicher. »Cherokee«, sagte sie zu ihrem Bruder, »lass uns mal eine Weile allein, hm?«

Sein Blick flog von seiner Schwester zu Deborah. »In Ordnung. Ich stell die inzwischen ins Wasser.« Er nahm die beiden Einkaufstüten hoch und klemmte sich die Blumen unter den Arm. »Bis später dann«, sagte er zu Deborah und sah sie mit einem Blick an, der nur »viel Glück« heißen konnte.

China sah ihm nach, als er den Pier entlangging. »Ich weiß ja, dass er es gut meint. Ich weiß, dass er sich Sorgen macht, aber ihn ständig um mich zu haben, macht alles noch schlimmer. Als hätte ich nicht nur mit der Situation zu kämpfen, sondern auch noch mit ihm.« Sie umschlang mit beiden Armen ihren Oberkörper, und da erst fiel Deborah auf, dass sie trotz der Kälte nur einen Pullover trug. Ihr Umhang, dieser für sie so verhängnisvolle Umhang, lag natürlich noch bei der Polizei.

Deborah sagte: »Wo hattest du eigentlich an dem Abend deinen Umhang gelassen?«

China blickte einen Moment ins Wasser hinunter, bevor sie sagte: »Am Abend der Party? Er muss in meinem Zimmer gewesen sein. Ich habe nicht darauf geachtet. Ich war den ganzen Tag immer mal drinnen und wieder draußen, aber ich muss ihn irgendwann mit hinaufgenommen haben, denn als wir uns am nächsten Morgen zur Reise fertig machten, war er... ich bin ziemlich sicher, er lag über einem Stuhl. Beim Fenster.«

»Du kannst dich nicht erinnern, ihn dort hingelegt zu haben?«

China schüttelte den Kopf. »So was läuft doch ganz automatisch. Man hat das Ding an, zieht's aus, wirft es irgendwohin. Mit der Ordnung hab ich's noch nie so gehabt. Das weißt du doch.«

»Es könnte also jemand den Umhang genommen, ihn am Morgen, als Guy Brouard zur Bucht hinunterging, übergeworfen und später zurückgebracht haben?«

»Theoretisch, ja. Aber ich wüsste nicht, wie. Oder wann.«

»War der Umhang da, als du zu Bett gegangen bist?«

»Möglich.« Sie runzelte die Stirn. »Ich weiß es nicht.«

»Valerie Duffy schwört, dass sie dich gesehen hat, China«,

sagte Deborah, so behutsam es ging. »Ruth Brouard behauptet, sie hätte dich im ganzen Haus gesucht, nachdem sie von ihrem Fenster aus eine Person beobachtet hatte, die sie für dich hielt.«

»Glaubst du ihnen?«

»Darum geht es nicht«, erwiderte Deborah. »Die Frage ist, ob irgendetwas geschehen ist, was die Aussage der beiden für die Polizei glaubhaft macht.«

»Ob etwas geschehen ist?«

»Zwischen dir und Guy Brouard.«

»Ach so, sind wir wieder da gelandet.«

»Es ist ja nicht meine Meinung. Es ist die Meinung der Polizei –«

»Vergiss es«, unterbrach China. »Komm mit.«

Sie eilte Deborah voraus und überquerte am Ende des Piers die Esplanade, ohne auf den Verkehr zu achten. An einer Haltestelle schob sie sich zwischen mehreren dort stehenden Bussen hindurch und schlug einen Weg ein, der im Zickzack zu den Constitution Steps führte, die ein auf dem Kopf stehendes Fragezeichen in die Flanke eines der Hügel schlugen. Diese Treppe – ähnlich der, über die Deborah zuvor zu den Markthallen hinuntergelaufen war – führte sie zur Clifton Street und zu den Queen-Margaret-Apartments hinauf.

China sprach erst wieder, als sie in der Wohnung war.

»Hier, lies das«, sagte sie, an den kleinen Küchentisch tretend. »Du kannst jedes Details überprüfen, wenn du willst.«

»China, ich glaube dir«, versicherte Deborah. »Du brauchst mir nicht –«

»Sag mir nicht, was ich nicht brauche«, fiel China ihr ins Wort. »Du hältst es für möglich, dass ich lüge.«

»Nicht, dass du lügst!«

»Okay. Dass ich etwas falsch interpretiert habe. Aber ich sage dir, es gibt nichts, was ich oder ein anderer falsch interpretiert haben könnte. Weil nichts geschehen ist. Weder zwischen mir und Guy Brouard, noch zwischen mir und irgendeiner anderen Person. Deshalb bitte ich dich jetzt: Lies das, damit du sicher sein kannst.« Sie schwenkte den gelben Kanzleiblock, auf dem sie eine Art Rechenschaftsbericht der Tage, die sie in *Le Reposoir* verbracht hatte, niedergeschrieben hatte.

»Ich glaube dir«, versicherte Deborah noch einmal.

»Lies«, sagte China nur.

Deborah sah ein, dass die Freundin erst zufrieden sein würde, wenn sie las, was sie geschrieben hatte. Sie setzte sich an den Tisch und nahm den Block zur Hand, während China an die Arbeitsplatte trat, wo Cherokee die Einkaufstüten und die Blumen hinterlassen hatte, ehe er verschwunden war.

China war sehr gründlich gewesen, wie Deborah feststellte, als sie zu lesen begann, und sie hatte ein ausgezeichnetes Gedächtnis. Über jede einzelne Interaktion zwischen ihr und den Brouards schien genauestens Buch geführt worden zu sein. Sie hatte selbst über die Zeiten Rechenschaft abgelegt, die sie nicht in Gesellschaft Guy Brouards oder seiner Schwester oder beider zugebracht hatte. Diese Stunden hatte sie offenbar mit Cherokee verbracht, häufig aber auch allein mit Fotografieren.

Sie hatte genau dargestellt, wo sich während ihres Aufenthalts in *Le Reposoir* was abgespielt hatte, so dass es ein Leichtes war, ihren täglichen Aktivitäten zu folgen. Und das war gut so, denn ganz sicher gab es Leute, die ihre Angaben bestätigen konnten.

*Wohnzimmer*, hatte sie geschrieben. Wir sehen uns historische Bilder von L.R. an. Anwesend: Guy, Ruth, Cherokee, Paul F. Danach folgten Datum und Uhrzeit.

*Speisezimmer*, ging es weiter. Mittagessen mit Guy, Ruth, Cherokee, Frank O. und Paul F. Später, zum Nachtisch, kommt AA. mit Jemima und Stephen. Tödliche Blicke auf mich. Viele tödliche Blicke auf Paul F.

*Arbeitszimmer*. Guy, Frank O., Cherokee. Diskussion über das geplante Museum. Frank O. geht. Cherokee geht mit ihm, um den Vater von O. kennen zu lernen und sich die Wassermühle anzuschauen. Guy und ich bleiben. Ruth kommt mit AA. Jemima draußen mit Stephen und Paul F.

*Galerie*, hatte sie weitergeschrieben. Oben im Haus. Mit Guy. Guy zeigt seine Bilder, lässt sich von mir fotografieren. Adrian kommt. Eben angekommen. Wir machen uns miteinander bekannt.

*Park*, fuhr sie fort. Guy und ich. Unerhalten uns über Aufnahmen von Haus und Gelände. Über den *Architectural Digest*. Erkläre ihm, wie das mit Fotos ohne Auftrag ist. Schauen uns die Gebäude und verschiedenen Gärten an. Füttern die Fische.

*Cherokees Zimmer*. Er und ich. Überlegen, ob wir bleiben oder abreisen sollen.

Und so ging es Seite um Seite weiter, ein mit grimmiger Beharrlichkeit geschriebener, detaillierter Bericht über die Vorgänge in den Tagen vor Guy Brouards Tod. Deborah las jedes Wort, immer auf der Suche nach irgendwelchen Schlüsselmomenten, die vielleicht von einem Dritten beobachtet und in einer Weise verwendet worden waren, die China in ihr derzeitiges Dilemma gestürzt hatte.

»Wer ist Paul F.?«, fragte sie.

China erklärte, er sei ein Schützling Guy Brouards. Eine soziale Geschichte, bei der es darum ging, dass ein älterer Mann einen Jungen, dem es an nachahmenswerten Vorbildern fehlte, unter seine Fittiche nahm. So sei das zwischen Guy Brouard und Paul Fielder gewesen. Der Junge habe nie mehr als zehn Worte auf einmal gesagt. Habe Guy immer nur mit großen Augen angesehen und sei ihm wie ein Hündchen gefolgt.

»Wie alt ist der Junge?«

»Ein Teenager. Aus ziemlich armer Familie, so wie er angezogen ist. Und nach seinem Fahrrad zu urteilen. Er kreuzte praktisch jeden Tag auf dieser klapprigen Mühle auf. Er war immer willkommen, und sein Hund auch.«

Der Junge, die Kleidung, der Hund. Die Beschreibung passte auf den Jungen, dem sie und Simon auf dem Weg zur Bucht begegnet waren. Deborah fragte: »War er auch auf dem Fest?«

»Du meinst, am Abend vorher?« Als Deborah nickte, sagte China: »Klar. Alle waren da. Es war das große Ereignis der Saison, so wie es da zugegangen ist.«

»Wie viele Leute?«

China überlegte. »Dreihundert? So ungefähr.«

»Alle in einem Raum?«

»Nein, nein. Es war kein offenes Haus, aber die Leute sind natürlich den ganzen Abend in Bewegung gewesen. Die Kellner vom Party Service rannten herum. Es gab vier Bars. Es war kein Chaos, aber ich glaube nicht, dass irgendjemand darauf geachtet hat, wer gerade wo war.«

»Es hätte also leicht jemand den Umhang mitnehmen können«, sagte Deborah.

»Möglich, ja. Aber als ich ihn brauchte, war er da, Debs. Als Cherokee und ich am nächsten Morgen abreisten.«

»Ihr seid niemandem begegnet, als ihr gegangen seid?«

»Keiner Menschenseele.«

Danach schwiegen sie. China verstaute die Einkäufe im kleinen Kühlschrank und dem einzigen Küchenschrank. Sie suchte nach einem Gefäß für die Blumen und begnügte sich schließlich mit einem Kochtopf. Deborah sah ihr zu und überlegte, wie sie am besten fragte, was sie fragen musste; wie sie die Frage so formulieren konnte, dass die Freundin sie nicht als Zeichen von Argwohn oder Zurückweisung auffassen würde. Sie hatte schon genug Schwierigkeiten.

»Sag mal«, begann Deborah, »bist du vorher, ich meine, an einem der früheren Tage, mal mit Brouard zum Schwimmen an die Bucht hinuntergegangen? Vielleicht auch nur, um ihm zuzusehen?«

China schüttelte den Kopf. »Ich wusste, dass er regelmäßig da unten zum Schwimmen ging. Alle haben ihn deswegen bewundert. Um diese Jahreszeit, so früh am Morgen, bei dem eisigen Wasser. Ich glaube, die ehrfürchtige Bewunderung der anderen hat ihm gefallen. Aber ich bin nie mit runtergegangen.«

»Jemand anders?«

»Seine Freundin, glaube ich. Es ist darüber geredet worden. So nach dem Motto: Anaïs, können Sie denn diesen Mann nicht zur Vernunft bringen? Und: Ich versuche es jedes Mal, wenn ich mit ihm unten bin.«

»Dann wäre sie also auch an dem fraglichen Morgen mit ihm gegangen?«

»Wenn sie über Nacht geblieben wäre. Aber ich weiß nicht, ob sie das getan hat. Solange Cherokee und ich da waren, ist sie nie über Nacht geblieben.«

»Aber manchmal blieb sie?«

»Daran hat sie keinen Zweifel gelassen. Ich meine, sie hat mir das klar und deutlich zu verstehen gegeben. Es kann also sein, dass sie nach dem Fest geblieben ist, aber ich glaube es nicht.«

Dass China nicht versuchte, das Wenige, was sie wusste, so darzustellen, dass vielleicht ein anderer in Verdacht geriet, fand Deborah tröstlich. Es zeugte von einem starken Charakter. Sie sagte: »China, meiner Meinung nach hätte die Polizei in tausend anderen Richtungen ermitteln können.«

»Meinst du das wirklich?«

»Ja.«

China schien ein ungeheure Last von der Seele zu fallen, die sie mit sich herumgeschleppt hatte, seit Deborah sie und ihren Bruder in dem Lebensmittelgeschäft aufgestöbert hatte. »Danke dir, Debs«, sagte sie.

»Du brauchst mir nicht zu danken.«

»Doch. Dafür, dass du gekommen bist, dass du meine Freundin bist. Ohne dich und Simon wäre ich hier für alle leichte Beute. Werde ich ihn kennen lernen? Simon, meine ich? Ich fände es schön.«

»Natürlich wirst du ihn kennen lernen«, antwortete Deborah. »Er freut sich schon auf dich.«

China kam wieder an den Tisch und ergriff den Schreibblock. Einen Moment lang blickte sie darauf nieder, als überlegte sie etwas, dann hielt sie ihn Deborah hin, so impulsiv wie diese ihr vorher die Blumen gereicht hatte.

»Gib ihm das«, bat sie. »Sag ihm, er soll es mit der Lupe studieren. Sag ihm, er kann mich jederzeit und sooft er es für nötig hält, nach allen Regeln der Kunst ausquetschen. Sag ihm, er soll die Wahrheit ans Licht bringen.«

Deborah nahm den Block und versprach, ihn ihrem Mann zu bringen.

Sie fühlte sich beschwingt, als sie die Wohnung verließ. Draußen, dem Apartmentkomplex gegenüber, stieß sie auf Cherokee, der an einem Geländer vor einem für den Winter geschlossenen Urlaubshotel lehnte. Er hatte den Kragen seiner Jacke zum Schutz gegen die Kälte hochgeklappt und trank irgendetwas Dampfendes aus einem Pappbecher, während er die Queen-Margaret-Apartments beobachtete wie ein verdeckter Ermittler. Als er auf Deborah aufmerksam wurde, stieß er sich vom Geländer ab und kam über die Straße zu ihr.

»Wie war's? Alles okay? Sie war schon den ganzen Tag wahnsinnig nervös.«

»Es geht ihr ganz gut«, sagte Deborah. »Sie hat natürlich Angst.«

»Ich möchte etwas tun, aber sie lässt es nicht zu. Wenn ich's versuche, fährt sie mich an. Ich will sie nicht da drinnen allein lassen, aber ich kann vorschlagen, was ich will – dass wir ein bisschen rumfahren oder spazieren gehen oder Karten spielen oder CNN schauen, um zu sehen, was zu Hause los ist –, sie flippt nur aus.«

»Sie hat Angst. Ich glaube, sie will dich nicht merken lassen, wie groß ihre Angst ist.«

»Aber ich bin ihr Bruder!«

»Vielleicht ist gerade das der Grund.«

Er ließ sich das durch den Kopf gehen, während er seinen Becher leerte und diesen dann in der Hand zusammendrückte. »Sie hat sich immer um mich gekümmert«, sagte er. »Als wir klein waren. Wenn unsere Mutter – na ja, wenn sie eben ihr Ding machte. Demos und Proteste und so. Nicht ständig, aber wenn jemand gebraucht wurde, der bereit war, sich an einen Mammutbaum ketten zu lassen oder ein Transparent durch die Gegend zu schleppen, dann war sie weg. Manchmal wochenlang. China war in der Zeit immer die Starke.«

»Du fühlst dich in ihrer Schuld.«

»Und wie! Ich möchte ihr helfen.«

Deborah dachte nach, wog seinen Wunsch und die Situation, vor der sie standen, gegeneinander ab. Sie sah auf ihre Uhr. »Komm mit«, sagte sie. »Du *kannst* etwas tun.«

# 12

Im Damenzimmer des Herrenhauses stand ein riesiges Gerät, das Ähnlichkeit mit den Webstühlen hatte, auf denen Wandteppiche gewirkt wurden. Doch an dieser Vorrichtung wurde nicht gewebt, sondern auf einer unglaublich großen Fläche mit der Nadel gearbeitet. Ruth Brouard schwieg, während St. James sich diesen überdimensionalen Stickrahmen und das auf ihm aufgespannte, kanevasartige Gewebe ansah, und dann zu einem fertigen Bild an der Wand hinaufblickte, das jenem, das er zuvor in Ruth Brouards Schlafzimmer gesehen hatte, nicht unähnlich war.

Das gewaltige Bildwerk sollte offenbar den Fall Frankreichs im Zweiten Weltkrieg darstellen. Mit der Maginot-Linie begann die Geschichte, mit einer Frau beim Kofferpacken endete sie. Zwei Kinder – ein Junge und ein Mädchen – sahen der Frau zu. Hinter ihnen standen ein bärtiger alter Mann im Gebetsmantel mit einem aufgeschlagenen Buch in den Händen und eine weinende Frau in seinem Alter, die einen jüngeren Mann – vielleicht den erwachsenen Sohn der beiden – zu trösten schien.

»Das ist unglaublich«, sagte St. James.

Ruth Brouard legte einen braunen Umschlag, den sie in der Hand hielt, als sie ihm die Tür geöffnet hatte, auf einen Schreibsekretär. »Auf mich hat es eine therapeutische Wirkung«, sagte sie. »Und es ist weit weniger kostspielig als eine Psychoanalyse.«

»Wie lange arbeiten Sie schon daran?«

»Seit acht Jahren. Aber damals war ich nicht so flink. Ich hatte es auch nicht nötig.«

St. James betrachtete sie. Er konnte die Krankheit in ihren allzu bemühten Bewegungen und ihrem angestrengten Gesicht erkennen. Aber er wollte sie nicht darauf ansprechen, weil sie so sehr darauf bedacht schien, den Anschein gesunder Vitalität aufrechtzuerhalten.

»Wie viele haben Sie geplant?«, fragte er, seine Aufmerksamkeit wieder auf die Arbeit richtend.

»So viele, wie nötig sind, um die ganze Geschichte zu erzählen«, antwortete sie. »Das hier« – mit einem Nicken zur Wand – »war das Erste. Es ist ein wenig grob, aber mit stetiger Übung bin ich besser geworden.«

»Es erzählt eine wichtige Geschichte.«

»O ja. Ich denke schon. Was ist Ihnen passiert? Ich weiß, so etwas fragt man nicht, aber ich bin über dieses gesellschaftliche Getue hinaus. Ich hoffe, Sie nehmen die Frage nicht übel.«

Das hätte er sehr wohl getan, hätte jemand anders sie gestellt. Aber diese Frau schien eine Fähigkeit zum Verständnis zu besitzen, das alle eitle Neugier verdrängt hatte, und sie zu einer verwandten Seele machte. Vielleicht, weil sie dem Tod geweiht war.

»Ein Autounfall«, sagte er.

»Wann war das?«

»Ich war vierundzwanzig.«

»Oh. Das tut mir Leid.«

»Mitleid ist nicht angebracht. Wir waren beide betrunken.«

»Sie und Ihre Freundin?«

»Nein. Ein alter Schulfreund.«

»Der am Steuer saß, vermute ich, und ohne eine Schramme davonkam.«

St. James lächelte. »Sind Sie eine Hexe, Miss Brouard?«

Sie erwiderte das Lächeln. »Ich wünschte, ich wäre eine. Ich hätte meine Hexenkünste über die Jahre mehr als einmal spielen lassen.«

»Bei einem Mann?«

»Bei meinem Bruder.« Sie drehte den Stuhl vor dem Sekretär herum und ließ sich, eine Hand auf die Sitzfläche gestützt, auf ihm nieder. Mit einer Geste wies sie zu einem Sessel in der Nähe. St. James setzte sich und wartete darauf, dass sie ihm sagen würde, warum sie ihn ein zweites Mal sprechen wollte.

Sie begann das Gespräch mit der Frage, ob er das in Guernsey geltende Erbrecht kenne und von den gesetzlichen Beschränkungen wisse, denen die Nachlassverteilung hier unterliege. Es sei ein ziemlich archaisches System, das im normannischen Gewohnheitsrecht wurzele. Vor allen Dingen gehe es darum, das Familienvermögen für die Familie zu erhalten, und das bedeute, dass es ausgeschlossen sei, leibliche Kinder zu enterben, ob ungeraten oder nicht. Den leiblichen Kindern stünde immer ein bestimmter Teil des elterlichen Vermögens zu, ohne Rücksicht auf die Natur der Beziehung zu den Eltern.

»Meinem Bruder hat vieles hier auf den Kanalinseln gefallen«, sagte Ruth Brouard. »Das Wetter, die Atmosphäre, der ausgeprägte Gemeinschaftssinn. Natürlich die Steuergesetze und die Professionalität der Banken. Aber Guy wollte sich nicht vorschreiben lassen, wie er im Fall seines Todes sein Vermögen zu verteilen habe.«

»Verständlich«, sagte St. James.

»Deshalb suchte er nach einem Ausweg, nach einer Gesetzeslücke. Und er fand sie, wie jeder, der ihn kannte, vorausgesehen hätte.«

Vor ihrer gemeinsamen Übersiedelung auf die Insel, erklärte Ruth Brouard, hatte ihr Bruder sein gesamtes Vermögen auf sie übertragen. Er selbst behielt nur ein Bankkonto, mit einer beträchtlichen Summe ausgestattet, die für Kapitalanlagen und ein bequemes Leben gut ausreichen würde. Sein restliches Vermögen – die Immobilien, die Wertpapiere, die Beteiligungen, die anderen Konten, die Firmen – überschrieb er auf seine Schwester. Er knüpfte nur eine Bedingung daran: Dass sie nach der Übersiedelung nach Guernsey ein Testament unterzeichne, das er und ein Anwalt in ihrem Namen aufsetzen würden. Da sie weder Ehemann noch Kinder hatte, konnte sie über den Nachlass verfügen, wie sie wollte, und das erlaubte ihrem Bruder, der ihr das Testament ja diktierte, seine Wünsche doch durchzusetzen, wenn auch auf indirektem Weg. Es war ein schlauer Schachzug, um das Gesetz zu umgehen.

»Mein Bruder hatte seit Jahren keinerlei Beziehung zu seinen beiden jüngeren Kindern«, erklärte Ruth. »Er konnte nicht einsehen, warum er den Mädchen ein Vermögen hinterlassen sollte, bloß weil er sie gezeugt hatte. Er hatte immer gut für sie gesorgt, bis in ihr Erwachsenenleben hinein, hatte sie auf die besten Schulen geschickt und seine Beziehungen spielen lassen, um die eine in Cambridge unterzubringen und die andere an der Sorbonne.

Er bekam nicht einmal ein Dankeschön dafür. Er fand, es wäre genug. Er wollte lieber den Menschen in seinem Leben etwas geben, von denen er so vieles bekommen hatte, was seine eigenen Kinder ihm versagt hatten. Treue, meine ich. Freundschaft, Anerkennung – und Liebe. Aber das konnte er nur tun, wenn er alles über mich laufen ließ.«

»Und sein Sohn?«

»Adrian?«

»Wollte Ihr Bruder ihn auch enterben?«

»Er wollte keines seiner Kinder enterben. Er wollte lediglich den Betrag verringern, den er ihnen von Gesetzes wegen hätte hinterlassen müssen.«

»Wer hat von dem Manöver gewusst?«, fragte St. James.

»Meines Wissens nur mein Bruder, Dominic Forrest – das ist der Anwalt – und ich.« Sie griff nach dem braunen Umschlag, aber sie öffnete die Klammern noch nicht. Sie legte ihn nur auf den Schoß und hielt ihn fest, während sie weitersprach. »Ich war damit einverstanden, weil ich Guy seine innere Ruhe wünschte. Er war entsetzlich unglücklich darüber, dass seine geschiedenen Ehefrauen ihm jede halbwegs normale Beziehung zu seinen Kindern verwehrt hatten. Na schön, sagte ich mir, warum nicht? Warum soll ich ihm nicht helfen, den Menschen etwas zurückzugeben, die für ihn da waren, als seine eigenen Kinder nichts von ihm wissen wollten? Verstehen Sie, ich rechnete nicht damit …«

Sie zögerte und faltete bedächtig die Hände, als überlegte sie, wie viel sie preisgeben sollte. Der Anblick des Umschlags, der auf ihrem Schoß lag, schien ihr Entschlossenheit zu verleihen, denn sie fuhr zu sprechen fort. »Ich rechnete nicht damit, dass ich meinen Bruder überleben würde. Ich dachte, wenn ich ihm über meine – meinen körperlichen Zustand die Wahrheit sagte, würde er vorschlagen, mein Testament wieder zu ändern und ihn als Alleinerben einzusetzen. Dann hätte er sich zwar wieder mit den gesetzlichen Bestimmungen herumschlagen müssen, aber ich denke doch, das wäre ihm lieber gewesen, als mit einem einzigen Bankkonto und einem Wertpapierportefeuille dazustehen, ohne eine Möglichkeit, das eine oder andere aufzufüllen.«

»Ich verstehe«, sagte St. James. »Ich verstehe, was beabsichtigt war. Aber es ist wohl anders gekommen?«

»Ich habe es nie geschafft, ihm zu sagen, wie – wie es um mich steht. Manchmal bemerkte ich, dass er mich ansah, und dann dachte ich, er weiß es. Aber er hat nie etwas gesagt. Und ich auch nicht. Jeden Abend nahm ich mir vor, morgen, morgen spreche ich mit ihm. Aber ich habe es nie getan.«

»Und als er dann plötzlich starb –«

»Gab es große Erwartungen.«

»Und jetzt?«

»Jetzt gibt es verständliche Verärgerung.«

St. James nickte. Er blickte auf den riesigen Wandbehang, der einen entscheidenden Teil des Lebens der beiden Geschwister abbildete. Er sah, dass die Mutter, die die Koffer packte, weinte; dass die Kinder sich angstvoll aneinander klammerten. Durch ein Fenster erkannte man Nazi-Panzer, die über ein fernes Feld rollten, und einen Trupp Soldaten, der im Stechschritt durch eine schmale Straße marschierte.

»Ich nehme nicht an, dass Sie mich hergebeten haben, um sich raten lassen, was Sie tun sollen«, sagte er. »Ich habe das Gefühl, das wissen Sie bereits.«

»Ich verdanke meinem Bruder alles, und ich bin ein Mensch, der seine Schulden begleicht. Sie haben Recht, ich habe Sie nicht hergebeten, damit Sie mir sagen, wie ich es jetzt, wo mein Bruder tot ist, mit meinem Testament halten soll. Nein, ganz gewiss nicht.«

»Darf ich dann fragen …? Wie kann ich Ihnen behilflich sein?«

»Bis zum heutigen Tag«, sagte sie, »war ich über den jeweiligen Inhalt der Testamente meines Bruders immer genau unterrichtet.«

»Hat er denn mehrere gemacht?«

»Er hat sein Testament häufiger geändert, als die meisten Leute das tun. Bei jeder Änderung trafen wir uns mit seinem Anwalt, und der setzte mir genau auseinander, wie das neue Testament aussehen würde. Mein Bruder war in dieser Beziehung sehr zuverlässig. Immer fuhren wir an dem Tag, an dem das Testament unterzeichnet werden sollte, zusammen zu Mr. Forrest. Wir gingen die einzelnen Klauseln durch, prüften, ob in meinem eigenen Testament irgendwelche Änderungen nötig wurden, erledigten das mit der Unterschrift und gingen hinterher zum Lunch.«

»Aber bei diesem letzten Testament war es nicht so?«

»Nein.«

»Vielleicht war Ihr Bruder noch nicht dazu gekommen«, meinte St. James. »Er hat ganz sicher nicht mit seinem Tod gerechnet.«

»Dieses letzte Testament wurde im Oktober aufgesetzt, Mr. St. James. Vor mehr als zwei Monaten. Ich war in dieser Zeit immer hier. Mein Bruder ebenso. Er muss nach St. Peter Port gefahren sein, um die Formalitäten zu erledigen und das Testament rechtsgültig zu machen. Er hat mich nicht mitgenommen. Das legt doch nahe, dass er mich ganz bewusst über seine Pläne im Unklaren gelassen hat.«

»Und was waren das für Pläne?«

»Er wollte die Vermächtnisse an Anaïs Abbott, Frank Ouseley und die Duffys streichen. Das hat er mir verheimlicht. Als mir das klar wurde, wurde mir natürlich auch klar, dass er mir vielleicht noch weit mehr verheimlicht hat.«

Jetzt, erkannte St. James, waren sie beim Kernpunkt angelangt: beim Grund ihrer Bitte um ein zweites Gespräch mit ihm.

Ruth Brouard öffnete die Metallklammern des Umschlags auf ihrem Schoß. Sie zog heraus, was er enthielt, und St. James sah sofort, dass Guy Brouards Reispass dabei war.

Ruth Brouard reichte ihm das Dokument. »Das war sein erstes Geheimnis«, sagte sie. »Sehen Sie sich den letzten Stempel an.«

St. James blätterte in dem Pass und fand schnell den relevanten Vermerk. Anders als Ruth Brouard ihm gegenüber in ihrem ersten Gespräch an diesem Tag behauptet hatte, war ihr Bruder sehr wohl in den Vereinigten Staaten gewesen. Er war im März über den Internationalen Flughafen von Los Angeles eingereist.

»Und davon hat er Ihnen nichts gesagt?«, fragte St. James.

»Nein, sonst hätte ich Ihnen doch nicht etwas anderes erzählt.« Sie reichte ihm ein Bündel Unterlagen, das, wie St. James sah, aus Kreditkartenrechnungen, Hotelrechnungen und Quittungen von Restaurants und Mietwagenfirmen bestand. Guy Brouard hatte fünf Nächte im Hilton eines Orts namens Irvine gewohnt. Er hatte dort in einem Restaurant mit Namen *Il Fornaio* gegessen sowie in Costa Mesa in *Scott's Seafood Restaurant* und in Orange im *Citrus Grille*. Er hatte sich mit einem gewissen William Kiefer getroffen, Rechtsanwalt in Tustin, dem er etwas über tausend Dollar für drei Termine innerhalb von fünf Tagen bezahlt hatte, und er hatte neben der Karte dieses Anwalts eine Quittung von einem Architekturbüro Southby, Strange, Willows und Ward aufbewahrt. »Jim Ward« stand krakelig hingeworfen unten auf dem Zettel, dazu eine Mobiltelefon- und eine Festnetznummer.

»Er hat sich also anscheinend selbst um die Vorbereitungen für den Museumsbau gekümmert«, bemerkte St. James. »Das passt doch alles zu den Plänen, die er unseres Wissens nach hatte.«

»Das stimmt«, sagte Ruth. »Aber mir hat er kein Wort von dieser Reise gesagt. Verstehen Sie nicht, was das bedeutet?«

In Ruth Brouards Stimme schwang ein eigenartiger Unterton, aber St. James sah nur, dass der Bruder vielleicht ein wenig Freiheit gebraucht hatte. Möglicherweise hatte er eine Freundin mit auf die Reise genommen, von deren Existenz er seine Schwester nichts wissen lassen wollte. Doch als Ruth weitersprach, erkannte er, dass sie sich durch die überraschenden Neuigkeiten, die sie entdeckt hatte, weniger brüskiert fühlte, als vielmehr in ihrer bereits bestehenden Überzeugung bestätigt.

»Kalifornien, Mr. St. James«, sagte sie. »Sie lebt in Kalifornien. Er muss sie also schon gekannt haben, bevor sie nach Guernsey kam. Und als sie hier eintraf, hatte sie bereits alles geplant.«

»Ach so, ich verstehe. Miss River. Aber sie lebt nicht in diesem Teil Kaliforniens«, widersprach St. James. »Sie kommt aus Santa Barbara.«

»Wie weit kann das von diesen Orten entfernt sein?«

St. James runzelte die Stirn. Er wusste es nicht, er war nie in Kalifornien gewesen und hatte im Grund nur von Los Angeles und San Francisco gehört, die seines Wissens an entgegengesetzten Enden des Staates lagen. Er wusste jedoch, dass es ein Staat von riesiger Ausdehnung war, von einem verwirrenden Netz von Schnellstraßen durchzogen, die meistens mit Autos verstopft waren. Deborah würde sagen können, ob es denkbar war, dass Guy Brouard während seines Aufenthalts in Kalifornien eine Reise nach Santa Barbara unternommen hatte. Sie war dort viel herumgereist, nicht nur mit Tommy, sondern auch mit China.

China. Ihm fiel ein, was seine Frau ihm über ihre Besuche bei Chinas Mutter und Bruder erzählt hatte. Ein Ort mit dem Namen einer Farbe, hatte sie gesagt: Orange, wo das *Citrus Grille* war, dessen Quittung bei Guy Brouards Papieren gelegen hatte. Und Cherokee River – nicht seine Schwester China – lebte irgendwo in dieser Gegend. War es also abwegig, anzunehmen, dass Cherokee River und nicht China Guy Brouard bereits gekannt hatte, bevor die Geschwister nach Guernsey gekommen waren?

St. James bedachte, was sich daraus eventuell ergab, und sagte zu Ruth: »Wo waren die beiden Rivers hier im Haus untergebracht?«

»Im zweiten Stockwerk.«

»Und die Lage ihrer Zimmer?«

»Süden, nach vorn.«

»Mit Blick zur Auffahrt? Zu den Bäumen? Zum Haus der Duffys?«

»Ja. Warum?«

»Was hat Sie an dem Morgen veranlasst, zum Fenster zu gehen, Miss Brouard? Als Sie die Gestalt beobachteten, die Ihrem Bruder folgte, hatte da etwas Bestimmtes Sie veranlasst, zum Fenster hinauszuschauen? Oder war es eine Gewohnheit von Ihnen ihm nachzusehen?«

Sie dachte einen Moment über seine Frage nach, bevor sie langsam sagte: »Normalerweise war ich noch gar nicht auf, wenn Guy aus dem Haus ging. Ich denke daher, es muss etwas...« Nachdenklich blickte sie vor sich hin. Sie faltete die mageren Hände über dem braunen Umschlag, und St. James sah, wie papierdünn die Haut war, die sich über den Knochen spannte. »Ich hatte ein

Geräusch gehört, Mr. St. James«, sagte sie. »Es hat mich geweckt und ein wenig erschreckt, weil ich glaubte, es wäre noch mitten in der Nacht und irgendjemand schliche im Haus herum. Es war dunkel, aber als ich auf die Uhr schaute, sah ich, dass es beinahe Zeit für Guy war, zum Schwimmen zu gehen. Ich habe ein paar Augenblicke gehorcht, dann hörte ich ihn in seinem Zimmer. Ich nahm an, *er* hätte das Geräusch gemacht.« Sie erkannte, worauf St. James hinauswollte, und sagte: »Aber es hätte jeder sein können, nicht wahr? Jemand anders als Guy, jemand der schon aufgestanden und im Begriff war, aus dem Haus zu gehen, um unter den Bäumen zu warten.«

»So scheint es«, bestätigte St. James.

»Und ihre Zimmer liegen über meinem«, fuhr sie fort. »Die Zimmer der beiden Rivers. Im Stockwerk über mir. Sie sehen –«

»Möglich«, meinte St. James. Aber er sah noch mehr. Er sah, dass man sich in eine Teilinformation verbeißen und alles andere unbeachtet lassen konnte. »Und wo hat Adrian gewohnt?«, fragte er.

»Er hätte nie –«

»Wusste er von der Sache mit den beiden Testamenten? Ihrem und dem Ihres Bruders?«

»Mr. St. James, ich versichere Ihnen, er hätte niemals... Glauben Sie mir, er könnte nicht –«

»Angenommen, er kannte die hiesigen Gesetze und wusste *nicht*, was sein Vater unternommen hatte, um ihn um den Genuss eines Vermögens zu bringen – mit was für einem Erbe hätte er gerechnet?«

»Entweder mit einem Sechstel des gesamten Nachlasses«, antwortete Ruth Brouard mit offenkundigem Widerstreben.

»Oder mit einem Drittel von allem, wenn sein Vater seinen ganzen Besitz in Bausch und Bogen seinen Kindern vermacht hätte?«

»Ja, aber –«

»Ein stattliches Vermögen«, sagte St. James.

»Ja, ja. Aber Sie müssen mir glauben, Adrian hätte seinem Vater niemals etwas angetan. Nicht um alles in der Welt. Schon gar nicht wegen einer Erbschaft.«

»Dann hat er wohl eigenes Vermögen?«

Sie antwortete nicht. Das Ticken der Uhr auf dem Kaminsims wurde laut wie das einer tickenden Bombe. Ruth Brouards Schweigen war St. James Antwort genug.

Er sagte: »Was ist mit Ihrem Testament, Miss Brouard? Was für eine Vereinbarung bestand mit Ihrem Bruder? Wie wollte er das Vermögen verteilt wissen, das er Ihnen überschrieben hatte?«

Sie leckte sich über die Unterlippe. Ihre Zunge war beinahe so blass wie die Haut ihres Gesichts. »Adrian ist ein gequälter Mensch, Mr. St. James. Seine Eltern haben ein ewiges Tauziehen um ihn veranstaltet. Sie sind im Bösen auseinander gegangen, und Margaret machte Adrian zum Werkzeug ihrer Rache. Daran änderte sich auch nichts, als sie sich wieder verheiratete und gut verheiratete – Margaret verheiratet sich immer gut, müssen Sie wissen. Es blieb die Tatsache, dass mein Bruder sie betrogen hatte und sie es nicht schnell genug merkte, nicht clever genug war, ihn in flagranti zu ertappen, ich glaube, das hätte sie sich am allermeisten gewünscht: Mein Bruder mit einer Frau im Bett, und sie fährt wie die Rachegöttin persönlich auf die beiden nieder. Aber so hat es sich nicht abgespielt. Es war nur eine schmutzige kleine Entdeckung – ich weiß nicht einmal, was genau. Und sie ist nie darüber hinweggekommen, sie konnte es nicht vergessen, sondern hat Guy, wo es ging, dafür büßen lassen, dass er sie gedemütigt hatte. Und wenn man auf diese Weise benutzt wird... Kein Baum kann groß und stark werden, wenn man sich ständig an seinen Wurzeln zu schaffen macht. Aber Adrian ist kein Mörder.«

»Dann haben Sie ihm wohl zur Entschädigung das ganze Vermögen hinterlassen?«

Sie hatte den Blick auf ihre Hände gesenkt gehalten, aber bei seinen Worten sah sie auf. »Nein. Ich habe getan, was mein Bruder wünschte.«

»Und was wünschte er?«

*Le Reposoir*, erläuterte sie, sollte den Bewohnern von Guernsey zu ihrer Benutzung und ihrem Vergnügen überlassen werden. Die Instandhaltung und Pflege des Besitzes mit allen Gebäuden und Einrichtungen würde aus einem eigens zu diesem Zweck errichteten Treuhandfonds finanziert werden. Das restliche Vermögen – die Immobilien in Spanien, Frankreich und England, die Wertpapiere, die Bankkonten sowie alle persönlichen Besitztümer, die zum Zeitpunkt ihres Todes nicht zur Ausstattung des Herrenhauses oder zum Schmuck der Parkanlagen verwendet wurden – würde verkauft und der Erlös dem Treuhandfonds zugeführt werden.

»So hat er es gewünscht, und so habe ich es gemacht«, sagte Ruth Brouard. »Er versprach mir, seine Kinder in *seinem* Testament zu bedenken, und das hat er getan. Sie wurden natürlich nicht so großzügig bedacht, wie vom geltenden Gesetz vorgesehen. Aber sie wurden bedacht.«

»Was für eine Regelung hatte er getroffen?«

»Er machte von der gesetzlichen Möglichkeit Gebrauch, seinen Nachlass in zwei Hälften aufzuteilen. Seine drei Kinder bekommen zu je einem Drittel die eine Hälfte. Die andere Hälfte geht zu gleichen Teilen an zwei Jugendliche, die hier auf der Insel leben.«

»Das heißt, sie erhalten mehr als seine eigenen Kinder.«

»Ich – ja«, sagte sie. »Ja, das ist wohl richtig.«

»Und wer sind diese beiden Jugendlichen?«

Sie nannte ihm ihre Namen: Paul Fielder und Cynthia Moullin. Ihr Bruder habe sich als Mentor der beiden gefühlt. Auf den Jungen sei er im Rahmen eines Förderungsprogramms der hiesigen höheren Schule aufmerksam geworden. Das junge Mädchen habe er durch ihren Vater Henry Moullin kennen gelernt, einen Glaser, der den Wintergarten gebaut und die Fenster im Herrenhaus erneuert hatte.

»Es sind beides ziemlich arme Familien, besonders die Fielders«, schloss Ruth Brouard. »Das hat mein Bruder natürlich gesehen, und da er die Kinder gern hatte, wollte er etwas für sie tun; etwas Besonderes, was ihre Eltern niemals für sie hätten tun können.«

»Aber warum hat er das vor Ihnen geheim gehalten?«, fragte St. James.

»Ich weiß es nicht«, antwortete sie. »Und ich verstehe es nicht.«

»Hätten Sie denn Einwendungen erhoben?«

»Ich hätte ihm vielleicht gesagt, wie viel Unfrieden er damit möglicherweise stiften würde.«

»In seiner eigenen Familie?«

»Und in den beiden anderen Familien. Sowohl Paul als auch Cynthia haben Geschwister.«

»Denen Ihr Bruder nichts vermacht hat?«

»Denen er nichts vermacht hat. Und wenn einer etwas bekommt und die anderen nicht… Ich hätte ihm gesagt, dass das zu einem Bruch in den Familien führen könnte.«

»Hätte er denn auf Sie gehört, Miss Brouard?«

Sie schüttelte den Kopf. Ihr Gesicht war unsagbar traurig. »Das war die Schwäche meines Bruders«, sagte sie. »Er hat auf keinen gehört.«

Margaret Chamberlain hatte Mühe, sich zu erinnern, wann sie schon einmal so wütend gewesen war und so wild entschlossen, dagegen etwas zu tun. Vielleicht an dem Tag, dachte sie, als ihr Verdacht, dass Guy sie betrog, zur Gewissheit geworden war, die sie wie ein Faustschlag in den Magen getroffen hatte. Aber dieser Tag lag weit zurück, und so vieles hatte sich seither ereignet – drei weitere Ehen und drei weitere Kinder, um genau zu sein –, dass er zu einer matten Erinnerung verblasst war, die sie so wenig aufpolieren wollte, wie sie das bei einem unmodernen, alten silbernen Schmuckstück täte, für das sie keine Verwendung mehr hatte. Doch die Gefühle, die jetzt in ihr tobten, waren jenen früheren verwandt. Welch eine Ironie, dass damals wie heute die Quelle ihrer Wut derselbe Mann war!

Wenn sie sich so fühlte wie in diesem Augenblick, fiel es ihr meistens schwer, zu entscheiden, wo sie zuerst zuschlagen wollte. Auf jeden Fall musste man sich mit Ruth befassen. Die Bestimmungen in Guys Testament waren derart ungewöhnlich, dass es nur eine Erklärung für sie geben konnte, und Margaret war bereit, ihren Kopf zu wetten, dass diese Erklärung Ruth hieß. Neben

Ruth jedoch waren da noch die beiden Jugendlichen, die die Hälfte von Guys vorgeblichem Gesamtvermögen geerbt hatten. Nie im Leben würde Margaret Chamberlain untätig zusehen, wie zwei Unbekannte – mit Guy nicht einmal entfernt verwandt – mehr Geld erhielten als der eigene Sohn des Mistkerls.

Adrian hatte sich wenig bereit gezeigt, mit Informationen zu helfen. Er hatte sich in seinem Zimmer verschanzt, und als sie ihn dort stellte und mehr über das Wer, Wo und Warum zu wissen verlangte, als sie von Ruth hatte erfahren können, hatte er nur gesagt: »Es sind Kinder. Sie schauen zu Dad auf, wie er fand, dass sein eigen Fleisch und Blut zu ihm aufschauen müsste. Wir wollten nicht. Sie haben es mit Freuden getan. Das ist doch typisch Dad. Treue Ergebenheit wird belohnt.«

»Wo leben diese jungen Leute? Wo finde ich sie?«

»Der Junge wohnt in Le Bouet«, antwortete Adrian. »Ich weiß nicht genau, wo. Es ist eine Sozialsiedlung.«

»Und das Mädchen?«

Das war einfacher. Die Moullins lebten in La Corbière, südwestlich vom Flughafen, in einer Gemeinde namens Forest. Sie wohnten im irrsinnigsten Haus auf der ganzen Insel. Die Leute nannten es das Muschelhaus. Wenn man erst einmal in der Nähe von La Corbière war, konnte man es gar nicht verfehlen.

»Gut. Fahren wir«, sagte Margaret.

Aber da teilte Adrian ihr klipp und klar mit, dass er nirgendwohin zu fahren gedachte. »Was glaubst du denn, dass du damit erreichst?«

»Ich werde diesen Leuten klar machen, mit wem sie es zu tun haben. Sie sollen sich ja nicht einbilden, sie könnten dir einfach wegnehmen, was dir von Rechts wegen zusteht –«

»Bemüh dich nicht.« Er rauchte eine nach der anderen und ging dabei auf dem Perserteppich hin und her, als wollte er Löcher hineintreten. »Dad hat es so gewollt. Es ist sein letzter – na, du weißt schon ... Die große Ohrfeige zum langen Abschied.«

»Hör auf, dich auch noch darin zu suhlen, Adrian.« Sie konnte nicht anders. Es war einfach zu viel, in Betracht ziehen zu müssen, dass ihr Sohn womöglich bereit und willens war, eine demütigende Niederlage hinzunehmen, nur weil er meinte, sein Vater würde das angemessen finden. »Hier geht es um mehr als die Wünsche deines Vaters. Es geht um deine Rechte als sein leiblicher Sohn. Und letztlich auch um die deiner Schwestern. Ich kann mir nicht vorstellen, dass JoAnna Brouard sich einfach in ihr Schicksal fügen wird, wenn sie erfährt, wie dein Vater mit ihren Töchtern umgesprungen ist. Diese Sache kann uns in jahrelange Prozesse verwickeln, wenn wir nicht sofort etwas unternehmen. Folglich schnappen wir uns zuerst mal diese beiden Erben. Und dann schnappen wir uns Ruth.«

Adrian trat zur Kommode, drückte seine Zigarette in einem Aschenbecher aus, der zu neunzig Prozent an der schlechten Luft im Zimmer schuld war, und zündete sich eine neue an. »Auf mich brauchst du nicht zu zählen«, sagte er »Ich bin raus aus der Sache, Mutter.«

Margaret weigerte sich, zu glauben, dass es dabei bleiben würde. Er war nur deprimiert. Er fühlte sich gedemütigt und trauerte. Nicht um Guy, natürlich, aber um Carmel, die er an Guy verloren hatte, Gott verfluche ihn für diesen gemeinen Verrat an seinem einzigen Sohn! Aber Carmel würde eiligst zurückkehren und auf Knien um Vergebung bitten, wenn Adrian endlich den ihm angestammten Platz als Erbe seines Vaters einnehmen würde. Margaret hatte kaum Zweifel daran.

Adrian fragte nichts, als Margaret »Na schön« sagte und anfing, in seinen Sachen zu kramen. Er protestierte nicht, als sie die Wagenschlüssel aus seiner Jacke nahm, die er auf einem Stuhl liegen lassen hatte. »Wie du willst«, fügte sie hinzu und ging.

Im Handschuhfach des Range Rover fand sie eine Karte von der Art, wie Autovermieter sie verteilen: die Standorte ihrer eigenen Filialen sind unübersehbar gekennzeichnet, alles andere verschwimmt in Unleserlichkeit. Aber da die Mietwagenagentur am Flughafen war und La Corbière nicht weit von diesem entfernt, gelang es ihr, das kleine Dorf an der Südküste zu finden, an einer Straße, die auf dem Papier nur ein Strich war.

Um sich abzureagieren, ließ sie erst einmal den Motor aufheulen, dann fuhr sie los. Wie schwierig konnte es schon sein, den Weg zum Flughafen zu finden und dann an der Rue de la Villiaze links abzubiegen? Sie war schließlich nicht von gestern. Sie konnte Straßenschilder lesen und würde sich nicht verfahren.

Das setzte natürlich voraus, dass Straßenschilder da waren. Margaret entdeckte bald, dass es zu den Eigenarten der Inselbewohner gehörte, Straßenschilder zu verstecken – meist hüfthoch in dichtem Efeu. Sie entdeckte außerdem bald, dass man wissen musste, in welche Gemeinde man wollte, wenn man nicht mitten in St. Peter Port landen wollte, wo alle Straßen hinzuführen schienen.

Nach vier Fehlversuchen war sie in Schweiß gebadet, und als sie den Flughafen endlich fand, brauste sie prompt an der Rue de la Villiaze vorbei, ohne es zu merken, weil das Sträßchen so unauffällig war. Margaret war an England gewöhnt, wo Hauptstraßen immerhin eine gewisse Ähnlichkeit mit Hauptstraßen hatten. Auf der Karte war die Straße rot eingezeichnet, also musste sie ihrer Vorstellung nach mindestens zwei ordentlich gekennzeichnete Fahrbahnen haben und natürlich deutlich ausgeschildert sein. Unglücklicherweise war sie schon halb auf der anderen Seite der Insel an einer Kreuzung, die durch eine etwas versteckt in eine Mulde stehende Kirche gekennzeichnet war, als ihr der Gedanke kam, dass sie zu weit gefahren sein könnte. Sie fuhr sofort an den Straßenrand, studierte die Karte und sah – inzwischen kochend vor Gereiztheit –, dass sie am Ziel vorbeigeschossen war und einen neuen Versuch starten musste.

Sie verfluchte ihren Sohn. Wäre er nicht so ein erbärmlicher Schlappschwanz – nein, nein, nicht doch. Natürlich wäre es angenehm gewesen, ihn dabei zu haben und am Ziel anzukommen, ohne sich vorher x-mal zu verfahren, aber Adrian musste sich erst von dem Schlag erholen, den sein Vater – sein gottverdammter Vater! – ihm mit diesem Testament verpasst hatte, und wenn er dafür eine Stunde oder auch länger brauchte, dann, dachte Margaret, sei ihm das gegönnt. Sie würde schon allein zurechtkommen.

Dabei fiel ihr wieder Carmel Fitzgerald ein, und sie fragte sich, ob das nicht zur Ernüchterung der jungen Frau beigetragen hatte: Allzu viele Momente, da sie erkennen musste, dass es immer wieder Zeiten geben würde, wo sie allein zurechtkommen musste, weil Adrian sich in seinem Zimmer einschloss oder Schlimmeres. Guy hatte ja weiß Gott jeden, der ein bisschen sensibel war, in Grund und Boden stampfen und in tiefe Selbstverachtung stürzen können. Wenn er auf diese Weise mit Adrian verfahren war, als dieser mit Carmel in *Le Reposoir* zu Gast gewesen war, was mochte da in der jungen Frau vorgegangen sein, wie empfänglich hätte sie das für die Annäherungsversuche eines Mannes gemacht, der offensichtlich ganz in seinem Element war, ungeheuer männlich und so beschissen *tüchtig*. Verdammt empfänglich, dachte Margaret. Was Guy zweifellos erkannt und sofort gewissenlos ausgenutzt hatte.

Aber bei Gott, er würde bezahlen. Er hatte im Leben nicht bezahlt. Aber er würde jetzt bezahlen.

So besessen war sie von diesem Vorsatz, dass sie die Rue de la Villiaze beinahe ein zweites Mal verpasst hätte. Erst im letzten Moment sah sie, ganz in der Nähe des Flughafens, einen schmalen Weg nach links abgehen. Sie lenkte den Wagen darauf und donnerte an einem Pub und einem Hotel vorüber in offenes Land, wo sie zwischen hohen Böschungen und Hecken, hinter denen Bauernhöfe und brache Felder lagen, weiterfuhr. Kleine Seitenstraßen, die eher wie Feldwege aussahen, zweigten hier und dort ab, und gerade als sie beschlossen hatte, ihr Glück auf einer von ihnen zu versuchen, erreichte sie eine Kreuzung und entdeckte wunderbarerweise ein Schild, das nach rechts, nach La Corbière wies.

Margaret sandte ein Dankgebet an den Gott der Autofahrer, der sie hierhergelotst hatte, und bog in eine von Hecken gesäumte, schmale Landstraße ein, die sich durch nichts von den anderen Straßen unterschied. Wäre ihr ein Auto entgegengekommen, so hätte sie oder der andere Fahrer bis zur nächsten Kreuzung zurückstoßen müssen, aber sie hatte Glück, sie sah auf ihrem Weg, der an einem weiß getünchten Bauernhaus und zwei fleischfarbenen *cottages* vorüberführte, weit und breit kein anderes Fahrzeug.

Dafür sah sie, an einem Knick in der Straße, das Muschelhaus. Adrian hatte Recht, nur ein Blinder hätte es verfehlen können. Das Haus selbst war aus Stein mit gelbem Anstrich. Die Muscheln, denen es seinen Namen verdankte, schmückten die Einfahrt, die Einfriedungsmauer und den großen Vorgarten.

Es war die geschmackloseste Kreation, die Margaret je gesehen hatte, ein Ensemble, das von einem Irren geschaffen schien. Miesmuscheln, Schneckenmuscheln, Seeohren, Herzmuscheln und hier und dort eine Tigerschnecke bildeten Randverzierungen um Rabatten, in denen mit biegsamem Draht und Klebstoff gefertigte Blumen aus Muschelschalen standen. In der Mitte der Rasenfläche prangte von Muschelwänden umschlossen und Muschelufern umkränzt ein seichter Teich, in dem – Gott sei Dank! – ganz normale Goldfische schwammen. Doch überall um diesen Teich herum harrten auf muschelverzierten Sockeln aus Muscheln geschaffene Götzenbilder der Anbetung. Zwei Gartentische aus Muscheln, um die sich die passenden Muschelstühle gruppierten, waren mit Teegeschirr aus Muscheln gedeckt, und auf den Kuchentellern warteten muschelartige Leckerbissen. An der Fassade des Hauses waren Miniaturmodelle einer Feuerwache, einer Schule, einer Scheune und einer Kirche aufgebaut, sämtlich im Perlmuttglanz der Schalen der Tiere, die für diese Kunstwerke ihr Leben hatten lassen müssen. Das konnte einem weiß Gott die Bouillabaisse auf immer vermiesen, dachte Margaret, als sie aus dem Range Rover stieg.

Sie schauderte angesichts dieses Monuments der Vulgarität, das unangenehme Kindheitserinnerungen weckte: an Sommerferien am Meer, an die verschluckten Buchstaben H, all die fettigen Fritten, all das teigige Fleisch, das so hässlich rot gebrannt war, nur damit man allen zeigen konnte, dass das Geld für einen Urlaub am Meer reichte.

Margaret schob die Gedanken weg, das Bild ihrer Eltern, wie sie auf der Treppe des gemieteten Strandhauses standen, eng umschlungen, jeder mit einer Flasche Bier in der Hand. Erst die schmatzenden Küsse, dann das Kichern ihrer Mutter und das, was dem Kichern folgte.

Genug, dachte Margaret. Entschlossenen Schritts marschierte sie die Einfahrt hinauf, rief einmal gebieterisch »Hallo!«, dann ein zweites und ein drittes Mal. Im Haus rührte sich nichts, aber an der Mauer lehnten Gartengeräte, wobei man sich fragen musste, wozu die in diesem Garten dienen sollten. Wie dem auch sei, die Tatsache, dass sie draußen standen, legte nahe, dass jemand zu Hause und im Garten an der Arbeit war.

Gerade als sie sich der Haustür näherte, kam von hinter dem Haus ein Mann mit einer Schaufel um die Ecke. Seine Jeans starrten vor Dreck, und er trug trotz der Kälte keine Jacke, sondern nur ein verwaschenes blaues Arbeitshemd, das vorn in Rot mit den Worten *Moullin Glass* bestickt war. Seine Gleichgültigkeit der Witterung gegenüber ging so weit, dass er an den Füßen nur Sommersandalen trug, mit Socken immerhin, die allerdings völlig durchlöchert waren.

Als er Margaret erblickte, blieb er stehen, ohne etwas zu sagen. Zu ihrer Verwunderung war er ihr schon bekannt: der überfütterte Heathcliff, der ihr beim Empfang nach Guys Bestattung aufgefallen war. Aus der Nähe erkannte sie, dass seine Haut deshalb so dunkel war, weil sie unter der Einwirkung von Wind und Wetter zur Beschaffenheit unbehandelten Leders verwittert war. Der Blick, mit dem er sie betrachtete, war feindselig, und seine Hände waren von zahllosen, zum Teil verheilten, zum Teil frischen Schnitten bedeckt. Die intensive Animosität, die von ihm ausging, hätte Margaret vielleicht einschüchtern können, aber sie spürte schon die ersten Regungen ihrer eigenen Feindseligkeit, und im Übrigen war sie nicht so leicht aus der Ruhe zu bringen.

»Ich suche Cynthia Moullin«, erklärte sie dem Mann höflich. »Können Sie mir vielleicht sagen, wo ich sie finde?«

»Warum?« Er trug die Schaufel zum Rasen und begann, am Fuß eines der Bäume zu graben.

Margaret war pikiert. Sie war es gewöhnt, dass die Leute sprangen, wenn sie ihre Stimme hörten – sie hatte sie schließlich jahrelang geschult. »Ich denke, die Antwort lautet entweder ja oder nein«, sagte sie. »Entweder Sie können mir helfen, oder Sie können es nicht. Haben Sie ein Problem, mich zu verstehen?«

»Mein Problem ist, dass mir das völlig egal ist.« Er sprach ein so breites Patois, dass es sich anhörte wie im Volkstheater.

»Ich muss mit ihr sprechen«, erklärte sie. »Es ist äußerst wichtig. Von meinem Sohn habe ich gehört, dass sie in diesem Haus lebt.« Sie bemühte sich, das nicht so zu sagen, als meinte sie statt Haus Müllhalde, aber wenn ihr das nicht gelang, konnte man ihr das ihrer Meinung nach nicht übel nehmen. »Wenn er sich geirrt hat, brauchen Sie mir das nur zu sagen, und ich bin sofort wieder weg.«

»Ihr Sohn?«, fragte er. »Und wer soll das sein?«

»Adrian Brouard. Guy Brouard war sein Vater. Ich nehme an, Sie wissen, wer das ist? Guy Brouard? Ich habe Sie bei dem Empfang nach seiner Beerdigung gesehen.«

Diese letzte Bemerkung erregte seine Aufmerksamkeit. Er sah von seinen Grabungsarbeiten auf und musterte Margaret von Kopf bis Fuß. Dann ging er schweigend über den Rasen zur Haustür mit dem kleinen Vorbau und ergriff einen dort stehenden Eimer, der mit irgendwelchen Kügelchen gefüllt war. Den trug er zum Baum und kippte reichlich Kügelchen in den Graben, den er rund um den Stamm ausgehoben hatte, stellte den Eimer ab, begab sich mit seiner Schaufel zum nächsten Baum und begann von neuem zu graben.

»Hören Sie«, sagte Margaret. »Ich suche Cynthia Moullin. Ich muss sie unverzüglich sprechen. Wenn Sie wissen, wo sie zu finden ist... Sie wohnt doch hier, nicht wahr? Das hier ist das Muschelhaus?« Die dümmste Frage, dachte Margaret, die sie hatte stellen können. Wenn dies nicht das Muschelhaus war, wartete irgendwo ein noch schlimmerer Albtraum auf sie.

»Ah, Sie sind also die Erste«, sagte der Mann mit einem Nicken. »Hat mich immer schon interessiert, wie die Erste war. Sagt eine Menge über einen Mann aus, seine Erste. Verstehen Sie? Sagt einem, warum er so geworden ist, wie er ist.«

Margaret hatte Mühe, den Mann zu verstehen. Sie bekam nur jedes vierte oder fünfte Wort mit und reimte sich aus diesen Bruchstücken zusammen, dass er auf eine wenig schmeichelhafte Art von ihrer sexuellen Beziehung mit Guy sprach. So ging das wirklich nicht. Keinesfalls durfte sie sich hier das Heft aus der Hand nehmen lassen. Männer versuchten immer, alles aufs Bett zu reduzieren. Sie hielten das für ein wirksames Mittel, ihr jeweiliges weibliches Gegenüber aus dem Konzept zu bringen. Aber so etwas verfing bei Margaret Chamberlain nicht. Gerade als sie ansetzte, das diesem Menschen unmissverständlich klar zu machen, klingelte ein Handy, und ihm blieb nichts anderes übrig, als es aus der Hosentasche zu ziehen, aufzuklappen und sich als Betrüger zu entlarven.

»Henry Moullin«, sagte er und hörte beinahe eine Minute lang schweigend zu. Als er dann zu reden begann, bediente er sich einer völlig anderen Sprache als bisher. »Ich müsste mir das erst einmal ansehen und die Maße nehmen, Madam«, sagte er. »Solange ich keine konkreten Daten habe, kann ich Ihnen nicht sagen, wie lange so etwas dauert.« Wieder hörte er schweigend zu, zog ein schwarzes Notizbuch aus einer anderen Hosentasche und schrieb einen Termin ein, wobei er sagte: »Selbstverständlich. Freut mich, Mrs. Felix.« Er schob das Handy wieder zurück und sah Margaret an, als hätte er nie versucht, ihr vorzumachen, er wäre ein beschränkter Hinterwäldler.

»Aha!«, sagte Margaret mit grimmiger Erheiterung. »Jetzt, wo die Katze aus dem Sack ist, beantworten Sie mir vielleicht meine Frage und sagen mir, wo ich Cynthia Moulin finden kann. Ich nehme an, Sie sind ihr Vater?«

Er kannte weder Reue noch Verlegenheit. »Cyn ist nicht hier, Mrs. Brouard«, erklärte er.

»Chamberlain«, verbesserte Margaret. »Wo ist sie? Ich muss sie dringend sprechen.«

»Geht nicht«, erwiderte er. »Sie ist drüben auf Alderney. Bei ihrer Großmutter.«

»Und die Großmutter hat kein Telefon?«

»Doch, wenn's funktioniert.«

»Ich verstehe. Nun, vielleicht ist es ganz gut so, Mr. Moullin. Wir können die Sache gleich unter uns regeln, und sie braucht nichts davon zu erfahren. Dann wird sie auch nicht enttäuscht sein.«

Moullin nahm aus seiner unergründlichen Hosentasche eine Tube mit irgendeiner Salbe, von der er ein Stück in seine geöffnete Hand drückte und auf den vielen Schnittwunden verteilte, ohne sich im Geringsten darum zu kümmern, dass er auch reichlich Gartenerde mit in die Wunden rieb. »Am besten sagen Sie mir einfach, worum es geht«, forderte er sie mit einer männlichen Direktheit auf, die irritierend und gleichzeitig irgendwie erregend war. Margaret hatte flüchtig ein verrücktes Bild von sich und diesem Mann vor Augen – die reine Triebhaftigkeit –, wie sie es ihrer Vorstellung niemals zugetraut hätte. Er machte einen Schritt auf sie zu, und sie trat automatisch einen Schritt zurück. Wie erheitert verzog er den Mund. Ein Schauder durchrann sie. Sie kam sich vor wie eine Figur in einem schlechten Liebesroman, einen Herzschlag entfernt von der Überwältigung.

Das machte sie so wütend, dass es ihr gelang, die Oberhand zurückzugewinnen. »Wie gesagt, Mr. Moullin, wir können diese Angelegenheit unter uns regeln. Ich kann mir nicht vorstellen, dass Sie in eine langwierige gerichtliche Auseinandersetzung hineingezogen werden wollen.«

»Eine gerichtliche Auseinandersetzung? Worüber?«

»Die testamentarischen Verfügungen meines geschiedenen Mannes.«

In seinen Augen blitzte es auf. Margaret bemerkte das plötzliche Interesse und dachte an einen Vergleich: Man einigte sich auf eine geringere Summe, um nicht das ganze gute Geld den Anwälten in den Rachen zu werfen, die so einen Streit nur endlos in die Länge ziehen würden.

»Ich will ganz offen sein, Mr. Moullin«, sagte sie. »Mein geschiedener Mann hat Ihrer Tochter ein beträchtliches Vermögen hinterlassen. Mein Sohn – das älteste Kind meines geschiedenen Mannes und sein einziger männlicher Erbe, wie Sie vielleicht wissen – hat weit weniger bekommen. Sie werden mir zustimmen, dass das eine grobe Ungerechtigkeit ist. Ich möchte gern für einen Ausgleich sorgen, ohne dafür vor Gericht gehen zu müssen.«

Margaret hatte sich vorher keine Gedanken darüber gemacht,

wie der Mann auf die Nachricht von der Erbschaft seiner Tochter reagieren würde. Es war ihr ziemlich gleichgültig gewesen. Sie hatte einzig daran gedacht, die Situation zu Adrians Gunsten zu regeln, ganz gleich, wie. Ein vernünftiger Mensch, hatte sie sich gesagt, würde auf ihre Vorschläge eingehen, wenn sie diese mit Andeutungen von einem eventuellen Rechtsstreit verband.

Henry Moullin sagte zunächst einmal gar nichts. Er wandte sich von ihr ab. Er begann, wieder zu graben, doch seine Atmung hatte sich verändert. Er atmete in heftigen Stößen und schaufelte wie gehetzt. Er sprang mit beiden Füßen auf die Schaufel und trieb sie tief in die Erde. Einmal, zweimal, dreimal. Sein brauner Nacken verfärbte sich zu einem so tiefen Rot, dass Margaret fürchtete, er bekäme auf der Stelle einen Schlaganfall. Dann sagte er: »Meine Tochter, Gott verflucht!«, und hörte auf zu graben. Er ergriff den Eimer mit den Kügelchen und kippte diese in den zweiten Graben, ohne sich darum zu kümmern, dass sie über die Seiten quollen. »Bildet er sich vielleicht ein, er kann ...«, sagte er. »Nie im Leben ...« Und noch ehe Margaret etwas sagen und, wenn auch noch so scheinheilig, an seiner offenkundigen schmerzlichen Empörung über diese Einmischung Guys in seine Belange als Versorger seiner Tochter Anteil nehmen konnte, packte Henry Moullin wieder die Schaufel. Diesmal jedoch drehte er sich zu Margaret herum und rückte mit dem hocherhobenen Werkzeug gegen sie vor.

Margaret schrie auf, duckte sich, hasste sich für dieses Ducken, hasste ihn, weil er sie dazu gebracht hatte, und suchte nach einem Fluchtweg. Aber ein Entkommen gab es nur, wenn sie über die Feuerwache aus Muscheln sprang, die Muschel-Liege und den Muschel-Teetisch oder – mit einem Riesensatz wie eine Weitspringerin – über den muschelumkränzten Teich. Schon wollte sie zur Liege laufen, da rannte Henry Moullin an ihr vorbei und fiel über die Feuerwache her. Blind schlug er darauf los. »Gott verdammich!« Muschelsplitter flogen nach allen Seiten. Mit drei brutalen Schlägen legte er das Ding in Trümmer. Als Nächstes nahm er sich die Scheune vor und dann die Schule, und voll Furcht vor der Gewalt seines Zorns sah Margaret ihm zu.

Er sprach kein Wort mehr. Er warf sich von einer fantastischen Muschelkreation auf die nächste: Schulhaus, Teetisch, Stühle, Teich, künstliche Blumen. Es gab kein Halten mehr. Er hörte erst auf, als er beim Fußweg angelangt war, der die Einfahrt mit der Haustür verband. Dann schleuderte er zum guten Schluss die Schaufel nach seinem eigenen Haus. Sie verfehlte knapp eines der Gitterfenster und fiel klirrend zu Boden.

Schwer atmend stand der Mann da. Einige der Wunden an seinen Händen hatten sich wieder geöffnet, Muschel- und Betonsplitter hatten neue Wunden gerissen. Die dreckstarrende Jeans war weiß bestäubt, und als er sich die Hände an ihr abwischte, mischte sich das Blut mit dem Weiß des Staubs.

»Nicht!«, rief Margaret, ohne zu überlegen. »Lassen Sie sich das nicht von ihm antun, Henry Moullin.«

Keuchend starrte er sie an, zwinkernd, als würde er dadurch irgendwie wieder einen klaren Kopf bekommen. Alle Aggressionen waren verpufft. Er betrachtete die Verwüstungen, die er vor dem Haus angerichtet hatte, und sagte: »Das Schwein hatte doch schon zwei!«

JoAnnas Töchter, dachte Margaret. Guy hatte eigene Töchter. Das Schicksal hatte ihm die Chance gegeben, Vater zu sein, und er hatte die Chance vertan. Aber er war nicht der Mensch gewesen, der so ein Scheitern einfach hinnahm; er hatte die Kinder, die er verlassen hatte, kurzerhand durch andere ersetzt, von denen eher zu erwarten war, dass sie den Blick vor den Fehlern und Schwächen verschließen würden, die seine eigenen Kinder gnadenlos erkannten. Denn sie waren arm, und er war reich. Mit Geld konnte man Zuneigung und Ergebenheit kaufen.

Margaret sagte: »Sie müssen sich um Ihre Hände kümmern. Sie sind ganz zerschnitten und bluten. Nein, wischen Sie sie nicht ab –«

Aber er tat es trotzdem und zog neue rote Streifen in den Staub und den Schmutz auf seiner Jeans. Und als reichte ihm das nicht, wischte er sie auch noch an seinem staubbedeckten Arbeitshemd ab. »Wir wollen das verdammte Geld nicht haben«, sagte er.

»Wir brauchen es nicht. Meinetwegen können Sie es auf dem Trinity Square verbrennen.«

Margaret dachte, er hätte das gleich sagen können. Dann wäre ihnen beiden diese Schreckensszene erspart und der Muschelgarten verschont geblieben. »Das höre ich gern, Mr. Moullin«, erwiderte sie. »Es ist Adrian gegenüber ja auch nur fair –«

»Aber das Geld gehört Cynthia«, fuhr Henry Moullin fort und zerstörte ihre Hoffnungen so gründlich wie vorher die Schöpfungen aus Muscheln und Beton, deren traurige Überreste sie umgaben. »Wenn Cyn das Geld haben will…« Er schlurfte zu der auf dem Boden liegenden Schaufel und hob sie auf, ebenso einen Rechen und eine Kehrschaufel. Als er sie alle eingesammelt hatte, schaute er sich um, als wüsste er nicht mehr, was er mit ihnen gewollt hatte.

Margaret sah, dass seine Augen vor Kummer gerötet waren. Er sagte: »Er kommt zu mir. Ich gehe zu ihm. Jahrelang arbeiten wir Seite an Seite. Und immer heißt's: Sie sind ein echter Künstler, Henry. Sie sind nicht dazu bestimmt, Ihr Leben lang Gewächshäuser zu bauen. Brechen Sie aus, Mann! Lassen Sie es hinter sich. Ich glaube an Sie. Ich werde Ihnen unter die Arme greifen. Lassen Sie sich von mir helfen. Wer nicht wagt, gewinnt auch nicht, verdammt noch mal! Und ich habe ihm geglaubt. Ich wollte es. Mehr als dieses Leben hier. Für meine Mädchen. Ja, ich wollte es für meine Töchter. Aber auch für mich. Was ist daran Sünde?«

»Nichts«, sagte Margaret. »Wir alle wollen das Beste für unsere Kinder. Ich auch. Darum bin ich ja hier, für Adrian. Meinen und Guys Sohn. Weil ihm so übel mitgespielt wurde. Er ist um sein rechtmäßiges Erbe betrogen worden, Mr. Moullin. Sie wissen doch, dass das ein großes Unrecht ist, nicht wahr?«

»Wir sind alle betrogen worden«, sagte Henry Moullin. »Darin war Ihr Exmann ein Meister. Jahrelang hat er uns alle aufgebaut und bei jedem von uns den richtigen Moment abgewartet. Hey, unser Mr. Brouard ist unbestechlich, der würde nie krumme Sachen machen. Nichts Unmoralisches. Nichts, was nicht recht und billig ist. Wir haben ihm aus der Hand gefressen und hatten keine Ahnung, dass sie vergiftet war.«

»Möchten Sie denn nicht helfen, das wieder gutzumachen?«, fragte Margaret. »Sie haben es in der Hand. Sie können mit Ihrer Tochter sprechen und es ihr erklären. Wir würden nicht verlangen, dass Cynthia alles Geld wieder hergibt, das er ihr hinterlassen hat. Wir wollen nur eine gerechte Verteilung, die Adrians Stellung als Guys leiblicher Sohn entspricht.«

»Ach, darum geht's Ihnen?«, sagte Henry Moullin. »So, meinen Sie, kann man alles ins Reine bringen? Dann kann ich nur sagen, Sie sind genau wie er. Glauben, dass Geld alles wieder gutmacht. Aber das tut es nicht und wird es auch nie tun.«

»Dann wollen Sie also nicht mit ihr reden? Es ihr nicht erklären? Müssen wir wirklich zu anderen Maßnahmen greifen?«

»Sie begreifen offensichtlich gar nichts«, sagte Henry Moullin. »Mit meiner Tochter gibt's nichts mehr zu reden. Und nichts mehr zu erklären.«

Er wandte sich ab und ging mit den Gartengeräten dorthin zurück, woher er einige Minuten zuvor gekommen war.

Margaret blieb noch einen Moment auf dem Gartenweg stehen, nachdem er hinter dem Haus verschwunden war. Zum ersten Mal in ihrem Leben fehlten ihr die Worte. Sie fühlte sich beinahe überwältigt von dem Hass, den Henry Moullin zurückgelassen hatte. Er war wie ein Strudel, der sie in eine Flutwelle hineinzog, der zu entkommen es kaum Hoffnung gab.

Unerwartet empfand sie eine innere Verwandtschaft mit diesem verstörten Mann. Sie verstand, was er durchmachte. Deine Kinder sind dein Eigentum, sie gehören keinem so, wie sie dir gehören. Sie sind etwas anderes als dein Partner, deine Eltern, deine Geschwister. Deine Kinder sind von deinem Fleisch und deiner Seele. Kein Eindringling kann so leicht das Band zerreißen, das aus solchem Stoff gemacht ist.

Aber wenn ein Eindringling versuchte, wenn es ihm gar glückte …?

Niemand wusste besser als Margaret Chamberlain, wie weit jemand zu gehen imstande war, um die Beziehung zu seinem Kind zu bewahren.

# 13

Zurück in St. Peter Port, ging St. James zuerst ins Hotel. Als er das Zimmer leer vorfand und am Empfang keine Nachricht auf ihn wartete, ging er weiter ins Polizeipräsidium, wo er Chief Inspector Le Gallez mitten im herzhaften Genuss eines dick mit Garnelensalat belegten Baguette störte. Der Chief Inspector nahm ihn mit in sein Büro. Er bot ihm die Hälfte seines Brots an (die St. James dankend ablehnte) und eine Tasse Kaffee (die St. James dankend annahm). Zum Kaffee wartete er mit Schokokeksen auf, aber da sie aussahen, als wäre der Guss einmal zu oft geschmolzen und wieder hart geworden, lehnte St. James auch hier ab und begnügte sich mit dem Kaffee.

Zunächst setzte er Le Gallez über die Manipulationen der Geschwister Brouard zur Umgehung des geltenden Erbrechts ins Bild. Le Gallez hörte kauend zu und machte sich Notizen auf einem Block, den er aus einem Ablagekorb auf seinem Schreibtisch kramte. Er unterstrich die Namen Fielder und Moullin und setzte hinter den zweiten ein Fragezeichen. Er wisse, sagte er, St. James in seinem Bericht unterbrechend, von Brouards Beziehung zu Paul Fielder, von Cynthia Moullin jedoch habe er noch nie gehört. Er vermerkte Einzelheiten zu den Testamenten der beiden Brouards und hörte höflich zu, als St. James ihm eine Theorie unterbreitete, über die er auf der Rückfahrt zur Stadt nachgedacht hatte.

In dem früheren Testament, das Ruth Brouard gekannt hatte, waren Vermächtnisse vorgesehen gewesen, die in Guy Brouards endgültigem letzten Willen entweder ganz gestrichen waren, wie im Fall von Anaïs Abbott, Frank Ouseley, Kevin und Valerie Duffy, oder empfindlich gekürzt worden waren, wie im Fall der leiblichen Kinder Brouards. All diese Personen hatte Ruth Brouard, die von den Änderungen nichts wusste, in gutem Glauben zur Testamentsverlesung eingeladen. Wenn unter diesen ursprünglichen Erben jemand von dem früheren Testament gewusst habe, sagte St. James zu Le Gallez, habe er ein klares Motiv gehabt, Guy Brouard zu töten, um sein Erbe lieber früher als später einzustreichen.

»Fielder und Moullin kamen in dem früheren Testament nicht vor?«, erkundigte sich Le Gallez.

»Sie hat sie nicht erwähnt«, antwortete St. James. »Und da heute Nachmittag bei der Verlesung keiner von beiden anwesend war, kann man, denke ich, ruhig annehmen, dass für Miss Brouard die sie betreffenden Verfügungen überraschend waren.«

»Aber auch für die beiden?«, fragte Le Gallez. »Vielleicht hatte Brouard selbst sie eingeweiht. Dann hätten sie ebenfalls ein Motiv gehabt. Meinen Sie nicht auch?«

»Möglich ist es, ja.« Er hielt es angesichts des Alters der beiden eher für unwahrscheinlich, dass sie als Täter in Frage kamen, aber ihm war alles recht, solange es zeigte, dass Le Gallez zumindest im Moment fähig war, über die vermeintliche Schuld China Rivers hinauszudenken.

Gerade jetzt, da Le Gallez in seinen Überlegungen etwas flexibler geworden war, hätte St. James am liebsten nichts unterlassen, was ihm einen Anstoß geben konnte, sich erneut auf seine frühere engstirnige Einstellung zu besinnen, aber er wusste, dass sein Gewissen keine Ruhe geben würde, wenn er dem anderen gegenüber nicht absolut ehrlich war. »Andererseits ...« Es fiel St. James ungeheuer schwer – die Loyalität zu seiner Frau schien auch Loyalität ihren Freunden gegenüber zu verlangen –, aber obwohl er ahnte, wie Le Gallez auf die neuen Informationen reagieren würde, übergab er ihm die Unterlagen, die er von Ruth Brouard bekommen hatte.

Der Chief Inspector sah zuerst Guy Brouards Pass durch, dann die Rechnungen und Quittungen. Er nahm sich einen Moment, um die Quittung vom *Citrus Grille* zu studieren, und klopfte mit dem Bleistift darauf, während er von seinem Brot abbiss. Nach kurzem Überlegen drehte er sich in seinem Stuhl herum und griff nach einem braunen Umschlag, dem er ein Bündel mit Maschine beschriebener Papiere entnahm. Er blätterte sie durch, bis er fand, was er offenbar gesucht hatte.

»Die Postleitzahlen«, sagte er zu St. James. »Sie fangen beide mit neun-zwei an. Neun-zwei-acht und neun-zwei-sechs.«

»Eine davon ist die von Cherokee River, vermute ich?«

»Das wussten Sie schon?«

»Ich weiß, dass er in der Gegend lebt, die Brouard besucht hat.«

»Er hat die zweite Zahl«, sagte Le Gallez. »Neun-zwei-sechs. Die andere ist von diesem Restaurant *Citrus Grille*. Was ergibt sich daraus für Sie?«

»Dass Guy Brouard und Cherokee River sich eine gewisse Zeit im selben Bezirk aufgehalten haben.«

»Mehr nicht?«

»Wie denn? Kalifornien ist ein großer Staat. Seine Verwaltungsbezirke sind wahrscheinlich auch groß. Ich weiß nicht, ob sich aus zwei Postleitzahlen folgern lässt, dass Brouard River schon kannte, bevor dieser mit seiner Schwester nach Guernsey kam.«

»Sie finden also nichts Verdächtiges an diesem Zusammentreffen?«

»Das täte ich vielleicht, wenn wir nicht mehr hätten als das, was im Moment vor uns liegt: den Pass, die Quittungen und Cherokee Rivers ständige Adresse. Aber River wurde von einem Anwalt, der zweifellos an einer Adresse mit einer ähnlichen Postleitzahl ansässig ist, beauftragt, Baupläne nach Guernsey zu bringen. Da ist es doch logisch, anzunehmen, dass Guy Brouard nach Kalifornien reiste, um sich mit dem Anwalt zu treffen – und dem Architekten, der wahrscheinlich eine ähnliche Postleitzahl hat –, und nicht mit Cherokee River. Ich glaube nicht, dass die beiden einander kannten, bevor River mit seiner Schwester nach *Le Reposoir* kam.«

»Aber Sie stimmen zu, dass wir es nicht ausschließen können?«

»Ich würde sagen, wir können gar nichts ausschließen«, entgegnete St. James.

Und das betraf auch den Ring, den er und Deborah in der Bucht gefunden hatten. Er fragte Le Gallez nach dem Ring, nach der Möglichkeit, dass er Fingerabdrücke aufwies oder wenigstens einen Teilabdruck, den die Polizei gebrauchen konnte. Der Zustand des Rings, sagte er, lasse darauf schließen, dass er nicht sehr lange am Strand gelegen habe. Aber zu dem Schluss sei der Chief Inspector bei Begutachtung des Schmuckstücks zweifellos selbst schon gekommen.

Le Gallez legte sein Sandwich nieder und wischte sich die Finger an einer Papierserviette ab. Er griff nach einer Tasse Kaffee, die er bis jetzt nicht angerührt hatte, und nahm sie in seine Hand, bevor er sprach. Er sagte nur zwei Worte.

»Welcher Ring?«

St. James sank der Mut. Ein Ring aus Bronze oder Messing oder irgendeinem der weniger edlen Metalle, erklärte er. Oben ein Totenkopf mit zwei gekreuzten Knochen, und auf der Stirn des Schädels eine Inschrift in Deutsch. Er habe ihn vor einiger Zeit aufs Präsidium bringen lassen, mit der ausdrücklichen Anweisung, ihn Chief Inspector Le Gallez persönlich zu übergeben.

Er sagte nichts davon, dass seine Frau die Botin gewesen war, weil er damit beschäftigt war, sich innerlich darauf vorzubereiten, das Unvermeidliche von Le Gallez zu hören. Er fragte sich bereits, was dieses Unvermeidliche sein würde, obwohl er glaubte, die Antwort zu wissen.

»Nie gesehen«, sagte Le Gallez. Er griff zum Telefon und rief die Wache an, um sich zu vergewissern, dass der Ring nicht dort auf ihn wartete. Er sprach mit dem Dienst habenden Beamten und beschrieb ihm den Ring, wie St. James ihn zuvor beschrieben hatte. Bei der Antwort des Beamten brummte er nur vor sich hin und warf einen Blick auf St. James, bevor er einem längeren Vortrag lauschte. Schließlich sagte er: »Na, dann rauf damit, Mann«, woraufhin St. James erleichtert aufatmete. Dann fügte er hinzu: »Herrgott noch mal, Jerry, bei mir brauchen Sie sich nicht über das verdammte Faxgerät zu beschweren. Regeln Sie es einfach, und Schluss damit.« Damit knallte er schimpfend den Hörer auf und zerstörte um zweiten Mal St. James' Seelenfrieden, als er sagte: »Keine Spur von einem Ring.«

»Vielleicht hat es ein Missverständnis gegeben.« Oder einen

Verkehrsunfall, hätte St. James gern gesagt, obwohl er wusste, dass das nicht der Fall sein konnte. Er war auf dem gleichen Weg aus *Le Reposoir* zurückgekommen, wie ihn mit ziemlicher Sicherheit seine Frau genommen hatte und hatte nirgends auch nur die geringste Spur eines Unfalls bemerkt, der Deborah davon hätte abgehalten haben können, seinen Auftrag auszuführen. Bei dem Tempo, das auf der Insel gefahren wurde, brauchte man sowieso keine größeren Unfälle zu fürchten. Ein paar verbeulte Stoßstangen oder eingedrückte Kotflügel vielleicht, aber nichts Ernsteres. Und so eine Kleinigkeit hätte sie weiß Gott nicht daran gehindert, den Ring wie vereinbart zu Le Gallez zu bringen.

»Ah, ein Missverständnis.« Le Gallez war längst nicht mehr so freundlich. »Ich verstehe, Mr. St. James. Da liegt offensichtlich ein Missverständnis vor.« Er blickte auf, als an seiner Tür ein uniformierter Beamter mit irgendwelchen Papieren in den Händen erschien. Le Gallez winkte ab. Er stand auf und schloss seine Zimmertür. Mit verschränkten Armen wandte er sich St. James zu und sagte: »Es stört mich nicht weiter, wenn Sie hier rumschnüffeln, Mr. St. James. Wir leben in einem freien Land, und wenn Sie mal mit dem einen oder anderen reden wollen und der Betreffende nichts dagegen hat, soll mir das recht sein. Aber wenn Sie anfangen, sich an Beweismaterial zu vergreifen, steht das auf einem anderen Blatt.«

»Das verstehe ich. Ich –«

»Nein, das glaube ich nicht. Sie sind mit einer vorgefassten Meinung hier angereist, und wenn Sie glauben, dass mir das nicht klar ist und ich nicht weiß, wohin das führen kann, sollten Sie noch einmal gründlich nachdenken. Und jetzt will ich diesen Ring haben. Auf der Stelle. Mit der Frage, wo er gewesen ist, seit Sie ihn vom Strand mitgenommen haben, können wir uns später befassen. *Und* mit der Frage, warum Sie ihn überhaupt mitgenommen haben. Denn Sie wissen doch verdammt gut, was Sie eigentlich hätten tun müssen. Habe ich mich klar genug ausgedrückt?«

St. James war seit seiner Schulzeit nicht mehr gemaßregelt worden, und dieser Vortrag von Le Gallez – ähnlich einer Standpauke von einem zornigen Lehrer – war nicht angenehm. Alles in ihm zog sich zusammen unter der Demütigung, die umso schlimmer war, weil er wusste, dass er sie verdient hatte. Nein, das machte die Züchtigung nicht weniger erniedrigend und konnte auch an den möglichen katastrophalen Auswirkungen dieses Moments auf sein berufliches Ansehen nichts ändern, wenn es ihm nicht gelang, die Situation schnellstens in den Griff zu bekommen Er sagte: »Ich weiß nicht, was passiert ist. Aber ich bitte vielmals um Entschuldigung. Der Ring –«

»Auf Ihre Entschuldigungen verzichte ich«, blaffte Le Gallez. »Ich will den Ring haben.«

»Sie werden ihn unverzüglich bekommen.«

»Das würde ich Ihnen auch raten, Mr. St. James.« Der Chief Inspector trat von der Tür weg und riss sie auf.

St. James konnte sich nicht erinnern, jemals so formlos an die Luft gesetzt worden zu sein. Er trat in den Korridor hinaus, wo der uniformierte Polizist mit seinen Papieren wartete. Der Mann senkte verlegen den Blick und eilte in das Büro des Chief Inspector.

Le Gallez knallte die Tür zu. Aber nicht ohne ein bissiges Wort des Abschieds. »Verdammter Krüppel!«, schimpfte er.

Deborah stellte fest, dass praktisch alle Antiquitätenhändler in Guernsey ihre Geschäfte in St. Peter Port hatten. Wie nicht anders zu erwarten, befanden sie sich im ältesten Teil der Stadt, nicht weit vom Hafen entfernt. Aber anstatt sie alle aufzusuchen, meinte Deborah zu Cherokee, sollten sie versuchen, per Telefon eine Auswahl zu treffen. Sie gingen also wieder zum Markt hinunter und von dort aus zur Town Church, neben der die öffentliche Telefonzelle stand, die sie brauchten. Während Cherokee wartete und sie gespannt beobachtete, fütterte Deborah den Apparat mit Münzen und rief ein Antiquitätengeschäft nach dem anderen an, um diejenigen unter ihnen herauszufinden, die mit Militaria handelten. Es erschien logisch, dort den Anfang zu machen.

Es stellte sich heraus, dass nur zwei Händler in der Stadt neben der üblichen Ware Militaria führten. Beide Geschäfte waren in der Mill Street, einer mit Kopfsteinen gepflasterten Gasse, die sich vom Fleischmarkt aus einen Hang hinaufschlängelte und für den motorisierten Verkehr gesperrt war. Aber hier, dachte Deborah, als sie sie gefunden hatten, hätte ohnehin kein Auto durchfahren können, ohne die Hausmauern auf beiden Seiten zu berühren. Sie erinnerte sie an The Shambles, die ehemalige Gasse der Metzger, in York: eine Spur breiter vielleicht, aber ebenso stark an eine Vergangenheit erinnernd, als hier noch Pferdekarren dahingerumpelt waren.

Die kleinen Läden in der Mill Street spiegelten eine schnörkellosere Zeit, die durch sparsame Verzierungen und zweckmäßige Fenster und Türen gekennzeichnet war. Sie befanden sich in Gebäuden, die früher vielleicht Wohnhäuser gewesen waren, drei Stockwerke hoch, mit Dachgauben und Schornsteinen auf den Dächern, die wie brave Schuljungen aufgereiht waren.

Nur wenige Passanten waren in der Gegend unterwegs, die etwas abseits von den Einkaufs- und Bankenvierteln der High Street und ihrer Verlängerung, Le Pollet, lag. Ja, während Deborah in Begleitung von Cherokee nach der Adresse suchte, die sie an erster Stelle auf einem leeren Scheckformular notiert hatte, gewann sie den Eindruck, dass selbst der optimistischste Händler ein hohes Risiko, zu scheitern, einging, wenn er hier einen Laden eröffnete. Viele Häuser standen leer, mit Schildern in den Fenstern, die sie zur Vermietung anboten. Und auch im Schaufenster des ersten der beiden Geschäfte, die sie suchten, sahen sie, als sie es fanden, ein trauriges »Wir-schließen«-Transparent hängen, das aussah, als würde es schon seit einiger Zeit von Ladeninhaber zu Ladeninhaber weitergereicht.

*John Steven Mitchell, Antiquitäten* hatte an Militaria nicht viel zu bieten. Vielleicht wegen der bevorstehenden Geschäftsaufgabe stand im Laden nur eine Vitrine mit altem militärischen Zubehör. Größtenteils handelte es sich um Orden, es waren auch drei Paradedolche dabei, fünf Pistolen und zwei Wehrmachtsmützen. Deborah fand das zwar enttäuschend, schöpfte aber ein wenig Hoffnung, als sie feststellte, dass sämtliche Objekte in der Vitrine deutschen Ursprungs waren.

Sie und Cherokee standen über die Glasvitrine gebeugt und musterten die einzelnen Stücke, als der Geschäftsinhaber – vermutlich John Steven Mitchell persönlich – sich zu ihnen gesellte. Sie hatten ihn offenbar beim Abspülen nach dem Essen gestört, wenn man die fleckige Schürze und seine nassen Händen in Betracht zog. Trotzdem bot er ihnen freundlich seine Hilfe an, während er sich die Hände an einem unappetitlich aussehenden Geschirrtuch trocknete.

Deborah holte den Ring heraus, den sie und St. James in der Bucht gefunden hatten. Sie achtete sorgfältig darauf, ihn nicht zu berühren, und bat John Steven Mitchell um die gleiche Achtsamkeit. Ob ihm der Ring bekannt sei, fragte sie. Ob er ihnen irgendetwas über ihn sagen könne.

Mitchell griff zu einer Brille, die neben der Registrierkasse lag, und beugte sich über den Ring, den Deborah auf das Glas der Vitrine gelegt hatte. Dann holte er sich noch ein Vergrößerungsglas und studierte die Inschrift auf der Stirn des Totenkopfs.

»Festung im Westen«, murmelte er. »Neununddreißig-vierzig.« Er hielt nachdenklich inne. »Tja, das scheint mir ein Andenken an irgendeine Abwehreinrichtung zu sein. Es könnte sich aber auch auf den Angriff auf Dänemark beziehen – im übertragenen Sinn. Andererseits war der Totenkopf mit den gekreuzten Knochen typisch für die Waffen-SS, als wäre da auch noch diese Verbindung.«

»Aber der Ring stammt nicht aus der hiesigen Besatzungszeit?«, fragte Deborah.

»Er könnte hier zurückgelassen worden sein, als die Deutschen kapitulierten. Aber mit der Besatzung selbst hat er meiner Meinung nach nichts zu tun. Das zeigen die Jahreszahlen. Und der Ausdruck *Die Festung im Westen*, der hier nichts besagt.«

»Wieso nicht?« Cherokee, dessen Blick auf den Ring gerichtet geblieben war, während Mitchell diesen begutachtet hatte, sah jetzt auf.

»Wegen der Bedeutung des Wortes«, erklärte Mitchell. »Die Deutschen haben hier natürlich alles Mögliche gebaut, Tunnel, Befestigungsanlagen, Geschützstellungen, Beobachtungstürme,

Krankenhäuser, sogar eine Eisenbahn. Aber keine Festung. Außerdem beziehen sich die Jahreszahlen auf dem Ring auf ein Ereignis ein Jahr vor Beginn der Besatzung.« Er beugte sich wieder über sein Vergrößerungsglas. »Etwas in dieser Art habe ich noch nie gesehen. Beabsichtigen Sie zu verkaufen?«

Nein, nein, antwortete Deborah. Sie wollten nur herausfinden, woher der Ring kam, da er nach seinem Zustand zu urteilen sicher nicht seit 1945 irgendwo draußen im Freien herumgelegen habe. Und da hatten sie natürlich zuerst an Antiquitätengeschäfte gedacht.

»Ich verstehe«, sagte Mitchell. Nun, wenn sie Auskunft brauchten, sollten sie sich am besten an die Potters wenden, gleich ein paar Häuser weiter. Potter und Potter, Antiquitäten, Jeanne und Mark, Mutter und Sohn, erläuterte er. Sie war Fachfrau für Porzellan, also in diesem Fall wahrscheinlich keine Hilfe. Aber er wisse so ziemlich alles, was es über das deutsche Militär im Zweiten Weltkrieg zu wissen gab.

Wenig später waren Deborah und Cherokee wieder draußen in der Mill Street. Sie stiegen höher, vorbei an einem düsteren Zwischenraum zwischen zwei Häusern, der den Namen Back Lane trug, und stießen gleich danach auf *Potter und Potter*. Im Gegensatz zu John Steven Mitchells Geschäft schien dieses hier gut zu laufen.

Potter-Mutter war im Laden, wie sie sahen, als sie eintraten. Sie saß in einem Schaukelstuhl, die Füße, die in Hausschuhen steckten, auf einem flauschigen Kniekissen, den Blick auf den Bildschirm eines Fernsehgeräts gerichtet, das nicht größer war als ein Schuhkarton. Sie sah sich einen Film an, in dem gerade Audrey Hepburn und Albert Finney in einem alten MG durch die Gegend kurvten. Das Auto hatte Ähnlichkeit mit Simons Wagen, fand Deborah, und zum ersten Mal seit sie beschlossen hatte, die Polizei links liegen zu lassen und dafür China River aufzusuchen, spürte sie einen kleinen Stich. Es war, als zupfte etwas an einem Fädchen ihres Gewissens, einem Fädchen, das sich aufzudröseln drohte, wenn man zu fest daran zog. Schuldgefühl konnte sie es nicht nennen, sie hatte sich ja nichts vorzuwerfen. Aber es war entschieden etwas Unangenehmes, wie ein übler Geschmack, den sie gern loswerden wollte. Sie fragte sich, woher dieses Gefühl überhaupt kam. Wirklich, wie lästig, gerade mit etwas Wichtigem beschäftigt zu sein und sich ohne jeden vernünftigen Grund von so etwas behelligen lassen zu müssen.

Cherokee hatte die Militaria-Abteilung des Ladens schon gefunden, das Angebot war beträchtlich. Potter und Potter bot so ziemlich alles von der alten Gasmaske bis zum Nazi-Serviettenring an. Es gab sogar ein Flakgeschütz, außerdem einen uralten Filmprojektor und einen Film mit dem Titel *Eine gute Sache*. Cherokee stand vor einer Vitrine mit Auslagefächern, die eines nach dem anderen, elektrisch angetrieben, auf- und abstiegen, wenn man auf einen Knopf drückte. Hinter dem Glas lagen Orden, Ehren- und Rangabzeichen von deutschen Uniformen. Cherokee sah sich jedes Ablageregal genau an, und das rhythmische Wippen seines Fußes verriet, wie konzentriert er in seinem Bemühen war, etwas zu finden, das seiner Schwester helfen könnte.

Potter-Mutter riss sich von Audrey und Albert los. Sie war rundlich und hatte leicht hervorquellende Augen, mit denen sie Deborah freundlich anblickte, als sie fragte: »Kann ich etwas für Sie tun, junge Frau?«

»Es geht um etwas Militärisches.«

»Da ist mein Sohn Mark zuständig.« Sie watschelte zu einer angelehnten Tür, hinter der, als sie sie aufzog, eine Treppe sichtbar wurde. Sie bewegte sich wie jemand, der ein neues Hüftgelenk brauchte. Bei jedem Schritt stützte sie sich mit einer Hand irgendwo ab. Sie rief ins obere Stockwerk hinauf nach ihrem Sohn, dessen körperlose Stimme ihr antwortete. Es sei Kundschaft da, sagte sie, und er müsse jetzt seinen Computer mal sein lassen. »Dieses Internet«, vertraute sie Deborah an. »Das ist schlimmer als Heroin, wenn Sie mich fragen.«

Mark Potter hatte keine Ähnlichkeit mit einem Süchtigen irgendeiner Art. Trotz der Jahreszeit war er braun gebrannt, und seine Bewegungen waren energisch und kraftvoll.

Was er für sie tun könne, wollte er wissen. Ob sie etwas Bestimmtes suchten. Er bekomme ständig neue Ware – »Wissen Sie, die Leute sterben, aber ihre Sammlungen bleiben, umso besser für uns andere, finde ich« –, wenn sie also etwas suchten, was er gerade nicht da hätte, könne er es ihnen sicher besorgen.

Deborah zeigte den Ring. Mark Potter strahlte, als er ihn sah. »Noch einer!«, rief er. »So ein Zufall. Seit ich hier im Geschäft stehe, ist mir nur ein einziger dieser Art untergekommen. Und jetzt gleich noch ein zweiter. Wo haben Sie den denn her?«

Jeanne Potter trat neben ihren Sohn hinter die Vitrine, auf der Deborah den Ring mit der Bitte, ihn nicht zu berühren, abgelegt hatte. »Der sieht genauso aus wie der, den du verkauft hast, nicht, mein Junge?«, rief sie. Und zu Deborah sagte sie: »Wir hatten ihn so lange hier. War ein bisschen gruselig, wissen Sie, so wie der hier. Ich hätte nie gedacht, dass wir ihn überhaupt noch mal verkaufen. So was mag ja nicht jeder.«

»Haben Sie ihn erst kürzlich verkauft?«, erkundigte sich Deborah.

Die Potters sahen einander an. Potter-Mutter sagte: »Wann…?«

Potter Sohn: »Vor zehn Tagen? Zwei Wochen vielleicht?«

»Wer hat ihn gekauft?«, fragte Cherokee. »Wissen Sie das noch?«

»Aber ja, ganz genau«, antwortete Mark Potter.

Und seine Mutter bemerkte lächelnd: »Das ist wieder mal typisch. Für so was hast du immer schon einen Blick gehabt.«

Mark Potter lachte. »Das ist nicht der Grund, und das weißt du auch. Hör auf, mich zu ärgern, Mama.« Dann wandte er sich Deborah zu. »Es war eine Amerikanerin. Ich erinnere mich deshalb so genau, weil wir hier in Guernsey kaum Amerikaner haben und um diese Jahreszeit überhaupt keine. Was sollen sie auch hier? Die haben aufregendere Reiseziele im Auge als die Kanalinseln.«

Deborah hörte, wie Cherokee neben ihr nach Luft schnappte. Sie sagte: »Sie sind sicher, dass es eine Amerikanerin war?«

»Aus Kalifornien. Ich hörte ihren Akzent und habe gefragt. Meine Mutter ebenfalls.«

Jeanne Potter nickte. »Wir haben uns über Filmstars unterhalten«, berichtete sie. »Ich war ja nie in Kalifornien, aber ich glaubte immer, wenn man dort lebt, begegnet man ihnen jeden Tag auf der Straße. Aber sie sagte, das sei nicht so.«

»Es ging um Harrison Ford«, sagte Mark Potter. »Nicht schwindeln, Mama.«

Sie lachte ein wenig verlegen. »Jetzt hör aber auf.« Und zu Deborah: »Stimmt, ich mag Harrison Ford. Diese kleine Narbe am Kinn! Die hat irgendwie was total Männliches.«

»Na, hör mal!«, sagte Mark. »Wenn Dad das hören könnte!«

Cherokee fragte: »Wie hat sie ausgesehen? Können Sie sich erinnern?«

Sehr viel hatten sie nicht von ihr gesehen, wie sich herausstellte. Sie hatte irgendwas um den Kopf getragen – Mark meinte, es sei ein Schal gewesen, seine Mutter sprach von einer Kapuze –, was ihr Haar verdeckt hatte und ihr tief ins Gesicht gefallen war. Da die Beleuchtung im Laden nicht gerade strahlend sei, und es an dem fraglichen Tag wahrscheinlich geregnet hatte... Nein, sie konnten nicht viel über das Aussehen der Amerikanerin sagen. Aber sie sei ganz in Schwarz gewesen, wenn das eine Hilfe sei, und sie habe eine Lederhose angehabt. Daran erinnerte sich Jeanne Potter genau, weil sie in dem Alter garantiert auch so etwas getragen hätte, wenn es das damals schon gegeben und sie die Figur dazu gehabt hätte, was leider nicht der Fall war.

Deborah sah Cherokee nicht an. Das war gar nicht nötig. Sie hatte ihm erzählt, wo sie und Simon den Ring gefunden hatten, und ihr war klar, wie niederschmetternd diese Auskünfte für ihn sein mussten. Trotzdem versuchte er immer noch, das Beste daraus zu machen, und fragte die Potters, ob es sonst wo auf der Insel ein Geschäft oder etwas Ähnliches gebe, wo so ein Ring – einer wie dieser, betonte er – herstammen könnte.

Die Potters überlegten einen Moment, dann sagte Mark, es gebe eigentlich nur einen Ort, wo ein zweiter derartiger Ring hergekommen sein könnte, und als er den Ort nannte, stimmte seine Mutter eifrig nickend zu.

Draußen im Talbot Valley erklärte ihnen Mark, lebte ein Mann, der sammelte alles aus der Kriegszeit, was ihm in die Finger kam. Er besaß mehr von diesen alten Andenken an die Besatzungszeit, als alle anderen Leute auf der Insel zusammengenommen.

Er heiße Frank Ouseley, fügte Jeanne Potter hinzu, und lebe zusammen mit seinem Vater in *Moulin des Niaux*.

Es war Frank nicht leicht gefallen, mit Nobby Debiere über das voraussichtliche Ende der Museumspläne zu sprechen. Er hatte es getan, weil er sich dem Mann, den er früher in so vielerlei Hinsicht im Stich gelassen hatte, verpflichtet fühlte. Als Nächstes würde er mit seinem Vater sprechen müssen. Auch ihm schuldete er viel, aber es wäre Wahnsinn gewesen, sich einzubilden, er könnte bis in alle Ewigkeit so tun, als würden sich die Erwartungen seines Vaters demnächst erfüllen und ihre Träume auf dem Gelände bei der St.-Saviour's-Kirche Gestalt annehmen.

Er konnte natürlich immer noch Ruth wegen des Projekts ansprechen. Er konnte auch mit Adrian Brouard und seinen Schwestern – wenn es ihm gelang, die ausfindig zu machen – und ebenso mit Paul Fielder und Cynthia Moullin sprechen. Der Anwalt hatte keine Beträge genannt, die würden sich erst nach der amtlichen Prüfung aller Zahlen ergeben, aber der Nachlass stellte sicherlich ein Riesenvermögen dar. Es war nicht anzunehmen, dass Guy sich des Anwesens *Le Reposoir* und seiner anderen Besitztümer entledigt hatte, ohne seine eigene Zukunft mit einem ordentlichen Bankkonto und einem Wertpapierbestand, aus dem er das Konto jederzeit auffüllen konnte, abzusichern. Dazu war er viel zu geschäftstüchtig gewesen.

Am effektivsten wäre es, mit Ruth zu sprechen. Es war anzunehmen, dass sie die rechtmäßige Eigentümerin von *Le Reposoir* war – wie immer Guy das auch hingekriegt hatte –, und wenn das zutraf, konnte man sie vielleicht dahin bringen, dass sie es als ihre Pflicht ansah, die Versprechungen, die ihr Bruder gemacht hatte, zu erfüllen. Vielleicht ließe sie sich dazu bewegen, eine bescheidenere Version des Graham-Ouseley-Kriegsmuseums auf dem Gelände von *Le Reposoir* zu errichten, dann könnte man das Grundstück, das man in der Nähe der St.-Saviour's-Kirche für das Museum erworben hatte, wieder verkaufen und den Erlös zur Finanzierung des Museums verwenden.

Er konnte aber auch versuchen, mit Guys Erben zu sprechen und ihnen eine Finanzierungszusage abzuringen, indem er ihnen das Museum als Denkmal zu Ehren ihres Wohltäters verkaufte.

Das alles konnte und sollte er tun. Und wäre er ein anderer Mensch gewesen, so hätte er es auch getan. Aber es gab Überlegungen, die wichtiger waren als der Bau einer Unterkunft für einen Haufen alter Kriegsandenken, der sich im Lauf eines halben Jahrhunderts angesammelt hatte. Ganz gleich, wie viel ein solches Gebäude zur Aufklärung der Bevölkerung von Guernsey beitrüge, ganz gleich, wie gut es für Nobby Debieres Ruf als Architekt wäre, es war ganz einfach so, dass Franks eigenes kleines Leben sich ohne Kriegsmuseum weit angenehmer würde gestalten lassen.

Und darum würde er Ruth nicht überreden, das Werk ihres Bruders weiterzuführen, und er würde auch keinen der anderen bedrängen, um ihm Geld für das Projekt abzuknöpfen. Für Frank war die Sache erledigt. Das Museum war so tot wie Guy Brouard.

Er lenkte seinen alten Peugeot in die schmale, holprige Straße nach *Moulin des Niaux*. Während er die fünfzig Meter zur Wassermühle rumpelte, nahm er zum ersten Mal bewusst wahr, wie verwildert ringsherum alles war. Das Brombeergestrüpp drohte, den Asphalt zu überwuchern. Es würde im kommenden Sommer Mengen von Brombeeren geben, aber keine Straße mehr zur Mühle und zu den Häusern, wenn er nicht den ganzen Wildwuchs zurückschnitt, Beeren, Efeu, Ilex und Farn.

Er wusste, dass er das jetzt anpacken *konnte*. Mit seiner Entscheidung, diesem metaphorischen Schlussstrich, den er endlich gezogen hatte, hatte er sich eine Freiheit erkauft, von der er bisher nicht einmal gewusst hatte, dass sie ihm fehlte. Diese Freiheit gab ihm so viel Raum, dass er sogar über etwas so Alltägliches wie das Beschneiden von Pflanzen nachdenken konnte. Besessenheit, überlegte er, war etwas Seltsames. Die Welt um einen herum versank im Nichts, wenn man sich dem Würgegriff einer fixen Idee auslieferte.

Jenseits des Mühlrads fuhr er durch das Tor und weiter über den knirschenden Kies der Einfahrt. Er parkte am Ende der Häuserreihe, den Peugeot zum Bach hin ausgerichtet, den er hören, aber durch die dicht von Efeu überwachsenen Ulmen, die hier standen, nicht sehen konnte. Der Efeu hing wie Rapunzels Haar beinahe bis zum Boden hinunter und bildete eine grüne Wand, die das Tal angenehm von der Hauptstraße abschirmte; gleichzeitig aber verbarg er den plätschernden Bach, an dessen Anblick man sich sonst vom Garten aus hätte erfreuen können. Noch ein Stück Arbeit, das da auf mich wartet, dachte Frank. Ein weiteres Zeichen dafür, wie sehr er alles hatte verwahrlosen lassen.

Im Haus fand er seinen Vater in seinem Sessel vor, über der *Guernsey Press* eingenickt, deren Seiten wie übergroße Spielkarten um ihn herum auf dem Boden lagen. Bei diesem Anblick fiel ihm ein, dass er vergessen hatte, Mrs. Petit zu sagen, sie solle seinem Vater keine Zeitung geben, und er spürte einen Anflug von Beklommenheit, als er die Blätter einsammelte und nach einer Notiz über Guys Tod durchsah. Er atmete auf, als er nichts fand. Morgen würde es anders sein, morgen würde die Presse über die Beerdigung berichten. Aber für heute war er sicher.

Er ging in die Küche, ordnete die Zeitung und schickte sich an, den Nachmittagstee zu kochen. Bei ihrem letzten Besuch hatte Mrs. Petit aufmerksamerweise eine Pastete mitgebracht, die sie, mit einem kleinen Gruß versehen, auf den Tisch gestellt hatte. *Hühnchen und Lauch – Guten Appetit!* stand auf einem Kärtchen zwischen den Plastikzinken einer Miniheugabel, die in dem Gebäck steckte.

Wunderbar, dachte Frank, füllte Wasser in den Kessel, holte den Tee heraus und löffelte English Breakfast Tea in die Kanne.

Er deckte gerade den Tisch, als sich sein Vater im Nebenzimmer bemerkbar machte. Frank hörte, wie er mit einer Art Prusten aus dem Schlaf fuhr und dann ein erstauntes Grunzen von sich gab, wie jemand, der nicht die Absicht gehabt hatte, einzuschlafen.

»Wie spät ist es?«, rief er. »Bist du das, Frank?«

Frank trat zur Tür. Er sah, dass das Kinn seines Vaters feucht war. Ein Speichelfaden war eine Hautfalte hinuntergeronnen und hatte am Kinn einen Schleimpfropfen gebildet.

»Ich mach gerade unseren Tee«, sagte er.

»Seit wann bist du wieder da?«

»Seit ein paar Minuten. Du hast geschlafen. Ich wollte dich nicht wecken. Wie war's mit Mrs. Petit?«

»Sie hat mir aufs Klo geholfen. Ich mag keine Frauen bei mir in der Toilette, Frank.« Graham zupfte an der Decke, die über seinen Knien lag. »Wo warst du so lang? Wie spät ist es?«

Frank schaute auf den alten Wecker auf dem Herd und sah überrascht, dass es bereits nach vier Uhr war. »Lass mich schnell Mrs. Petit anrufen, damit sie weiß, dass sie nicht mehr zu kommen braucht«, sagte er.

Nachdem er das erledigt hatte, kehrte er zu seinem Vater zurück, der aber schon wieder eingeschlafen war. Frank zog die nach unten gerutschte Decke hoch, steckte sie unter den dünnen Beinen seines Vaters fest und klappte die Sessellehne vorsichtig ein Stück nach hinten, damit seinem Vater nicht immer der Kopf auf die Brust fiel. Mit einem Taschentuch trocknete er das nasse Kinn und wischte den Schleim ab. Das Alter, dachte er, war fürchterlich. Wenn man die Siebzig mal überschritten hatte, ging's nur noch abwärts.

Er machte den Tee fertig. Tee als Abendessen, wie es früher die Arbeiter gehalten hatten. Er wärmte die Pastete auf und schnitt sie in Scheiben, stellte einen Salat heraus und strich ein paar Butterbrote. Als das Essen auf dem Tisch stand und der Tee lange genug gezogen hatte, ging er hinüber, um seinen Vater zu holen. Er hätte ihm sein Essen auf einem Tablett bringen können, aber er wollte das Gespräch, das jetzt anstand, von Angesicht zu Angesicht führen. Das hieß, von Mann zu Mann: zwei Männer, nicht Vater und Sohn.

Graham aß die herzhafte Pastete mit Genuss und vergaß über Mrs. Petits Kochkunst den Affront, von ihr zur Toilette begleitet worden zu sein. Er nahm sich sogar eine zweite Portion, was bei ihm höchst selten vorkam. Normalerweise aß er weniger als ein junges Mädchen, das auf seine schlanke Linie bedacht ist.

Frank beschloss, ihn das Mahl genießen zu lassen, ehe er ihm die schlechte Nachricht mitteilte. Er überlegte, wie er das bevorstehende Gespräch am besten beginnen könnte, und Graham machte ab und zu eine Bemerkung über das Essen, vor allem über die Soße, die Beste, wie er behauptete, die er seit dem Ableben von Franks Mutter gekostet habe. So sprach er stets von Grace Ouseleys Tod im Stausee. Die Erinnerung an die Tragödie – Grahams und Graces verzweifelter Kampf mit dem Wasser, den nur einer lebend überstanden hatte – war in der Tiefe der Zeit versunken.

Neben Gedanken an seine verstorbene Frau löste das vorzügliche Essen bei Graham Erinnerungen an den Krieg aus, insbesondere an die Care-Pakete, die die Inselbewohner durch das Rote Kreuz bekommen hatten, als es nur noch Ersatzkaffee und Rübenkraut gab. Die Kanadier hätten unglaublich großzügig gespendet. Schokoladenkekse, mein Junge, und dazu echter Tee! Sardinen, Milchpulver, Dosenlachs, Dörrpflaumen, Schinken und Corned Beef. Ach ja, das war ein herrlicher Tag gewesen, als die Care-Pakete den Leuten von Guernsey gezeigt hatten, dass die Welt ihre kleine Insel nicht vergessen hatte.

»Und das haben wir dringend gebraucht«, erklärte Graham. »Die Jerrys wollten uns weismachen, ihr Scheißführer würde Wasser in Wein verwandeln, wenn er erst mal die Welt erobert hätte, aber der hätte uns alle verrecken lassen, Frank, bevor er uns auch nur einen Bissen Brot gegeben hätte.«

Graham hatte einen Soßenklecks am Kinn, und Frank beugte sich vor, um ihn wegzuwischen. »Ja, das waren harte Zeiten«, sagte er.

»Aber die Leute wissen das heute gar nicht mehr zu würdigen. Klar, sie denken an die Juden und an die Zigeuner, sicher. Sie denken an Holland und Frankreich. Und an die Bombenangriffe auf London. O Gott, ja, die darf man natürlich nie vergessen, diese Bombenangriffe, die die *noblen* Engländer ertragen mussten – diese Engländer mit ihrem feinen König, der uns den Deutschen

zum Fraß vorgeworfen hat, so nach dem Motto: Macht's gut, Freunde, ich weiß, ihr werdet's dem Feind schon geben…«
Graham hatte ein Stück Pastete auf der Gabel, die er mit zittriger Hand in die Höhe hielt. Wie bei den verhassten deutschen Bombern konnte man darauf warten, dass sie gleich ihre Ladung abwerfen würde.

Wieder beugte sich Frank vor und führte die Gabel behutsam zum Mund seines Vaters. Graham kaute und redete zu gleicher Zeit. »Sie halten die Erinnerung bis heute am Leben, die Herren Engländer. London ist bombardiert worden, das darf die Welt keinen Moment vergessen, aber was hier passiert ist… Kein Mensch erinnert sich! Gerade so, als hätte sich's nur um kleine Unannehmlichkeiten gehandelt. Aber dass der Hafen bombardiert worden ist – neunundzwanzig Tote, Frankie, und wir hatten nicht eine einzige Waffe, um uns zu verteidigen… und diese armen Jüdinnen, die in die Lager gekommen sind, und die Hinrichtungen! Sie brauchten einen nur als Spitzel abstempeln, und schon wurde er einen Kopf kürzer gemacht. Aber die ganze Welt tut so, als wäre bei uns nichts geschehen. Na, denen werden wir bald zeigen, wie es wirklich war, nicht wahr, mein Junge?«

Das war endlich der richtige Moment, sagte sich Frank. Er würde nicht erst einen künstlichen Einstieg in das Gespräch fabrizieren müssen. Er brauchte nur die Gelegenheit beim Schopf zu packen, darum sagte er, ehe er es sich anders überlegen konnte: »Dad, es ist leider etwas passiert. Ich wollte es dir eigentlich nicht sagen. Ich weiß, wie viel das Museum dir bedeutet, und ich brachte es nicht übers Herz, deine Träume platzen zu lassen.«

Graham neigte den Kopf zur Seite und bot seinem Sohn das Ohr, von dem er immer behauptete, es wäre sein Besseres. »Was sagst du?«, fragte er.

Frank wusste, dass mit dem Gehör seines Vaters alles in Ordnung war. Es funktionierte nur dann nicht, wenn er etwas nicht hören wollte. Darum sprach er einfach weiter und teilte seinem Vater mit, dass Guy Brouard vor einer Woche gestorben war. Sein Tod sei plötzlich und unerwartet gekommen, er sei offensichtlich kerngesund gewesen und habe nicht ans Sterben gedacht, sonst hätte er sich gewiss überlegt, was im Fall seines Ablebens aus ihren Plänen für das Kriegsmuseum werden sollte.

»Wie war das?« Graham schüttelte den Kopf, als wollte er ihn von irgendetwas befreien. »Hast du gesagt, Guy ist *tot*? Da hab ich mich doch verhört?«

Leider nicht, sagte Frank. Guy Brouard sei wirklich tot und habe aus irgendeinem Grund nicht, wie man habe erwarten können, für alle Eventualitäten vorgesorgt. Er habe keinerlei Mittel für das Kriegsmuseum hinterlassen, somit müsste der Bau erst einmal zurückgestellt werden.

»Was?«, sagte Graham, schluckte sein Essen hinunter und griff mit unsicherer Hand nach seinem milchweißen Tee. »Minen haben sie gelegt. Schrapnellminen. Und Sprengladungen. Minenriegel. Klar haben sie Warnfähnchen aufgestellt, aber du musst dir das mal vorstellen. Kleine gelbe Fähnchen, die uns verboten haben, unseren eigenen Grund und Boden zu betreten. Das muss die ganze Welt erfahren, Junge. Und dass wir unsere Marmelade mit Irisch Moos gemacht haben.«

»Ich weiß, Dad. Es ist wichtig, dass niemand vergisst.« Frank hatte keinen Appetit mehr auf den Rest seiner Pastete. Er schob den Teller zur Tischmitte und drehte seinen Stuhl so, dass er seinem Vater direkt ins Ohr sprechen konnte. Du wirst jetzt hinhören, ob du willst oder nicht, bedeutete dies. Mach die Ohren auf, Dad. Jetzt werden andere Saiten aufgezogen. »Dad«, sagte er »das Museum wird nicht gebaut. Wir haben nicht das Geld dazu. Wir haben uns darauf verlassen, dass Guy den Bau finanziert, aber er hat kein Geld dafür hinterlassen. Dad, ich weiß, du kannst mich hören, und es tut mir Leid, es sagen zu müssen, wirklich Leid, glaub mir, ich hätte es dir überhaupt nicht gesagt – ich wollte dir eigentlich gar nichts von Guys Tod sagen –, aber als ich hörte, was in seinem Testament steht, hatte ich keine Wahl mehr. Es tut mir Leid.« Und er redete sich ein, es täte ihm wirklich Leid, obwohl das nur ein Teil seiner Geschichte war.

Graham verschüttete heißen Tee auf seiner Brust, als er die Tasse zum Mund führen wollte. Frank streckte die Hand aus, um seinen Arm zu stützen, aber Graham fuhr zurück und vergoss noch mehr Tee. Er hatte eine dicke Weste an, die über seinem Flanellhemd zugeknöpft war, so dass er sich nicht verbrühte. Außerdem war es ihm offenbar wichtiger, die Berührung seines Sohns zu meiden, als seine Kleider abzutupfen. »Wir beide, ich und du«, sagte er leise mit trübem Blick. »Wir hatten unseren Plan, Frank.«

Frank hätte nicht geglaubt, dass es ihn so tief erschüttern könnte, seinen Vater allen Halt verlieren zu sehen. Es war ein Gefühl, als sähe er einen Goliath in die Knie sinken. »Dad«, sagte er, »um nichts auf der Welt möchte ich dir wehtun. Wenn ich wüsste, wie ich dein Museum ohne Guys Hilfe bauen könnte, würde ich es tun. Aber es gibt keine Möglichkeit. Die Kosten sind zu hoch. Uns bleibt keine Wahl, als aufzugeben.«

»Aber alle müssen es erfahren«, protestierte Graham Ouseley, doch seine Stimme war schwach und weder Tee noch Pastete schienen ihn mehr zu interessieren. »Niemand soll vergessen.«

»Das finde ich ja auch.« Frank suchte verzweifelt nach einem Weg, um den Schmerz seines Vaters zu lindern. »Vielleicht finden wir irgendwann doch noch eine Möglichkeit, dafür zu sorgen, dass die Welt nicht vergisst.«

Grahams Schultern sanken herab. Er sah sich in der Küche um wie ein Schlafwandler, der aufgewacht und völlig verwirrt ist. Seine Hände lagen in seinem Schoß und begannen krampfartig die Serviette zusammenzuknüllen. Sein Mund bildete zuckend Wörter, die er nicht aussprach. Seine Augen nahmen die vertrauten Gegenstände wahr, und er schien sich mit Blicken an ihnen festzusaugen, um allen Trost, den sie bieten konnten, aus ihnen zu ziehen. Er stemmte sich am Tisch in die Höhe, und Frank, der glaubte, er wolle zur Toilette, in sein Bett oder seinen Sessel im Wohnzimmer, stand ebenfalls auf. Aber als er seinen Vater beim Ellbogen nehmen wollte, wehrte der alte Mann ihn ab. Was er suchte, lag auf der Arbeitsplatte, wo Frank es sauber gefaltet hingelegt hatte – die Zeitung mit dem Wappen mit den zwei Kreuzen zwischen den Wörtern *Guernsey* und *Press*.

Graham packte die Zeitung und drückte sie an sich. »Nun

gut«, sagte er zu Frank. »Es ist ein anderer Weg, aber es kommt aufs Gleiche raus. Und das ist die Hauptsache.«

Frank versuchte, dahinter zu kommen, was für eine Verbindung sein Vater zwischen der Vereitelung ihrer Pläne und der Lokalzeitung zog. Er sagte in zweifelndem Ton: »Na ja, ich nehme an, die Zeitung wird die Story bringen. Damit könnten wir vielleicht ein, zwei Steuerflüchtlinge für eine Spende gewinnen. Aber ob uns ein Artikel in der Zeitung genug Geld bringt … ich glaube, darauf können wir uns nicht verlassen, Dad. Und selbst wenn wir könnten, würde es Jahre dauern, bis wir das Geld beisammen hätten.« Er sagte nicht, dass sein Vater mit zweiundneunzig Jahren diese Zeit nicht mehr hatte.

Graham sagte: »Ich ruf sie selber an. Sie werden schon kommen. Das wird sie interessieren, ganz bestimmt. Wenn sie erst mal wissen, worum es geht, werden sie angerannt kommen.« Er ging sogar drei wacklige Schritte bis zum Telefon und hob ab, als wollte er auf der Stelle telefonieren.

»Dad, wir können nicht erwarten, dass die Story für die Zeitung dieselbe Wichtigkeit besitzt wie für uns«, sagte Frank. »Bringen werden sie sie wahrscheinlich, sie ist ja von menschlichem Interesse. Aber du solltest dir lieber keine allzu großen Hoffnungen –«

»Es ist Zeit«, beharrte Graham, als hätte Frank nichts gesagt. »Ich habe es mir vorgenommen. Vor meinem Tod erledige ich das noch. Das hab ich mir geschworen. Die einen haben die Treue gehalten, die anderen nicht. Und die Zeit ist gekommen. Bevor ich sterbe, Frank.« Er kramte in einigen Zeitschriften, die auf der Arbeitsplatte unter der angesammelten Post der letzten Tage lagen. »Wo ist das Telefonbuch?«, fragte er. »Was für eine Nummer haben die, Junge? Komm, lass uns anrufen.«

Aber Frank ging die Wendung von Treue und Treubruch im Kopf herum und die Frage, was sein Vater tatsächlich damit meinte. Es gab im Leben tausend verschiedene Arten der Treue und des Treubruchs, aber im Krieg, unter feindlicher Besatzung, gab es nur eine. Er sagte vorsichtig: »Dad, ich glaube nicht …« Mein Gott, wie sollte er seinen Vater von dieser unbesonnenen

Reaktion abbringen? »Hör zu, Dad, das ist keine gute Art, das anzupacken. Und es ist viel zu früh –«

»Die Zeit läuft ab«, sagte Graham. »Die Zeit ist fast um. Ich habe es mir geschworen. Ich habe auf ihre Gräber geschworen. Sie sind für G.I.F.T. gestorben, und niemand hat bezahlt. Aber jetzt werden sie zahlen. So einfach ist das.« Er kramte das Telefonbuch aus einer Schublade mit Geschirrtüchern hervor und hievte es stöhnend, obwohl es kein dicker Band war, auf die Arbeitsplatte. Er begann, darin zu blättern, und sein Atem ging schnell wie der eines Läufers am Ende des Rennens.

Frank machte einen letzten Versuch, ihn zurückzuhalten. »Dad, wir müssen erst die Beweise beisammen haben.«

»Wir haben alle Beweise, die wir brauchen. Da oben.« Graham tippte sich an den Kopf, mit verkrümmtem Finger, der im Krieg auf seiner vergeblichen Flucht vor Entdeckung schief zusammengeheilt war: Damals war die Gestapo gekommen, um die Männer, die hinter G.I.F.T. standen, abzuholen. Irgendjemand auf der Insel, dem sie vertrauten, hatte sie verraten. Zwei der vier Mitarbeiter an dem Nachrichtenblatt waren im Gefängnis gestorben, ein dritter war bei einem Fluchtversuch umgekommen. Einzig Graham hatte überlebt, aber nicht unverletzt und nicht ohne die Erinnerung an drei gute Männer, die ihr Leben für die Freiheit gegeben hatten, Opfer eines Denunzianten, der allzu lange unerkannt geblieben war. Eine stillschweigende Vereinbarung zwischen Politikern in England und Guernsey verhinderte nach Kriegsende Untersuchung und Bestrafung. Es sei das Beste, die Vergangenheit ruhen zu lassen, hieß es, und da das Beweismaterial angeblich nicht ausreichte, um »die Einleitung strafrechtlicher Schritte zu rechtfertigen«, lebten diejenigen, deren skrupelloser Egoismus ihren Kameraden den Tod gebracht hatte, von ihrer Vergangenheit unberührt weiter und in eine Zukunft hinein, die sie durch ihr Handeln weit besseren Menschen geraubt hatten. Eine Aufgabe des Museumsprojekts wäre es gewesen, die Wahrheit aufzudecken. Ohne die Museumsabteilung über die Kollaboration würde alles bleiben wie bisher: der Verrat das alleinige Geheimnis der Verräter und der Opfer. Alle anderen würden weiterleben können, ohne je zu erfahren, wer den Preis für ihre heutige Freiheit bezahlt hatte und wie es dazu gekommen war.

»Aber Dad«, sagte Frank, obwohl er wusste, dass es sinnlos war, »sie werden sich nicht mit deinem Wort allein begnügen. Sie werden zusätzliche Beweise verlangen. Das muss dir doch klar sein.«

»Na schön, dann such sie aus dem ganzen Plunder da drüben raus.« Graham wies mit dem Kopf zu den Nachbarhäusern, in denen ihre Sammlung untergebracht war. »Wir werden bereit sein, wenn sie kommen. Mach schon, Junge.«

»Aber Dad –«

»Nein!« Graham schlug mit seiner zittrigen alten Faust auf das Telefonbuch und schüttelte drohend den Telefonhörer in der erhobenen Hand. »Du tust, was ich sage, und zwar sofort. Es ist mir ernst, Frank. Ich werde Namen nennen.«

# 14

Deborah und Cherokee sprachen wenig auf dem Rückweg zu den Queen-Margaret-Apartments. Es war Wind aufgekommen, und es regnete leicht, ein guter Vorwand, zu schweigen, Deborah erlaubte der Regen, sich unter ihrem Schirm zu verkriechen, und Cherokee, mit gesenktem Kopf in dem hochgeklappten Kragen zu verschwinden. Sie gingen die Mill Street zurück und überquerten den kleinen Platz. Die Gegend war verlassen bis auf einen gelben Lieferwagen in der Market Street, in den eben eine Vitrine aus einem der geschlossenen Marktstände verladen wurde. Es war ein trauriges Zeichen des Niedergangs, und wie zum Kommentar der Ereignisse stolperte einer der Möbelpacker und ließ sein Ende der Vitrine fallen. Das Glas zersprang, das Metall verbeulte. Sein Partner schimpfte ihn einen Volltrottel.

»Das werden wir teuer bezahlen müssen.«

Was der andere darauf erwiderte, hörten Deborah und Cherokee nicht mehr, weil sie da schon um die Ecke gebogen waren und den Anstieg die Constitution Steps hinauf in Angriff nahmen. Aber der Gedanke hing zwischen ihnen in der Luft: Sie mussten teuer bezahlen, was sie getan hatten.

Cherokee brach schließlich das Schweigen. Auf halbem Weg den Hang hinauf, dort, wo die Treppe eine Biegung machte, blieb er stehen und sagte Deborahs Namen. Sie blieb ebenfalls stehen und sah ihn an. Der Regen hatte sein Haar mit einem Netz winziger Tröpfchen überzogen, in denen das Licht glänzte, und seine Wimpern waren durch die Feuchtigkeit spitz wie die eines Kindes. Er fröstelte, obwohl sie hier vom Wind geschützt waren und er eine dicke Jacke trug – offensichtlich keine Reaktion auf die Kälte.

Seine Worte bestätigten das. »Es *kann* nicht sein.«

Sie tat nicht so, als brauchte sie eine nähere Erklärung. Sie wusste, wie unwahrscheinlich es war, dass er an etwas anderes dachte. »Trotzdem müssen wir sie danach fragen«, erwiderte sie.

»Sie haben gesagt, es könnte noch andere auf der Insel geben. Und der Typ, von dem sie gesprochen haben – der in Talbot Valley –, der hat eine Sammlung von Zeug aus dem Krieg, das kannst du dir nicht vorstellen. Ich hab sie selbst gesehen.«

»Wann?«

»Ach, an einem dieser Tage … Er war zum Mittagessen da gewesen und hat sich mit Guy darüber unterhalten. Er bot mir an, sie mir zu zeigen, und Guy hat so davon geschwärmt, dass ich mitgefahren bin. Wir sind zu zweit mitgefahren.«

»Wer noch?«

»Guys kleiner Freund. Paul Fielder.«

»Hast du dort noch so einen Ring gesehen?«

»Nein. Aber das heißt nicht, dass keiner da war. Der Typ hat massenhaft Zeug. In Kartons und Säcken. In Aktenschränken und Regalen. Es liegt alles in einem Doppelhaus, total chaotisch. Wenn er einen Ring hätte, und der Ring aus irgendeinem Grund verschwinden würde – ich bin sicher, der würde das nicht mal merken. Er kann gar nicht alles katalogisiert haben.«

»Willst du damit sagen, Paul Fielder könnte einen Ring gestohlen haben, während ihr dort wart?«

»Ich sage gar nichts. Nur dass es einen zweiten Ring geben muss, weil China nie im Leben –« Er brach ab, schob verlegen die Hände in die Hosentaschen und wandte sich von Deborah ab, um den Hügel hinaufzuschauen zur Clifton Street, zu den Queen-Margaret-Apartments, zu der Schwester, die in Wohnung B auf ihn wartete. »Nie im Leben hat China irgendjemandem was angetan. Das weißt du, und das weiß ich. Der Ring – der gehört jemand anderem.«

Er klang entschlossen, aber was es mit dieser Entschlossenheit auf sich hatte, danach wollte Deborah lieber nicht fragen. Sie wusste, dass sie um die Konfrontation mit China nicht herumkam. Ganz gleich, was sie und Cherokee glaubten, die Sache mit dem Ring musste geklärt werden.

Sie sagte: »Komm, gehen wir. Ich glaube, es fängt gleich an, richtig zu gießen.«

Sie fanden China vor dem Fernsehapparat. Auf dem Bildschirm lief ein Boxkampf. Einer der Boxer war bereits schwer angeschlagen, es war klar, dass der Kampf hätte abgebrochen werden müssen. Aber die johlende Menge ließ das nicht zu. Sie wollte Blut sehen. An China schien das alles abzuprallen. Ihr Gesicht war eine ausdruckslose Maske.

Cherokee trat zum Fernsehgerät und schaltete um zu einem Radrennen in einem sonnigen Land, das wie Griechenland aussah, aber auch jedes andere Land sein konnte, wo nicht gerade Winter war.

Er ging zu seiner Schwester und sagte: »Alles okay? Brauchst du irgendwas?« Zaghaft berührte er ihre Schulter.

Da erst regte sie sich. »Alles okay«, versicherte sie und sah ihren Bruder mit einem halben Lächeln an. »Ich hab nur nachgedacht.«

Er erwiderte das Lächeln. »Das lässt du besser bleiben. Schau dir doch an, wohin es *mich* gebracht hat. Ich denke ständig nach. Hätte ich es nicht getan, dann säßen wir jetzt nicht in dieser Scheiße.«

Sie zuckte mit den Schultern. »Tja. Hm.«

»Hast du was gegessen?«

»Cherokee…«

»Okay. Schon gut. Vergiss es.«

Erst jetzt schien China wahrzunehmen, dass auch Deborah da war. Sie drehte den Kopf und sagte: »Ich dachte, du wärst bei Simon, um ihm meine Liste zu geben.«

Hier bot sich eine gute Gelegenheit, die Sache mit dem Ring zur Sprache zu bringen, und Deborah ergriff sie. »Sie ist nicht ganz vollständig«, sagte sie. »Auf der Liste steht nicht alles.«

»Wieso? Was meinst du?«

Deborah stellte ihren Schirm in den Ständer neben der Tür und gesellte sich zu ihrer Freundin aufs Sofa. Cherokee zog sich einen Sessel heran und setzte sich zu ihnen.

»Du hast das Antiquitätengeschäft Potter und Potter nicht erwähnt«, sagte Deborah. »In der Mill Street. Du warst doch dort und hast beim Sohn einen Ring gekauft. Hast du das vergessen?«

China warf ihrem Bruder einen fragenden Blick zu, aber der sagte nichts. Sie wandte sich wieder Deborah zu. »Ich habe die Läden nicht aufgeschrieben, in denen ich war. Ich dachte… Weshalb sollte ich? Ich war ein paar Mal bei Boots, ich war in zwei oder drei Schuhgeschäften. Ich habe ein oder zwei Mal eine Zeitung gekauft und Pfefferminzbonbons. Die Batterie in meiner Kamera war leer, und ich habe mir unten in der Passage eine neue gekauft – gleich da bei der High Street. Aber das habe ich alles nicht aufgeschrieben. Vermutlich war ich auch noch in anderen Geschäften, die ich vergessen habe. Warum?« Sie sah wieder ihren Bruder an. »Was soll das alles?«

Deborah antwortete ihr, indem sie den Ring herauszog. Sie schlug das Taschentuch auseinander und streckte die Hand aus, so dass China den Ring sehen konnte. »Der lag unten am Strand«, sagte sie, »in der Bucht, wo Guy Brouard umgekommen ist.«

Als wüsste sie, was es bedeutete, dass Deborah den Ring eingehüllt auf ihrer Hand hielt und er am Tatort eines Verbrechens gefunden worden war, versuchte China nicht, den Ring zu berühren. Aber sie sah ihn sich an, lange und eingehend. Sie war schon die ganze Zeit so blass, dass Deborah nicht erkennen konnte, ob sie Farbe verlor. Aber sie biss sich auf die Unterlippe, und als sie Deborah wieder ansah, lag Furcht in ihrem Blick.

»Was sagst du da?«, sagte sie. »Ob ich ihn umgebracht habe? Möchtest du das fragen?«

»Der Mann in dem Geschäft – Mr. Potter – sagte, eine Amerikanerin hätte so einen Ring bei ihm gekauft. Eine Amerikanerin aus Kalifornien. Sie trug eine Lederhose und möglicherweise einen Umhang, denn sie hatte eine Kapuze auf. Sie und die Mutter des Mannes – Mrs. Potter – haben sich über Filmstars unterhalten. Die beiden erinnerten sich, dass die Amerikanerin ihnen erzählte, dass man im Allgemeinen keine Filmstars in –«

»Schon gut«, unterbrach China. »Ich habe schon kapiert. Ich habe den Ring gekauft. Einen Ring. Diesen Ring. Ich weiß es nicht. Ich habe einen Ring bei ihnen gekauft, okay?«

»So einen?«

»Na, offensichtlich«, erwiderte China gereizt.

»Chine, wir müssen rauskriegen –«

»Ich bemüh mich doch«, schrie China ihren Bruder an. »Okay? Ich bemüh mich wie ein braves kleines Mädchen. Ich bin in der Stadt rumgelaufen, hab den Ring gesehen und fand ihn perfekt. Da hab ich ihn eben gekauft«

»Perfekt?«, fragte Deborah. »Wofür?«

»Als Geschenk für Matt. Okay? Ich hab ihn für Matt gekauft.« China machte ein verlegenes Gesicht bei dem Geständnis: ein Geschenk für einen Mann, mit dem sie angeblich fertig war. Als wüsste sie, wie das auf die anderen wirken musste, fuhr sie fort: »Er war gruselig, und das hat mir gefallen. Es war, als würde ich Matt eine Voodoo-Puppe schicken. Totenkopf und gekreuzte Knochen. Gift. Tod. Ich fand, es wäre ein prima Ausdruck meiner Gefühle für ihn.«

Cherokee stand auf und ging zum Fernsehapparat, wo Radfahrer über eine Küstenstraße sausten. Jenseits lag das Meer, das in der Sonne funkelte. Er schaltete den Apparat ab und kehrte zu seinem Sessel zurück. Er sah seine Schwester nicht an. Und auch Deborah nicht.

Als wäre sein Verhalten ein Kommentar zu seinem Schweigen, rief China: »Ja, okay, ich weiß, das war blöd. Es hält die Sache zwischen uns nur am Laufen, weil es eine Antwort in irgendeiner Form von ihm fordert. Das weiß ich, verdammt noch mal. Ich weiß, dass es blöd ist. Aber ich wollte es trotzdem tun. So einfach ist das. Oder *war* es, als ich das Ding sah. Ich hab's gekauft, und basta.«

»Was hast du mit dem Ring gemacht?«, fragte Deborah. »An dem Tag, an dem du ihn gekauft hast.«

»Wie meinst du das?«

»Haben sie ihn dir in ein Tütchen gepackt? Hast du die Tüte in eine andere Tüte gesteckt? Oder in deine Tasche? Wie ist es weitergegangen?«

China dachte über die Fragen nach. Cherokee blickte von der Betrachtung seiner Schuhe auf. Er schien zu erkennen, worauf Deborah hinauswollte, denn er sagte: »Versuch, dich zu erinnern, Chine.«

»Ich weiß nicht. Ich hab ihn wahrscheinlich in meine Handtasche gestopft«, sagte sie. »Das mach ich meistens, wenn ich was Kleines kaufe.«

»Und später? Als du wieder in *Le Reposoir* warst? Was hast du da mit dem Ring getan?«

»Wahrscheinlich... Ich weiß nicht. Wenn er in meiner Handtasche war, hätte ich ihn wahrscheinlich drin gelassen und vergessen. Ich könnte ihn auch in meinen Koffer gelegt haben. Oder auf den Toilettentisch, bis zur Abreise.«

»Wo jemand ihn bemerkt haben könnte«, murmelte Deborah.

»Wenn es überhaupt derselbe Ring ist«, sagte Cherokee.

Richtig, dachte Deborah. Wenn der Ring auf ihrer Hand nur ein Doppelgänger des Rings war, den China gekauft hatte, dann hatten sie es hier mit einem erstaunlichen Zufall zu tun. Aber so unglaublich dieser Zufall sein mochte, die Frage, ob oder nicht, musste geklärt werden, bevor sie weitermachen konnten. Sie sagte: »Hast du den Ring vor eurer Abreise eingepackt? Ist er jetzt bei deinen Sachen? In irgendeinem Winkel vielleicht, wo du ihn vergessen hast?«

China lächelte beinahe ironisch. »Ich habe keine Ahnung, Debs. Meine Sachen liegen alle bei der Polizei. Wenn ich den Ring eingepackt habe, dann ist er dort.«

»Das müssen wir also nachprüfen«, sagte Deborah.

Cherokee wies mit einem Nicken auf den Ring in Deborahs Hand. »Und was geschieht mit dem?«

»Der kommt zur Polizei.«

»Was machen die damit?«

»Ich nehme an, sie werden nach latenten Fingerabdrücken suchen. Vielleicht schaffen sie's sogar, einen Teilabdruck zu sichern.«

»Und was heißt das? Ich meine, wenn der Abdruck von Chine stammt... wenn es derselbe Ring ist... Werden die dann merken, dass jemand anderer ihn da hingelegt hat?«

»Sie werden es vielleicht in Betracht ziehen«, antwortete Deborah. Sie sagte nicht, wie ihres Wissens nach die Situation normalerweise aussah: Das Interesse der Polizei erschöpfte sich meist darin, Schuld festzustellen und den Fall abzuschließen. Alles Weitere überließen sie anderen. Wenn sich unter Chinas Sachen kein zweiter Ring wie dieser fand, und wenn dieser, den Deborah in der Bucht gefunden hatte, ihre Fingerabdrücke aufwies, brauchte die Polizei nicht mehr zu tun, als diese Fakten zu Protokoll zu nehmen und an die Staatsanwaltschaft weiterzuleiten. Es wäre Sache von Chinas Anwalt, bei Gericht eine andere Interpretation dieses Beweisstücks vorzutragen, wenn ihr der Prozess wegen Mordes gemacht wurde.

»Debs«, sagte Cherokee in nachdenklichem Ton und zog ihren Spitznamen dabei so in die Länge, dass er wie ein Flehen klang. »Gibt es eine Möglichkeit...« Er sah seine Schwester an, als wollte er die Reaktion auf etwas einschätzen, was er noch gar nicht gesagt hatte. »Es fällt mir total schwer, das zu fragen. Könntest du den Ring nicht irgendwie verlieren?«

»Verlieren...?«

China sagte: »Nein, Cherokee, nicht –«

»Ich kann nicht anders«, erwiderte er. »Debs, wenn das hier der Ring ist, den Chine gekauft hat... Und wir wissen, dass das möglich ist, nicht wahr? … Ich meine, warum müssen denn die Bullen überhaupt wissen, dass du ihn gefunden hast? Kannst du ihn nicht einfach in einen Gully werfen oder so was?« Er schien sich der Ungeheuerlichkeit seines Verlangens bewusst zu werden, denn er fügte hastig hinzu: »Die Bullen glauben doch sowieso schon, dass sie es getan hat. Wenn sie jetzt noch ihre Abdrücke auf dem Ring finden, werden sie das nur dazu benutzen, sie endgültig festzunageln. Aber wenn du ihn verlierst – wenn er dir zum Beispiel auf dem Weg ins Hotel aus der Tasche fällt …?« Er sah sie voller Hoffnung an, eine Hand ausgestreckt, als erwartete er, dass sie ihm den Ring überreichte.

Deborah war erschüttert von diesem Blick, von der Offenheit und der Hoffnung, die in ihm lagen. Sie war erschüttert von dem, was dieser Blick über ihre gemeinsame Geschichte mit China River enthielt.

»Manchmal«, sagte Cherokee leise zu ihr, »verdrehen sich Recht und Unrecht. Was Recht zu sein scheint, erweist sich als Unrecht, und was Unrecht scheint –«

»Vergiss es«, rief China dazwischen. »Cherokee, vergiss es!«

»Aber es wäre doch keine große Sache.«

»Vergiss es, hab ich gesagt.« China ergriff Deborahs Hand und schloss die Finger der Freundin über dem Ring. »Du tust, was du tun musst, Deborah.« Und zu ihrem Bruder: »Sie ist nicht wie du. Für sie ist das nicht so leicht.«

»Die spielen doch mit gezinkten Karten. Dann machen wir's eben genauso.«

»Nein«, sagte China und wandte sich wieder Deborah zu. »Du bist extra hergekommen, um mir zu helfen. Dafür danke ich dir. Tu du ganz einfach, was du tun musst.«

Deborah nickte, doch es fiel ihr schwer, es zu sagen: »Es tut mir Leid.«

Sie konnte sich des Gefühls nicht erwehren, die beiden enttäuscht zu haben.

St. James hätte sich nicht für einen Menschen gehalten, der sich so leicht aus der Ruhe bringen ließ. Seit dem Tag, an dem er in einem Krankenhausbett erwacht war – ohne Erinnerung an irgendetwas außer an das letzte Glas Tequila, das er nicht hätte trinken sollen – und im über ihm schwebenden Gesicht seiner Mutter die schlechte Nachricht gelesen hatte, die ihm keine Stunde später von einem Neurologen bestätigt wurde, hatte er sich und seine Reaktionen auf ein Weise unter Kontrolle gehalten, die einem Soldaten alle Ehre gemacht hätte. Er hatte sich als Überlebenskünstler betrachtet, der durch nichts kleinzukriegen war. Das Schlimmste war geschehen, und er war an seinem Unglück nicht zerbrochen. Verkrüppelt, gelähmt, von der Frau verlassen, die er liebte, war er dennoch im Innersten unverletzt aus der Katastrophe hervorgegangen. *Wenn ich damit fertig werden kann, kann ich mit allem fertig werden.*

Er war deshalb nicht vorbereitet auf die Unruhe, die sich zu regen begann, als er hörte, dass Deborah den Ring nicht bei Le Gallez abgegeben hatte. Und diese Unruhe, die mit jeder Minute vergeblichen Wartens auf Deborah wuchs, übermannte ihn schließlich mit Haut und Haar.

Anfangs lief er in ihrem Zimmer und draußen auf dem kleinen Balkon hin und her. Dann warf er sich fünf Minuten lang in einen Sessel und überlegte, was Deborahs Verhalten bedeuten könnte. Das aber erhöhte nur seine ängstliche Nervosität, darum nahm er schließlich seinen Mantel und ging aus dem Haus. Er beschloss, sie zu suchen. Ohne eine klare Vorstellung davon, welche Richtung er einschlagen sollte, nur froh, dass es zu regnen aufgehört hatte und für ihn das Gehen leichter sein würde, überquerte er die Straße.

Bergab schien gut, und er ging los, zunächst an der Steinmauer entlang, die einen abgesenkten, ein wenig an eine Bärengrube erinnernden Garten gegenüber vom Hotel abschloss. An ihrem Ende stand das Kriegerdenkmal der Insel, und St. James hatte dieses gerade erreicht, als er beim Royal Court House, dessen ehrwürdige graue Fassade sich die Rue du Manoir entlangzog, seine Frau um die Ecke kommen sah.

Deborah winkte. Als sie näher kam, bemühte er sich mit aller Kraft um Ruhe.

»Du bist wieder da!« Sie trat ihm lächelnd gegenüber.

»Das ist ja wohl ziemlich offensichtlich«, antwortete er.

Ihr Lächeln erlosch. Sie hörte es in seinem Ton. Natürlich. Sie kannte ihn so lange, und er hatte geglaubt, sie zu kennen. Aber er war dabei, zu entdecken, dass die Lücke zwischen dem, was er glaubte, und dem, was war, sich schnell zur Kluft auszuwachsen drohte.

»Was ist?«, fragte sie. »Simon, was ist los?«

Er umfasste ihren Arm, viel zu fest, wie er spürte, aber er schaffte es nicht, den Griff zu lockern. Er führte sie zu dem Garten und zog sie die Stufen hinunter.

»Was hast du mit dem Ring gemacht?«, fragte er.

»Was soll ich mit ihm gemacht haben? Nichts. Ich habe ihn –«

»Du solltest ihn direkt zu Le Gallez bringen.«

»Das tue ich ja gerade. Ich war auf dem Weg zur Polizei. Simon, was ist denn nur –?«

»Jetzt? Du wolltest ihm den Ring jetzt bringen? Wo war er in der Zwischenzeit? Wir haben ihn doch schon vor Stunden gefunden.«

»Du hast keinen Ton davon gesagt – Simon, warum benimmst du dich so? Hör auf damit. Lass mich los. Du tust mir weh.« Sie riss sich los und blieb einen Moment mit brennenden Wangen vor ihm stehen. Dann wandte sie sich ab und schlug den Fußweg ein, der den Garten umrundete, obwohl er nur an der Mauer entlanglief und nirgendwohin führte. Regenwasser stand in schwarzen Pfützen, in denen sich ein rasch dunkel werdender Himmel spiegelte. Deborah marschierte durch sie hindurch, ohne Rücksicht darauf, dass sie sich die Beine von oben bis unten nassspritzte.

St. James lief ihr nach. Es machte ihn wütend, dass sie ihn einfach so stehen gelassen hatte. Sie schien eine völlig andere zu sein, und er war nicht bereit, das hinzunehmen. Wenn es zu einem Wettrennen kam, würde sie natürlich siegen. Wenn es zu etwas anderem als einem verbalen und intellektuellen Kräftemessen kam, würde sie ebenfalls siegen. Das war der Fluch seiner körperlichen Behinderung; sie machte ihn seiner Frau physisch unterlegen. Auch das ärgerte ihn, vor allem, als er sich vorstellte, was für ein Bild sie einem unbeteiligten Beobachter von der Straße oberhalb der Grünanlage bieten mussten: Sie entfernte sich sicheren Schritts immer weiter von ihm, und er humpelte wie ein Straßenbettler hinter ihr her.

Sie erreichte das Ende des kleinen Parks und blieb dort in der Ecke stehen, wo ein Feuerdorn seine von roten Beeren schweren Zweige über eine Holzbank neigte. Sie setzte sich nicht. Sie blieb neben der Bank stehen, riss eine Hand voll Beeren von dem Strauch und begann diese achtlos ins Gebüsch zu werfen.

Das Kindische dieses Verhaltens machte ihn noch zorniger. Er fühlte sich zurückversetzt in eine Zeit, als er mit dreiundzwanzig Jahren der Zwölfjährigen, die wegen eines Haarschnitts, der ihr nicht gefiel, getobt hatte, die Schere entwand, bevor sie ihr Haar noch mehr verunstalten, sich selbst verunstalten und so dafür bestrafen konnte, dass sie geglaubt hatte, ein Haarschnitt würde etwas daran ändern, wie sie sich mit den Pickeln auf dem Kinn fühlte, die über Nacht gesprossen waren, Brandmale ihrer Veränderung. »Ja, ja, unsere Deb hält uns ganz schön auf Trab«, hatte ihr Vater gesagt. »Da fehlt die Mutter.« Die er ihr nie gegeben hatte.

Wie bequem es wäre, dachte St. James, einfach Joseph Cotter an allem die Schuld zu geben, sich zu sagen, dass er und Deborah an diesem Punkt in ihrer Ehe angelangt waren, weil ihr Vater Witwer geblieben war. Das würde es leichter machen, ja. Er würde nicht weiter nach einer Erklärung dafür zu suchen brauchen, warum Deborah sich so unglaublich benommen hatte.

Er erreichte sie endlich und sagte unüberlegt das Erste, was ihm in den Kopf kam. »Lauf ja nie wieder vor mir weg, Deborah.«

Mit einer Hand voll Beeren in der Faust wirbelte sie herum. »Und wag du ja nicht... Sprich *nie* wieder in diesem Ton mit mir!«

Er versuchte, sich zu beruhigen. Er wusste, dass diese Erwiderung nur in einem Streit eskalieren würde, wenn nicht einer von ihnen etwas tat, um seine Ruhe wiederzufinden. Er wusste auch, wie unwahrscheinlich es war, dass Deborah zurückstecken würde. Er sagte, so milde er konnte, was zugegebenermaßen nur geringfügig weniger kämpferisch war als zuvor: »Ich möchte eine Erklärung.«

»Ach, die möchtest du, hm? Tja, entschuldige, wenn mir gerade nicht danach ist, dir eine zu geben.« Sie schleuderte die Beeren auf den Weg.

Wie einen Fehdehandschuh, dachte er. Wenn er ihn aufnahm, würde es Krieg geben. Aber diesen Krieg wollte er nicht, so ärgerlich er war. Er war immerhin noch so vernünftig, um zu erkennen, dass ein Kampf bis aufs Messer sinnlos war. »Der Ring ist ein Beweismittel«, sagte er. »Ein Beweismittel gehört in die Hand der Polizei. Wenn es nicht direkt an sie geht –«

»Als ob jedes Beweisstück direkt bei der Polizei landet«, fiel sie ihm ins Wort. »Du weißt genau, dass es nicht so ist. Es passiert doch oft genug, dass die Polizei Beweise ausgräbt, von denen kein Mensch wusste, dass es Beweise waren. Sie haben ein halbes Dutzend Zwischenstationen durchlaufen, ehe sie endlich bei der Polizei ankommen. Das weißt du doch, Simon.«

»Das gibt aber niemandem das Recht, selbst Zwischenstationen zu schaffen«, konterte er. »Wo warst du mit dem Ring?«

»Ist das ein Verhör? Merkst du eigentlich, wie du mit mir redest? Interessiert es dich überhaupt?«

»Mich interessiert im Moment, dass ein Beweisstück, von dem ich annahm, es befände sich bei Le Gallez, nicht bei ihm war, als ich mit ihm darüber sprechen wollte. Interessiert es *dich* vielleicht, was das heißt?«

»Ach so!« Sie reckte die Nase in die Höhe. Ihr Ton war triumphierend wie der einer Frau, die zusieht, wie der Mann in die Falle tappt, die sie ihm gestellt hat. »Um *dich* geht es. Du hast dumm da gestanden. Wie peinlich!«

»Die Behinderung polizeilicher Ermittlungen ist keine Peinlichkeit«, sagte er schroff. »Das ist ein Vergehen.«

»Ich habe nichts behindert. Ich habe den verdammten Ring bei mir.« Sie fuhr mit der Hand in ihre Schultertasche, holte den in das Taschentuch eingeschlagenen Ring heraus, packte ihren

Mann so fest beim Arm, wie er vorher sie gepackt hatte, und drückte ihm den Ring samt Tuch in die Hand. »So! Bist du jetzt zufrieden? Bring ihn deinem hochverehrten Chief Inspector. Was würde der denn von dir denken, wenn du jetzt nicht sofort angerannt kämst!«

»Warum bist du so?«

»Ich? Warum bist *du* so?«

»Weil ich dir genau gesagt habe, was du tun sollst. Weil wir ein Beweisstück in Besitz haben. Weil wir wissen, dass es ein Beweisstück ist. Weil wir es von Anfang an wussten und –«

»Nein«, unterbrach sie. »Falsch. Das wussten wir nicht. Wir haben es vermutet. Und auf Grund dieser Vermutung hast du mich gebeten, den Ring mitzunehmen. Aber wenn es so ungeheuer wichtig war, dass die Polizei das Ding auf der Stelle bekommt – wenn dieser Ring so *offenkundig* entscheidende Bedeutung besitzt –, dann hättest du ihn verdammt noch mal, selbst bringen können, anstatt dich irgendwo in der Gegend herumzutreiben, was dir offenbar wichtiger war als der blöde Ring.«

St. James hörte sich das alles mit wachsendem Zorn an. »Du weißt ganz genau, dass ich bei Ruth Brouard war. Da sie immerhin die Schwester des Ermordeten ist und mich um ein Gespräch *gebeten* hatte, wie du ebenfalls weißt, kann man wohl sagen, dass das, worum ich mich in *Le Reposoir* kümmern musste, nicht ganz unwichtig war.«

»Natürlich! Und das, worum ich mich gekümmert habe, war unwichtig.«

»Worum du dich kümmern *solltest* –«

»Hör endlich auf, darauf herumzureiten!« Ihre Stimme war nur noch ein Kreischen. Sie schien es selbst zu hören, denn als sie weitersprach, tat sie es leiser, wenn auch nicht weniger erregt. »Ich werde dir sagen, worum ich mich gekümmert habe.« Sie gab dem Verb einen höhnischen Unterton mit. »Hier!« Sie kramte wieder in ihrer Schultertasche und brachte einen gelben Kanzleiblock zum Vorschein, der in der Mitte genickt war. »Das hat China geschrieben. Sie dachte, es könnte dir nützlich sein. Außerdem«, fuhr sie mit einer bemühten Höflichkeit fort, die genauso viel sagte wie der Hohn, »habe ich einiges über den Ring in Erfahrung gebracht Ich erzähle es dir gern, wenn du die Information für wichtig genug hältst.«

St. James nahm den Schreibblock. Er überflog das Geschriebene, um Daten, Zeiten, Orte und Erläuterungen zu prüfen.

Deborah sagte: »Sie hat es für dich aufgeschrieben und mich ausdrücklich gebeten, es dir zu geben. Den Ring hat sie gekauft.«

Er blickte auf. »Was?«

»Ich denke, du hast mich genau gehört. Den Ring oder einen, der genauso aussieht, hat China in einem Laden in der Mill Street gekauft. Cherokee und ich haben das herausgefunden. Und dann haben wir sie danach gefragt. Sie sagte, dass sie ihn für ihren Freund gekauft hat. Für Matt. Ihren Exfreund.«

Deborah erzählte den Rest. Sie berichtete in förmlichem Ton von den Antiquitätengeschäften und den Potters; was China mit dem Ring getan hatte; dass es möglicherweise einen identischen gab, der aus dem Talbot Valley stammte. »Cherokee hat die Sammlung selbst gesehen«, sagte sie zum Schluss. »Er war mit einem Jungen namens Paul Fielder dort.«

»Cherokee?«, fragte St. James scharf. »Er war dabei, als du versucht hast, die Herkunft des Rings herauszufinden.«

»Das habe ich doch gesagt.«

»Dann weiß er also über alles Bescheid?«

»Ich finde, darauf hat er ein Recht.«

Im Stillen verfluchte St. James sich selbst, die ganze Situation, die Tatsache, dass er sich da aus Gründen, über die er nicht nachdenken wollte, hatte hineinziehen lassen. Deborah war nicht dumm, aber sie war eindeutig überfordert. Wenn er ihr das sagte, würde es die Schwierigkeiten zwischen ihnen verschlimmern. Aber wenn er nichts sagte, konnte das die gesamten Ermittlungen gefährden. Er hatte keine Wahl.

»Das war unklug, Deborah.«

Sie hörte seinen Ton, und erwiderte mit Schärfe. »Wieso?«

»Hättest du nur vorher mit mir gesprochen.«

»Worüber?«

»Dass du vorhattest, zu verraten –«

»Ich habe nichts *verraten* –«

»Aber du sagtest, er war dabei, als du die Herkunft des Rings überprüft hast.«

»Er wollte helfen. Er hat Angst. Er fühlt sich schuldig, weil er seine Schwester zu dieser Reise überredet hat und sie jetzt des Mordes beschuldigt wird. Als ich bei China weggegangen bin, sah er aus… Er leidet mit ihr. Für sie. Er wollte helfen, und ich fand nichts dabei, ihm das zu erlauben.«

»Er gehört zu den Verdächtigen, Deborah, genau wie seine Schwester. Wenn sie Brouard nicht getötet hat, dann war es ein anderer. Und er war zur fraglichen Zeit auf dem Gelände.«

»Du glaubst doch nicht im Ernst… Niemals… Herrgott noch mal! Er ist nach London geflogen. Er ist zu uns gekommen. Er war in der Botschaft. Er ist mit mir zu Tommy gegangen. Er sucht verzweifelt jemanden, der Chinas Unschuld beweisen kann. Glaubst du wirklich, dass er das alles unternommen hätte – oder auch nur einen Teil davon –, wenn er der Mörder wäre? Warum?«

»Ich habe keine Antwort darauf.«

»Ah, ja. Und trotzdem beharrst du –«

»Aber ich habe etwas anderes«, unterbrach er sie. Er verachtete sich, als er dem Schwall bitteren Triumphs, der in ihm hochschoss, freien Lauf ließ. Er hatte sie in die Enge getrieben und verfügte über die Waffe, um sie zu besiegen und ein für alle Mal klarzustellen, wer im Recht und wer im Unrecht war. Er berichtete ihr von den Papieren, die er Le Gallez gebracht hatte; diese Papiere, die bewiesen, dass Guy Brouard eine Reise nach Amerika unternommen hatte, von der seine eigene Schwester nichts gewusst hatte. Es störte ihn nicht, dass er bei der Diskussion mit Le Gallez genau das Gegenteil von dem vertreten hatte, was er jetzt seiner Frau über eine mögliche Verbindung zwischen Brouards Kalifornienreise und Cherokee River vorhielt. Hauptsache, sie begriff, dass in Sachen Mord er der Zuständige war. Ihre Welt, unterstellten seine Worte, war die der Fotografie, der Zelluloidbilder, die in einer Dunkelkammer manipuliert wurden. Seine Welt war die der exakten Wissenschaft, der Tatsachen. Fotografie war nur ein anderes Wort für Imagination. Das alles sollte sie in Zukunft bedenken, wenn sie vorhatte, auf eigene Faust zu handeln, ohne ihn zu Rate zu ziehen.

Als er zum Ende gekommen war, sagte sie steif: »Ich verstehe. Die Sache mit dem Ring tut mir Leid.«

»Ich weiß, dass du es gut gemeint hast«, sagte St. James mit der ganzen Großzügigkeit des Ehemanns, der sich seinen rechtmäßigen Platz in der Partnerschaft zurückerobert hat. »Ich bringe ihn jetzt gleich zu Le Gallez und erkläre ihm, was los war.«

»Gut«, sagte sie. »Ich begleite dich, wenn du willst. Ich bin gern bereit, selbst alles zu erklären, Simon.«

Ihr Angebot befriedigte ihn. Es zeigte ihre Einsichtigkeit. »Das ist wirklich nicht nötig«, lenkte er ein. »Ich mach das schon, Liebes.«

»Willst du das wirklich tun?« Es war eine durchtriebene Frage. Ihr Ton hätte ihn warnen müssen, aber er merkte nichts und sagte wie der naive Tor, der sich einbildet, eine Frau in irgendeiner Hinsicht übertrumpfen zu können: »Ich tue es gern, Deborah.«

»Komisch. Das hätte ich nicht gedacht.«

»Was?«

»Dass du auf die Gelegenheit verzichten würdest, zuzusehen, wie Le Gallez mir die Daumenschrauben anlegt. Dass du dir das entgehen lassen willst!«

Sie sah ihn mit einem bitteren Lächeln an und drängte sich brüsk an ihm vorbei, um zur Straße zurückzueilen.

Chief Inspector Le Gallez wollte im Hof des Polizeipräsidiums gerade in seinen Wagen steigen, als St. James durch das Tor kam. Es hatte wieder zu regnen angefangen, als Deborah ihn in dem kleinen Park so abrupt stehen lassen hatte, und er hatte zuvor in seiner Hast keinen Schirm mitgenommen. Aber um sich im Hotel einen zu holen, hätte er seiner Frau folgen müssen, und das wollte er nicht, denn es hätte so ausgesehen, als wünschte er etwas von ihr. Und da das nicht der Fall war, wollte er auch nicht diesen Anschein erwecken.

Ihr Benehmen war unmöglich. Gewiss, sie hatte einige Informationen zusammengetragen, die sich als wertvoll erweisen konnten: Die Entdeckung der Herkunft des Rings würde Zeit sparen, und der Hinweis auf einen möglichen zweiten Herkunftsort eines solchen Rings würde vielleicht die Polizei in ihrer Überzeugung von China Rivers Schuld erschüttern können. Aber das war keine Entschuldigung für die Heimlichkeit und die Unaufrichtigkeit, mit denen sie ihre privaten Nachforschungen betrieben hatte. Wenn sie schon ihre eigenen Wege gehen wollte, hätte sie ihn vorher davon unterrichten und verhindern müssen, dass er vor dem leitenden Ermittlungsbeamten wie ein Volltrottel dastand. Und im Übrigen änderten ihre kleinen Verdienste nichts daran, dass sie Cherokee River über wichtige Einzelinformationen informiert hatte. Man *musste* ihr klar machen, wie töricht solches Verhalten war.

Und basta, dachte St. James. Er hatte nur getan, was recht und billig war. Trotzdem wollte er ihr nicht folgen. Er sagte sich, er wolle ihr Zeit zur Beruhigung und zum Nachdenken lassen. Wenn es ihrer Erziehung diente, konnte er ein paar Tropfen Regen in Kauf nehmen.

Le Gallez bemerkte ihn, als er in den Hof des Polizeipräsidiums trat, und blieb neben der offenen Tür seines Escort stehen. Hinten im Wagen waren zwei Kindersitze, leer. »Zwillinge«, sagte Le Gallez, als St. James sie musterte. »Acht Monate.« Als fürchtete er, mit diesen Bemerkungen ungewollt den Eindruck einer Verbundenheit mit St. James zu erwecken, die er gar nicht empfand, sprach er gleich weiter. »Haben Sie ihn?«

»Ja, ich habe ihn.« St. James berichtete alles, was er von Deborah zu dem Ring wusste, und schloss mit den Worten: »China River erinnert sich nicht, wo sie ihn zuletzt hingetan hat. Sie sagt, wenn der Ring nicht der ist, den sie gekauft hat, müsste ihrer bei den Sachen sein, die bei Ihnen liegen.«

Le Gallez verlangte nicht gleich, den Ring zu sehen. Er schlug die Autotür zu, sagte: »Kommen Sie mit«, und ging wieder ins Präsidium hinein.

St. James folgte ihm nach oben in einen kleinen Raum, der

offenbar als forensisches Labor diente. Schwarz-Weiß-Fotografien von Fußabdrücken hingen von lose gespannten Leinen vor einer Wand herab, und darunter stand das einfache Gerät zur Sicherung latenter Fingerabdrücke mit Hilfe von Zyanoacrylat. Daneben war eine mit der Aufschrift *Dunkelkammer* gekennzeichnete Tür, über der zum Zeichen, dass dahinter gearbeitet wurde, ein rotes Licht brannte. Le Gallez klopfte dreimal kräftig an diese Tür, blaffte: »Abdrücke, McQuinn« und sagte: »Her damit« zu St. James.

St. James gab ihm den Ring. Le Gallez füllte das erforderliche Formular aus und war gerade dabei, es mit schwungvollem Schnörkel zu unterzeichnen, als McQuinn aus der Dunkelkammer trat. Das Beweisstück aus der Bucht, in der Guy Brouard umgekommen war, wurde ohne weiteren Verzug einer Untersuchung mit allen Schikanen unterworfen.

Le Gallez überließ McQuinn seinen giftigen Dämpfen und führte St. James in die Asservatenkammer, wo er vom zuständigen Beamten die Liste mit China Rivers Besitztümern verlangte. Nachdem er sie durchgesehen hatte, meldete er, was St. James schon zu vermuten begonnen hatte: Es war kein Ring unter den Sachen, die die Polizei China River abgenommen hatte.

Eigentlich, fand St. James, hätte Le Gallez darüber höchst zufrieden sein müssen. Diese Erkenntnis war schließlich ein weiterer Nagel in China Rivers Sarg. Aber das Gesicht des Chief Inspector spiegelte statt Genugtuung eher Unmut. Er sah aus, als hätte er ein Stück zu einem Puzzle gefunden, das nicht passte.

Er sah St. James an und prüfte noch einmal die Liste. Der für die Asservatenkammer zuständige Beamte sagte: »Nichts da, Lou. Da war nichts, und da ist nichts. Ich hab alles noch mal genau durchgeschaut. Eindeutig nichts.«

Dem entnahm St. James, dass Le Gallez in der Liste nicht nur nach einem Ring suchte. Es gab offenbar noch etwas anderes, wovon der Chief Inspector ihm bei ihrem früheren Gespräch nichts gesagt hatte. Dieser musterte jetzt St. James, als überlegte er, wie viel er ihm verraten sollte. Beinahe lautlos sagte er: »Verdammt«, und dann: »Kommen Sie mit.«

Sie gingen in sein Büro, wo er die Tür zuschlug und auf einen Sessel deutete, bevor er sich in seinen Schreibtischsessel fallen ließ und zum Telefon griff. Er gab eine Nummer ein, und als er die gewünschte Verbindung hatte, sagte er: »Le Gallez hier. Habt ihr was? ... Mist! Dann sucht weiter. Von oben bis unten. Ganz gleich, wie lang ihr braucht ... Ja, verdammt noch mal, ich *weiß*, wie viele Leute da inzwischen rumpfuschen konnten, Rosumek. Ob Sie's glauben oder nicht, wenn man meinen Dienstgrad erreichen will, muss man nachweisen, dass man zählen kann. Also, machen Sie weiter.« Er legte auf.

»Sie führen eine Durchsuchung durch?«, fragte St. James. »Wo? In *Le Reposoir*?« Er wartete nicht auf Bestätigung. »Aber wenn es um den Ring ginge, hätten Sie sie jetzt abgeblasen.« Er ließ sich das durch den Kopf gehen. Für ihn ergab sich daraus nur eine Schlussfolgerung. »Sie haben einen Bericht aus England erhalten, vermute ich. Ist der Obduktionsbefund Anlass zu dieser Durchsuchung?«

»Ihnen kann man nicht so leicht was vormachen, wie?« Le Gallez griff nach einem Hefter und entnahm ihm mehrere zusammengeheftete Blätter. Er warf nicht einen Blick darauf, während er St. James ins Bild setzte. »Der toxikologische Befund«, sagte er.

»War etwas Unerwartetes im Blut?«

»Ein Opiat.«

»Zum Zeitpunkt des Todes? Und was sagt das Labor? War er bewusstlos, als er erstickte?«

»Sieht so aus.«

»Aber das kann nur heißen –«

»Dass es noch nicht vorbei ist.« Le Gallez' Ton klang nicht erfreut. Kein Wunder. Wenn die Beweisführung der Polizei Hand und Fuß haben sollte, musste nun, in Anbetracht dieser neuen Information, nachgewiesen werden, dass entweder das Opfer oder die Hauptverdächtige mit Opium oder einem seiner Derivate zu tun gehabt hatte. Gelang das nicht, so fiel Le Gallez' ganze Argumentation gegen China River in sich zusammen.

»Wissen Sie schon, wie es in sein Blut gelangt ist?«, fragte

St. James. »Kann es sein, dass er das Zeug mehr oder weniger regelmäßig genommen hat?«

»Was? Dass er sich vor dem Schwimmen einen Schuss gesetzt hat? Oder morgens erst mal die örtliche Opiumhöhle unsicher gemacht hat? Wohl kaum, wenn er nicht ertrinken wollte.«

»Keine Einstiche an den Armen?«

Le Gallez warf ihm einen Blick zu, als wollte er sagen: Halten Sie uns für komplette Idioten?

»Könnten es Rückstände vom vorangegangenen Abend gewesen sein? Sie haben Recht, es ist absurd, anzunehmen, er hätte vor dem Schwimmen ein Narkotikum genommen.«

»Ich halte es für absurd, anzunehmen, dass er überhaupt solches Zeug genommen hat.«

»Dann müsste es ihm an dem Morgen ein anderer zugeführt haben. Wie?«

Le Gallez schien sich unbehaglich zu fühlen. Er warf die Unterlagen wieder auf seinen Schreibtisch. »Der Mann ist an dem Stein erstickt«, sagte er. »Ganz gleich, was er im Blut hatte, an der Todesursache ändert sich nichts. Er ist an dem Stein erstickt. Das wollen wir mal nicht vergessen.«

»Aber wenigstens können wir uns jetzt vorstellen, wie der Stein in seine Kehle gekommen ist. Wenn man ihn betäubt hat und er bewusstlos war, dürfte es nicht allzu schwierig gewesen sein, ihm den Stein in den Hals zu drücken und ihn ersticken zu lassen. Die einzige Frage wäre, wie hat man ihm die Droge verabreicht? Er hätte sich nicht seelenruhig eine Spritze geben lassen. War er Diabetiker? Dass man sein Insulin mit der Droge hätte vertauschen können? Nein? Dann muss er – hm? Was? Hat er das Mittel in einer Lösung getrunken?«

St. James bemerkte, wie Le Gallez' Augen sich kaum wahrnehmbar zusammenzogen. »Sie glauben also, er hat das Mittel getrunken«, sagte St. James und begriff plötzlich, warum der Detective trotz der Geschichte mit dem nicht abgelieferten Ring ihn auf einmal so bereitwillig an seinen neuen Erkenntnissen teilhaben ließ. Es war eine Form des Quid pro quo, eine stillschweigende Entschuldigung für Grobheit und Unbeherrschtheit, und eine Anerkennung dafür, dass St. James sich zurückgehalten hatte, ihm wegen seiner Ermittlungsarbeit die Hölle heiß zu machen. St. James bedachte das kurz, dann sagte er, sich wieder dem Fall zuwendend: »Sie müssen irgendetwas am Tatort unbeachtet gelassen haben, irgendetwas harmlos Aussehendes.«

»Wir haben es nicht unbeachtet gelassen«, entgegnete Le Gallez. »Es ist genauso untersucht worden wie alles andere.«

»Was denn?«

»Brouards Thermosflasche. Mit seiner täglichen Dosis Grüntee und Ginkgo. Jeden Morgen hat er das Gebräu getrunken.«

»Am Strand, meinen Sie?«

»Ja, am gottverdammten Strand. Er war ganz fanatisch mit dem Zeug. Da muss ihm das Mittel reingemischt worden sein.«

»Aber Sie haben bei der Untersuchung der Flasche keine Spur davon gefunden?«

»Nur Salzwasser. Wir nahmen an, Brouard hätte sie ausgespült.«

»Irgendjemand hat das ganz sicher getan. Wer hat Brouard gefunden?«

»Duffy. Der ist zum Strand runtergelaufen, weil Brouard nicht nach Hause gekommen war und die Schwester angerufen hatte, um zu fragen, ob er auf eine Tasse Tee im Verwalterhaus vorbeigegangen wäre. Er findet ihn, tot, kalt wie ein Fisch, und rennt wieder rauf, um die Sanitäter anzurufen, weil's ihm nach einem Herzinfarkt ausschaut. Ganz verständlich, Brouard ist schließlich fast siebzig.«

»Und bei dem ganzen Hin und Her könnte Duffy die Thermosflasche ausgespült haben.«

»Könnte, ja. Aber wenn er Brouard umgebracht hat, dann entweder mit Hilfe seiner Frau oder mit ihrem Wissen, und in dem Fall ist sie die beste Lügnerin, die mir auf der Insel je untergekommen ist. Sie sagt, er sei oben gewesen und sie selbst in der Küche, als Brouard zum Schwimmen ging. Er – Duffy – habe das Haus überhaupt nicht verlassen, sagt sie, bevor er zum Strand runterlief, um nach Brouard zu schauen. Ich glaube ihr.«

St. James blickte zum Telefon und dachte an Le Gallez' Anruf, der verraten hatte, dass eine Durchsuchung stattfand. »Hm, wenn Sie nicht nach einem Hinweis suchen, wie er an dem fraglichen Morgen betäubt wurde – wenn Sie schon sicher sind, dass das Mittel in der Thermosflasche war –, dann suchen sie wohl nach dem Behältnis, in dem das Opiat bis zu seiner Verwendung aufbewahrt wurde – in dem man es nach *Le Reposoir* gebracht hatte.«

»Wenn es in den Tee gemischt wurde«, sagte Le Gallez, »und etwas anderes halte ich kaum für möglich, dann lässt das auf eine Flüssigkeit schließen. Oder ein lösliches Pulver.«

»Was wiederum nahe legt, dass es in einem Fläschchen oder Röhrchen aufbewahrt wurde, irgendeinem Behältnis – auf dem sich hoffentlich Fingerabdrücke befinden.«

»Und das weiß Gott wo sein kann«, fügte Le Gallez hinzu.

St. James sah das Problem, vor dem der Chief Inspector stand: Nicht nur hatte er ein Riesengelände zu durchsuchen, er hatte plötzlich auch mehrere hundert Verdächtige – alle Gäste, die am Vorabend von Brouards Tod in *Le Reposoir* gefeiert hatten und von denen jeder mit Mordgedanken gekommen sein konnte. Denn auch wenn man China Rivers Haar an dem Toten gefunden hatte, wenn Zeugen einen morgendlichen Verfolger in China Rivers Cape gesehen haben wollten, wenn der verdächtige Totenkopfring, der in der Bucht gefunden worden war, von China Rivers selbst gekauft worden war, kündete das von Brouard eingenommene Betäubungsmittel laut und deutlich von einer Geschichte, die Le Gallez jetzt nicht mehr ignorieren konnte.

Er würde ganz schön zu beißen haben an dem Dilemma, in dem er sich befand: Bis zu diesem Augenblick hatten alle seine Erkenntnisse auf China River als Mörderin hingewiesen, die Entdeckung der Opiatspuren in Brouards Blut jedoch sprach von Vorsatz und Planung, und das stand in direktem Konflikt zu der Tatsache, dass sie Brouard erst nach ihrer Ankunft auf der Insel kennen gelernt hatte.

»Wenn die River es getan hat«, sagte St. James, »müsste sie das Mittel aus den Staaten mitgebracht haben. Sie hätte nicht hoffen können, es hier in Guernsey zu erhalten. Sie hatte die hiesigen

Verhältnisse nicht gekannt: wie groß die Stadt ist, wo man hier Drogen kaufen kann. Und selbst wenn sie sich darauf verlassen hätte, hier etwas zu bekommen, und es ihr gelang, indem sie herumfragte, bis sie eine Quelle fand, bleibt immer noch die Frage, warum. Warum hat sie es getan?«

»Unter ihren Sachen ist nichts, was zur Beförderung des Zeugs gedient haben könnte«, sagte Le Gallez, als hätte St. James nicht gerade ein signifikantes Argument vorgetragen. »Keine Flasche, kein Glas, kein Röhrchen, nichts. Das lässt vermuten, dass sie das Behältnis weggeworfen hat. Wenn wir es finden – falls wir es finden –, werden sich Rückstände feststellen lassen. Oder Fingerabdrücke. Und wenn es nur einer ist. Kein Mensch denkt an alles, wenn er tötet. Er bildet es sich vielleicht ein. Aber einen anderen zu töten, fällt keinem leicht, außer vielleicht einem Psychopathen. Da flattern die Nerven, und man vergisst schon mal was. Nur eine Kleinigkeit. Irgendwo.«

»Aber es bleibt weiterhin die Frage nach dem Motiv«, beharrte St. James. »China River hat kein Motiv. Sie hat von seinem Tod keinen Nutzen.«

»Wenn ich den Behälter mit ihren Abdrücken darauf finde, ist das nicht mein Problem«, gab Le Gallez zurück.

Diese Bemerkung spiegelte Polizeiarbeit in ihrer schlimmsten Form: die verwerfliche Neigung, zuerst Schuld zuzuweisen und dann die Fakten so zu interpretieren, dass sie passten. Die Polizei von Guernsey hatte zwar eine Anzahl von Beweisstücken – einen Umhang, Haare an der Kleidung des Toten, Augenzeugenaussagen, denen zufolge jemand Guy Brouard zur Bucht hinuntergefolgt war, und nun auch noch einen Ring der Hauptverdächtigen, der am Tatort gefunden worden war. Aber sie verfügte jetzt über neue Erkenntnisse, die sie hätten veranlassen müssen, den ganzen Fall neu aufzurollen. Aber dazu war sie offenbar nicht bereit. Kein Wunder, dass bei solchen Verhältnissen immer wieder Unschuldige ins Gefängnis wanderten und das Vertrauen der Öffentlichkeit in den Rechtsstaat Zynismus gewichen war.

»Inspector Le Gallez«, begann St. James vorsichtig, »auf der einen Seite haben wir einen Multimillionär, der ermordet wurde, und eine Verdächtige, die von seinem Tod nicht profitiert. Auf der anderen Seite wissen wir von Personen in seiner Umgebung, die höchstwahrscheinlich eine beträchtliche Erbschaft erwarteten. Da wäre einmal der Sohn, der praktisch enterbt wurde; zwei mit dem Toten nicht verwandte Jugendliche, die ein kleines Vermögen erhalten; und mehrere Personen mit enttäuschten Hoffnungen, die sie sich offenbar in Zusammenhang mit Plänen Brouards, ein Museum zu errichten, gemacht hatten. Da purzeln doch die Mordmotive nur so! Sie außer Acht zu lassen, weil –«

»Er war in Kalifornien. Er wird ihr dort begegnet sein. Das Motiv wurzelt in dieser Zeit.«

»Aber die anderen Personen haben Sie gar nicht überprüft, nicht wahr?«

»Keiner von ihnen war in Kal –«

»Ich spreche nicht von Reisen nach Kalifornien«, unterbrach St. James. »Ich spreche von dem Morgen, an dem der Mord verübt wurde. Haben Sie überprüft, wo sich da die anderen Personen aufhielten? Adrian Brouard, die Leute, die mit dem Museum zu tun hatten, die Jugendlichen, Angehörige von ihnen, die vielleicht dringend Geld brauchten, andere Bekannte von Brouard, seine Geliebte und deren Kinder?«

Le Gallez schwieg, und das war Antwort genug.

St. James ließ nicht locker. »China River war im Haus, das ist wahr. Und es kann auch sein, dass sie Brouard in Kalifornien begegnet ist, das wird sich noch zeigen. Vielleicht ist auch ihr Bruder ihm begegnet und hat die beiden miteinander bekannt gemacht. Aber jetzt mal von dieser Verbindung abgesehen, die vielleicht gar nicht existiert: Verhält China River sich wie eine Mörderin? Hat sie sich irgendwann einmal so verhalten? Sie hat nicht versucht, möglichst schnell von der Bildfläche zu verschwinden, sondern ist am fraglichen Morgen genau nach Plan mit ihrem Bruder abgereist. Sie hat sich auch nicht die Mühe gemacht, ihre Spur zu verwischen. Sie hatte von Brouards Tod keinerlei Nutzen. Sie hatte keinen Grund, ihm nach dem Leben zu trachten.«

»Soweit wir wissen«, warf Le Gallez ein.

»Richtig«, stimmte St. James zu. »Aber ihr die Tat aufgrund von Beweisen anzulasten, die ihr jeder hätte unterschieben können... Sie müssen sich doch im Klaren darüber sein, dass China Rivers Anwalt Sie vor Gericht in der Luft zerreißen wird.«

»Das glaube ich nicht«, entgegnete Le Gallez unerschüttert. »Wo Rauch ist, ist auch Feuer.«

»Sie bleiben also dabei.«

»Bis wir diesen Behälter aufstöbern. Dann sehen wir weiter.«

# 15

Paul Fielder wurde gewöhnlich vom Klingeln seines Weckers wach, eines alten schwarzen Blechdings, das er jeden Abend gewissenhaft aufzog und einstellte, denn es konnte immer sein, dass tagsüber einer seiner kleinen Brüder daran herumgespielt hatte. Doch an diesem Morgen weckte ihn das Klingeln des Telefons, gefolgt von polternden Schritten auf der Treppe nach oben. Er kannte diesen Schritt und schloss rasch die Augen, für den unwahrscheinlichen Fall, dass Billy zu ihm ins Zimmer kommen würde. Warum sein Bruder überhaupt so früh auf war, war Paul ein Rätsel, es sei denn, er war in der vergangenen Nacht gar nicht schlafen gegangen. Das kam vor. Manchmal blieb Billy im Wohnzimmer vor dem Fernseher sitzen, bis es nichts mehr zu sehen gab, und dann rauchte er und hörte Platten auf der alten Stereoanlage ihrer Eltern. Die Musik war immer laut, aber keiner sagte ihm, er solle sie leiser machen, damit die anderen schlafen konnten. Die Zeiten, als noch jemand gewagt hatte, Billy etwas zu sagen, waren längst vorbei.

Die Tür zu seinem Zimmer flog krachend auf, und Paul kniff die Augen noch fester zu. Sein jüngster Bruder, der auf der anderen Seite des kleinen Zimmers schlief, schrie erschrocken auf, und einen Augenblick lang empfand Paul, der glaubte, Billy habe sich ein anderes Opfer gesucht, schuldbewusste Erleichterung.

Aber gleich stellte sich heraus, dass der Aufschrei nur ein Ausdruck von Überraschung gewesen war; im nächsten Moment nämlich bekam Paul einen Schlag auf die Schulter, und Billy sagte: »Hey, Blödmann, steh auf. Glaubst du vielleicht, ich weiß nicht, dass du nur so tust? Los, raus aus der Kiste. Du kriegst Besuch.«

Paul hielt die Augen fest geschlossen, und vielleicht veranlasste das Billy dazu, ihn bei den Haaren zu packen und seinen Kopf hochzuziehen. Er blies Paul seinen schalen Morgenatem ins Gesicht und sagte: »Möchtest du 'nen Kuss haben, du kleiner Wichser? Damit du wach wirst? Du lässt dir's lieber von Kerlen machen, stimmt's?« Er schüttelte Pauls Kopf hin und her und ließ ihn wieder aufs Kissen hinunterfallen. »Du bist ein lahmer Hund. Wahrscheinlich hast du gerade einen Ständer und weißt nicht, wo du'n hintun sollst. Schauen wir mal nach.«

Paul spürte die Hände seines Bruders auf der Decke und reagierte. Er hatte tatsächlich einen Ständer, er hatte morgens immer einen, und Gesprächen, die er im Sportunterricht mitbekommen hatte, hatte er entnommen, dass das ganz normal war. Er war unheimlich erleichtert gewesen, weil er schon angefangen hatte, sich Gedanken darüber zu machen, warum er jeden Morgen mit einem Senkrechtstarter aufwachte.

Mit einem Schrei, der dem seines kleinen Bruders nicht unähnlich war, hielt er seine Decke fest. Als er merkte, dass Billy siegen würde, sprang er aus dem Bett und stürzte ins Bad. Er schlug die Tür zu und sperrte ab. Billy trommelte dagegen.

»Und jetzt holt er sich einen runter!«, schrie er lachend. »Aber ohne Hilfe macht's lang nicht so viel Spaß, was? Wichsen auf Gegenseitigkeit ist lustiger, hm?«

Paul drehte die Badewannenhähne auf und betätigte die Toilettenspülung. Nur um Billy nicht hören zu müssen.

Aber trotz des Wasserrauschens hörte er jetzt andere Stimmen vor der Tür, die nach ihm riefen, dazu Billys irres Gelächter und Klopfen an der Tür, das nicht so gewalttätig war, aber hartnäckig. Er drehte das Wasser ab und vernahm die Stimme seines Vaters.

»Mach auf, Paulie. Wir müssen mit dir reden.«

Paul machte auf. Sein Vater, schon für die Arbeit auf der Baustelle gekleidet, hatte eine schmutzverkrustete Jeans an, schlammverschmierte Stiefel und ein dickes Flanellhemd, das säuerlich nach Schweiß roch. Er hätte seine Metzgertracht anhaben sollen, dachte Paul und wurde so traurig bei dem Gedanken, dass es ihm die Kehle zuschnürte. Er hätte den sauberen weißen Kittel anhaben sollen und die weiße Schürze über der Hose, die jeden Tag frisch war. Er hätte auf dem Weg zu dem Arbeitsplatz sein sollen, wo er jeden Tag gestanden hatte, so lange Paul zurückdenken konnte. Auf dem Weg zu seinem eigenen Stand im hinteren Teil der Halle, wo jetzt niemand mehr arbeitete, weil alles, was dort einmal gewesen war, für immer verschwunden war.

Paul hätte seinem Vater am liebsten die Tür vor der Nase zugeschlagen, um die schmutzigen Kleider und das unrasierte Gesicht nicht sehen zu müssen. Niemals wäre sein Vater früher so herumgelaufen. Aber bevor er das tun konnte, erschien nun auch seine Mutter, begleitet vom Geruch des gebratenen Schinkens, der zum täglichen Frühstück seines Vaters gehörte. Sie bestand darauf, ihm jeden Morgen eine umfangreiche Mahlzeit zu bereiten, um ihn bei Kräften zu halten.

»Zieh dich an, Paulie«, sagte sie über die Schulter ihres Mannes hinweg. »Nachher kommt ein Rechtsanwalt zu dir.«

»Hast du eine Ahnung, was das zu bedeuten hat, Paul?«, fragte sein Vater.

Paul schüttelte den Kopf. Ein Rechtsanwalt? Zu ihm? Das musste ein Irrtum sein.

»Gehst du auch zur Schule, wie sich's gehört?«, fragte sein Vater.

Paul nickte ohne Gewissensbisse. Er war immer zur Schule gegangen, wie es sich gehörte, wenn nicht gerade was dazwischen gekommen war. Mr. Guy, zum Beispiel, und das, was passiert war. In einer riesigen Welle kehrte der Schmerz zurück.

Seine Mutter schien es zu sehen. Sie griff in die Tasche ihres gesteppten Morgenrocks und nahm ein Papiertuch heraus, das sie Paul in die Hand drückte. »Beeil dich, Schatz«, sagte sie, und zu ihrem Mann: »Ol, komm frühstücken.« Als sie hinausgingen, um Paul seinen Vorbereitungen auf den unerwarteten Besuch zu überlassen, fügte sie hinzu: »Er ist runtergegangen.« Wie zur Bestätigung ihrer Worte begann unten der Fernsehapparat zu dröhnen. Billy hatte einen anderen Zeitvertreib gefunden.

Allein, machte Paul sich zurecht, so gut es ging. Er wusch sich das Gesicht und die Achselhöhlen. Er zog die Sachen an, die er am Vortag getragen hatte. Er putzte sich die Zähne und kämmte sein Haar. Er betrachtete sich im Spiegel und machte sich seine Gedanken. Was konnte das bedeuten? Die Frau, das Buch, die Kirche und die Arbeiter. Sie hielt einen Federkiel in der Hand, und der wies auf etwas hin: die Spitze zum Buch und die Fahne zum Himmel. Aber was hatte das zu bedeuten? Vielleicht gar nichts, aber das konnte er nicht glauben.

Kannst du ein Geheimnis bewahren, mein Prinz?

Er ging nach unten, wo sein Vater beim Frühstück saß und Bill – das Fernsehen vergessend – auf einem Stuhl lümmelte, die Füße auf dem Abfalleimer, und rauchte. Neben sich hatte er eine Tasse Tee, die er grinsend zum Gruß hob, als Paul hereinkam. »Na, gut gewichst, Paulie? Ich hoffe, du hast die Brille sauber gemacht.«

»Schluss jetzt«, sagte Ol Fielder zu seinem älteren Sohn.

»Huhu, hab ich eine Angst«, höhnte Billy.

»Eier, Paulie?«, fragte seine Mutter. »Magst du sie lieber gebraten oder gekocht?«

»Die letzte Mahlzeit, bevor er abgeholt wird«, sagte Billy. »Wenn du dir im Knast einen runterholst, wollen die Jungs alle was davon haben, Paulie.«

Das Quäken des jüngsten Fielder-Sprösslings aus dem Korridor unterbrach das Gespräch. Mave Fielder drückte ihrem Mann die Bratpfanne in die Hand, bat ihn, auf die Eier zu achten, und machte sich auf die Suche nach ihrer einzigen Tochter. Als sie mit dem Kind auf ihrer Hüfte in die Küche zurückkehrte, hatte sie alle Hände voll zu tun, sie zu beruhigen.

Draußen klingelte es, als die beiden jüngeren Söhne des Hauses die Treppe herunterstürmten und sich auf ihre Plätze am

Frühstückstisch warfen. Ol Fielder ging hinaus, um aufzumachen, und rief Paul gleich darauf ins Wohnzimmer. »Komm auch mit rüber, Mave«, rief er seiner Frau zu, was Billy als Anlass nahm, zu folgen.

An der Tür zögerte Paul. Er wusste nicht viel über Rechtsanwälte, und das, was er wusste, war nicht ermutigend. Sie machten bei Prozessen vor Gericht mit, und ein Prozess hieß immer, dass jemand in Schwierigkeiten war. Also, vielleicht war er jetzt in Schwierigkeiten.

Der Rechtsanwalt hieß Forrest und sah einigermaßen ratlos bald Billy bald Paul an, offensichtlich unsicher, wer wer war. Billy löste das Problem, indem er Paul einen Schubs nach vorn gab und sagte: »Das ist der, den Sie suchen. Was hat er angestellt?«

Ole Fielder stellte die ganze Familie vor. Mr. Forrest sah sich nach einer Sitzgelegenheit um. Mave Fielder nahm einen Stapel frisch gewaschene Wäsche vom größten Sessel und sagte: »Bitte, nehmen Sie Platz«, obwohl sie selbst stehen blieb. Keiner wusste so recht, was er tun sollte. Füße scharrten, ein Magen knurrte, und die Kleine strampelte auf dem Arm ihrer Mutter.

Mr. Forrest hatte ein Aktenköfferchen bei sich, das er auf einem Hocker mit Kunststoffbezug ablegte. Er setzte sich nicht, weil sonst niemand saß. Nachdem er einen Moment in irgendwelchen Papieren herumgesucht hatte, räusperte er sich.

Paul, teilte er den Eltern und dem älteren Bruder mit, sei einer der Haupterben des verstorbenen Guy Brouard. Ob die Fielders mit dem geltenden Erbrecht vertraut seien? Nein? Nun, er würde es ihnen erklären.

Paul hörte zu, aber er verstand nicht viel. Nur die Gesichter seiner Eltern und Billys »Wie? Was? Scheiße, Mann!«, verrieten ihm, dass etwas Außergewöhnliches im Gange war. Aber dass es ihn selbst betraf, wurde ihm erst klar, als seine Mutter fassungslos rief: »Unser Paulie? Er wird ein reicher Mann?«

»Scheiße, Mann«, sagte Billy wieder und wandte sich seinem jüngeren Bruder zu. Er hätte wahrscheinlich noch mehr gesagt, aber da fing Mr. Forrest an, den Erben, um dessentwillen er gekommen war, als »unser junger Mr. Paul«, zu bezeichnen, und das schien Billy irgendwie tief zu treffen. Er stieß Paul auf die Seite und rannte aus dem Zimmer, und gleich darauf wurde die Haustür mit einem solchen Knall zugeschlagen, dass eine Druckwelle durchs Zimmer zu schießen schien.

Sein Vater sah Paul lächelnd an und sagte: »Das sind ja tolle Neuigkeiten. Meinen Glückwunsch, Junge.«

Seine Mutter murmelte: »Heiliger Jesus, guter Gott.«

Mr. Forrest sagte irgendwas von Buchprüfern und dass man die genauen Beträge noch feststellen müsse, um ausrechnen zu können, wer wie viel bekomme. Er nannte die Kinder von Mr. Guy und Henry Moullins Tochter Cyn und erklärte, wie Mr. Guy sein Vermögen aufgeteilt hatte und warum, und sagte zu Paul, wenn er finanzielle Beratung über Kapitalanlagen, Versicherungen, Bankkredite und dergleichen brauche, könne er Mr. Forrest jederzeit anrufen, er würde sich freuen, ihm behilflich zu sein. Damit nahm er seine Karten heraus, drückte eine Paul in die Hand und eine zweite Pauls Vater. Sie sollten ihn anrufen, wenn sie Fragen hätten, sagte er. Denn Fragen würde es sicher geben. Das sei in solchen Fällen immer so, versicherte er lächelnd.

Mave Fielder stellte gleich die Erste. Sie befeuchtete ihre trockenen Lippen, warf ihrem Mann einen nervösen Blick zu und zog das Kind auf ihrer Hüfte höher. »Wie viel ...?«, fragte sie.

Ah ja, sagte Mr. Forrest. Das wüssten sie eben noch nicht genau. Zunächst müssten Bankauszüge, Wertpapierabrechnungen und unbezahlte Rechnungen geprüft werden – ein vereidigter Wirtschaftsprüfer sitze bereits an der Arbeit –, danach erst lasse sich der korrekte Betrag feststellen. Aber er sei bereit, eine Vermutung zu wagen – sie sollten sich auf diese Schätzung allerdings lieber nicht verlassen und keinesfalls in Erwartung des genannten Betrags irgendwelche Ausgaben tätigen, fügte er hastig hinzu.

»Willst du es denn wissen, Paulie?«, fragte sein Vater. »Oder möchtest du lieber warten, bis der genaue Betrag feststeht?«

»Ich denke mir, er möchte es gleich wissen«, sagte Mave Fielder. »Ich würde es jedenfalls wissen wollen, du nicht, Ol?«

»Paul soll selbst entscheiden. Wie sieht's aus, mein Junge?«

Paul sah in ihre strahlenden Gesichter. Er wusste, was für eine Antwort von ihm erwartet wurde. Und er wollte sie geben, weil er wusste, was es für sie bedeuten würde, die gute Nachricht zu hören. Darum nickte er einmal kurz mit dem Kopf und bestätigte damit das Geschenk einer Zukunft voller Möglichkeiten, wie sie sie in ihren kühnsten Träumen nicht erwartet hatten.

Mit absoluter Gewissheit könne man es natürlich erst sagen, wenn die Buchprüfungen abgeschlossen seien, erklärte Mr. Forrest, aber da Mr. Brouard ein hervorragender Geschäftsmann gewesen sei, könne man davon ausgehen, dass Paul Fielders Anteil am Nachlass sich auf um die siebenhunderttausend Pfund belaufen werde.

»Heiliger Herr im Himmel!«, hauchte Mave Fielder.

»Siebenhundert…« Ol Fielder schüttelte den Kopf, als könnte er es nicht glauben. Dann erhellte sich sein Gesicht – das so lange von der Traurigkeit eines gebrochenen Mannes verdüstert gewesen war – mit einem unauslöschbaren Lächeln. »Siebenhunderttausend Pfund? Siebenhundert…! Stell dir das vor, Paulie, mein Junge. Stell dir vor, was du damit anfangen kannst.«

Paul sprach lautlos das Wort siebenhunderttausend, aber es war ihm unverständlich. Er fühlte sich gefangen und überwältigt von plötzlichem Pflichtbewusstsein.

*Stell dir vor, was du damit anfangen kannst.*

Das erinnerte ihn an Mr. Guy und die Worte, die er gesprochen hatte, als sie ganz oben auf dem Dach des Herrenhauses von *Le Reposoir* gestanden und auf Bäume und Gärten in ihrer Frühlingsschönheit hinausgeblickt hatten.

Wem viel gegeben wird, von dem wird noch mehr erwartet, mein Prinz. Das zu wissen, hält das Leben im Gleichgewicht. Aber danach zu leben, das ist die wahre Kunst. Könntest du es, mein Junge, wenn du in der entsprechenden Position wärst? Wie würdest du es anfangen?

Paul wusste es nicht. Er hatte es damals nicht gewusst, und er wusste es heute nicht. Aber er hatte eine Ahnung. Mr. Guy hatte sie ihm gegeben. Nicht direkt, Mr. Guy tat nichts auf direktem Weg, wie Paul gelernt hatte. Aber er hatte sie trotzdem.

Er ging, während seine Eltern und Mr. Forrest über seine wunderbare Erbschaft sprachen. Er kehrte in sein Zimmer zurück, wo unter dem Bett sein Rucksack lag. Er kniete nieder – Gesäß in die Höhe, Hände auf den Boden –, um ihn herauszuziehen, da hörte er das Klick-Klack von Taboos Krallen auf dem Linoleum im Flur. Schnuppernd kam der Hund zu ihm herein.

Das erinnerte Paul daran, die Tür zu schließen, sicherheitshalber schob er gleich noch eine der beiden Kommoden im Zimmer davor. Taboo sprang auf sein Bett, drehte sich ein paar Mal im Kreis, um die Stelle zu finden, die am intensivsten nach Paul roch, und ließ sich zufrieden nieder, als er sie gefunden hatte. Aufmerksam beobachtete er seinen Herrn, wie dieser den Rucksack hervorzog, den Staub abwischte und die Plastikschnallen öffnete.

Paul setzte sich neben den Hund, der den Kopf auf seinen Oberschenkel legte. Paul wusste, dass das eine Aufforderung war, ihm die Ohren zu kraulen, und er tat es, aber nur kurz. Heute Morgen gingen andere Dinge vor Er wusste nicht, was er von seinem Fund halten sollte. Als er die Rolle das erste Mal ausgebreitet hatte, hatte er sofort gesehen, dass es keine Schatzgräberkarte war, wie er sie erwartet hatte, aber ihm war auch klar gewesen, dass es dennoch eine Karte war, wenn auch anderer Art. Etwas anderes hätte Mr. Guy ihm nicht dorthin gelegt. Während er seinen Fund betrachtete, erinnerte er sich, dass Mr. Guy häufig in Rätseln gesprochen hatte: eine Ente, zum Beispiel, die von der übrigen Schar ausgeschlossen wurde, stand für Paul und seine Schulkameraden; ein Auto, das Wolken giftiger schwarzer Abgase in die Luft blies, stand für einen menschlichen Körper, der durch ungesundes Essen, Zigaretten und mangelnde Bewegung rettungslos verseucht war. Das war Mr. Guys Art, weil er niemandem predigen wollte. Paul hatte jedoch nicht vorausgesehen, dass Mr. Guys Art des hilfreichen Gesprächs sich auch auf Botschaften nach seinem Tod erstrecken könnte.

Die Frau hielt einen Gänsekiel. Es war doch ein Gänsekiel? Und sie hatte ein aufgeschlagenes Buch auf dem Schoß. Hinter ihr erhob sich ein großes und mächtiges Bauwerk, zu dessen Füßen Arbeiter zu erkennen waren, die an ihm bauten. Paul fand, es sähe wie eine Kathedrale aus. Und die Frau sah aus... Er konnte es nicht sagen. Niedergeschlagen, vielleicht. Unendlich traurig. Sie schrieb in das Buch, als zeichnete sie etwas auf... Aber was? Ihre Gedanken? Über die Arbeit, die hinter ihr getan wurde? *Was* wurde denn da getan? Ein Gebäude wurde errichtet. Eine Frau mit einem Buch und einem Federkiel und ein Gebäude, das gerade im Bau war, und das alles eine letzte Botschaft für Paul von Mr. Guy.

Du weißt viele Dinge, von denen du glaubst, sie nicht zu wissen, mein Sohn. Du kannst alles, was du willst.

Aber das hier? Was sollte er *damit* anfangen? Die einzigen Gebäude, die Paul im Zusammenhang mit Mr. Guy einfielen, waren seine Hotels, sein Haus in *Le Reposoir* und das Museum, das er und Mr. Ouseley geplant hatten. Die einzigen Frauen in Mr. Guys Leben, von denen Paul wusste, waren Anaïs Abbott und Mr. Guys Schwester. Es schien unwahrscheinlich, dass die Botschaft, die Mr. Guy ihm übermitteln wollte, mit Anaïs Abbott zu tun hatte. Und noch unwahrscheinlicher, dass Mr. Guy ihm eine geheime Botschaft über eines seiner Hotels oder sein Haus hatte hinterlassen wollen. Blieben Mr. Guys Schwester und Mr. Ouseleys Museum als Kern der Botschaft. Ja, das musste es sein.

Vielleicht bedeutete das Buch auf dem Schoß der Frau, dass sie über den Bau des Museums Buch führte. Und dass Mr. Guy gerade ihm diese Botschaft hinterlassen hatte – wo er sie doch jedem anderen hätte zukommen lassen können –, hieß, dass sie Mr. Guys Anweisungen für die Zukunft enthielt. Seine Erbschaft von Mr. Guy passte mit der Botschaft zusammen: Ruth Brouard würde das Projekt weiterführen, aber den Bau bezahlen würde Pauls Geld.

So musste es sein. Paul wusste es. Aber vor allem fühlte er es. Und Mr. Guy hatte mit ihm oft über Gefühle gesprochen.

Vertrau auf das Innere, mein Junge, dort liegt die Wahrheit.

Mit freudiger Erschütterung erkannte er, dass *das Innere* mehr einschloss als das Innere des Herzens und der Seele. Es bezog sich auch auf das Innere des Dolmen. Er sollte dem vertrauen, was er in der dunklen Steinkammer gefunden hatte. Und das würde er tun.

Er drückte Taboo an sich, und ihm war, als fielen Bleigewichte von seinen Schultern. Er war in der Finsternis herumgeirrt, seit er von Mr. Guys Tod erfahren hatte. Jetzt sah er ein Licht. Aber eigentlich war es mehr als das. Viel mehr. Jetzt hatte er eine Orientierung.

Ruth brauchte das Urteil ihres Onkologen gar nicht zu hören. Sie konnte es an seinem Gesicht ablesen. Am meisten verriet die Stirn, die noch stärker gerunzelt war als sonst. Daran merkte sie, dass er gegen Gefühle kämpfte, die mit einem bevorstehenden Scheitern einhergingen. Sie fragte sich, wie es war, sein Lebenswerk in einer Arbeit zu sehen, die einen zwang, das Sterben unzähliger Patienten mit anzusehen. Denn eigentlich war es doch die Bestimmung der Ärzte, zu heilen und den Sieg im Kampf gegen Krankheit, Unfall und Siechtum zu feiern. Krebsärzte aber zogen mit Waffen in den Krieg, die häufig nicht ausreichten gegen einen Feind, der keine Beschränkung und keine Regeln kannte. Der Krebs, dachte Ruth, war wie ein Terrorist. Keine Warnzeichen, nur Verwüstung. Das Wort allein reichte, um zu vernichten.

»Wir sind mit dem, was wir bisher eingesetzt haben, so weit gegangen, wie es möglich war«, sagte der Arzt. »Aber es kommt eine Zeit, wo ein stärkeres opiumhaltiges Analgetikum erforderlich wird. Ich denke, Sie wissen, dass wir diesen Punkt erreicht haben, Ruth. Hydromorphin reicht jetzt nicht mehr aus. Wir können die Dosis nicht erhöhen. Wir müssen umstellen.«

»Gibt es keine andere Möglichkeit?« Ruth wusste, wie schwach ihre Stimme war, und was das über ihren Zustand verriet. Sie hätte fähig sein müssen, sich vor dem Feuer zu verstecken, und wenn sie das schon nicht schaffte, hätte sie fähig sein müssen, das Feuer vor der Welt zu verstecken. Sie zwang sich zu einem Lächeln. »Es wäre nicht so schlimm, wenn es ein pochender Schmerz wäre. Dann gäbe es dazwischen Pausen. Ich hätte die Erinnerung daran, wie es war – in diesen kurzen Pausen... wie es früher einmal war.«

»Dann noch einmal eine Runde Chemo.«

Ruth blieb fest. »Nein. Auf keinen Fall.«

»Dann müssen wir zu Morphin übergehen. Das ist die einzige Möglichkeit.« Er beobachtete sie von jenseits seines Schreibtischs, und der Schleier in seinen Augen, der ihn vor ihr geschützt hatte, schien sich einen Moment zu heben. Der Mann erschien wie nackt vor ihr, ein Geschöpf, das die Schmerzen allzu vieler anderer Geschöpfe fühlte.

»Wovor haben Sie Angst?« Seine Stimme war voll Güte. »Vor der Chemo selbst? Vor ihren Nebenwirkungen?«

Sie schüttelte den Kopf.

»Vor dem Morphin? Ist es die Vorstellung der Sucht? Fixer, Opiumhöhlen, Drogensüchtige, die in Hintergassen vor sich hindämmern?«

Wieder schüttelte sie den Kopf.

»Dann die Tatsache, dass das Morphin eingesetzt wird, wenn es dem Ende zugeht?«

»Nein, nein. Ich weiß, dass ich sterbe. Davor habe ich keine Angst.« Nach so langer Zeit *maman* und *papa* wiederzusehen, Guy wiederzusehen und sagen zu können, es tut mir so Leid... Was, dachte Ruth, gibt es da zu fürchten? Aber sie wollte die Kontrolle behalten, und sie wusste, wie Morphin wirkte: dass es einem am Ende genau das raubte, um dessen Erhaltung man kämpfte, um es mit einem Seufzen selbst freisetzen zu können.

»Aber es ist nicht nötig, so qualvoll zu sterben, Ruth. Das Morphin –«

»Ich möchte wissen, dass ich sterbe, wenn ich sterbe«, sagte Ruth. »Ich möchte keine atmende Leiche sein.«

»Ach so.« Der Arzt legte die Hände auf den Schreibtisch und faltete sie ordentlich, so dass sein Siegelring das Licht reflektierte. »Sie haben ein Bild davon. Die Patientin im Koma, und die Familie um ihr Bett versammelt. Sie liegt reglos da, nicht einmal bei Bewusstsein, unfähig, sich mitzuteilen, ganz gleich, was in ihrem Geist vorgeht.«

Ruth spürte den Druck der Tränen, aber sie gab ihm nicht nach. Aus Angst, sie könnte es doch tun, nickte sie nur.

»Das ist ein Bild von vor langer Zeit«, sagte der Arzt. »Natürlich können wir es auch heute herstellen, wenn das der Wunsch des Patienten ist: ein sorgfältig herbeigeführtes Hinübergleiten in ein Koma, an dessen Ende der Tod wartet. Wir können aber die Dosis auch so einstellen, dass der Schmerz gelindert wird und der Patient völlig wach bleibt.«

»Aber wenn der Schmerz zu stark wird, muss die Dosis ihm angepasst werden. Und ich weiß, wie Morphin wirkt. Sie können nicht sagen, dass es nicht schwach und müde macht.«

»Wenn Sie Probleme damit haben, wenn es Sie zu schläfrig macht, geben wir zum Ausgleich etwas anderes dazu, etwas Anregendes.«

»Noch mehr Tabletten.« Die Bitterkeit, die Ruth in ihrer Stimme hörte, stand in direktem Verhältnis zu ihrem Schmerz.

»Was haben wir für eine Alternative, Ruth? Neben dem, was Sie bereits bekommen?«

Das war die Frage, und es gab keine Antwort darauf, die sie leicht akzeptieren konnte. Da war der Tod von eigener Hand; die freudige Hinnahme der Qualen nach Art einer christlichen Märtyrerin, oder die Droge. Sie würde sich entscheiden müssen.

Sie dachte bei einer Tasse Kaffee darüber nach, die sie im *Admiral de Saumarez Inn* trank, gleich um die Ecke von der Berthelot Street. Im Kamin brannte ein Feuer, und in seiner Nähe fand Ruth einen kleinen Tisch, der frei war. Sie setzte sich vorsichtig und bestellte Kaffee, trank ihn langsam, den bitteren Geschmack auskostend, während sie zusah, wie die Flammen gierig über die Holzscheite herfielen.

Sie müsste, dachte sie müde, heute nicht in der Situation sein, in der sie sich befand. Als junges Mädchen hatte sie geglaubt, sie würde eines Tages heiraten und Familie haben wie andere Frauen. Doch als sie dreißig und dann vierzig geworden war, ohne dass das geschah, hatte sie geglaubt, sie könnte für ihren Bruder da sein, der ihr Leben lang ihr Ein und Alles gewesen war. Sie war eben für andere Aufgaben nicht geschaffen, sagte sie sich. Nun gut. Sie würde für Guy leben.

Aber in ihrem Leben für Guy war sie damit konfrontiert worden, wie Guy sein Leben führte, und das war für sie schwer zu akzeptieren gewesen. Es war ihr schließlich gelungen, indem sie sich sagte, dass sein Handeln eine Reaktion auf den frühen Verlust war, den er erlitten hatte, und auf die schwere Verantwortung, die ihm infolge dieses Verlusts aufgebürdet worden war. Auch für sie hatte er Verantwortung getragen und sich nie davor gedrückt. Sie schuldete ihm viel. So hatte sie die Augen verschlossen, bis zu dem Tag, an dem es nicht mehr ging.

Sie hätte gern gewusst, warum die Menschen so unterschiedlich auf Schwierigkeiten in der Kindheit reagierten. Des einen Herausforderung war des anderen Entschuldigung, aber stets lag die Ursache für ihr Handeln in der Kindheit. Diese einfache Regel war ihr immer wieder klar geworden, wenn sie das Leben ihres Bruders betrachtet hatte: Den durch frühe Verfolgung und frühen Verlust bedingten, starken Drang, erfolgreich zu sein und den eigenen Wert zu beweisen, die unaufhörliche Jagd nach Frauen, die die Sehnsucht des kleinen Jungen nach der Mutter widerspiegelte, die misslungenen Versuche, die Vaterrolle auszufüllen, Indiz für eine Vater-Sohn-Beziehung, die abgebrochen worden war, bevor sie sich hatte entwickeln können. Sie wusste das alles und dachte darüber nach. Aber bei all ihrem Nachdenken hatte sie nie bedacht, dass diese simple Regel, die die Rolle der Kindheit im Leben eines Menschen betraf, auch bei anderen Menschen Gültigkeit hatte.

Bei ihr selbst, zum Beispiel: ein Leben in Angst. Die Leute versprachen wiederzukommen, aber sie taten es nie – das war der Hintergrund, vor dem sie ihre Rolle in dem Stück gespielt hatte, das ihr Leben wurde. Aber in einem solchen Klima der Angst konnte man nicht funktionieren, deshalb versuchte man, so zu tun, als gäbe es die Angst nicht. Von einem Mann könnte man verlassen werden, also sucht man sich einen, der einem das nicht antun kann. Ein Kind könnte größer werden, sich verändern, fortgehen, also tritt man dieser Möglichkeit auf die einfachste Art entgegen: Man bekommt keine Kinder. Die Zukunft könnte Herausforderungen mit sich bringen, die einen ins Unbekannte stoßen, also lebt man in der Vergangenheit. Mehr noch, man macht sein Leben zu einem Tribut an die Vergangenheit, wird selbst zur Chronistin der Vergangenheit, hält sie hoch und zeichnet sie in jeder Einzelheit auf. So lebt man außerhalb der Angst, was, wie sich herausstellte, nur eine andere Art war, außerhalb des Lebens zu leben.

Aber war das so verwerflich? Ruth konnte es nicht glauben, vor allem nicht, wenn sie sich überlegte, wozu ihre Versuche, *im* Leben zu leben, geführt hatten.

»Ich möchte wissen, was du vorhast«, hatte Margaret am Morgen gefordert. »Adrian ist das genommen worden, was ihm von Rechts wegen zusteht – in mehr als einer Hinsicht, wie du weißt –, und ich möchte wissen, was du zu unternehmen gedenkst. Es ist mir egal, wie er es geschafft hat, was für rechtliche Tricks er angewandt hat. Darüber bin ich hinaus. Ich möchte nur wissen, wie du das in Ordnung bringen willst. Nicht ob, Ruth. Wie! Denn dir ist ja wohl klar, was passiert, wenn du nichts unternimmst.«

»Guy wollte –«

»Es ist mir, verdammt noch mal, egal, was Guy deiner Meinung nach wollte! Ich *weiß*, was er wollte: das, was er immer wollte.« Margaret trat kämpferisch auf Ruth zu, die an ihrem Toilettentisch saß und versuchte, ihrem Gesicht etwas Farbe zu gehen. »Sie hätte seine Tochter sein können, Ruth. Sie war jünger als seine eigenen Töchter, Herrgott noch mal. Sie hätte für ihn unter allen Umständen unantastbar sein müssen. Das war sein letztes Meisterstück! Und du weißt davon, richtig?«

Ruths Hand zitterte so heftig, dass sie ihren Lippenstift nicht aufdrehen konnte. Margaret sah es und stürzte sich darauf. Sie interpretierte es als die Antwort, die Ruth nicht aussprechen wollte.

»Mein Gott, du hast es tatsächlich gewusst.« Margarets Stimme war rau. »Du wusstest, dass er es darauf anlegte, sie zu verführen, und hast nichts getan, um es zu verhindern. Für dich – das war ja immer so – konnte Guy nichts Böses tun, ganz gleich, wer leiden musste.«

*Ruth, ich will es. Sie will es auch.*

»Was bedeutete es schon, dass sie nur die Letzte in einer endlos langen Reihe Frauen war, die er unbedingt haben musste. Was bedeutete es schon, dass er einen Verrat beging, von dem *niemand* sich erholen würde? Er hat ja immer so getan, als erwiese er, der weltläufige Gentleman, ihnen einen Gefallen. Als erweiterte er ihren Horizont, nähme sie in seine Obhut, errettete sie aus einer unerfreulichen Situation, und wir wissen beide, was für eine Situation das war. In Wirklichkeit hat er sich auf die billigste Art, die es gibt, seine Selbstbestätigung geholt. Du hast es gewusst. Du hast es mit angesehen, und du hast es geschehen lassen. Als wärst du keinem außer dir selbst verantwortlich.«

Ruth ließ die Hand sinken, die jetzt so heftig zitterte, dass sie sie nicht mehr gebrauchen konnte. Guy hatte unrecht getan, ja. Sie war bereit, das einzuräumen. Aber er hatte es nicht vorsätzlich getan. Er hatte nicht im Voraus geplant ... oder auch nur darüber nachgedacht ... Nein. Ein solches Monster war er nicht gewesen. Es war einfach geschehen: Plötzlich fiel es Guy wie Schuppen von den Augen und ebenso plötzlich erwachte sein Begehren, und er meinte, unbedingt besitzen zu müssen, denn: *Sie ist die Richtige, Ruth.* Jede war für Guy »die Richtige«, damit rechtfertigte er sein Handeln. Insofern hatte Margaret Recht. Ruth hatte die Gefahr gesehen.

»Hast du zugeschaut?«, fragte Margaret sie. Bisher hatte sie hinter Ruth gestanden, und sie im Spiegel angesehen, jetzt aber stellte sie sich so, dass Ruth ihr ins Gesicht blicken musste, und um zu verhindern, dass sie ihr auswich, nahm sie ihr den Lippenstift weg. »War es so? Hast du mitgespielt? Hat sich Guys getreuer kleiner Boswell der Sticknadel, der sich immer so brav zurückgehalten hat, diesmal am Spiel beteiligt? Vielleicht als Voyeurin? Oder als weiblicher Polonius hinter dem Vorhang?«

»Nein!«, schrie Ruth auf.

»Ach so, du warst nur eine, die sich immer rausgehalten hat. Ganz gleich, was er getan hat.«

»Das ist nicht wahr.« Es war zu viel: ihr körperlicher Schmerz, der Schmerz über die Ermordung ihres Bruders und auch noch mit eigenen Augen die Zerstörung von Träumen mit ansehen zu müssen; zu viele miteinander im Konflikt liegende Menschen zu lieben und zu sehen, wie sich bei Guy das Rad unangebrachter Lust immer weiter drehte, ohne dass sich irgendetwas änderte. Nicht einmal am Ende. Nicht einmal nach dem letzten *Diesmal ist es wirklich die Richtige, Ruth*. Sie war es nicht gewesen, aber er hatte es sich einreden müssen, weil er sonst dem hätte ins Gesicht blicken müssen, der er wirklich war: Ein alter Mann, der immer wieder vergeblich versuchte, einen lebenslangen Schmerz zu heilen, den zu fühlen er sich nie erlaubt hatte. Für solchen Luxus war kein Platz gewesen neben *Prends soin de ta petite sœur*, diesem Auftrag, den ihr Bruder verinnerlicht hatte wie das Motto eines Familienwappens. Wie hätte sie ihn da zur Rechenschaft ziehen können? Was für Forderungen hätte sie stellen, welche Drohungen hätte sie aussprechen können?

Keine. Sie hatte nur versuchen können, vernünftig mit ihm zu reden. Als das nicht half, weil es schon in dem Moment zum Scheitern verurteilt war, als er wieder sagte: *Sie ist die Richtige*, als hätte er das nicht schon Dutzende von Malen gesagt, wusste sie, dass sie einen anderen Weg einschlagen musste, um ihn zu bremsen. Es würde ein ganz neuer Weg sein, unbekannt und beängstigend. Aber sie musste ihn nehmen.

Margaret hatte also Unrecht, jedenfalls in dieser Hinsicht. Sie hatte nicht wie Polonius gelauert und gelauscht, um sich ihren Verdacht bestätigen zu lassen und gleichzeitig aus zweiter Hand zu genießen, was sie selbst nie gehabt hatte. Sie hatte es gewusst. Sie hatte versucht, mit ihrem Bruder zu reden. Als das nichts genützt hatte, hatte sie gehandelt.

Und jetzt…? Sah sie sich mit den Folgen ihres Handelns konfrontiert.

Ruth wusste, dass sie irgendwie Wiedergutmachung leisten musste. Margaret wollte sie glauben machen, die angemessene Form wäre es, Adrians rechtmäßiges Erbe aus dem juristischen Sumpf zu ziehen, den Guy geschaffen hatte, um es ihm vorzuenthalten. Aber Margaret wollte nur die schnelle Lösung eines Problems, das sich jahrelang zusammengebraut hatte. Als wenn, dachte Ruth, Geld Adrian von dem heilen könnte, woran er schon so lange litt.

Ruth trank den letzten Schluck Kaffee und legte das nötige Geld auf den Tisch. Mit einiger Mühe zog sie ihren Mantel an, machte sich angestrengt an den Knöpfen zu schaffen. Draußen fiel ein dünner Regen, aber ein lichter Streifen am Himmel über Frankreich versprach im Lauf des Tages Wetterbesserung. Ruth hoffte, das würde sich erfüllen, da sie ohne Schirm aus dem Haus gegangen war.

Der Anstieg die Berthelot Street hinauf fiel ihr schwer. Sie fragte sich, wie lange sie das noch schaffen würde und wie viele Monate oder vielleicht auch nur Wochen ihr blieben, ehe sie die Krankheit für den letzten Countdown ans Bett fesseln würde. Nicht mehr lange, hoffte sie.

Fast oben, bog sie an der New Street nach rechts in Richtung des Royal Court House, dem Gerichtsgebäude, ab. Hier in der Gegend war Dominic Forrests Kanzlei.

Als Ruth das Büro betrat, hörte sie, dass der Anwalt eben von einigen Vormittagsterminen zurückgekehrt war. Er könne sie empfangen, wenn es ihr nichts ausmache, eine Viertelstunde zu warten. Er habe noch zwei wichtige Telefonate zu erledigen. Ob sie eine Tasse Kaffee wolle?

Ruth lehnte ab. Sie setzte sich nicht, weil sie fürchtete, nicht ohne Hilfe wieder aufstehen zu können. Sie nahm eine Ausgabe von *Country Life* zur Hand und betrachtete die Fotos, ohne sie wirklich zu sehen.

Nach einer Viertelstunde erschien Mr. Forrest, um sie in sein Büro zu bitten. Sein Gesicht war ernst, als er ihren Namen aussprach, und sie stellte sich vor, er hätte an der Tür gestanden und sie beobachtet und überlegt, wie lang sie noch zu leben hatte. Sie hatte den Eindruck, dass die meisten Leute ihrer Umgebung sie jetzt so betrachteten. Je mehr Mühe sie sich gab, um normal und von der Krankheit unbeeinträchtigt zu wirken, desto mehr schienen die anderen auf sie zu achten, als warteten sie darauf, dass die Lüge plötzlich ans Licht käme.

In Forrests Büro setzte sie sich, weil sie wusste, wie eigenartig es wirken würde, wenn sie die ganze Zeit stehen bliebe. Forrest fragte, ob es sie störe, wenn er einen Kaffee trinke...? Er sei schon seit den frühen Morgenstunden auf den Beinen und brauche jetzt einen kleinen Koffeinstoß. Ob sie nicht wenigstens eine Scheibe gâche nehme?

Danke, nein, sagte Ruth, sie habe gerade im *Admiral de Saumarez Inn* einen Kaffee getrunken. Doch sie wartete, bis der Anwalt den Kaffee getrunken und das Brot gegessen hatte, ehe sie ihm den Grund ihres Besuchs erklärte.

Sie berichtete ihm von der Verwirrung über Guys Testament. Sie habe ja, wie Mr. Forrest wisse, alle früheren Testamente ihres Bruders gekannt, und es habe sie einigermaßen erschüttert, von den Änderungen zu hören, die er vorgenommen hatte: nichts für Anaïs Abbott und ihre Kinder, das Kriegsmuseum vergessen, die Duffys nicht bedacht. Und zu sehen, dass Guy seinen eigenen Kindern weniger hinterlassen hatte als seinen zwei... Sie suchte nach einem Wort und entschied sich für *einheimische Schützlinge*... Die Situation sei wirklich äußerst verwirrend.

Dominic Forrest nickte mit ernster Miene. Es habe ihn schon gewundert, bekannte er, das Testament im Beisein von Personen zu verlesen, die nicht zu den Begünstigten gehörten. Das sei irregulär gewesen – nun, eine Testamentsverlesung dieser Art zur heutigen Zeit sei überhaupt etwas irregulär, nicht wahr –, aber er habe geglaubt, Ruth wolle sich in einer schweren Zeit mit Freunden und von ihr geschätzten Menschen umgeben. Nun sei ihm klar, dass Ruth von ihrem Bruder bezüglich seines letzten Testaments im Unklaren gelassen worden sei, und das erkläre auch die merkwürdige Situation bei dieser Testamentsverlesung.

»Ich habe mich schon gewundert«, sagte er wieder, »als Sie an dem Tag, an dem er das Dokument unterzeichnete, nicht mitkamen. Ich dachte, Sie fühlten sich vielleicht nicht wohl, aber ich habe damals nicht gefragt. Weil...« Er zuckte mit den Schultern. Sein Gesicht drückte Mitleid und Verlegenheit gleichzeitig aus. Er weiß es auch, dachte Ruth. Also hatte Guy es wahrscheinlich auch gewusst. Aber wie die meisten Leute wusste er nicht, was er sagen sollte. Tut mir Leid, dass Sie sterben, wäre zu derb gewesen.

»Er hat mich vorher immer eingeweiht«, sagte Ruth. »Bei jedem Testament. Jedes Mal. Ich versuche zu verstehen, warum er diese letzte Version vor mir geheim gehalten hat.«

»Vielleicht glaubte er, Sie würden sich darüber aufregen«, sagte Forrest. »Vielleicht wusste er, dass Ihnen die Änderungen nicht recht sein würden, da er einen Teil des Geldes Leuten vermachen wollte, die nicht zur Familie gehörten.«

»Nein. Das kann es nicht sein«, sagte Ruth. »Bei den anderen Testamenten war das ja auch schon so.«

»Aber es war nie eine Fünfzig-zu-Fünfzig-Teilung. Und in den früheren Testament erbten seine Kinder immer mehr als die anderen Leute. Vielleicht fürchtete Guy, Sie würden da einhaken. Er wusste, dass Sie die Bedeutung dieser Testamentsverfügungen erfassen würden, sobald sie sie hörten.«

»Natürlich hätte ich protestiert«, räumte Ruth ein. »Aber das hätte nichts geändert. Meine Proteste haben bei Guy nie gezählt.«

»Ja, aber das war, bevor...« Forrest machte eine zaghafte Handbewegung. Ruth verstand sie als Anspielung auf den Krebs.

Ja. Wenn Guy gewusst hatte, dass sie sterben musste, ergab es einen Sinn. Auf die Wünsche einer Schwester, die nicht mehr lange zu leben hatte, hätte er gehört. Sogar er. Und auf sie zu hören, hätte für ihn geheißen, seinen Kindern ein Erbe zu hinterlassen, dass das der beiden einheimischen Jugendlichen erreichte, wenn nicht übertraf. Aber genau das hatte Guy nicht gewollt. Seine Töchter bedeuteten ihm längst nichts mehr; sein Sohn hatte ihn ein Leben lang enttäuscht. Er wollte den Menschen etwas geben, die seine Liebe so erwidert hatten, wie seiner Meinung nach Liebe erwidert werden sollte. Er hatte sich also an die gesetzlichen Vorschriften gehalten und sich, indem er seinen Kindern die ihnen zustehenden fünfzig Prozent hinterlassen hatte, die Freiheit verschafft, über den Rest nach eigenem Belieben zu verfügen.

Aber ihr nichts davon zu sagen... Ruth fühlte sich, als wäre sie mitten im leeren Raum ausgesetzt worden, aber in einem von Stürmen durchtobten Raum, in dem sie nirgendwo mehr Halt finden konnte. Guy, ihr Bruder, ihr Fels, hatte sie im Dunklen gelassen. In weniger als vierundzwanzig Stunden hatte sie die Unterlagen seiner heimlichen Reise nach Kalifornien entdeckt und jetzt sein listiges Manöver, um die jungen Menschen zu bestrafen, die ihn enttäuscht hatten, und diejenigen zu belohnen, die das nicht getan hatten.

»Dieses letzte Testament war ihm sehr wichtig«, bemerkte Mr. Forrest, wie um sie zu beruhigen. »So wie es abgefasst war, hätten seine Kinder ohne Rücksicht auf die anderen Erben auf jeden Fall eine stattliche Summe bekommen. Er begann vor nahezu zehn Jahren mit einem Kapital von zwei Millionen Pfund, wenn Sie sich erinnern. Klug angelegt, hätte sich das zu einem Vermögen entwickeln können, das für jeden Erben einen zufrieden stellenden Anteil abgeworfen hätte.«

Obwohl immer noch vom schmerzlichen Wissen über das Handeln ihres Bruders gequält, entgingen Ruth nicht die Formulierungen *hätte* und *könnte* von Mr. Forrests Bemerkungen. Er schien plötzlich sehr weit entfernt, während der stürmische Raum, in den sie hineingestoßen worden war, sie immer weiter von der Menschheit fortriss. Sie sagte: »Gibt es noch etwas, das ich wissen muss, Mr. Forrest?«

Dominic Forrest schien sich die Frage zu überlegen. »Das Sie wissen *müssen*? Nein, das würde ich nicht sagen. Andererseits – in Anbetracht der voraussichtlichen Reaktionen von Guys Kindern… ich denke, es wäre gut, vorbereitet zu sein.«

»Worauf?«

Der Anwalt nahm einen Zettel zur Hand, der neben dem Telefon auf seinem Schreibtisch lag. »Der amtliche Buchprüfer hatte mir eine Nachricht hinterlassen. Sie wissen, die Anrufe, die ich noch zu erledigen hatte? Einer war ein Rückruf an ihn.«

»Und?« Sie erkannte sein Zögern an der Art, wie Forrest auf den Zettel hinuntersah; es war das gleiche Zögern, das sie von ihrem Arzt kannte, wenn der seine Kräfte sammelte, weil er etwas Schlimmes sagen musste. Sie wusste also genug, um sich innerlich zu wappnen, auch wenn das nicht viel half. Sie wäre trotzdem am liebsten aus dem Zimmer gerannt.

»Ruth, es ist nur noch sehr wenig Geld da. Knapp zweihundertfünfzigtausend Pfund. Normalerweise ein ansehnlicher Betrag. Aber wenn man bedenkt, dass er mit zwei Millionen angefangen hat... Er war ein kluger Geschäftsmann, kaum einer konnte ihm das Wasser reichen. Er wusste immer, wann, wo und wie er sein Geld anlegen musste. Es müsste eigentlich viel mehr auf seinem Konto sein, als noch da ist.«

»Was ist geschehen?«

»Mit dem Rest des Geldes? Ich weiß es nicht«, sagte Forrest. »Als der Buchprüfer mir berichtete, habe ich sofort gesagt, dass da ein Irrtum vorliegen muss. Er prüft die Sache noch einmal, aber er sagte, soweit er sehen konnte, war es eine klare Angelegenheit.«

»Was heißt das?«

»Offenbar hat Guy vor zehn Monaten einen beträchtlichen Teil seines Wertpapierbestands verkauft. Im Wert von damals mehr als dreieinhalb Millionen Pfund.«

»Um es auf sein Sparkonto zu legen, vielleicht?«

»Da ist es nicht.«

»Um etwas zu kaufen?«

»Darüber gibt es keinerlei Unterlagen.«

»Was dann?«

»Ich weiß es nicht. Ich habe erst vor zehn Minuten erfahren, dass das Geld fehlt, und ich kann Ihnen sagen, was übrig ist: eine Viertel Million Pfund.«

»Aber Sie als sein Anwalt müssen doch gewusst haben –«

»Ruth, ich habe einen Teil des Vormittags damit zugebracht, die Erben aufzusuchen, um sie wissen zu lassen, dass jeder von ihnen um die siebenhunderttausend Pfund erben wird, vielleicht sogar mehr. Glauben Sie mir, ich hatte keine Ahnung, dass das Geld weg ist.«

»Kann es jemand gestohlen haben?«

»Ich wüsste nicht, wie.«

»Unterschlagen, bei der Bank oder dem Anlageberater.«

»Ich kann nur wieder sagen, wie?«

»Kann er es verschenkt haben?«

»Das wäre möglich. Ja. Im Augenblick sucht der Prüfer nach Spuren in den Unterlagen. Das Logischste wäre es anzunehmen, dass er seinem Sohn heimlich ein Vermögen zugesteckt hat. Aber im Augenblick wissen wir nichts.« Er zuckte mit den Schultern.

»Wenn Guy Adrian wirklich Geld gegeben hat«, sagte Ruth mehr zu sich als zu dem Anwalt, »hat er kein Wort davon gesagt. Beide haben es geheim gehalten. Seine Mutter weiß auch nichts davon. Margaret, seine Mutter«, sagte sie zu Forrest, »weiß nichts davon.«

»Bis wir mehr herausbekommen, können wir nur annehmen, dass die Vermächtnisse alle weit bescheidener ausfallen als gedacht«, sagte Mr. Forrest. »Und Sie sollten sich auf einiges an Feindseligkeit gefasst machen.«

»Bescheidener. Ja. Daran hatte ich nicht gedacht.«

»Das sollten Sie aber tun«, riet der Anwalt. »Nach dem derzeitigen Stand der Dinge erben Guys Kinder je weniger als sechzigtausend Pfund, die beiden anderen um die siebenundachtzigtausend, und Sie verfügen über ein Vermögen, das Millionen wert ist. Wenn das bekannt wird, werden die anderen einen ungeheuren Druck machen, um Sie zu einer Richtigstellung in ihrem Sinn zu veranlassen. Ich würde vorschlagen, Sie halten strikt an Guys Wünschen bezüglich seines Nachlasses fest, bis die ganze Sache geklärt ist.«

»Vielleicht wissen wir noch gar nicht alles«, murmelte Ruth.

Forrest warf den Zettel mit den Angaben des amtlichen Buchprüfers auf den Schreibtisch. »Ganz bestimmt wissen wir noch nicht alles«, pflichtete er ihr bei.

## 16

Valerie Duffy hörte das Telefon klingeln und klingeln. »Geh ran! Geh schon ran!«, flüsterte sie, den Hörer ans Ohr gedrückt. Aber es klingelte weiter. Obwohl sie nicht auflegen wollte, zwang sie sich schließlich, es zu tun. Einen Augenblick später redete sie sich ein, dass sie sich verwählt hatte, und wählte neu. Die Verbindung wurde hergestellt; es begann von neuem zu klingeln. Das Ergebnis war das Gleiche.

Draußen konnte sie die Polizisten sehen, die immer noch suchten. Im Herrenhaus waren sie verbissen, aber gründlich gewesen und hatten die Aktion dann auf die Stallungen und den Park ausgedehnt. Valerie vermutete, dass sie bald auch in ihrem Haus auftauchen würden. Das Verwalterhaus gehörte zu *Le Reposoir*, und sie hatten – dem leitenden Sergeant zufolge – den Auftrag, das gesamte Gelände »gründlich und gewissenhaft zu durchsuchen, Madam«.

Sie wollte keine Mutmaßungen darüber anstellen, was sie suchten, aber sie hatte eine Ahnung. Ein Beamter war mit dem gesamten Vorrat an Ruths Medikamenten in einem Plastikbeutel die Treppe heruntergekommen, und nur indem sie dem Constable eindringlich klar gemacht hatte, dass die Medikamente für Ruths Wohlbefinden unerlässlich waren, war es ihr gelungen, ihn davon abzuhalten, jede einzelne Tablette aus dem Haus zu tragen. Sie brauchten doch gewiss nicht alle, hatte sie argumentiert. Miss Brouard leide unter schweren Schmerzen, und ohne ihre Medikamente –

Schmerzen?, hatte der Constable sie unterbrochen. Dann haben wir hier also Schmerzmittel? Und er schüttelte wie zum Nachdruck den Plastikbeutel.

Was denn sonst? Sie brauchten nur die Etiketten zu lesen. Da stehe groß und breit *gegen Schmerzen*, das müsse ihnen doch aufgefallen sein, als sie die Medikamente aus dem Schrank genommen hatten.

Wir haben unsere Anweisungen, Madam, hatte die Antwort gelautet, der Valerie entnommen hatte, dass sie sämtliche vorhandenen Medikamente mitnehmen sollten, ganz gleich, welchem Zweck sie dienten.

Sie bat den Beamten, den größeren Teil der Mittel zurückzulassen. Nehmen Sie von jedem eine Probe, und lassen Sie den Rest hier, schlug sie vor. Das werden Sie Miss Brouard zuliebe doch wohl tun können. Sie muss sonst leiden.

Der Constable war einverstanden, wenn auch widerstrebend. Als Valerie an ihre Arbeit in der Küche zurückkehrte, spürte sie seinen bohrenden Blick im Nacken und wusste, dass sie sich verdächtig gemacht hatte. Aus diesem Grund hatte sie nicht im Herrenhaus telefonieren wollen, sondern war dazu nach Hause gegangen. Aber sie telefonierte nicht von der Küche aus, wo sie nicht sehen konnte, was auf dem Gelände vorging, sondern ging nach oben ins Schlafzimmer. Sie setzte sich auf Kevins Seite des Betts, näher beim Fenster, und so konnte sie, während sie beobachtete, wie die Polizisten sich draußen im Park verteilten, Kevins Geruch atmen, der einem auf dem Stuhl liegenden Arbeitshemd entströmte.

Geh ran, dachte sie. Geh ran, geh ran. Es klingelte und klingelte.

Sie wandte sich vom Fenster ab. Über das Telefon gekrümmt, konzentrierte sie sich darauf, ihre ganze Willenskraft durch die Leitung zu senden. Wenn sie es lange genug klingeln ließ, würde das lästige Geräusch allein eine Reaktion herausfordern.

Kevin würde das nicht gefallen. Er würde sagen: »Warum tust du das, Val?« Und sie würde ihm keine ehrliche und direkte Antwort geben können, weil für Ehrlichkeit und Direktheit allzu lange zu viel auf dem Spiel gestanden hatte.

Geh ran, geh ran, geh endlich ran, dachte sie.

Er war sehr früh gefahren. Das Wetter werde jeden Tag ungemütlicher, hatte er gesagt, und er müsse nach den vorderen Fenstern in Mary Beth' Haus sehen, sie seien undicht. Die Fensterfront sei genau auf der Wetterseite, und sie würde Riesenprobleme bekommen, wenn es erst mal richtig zu regnen anfing. Durch die unteren Fenster sei das Wohnzimmer betroffen, das Wasser würde den Teppich ruinieren, die Wände würden zu schimmeln anfangen, und Val wisse doch, dass Mary Beth' beide Töchter gegen Feuchtigkeit allergisch wären. Die oberen Fenster gehörten – noch schlimmer – zu den beiden Mädchenzimmern. Er konnte doch nicht zulassen, dass seine Nichten in Zimmern schliefen, in die es hineinregnete! Als Schwager und Onkel trage er eine gewisse Verantwortung, und die wolle er nicht vernachlässigen.

Damit war er losgefahren, um die Fenster im Haus seiner Schwägerin zu richten. Der armen, hilflosen Mary Beth Duffy, dachte Valerie, die viel zu früh Witwe geworden war, weil ihr Ehemann in Kuwait auf dem Weg vom Taxi zum Hotel infolge eines Herzfehlers tot umgefallen war. In weniger als einer Minute war für Corey alles vorbei gewesen. Kev hatte den gleichen Herzfehler wie sein Bruder, aber das hatte niemand gewusst bis zu dem Moment, als Corey in dieser gnadenlosen Sonne, in dieser Hitze Kuwaits, auf der Straße gestorben war. So kam es, dass Kevin sein Leben Coreys Tod verdankte. Ein angeborener Herzfehler bei einem Zwilling legte nahe, dass der andere Zwilling mit dem gleichen Defekt geschlagen war. Kevin trug jetzt ein Wunderding in seinem Herzen, das auch Corey das Leben gerettet hätte, wäre je ein Mensch auf den Gedanken gekommen, mit seinem Herzen könnte etwas nicht stimmen.

Valerie wusste, dass ihr Mann sich wegen dieser Geschichte der Frau und den Kindern seines Bruders gegenüber doppelt verantwortlich fühlte. Aber während sie sich vor Augen zu halten suchte, dass er nur einem Gefühl der Verpflichtung folgte, das sich ohne Coreys Tod nie gerührt hätte, sah sie doch immer wieder auf die Uhr auf dem Nachttisch und fragte sich, wie lange man dazu brauchen konnte, vier oder fünf Fenster abzudichten.

Die Mädchen – Kevs Nichten – waren in der Schule und Mary Beth würde dankbar sein. Ihre Dankbarkeit und ihr Schmerz konnten zusammen eine berauschende Mischung ergeben.

Mach mich vergessen, Kev. Hilf mir vergessen.

Das Telefon klingelte und klingelte. Valerie lauschte mit gesenktem Kopf und drückte die Finger auf die Augen.

Sie wusste sehr gut, wie Verführung geschah. Sie hatte sie mit eigenen Augen geschehen sehen. Aus verstohlenem Blickwechsel und wissendem Lächeln entspann sich zwischen Mann und Frau eine uralte Geschichte. Sie gewann Kontur durch die Momente scheinbar zufälliger Berührung, für die es eine einfache Erklärung gab: Finger stoßen aneinander, wenn ein Teller weitergegeben wird; die Hand auf dem Arm verleiht einer erheiternden Bemerkung Nachdruck. Bald folgten die erhitzten Wangen, Vorboten des verlangenden Blicks. Und am Ende standen die Gründe, darauf zu warten, um den Geliebten zu sehen und selbst gesehen und begehrt zu werden.

Wie hatte es nur so weit kommen können? fragte sie sich. Wohin würde es noch führen, wenn keiner anfing zu reden?

Sie hatte nie überzeugend lügen können. Vor die Frage gestellt, musste sie sie entweder ignorieren, sich entziehen und so tun, als verstünde sie sie nicht, oder die Wahrheit sagen. Dem anderen dreist ins Gesicht zu blicken und ihn bewusst in die Irre zu führen, überstieg ihre dürftigen schauspielerischen Fähigkeiten. Bei der Frage: »Was weißt du darüber, Val?«, konnte sie nur flüchten oder sprechen.

Sie war sich dessen, was sie am Morgen des Todes von Guy Brouard vom Fenster aus gesehen hatte, absolut sicher gewesen und sie war sich immer noch sicher, weil es mit Guy Brouards Lebensgewohnheiten völlig übereinzustimmen schien: der frühmorgendliche Gang am Haus vorbei, wenn er auf dem Weg zur Bucht war, wo er jeden Tag seine Schwimmübungen inszenierte, die ihm weniger dazu dienten, sich zu trainieren, als sich seiner Spannkraft und Männlichkeit zu vergewissern, die nun doch allmählich vom Alter aufgezehrt wurden. Und Augenblicke später, die Gestalt, die ihm folgte. Valerie war sich sicher, wer diese Gestalt gewesen war; sie hatte beobachtet, wie Guy Brouard sich der Amerikanerin gegenüber verhielt – charmant und bezaubert, auf diese besondere Art, halb altmodische Galanterie, halb moderne Formlosigkeit –, und sie wusste, was für Gefühle er bei einer Frau wecken und wozu er sie mit seiner Art bringen konnte.

Aber bis zum Mord? Das war das Problem. Sie konnte ohne weiteres glauben, dass China River ihm zur Bucht gefolgt war, wahrscheinlich zu einem heimlichen Stelldichein, das vorher abgesprochen war. Sie konnte ohne weiteres glauben, dass sich eine Menge – wenn nicht alles – vor diesem Morgen zwischen ihnen abgespielt hatte. Aber sie konnte sich einfach nicht vorstellen, dass die Amerikanerin Guy Brouard getötet hatte. Den *Mann* zu töten – zumal auf die Art, wie dieser Mann getötet worden war –, das war nicht Frauenart. Frauen töteten ihre Rivalinnen, nicht den Mann.

So gesehen war China River diejenige, die in Gefahr gewesen war. Anaïs Abbott war sicher nicht erfreut gewesen, mit anzusehen, wie ihr Liebhaber neben ihr noch einer anderen Frau seine Aufmerksamkeit schenkte. Und gab es vielleicht noch andere Leute, fragte sich Valerie, die die beiden – China River und Guy Brouard – beobachtet und das schnelle Einverständnis zwischen ihnen als Zeichen einer sich anbahnenden Beziehung interpretiert hatten? Die in China River nicht einfach eine Fremde gesehen hatten, die ein paar Tage in *Le Reposoir* bleiben und dann weiterziehen wollte, sondern eine Bedrohung ihrer Zukunftspläne, die bis zum Tag von China Rivers Ankunft in Guernsey der Verwirklichung so nahe schienen. Aber wenn das zutraf, warum dann Guy Brouard töten?

Geh ran, geh ran, flehte Valerie das Telefon an.

Und dann: »Val, was tut die Polizei hier?«

Valerie ließ den Hörer auf ihren Schoß fallen und fuhr herum. Kevin stand an der Schlafzimmertür, das Hemd halb aufgeknöpft, als sei er mit der Absicht heraufgekommen, sich umzuziehen. Flüchtig fragte sie sich, warum – hängt ihr Geruch in deinen Kleidern, Kev? –, dann sah sie, dass er ein wärmeres Kleidungsstück aus dem Schrank nahm: einen dicken wollenen Pulli für die Arbeit draußen.

Kevins Blick fiel auf das Telefon auf ihrem Schoß. Er sah sie an. Schwach war aus dem Hörer der Signalton zu hören. Valerie nahm den Hörer und legte ihn auf. Sie spürte, was sie bisher nicht bemerkt hatte: stechende Schmerzen in den Fingergelenken. Sie bewegte die Finger und verzog vor Schmerz das Gesicht.

»Schlimm?«, fragte Kevin.

»Es kommt und geht.«

»Wolltest du den Arzt anrufen?«

»Ach, das ändert doch auch nichts. Der sagt immer nur, mir fehlt nichts. Sie haben keine Arthritis, Mrs. Duffy. Und die Tabletten, die er mir verschrieben hat – das ist wahrscheinlich nichts als Zucker, Kev, um mich zu beruhigen. Aber die Schmerzen sind echt. Es gibt Tage, da kann ich meine Finger kaum bewegen.«

»Dann einen anderen Arzt?«

»Ich habe Probleme, jemanden zu finden, dem ich vertraue.« Wie wahr, dachte sie. Von wem hatte sie so viel Argwohn und Zweifel gelernt?

»Ich meinte, das Telefon«, sagte Kevin und zog sich den grauen Wollpulli über den Kopf. »Wolltest du einen anderen Arzt anrufen? Wenn die Schmerzen schlimmer geworden sind, musst du was tun.«

»Oh.« Valerie sah zum Telefon auf dem Nachttisch, um nicht ihren Mann ansehen zu müssen. »Ja. Ja. Ich wollte – aber ich habe niemanden erreicht.« Sie lächelte hastig. »Was ist nur los mit der Welt? Nicht mal der Arzt geht ans Telefon.« Wie abschließend schlug sie mit beiden Händen auf ihre Oberschenkel und stand vom Bett auf. »Ich nehme jetzt mal die Tabletten. Wenn die Schmerzen Einbildung sind, wie der Arzt meint, können die Tabletten meinen Körper vielleicht betrügen.«

So gewann sie Zeit, sich zu sammeln. Sie holte die Tabletten aus dem Bad und nahm sie mit in die Küche hinunter, um sie mit Orangensaft zu schlucken. Sie trank immer Orangensaft, wenn sie etwas einnehmen musste. Daran war nichts, was Kevin hätte auffallen können.

Als er die Treppe herunter in die Küche kam, war sie bereit. »Und – alles in Ordnung bei Mary Beth?«, erkundigte sie sich lebhaft. »Hast du die Fenster gerichtet?«

»Ihr graut vor Weihnachten. Das erste Weihnachten ohne Corey.«

»Ja, das ist hart. Er wird ihr noch lange, lange fehlen. So wie du mir fehlen würdest, Kev.« Valerie holte ein frisches Spültuch aus der Wäscheschublade und begann, die Arbeitsplatten abzuwischen. Sie hatten es zwar nicht nötig, aber sie wollte sich mit irgendetwas beschäftigen, um zu verhindern, dass die Wahrheit aus ihr heraussprudelte. Wenn sie beschäftigt war, konnte sie sicher sein, dass ihre Stimme, ihr Körper und ihr Mienenspiel sie nicht verrieten, und das wollte sie: Die beruhigende Gewissheit, dass sie ihre Gefühle unter Verschluss hatte. »Es ist für sie sicher auch traurig, dich zu sehen. Sie sieht dich an und sieht Corey.«

Kevin antwortete nicht, und sie musste ihn anblicken. Er sagte: »Sie sorgt sich um die Mädchen. Sie wünschen sich vom Weihnachtsmann, dass er ihren Vater zurückbringt. Mary Beth hat Angst davor, was passiert, wenn der Wunsch nicht in Erfüllung geht.«

Valerie putzte eine Stelle auf der Arbeitsplatte, wo ein zu heißer Topf einen schwarzen Fleck eingebrannt hatte. Aber Putzen würde nichts besser machen. Der Schaden war schon zu alt, er hätte gleich behoben werden müssen.

Wieder sagte Kevin: »Was tut die Polizei hier, Val?«

»Sie suchen was.«

»Was denn?«

»Das sagen sie nicht.«

»Geht es um …?«

»Ja. Was sonst. Sie haben Ruths Tabletten beschlagnahmt.«

»Sie glauben doch nicht, dass Ruth –«

»Nein. Ich weiß nicht. Das kann ich mir nicht vorstellen.« Valerie hörte auf zu putzen und faltete das Spültuch zusammen. Der Fleck war immer noch da, unverändert.

»Ist doch eigentlich gar nicht deine Zeit, zu Hause zu sein«, bemerkte Kevin. »Hast du nicht im großen Haus zu tun? Musst du nicht kochen?«

»Ich musste schauen, dass ich der Gesellschaft da draußen aus dem Weg gehe«, sagte sie mit Blick auf die Polizei.

»Haben sie das von dir verlangt.«

»Nein, ich hatte aber den Eindruck.«

»Wenn sie draußen fertig sind, suchen sie hier.« Er blickte zum Fenster hinaus, als könnte er von der Küche aus das Herrenhaus sehen, was nicht der Fall war. »Würde mich interessieren, was sie suchen.«

»Ich habe keine Ahnung«, sagte sie wieder und schluckte.

Vor dem Haus begann ein Hund zu bellen. Aus dem Bellen wurde Jaulen. Jemand schimpfte laut. Valerie und ihr Mann gingen ins Wohnzimmer, wo man durch die Fenster auf den Rasen hinaussehen konnte und die Auffahrt überblickte, die sich um die Bronzeskulptur mit den Schwimmern und Delphinen zog. Dort hatten Paul Fielder und Taboo einen Zusammenstoß mit der Polizei in Gestalt eines einsamen Constables, der an einen Baum gedrückt dastand, während der Hund ihm an die Hosenbeine wollte. Paul ließ sein Fahrrad fallen und zog den Hund weg.

»Da kümmere ich mich mal lieber darum«, sagte Valerie. »Nicht dass Paul noch Ärger kriegt.«

Sie nahm ihren Mantel, den sie beim Hereinkommen über eine Stuhllehne geworfen hatte, und lief zur Tür.

Kevin sprach erst, als ihre Hand schon auf dem Türknauf lag. Er sagte nur ihren Namen.

Sie schaute sich nach ihm um, sah das von Wind und Sonne gegerbte Gesicht, die schwieligen Hände, den unergründlichen Blick. Sie hörte die Frage, aber sie brachte es nicht über sich, ihm zu antworten.

»Möchtest du mir etwas sagen?«, fragte er.

Sie lächelte heiter und schüttelte den Kopf.

Deborah saß unter dem silbergrauen Himmel nicht weit von der mächtigen Skulptur Victor Hugos entfernt, dessen Umhang und Schal aus dunklem Granit sich auf ewig in dem Wind bewegten, der von seinem heimatlichen Frankreich herüberwehte. Sie war allein in den an einen sanften Hang geschmiegten Candie Gardens, zu denen sie vom Hotel am Ann's Place heraufgelaufen war. Sie hatte schlecht geschlafen, die intensive Wahrnehmung der körperlichen Nähe ihres Mannes und ihre zornige Entschlossenheit, im Schlaf nur ja nicht zu ihm hinüberzurollen, hatten sie wach gehalten. Sie war vor Morgengrauen aufgestanden und gegangen, um einen Spaziergang zu machen.

Nach dem Streit mit Simon am vergangenen Abend war sie ins Hotel zurückgekehrt. Aber dort hatte sie sich wie ein schuldgeplagtes Kind gefühlt. Wütend auf sich selbst, dass sie auch nur den kleinsten Funken Reue zuließ, obwohl sie wusste, dass sie nichts falsch gemacht hatte, war sie bald wieder gegangen und erst nach Mitternacht zurückgekommen, als sie relativ sicher sein konnte, dass Simon schon schlafen würde.

Sie hatte China besucht. »Simon benimmt sich unmöglich«, sagte sie.

»Ist das nicht die Definition Mann?« China zog Deborah in die Wohnung. Sie kochten zusammen Pasta, China am Herd, Deborah an die Spüle gelehnt. »Erzähl«, sagte China heiter. »Tante China steht schon mit den Heftpflastern bereit.«

»Dieser blöde Ring«, sagte Deborah. »Er hat sich wahnsinnig darüber aufgeregt.« Sie erzählte die ganze Geschichte, während China Tomatensoße aus dem Glas in einen Topf goss und zu rühren begann. »Als hätte ich das schlimmste Verbrechen begangen«, schloss sie.

»Das Ganze war blöd«, sagte China, als Deborah zum Ende gekommen war. »Ich meine, dass ich den Ring überhaupt gekauft habe. Es war völlig unüberlegt.« Sie nickte zu Deborah hin. »So was würdest du nie tun.«

»Simon scheint der Ansicht zu sein, dass es reichlich unüberlegt von mir war, den Ring hierher zu bringen.«

»So, so.« China starrte einen Moment in die brodelnde Pasta, ehe sie sachlich sagte: »Na ja. Dann kann ich verstehen, warum er nicht gerade darauf brennt, mich kennen zu lernen.«

»Ach, das ist es nicht«, protestierte Deborah hastig. »Du darfst nicht... Du wirst ihn schon kennen lernen. Er kann es kaum erwarten, da er ja im Lauf der Jahre so viel von dir gehört hat.«

»Ach ja?« China blickte auf und sah sie ruhig an. Deborah wurde heiß unter diesem Blick. China sagte: »Ist schon okay. Du warst mit deinem Leben beschäftigt, das ist in Ordnung. Kalifornien waren ja nicht deine drei schönsten Jahre. Ich kann verstehen, dass du nicht gern an die Zeit erinnert wirst. Und wenn du Kontakt gehalten hättest... das wäre auch Erinnerung gewesen, nicht? Außerdem läuft das manchmal so mit Freundschaften. Eine Zeit lang ist man sich nahe und dann nicht mehr. Die Verhältnisse ändern sich. Die Bedürfnisse ändern sich. Das Leben geht weiter. Trotzdem hast du mir gefehlt.«

»Wir hätten in Verbindung bleiben müssen«, sagte Deborah.

»Das ist schwierig, wenn der eine nicht schreibt. Oder mal anruft. Oder irgendwas.« China sah sie mit einem Lächeln an. Aber es steckte Trauer dahinter, und Deborah fühlte sie.

»Es tut mir Leid, China. Ich weiß nicht, warum ich nicht geschrieben habe. Ich wollte ja, aber die Zeit verging, und dann... Ich hätte schreiben sollen. Mailen. Anrufen.«

»Trommeln.«

»Egal, was. Du musst dich – ich weiß nicht –, du hast wahrscheinlich geglaubt, ich hätte dich vergessen. Aber ich habe dich nie vergessen. Wie auch, nach allem, was gewesen ist.«

»Na ja, die Hochzeitsanzeige habe ich ja bekommen.« Aber keine Einladung, schwang unausgesprochen mit.

Deborah hörte es und versuchte, zu erklären. »Ich dachte, du würdest es merkwürdig finden. Nach Tommy. Nach allem, was passiert ist, heirate ich Knall auf Fall einen anderen. Ich wusste einfach nicht, wie ich es erklären soll.«

»Hast du gedacht, du wärst mir eine Erklärung schuldig? Warum?«

»Na ja, es sah so...« Deborah wünschte sich ein passendes Wort, um zu beschreiben, wie ihr Wechsel von Tommy Lynley zu Simon St. James ihrer Meinung nach auf jemanden gewirkt haben könnte, der nicht die ganze Geschichte ihrer Liebe zu Simon und ihrer Trennung von ihm kannte. Als sie damals in Amerika gewesen war, war es zu schmerzlich gewesen, darüber zu sprechen. Dann war Tommy gekommen und hatte eine Lücke gefüllt, von deren Existenz selbst er zu jener Zeit nichts geahnt hatte. Es war alles viel zu kompliziert. Vielleicht hatte sie China darum einfach zu einem Teil einer amerikanischen Episode gemacht, zu der auch Tommy gehörte und die in die Vergangenheit verbannt werden musste, als die Zeit mit Tommy vorbei gewesen war.

»Ich habe nie viel von Simon gesprochen, nicht?«

»Du hast nicht mal seinen Namen erwähnt. Du hast immer auf Post gewartet, und jedes Mal, wenn das Telefon geklingelt hat, hast du ein Gesicht gemacht wie ein begieriges kleines Hündchen. Wenn dann der Brief, auf den du gewartet hast, nicht kam, und der Anruf auch nicht, bist du ein paar Stunden lang verschwunden. Ich dachte mir, dass daheim in England jemand ist, den du vergessen willst, aber ich wollte nicht fragen. Ich dachte, du würdest es mir selbst erzählen, wenn du so weit bist. Aber du hast es nie getan.« China kippte die Nudeln in ein Sieb. Eine Dampfwolke stieg hinter ihr in die Höhe, als sie sich herumdrehte. »Wir hätten das miteinander teilen können«, sagte sie. »Schade, dass dein Vertrauen zu mir dafür nicht gereicht hat.«

»Aber so war es nicht. Überleg doch mal, was darauf alles passiert ist. Ist das kein Beweis dafür, dass ich dir vollkommen vertraut habe?«

»Ja, klar, der Abbruch. Aber das war was Körperliches. Emotional hast du dich nie jemandem anvertraut. Nicht mal, als du Simon geheiratet hast. Nicht mal jetzt, wo du Ärger mit ihm hast. Aber eine Freundin ist jemand, der man sich mitteilt, kein Gebrauchsgegenstand, den man benützt wie ein Kleenex, wenn man mal schnäuzen muss.«

»Glaubst du denn, dass ich dich so gesehen habe? Dass ich dich jetzt so sehe?«

China zuckte mit den Schultern und machte ein resigniertes Gesicht. »Nein, wahrscheinlich nicht.«

Während Deborah jetzt in den Candie Gardens saß, dachte sie über den Abend mit China nach. Cherokee hatte sich nicht blicken lassen, solange sie da gewesen war – »er wollte ins Kino, aber wahrscheinlich sitzt er in irgendeiner Kneipe und baggert eine Frau an« –, es hatte also keine Ablenkung gegeben, keine Entschuldigung, die Augen davor zu verschließen, was aus ihrer Freundschaft geworden war.

Sie hatten sich hier in Guernsey in einer veränderten Rollenverteilung wieder getroffen, und das schuf Unsicherheit zwischen ihnen. China, lange Zeit in ihrer Beziehung die Sorgende, unermüdlich um die Fremde bemüht, die mit den Verletzungen einer uneingestandenen Liebe nach Kalifornien gekommen war, war durch die Umstände in die Rolle der vom Wohlwollen anderer abhängigen Bittstellerin gedrängt worden. Deborah, ursprünglich die Empfängerin von Chinas Fürsorge, war in die Rolle der Helferin geschlüpft. Diese Änderung des früher gewohnten Umgangs miteinander, war eine Irritation, die sie empfindlich machte, empfindlicher vielleicht, als sie es gewesen wären, hätte nur die durch die Jahre des Schweigens verursachte Verletzung zwischen ihnen gestanden. Sie wussten beide nicht so recht, wie sie sich verhalten sollten. Aber Deborah war überzeugt, dass sie im Herzen das Gleiche fühlten, auch wenn ihr Bemühen, es auszudrücken, noch so ungeschickt war. Jeder von ihnen lag das Wohl der anderen am Herzen, und beide waren sie vorsichtig. Sie waren im Begriff, sich aneinander heranzutasten, um einen Weg nach vorn zu finden, der aus der Vergangenheit herausführen würde.

Als Deborah von der Bank aufstand, fiel milchiges Licht auf den Fußweg. Sie folgte ihm zwischen Rasenflächen und Buschwerk hindurch und umrundete einen Weiher, in dem Goldfische schwammen, zarte Miniaturausgaben der Fische im japanischen Garten von *Le Reposoir*.

Draußen auf der Straße hatte der morgendliche Berufsverkehr begonnen, rundherum eilten die Menschen ins Stadtzentrum. Die meisten überquerten die Straße zum St. Ann's Place. Deborah folgte ihnen den sanften Bogen entlang, in dem das Hotel sichtbar wurde.

Gegenüber, an der niedrigen Mauer des kleinen Parks, sah sie Cherokee stehen. Er aß irgendetwas aus einer Papierserviette und hielt einen dampfenden Pappbecher in der Hand. Mit gespannter Aufmerksamkeit beobachtete er unverwandt das Hotel.

Sie trat zu ihm. Er bemerkte sie nicht und zuckte zusammen, als sie ihn ansprach. Dann lachte er. »Es funktioniert tatsächlich«, sagte er. »Ich habe dir dauernd telepathische Botschaften gesandt, dass du rauskommen sollst.«

»Telefonische wirken im Allgemeinen besser«, erwiderte sie. »Was isst du da?«

»Schokocroissant. Magst du was?« Er hielt es ihr hin.

Sie nahm seine Hand in die ihre und hielt sie fest. »Und ganz frisch. Köstlich.« Sie kaute.

Er bot ihr den nach Kaffee duftenden Becher an. Sie trank. Er lächelte. »Hervorragend.«

»Was?«

»Was hier gerade stattgefunden hat.«

»Was denn?«

»Unsere Eheschließung. In einigen der primitivsten Stämme im Amazonasgebiet wärst du soeben meine Frau geworden.«

»Was würde das bedeuten?«

»Komm mit mir an den Amazonas, dann erfährst du's.« Er biss von seinem Croissant ab und betrachtete sie aufmerksam. »Ich weiß gar nicht, was damals mit mir los war. Mir ist nie aufgefallen, was für eine scharfe Frau du bist. Wahrscheinlich, weil du vergeben warst.«

»Ich bin immer noch vergeben«, sagte Deborah.

»Verheiratet zählt nicht.«

»Wieso nicht?«

»Das ist schwer zu erklären.«

Sie lehnte sich neben ihm an die Mauer, nahm ihm den Kaffeebecher aus der Hand und gönnte sich noch einen Schluck. »Versuch's.«

»Ach, das ist so ein Ding unter Kerlen. Die Grundregeln. Du kannst eine Frau anmachen, wenn sie Single oder verheiratet ist. Single ist klar, sie ist frei und, seien wir ehrlich, im Allgemeinen auf der Suche nach einem Typen, der ihr bestätigt, dass sie gut aussieht. Also stört es sie nicht, wenn sie angemacht wird. Verheiratet, weil ihr Ehemann sie wahrscheinlich einmal zu oft ignoriert hat, und wenn's nicht so ist, sagt sie dir das gleich ins Gesicht, und du kannst dir die Zeit sparen. Aber eine Frau, die mit einem Typen *zusammen*, aber nicht mit ihm verheiratet ist, ist absolut tabu. Sie ist gegen jede Anmache immun, und wenn man's bei ihr versucht, kriegt man früher oder später von ihrem Typen zu hören.«

»Das klingt wie die Stimme der Erfahrung«, stellte Deborah fest.

Er grinste schief.

»China meinte gestern Abend, du wärst auf Anmache unterwegs.«

»Sie sagte, dass du rüberkommen wolltest. Ich hab mich gefragt, warum.«

»Hier gab es gestern Abend ein paar Spannungen.«

»Damit ist bei dir Anmache erlaubt. Spannungen sind gut. Komm, nimm noch was.« Er hielt ihr Croissant und Kaffee hin.

»Um unsere amazonische Heirat zu besiegeln?«

»Siehst du! Du denkst schon wie eine Südamerikanerin.«

Sie lachten.

»Du hättest häufiger nach Orange County kommen sollen«, sagte Cherokee. »Das wäre schön gewesen.«

»Damit du Gelegenheit gehabt hättest, mich anzumachen?«

»Nein. Das tu ich ja jetzt.«

Deborah lachte. Er scherzte natürlich. Aber diese leichte erotische Spannung zwischen ihnen war angenehm, das musste sie zugeben. Sie fragte sich, wann dieses Gefühl in ihrer Ehe auf der Strecke geblieben war, und ob es tatsächlich auf der Strecke geblieben war.

Cherokee sagte: »Ich wollte dich um Rat bitten. Ich hab die ganze Nacht nicht geschlafen, weil ich dauernd überlegt hab, was ich tun soll.«

»Was meinst du?«

»Ob ich unsere Mutter anrufen soll. China will nicht, dass sie da reingezogen wird. Wenn's nach ihr geht, soll sie überhaupt nichts erfahren. Aber ich finde, sie hat ein Recht darauf. Sie ist immerhin unsere Mutter. China ist der Meinung, dass sie hier sowieso nichts tun kann, und da hat sie auch Recht. Aber sie könnte ja einfach hier *sein*. Kurz und gut, ich denke, ich ruf sie an. Was meinst du?«

Deborah überlegte. Chinas Beziehung zu ihrer Mutter war zu ihren besten Zeiten einem Waffenstillstand zwischen Todfeinden vergleichbar gewesen. In den schlimmsten Tagen war sie ein offener Kampf gewesen. Chinas Hass auf ihre Mutter wurzelte tief in einer lieblosen Kindheit. Über ihrem leidenschaftlichen Engagement für soziale und ökologische Belange hatte Andromeda River vergessen, sich um die sozialen und ökologischen Belange ihrer eigenen Kinder zu kümmern. Sie hatte kaum Zeit gehabt für Cherokee und China, die ihre Kindheit und Jugend in Motels mit papierdünnen Wänden verbracht hatten, wo der einzige Luxus eine Eismaschine neben dem Empfang gewesen war. Solange Deborah China kannte, brodelte in dieser ein tiefer Zorn auf ihre Mutter, die sie in solchen Verhältnissen hatte aufwachsen lassen, während sie Protestplakate für gefährdete Tiere, gefährdete Pflanzen und für gefährdete Kinder geschwenkt hatte, die gar nicht so viel anders aufwuchsen als ihre eigenen Kinder.

»Warte lieber noch ein paar Tage«, erwiderte Deborah. »China ist nervös – wer wäre das in dieser Situation nicht? Wenn sie ihre Mutter jetzt nicht hier haben will, wäre es vielleicht besser, ihre Wünsche zu respektieren. Fürs Erste, jedenfalls.«

»Du glaubst, es kommt noch schlimmer, richtig?«

Sie seufzte. »Na ja, die Geschichte mit dem Ring ist nicht gut. Hätte sie ihn nur nicht gekauft.«

»Ja, das wünsche ich mir auch.«

»Cherokee, was ist zwischen ihr und Matt Whitecomb geschehen?«

Cherokee richtete den Blick aufs Hotel. Er schien die Fenster im ersten Stock zu mustern, wo die Vorhänge noch zugezogen waren. »Die Sache hatte keine Zukunft. Sie wollte das nicht sehen. Es war, was es war, aber viel war das nicht. Sie wollte mehr und hat sich was vorgemacht.«

»Nach dreizehn Jahren war es nicht viel?«, fragte Deborah. »Wie soll das möglich sein?«

»Es ist möglich, weil Männer Arschlöcher sind.« Cherokee spülte den Rest des Kaffees hinunter. »Ich geh jetzt lieber wieder zu ihr, okay?«

»Natürlich.«

»Und du und ich, Debs? ... Wir müssen noch mehr tun, um sie aus diesem Schlamassel rauszuholen. Das weißt du doch, nicht?« Er hob die Hand, und einen Augenblick schien es, als wollte er ihr Haar oder ihr Gesicht streicheln. Aber er ließ die Hand auf ihre Schulter sinken und drückte sie. Dann ging er in Richtung zur Clifton Street davon, in einiger Entfernung vom Royal Court

House, wo China der Prozess gemacht würde, wenn sie nicht etwas dagegen unternahmen.

Deborah kehrte in ihr Hotelzimmer zurück und traf Simon bei einem seiner morgendlichen Rituale an. Allerdings ließ er sich im Allgemeinen entweder von ihr oder ihrem Vater dabei helfen, da es für ihn schwierig war, die Elektroden selbst anzulegen. Doch diesmal schien er es recht gut geschafft zu haben. Mit einer Ausgabe des *Guardian* vom vergangenen Tag lag er auf dem Bett und las, während elektrische Impulse die untauglichen Muskeln seines Beins stimulierten, um eine Atrophie zu verhindern.

Sie wusste, dass der Hauptgrund dafür Eitelkeit war. Aber es steckte auch ein Restchen Hoffnung dahinter, dass eines Tages etwas entwickelt würde, das es ihm ermöglichen würde, wieder zu laufen. Er wollte bereit sein, wenn dieser Tag kam.

Immer wenn sie Simon in einem solchen Moment erlebte, erfasste sie tiefes Mitgefühl, und das wusste er. Da er alles hasste, was nach Mitleid roch, versuchte sie stets so zu tun, als wären diese mit seinem Leiden verbundenen Bemühungen so normal wie das Zähneputzen.

Er sagte: »Als ich wach geworden bin und du nicht hier warst, hatte ich schon Angst, du wärst die ganze Nacht weggeblieben.«

Nachdem sie ihren Mantel ausgezogen hatte, füllte sie den elektrischen Kessel mit Wasser und schaltete ihn ein. Sie hängte zwei Beutel in die Teekanne. »Ich war wütend auf dich. Aber nicht wütend genug, um auf der Straße zu nächtigen.«

»Die Angst hatte ich auch nicht.«

Sie warf ihm über die Schulter hinweg einen Blick zu, aber er war in irgendeinen Artikel der Zeitung vertieft. »Wir haben von alten Zeiten geredet. Du hast geschlafen, als ich kam. Und dann hab ich die ganze Nacht wach gelegen und mich herumgewälzt. Ich bin früh aufgestanden und spazieren gegangen.«

»Ist es schön draußen?«

»Kalt und grau. Wir könnten ebenso gut in London sein.«

»Dezember«, sagte er.

»Hm«, machte sie. Aber in ihrem Inneren schrie es, warum,

verdammt noch mal, unterhalten wir uns übers *Wetter*. Gelangt jede Ehe irgendwann an diesen Punkt?

Als hätte er ihre Gedanken gelesen und wollte ihr beweisen, dass sie sich täuschte, sagte er: »Es ist offenbar *ihr* Ring, Deborah. Unter ihren Sachen bei der Polizei war kein anderer. Sie können natürlich nichts mit Gewissheit sagen, solange sie nicht –«

»Sind ihre Fingerabdrücke darauf?«

»Das weiß ich noch nicht.«

»Dann ...«

»Wir müssen abwarten.«

»Du hältst sie für schuldig, nicht wahr?« Deborah hörte die Bitterkeit in ihrer Stimme. Sie bemühte sich, ihre Gefühle für sich zu behalten und besonnen, kühl und sachlich zu sprechen wie er, aber es gelang ihr nicht. »Wir sind ihr ja wirklich eine tolle Hilfe.«

»Deborah«, sagte Simon leise. »Komm, setz dich zu mir aufs Bett.«

»Gott, ich hasse es, wenn du so mit mir redest.«

»Du bist böse wegen gestern. Mein Verhalten dir gegenüber war – ich weiß, es war nicht richtig. Es war schroff. Lieblos. Ich gebe es zu, und es tut mir Leid. Können wir es hinter uns lassen? Ich würde dir nämlich gern erzählen, was ich in Erfahrung gebracht habe. Ich wollte es dir schon gestern Abend erzählen, aber es war ja alles ein bisschen schwierig. Ich war ekelhaft, und es war dein gutes Recht gewesen, mir aus dem Weg zu gehen.«

Noch nie war Simon in einem Eingeständnis, ihr gegenüber falsch gehandelt zu haben, so weit gegangen. Deborah trat zu ihm ans Bett und setzte sich auf die Kante. »Der Ring gehört vielleicht ihr, aber das heißt noch lange nicht, dass sie unten in der Bucht war, Simon.«

»Das stimmt«, sagte er und berichtete ihr, wie er die Zeit zugebracht hatte, nachdem sie unten in dem kleinen Park auseinander gegangen waren.

Dank des Zeitunterschieds zwischen Guernsey und Kalifornien war es ihm gelungen, den Anwalt zu erreichen, der Cherokee River angeheuert hatte, die Baupläne über den Atlantik zu bringen. William Kiefer berief sich sofort auf das Anwaltsgeheimnis, aber als er hörte, dass der Mandant, um den es ging, in Guernsey ermordet worden war, zeigte er sich zur Kooperation bereit.

Guy Brouard, erklärte er Simon, hatte ihm einen reichlich ungewöhnlichen Auftrag erteilt. Er hatte ihn gebeten, eine vertrauenswürdige Person zu finden, die bereit wäre, einen Satz wichtiger Baupläne von Orange County nach Guernsey zu befördern.

Im ersten Moment, sagte Kiefer, habe er diesen Auftrag idiotisch gefunden, obwohl er dieses Wort natürlich Mr. Brouard gegenüber nicht in den Mund genommen habe. Warum Mr. Brouard sich denn nicht einen der üblichen Kurierdienste beauftragen wolle, die auf solche Transporte spezialisiert seien und sie zum Minimalpreis ausführten? FedEx, zum Beispiel, oder DHL. Seinetwegen auch UPS. Doch Mr. Brouard verkörperte, wie sich zeigte, eine hochinteressante Mischung aus Autorität, Exzentrik und Paranoia. Er hatte das Geld, um zu tun, was er für richtig hielt, erklärte Kiefer, und dafür zu sorgen, dass er bekam, was er wollte.

Er hätte die Pläne selbst mitgenommen, hatte er zu Kiefer gesagt, aber er war nur nach Orange County gekommen, um den Auftrag zu ihrer Anfertigung zu geben und hatte nicht die Zeit, auf ihre Fertigstellung zu warten.

Er wolle einen absolut zuverlässigen Kurier haben, sagte er, und sei bereit, zu bezahlen, was es koste, eine solche Person zu finden. Allerdings wollte er die Aufgabe nicht einem Mann allein anvertrauen – offenbar, erläuterte Kiefer, hätte er einen nichtsnutzigen Sohn gehabt und daher von jüngeren Männern nicht viel gehalten – und ebenso wenig einer allein reisenden Frau, weil ihm die Vorstellung einer Frau ohne männliche Begleitung nicht gefiel und er sich nicht verantwortlich fühlen wollte, falls ihr etwas zustieß. In der Hinsicht sei er ausgesprochen altmodisch gewesen. Sie einigten sich also auf ein Paar, einen Mann und eine Frau. Man würde versuchen, ein Ehepaar zu finden, gleich, welchen Alters.

Brouard, berichtete Kiefer weiter, war exzentrisch genug, um fünftausend Dollar für den Job zu bieten. Aber nicht so exzentrisch, für die Flugreise mehr als Touristenklasse zu bezahlen. Da das gesuchte Paar in der Lage sein musste, die Reise unmittelbar bei Fertigstellung der Pläne anzutreten, schien es am vielversprechendsten, unter den Studenten der örtlichen Niederlassung der Universität von Kalifornien zu suchen. Kiefer hängte also einen Aushang auf und wartete ab.

Brouard bezahlte ihm sein Honorar und legte die fünftausend Dollar darauf, die er für den Kurier versprochen hatte. Beide Schecks waren in Ordnung. Trotzdem wollte sich Kiefer, der die ganze Sache reichlich bizarr fand, vergewissern, dass nichts Illegales ablief, und prüfte deshalb nach, ob der Architekt wirklich Architekt war und nicht Waffenfabrikant, Plutoniumschieber, Drogenhändler oder Lieferant von Substanzen zur biologischen Kriegsführung.

Denn solche Typen, sagte Kiefer, würden natürlich nie im Leben etwas über einen legitimen Kurierdienst versenden.

Doch der Architekt entpuppte sich tatsächlich als Architekt. Er hieß Jim Ward und war sogar mit Kiefer zusammen zur Schule gegangen war. Er bestätigte die Geschichte in vollem Umfang. Er war dabei einen Satz Baupläne und Zeichnungen für Mr. Brouard anzufertigen, der auf der Insel Guernsey lebte und diese Unterlagen so schnell wie möglich haben wollte.

Daraufhin hatte Kiefer von seiner Seite aus alles wie vereinbart ins Rollen gebracht. Eine Schar von Leuten bewarb sich um den Job, und unter ihnen wählte er einen Mann namens Cherokee River aus. Er sei älter gewesen als die anderen, erklärte Kiefer, und verheiratet.

»Im Wesentlichen«, sagte Simon abschließend, »hat William Kiefer die Geschichte der Rivers in allen Einzelheiten bestätigt. Ich muss sagen, es war eine unorthodoxe Vorgehensweise, aber ich habe allmählich den Eindruck, dass Brouard sich gern unorthodoxer Methoden bediente. Indem er die anderen aus dem Konzept brachte, sicherte er sich die Kontrolle. Das ist für reiche Leute wichtig. Auf diese Weise werden sie meistens überhaupt erst reich.«

»Weiß die Polizei das alles?«, fragte Deborah.

St. James schüttelte den Kopf. »Aber Le Gallez hat sämtliche diesbezüglichen Unterlagen. Ich denke, er wird es bald wissen.«

»Und lässt er sie dann frei?«

»Du meinst, weil ihre Angaben sich als wahr erwiesen haben?« Simon griff nach dem Kasten mit den Elektroden, schaltete das Gerät aus und begann, die Kontaktplättchen abzulösen. »Ich fürchte, nein, Deborah. Es sei denn, er stößt auf irgendetwas, was eindeutig eine andere Person belastet.« Er hob seine Krücken vom Boden auf und rutschte vom Bett.

»Und gibt es etwas, das jemand anderen belastet?«

Er antwortete nicht, sondern beugte sich zu der Beinschiene hinunter, die neben dem Sessel unter dem Fenster lag. Deborah hatte den Eindruck, dass er an diesem Morgen endlos brauchte, um sie richtig anzupassen, und nochmals endlos brauchte, bis er endlich fertig angekleidet auf den Beinen stand und bereit war, das Gespräch fortzusetzen.

»Du bist beunruhigt?«, sagte er.

»China macht sich Gedanken, warum du... Ich meine, du machst nicht den Eindruck, als wärst du besonders erpicht darauf, sie kennen zu lernen. Für sie sieht es so aus, als hättest du einen Grund, Distanz zu halten. Ist es so?«

»Oberflächlich scheint sie für jemanden, der einen Sündenbock suchte, um ihm diesen Mord in die Schuhe zu schieben, genau die richtige Kandidatin gewesen zu sein. Sie und Brouard waren häufig allein zusammen unterwegs, ihr Umhang scheint leicht zugänglich gewesen zu sein, und jeder, der die Möglichkeit hatte, in ihr Zimmer zu gelangen, kann sich ihre Schuhe und ein paar Haare von ihr beschafft haben. Aber vorsätzlicher Mord setzt ein Motiv voraus. Und man mag es drehen und wenden, wie man will, ein Motiv hatte sie nicht.«

»Trotzdem wird die Polizei vielleicht glauben –«

»Nein. Sie wissen, dass sie kein Motiv für sie haben, und das ebnet uns den Weg.«

»Jemand anderen zu finden?«

»Ja. Warum plant jemand einen Mord? Aus Rache, Eifersucht,

Gewinnsucht oder Erpressung. Ich denke, darauf müssen wir jetzt unsere Energien richten.«

»Aber der Ring... Simon, wenn er wirklich China gehört!«

»Dann sollten wir uns mit unserer Arbeit beeilen.«

# 17

Margaret Chamberlain, die auf der Rückfahrt nach *Le Reposoir* war, umklammerte das Lenkrad des Range Rover, als gälte es ihr Leben. Sie konnte ihre fünf Sinne nur beisammen halten, indem sie sich einzig auf die Anstrengung konzentrierte, die nötig war, um den eisernen Druck ihrer Hände beizubehalten. Nur so schaffte sie die Fahrt an der Belle-Greve-Bucht entlang nach Süden, ohne innerlich abzudriften, ohne unablässig an ihre Begegnung mit der Familie Fielder zu denken.

Die Adresse ausfindig zu machen, war nicht schwierig gewesen. Es gab nur zwei Fielders im Telefonbuch, und einer von ihnen lebte auf Alderney. Der andere wohnte in der Rue des Lierres, in einer Gegend zwischen St. Peter Port und St. Sampson. Auf der Karte war das leicht zu finden gewesen. In der Realität nicht ganz so leicht, da dieser Teil der Stadt, der Le Bouet hieß, ebenso schlecht gekennzeichnet wie angesehen war.

Bei Margaret erweckte er etwas zu lebhafte Erinnerungen an ihre Vergangenheit als eines von sechs Kindern einer Familie, bei der das Geld nie gereicht hatte. In Le Bouet lebten die Randexistenzen der Gesellschaft, und ihre Wohnungen sahen nicht anders aus als die Wohnungen solcher Leute in jeder englischen Stadt. Hier standen hässliche kleine Reihenhäuser mit schmalen Haustüren, Aluminiumfenstern und schmutzigen Fassaden. Überquellende Müllbeutel ersetzten Büsche und Sträucher, und wo es ein Fleckchen Rasen gab, war es nicht von Blumenbeeten geschmückt, sondern diente als Schuttabladeplatz.

Als Margaret in der Nähe des gesuchten Hauses aus dem Auto stieg, wäre sie beinahe über zwei Katzen gestolpert, die sich wegen eines im Rinnstein liegenden Rests Schweinfleischpastete anfauchten. Ein Hund wühlte in einer umgekippten Mülltonne. Möwen pickten an einem alten Brötchen, das auf einem Stück Rasen lag. Sie schauderte beim Anblick dieser Verhältnisse, die jedoch zugleich nahe legten, dass sie mit den Fielders leichtes Spiel haben würde. Diese Leute waren bestimmt nicht in der Lage, einen Anwalt zu nehmen, der ihnen ihre Rechte erklärte. Es dürfte, dachte sie, nicht schwierig sein, ihnen Adrians rechtmäßiges Erbe zu entreißen.

Sie hatte nicht mit dem Kerl gerechnet, der ihr die Tür öffnete, eine widerliche Verkörperung ungekämmter und ungewaschener männlicher Aggressivität. Auf ihre höfliche Frage: »Guten Morgen, wohnen hier die Eltern von Paul Fielder?«, antwortete er: »Kann sein, kann auch nicht sein«, und fixierte dabei demonstrativ ihren Busen.

Sie sagte: »Sie sind nicht Mr. Fielder, nicht wahr? Nicht der Vater…« Aber nein, der konnte er gar nicht sein. Trotz seines Machogehabes war er höchstens zwanzig. »Sie müssen ein Bruder sein? Ich würde gern mit Ihren Eltern sprechen, wenn sie da sind. Vielleicht sagen Sie ihnen, dass es sich um Ihren Bruder handelt. Paul Fielder ist doch Ihr Bruder?«

Er hob kurz den Blick von ihrem Busen. »Der kleine Scheißer«, sagte er und trat von der Tür weg.

Margaret fasste das als Aufforderung zum Eintreten auf, und als der Rüpel sich in Richtung zum hinteren Teil des Hauses entfernte, nahm sie auch das als Einladung und folgte ihm. Sie gelangte in eine enge, kleine Küche, in der es nach ranzigem Schinkenspeck roch und sie allein mit ihm war. Er zündete sich an der Flamme des Gasherds eine Zigarette an, wandte sich ihr zu und sog tief den Rauch ein.

»Was hat er angestellt?«, fragte Billy Fielder.

»Er hat einen beträchtlichen Geldbetrag von meinem Mann geerbt, von meinem geschiedenen Mann, genauer gesagt. Er hat das Geld meinem Sohn genommen, dem es von Rechts wegen zusteht. Da ich gern eine langwierige gerichtliche Auseinandersetzung wegen dieser Angelegenheit vermeiden möchte, hielt ich es für das Beste, mit ihren Eltern zu sprechen, um zu sehen, ob sie meiner Meinung sind.«

»Ah ja?«, sagte Billy Fielder. Er zog seine verdreckte Bluejeans hoch, spreizte die Beine und ließ geräuschvoll einen Wind entweichen. »'tschuldigung«, sagte er. »Bei Damen muss man ja Manieren zeigen. Das vergess ich immer.«

»Ihre Eltern sind wohl nicht da?« Margaret schob ihre Handtasche über ihren Arm, zum Zeichen, dass sie dieses Gespräch als beendet ansah. »Wenn Sie ihnen ausrichten würden –«

»Vielleicht sind sie ja oben. Die treiben's am liebsten morgens, wissen Sie. Und Sie? Wann mögen Sie's, hm?«

Margaret fand, das Gespräch mit diesem Flegel habe lang genug gedauert. Sie sagte: »Richten Sie ihnen bitte aus, dass Margaret Chamberlain – vormals Brouard – hier war … Ich rufe sie später an.« Sie machte kehrt, um auf dem Weg wieder hinauszugehen, auf dem sie hereingekommen war.

»Margaret Chamberlain, vormals Brouard«, wiederholte Billy Fielder. »Ob ich mir so viel auf einmal merken kann, bezweifle ich. Da brauch ich schon Hilfe. Das ist 'ne echte Ladung.«

Margaret, schon auf dem Weg zur Haustür, blieb stehen. »Wenn Sie einen Zettel da haben, schreibe ich es Ihnen auf.«

Sie war im Flur zwischen Küche und Haustür, und der Bursche kam ihr nach. In dem schmalen Korridor wirkte seine Nähe bedrohlicher als dies sonst vielleicht der Fall gewesen wäre, und die Stille im Haus wurde plötzlich bedrückend.

Billy Fielder sagte: »Ich hab eigentlich weniger an 'nen Zettel gedacht. Zettel helfen mir nie viel.«

»Tja, dann muss ich eben anrufen und mit ihnen sprechen.« Wieder wandte sich Margaret ab, obwohl sie ihn ungern aus den Augen ließ, und steuerte die Haustür an.

Er holte sie mit zwei Schritten ein und hielt ihre Hand auf dem Türknauf fest. Sie fühlte seinen Atem heiß in ihrem Nacken. Er drängte sich an sie, so dass sie an die Tür gedrückt wurde. Als er sie dort festgenagelt hatte, ließ er ihre Hand los, fasste nach unten und griff ihr zwischen die Beine. Er packte fest zu und riss sie an sich, während er mit der anderen Hand ihre Brust zusammenquetschte. Es ging alles blitzschnell. »So kann ich mich schon eher erinnern«, nuschelte er.

Das Einzige, woran Margaret absurderweise denken konnte, war die Zigarette, die er sich zuvor angezündet hatte. Hatte er sie noch in der Hand? Wollte er sie damit brennen?

Der Irrsinn dieser Überlegungen in einer Situation, in der dieses Vieh bestimmt ganz anderes im Sinn hatte, als sie mit seiner Zigarette zu brennen, ließ sie alle Furcht vergessen. Sie rammte ihm den Ellbogen in die Rippen und den Absatz ihres Stiefels in den Fuß, und in dem Moment, als er losließ, stieß sie ihn weg und rannte zur Tür hinaus. Am liebsten wäre sie geblieben und hätte ihm das Knie in die Eier gedonnert – sie lechzte buchstäblich danach –, aber wenn sie auch, wütend gemacht, eine Tigerin sein konnte, so war sie doch niemals dumm gewesen. Sie rannte zu ihrem Auto.

Als sie losfuhr, merkte sie, dass ihr ganzer Körper unter Adrenalin stand, und ihre Reaktion auf den Adrenalinstoß war weiß glühende Wut, die sie in geballter Ladung auf dieses armselige Exemplar der Spezies Mensch richtete, das sie in dem Haus in Le Bouet vorgefunden hatte. Wie konnte er es wagen … Was bildete der Kerl sich ein, wer er war … Was hatte er vorgehabt … Sie hätte ihn umbringen … Aber diese Wut hielt nicht lange an. Sie verflog mit der Erkenntnis, was hätte geschehen können, und damit zog eine andere Wut herauf, die einen angemesseneren Adressaten hatte: ihren Sohn.

Er hatte sie nicht begleitet. Er hatte sie schon am Vortag die Auseinandersetzung mit Henry Moullin allein führen lassen, und heute hatte er sich wieder entzogen.

Ich bin fertig mit ihm, dachte Margaret. Ja, bei Gott, sie hatte genug. Sie hatte genug davon, Adrians Leben zu ordnen, ohne dabei die geringste Unterstützung, geschweige denn ein Wort des Dankes zu bekommen. Von dem Tag seiner Geburt an hatte sie seine Schlachten geschlagen, aber jetzt war Schluss damit.

In *Le Reposoir* angekommen, knallte sie die Autotür zu und marschierte mit Riesenschritten zum Haus, wo sie die Tür aufstieß und ebenfalls zuknallte. Jedes Krachen ein Ausrufezeichen.

Sie war fertig mit ihm. Krach. Er konnte sehen, wie er allein zurechtkam. Krach.

Auf ihren gewaltsamen Umgang mit der schweren Haustür erfolgte keine Reaktion. Das ärgerte sie auf eine Weise, wie sie es nicht für möglich gehalten hätte, und sie stürmte durch die alte steinerne Vorhalle, dass ihre Stiefelabsätze nur so knallten. Sie flog beinahe die Treppe hinauf zu Adrians Zimmer. Das Einzige, was sie davon abhielt, einfach hineinzuplatzen, war die Sorge, man könnte ihr ansehen, was sie sich soeben hatte gefallen lassen müssen, und die Angst, sie würde Adrian bei irgendeiner widerlichen privaten Beschäftigung mit sich selbst ertappen.

Vielleicht, dachte sie, hatte *das* Carmel Fitzgerald in die bereitwillig geöffneten Arme getrieben von Adrians Vater. Sie hatte mit dieser oder jener von Adrians ekelhaften Methoden der Selbstberuhigung Bekanntschaft gemacht und war in heller Verwirrung zu Guy gelaufen, um sich Trost und Erklärung zu holen, was beides Guy ihr nur zu gern geliefert hatte.

*Mein Sohn ist etwas merkwürdig, nicht ganz das, was man von einem Mann erwartet, mein Kind.*

O ja, ganz recht, dachte Margaret. Adrians einzige Chance, ein normales Leben zu führen, war ihm entrissen worden. Und durch seine eigene Schuld, was Margaret neuerlich wütend machte. Wann – um Gottes willen, *wann* – würde sich ihr Sohn endlich in den Mann verwandeln, als den sie ihn sehen wollte?

Im oberen Korridor hing über einer Mahagonitruhe ein goldgerahmter Spiegel. Vor ihm blieb Margaret stehen, um ihr Aussehen zu überprüfen. Sie senkte den Blick zu ihrem Busen und erwartete beinahe, den Abdruck von Bruder Fielders schmutzigen Fingern auf ihrem gelben Kaschmirpullover zu sehen. Sie spürte noch jetzt die Berührung seiner Hand. Roch noch jetzt seinen Atem. Monstrum. Kretin. Psychopath.

Sie klopfte zweimal bei Adrian an, nicht leise. Sie rief seinen Namen, drehte den Knauf und trat ins Zimmer. Er war im Bett. Aber er schlief nicht. Sein Blick war starr auf das Fenster gerichtet, dessen Vorhänge zurückgezogen waren und den grauen Tag hereinließen. Es stand weit offen.

Margarets Magen zog sich zusammen, und aller Zorn verflog. Kein normaler Mensch, dachte sie, würde bei diesen Bedingungen im Bett liegen.

Sie fröstelte. Rasch trat sie ans Fenster und inspizierte den äußeren Sims und den Boden darunter. Sie wandte sich wieder zum Bett. Die Steppdecke war bis zu Adrians Kinn hochgezogen, die Konturen kennzeichneten die Lage seiner Gliedmaßen. Sie ließ ihren Blick dieser Topografie folgen, bis er seine Füße erreichte. Sie würde nachsehen, sagte sie sich. Sie würde dem Schlimmsten ins Auge sehen.

Er ließ keinen Protest hören, als sie die Decke über seinen Füßen anhob. Er rührte sich nicht, als sie an seinen Fußsohlen nach Spuren eines nächtlichen Ausflugs suchte. Die aufgezogenen Vorhänge und das offen stehende Fenster ließen vermuten, dass er einen seiner Zustände gehabt hatte. Er war nie zuvor mitten in der Nacht auf ein Fenstersims oder ein Dach geklettert, aber sein Unterbewusstsein wurde nicht immer von der Vernunft gelenkt.

»Schlafwandler bringen sich im Allgemeinen nicht selbst in Gefahr«, hatte man Margaret erklärt. »Sie tun in der Nacht das Gleiche, was sie am Tag tun würden.«

Genau das, dachte Margaret erbittert, war der springende Punkt.

Aber wenn Adrian wirklich im Freien umhergelaufen war, so war an seinen Füßen keine Spur davon zu entdecken. Sie strich einen somnambulen Anfall von der Liste möglicher psychischer Ausrutscher ihres Sohnes und untersuchte als Nächstes das Bett. Sie bemühte sich gar nicht, behutsam zu sein, als sie die Hände unter die Decke schob und nach feuchten Flecken auf den Laken und der Matratze tastete. Sie war erleichtert, als sie keine fand. Aus dem Wachkoma – so nannte sie sein periodisches Abgleiten in Trancezustände am helllichten Tag – würde man ihn schon herausbringen.

Früher einmal hatte sie es sanft und zart getan. Er war ihr armer Junge, ihr liebster Liebling, so anders als ihre übrigen strammen, erfolgreichen Söhne, so hochsensibel. Sie hatte ihn mit sanfter Liebkosung seiner Wangen aus dem Dämmerzustand geweckt. Sie hatte ihn mit Kopfmassagen wach gemacht und mit liebevoll gemurmelten Worten zur Erde zurückgeholt.

Aber das fiel ihr jetzt nicht ein. Billy Fielder hatte die Milch mütterlicher Liebe und Fürsorge gründlich aus ihr herausgequetscht. Hätte Adrian sie nach Le Bouet begleitet, wäre es nie zu dem gekommen, was dort vorgefallen war. Mochte er als Mann noch so ein Versager sein, seine Anwesenheit – als Zeuge, wohlgemerkt – im Haus der Familie Fielder hätte genügt, um Bruder Fielders Angriff auf sie zu verhindern.

Margaret packte die Decke und riss sie weg. Sie schleuderte sie zu Boden und zerrte das Kissen unter Adrians Kopf heraus. Als er mit den Augen zwinkerte, sagte sie. »Es reicht. Nimm endlich dein Leben in die Hand.«

Adrians Blick flog zu seiner Mutter, zum Fenster, zurück zu seiner Mutter, zur Bettdecke auf dem Boden. Sie sah, dass er in der Kälte nicht fröstelte. Er rührte sich überhaupt nicht.

»Steh auf!«, schrie sie ihn an.

Das machte ihn vollständig wach. »Habe ich …?«, sagte er mit Blick zum Fenster.

Margaret sagte: »Was glaubst du wohl? Ja und nein«, mit Blick zum Fenster und zum Bett. »Wir nehmen uns einen Anwalt. Und du kommst mit. Los!«

Sie ging zum Schrank und holte seinen Morgenrock heraus. Den warf sie ihm hin und schloss das Fenster, während er endlich aus dem Bett stieg.

Als sie sich herumdrehte, sah sie, dass er sie beobachtete, und an seiner Miene erkannte sie, dass er bei vollem Bewusstsein war und endlich auf ihr Eindringen in sein Zimmer reagierte. Es war als sickerte langsam eine Erinnerung an ihre Untersuchung seines Körpers und seiner Umgebung in sein Bewusstsein. Sie sah das heraufziehende Begreifen, und sie sah, wovon es begleitet wurde. Das würde den Umgang mit ihm nicht einfacher machen, aber Margaret hatte immer gewusst, dass sie ihrem Sohn mit Leichtigkeit gewachsen war.

»Hast du geklopft?«, fragte er.

»Mach dich nicht lächerlich. Was glaubst du denn?«

»Antworte mir.«

»Untersteh dich, mit deiner Mutter in diesem Ton zu sprechen. Ist dir eigentlich klar, was ich heute Morgen über mich ergehen lassen musste? Weißt du, wo ich war? Und weißt du auch, warum?«

»Ich möchte wissen, ob du geklopft hast.«

»Du solltest dich mal hören! Wenn du wüsstest, wie du dich anhörst –«

»Wechsel jetzt nicht das Thema. Es ist mein gutes Recht –«

»Ja, ja, es ist dein gutes Recht. Und genau deswegen bin ich seit Morgengrauen auf den Beinen. Weil ich mich um deine Rechte gekümmert und versucht habe, mit den Leuten zu reden, die dir deine Rechte gestohlen haben. Und das ist nun der Dank, den ich dafür bekomme.«

»Ich möchte wissen –«

»Du benimmst dich wie eine zweijährige Rotznase. Hör auf damit. Ja, ich habe geklopft. Ich habe getrommelt. Gebrüllt. Und wenn du glaubst, ich hätte vorgehabt, wegzugehen und zu warten, bis du geruhst, aus deinen Fantasien zurückzukehren, dann täuschst du dich gewaltig. Ich habe es satt, mich für dich einzusetzen, wenn du selbst keinen Finger rührst. Zieh dich an. Du wirst endlich was unternehmen. Und zwar jetzt. Sonst bin ich fertig mit alldem hier.«

»Dann sei fertig.«

Margaret trat kriegerisch auf ihren Sohn zu. Sie war froh, dass er den Wuchs seines Vaters geerbt hatte und nicht ihren. Sie war gut fünf Zentimeter größer als er. Das spielte sie jetzt aus. »Du bist unmöglich. Du machst dich selbst klein. Hast du eine Ahnung, wie unattraktiv das ist? Wie eine Frau sich dabei fühlt?«

Er ging zur Kommode, auf der eine Packung Benson and Hedges lag. Er nahm eine Zigarette heraus und zündete sie an, zog tief daran und sagte nichts. Die Trägheit seiner Bewegungen war reine Herausforderung.

»Adrian!«, hörte Margaret sich kreischen und war entsetzt, die Stimme ihrer Mutter zu hören, diese Putzfrauenstimme mit den Untertönen von Hoffnungslosigkeit und Furcht, die kaschiert werden mussten, indem man sie Wut nannte. »Antworte mir, verdammt noch mal. Ich lasse mir das nicht bieten. Ich bin nach Guernsey gekommen, um deine Zukunft zu sichern, und ich werde nicht zulassen, dass du mich behandelst wie –«

»Was?« Er drehte sich nach ihr um. »Wie was? Wie ein Möbelstück? Das man mal hierhin, mal dorthin schiebt? So wie du mich behandelst?«

»Das ist nicht –«

»Glaubst du, ich weiß nicht, worum es geht? Worum es immer gegangen ist? Um *deine* Wünsche. Um *deine* Pläne.«

»Wie kannst du so etwas sagen? Ich habe gearbeitet. Ich habe geschuftet. Ich habe organisiert. Ich habe alles getan. Mehr als mein halbes Leben lang habe ich mich bemüht, aus deinem Leben etwas zu machen, worauf du stolz sein kannst. Aus dir jemanden zu machen, der mit seinen Geschwistern mithalten kann. Aus dir einen *Mann* zu machen.«

»Da kann ich nur lachen. Du hast alles getan, um einen Versager aus mir zu machen, und jetzt, wo ich einer bin, tust du alles, um mich loszuwerden. Glaubst du denn, ich bin blind? Glaubst du, ich weiß das nicht? Das ist doch das Einzige, worum es dir geht. Schon seit dem Moment, als du aus dem Flugzeug gestiegen bist.«

»Das ist nicht wahr. Das ist gemein und undankbar von dir, und du sagst das nur –«

»Nein. Wir sollten vielleicht erst mal zusehen, dass wir auf einer Linie sind, wenn es dir so wichtig ist, dass ich selbst was unternehme, um mir zu holen, was mir zusteht. Du willst doch nur, dass ich mir das Geld hole, damit du mich abschieben kannst. ›Keine Ausflüchte mehr, Adrian. Du bist jetzt auf dich allein gestellt.‹«

»Das ist nicht wahr.«

»Glaubst du, ich weiß nicht, was für ein Verlierer ich bin? Was für eine Peinlichkeit für dich?«

»Sag so etwas nicht. Das darfst du nie sagen.«

»Wenn ich ein Vermögen in den Händen habe, gibt es keine

Entschuldigungen mehr. Dann nichts wie raus aus deinem Haus und raus aus deinem Leben. Ich hätte gegebenenfalls sogar genug Geld, um mich selbst in die Klapsmühle einzuweisen.«

»Ich möchte, dass du bekommst, was du verdienst. Gott im Himmel, siehst du das denn nicht?«

»Doch, doch, ich sehe es«, antwortete er. »Ich sehe es. Aber wie kommst du eigentlich auf die Idee, ich hätte nicht schon, was ich verdiene, Mutter?«

»Du bist sein Sohn.«

»Eben. Das ist es ja. Sein Sohn.«

Adrian starrte sie an, lange und eindringlich. Margaret begriff, dass er ihr eine Botschaft senden wollte, und sie spürte die Intensität dieser Botschaft in seinem Blick, wenn nicht in den Worten. Sie hatte plötzlich den Eindruck, sie wären einander fremd geworden, zwei Menschen mit Vergangenheit, die bis zu diesem Punkt, an dem ihre Wege sich zufällig gekreuzt hatten, nichts miteinander zu tun gehabt hatten.

Aber in dem Gefühl von Fremdheit und Distanz lag Sicherheit. Anders hätte die Gefahr bestanden, dass das Undenkbare sich in ihre Gedanken gedrängt hätte.

Sie sagte ruhig: »Zieh dich an, Adrian. Wir fahren in die Stadt. Wir müssen uns einen Anwalt nehmen und haben wenig Zeit.«

»Ich schlafwandle«, sagte er, und endlich klang er wenigstens halbwegs erschüttert. »Ich tue alles Mögliche.«

»Darüber brauchen wir gerade jetzt wirklich nicht zu diskutieren.«

Nach dem Gespräch im Hotelzimmer trennten sich St. James und Deborah. Sie würde festzustellen versuchen, ob es einen zweiten deutschen Ring wie den gab, den sie in der Bucht gefunden hatten. Er würde Guy Brouards Erben aufsuchen. Beider Ziel war im Wesentlichen dasselbe – ein Motiv für den Mord zu finden.

Nachdem St. James sich eingestanden hatten, dass die deutlichen Anzeichen für Planung und Vorsatz stark *gegen* eine Schuld der Geschwister River sprachen, war er damit einverstanden, dass Deborah in Begleitung Cherokees zu Frank Ouseley hinausfuhr, um mit diesem über seine Sammlung von Andenken aus der Besatzungszeit zu sprechen. Wenn man sich's recht überlegte, war sie in Begleitung eines Mannes sicherer, falls sich herausstellen sollte, dass sie mit einem Mörder sprach. Er selbst würde die Besuche bei den Leuten, die von Guy Brouards Testament am meisten profitierten, allein machen.

Zunächst fuhr er nach *La Corbière*, wo er das Haus der Familie Moullin an einer Biegung in einer der vielen schmalen Straßen fand, die sich zwischen kahlen Hecken und hohen, von Efeu und Seegräsern überwachsenen Erdwällen über die Insel schlängelten. Er wusste nur, dass die Moullins irgendwo in *La Corbière* wohnten, aber es war nicht schwierig, sie zu finden. Er hielt vor einem großen gelben Bauernhaus außerhalb des Dorfes und fragte eine Frau, die optimistisch ihre Wäsche in der feuchten Luft aufhängte. Die sagte: »Ach, Sie meinen das Muschelhaus«, und zeigte nach Osten. Nach der Kurve einfach der Straße nach in Richtung zum Meer, erklärte sie ihm. Er könne es nicht verfehlen.

Das erwies sich als zutreffend.

St. James blieb einen Moment in der Einfahrt stehen und musterte das Grundstück, auf dem das Haus der Familie Moullin stand, ehe er weiterging. Was für ein Anblick! Ein Trümmerfeld aus Muschelsplittern, Drähten und Beton, wo früher offensichtlich einmal ein fantastischer Garten gewesen war. Einige unversehrt gebliebene Objekte ließen ahnen, wie es dort ausgesehen hatte. Ein aus Muscheln gebildeter Wunschbrunnen stand unter einer mächtigen Edelkastanie, und eine bizarre Chaiselongue aus Muscheln und Beton war mit einem Muschelkissen verziert, in das mit indigoblauen Glassplittern die Wörter *Daddy hat gesagt…* eingelegt waren. Alles andere war nur noch Schutt. Es sah aus, als hätte rund um das kleine, niedrige Wohnhaus ein Heer mit Vorschlaghämmern bewaffneter Vandalen gehaust.

Auf der einen Seite des Hauses war eine Scheune, aus deren Innerem Musik herausdrang. Frank Sinatra, der Stimme nach, der irgendeinen Schlager auf Italienisch sang. St. James trat näher. Das Scheunentor war halb offen, der Innenraum war weiß getüncht und von Neonröhren erleuchtet, die in Reihen von der Decke herabhingen.

Er rief einen Gruß, der unbeantwortet blieb. Als er eintrat, sah er sich in einer Glaserwerkstatt, in der offenbar zwei völlig verschiedene Arten von Waren hergestellt wurden. Die eine Seite des Raums war der Produktion exakt vermessener Glasscheiben für Gewächshäuser und Wintergärten vorbehalten; die andere offenbar der Glaskunst. In diesem Teil des Raums waren nah einem Schmelzofen, der nicht brannte, große Säcke mit Chemikalien gestapelt. Lange Eisenrohre zum Blasen des Glases lehnten an dem Ofen, und die fertigen Stücke, in allen möglichen Farben, waren auf Regalen gruppiert: riesige Schalen, Stilvasen, moderne Skulpturen. Die Objekte hätten alle eher in ein Conran-Restaurant in London gepasst als in diese Scheune in Guernsey. St. James betrachtete sie überrascht. Ihr Zustand – blitzblank und ohne ein Körnchen Staub – stand in auffallendem Gegensatz zu dem des Ofens, der Rohre und der Chemikaliensäcke, die alle mit einer dicken Schmutzschicht bedeckt waren.

Der Glaser selbst merkte nicht, dass jemand in seiner Werkstatt war. Er arbeitete an einer breiten Werkbank im kommerziellen Bereich der Scheune. Über ihm hingen die Pläne für einen kunstvollen Wintergarten, rundherum Zeichnungen anderer Projekte, die noch schwieriger schienen. Aber als der Mann einen schnellen Schnitt in die klare, durchsichtige Scheibe machte, die vor ihm auf dem Tisch lag, konsultierte er nicht diese Pläne und Zeichnungen, sondern eine schlichte Papierserviette, auf der, wie es aussah, einige Maßangaben hingeworfen waren.

Das musste Moullin sein, sagte sich St. James, der Vater des Mädchens, das Guy Brouard in seinem Testament bedacht hatte. Er rief den Mann an, lauter diesmal. Moullin sah hoch. Er nahm Wachsstöpsel aus seinen Ohren, was erklärte, warum er St. James nicht gehört hatte, aber nicht erklärte, warum er sich von Sinatra hatte besingen lassen.

Als Nächstes trat er zu dem CD-Player und machte Frankie Boy, der inzwischen zu *Luck Be a Lady Tonight* übergegangen war, mundtot. Er griff nach einem großen Handtuch mit wassersprühenden Walen darauf und deckte den CD-Player damit zu. »Ich stell die Musik immer an, damit die Leute wissen, wo ich bin. Aber sie geht mir auf die Nerven, darum stöpsel ich mir die Ohren zu.«

»Und warum nicht eine andere Musik?«

»Für mich ist eine wie die andere. Also, was kann ich für Sie tun?«

St. James stellte sich vor und überreichte seine Karte. Moullin las und warf sie auf die Werkbank, wo sie neben der Papierserviette mit seinen Berechnungen landete. Sein Gesicht verschloss sich. Natürlich hatte er gesehen, was für einen Beruf St. James hatte, und glaubte mit Recht nicht, dass ein Gerichtswissenschaftler aus London zu ihm kam, weil er sich einen Wintergarten bauen lassen wollte.

St. James sagte: »Ihren Garten hat es ja ganz schön erwischt. Ich hätte nicht gedacht, dass hier auf der Insel Vandalismus ein Problem ist.«

»Sind Sie hergekommen, um ihn zu inspizieren?«, fragte Moullin. »Gehört so was zu Ihren Aufgaben?«

»Haben Sie die Polizei angerufen?«

»Das war nicht nötig.« Moullin zog ein Metallmaßband aus seiner Tasche und maß das Stück Glas ab, das er abgeschnitten hatte. Er hakte eine der Zahlen auf der Papierserviette ab und lehnte die Scheibe vorsichtig an einen Stapel von vielleicht einem Dutzend weiteren, die er bereits zugeschnitten hatte. »Das war ich selbst«, sagte er. »Es war an der Zeit.«

»Ich verstehe. Gartenneugestaltung.«

»Lebensneugestaltung. Meine Mädels haben damit angefangen, als meine Frau uns verlassen hat.«

»Sie haben mehrere Töchter?«, fragte St. James.

Moullin schien die Frage zu bedenken, ehe er antwortete. »Ich habe drei.« Er drehte sich um und griff zu einem neuen Stück Glas. St. James nutzte die Gelegenheit und trat näher. Er musterte die Pläne und Zeichnung über der Werkbank. Die Worte *Yates, Dobree Lodge, Le Vallon* gaben darüber Auskunft, für wen der kunstvolle Wintergarten bestimmt war. Die anderen

Zeichnungen zeigten Fenster im alten Stil. Sie waren für das *Graham-Ouseley-Kriegsmuseum*.

St. James beobachtete Henry Moullin eine Weile bei der Arbeit, bevor er etwas sagte. Moullin war ein schwerknochiger Mann, der kräftig und gesund aussah. Seine Hände waren muskulös, das war trotz der Heftpflaster zu erkennen, mit denen sie kreuz und quer verklebt waren.

»Sie haben sich geschnitten«, sagte St. James. »Das ist wahrscheinlich ein Berufsrisiko.«

»Das kann man sagen.« Moullin zog den Schneider einmal und noch einmal mit einer Selbstverständlichkeit durch das Glas, die seiner Bemerkung widersprach.

»Sie machen neben Wintergärten auch Fenster?«

»So steht's in den Plänen.« Er hob den Kopf und drehte ihn zu der Wand mit den Zeichnungen. »Wenn's Glas ist, mach ich's, Mr. St. James.«

»Und dadurch ist Guy Brouard auf Sie aufmerksam geworden?«

»Richtig.«

»Sie sollten die Fenster für das Museum machen?« St. James wies auf die Zeichnungen. »Oder haben Sie die ohne Auftrag entworfen?«

»Ich hab alle Glasarbeiten für die Brouards gemacht«, antwortete Moullin. »Ich hab die ursprünglichen Gewächshäuser auf dem Besitz demontiert, hab den Wintergarten gebaut, die Fenster im Haus ausgetauscht. Wie ich schon sagte, wenn's Glas ist, mach ich's. Das gilt natürlich auch für das Museum.«

»Aber Sie sind doch sicher nicht der einzige Glaser auf der Insel. Bei den Mengen von Gewächshäusern, die ich hier gesehen habe! Das wäre unmöglich.«

»Nein, der Einzige nicht«, bestätigte Moullin. »Nur der Beste. Brouard hat das gewusst.«

»Und deshalb hat er Ihnen logischerweise auch die Glasarbeiten für das Museum übertragen?«

»So könnte man sagen.«

»Aber soweit ich unterrichtet bin, kannte niemand die genauen Pläne für den Bau. Jedenfalls bis zum Abend der Party nicht. Dass Sie dann trotzdem schon Zeichnungen angefertigt haben… Haben Sie sich dabei nach den Plänen des hiesigen Architekten gerichtet? Ihren Zeichnungen nach hätten die Fenster zu seinem Entwurf gepasst.«

Moullin hakte den nächsten Punkt auf der Papierserviette ab und sagte: »Sind Sie hergekommen, um über Fenster zu reden?«

»Warum nur eine?«, fragte St. James.

»Eine was?«

»Eine Tochter. Sie haben drei, aber Brouard hat in seinem Testament nur eine bedacht. Cynthia. Ihre – ist sie Ihre Älteste?«

Moullin nahm sich das nächste Glas vor und machte wieder zwei Schnitte. Mit Hilfe des Maßbands prüfte er das Ergebnis. »Ja, Cyn ist meine Älteste«, sagte er.

»Haben Sie eine Idee, warum er gerade sie ausgesucht hat? Wie alt ist sie übrigens?«

»Siebzehn.«

»Schon mit der Schule fertig?«

»Sie macht eine Weiterbildung in St. Peter Port. Er meinte, sie solle studieren. Gescheit genug ist sie, aber hier gibt's keine Universität. Sie hätte nach England gehen müssen. Und England kostet Geld.«

»Das Sie nicht hatten, nehme ich an. Und sie auch nicht.«

*Bis zu dem Tag, an dem er gestorben ist.* Der Satz hing unausgesprochen zwischen ihnen.

»Richtig. Am Geld hat's gehapert. Tja, wir haben Glück gehabt.« Moullin drehte sich an seinem Arbeitstisch um und sah St. James an. »Ist das alles, was Sie wissen wollten, oder gibt's sonst noch was?«

»Wie gesagt, haben Sie eine Idee, warum Brouard nur eine Ihrer Töchter bedacht hat?«

»Nein.«

»Für Ihre beiden anderen Töchter wäre eine höhere Schulbildung doch sicher genauso nützlich.«

»Stimmt.«

»Wie kommt es dann…?«

»Sie hatten nicht das richtige Alter. Sie sind noch zu jung, um ein Studium anzufangen. Alles zu seiner Zeit.«

Diese Bemerkung deckte auf, wie unlogisch Moullins ganze Argumentation war, und St. James hakte sofort nach.

»Aber es konnte doch niemand damit rechnen, dass Guy Brouard sterben würde. Er war zwar mit seinen neunundsechzig Jahren kein junger Mann mehr, aber allen Berichten zufolge war er fit und gesund. Oder stimmt das nicht?« Er wartete nicht auf Moullins Antwort. »Wenn also Guy Brouard Ihrer Tochter mit dem Geld, das er ihr hinterließ, ein Studium finanzieren wollte ... Wann hätte sie denn seiner Berechnung nach das Studium aufnehmen sollen? Es hätte doch sein können, dass er erst in zwanzig Jahren stirbt. Oder noch später.«

»Außer wir hätten ihn vorher umgebracht«, sagte Moullin. »Darauf wollen Sie doch raus, oder?«

»Wo ist Ihre Tochter, Mr. Moullin?«

»Jetzt hören Sie aber auf! Sie ist siebzehn Jahre alt.«

»Dann ist sie also hier? Kann ich mit ihr –«

»Sie ist auf Alderney.«

»Und was tut sie da?«

»Sie kümmert sich um ihre Großmutter. Oder versteckt sich vor der Polizei. Nehmen Sie es, wie Sie wollen. Mir ist es egal.« Er wandte sich wieder seiner Arbeit zu, aber St. James sah die pochende Ader an seiner Schläfe, und als Moullin den nächsten Schnitt ins Glas zog, misslang er. Fluchend warf er die unbrauchbaren Stücke in einen Mülleimer.

»Zu viele Fehler kann man sich bei Ihrer Arbeit nicht leisten«, bemerkte St. James. »Das würde wahrscheinlich teuer werden.«

»Tja, Sie sind eben doch eine kleine Störung«, gab Moullin zurück. »Wenn das also alles ist – ich habe eine Menge Arbeit und wenig Zeit.«

»Ich verstehe, warum Guy Brouard diesem Jungen, Paul Fielder, etwas hinterlassen hat«, sagte St. James. »Er hatte den Jungen unter seine Fittiche genommen, im Rahmen eines anerkannten Förderprogramms, das sich GAYT nennt. Haben Sie davon gehört? Die Beziehung zwischen den beiden hatte also eine offizielle Grundlage. Hat er Ihre Tochter auch über dieses Projekt kennen gelernt?«

»Zwischen Cyn und ihm gab's keine Beziehung«, entgegnete Moullin. »Ob über GAYT oder sonst wie.« Und trotz seiner soeben geäußerten Worte von der vielen Arbeit begann er seine Werkzeuge aufzuräumen, und fegte mit einem Besen die winzigen Glassplitter von der Arbeitsplatte. »Er hatte seine Launen, und was anderes war's in Cynthias Fall auch nicht. Heute so und morgen anderes. Ich misch hier ein bisschen mit, und ich misch da ein bisschen mit und tu, was ich will, weil ich reich genug bin, um für ganz Guernsey den Weihnachtsmann zu spielen, wenn mir danach ist. Cyn hatte einfach Glück. Das war wie bei der Reise nach Jerusalem, sie war am richtigen Platz, als die Musik zu spielen aufhörte. An einem anderen Tag hätt's vielleicht eine ihrer Schwestern getroffen. So war das. Er kannte sie besser als die anderen beiden; sie war oft dabei, wenn ich bei den Brouards gearbeitet habe. Oder sie war bei ihrer Tante zu Besuch.«

»Bei ihrer Tante?«

»Val Duffy. Sie ist meine Schwester. Hilft mir ein bisschen bei der Erziehung der Mädchen.«

»Wie?«

»Was soll das heißen, wie?«, fragte Moullin gereizt, und es war klar, dass er am Ende seiner Geduld war. »Junge Mädchen brauchen eine Frau in ihrem Leben. Soll ich Ihnen aufschreiben, warum, oder kommen Sie eventuell selber darauf? Cyn ist oft bei Val, weil sie mit ihr reden kann. Über *Frauen*sachen, verstehen Sie?«

»Körperliche Veränderungen? Jungsprobleme?«

»Keine Ahnung. Ich steck meine Nase nicht in anderer Leute Angelegenheiten. Ich bin nur froh und dankbar, dass Cyn eine Frau hat, mit der sie reden kann, und dass diese Frau meine Schwester ist.«

»Die Ihnen Bescheid gegeben hätte, wenn etwas nicht in Ordnung gewesen wäre.«

»Es war alles in Ordnung.«

»Aber er hatte doch seine Launen.«

»Was?«

»Brouard. Sie sagten, er hätte seine Launen gehabt. War Cynthia vielleicht eine seiner Launen?«

Moullins Gesicht lief rot an. Er trat einen Schritt auf St. James zu. »Verflucht! Ich sollte –« Er hielt inne. Es sah aus, als koste es ihn große Anstrengung. »Wir sprechen hier von einem *Mädchen*«, sagte er. »Nicht von einer erwachsenen Frau. Von einem Mädchen.«

»Es soll schon vorgekommen sein, dass alte Männer jungen Mädchen nachgestiegen sind.«

»Sie drehen mir das Wort im Mund um.«

»Dann klären Sie mich auf.«

Moullin trat von St. James weg und blickte durch den Raum zu seinen Glaskunstwerken. »Wie ich schon sagte, er hatte seine Launen. Plötzlich stach ihm irgendwas ins Auge, und er hat's mit Feenstaub übergossen, und gab demjenigen das Gefühl, etwas Besonderes zu sein. Dann erregte was anderes sein Interesse, und er ist mit seinem Feenstaub weitergezogen. So war er.«

»Der Feenstaub war Geld, nehme ich an?«

Moullin schüttelte den Kopf. »Nicht immer.«

»Was dann?«

»Glaube.«

»Welcher Art?«

»Glaube an sich selbst. Darauf hat er sich verstanden. Das Problem war nur, dass man nach einer Weile dachte, dass sein Glaube einem was bringen würde, wenn man Glück hatte.«

»Wie Geld?«

»Ein Versprechen. Als würde jemand sagen: Pass auf, ich kann dir helfen, wenn du hart genug arbeitest, aber zuerst musst du die Arbeit tun – das harte Stück Arbeit –, dann sehen wir weiter. Das hat natürlich nie einer wirklich gesagt. Aber irgendwie hat sich der Gedanke in einem festgesetzt.«

»Auch in Ihnen?«

Seufzend sagte Moullin: »Auch in mir.«

St. James dachte darüber nach, was er über Guy Brouard erfahren hatte, über seine Geheimnisse und über seine Pläne für die

Zukunft und darüber, was jeder Einzelne offenbar von dem Mann und von diesen Plänen geglaubt hatte. Vielleicht, sagte sich St. James, waren diese Aspekte des Toten – die lediglich Spiegelungen der Launen eines reichen Großunternehmers hätten sein können – in Wirklichkeit Symptome eines umfassenderen und verderblicheren Verhaltens: Eines bizarren Machtspiels, bei dem ein einflussreicher Mann, der die Leitung eines erfolgreichen Unternehmens aus der Hand gegeben hatte, sich eine Form von Macht über andere erhielt, wobei das Ziel des Spiels die Ausübung dieser Macht war. Die Menschen wurden zu Schachfiguren, die von Guy Brouard auf dem Schachbrett des Lebens herumgeschoben wurden.

Könnte das jemanden zum Mord treiben?

St. James vermutete, dass die Antwort in der Reaktion jedes Einzelnen auf diesen angeblichen Glauben Brouards an seine Person lag. Er sah sich noch einmal in der Scheune um und erkannte einen Teil der Antwort am unterschiedlichen Zustand der Glaskunstwerke einerseits und des Schmelzofens sowie der Glasbläserpfeifen andererseits – die einen liebevoll gepflegt, die anderen schnöde vernachlässigt. »Ich nehme an, er hat Sie darin bestärkt, an den Künstler in sich zu glauben«, sagte er. »War es so? Hat er sie dazu ermutigt, Ihren Traum zu verwirklichen?«

Unvermittelt ging Moullin zum Scheunentor und knipste das Licht aus. Das Tageslicht im Rücken, stand er da, eine massige Gestalt, nicht nur durch die voluminösen Kleider definiert, die er trug, sondern auch durch seine bullige Kraft. St. James konnte sich vorstellen, dass es ihm wenig Mühe bereitet hatte, die Werke seiner Töchter im Garten zu zerstören.

Er folgte ihm. Draußen drückte Moullin das Tor zu und sicherte es mit einem schweren Vorhängeschloss. Er sagte: »Er hat den Leuten eingeredet, sie wären was Größeres, als sie tatsächlich waren. Wenn sie dann Schritte gewagt haben, die sie ohne seinen Zuspruch nicht gewagt hätten… Na ja, das ist wahrscheinlich ihre Privatangelegenheit. Wen juckt es schon, wenn einer sich total verausgabt und alles auf eine Karte setzt.«

»Im Allgemeinen verausgabt sich niemand, ohne eine Vorstellung vom Erfolg des Unternehmens zu haben«, entgegnete St. James.

Henry Moullins Blick schweifte zum Garten, wo die zertrümmerten Muscheln wie Schnee auf dem Rasen lagen. »Genau das war seine Stärke: Ideen, die er anderen weitergibt. Und unsere Stärke... war der Glaube.«

»Kannten Sie den Inhalt von Brouards Testament?«, fragte St. James. »Kannte Ihre Tochter ihn?«

»Sie meinen, ob wir ihn umgebracht haben? Ihm schnell das Lebenslicht ausgeblasen, ehe er es sich anders überlegen konnte?« Moullin schob eine Hand in seine Hosentasche und zog einen schweren Schlüsselbund heraus. Er ging die Einfahrt entlang auf das Haus zu. Kies und Muscheln knirschten unter seinen Schritten. St. James blieb an seiner Seite, nicht weil er erwartete, dass Moullin sich noch weiter zu dem Thema äußern würde, das er selbst zur Sprache gebracht hatte, sondern weil ihm an dem Schlüsselbund des Mannes etwas aufgefallen war, und er sich vergewissern wollte, dass er richtig gesehen hatte.

»Wie war das nun mit dem Testament?«, sagte er. »Kannten Sie seinen Inhalt?«

Moullin antwortete erst, als er die Tür unter dem Vordach erreicht und den Schlüssel ins Schloss geschoben hatte. Er drehte sich um. »Wir hatten keine Ahnung von irgendeinem Testament«, sagte er. »Schönen Tag noch.«

Er wandte sich wieder der Tür zu und sperrte sie auf. Sie fiel mit einem Knall hinter ihm zu, als er ins Haus getreten war. Aber St. James hatte gesehen, was er hatte sehen wollen. An dem Ring mit Henry Moullins Schlüsseln hing ein kleiner runder Stein mit einem Loch in der Mitte.

St. James trat vom Haus weg. Er war nicht so naiv, zu glauben, er hätte von Henry Moullin alles erfahren, was es zu erfahren gab, aber ihm war klar, dass er im Moment nicht weiterkommen würde. Trotzdem blieb er auf dem Weg die Einfahrt hinunter noch einmal kurz stehen und betrachtete das Muschelhaus: zugezogene Vorhänge am helllichten Tag, eine verschlossene Tür, ein zerstörter Garten. Er überlegte, was es hieß, Launen zu haben. Er dachte darüber nach, welche Macht es einem Menschen verlieh, die geheimen Träume eines anderen zu kennen.

Während er dort stand, ohne auf irgendetwas im Besonderen zu achten, hatte er den Eindruck leichter Bewegungen am Haus. Er suchte sie und fand sie an einem kleinen Fenster.

Eine Gestalt hinter dem Glas ließ den Zipfel eines Vorhangs herabfallen. Aber nicht, bevor St. James helles Haar wahrnahm und eine schattenhafte Gestalt, die sich in Luft aufzulösen schien. Unter anderen Umständen hätte er vielleicht geglaubt, ein Gespenst gesehen zu haben. Aber ein Licht im Zimmer erhellte flüchtig die Silhouette einer Frau.

# 18

Paul Fielder war ungeheuer erleichtert, als er Valerie Duffy über den Rasen kommen sah. Ihr schwarzer Mantel flog bei ihrem raschen Lauf auseinander, und die Tatsache, dass sie ihn nicht zugeknöpft hatte, sagte ihm, dass sie auf seiner Seite war.

»Augenblick mal«, rief sie laut, als der Polizeibeamte Paul bei der Schulter packte und Taboo den Beamten beim Hosenbein. »Was tun Sie da? Das ist unser Paul. Er gehört hierher.«

»Warum sagt er dann nicht, wer er ist?« Der Walrossschnurrbart des Constable, in dem noch eine Frühstücksflocke hing, zuckte mit jeder Mundbewegung. Paul beobachtete fasziniert das Flöckchen, das hin und her schwang wie ein Bergsteiger in einer gefährlichen Felswand.

»Ich sag's Ihnen doch gerade«, entgegnete Valerie Duffy. »Er heißt Paul Fielder, und er gehört hierher. Taboo, Schluss jetzt. Lass den bösen Mann los.« Sie fasste den Hund am Halsband und zog ihn vom Bein des Constable weg.

»Ich sollte euch beide wegen tätlichem Angriff mitnehmen.« Der Beamte stieß Paul mit einer heftigen Bewegung zu Valerie hinüber. Sofort begann Taboo wieder zu bellen.

Paul warf sich neben dem Hund auf die Knie und vergrub sein Gesicht im streng riechenden Fell seines Halses. Taboo hörte auf zu bellen, dafür knurrte er jetzt.

»Das nächste Mal«, sagte das Walross, »sagst du gefälligst, wie du heißt, Junge, sonst sperr ich dich ein… und der Hund wird eingeschläfert. Den sollte man sowieso in den Zwinger stecken. Schau dir doch mal diese Hose an. Ein Riesenloch hat er reingerissen. Siehst du das? Das hätte mein Bein sein können, Junge. Ist er wenigstens geimpft? Wo ist das Impfbuch? Das möchte ich auf der Stelle sehen.«

»Machen Sie sich doch nicht lächerlich, Trev Addison«, sagte Valerie scharf. »Ja, ich weiß, wer Sie sind. Ich war in der Schule mit Ihrem Bruder in einer Klasse. Und Sie wissen so gut wie ich, dass kein Mensch das Impfbuch von seinem Hund mit sich rumschleppt. Also, das war ein Schrecken für Sie und für den Jungen genauso. Und für den Hund auch. Lassen wir's dabei bewenden und bauschen das Ganze nicht unnötig auf.«

Sich mit Namen angesprochen zu hören, schien den Constable wieder zu sich zu bringen. Sein Blick flog von Paul zum Hund und zu Valerie, er zog seine Uniform zurecht und klopfte seine Hose ab. »Wir haben unser Anweisungen«, sagte er.

»Natürlich«, stimmte Valerie zu, »und wir wollen Sie ja auch bei deren Befolgung nicht stören. Aber kommen Sie jetzt erst mal mit, damit wir Ihre Hose flicken können. Ich mach das schnell, und den Rest können wir dann vergessen.«

Trev Addison schaute zum Rand der Auffahrt, wo einer seiner Kollegen im Gebüsch herumkroch. Das sah nach ziemlich anstrengender Arbeit aus, von der sich jeder gern mal zehn Minuten Auszeit genommen hätte. Er sagte zögerlich: »Ich weiß nicht, ob ich…«

»Na, nun kommen Sie schon«, sagte Valerie. »Sie können eine Tasse Tee haben.«

»Ganz schnell?«

»Ich hab zwei erwachsene Söhne, Trev. Ich kann Ihnen die Hose schneller flicken, als Sie den Tee trinken können.«

»Na gut«, sagte er, und zu Paul gewandt: »Und du schau, dass du den Kollegen nicht in die Quere kommst, die haben hier zu tun.«

Valerie sah Paul an. »Geh inzwischen drüben im großen Haus in die Küche, mein Lieber, und mach dir einen Kakao. Frische Ingwerplätzchen sind auch da.« Sie nickte ihm zu und schlug mit Trev Addison im Schlepptau den Rückweg zum Verwalterhaus ein.

Paul stand wie angewurzelt da und wartete, bis sie im Haus verschwunden waren. Das Herz klopfte ihm immer noch bis zum Hals, und er drückte seine Stirn an Taboos Rücken. Der feucht muffige Hundgeruch war so wohltuend und vertraut wie die Hand seiner Mutter auf seiner Wange, wenn er als Kind Fieber gehabt hatte.

Als sein Herz wieder normal schlug, hob er den Kopf und rieb sich das Gesicht. Der Rucksack war ihm bei dem Gerangel mit dem Polizisten von der Schulter gerutscht und lag jetzt etwas abseits auf dem Boden. Paul nahm ihn hoch und rannte im Laufschritt zum großen Haus.

Er ging hinten herum wie immer. Es war eine Menge los. Paul, der nie zuvor so viele Polizisten auf einmal gesehen hatte – außer im Fernsehen –, blieb hinter dem Wintergarten stehen und versuchte herauszubekommen, was sie taten. Sie suchten, ja. Das war leicht zu erkennen. Aber was? Er konnte es sich nicht vorstellen. Anscheinend hatte am Beerdigungstag, als alle zur Bestattung und zum Empfang danach nach *Le Reposoir* gekommen waren, irgendjemand was Wertvolles verloren. Aber so einleuchtend das schien, so wenig wahrscheinlich war es, dass deswegen gleich die ganze Polizei von Guernsey anrücken würde, um das Verlorene zu suchen. Da musste es schon einer unheimlich wichtigen Persönlichkeit gehört haben, und die wichtigste Persönlichkeit auf der Insel war tot. Wer sonst ...? Paul wusste es nicht und konnte es sich nicht denken. Er ging ins Haus.

Er betrat es durch die Wintergartentür, die, wie gewöhnlich, nicht abgesperrt war. Taboo trottete hinter ihm her, seine Krallen klapperten auf dem Terrakottaboden des Wintergartens. Hier drinnen war es angenehm warm und feucht, irgendwo tropfte Wasser aus der Bewässerungsanlage. Paul hätte sich gern niedergesetzt und dem rhythmischen einschläfernden Geräusch eine Weile zugehört. Aber das ging nicht, denn man hat ihm gesagt, er solle sich einen Kakao machen. Und er tat immer, was ihm gesagt wurde, besonders wenn er hier in *Le Reposoir* war. So zeigte er sich des kostbaren Privilegs würdig, in *Le Reposoir* ein- und ausgehen zu dürfen.

Er überlegte, ob Miss Ruth wohl zu Hause war. Er hatte nicht daran gedacht, nachzusehen, ob ihr Wagen draußen stand. Nur ihretwegen war er hergekommen. Wenn sie nicht da war, würde er warten.

Er ging in die Küche: durch den steinernen Gang, den Torbogen und noch einen Gang hinunter. Es war still im Haus, aber leise knarrende Dielen über seinem Kopf verrieten ihm, dass Miss Ruth wahrscheinlich da war. Doch er war wohlerzogen genug, um zu wissen, dass man nicht in fremden Häusern herumschlich, um jemanden zu suchen, auch wenn man eigens gekommen war, um diese Person zu sprechen. Er würde in der Küche bleiben, seinen Kakao trinken und seine Plätzchen essen, und bis er fertig war, würde Valerie wieder da sein und ihn zu Miss Ruth hinaufbringen.

Paul war oft genug in der Küche von *Le Reposoir* gewesen, er kannte sich dort gut aus. Er wies Taboo unter den großen Tisch in der Mitte, legte ihm für den Kopf seinen Rucksack hin und ging in die Speisekammer.

Sie war so spannend wie alles in *Le Reposoir*, ein Raum voller Gerüche, die er nicht identifizieren konnte, und voller Nahrungsmittel in Dosen und Päckchen, von denen er nie gehört hatte. Er war immer froh, wenn Valerie ihn in die Speisekammer schickte, um ihr etwas zu holen, damit sie beim Kochen am Herd bleiben konnte. Er blieb dann immer so lange wie möglich und genoss die Düfte von Essenzen, Gewürzen, Kräutern und anderen Zutaten. Das versetzte ihn in eine Welt, die mit der ihm bekannten nichts zu tun hatte.

Auch jetzt blieb er. Nacheinander öffnete er die Fläschchen, die ordentlich in einer Reihe standen, und roch an jedem von ihnen. *Vanille*, las er auf einem Etikett. *Orange*, *Mandel*, *Zitrone*. Die Aromen waren so berauschend, dass ihm leicht schwindelig wurde, als er sie einatmete. Sie trugen ihn in Gegenden, die er nie gesehen hatte, zu Menschen, die er niemals kennen lernen würde.

Von den Essenzen wanderte er weiter zu den Gewürzen, wo er mit dem Zimt begann. Als er zum Ingwer kam, nahm er eine winzige Prise, nicht größer als der Rand seines kleinsten Fingernagels, gab sie auf seine Zunge und fühlte, wie sich in seinem Mund Speichel bildete. Er lächelte und griff zu Muskat, Kreuzkümmel, Curry, Nelken. Danach folgten die Kräutern, dann die Essige und die Öle. Zum Schluss kramte er unter Mehl, Zucker, Reis und Bohnen herum. Er nahm Kartons zur Hand und las, was auf ihnen geschrieben stand, drückte Pastapackungen an seine Wange und rieb mit dem Zellophan über seine Haut. Nie hatte er solche Fülle gesehen wie hier. Es war ein Wunder.

Mit einem Seufzer der Befriedigung suchte er schließlich die Kakaodose heraus, trug sie in die Küche zur Arbeitsplatte und holte Milch aus dem Kühlschrank. Er nahm einen der Töpfe, die über dem Herd hingen, goss vorsichtig genau einen Becher Milch – und nicht mehr ein – und kippte den ebenso vorsichtig in den Topf. Zum ersten Mal durfte er hier in der Küche selbst hantieren, und Valerie Duffy sollte nachher stolz auf ihn sein können.

Er zündete das Gas an und suchte einen Löffel heraus, um den Kakao abzumessen. Die Ingwerplätzchen, frisch aus dem Backofen, lagen noch zum Abkühlen auf dem Rost. Er stibitzte eines für Taboo und gab es ihm. Zwei nahm er für sich und schob eines gleich in den Mund. Das andere wollte er zum Kakao genießen.

Irgendwo im Haus schlug eine Uhr. Gleichzeitig ertönten in einem Korridor über ihm Schritte. Eine Tür wurde geöffnet, ein Lichtschalter betätigt, und jemand kam die Hintertreppe zur Küche herunter.

Paul lächelte. Miss Ruth. Da Valerie nicht im Haus war, musste sie sich ihren Morgenkaffee selbst holen, wenn sie ihn gern jetzt trinken wollte. Er stand dampfend in der Glaskanne bereit. Paul holte einen zweiten Becher aus dem Schrank, einen Löffel und den Zucker und bereitete alles für sie vor. Er stellte sich das bevorstehende Gespräch vor: Wie sie die Augen aufriss vor Überraschung und ihr Mund sich zum O rundete, wie sie sagte: »Paul, du guter Junge«, sobald sie begriff, was er vorhatte.

Er bückte sich und holte den Rucksack unter Taboos Kopf hervor. Der Hund sah hoch und spitzte die Ohren. Aus den Tiefen seines Brustkorbs drang ein leises Knurren. Ein kurzes Kläffen folgte, dann kräftiges Gebell.

»Was um alles ...?«, sagte jemand von der Treppe her.

Das war nicht Miss Ruths Stimme. Eine Frau wie ein Wikingerweib kam um die Ecke. Als sie Paul erblickte, rief sie scharf: »Wer, zum Teufel, bist du? Wie bist du reingekommen? Was hast du hier zu suchen? Wo ist Mrs. Duffy?«

Viel zu viele Fragen auf einmal, und er hielt noch das Ingwerplätzchen in der Hand. Paul riss die Augen auf, wie er sich das bei Miss Ruth vorgestellt hatte, so dass die Brauen fast zum Haaransatz hinaufschossen. Im selben Moment stürzte Taboo, zähnefletschend und wie ein Dobermann bellend, unter dem Tisch hervor. Mit weit gespreizten Beinen und angelegten Ohren blieb er stehen. Schimpfende Stimmen konnte er auf den Tod nicht leiden.

Das Wikingerweib fuhr zurück. Taboo folgte ihr, bevor Paul ihn beim Halsband zu fassen bekam. Sie begann zu kreischen. »Nimm ihn weg, nimm ihn weg. Verdammt noch mal, nimm ihn weg«, als glaubte sie im Ernst, der Hund wolle ihr etwas antun.

Bei ihrem Geschrei bellte Taboo nur noch lauter, und genau in diesem Augenblick kochte die Milch auf dem Herd über.

Es war zu viel auf einmal – der Hund, die Frau, die Milch, das Plätzchen in seiner Hand, das wie geklaut aussah, obwohl es nicht so war, denn Valerie hatte ja gesagt, er solle sich von den Plätzchen nehmen.

Schäumend sprudelte die Milch auf den Gasring unter dem Topf. Der Geruch, als sie direkt in die offenen Flammen strömte, stieg auf wie ein Schwarm Vögel. Taboo bellte. Die Frau kreischte. Paul war zur Salzsäule erstarrt.

»Du dummer Kerl!« Die Stimme des Wikingerweibs klang wie

Metall auf Metall. »Steh hier nicht rum.« Hinter ihm verbrannte die Milch. Die Frau wich zur Wand zurück, drehte den Kopf, als wollte sie nicht zusehen, wie sie von einem Untier zerfetzt wurde, das in Wirklichkeit größere Angst hatte als sie. Aber anstatt ohnmächtig zu werden oder die Flucht zu wagen, begann sie laut zu brüllen. »Adrian! Adrian! Herrgott noch mal, Adrian!«

Da ihre Aufmerksamkeit nun nicht mehr ihm und dem Hund galt, lösten sich Pauls Glieder ganz von selbst aus der Erstarrung. Er stürzte vor, ließ seinen Rucksack fallen und packte Taboo. Er zog ihn zum Herd und grapschte blind nach den Knöpfen, um das Gas unter der Milch auszumachen. Derweilen bellte der Hund weiter, die Frau schrie immer noch, und jemand kam donnernd die Hintertreppe heruntergerannt.

Paul nahm den Topf vom Herd, um ihn in die Spüle zu stellen, aber da er mit einer Hand damit beschäftigt war, den Hund zu zügeln, hatte er nicht die nötige Balance. Der Topf entglitt ihm, die verbrannte Milch klatschte auf den Boden, und Taboo war wieder dort, wo er vorher gewesen war: zähnefletschend, als wollte er sie auf der Stelle verschlingen, vor den Füßen des Wikingerweibs. Paul stürzte ihm hinterher und riss ihn weg. Taboo kläffte wie ein Wilder.

Adrian Brouard stürmte herein. »Was zum Teufel …!«, rief er in den allgemeinen Tumult. Und dann: »Taboo! Das reicht! Hör auf zu bellen.«

Das Wikingerweib kreischte: »Du kennst dieses Monstrum?«, und Paul war nicht sicher, ob sie ihn oder den Hund meinte.

Aber das war sowieso egal, Adrian Brouard kannte sie beide. Er sagte: »Das ist Paul Fielder, Dads –«

»*Das* da?« Die Frau richtete ihren Blick auf Paul. »Dieser dreckige kleine –« Sie suchte krampfhaft nach einem Wort, um den Eindringling zu beschreiben.

Adrian sagte: »Richtig.« Er war nur in der Pyjamahose und mit Hausschuhen an den Füßen heruntergekommen, als wäre er gerade dabei gewesen, sich anzukleiden. Paul konnte nicht begreifen, wie man um diese Tageszeit noch nicht aufgestanden und bei irgendeiner Arbeit sein konnte.

Nütze den Tag, mein Prinz. Wer weiß, ob es einen nächsten geben wird.

Tränen brannten in Pauls Augen. Er konnte die Stimme hören. Er spürte die Ausstrahlung, als wäre der Mann selbst in die Küche getreten. *Er* hätte das Problem im Nu gelöst: eine Hand zu Taboo und die andere zu Paul und ein Was-haben-wir-denn-hier? mit seiner tröstlichen Stimme.

»Beruhig endlich das Vieh«, sagte Adrian zu Paul, obwohl Taboo nur noch leise knurrte. »Wenn er meine Mutter beißt, bekommst du Ärger.«

»Noch mehr, als du schon hast«, sagte Adrians Mutter giftig. »Und das ist reichlich, das kann ich dir sagen. Wo ist Mrs. Duffy? Hat sie dich reingelassen?« Und sie rief laut: »Valerie! Valerie Duffy! Kommen Sie sofort hierher.«

Taboo hasste Geschrei, aber diese dumme Frau hatte das immer noch nicht begriffen. Sobald sie die Stimme erhob, begann er wieder zu bellen. Es gab nur eines, ihn schleunigst rausbringen, aber Paul konnte nicht alles auf einmal tun – den Hund hinausbringen, sauber machen, seinen Rucksack holen. Er spürte, wie es in seinem Bauch vor lauter Nervosität zu rumoren begann. Er spürte, wie sein Hirn unter Druck geriet. Gleich würde er explodieren. Und das reichte ihm als Anstoß.

Hinter den Brouards führte ein Korridor zur Tür in den Gemüsegarten. Paul begann, den Hund in diese Richtung zu ziehen, und sofort schrie das Wikingerweib ihn an: »Bilde dir ja nicht ein, du kannst hier verschwinden, ohne deinen Dreck wegzumachen, du kleiner Mistkerl.«

Taboo knurrte laut. Die Brouards wichen zurück. Paul schaffte es, den Hund durch den Korridor zu ziehen, ohne dass er wieder zu bellen anfing, obwohl das Wikingerweib ihnen nachschrie: »Komm auf der Stelle wieder her!« Er schob Taboo in den winterlichen Garten hinaus, warf die Tür zu und stählte sich innerlich, als Taboo jaulend protestierte.

Paul wusste, dass der Hund ihn nur beschützen wollte. Jeder mit einem Funken gesunden Menschenverstand hätte das begriffen. Aber auf dieser Welt konnte man sich leider nicht darauf verlassen, dass die Leute Verstand besaßen. Und weil er ihnen fehlte, waren sie ängstlich und misstrauisch, und das machte sie gefährlich.

Darum musste er sich von ihnen fern halten. Miss Ruth war nicht heruntergekommen, um zu sehen, was es mit dem Tumult auf sich hatte, sie konnte also nicht zu Hause sein. Er würde später zurückkommen müssen, wenn es hier sicher war. Aber er konnte die Bescherung, die er bei der katastrophalen Begegnung mit den Brouards angerichtet hatte, nicht einfach zurücklassen. Das wäre wirklich nicht richtig gewesen.

Er kehrte zur Küche zurück und blieb an der Tür stehen. Trotz ihrer Worte war das Wikingerweib bereits dabei, mit Hilfe ihres Sohnes den Boden zu wischen und den Herd zu säubern. In der Luft hing der Gestank der angebrannten Milch.

»... diesem Unfug ein Ende machen«, sagte Adrians Mutter gerade. »Ich werde diesem Burschen schon den Marsch blasen, darauf kannst du dich verlassen. Wenn er sich einbildet, er kann hier einfach reinspazieren, ohne zu fragen... als wäre er der Herr im Haus, obwohl er ganz offensichtlich nichts weiter ist als ein gemeiner kleiner –«

»Mutter!« Adrian hatte Paul an der Tür bemerkt, und bei diesem einen Wort wurde auch das Wikingerweib aufmerksam, wie Paul sah. Sie war damit beschäftigt gewesen, den Herd zu wischen, jetzt aber richtete sie sich hoch auf und drückte den Spüllappen in ihren großen beringten Fingern zusammen. Sie sah ihn mit einem solchen Ausdruck des Abscheus von oben bis unten an, dass Paul schauderte und wusste, dass er sofort von hier wegmusste. Aber nicht ohne seinen Rucksack und die Botschaft, die er enthielt.

»Du kannst deinen Eltern ausrichten, dass wir uns in dieser Testamentsangelegenheit einen Anwalt nehmen«, sagte das Wikingerweib. »Wenn du dir eingebildet hast, du könntest dir auch nur einen Penny von Adrians Geld unter den Nagel reißen, irrst du dich gewaltig. Ich werde dich vor jedes Gericht schleppen, das ich auftreiben kann, und wenn ich mit dir fertig bin, wird von dem Geld, das du Adrians Vater abgeluchst hast, nichts mehr da sein. Hast du mich verstanden? Du wirst nicht siegen. Und jetzt verschwinde hier, und lass dich nie wieder blicken, sonst hetze ich dir die Polizei auf den Hals. Und deinen Köter lasse ich einschläfern.«

Paul rührte sich nicht. Ohne seinen Rucksack konnte er nicht gehen, aber er wusste nicht, wie er zu ihm gelangen sollte. Er lag dort, wo er ihn hingeworfen hatte, neben einem Tischbein mitten in der Küche, und die Brouards versperrten ihm den Weg. Er hatte Angst, ihnen nahe zu kommen.

»Hast du nicht gehört?«, fuhr das Wikingerweib ihn an. »Ich habe gesagt, du sollst verschwinden. Dich will hier niemand haben, auch wenn du offenbar anderer Meinung bist. Du bist hier nicht gern gesehen.«

Paul überlegte, dass er den Rucksack erreichen könnte, wenn er unter den Tisch kroch. Gedacht, getan. Adrians Mutter war mit ihren Worten noch nicht am Ende, da lag er schon auf allen vieren und robbte über den Boden.

»Was soll das?«, rief sie. »Was macht er jetzt wieder?«

Adrian schien Pauls Absicht zu erkennen. Er griff im selben Moment nach dem Rucksack, als Paul seine Finger um die Riemen schloss.

»Mein Gott, dieser kleine Gauner hat etwas gestohlen!«, kreischte das Wikingerweib. »Das ist ja die Höhe! Halt ihn auf, Adrian.«

Adrian versuchte es. Aber die Bilder, die bei dem Wort *gestohlen* vor Pauls innerem Augen abliefen – die Durchsuchung des Rucksacks, die Entdeckung, die Fragen, die Polizei, eine Zelle, die Angst, die Scham –, gaben ihm eine Kraft, die er sonst nicht aufgebracht hätte. Er riss so fest an den Riemen, dass Adrian Brouard das Gleichgewicht verlor und krachend gegen den Tisch stürzte. Er fiel auf die Knie und schlug mit dem Kinn auf die Holzplatte. Seine Mutter schrie auf, und Paul nutzte die Gelegenheit. Er packte den Rucksack und sprang auf die Füße.

Er rannte den Korridor hinunter zur Tür zum Gemüsegarten. Der war zwar von einer Mauer umgeben, aber er hatte eine Pforte, die aufs Gelände hinausführte. Dort gab es Verstecke, von denen die Brouards keine Ahnung hatten. Er brauchte es also nur in den Garten zu schaffen, dann war er sicher.

Während er durch den Korridor lief, hörte er das Wikingerweib zuerst rufen: »Darling, hast du dir wehgetan?«, und dann: »Los, fang ihn ein, verdammt noch mal. Adrian! Hinterher!« Aber Paul war schneller als die beiden Brouards. Als Letztes hörte er: »Er hat was in dem Rucksack«, dann fiel die Tür hinter ihm zu, und er floh mit Taboo zur Gartenpforte.

Deborah war erstaunt, als sie das Talbot Valley sah. Es erinnerte sie, auch wenn es kleiner war, an die Täler in Yorkshire, wo sie und Simon ihre Flitterwochen verbracht hatten. Im Lauf von Jahrmillionen von Flüssen geformt, bestand es auf der einen Seite aus sanft gewellten, grünen Matten, auf denen, durch Eichenhaine vor der Sonne und dem gelegentlichen rauen Wetter geschützt, die hellbraunen Rinder der Insel grasten. Die Straße zog sich auf der anderen Seite entlang, unter einem steil aufragenden Hang, der mit schwarzen Granitmauern befestigt war. Die Mauern wurden von Eschen und Ulmen gesäumt, und über ihnen stieg das Land zu Bergweiden an. Das Gebiet unterschied sich vom Rest der Insel so stark wie Yorkshire von den South Downs.

Sie suchten ein Sträßchen namens *Les Niaux*. Cherokee, der schon einmal dort gewesen war, war ziemlich sicher, dass er es ohne große Probleme finden würde, sicherheitshalber aber hatte er, in der Rolle des Navigators, eine Karte auf den Knien ausgebreitet. Trotzdem wären sie beinahe am Ziel vorbeigefahren. Erst unmittelbar vor einem unerwarteten Durchlass in der Hecke rief er: »Hier! Jetzt musst du abbiegen«, und fügte hinzu: »Ehrlich, diese Straßen hier schauen aus wie bei uns zu Hause die Einfahrten.«

Der asphaltierte Pfad war kaum als Straße zu bezeichnen. Er öffnete sich seitlich der Hauptstraße wie ein Tor in eine andere Dimension, die gekennzeichnet war von dichter Vegetation, feuchter Luft und dem Plätschern des Wassers, das man auf seinem Lauf zwischen Felsbrocken hindurch hin und wieder zu sehen bekam. Keine fünfzig Meter weiter wurde rechts eine alte

Wassermühle sichtbar. Sie war höchstens fünf Meter von der Hauptstraße entfernt, mit einer alten Schleuse, die grün überwachsen war.

»Da ist es.« Cherokee faltete die Karte zusammen und verstaute sie im Handschuhfach. »Sie wohnen im letzten Haus. In den anderen« – er wies auf die Häuser, die sie passierten, als Deborah den Wagen auf den großen Platz vor der Mühle lenkte – »liegt das Kriegszeug.«

»Er muss ja eine ganze Menge davon haben«, erwiderte Deborah angesichts der beiden Häuser, die sich an das von Cherokee bezeichnete Wohnhaus anschlossen.

»Das ist milde ausgedrückt«, erwiderte Cherokee. »Da steht Ouseleys Wagen. Könnte sein, dass wir Glück haben.«

Deborah wusste, dass sie das brauchen würden. Der Ring, den sie in der Bucht gefunden hatten, wo Guy Brouard umgekommen war – ein Ring, der genauso aussah wie der, den China River erst vor kurzem gekauft hatte und der sich allem Anschein nach nicht unter ihren Sachen befand –, trug nicht dazu bei, Chinas Unschuldserklärungen glaubhafter zu machen. Deborah und Cherokee konnten nur hoffen, dass Frank Ouseley den Ring der Beschreibung nach wiedererkennen und bestätigen würde, dass ein ebensolcher Ring aus seiner Sammlung gestohlen worden war.

Irgendwo in der Nähe brannte ein Holzfeuer. Deborah und Cherokee rochen den Rauch, als sie sich der Tür von Ouseleys Haus näherten. »Das erinnert mich an den Canyon«, bemerkte Cherokee. »Wenn's dort richtig Winter ist, würde man nicht glauben, dass man sich in Orange County befindet. Die vielen Holzhütten und die Feuer. Und manchmal Schnee auf dem Saddleback Mountain. Das ist unschlagbar.« Er schaute sich um. »Ich glaube, das war mir bis jetzt nie bewusst.«

»Kommen dir Zweifel am Leben auf einem Fischkutter?«, erkundigte sich Deborah.

»Ach, Mensch«, sagte er mit bitterer Ironie, »die kamen mir schon nach fünfzehn Minuten Knast in St. Peter Port.« Er blieb auf dem kleinen Betonvorplatz des Hauses stehen. »Ich weiß, dass das alles meine Schuld ist. Ich habe China in diese Situation gebracht, weil ich immer das schnelle Geld machen muss. Und darum muss ich sie aus diesem Schlamassel rausholen. Wenn ich das schaffe...« Er seufzte, sein Atem stieg wie ein Nebelwölkchen in die Luft. »Sie hat Angst, Debs, und ich auch. Wahrscheinlich wollte ich deshalb Mam anrufen. Sie wäre uns keine große Hilfe gewesen – sie hätte vielleicht sogar alles noch schlimmer gemacht –, aber trotzdem...«

»...ist sie eure Mutter«, beendete Deborah für ihn den Satz. Sie drückte seinen Arm. »Es wird bestimmt alles gut werden. Ganz sicher. Du wirst sehen.«

Er umfasste ihre Hand und drückte sie ebenfalls. »Danke«, sagte er. »Du bist...« Er lächelte. »Ach, lass mal.«

Sie zog eine Augenbraue hoch. »Wolltest du mich anmachen, Cherokee?«

Er lachte. »Worauf du wetten kannst.«

Sie klopften an die Tür, dann klingelten sie. Drinnen waren die Geräusche des Fernsehapparats zu hören, draußen stand der Peugeot, aber niemand machte auf. Cherokee sagte, Frank sei vielleicht bei seiner Sammlung, und ging los, um in den beiden anderen Häusern nach ihm zu sehen, während Deborah noch einmal klopfte. »Verdammt noch mal, ich komm ja schon«, rief jemand mit zittriger Stimme, und sie hielt Cherokee auf. »Es kommt jemand.« Er kam zurück, und sie hörten beide, wie auf der anderen Seite der Tür klappernd Riegel und Schlösser geöffnet wurden.

Ein alter Mann machte ihnen auf. Ein sehr alter Mann. Die dicken Gläser seiner Brille funkelten sie an. Eine Hand an die Wand neben der Tür gestützt, stand er da, offenbar nur von dieser Wand und einer Menge Willenskraft auf den Beinen gehalten. Er hätte eine Gehhilfe gebraucht oder mindestens einen Stock, aber er hatte weder das eine noch das andere.

»Na bitte, da sind Sie schon«, begrüßte er Deborah erfreut. »Einen Tag zu früh, aber das macht ja nichts. Im Gegenteil. Umso besser. Treten Sie ein, treten Sie ein.«

Er erwartete offensichtlich Besuch. Deborah selbst hatte einen weit jüngeren Mann erwartet. Aber Cherokees nächste Worte schufen Klarheit. »Wir wollten zu Frank, Mr. Ouseley. Ist er hier? Wir haben seinen Wagen draußen gesehen.« Der alte Mann war also Frank Ouseleys Vater.

»Nein, nein, bei Frank sind Sie falsch«, sagte der Alte. »Sie wollen zu mir – Graham. Frank ist auf den Petit-Hof gegangen und bringt die Pastetenform zurück. Wenn wir Glück haben, macht sie uns vor Ende der Woche noch mal eine Lauchpastete mit Hühnchen. Ich drück auf jeden Fall die Daumen.«

»Kommt Frank bald zurück?«, erkundigte sich Deborah.

»Oh, wir haben Zeit genug für unsere Geschäfte, bevor er zurückkommt«, versicherte Graham Ouseley. »Keine Sorge. Frank hat was gegen meinen Entschluss, wissen Sie. Aber ich hab mir geschworen, dass ich reinen Tisch mache, bevor ich sterbe. Und das werd ich auch tun, ob's dem Jungen passt oder nicht.«

Er schlurfte auf wackligen Beinen in ein überheiztes Wohnzimmer. Dort nahm er eine Fernbedienung von einem Sessel, richtete sie auf den Bildschirm, auf dem gerade ein Küchenchef routiniert eine Banane aufschnitt, und schaltete den Apparat aus. »Gehen wir in die Küche«, sagte er. »Da gibt's Kaffee.«

»Wir sind eigentlich hergekommen –«

»Macht überhaupt keine Mühe«, unterbrach der alte Mann den vermeintlichen Protest Deborahs. »Gastfreundschaft ist mir wichtig.«

Sie konnten ihm nur in die Küche folgen, einen kleinen Raum, in dem man sich kaum bewegen konnte, weil so viel herumlag: Stapel von Zeitungen, Briefen und anderen Papieren, Kochgeräte, Geschirr, Besteck, ein paar Werkzeuge für Haus und Garten.

»Setzen Sie sich«, sagte Graham Ouseley und zwängte sich zu einer Glaskanne durch, in der noch etwa zwei Fingerbreit einer schmierig aussehenden Flüssigkeit standen. Er kippte sie ohne viel Federlesens mitsamt dem Satz in den Spülstein, nahm von einem abgerundeten Eckregal eine Dose herunter und löffelte mit zitternder Hand frischen gemahlenen Kaffee in die Kanne und auf den Boden. Er schlurfte zum Herd, ergriff den Kessel, füllte ihn mit Wasser und setzte ihn auf. Strahlend vor Stolz drehte er sich herum, nachdem er das alles geschafft hatte. »Das wär's«, verkündete er händereibend. Dann runzelte er die Stirn. »Wieso habt ihr zwei euch noch nicht gesetzt?«

Sie waren stehen geblieben, weil sie ganz offensichtlich nicht der Besuch waren, den der alte Mann erwartet hatte. Aber da sein Sohn nicht da war – wenn auch seine Rückkehr hoffentlich nicht lange auf sich warten lassen würde –, verständigten sich Cherokee und Deborah mit einem kurzen Blick, der sagte: Warum nicht? Sie würden einfach warten und inzwischen mit dem alten Mann eine Tasse Kaffee trinken.

Dennoch hielt Deborah es für fair zu sagen: »Frank ist doch bald wieder da, nicht wahr, Mr. Ouseley?«

Woraufhin Graham ziemlich verdrossen antwortete: »Jetzt hören Sie mal zu, machen Sie sich wegen Frank kein Kopfzerbrechen. Setzen Sie sich. Haben Sie Ihren Schreibblock dabei? Nein? Guter Gott! Ihr beide müsst ja Gedächtnisse haben wie die Elefanten.«

Er ließ sich auf einen Stuhl nieder und lockerte seinen Schlips. Zum ersten Mal fiel Deborah auf, dass er sehr adrett in einen Tweedanzug mit Weste gekleidet war, und seine Schuhe waren frisch geputzt.

»Frank«, teilte Graham Ouseley ihnen mit, »ist die geborene Unke. Er hat Angst, was bei dieser Geschichte zwischen mir und Ihnen rauskommt. Aber ich mach mir da keine Sorgen. Was könnten Sie mir denn noch tun, was Sie mir nicht schon zehnmal angetan haben? Ich bin es den Toten schuldig, die Lebenden zur Rechenschaft zu ziehen. Das ist die Pflicht von uns allen, und ich werde meine tun, bevor ich abtrete. Ich bin zweiundneunzig. Da staunen Sie, was? Ja, das ist eine Menge Holz.«

Deborah und Cherokee bestätigten murmelnd ihr Staunen. Auf dem Herd pfiff der Wasserkessel.

»Lassen Sie mich.« Cherokee sprang auf, ehe Graham Ouseley ein Wort des Protests sagen konnte. »Erzählen Sie Ihre Geschichte, Mr. Ouseley. Ich mach den Kaffee.« Er sah den alten Mann mit einem gewinnenden Lächeln an.

Das reichte, um ihn zu überreden. Er blieb sitzen, während

Cherokee den Kaffee aufgoss und Becher, Löffel und Zucker zusammensuchte. Als er alles auf den Tisch stellte, lehnte Graham Ouseley sich zurück. »Tja, es ist eine tolle Geschichte, das kann ich Ihnen sagen. Lassen Sie mich erzählen«, sagte er und fing gleich an.

Er führte sie fünfzig Jahre zurück in die Zeit der deutschen Besatzung. Fünf Jahre brutaler Unterdrückung, wie er sagte, fünf Jahre ständiger Versuche, die verdammten Krauts auszutricksen und trotz aller Erniedrigung die eigene Würde zu bewahren. Beschlagnahmung aller Fahrzeuge bis hin zum Fahrrad, Verbot von Rundfunkgeräten, Deportation langjähriger Inselbewohner, Exekutionen angeblicher »Spione«. Arbeitslager, in denen russische und ukrainische Gefangene beim Bau von Befestigungsanlagen für die Deutschen schufteten. Tote in Arbeitslagern auf dem Kontinent, wohin diejenigen abtransportiert wurden, die sich gegen die deutsche Herrschaft auflehnten. Prüfung von Familienpapieren bis in die Zeit der Großeltern, um festzustellen, ob man jüdisches Blut in den Adern hatte, das ausgemerzt werden musste. Und Quislinge in Massen unter den ehrlichen Leuten von Guernsey: Kollaborateure, diese Teufel, die bereit waren, für die Versprechungen der Deutschen ihre Seelen zu verkaufen – und ihre Landsleute.

»Eifersucht und Gemeinheit«, erklärte Graham Ouseley. »Auch aus solchen Beweggründen haben sie uns verraten. Da wurde manche alte Rechnung beglichen, indem man den Nazis einen Namen zuraunte.«

Er war froh, ihnen sagen zu können, dass es sich bei den Verrätern meistens um Ausländer gehandelt hatte. Da war ein Holländer in St. Peter Port, der jemanden hinhängte, weil er ein Radio hatte; ein irischer Fischer aus St. Sampson, der die Landung eines britischen Schiffs in der Nähe der Petit-Port-Bucht beobachtet hatte. So was konnte man natürlich nicht entschuldigen und noch weniger verzeihen, trotzdem waren ausländische Quislinge längst nicht so schlimm wie einheimische. Aber die gab es natürlich auch. O ja, es hatte den Verrat unter Landsleuten gegeben. Zum Beispiel bei Gift.

»Gift?«, fragte Deborah verwirrt. »Was für Gift?«

Nicht Gift, sondern G-I-F-T, erklärte Graham Ouseley, ein Akronym für Guernsey Independent From Terror. Das war die Untergrundzeitung der Insel gewesen und für die Inselbewohner damals die einzige Quelle für die Wahrheit über die Aktivitäten der Alliierten. Die Nachrichten wurden aus den Sendungen der BBC gewonnen, die man jede Nacht mit verbotenen Rundfunkempfängern abhörte. In den frühen Morgenstunden wurden hinter den verdunkelten Fenstern der Kirche St. Pierre du Bois bei Kerzenlicht die Fakten des Krieges auf lose Blätter getippt und von Hand an Getreue verteilt, die so sehr nach Nachricht von der Außenwelt lechzten, dass sie bereit waren, dafür Verhöre durch die Nazis zu riskieren und alles, was solche Verhöre nach sich zogen.

»Aber da waren Quislinge dabei«, erklärte Graham Ouseley. »Wir hätten's wissen müssen. Hätten vorsichtiger sein müssen und keinem vertrauen dürfen. Aber es waren welche von den *unseren*!« Er schlug sich mit der Faust auf die Brust. »Verstehen Sie? Es waren welche von den *unseren*!«

Die vier Mitarbeiter von G.I.F.T. waren auf das Wort eines dieser Quislinge hin verhaftet worden, berichtete er. Drei von ihnen starben – zwei im Gefängnis, der dritte bei einem Fluchtversuch. Nur einer – Graham Ouseley selbst – überlebte zwei höllische Jahre der Internierung, bevor er befreit wurde, nur noch Haut und Knochen, von Läusen und Tuberkulose geplagt.

Aber diese Kollaborateure, die sie verraten hatten, vernichteten mehr als nur die Begründer von G.I.F.T., erklärte Graham Ouseley. Sie denunzierten Mitbürger, die britischen Spionen Unterschlupf gewährten und russische Gefangene versteckten, und auch solche, deren einziges Verbrechen darin bestand, dass sie mit Kreide ein »V« für *Victory* auf die Fahrradsättel von Nazi-Soldaten malten, wenn diese nachts in Hotelbars tranken. Aber die Quislinge hatten nie für ihre Untaten bezahlen müssen, und das nagte an denen, die durch ihren Verrat gelitten hatten. Menschen waren umgekommen, andere waren hingerichtet worden, andere waren ins Gefängnis gekommen und einige waren nie zurückgekehrt. Mehr als fünfzig Jahre lang hatte keiner öffentlich seine Stimme erhoben, um die Namen der Schuldigen zu nennen.

»Sie haben Blut an den Händen«, sagte Graham Ouseley. »Ich werde dafür sorgen, dass sie bezahlen. Natürlich werden sie sich wehren, ist ja klar. Sie werden alles lauthals bestreiten. Aber wenn wir die Beweise vorlegen... Genauso will ich's nämlich machen, verstehen Sie. Erst die Namen in der Zeitung. Sollen sie ruhig alles leugnen und zum Anwalt rennen. Dann kommen die Beweise, und wir schauen zu, wie sie sich winden, so wie sie sich, verdammt noch mal, schon damals hätten winden sollen, als die Deutschen endlich kapituliert haben. Damals hätte alles rauskommen müssen über sie: die Quislinge, die verfluchten Schieber, die Deutschenliebchen und ihre kleinen Kraut-Bastarde.«

Der alte Mann geriet zunehmend außer sich, Speichel sammelte sich auf seinen Lippen. Deborah begann, um seine Gesundheit zu fürchten, als sein Gesicht einen bläulichen Schimmer annahm. Es war an der Zeit, ihm klar zu machen, dass sie nicht diejenigen waren, für die er sie hielt, Journalisten, denen er seine Geschichte erzählen wollte, um sie in der Zeitung veröffentlichen zu lassen.

Sie sagte: »Mr. Ouseley, es tut mir schrecklich Leid, aber –«

»Nein!« Er stieß mit so viel überraschender Kraft seinen Stuhl vom Tisch zurück, dass Kaffee aus ihren Bechern schwappte und Milch aus dem Krug. »Los, kommen Sie mit, wenn Sie mir nicht glauben. Mein Sohn Frank und ich, wir haben die Beweise!« Er stand mühsam von seinem Stuhl auf, und Cherokee sprang auf, um ihn zu stützen. Aber Graham schüttelte ihn ab und schlurfte unsicher zur Haustür. Wieder konnten sie nichts anderes tun, als ihm zu folgen, ihn zu besänftigen und zu hoffen, dass sein Sohn heimkehren würde, bevor der Alte sich völlig verausgabte.

Zuerst klopfte St. James bei den Duffys an. Es wunderte ihn nicht, dass niemand zu Hause war. Mitten am Tag waren Valerie und Kevin natürlich bei der Arbeit: er irgendwo auf dem Gelände, und sie im Herrenhaus. Sein Besuch galt in erster Linie ihr. Die subtilen Untertöne, die er bei ihrem letzten Gespräch wahrgenommen hatte, verlangten jetzt, da er wusste, dass sie Henry Moullins Schwester war, nach Klärung.

Er fand sie, wie erwartet, im Herrenhaus, dem er sich erst nähern durfte, nachdem er sich vor einem der Polizisten, die immer noch das Gelände absuchten, ausgewiesen hatte. Sie öffnete ihm die Tür mit einem Bündel zerknitterter Laken unter dem Arm.

St. James vergeudete keine Zeit mit Förmlichkeiten. Das hätte ihm den Vorteil der Überraschung genommen und ihr gestattet, sich zu sammeln. Er sagte: »Warum haben Sie bei unserem letzten Gespräch nichts davon erwähnt, dass noch eine Blondine im Spiel ist?«

Valerie Duffy antwortete nicht, aber er erkannte die Verwirrung in ihren Augen, der eiliges Überlegen folgte. Sie wandte ihren Blick von ihm ab, als wollte sie ihren Mann suchen. St. James konnte sich vorstellen, dass sie jetzt gern seine Unterstützung gehabt hätte, aber genau das wollte er verhindern.

»Ich verstehe nicht«, sagte sie schwach, legte die Laken neben der Tür auf den Boden und zog sich ins Innere des Hauses zurück.

Er folgte ihr in die steinerne Halle, wo die Luft eisig und vom Geruch erkalteter Feuer durchzogen war. Bei dem großen Refektoriumstisch in der Mitte des Raums machte sie Halt und begann, die dürren Blätter und herabgefallenen Beeren eines herbstlichen Pflanzenarrangements inmitten hoher weißer Kerzen einzusammeln.

St. James sagte: »Sie haben behauptet, Sie hätten beobachtet, dass Guy Brouard am Morgen seines Todes eine Frau mit hellem Haar zur Bucht hinunter gefolgt ist.«

»Die Amerikanerin –«

»Wie Sie uns glauben machen möchten.«

Sie blickte von den Blumen auf. »Ich habe sie gesehen.«

»Sie haben *jemanden* gesehen. Aber es gibt andere Möglichkeiten, nicht wahr? Sie haben es versäumt, sie zu erwähnen.«

»Mrs. Abbott hat helle Haare.«

»Und Ihre Nichte Cynthia auch, vermute ich.«

Es gereichte ihr zur Ehre, dass sie seinem Blick standhielt und dass sie nichts sagte, solange sie nicht wusste, wie viel er wusste. So leicht konnte man sie nicht hereinlegen.

»Ich habe mich mit Henry Moullin unterhalten«, sagte St. James. »Ich bin ziemlich sicher, dass ich Ihre Nichte gesehen habe. Er wollte mir einreden, sie wäre auf Alderney bei ihrer Großmutter, aber ich habe das Gefühl, dass ich sie dort nicht finden würde, wenn es wirklich eine Großmutter gibt. Warum hält Ihr Bruder seine Tochter im Haus versteckt, Mrs. Duffy? Hat er sie auch in ihrem Zimmer eingesperrt?«

»Sie macht gerade eine schwierige Phase durch«, sagte Valerie Duffy endlich und widmete sich wieder den Blumen, den Blättern und den Beeren, während sie sprach. »Bei Mädchen in ihrem Alter ist das ganz normal.«

»Was sind das für Phasen, die Hausarrest erforderlich machen?«

»Solche, wo nicht mit ihnen zu reden ist. Nicht vernünftig, meine ich. Wo sie nicht auf Argumente hören wollen.«

»Und worüber kann man nicht vernünftig mit ihnen reden?«

»Was sie sich in den Kopf gesetzt haben.«

»Und was ist das bei Ihrer Nichte?«

»Keine Ahnung.«

»Das hat mir Ihr Bruder aber anders dargestellt«, erwiderte St. James. »Er sagte, Sie seien die Vertraute seiner Nichte. Er vermittelte mir den Eindruck, dass Sie einander sehr nahe stehen.«

»So nah auch wieder nicht.« Sie trug eine Hand voll Blätter zum offenen Kamin und warf sie hinein. Aus der Tasche ihrer Schürze zog sie einen Lappen und staubte damit den Tisch ab.

»Sie finden es also in Ordnung, dass er sie im Haus einsperrt, solange sie in dieser schwierigen Phase steckt?«

»Das habe ich nicht gesagt. Ich wünschte, Henry würde nicht –« Sie brach ab, hielt im Staubwischen inne und schien zu versuchen, sich neu zu sammeln.

St. James sagte: »Warum hat Mr. Brouard ihr Geld hinterlassen? Ihr und den anderen Mädchen nicht? Da hinterlässt jemand einer Siebzehnjährigen auf Kosten ihrer Geschwister und seiner eigenen Kinder ein kleines Vermögen. Warum? Was sollte das?«

»Sie war nicht die Einzige. Wenn Sie von Cyn wissen, dann haben Sie auch von Paul gehört. Sie haben beide Geschwister, er hat noch einige mehr als Cyn. Keines dieser anderen Kinder wurde bedacht. Vielleicht hat's ihm Spaß gemacht, sich vorzustellen, was so ein Batzen Geld unter Geschwistern für einen Aufruhr anrichten könnte.«

»Ihr Bruder meinte etwas anderes. Er sagt, das Geld sei für die Ausbildung Ihrer Nichte bestimmt.«

Valerie wischte, wo längst kein Staub mehr war.

»Er hat mir außerdem erzählt, Guy Brouard hätte ›seine Launen‹ gehabt. Ich frage mich, ob eine dieser Launen ihn das Leben gekostet hat? Wissen Sie, was ein Elfenrad ist, Mrs. Duffy?«

Ihre Hand bewegte sich langsamer. »Aberglaube.«

»Einheimischer Aberglaube, vermute ich«, sagte St. James. »Sie sind doch hier geboren, nicht wahr? Sie beide, Sie und Ihr Bruder?«

Sie hob den Kopf. »Henry war es nicht, Mr. St. James.« Sie sagte es ruhig. Die Ader an ihrem Hals pulsierte, sonst zeigte sie keine Nervosität über die Tendenz von St. James' Worten.

»Ich dachte eigentlich nicht an Henry«, erwiderte St. James. »Hatte er denn Grund, Guy Brouard den Tod zu wünschen?«

Sie wurde brennend rot bei dieser Frage und beugte sich wieder über den Tisch.

»Wie ich sehe, war er in Mr. Brouards Museumspläne eingebunden. In die ursprünglichen Pläne, nach den Zeichnungen in seiner Werkstatt zu urteilen. Sollte er auch an dem revidierten Projekt mitarbeiten? Wissen Sie das?«

»Henry ist ein guter Glaser«, war alles, was sie sagte. »Darüber sind die beiden überhaupt zusammengekommen. Mr. Brouard brauchte jemanden für den Wintergarten hier. Er ist groß und ungewöhnlich. Dutzendware konnte er nicht gebrauchen. Und er suchte jemanden für die Gewächshäuser und die Fenster. Ich hab ihm Henry empfohlen. Sie haben miteinander gesprochen und sich gleich verstanden. Seitdem hat Henry für ihn gearbeitet.«

»Und so kam es, dass sich Mr. Brouards Interesse auf Cynthia richtete?«

»Mr. Brouard hat sich für viele Menschen interessiert«, erklärte Valerie geduldig. »Für Paul Fielder. Frank Ouseley. Nobby Debiere. Henry und Cynthia. Er hat sogar Jemima Abbott auf eine Modelschule in London geschickt und ihrer Mutter unter die Arme gegriffen, wenn sie was brauchte. Er hat Anteil genommen. Er hat in andere investiert. Das war seine Art.«

»Wenn man in etwas investiert, erwartet man im Allgemeinen einen Ertrag«, bemerkte St. James. »Es muss nicht immer ein finanzieller sein.«

»Dann sollten Sie vielleicht jeden von ihnen mal fragen, was Mr. Brouard von ihm erwartet hat«, sagte sie spitz. »Am besten fangen Sie mit Nobby Debiere an.« Sie knüllte das Staubtuch zusammen und schob es wieder in ihre Schürzentasche, ging zur Haustür zurück und hob die Wäsche auf, die sie dort abgelegt hatte. Das Bündel auf die Hüfte gestemmt, drehte sie sich nach St. James um. »Wenn Sie sonst keine –«

»Warum Nobby Debiere?«, fragte St. James. »Das ist doch der Architekt, nicht? Hat Mr. Brouard von ihm etwas Besonderes verlangt?«

»Wenn ja, hatte Nobby an dem Abend vor Mr. Brouards Tod keine große Lust, es ihm zu geben«, erklärte Valerie. »Sie haben nach dem Feuerwerk drüben beim Ententeich gestritten. ›Ich lass mich von Ihnen nicht in den Ruin treiben‹, hat Nobby gesagt. Würde mich interessieren, was er damit gemeint hat.«

Das war ein allzu durchsichtiger Versuch, ihn von ihren Verwandten abzulenken. St. James dachte nicht daran, sich so leicht abschütteln zu lassen. Er sagte: »Seit wann arbeiten Sie und Ihr Mann schon für die Brouards, Mrs. Duffy?«

»Seit dem ersten Tag.« Sie sah demonstrativ auf die Uhr.

»Sie kennen also ihre Gewohnheiten.«

Sie antwortete nicht gleich, aber ihre Augen verengten sich ein klein wenig, als sie überlegte, was hinter der Bemerkung stecken könnte. »Gewohnheiten?«, sagte sie.

»Zum Beispiel Mr. Brouards Gewohnheit, jeden Morgen zu schwimmen.«

»Davon wusste jeder.«

»Auch von dem Getränk, das er jeden Morgen zu sich nahm? Dem Ginkgo- und Grüntee? Wo wurde der übrigens aufbewahrt?«

»In der Küche.«

»Wo genau?«

»Im Schrank in der Speisekammer.«

»Und Sie arbeiten in der Küche?«

»Wollen Sie etwa behaupten, dass ich –«

»Wohin Ihre Nichte kam, wenn Sie mit Ihnen reden wollte und wohin auch Ihr Bruder kam – wenn er auf dem Gelände tätig war –, um ein bisschen mit Ihnen zu plaudern?«

»Die Küche steht allen offen, die hier im Haus ein und aus gehen. Wir halten hier nicht auf Förmlichkeit. Wir machen keine feinen Unterschiede je nachdem, was einer ist oder tut. So was gibt's in diesem Haus nicht. Das ist nicht die Art der Brouards und ist es nie gewesen. Das war auch der Grund, weshalb –« Sie brach ab. Packte das Lakenbündel fester.

»Das war der Grund, weshalb ...?«, wiederholte St. James fragend.

»Ich hab Arbeit«, erklärte sie. »Aber ich würde Ihnen gern was sagen, wenn Sie nichts dagegen haben.« Sie wartete nicht auf seine Zustimmung. »Unsere Familienangelegenheiten haben mit Mr. Brouards Tod nichts zu tun, Mr. St. James. Aber ich denke, wenn Sie ein bisschen weitergraben, werden Sie feststellen, dass die von jemand anderem damit zu tun haben.«

# 19

Frank war nach der Rückgabe der Pastetenform nicht so schnell wieder von Betty Petits Hof weggekommen, wie er gehofft hatte. Betty, die verwitwet und kinderlos war, bekam selten Besuch, und wenn einmal jemand vorbeikam, musste er zu Kaffee und frischen Brioches bleiben. Hätte Frank nicht seinen Vater vorschieben können, so wäre ein Aufbruch vor Ablauf einer Stunde nicht möglich gewesen.

Der Satz: *Ich kann meinen Vater nicht lang allein lassen*, leistete ihm, wenn nötig, gute Dienste.

Als er auf den Mühlplatz fuhr, sah er als Erstes den Escort, der neben seinem Peugeot stand. Ein großer Harlekin-Aufkleber auf dem Rückfenster verriet, dass es ein Mietwagen einer Agentur auf der Insel war. Sein Blick flog sofort zum Haus, dessen Tür offen stand, wie er mit einem Stirnrunzeln bemerkte. Als er hinkam, rief er »Dad?« und »Hallo?«, dann war ihm klar, dass das Haus leer war.

Das ließ nur eine Schlussfolgerung zu. Frank rannte zum ersten der beiden Häuser, in denen ihre Sammlung untergebracht war. Was er hinter dem kleinen Fenster der ehemaligen Wohnstube erblickte, als er daran vorüberkam, jagte ihm das Blut in den Kopf. Der Bruder dieser Amerikanerin, dieser River, stand mit einer Rothaarigen an seiner Seite neben dem Aktenschrank. Die oberste Schublade war offen, und vor ihr stand sein Vater, eine Hand um den Rand der Schublade geklammert, um sich aufrecht zu halten. Mit der freien Hand kämpfte er mit einem Packen Papiere, den er herauszuziehen versuchte.

Mit drei Schritten war Frank an der Haustür und stieß sie auf. Das aufgequollene Holz schrammte quietschend über den alten Fußboden. »Was, zum Teufel, ist hier los?«, rief er scharf. »Was tun Sie hier? Dad! Lass das! Die Dokumente sind brüchig.« Was natürlich jeden vernünftigen Menschen zu der Frage veranlassen musste, warum sie dann in einem ungeordneten Wust in diese Schublade hineingestopft waren. Aber jetzt war nicht der Moment, sich davon nervös machen zu lassen.

Als Frank durch das Zimmer stürmte, blickte Graham auf. »Es ist Zeit, mein Junge«, verkündete er. »Ich hab's immer wieder gesagt. Du weißt, was wir zu tun haben.«

»Hast du den Verstand verloren?«, fuhr Frank ihn an. »Weg von der Schublade.« Er packte seinen Vater am Arm und versuchte, ihn einen Schritt zurückzuziehen.

Sein Vater riss sich los. »Nein! Wir sind diesen Männern verpflichtet. Wir schulden ihnen was, und ich werde die Schuld bezahlen. Ich habe überlebt, Frank. Drei von ihnen sind tot, und ich bin immer noch am Leben. So viele Jahre später, wo *sie* auch noch leben und Großväter sein könnten, Frank. Urgroßväter inzwischen. Aber das ist ihnen alles genommen worden, von einem gottverdammten Quisling, der endlich seine Strafe kriegen muss. Hast du das verstanden, Junge? Es ist Zahltag!«

Er wehrte sich gegen Frank wie ein renitenter Teenager, aber ohne dessen jugendliche Kraft. Frank wollte nicht grob werden, weil sein Vater so gebrechlich war, aber das machte es umso schwieriger, ihn zu bändigen.

Die Rothaarige sagte: »Er hält uns anscheinend für Journalisten. Wir haben versucht, ihn aufzuklären ... Wir wollten nämlich eigentlich mit Ihnen sprechen.«

»Gehen Sie raus«, sagte Frank und schwächte den schroffen Befehl ab, indem er hinzufügte: »Nur eine Minute. Bitte.«

River und die Rothaarige gingen. Frank wartete, bis sie draußen waren. Dann zog er seinen Vater vom Aktenschrank weg und stieß die Schublade zu, wobei er zähneknirschend sagte: »Du gottverdammter alter Narr.«

Diese Beschimpfung kam bei Graham an. Frank schimpfte selten und nie auf seinen Vater. Seine treue Ergebenheit dem Vater gegenüber und die tiefe Verbundenheit mit ihm, die auf den gemeinsamen Interessen und einer lebenslangen Gemeinschaft gründete, hatten stets jeden Impuls des Zorns oder der Ungeduld erstickt, der sich gelegentlich beim sturen Eigensinn seines Vaters bemerkbar machte. Dies hier jedoch sprengte die Grenzen des Erträglichen. In Frank brach ein Damm – den er in den vergangenen zwei Monaten so sorgfältig aufgebaut hatte –, und aus seinem Mund sprudelte ein Strom von Beschimpfungen, von denen er bisher nicht einmal gewusst hatte, dass sie zu seinem Wortschatz gehörten.

Graham schreckte vor dem Ton zurück. Seine Schultern krümmten sich nach vorn, seine Arme fielen herab, und die trüben Augen hinter den dicken Brillengläsern füllten sich mit Tränen der Frustration und des Erschreckens.

»Ich wollte doch nur ...« Sein stoppeliges Kinn verzog sich weinerlich. »Ich hab's doch nur gut gemeint.«

Frank wappnete sich. »Jetzt hör mir mal zu, Dad«, sagte er. »Die zwei sind keine Journalisten. Verstehst du, was ich sage? Das sind keine Journalisten. Der Mann ... er ist ...« Lieber Gott, wie sollte er das erklären? Und wozu überhaupt. »Und die Frau ...« Er wusste nicht einmal, wer die Frau war. Er glaubte, sie bei Guys Beerdigung gesehen zu haben, aber was sie hier in der Mühle zu suchen hatte – und mit dem Bruder der River ... Auf diese Frage musste er sofort eine Antwort haben.

Graham starrte ihn völlig verwirrt an. »Sie haben gesagt ... Sie sind hergekommen, weil sie ...« Und diesen Gedankengang plötzlich vergessend, klammerte er sich an Franks Schulter und rief: »Es ist Zeit, Frank. Ich kann jeden Tag sterben. Jeden Tag. Ich bin als Einziger noch übrig. Du verstehst das doch, nicht wahr? Sag mir, dass du's verstehst. Sag mir, dass du's weißt. Und wenn wir unser Museum nicht bekommen sollen ...« Er packte fester zu, als Frank für möglich gehalten hätte. »Frankie, ich kann nicht zulassen, dass sie umsonst gestorben sind.«

Frank fühlte sich wie durchbohrt von diesem letzten Satz, als hätte er nicht nur seinen Leib, sondern auch seine Seele durchstoßen. Er sagte: »Dad, um Gottes willen«, aber er konnte nicht weitersprechen. Er zog seinen Vater an sich und umarmte ihn fest. Den Kopf an der Schulter seines Sohnes, schluchzte Graham einmal auf.

Frank hätte am liebsten mit ihm geweint, aber ihm fehlten die Tränen. Und selbst wenn er einen See voll Tränen in sich getragen hätte, er hätte ihn nicht überfließen lassen dürfen.

»Ich muss es tun, Frankie«, wimmerte sein Vater. »Es ist wichtig. Wirklich.«

»Das weiß ich«, sagte Frank.

»Dann ...« Graham löste sich von seinem Sohn und wischte sich die Wangen mit dem Ärmel seines Tweedjacketts.

Frank legte seinem Vater den Arm um die Schultern und sagte: »Wir besprechen das später, Dad. Wir finden schon einen Weg.« Er drängte ihn zur Tür, und da die »Journalisten« nirgends zu sehen waren, ließ Graham es geschehen, als hätte er völlig vergessen, dass sie da gewesen waren.

Frank führte ihn zurück zum Wohnhaus, dessen Tür immer noch offen stand. Er half seinem Vater hinein und brachte ihn zu seinem Sessel.

Graham lehnte sich mit seinem ganzen Gewicht an seinen Sohn, als der ihn so drehte, dass er sich nur noch in den Sessel sinken zu lassen brauchte. Sein Kopf war gesenkt, als wäre er ihm zu schwer, und die Brille war ihm zur Nasenspitze hinuntergerutscht. »Mir ist ein bisschen komisch, mein Junge«, murmelte er. »Vielleicht mach ich am besten ein kleines Nickerchen.«

»Du hast dir zu viel zugemutet«, sagte Frank. »Ich darf dich in Zukunft nicht mehr allein lassen.«

»Ich bin kein kleines Kind.«

»Aber du machst Dummheiten, wenn ich nicht auf dich aufpasse. Du bist stur wie ein alter Bock.«

Graham lächelte bei dem Vergleich, und Frank reichte ihm die Fernbedienung für den Fernsehapparat. »Kann ich mich darauf verlassen, dass du mal fünf Minuten keine Dummheiten machst?«, fragte er seinen Vater liebevoll. »Ich möchte nur hören, was die hier wollen.« Er wies mit einer Kopfbewegung zum Wohnzimmerfenster.

Als sein Vater wieder vor dem Bildschirm saß, machte Frank sich auf die Suche nach River und der Rothaarigen. Sie standen bei den zerschlissenen Liegestühlen im verwilderten Garten hinter den Häusern, ins Gespräch vertieft, wie es schien. Als Frank sich näherte, schwiegen sie.

River stellte seine Begleiterin als Freundin seiner Schwester vor. Sie heiße Deborah St. James, sagte er. Sie und ihr Mann seien aus London herübergekommen, um seiner Schwester zu helfen. »Er hat beruflich ständig mit solchen Geschichten zu tun«, erläuterte River.

Franks Hauptsorge galt seinem Vater. Er durfte ihn nicht zu lange allein lassen, sonst passierte womöglich wieder irgendetwas. Er fragte mit aller Höflichkeit, die er aufbieten konnte: »Und wie kann ich Ihnen behilflich sein?«

Sie antworteten gemeinsam. Ihr Besuch hatte, wie sich herausstellte, mit einem Ring aus der Kriegszeit zu tun. Er war gekennzeichnet durch eine deutsche Inschrift, Jahreszahlen und eine ungewöhnliche Verzierung, die aus einem Totenkopf mit gekreuzten Knochen bestand.

»Haben Sie so etwas in Ihrer Sammlung?« River schien begierig.

Frank warf ihm einen neugierigen Blick zu, dann sah er die Frau an. Ihr ernstes Gesicht sagte ihm, wie wichtig seine Auskunft den beiden war. Er dachte über diese Tatsache nach und überlegte sämtliche möglichen Konsequenzen jeder möglichen Antwort, bevor er endlich sagte: »Ich glaube nicht, dass mir so ein Stück schon mal untergekommen ist.«

Woraufhin River meinte: »Aber sicher können Sie nicht sein?« Als Frank das nicht bestätigte, wies er auf die beiden anderen Häuser bei der Mühle und fügte hinzu: »Sie haben doch massenhaft Zeug da drinnen. Ich erinnere mich, dass Sie sagten, es sei noch gar nicht alles katalogisiert. Daran haben Sie doch gearbeitet, stimmt's? Sie und Guy wollten die Sachen ausstellen, aber Sie brauchten erst noch genaue Verzeichnisse darüber, was Sie haben und wo es liegt und wo es im Museum hin sollte, richtig?«

»Ja, das ist richtig, daran haben wir gearbeitet.«

»Und der Junge hat auch mitgeholfen. Paul Fielder. Guy hat ihn hin und wieder mitgebracht.«

»Ebenso einmal seinen Sohn. Und auch den jungen Abbott«, sagte Frank. »Aber was hat das –«

River wandte sich der Rothaarigen zu. »Siehst du? Es gibt auch noch andere Möglichkeiten! Paul. Adrian. Der kleine Abbott. Die Bullen wollen unbedingt glauben, dass jeder Weg zu China führt, aber so ist es nicht, verdammt noch mal, und hier haben wir den Beweis.«

Die Frau sagte beschwichtigend: »Nicht unbedingt. Nur wenn…« Sie machte ein nachdenkliches Gesicht und richtete ihre folgenden Bemerkungen an Frank. »Kann es sein, dass Sie einen Ring wie den von uns beschriebenen katalogisiert und nur vergessen haben? Kann es sein, dass jemand anders ihn eingetragen hat? Oder dass Sie einen hatten und *das* vergessen haben?«

Frank räumte ein, dass so etwas möglich sei, aber er legte Zweifel in seinen Ton, weil er wusste, dass jetzt wahrscheinlich eine Bitte kommen würde, die er nicht erfüllen wollte. Sie brachte sie dennoch prompt vor. Ob sie sich einmal unter seinen Objekten umsehen dürften? Oh, ihr sei klar, dass sie unmöglich alles würden durchschauen können, aber es könnte ja sein, dass sie Glück hätten...

»Dann schauen wir uns wenigstens zuerst die Kataloge an«, meinte Frank. »Wenn ein Ring da war und uns in die Finger gekommen ist, hat einer von uns ihn eingetragen.«

Er führte sie über denselben Weg wie zuvor seinen Vater und holte das erste Heft heraus. Bis jetzt gab es insgesamt vier Hefte, in die die einzelnen Stücke nach Kategorien geordnet eingetragen waren. Er hatte ein Verzeichnis für Kleidungsstücke, eines für Orden und Abzeichen, eines für Waffen und Munition, eines für Schriftstücke. Eine Durchsicht des Verzeichnisses über Orden und Abzeichen, zeigte River und der Rothaarigen, dass ein Ring ihrer Beschreibung bisher nicht zum Vorschein gekommen war. Das bedeutete allerdings nicht, dass nicht irgendwo in der riesigen Ansammlung ungesichteten Materials noch einer lag. Das war auch den Besuchern klar, wie Frank gleich feststellen musste.

Ob die übrigen Orden und Abzeichen alle an einem Ort aufbewahrt würden, wollte Deborah St. James wissen, oder ob sie über die ganze Sammlung verteilt seien. Sie sprach natürlich von den Orden und Abzeichen, die noch nicht katalogisiert waren.

Nein, antwortete Frank, sie würden nicht an einem Ort aufbewahrt. Nur solche Artikel, die schon gesichtet und katalogisiert waren, erklärte er, würden gesondert aufbewahrt. Die Behälter waren sorgfältig gekennzeichnet, weil man mühelosen Zugriff hatte haben wollen, wenn es Zeit wurde, die Ausstellungsstücke für das Kriegsmuseum auszuwählen, und jedes Stück bekam bei der Eintragung in das entsprechende Verzeichnis sowohl eine Artikel- als auch eine Behälternummer.

»Da im Katalog kein Ring verzeichnet war...«, sagte Frank bedauernd und vollendete den Satz mit beredtem Schweigen: Gebe es wahrscheinlich überhaupt keinen Ring, es sei denn, er befände sich irgendwo in dem Durcheinander, das noch geordnet und sortiert werden musste.

»Aber es *waren* Ringe im Katalog«, sagte River.

Deborah St. James fügte hinzu: »Es könnte doch jemand beim Sortieren so einen Totenkopfring gestohlen haben, ohne dass Sie es gemerkt hätten, meinen Sie nicht?«

»Und das könnte jeder gewesen sein, der irgendwann mal mit Guy hier war«, ergänzte River. »Paul Fielder. Adrian Brouard. Der kleine Abbott.«

»Vielleicht«, sagte Frank, »aber ich wüsste nicht, warum jemand das hätte tun sollen.«

»Wahrscheinlich könnte der Ring Ihnen auch zu einem anderen Zeitpunkt gestohlen worden sein, richtig?«, überlegte Deborah St. James laut. »Ich meine, würden Sie es denn überhaupt merken, wenn von dem noch nicht katalogisierten Material etwas gestohlen würde?«

»Das käme wohl darauf an, worum es sich handelt«, erwiderte Frank. »Ein großes Stück, etwas Gefährliches… das würde ich wahrscheinlich merken. Bei einem kleinen Gegenstand –«

»– wie einem Ring«, warf River ein.

»– würde es mir möglicherweise nicht auffallen.« Frank sah die befriedigten Blicke, die sie tauschten, und sagte: »Aber warum ist das alles eigentlich so wichtig?«

»Fielder, Brouard und Abbott.« River sprach mit der Rothaarigen, nicht mit Frank, und wenig später verabschiedeten sich die beiden. Sie dankten Frank für seine Hilfe und eilten zu ihrem Wagen. Er hörte noch, wie River auf irgendeine Bemerkung der Frau sagte: »Sie können ihn alle aus unterschiedlichen Gründen gewollt haben. Aber China wollte ihn nicht, ganz sicher nicht.«

Zuerst glaubte Frank, River bezöge sich auf den Totenkopfring. Aber dann wurde ihm klar, dass die beiden von dem Mord sprachen: dass jemand Guys Tod gewollt, vielleicht dringend gebraucht hatte. Weil er gewusst hatte, dass der Tod vielleicht das einzige Mittel war, um eine drohende Gefahr abzuwenden.

Er fröstelte und wünschte, er wäre ein frommer Mann mit einem Gott, der ihm die fehlenden Antworten geben und den rechten Weg zeigen würde. Er schloss die Tür des Lagerhauses und sperrte die Gedanken an den Tod – vorzeitigen, unnötigen, ganz gleich – aus, um sich dem Sammelsurium von Kriegsandenken zuzuwenden, die seit Jahren sein Leben und das seines Vaters bestimmten.

Lange hatte es immer wieder geheißen: *Schau, was ich hier hab, Frankie!*

Und: *Fröhliche Weihnachten, Dad. Du errätst nie, wo ich das hier gefunden habe.*

Oder: *Denk daran, wer diese Pistole abgefeuert hat, mein Junge. Denk an den Hass, der auf diesem Abzug lag.*

Alles, was er jetzt besaß, war zusammengetragen worden, um eine untrennbare Verbundenheit mit einem Titanen zu schaffen, einem Giganten an Charakter, Würde, Mut und Stärke. Wie er konnte man nicht werden – man konnte nicht einmal hoffen, so zu werden und zu leben, wie er gelebt hatte, zu überstehen, was er überstanden hatte –, darum eiferte man ihm nach und setzte wenigstens ein kleines Zeichen, wo der Vater ein Zeichen stolzer Größe und unübertrefflichen Muts hinterlassen hatte.

Damit hatte es angefangen, mit diesem Drang, wie er zu sein, der so grundlegend und tief verankert war, dass Frank sich oft gefragt hatte, ob Söhne von der Zeugung an darauf programmiert waren, vollkommene Übereinstimmung mit dem väterlichen Bild anzustreben. Wenn das nicht möglich war – wenn die Figur des Vaters zu gewaltig war, ihr auch Gebrechlichkeit oder Alter nichts anhaben konnten –, musste etwas anderes gefunden werden, was dem Sohn als unwiderlegbarer Beweis dafür dienen konnte, dass er dem Vater an Größe in nichts nachstand.

Hier, in dem kleinen Lagerhaus, betrachtete Frank die konkreten Zeugnisse seiner eigenen Größe. Die Idee zu der Sammlung von Kriegsandenken und die Sammlung selbst, für die jahrelang alles von der Gürtelschnalle bis zum Gewehr zusammengetragen worden war, waren gewachsen wie die reiche Vegetation rund um die Mühle: wild, üppig, ungehindert. Ihren Ursprung hatten sie gewissermaßen in einem Koffer voller Sachen, die Grahams Mutter aufgehoben hatte: Lebensmittelkarten, Luftschutzvorschriften, Bezugscheine für Kerzen. Diese Habseligkeiten, entdeckt und aufmerksam betrachtet, hatten die Grundlage des großen Projekts gebildet, das Frank Ouseleys Leben definiert und seine Liebe zum Vater veranschaulicht hatte. Die Anhäufung von Dingen war seine Art gewesen, der ganzen Verehrung, Bewunderung und tiefen Freude Ausdruck zu verleihen, für die er lange keine Worte gefunden hatte.

*Die Vergangenheit begleitet uns immer, Frankie. Diejenigen unter uns, die ein Teil von ihr waren, müssen die Erfahrung an die Nachkommenden weitergeben. Wie sonst sollen wir verhindern, dass das Böse sich ausbreitet? Wie sonst sollen wir das Gute ehren?*

Gab es ein besseres Mittel, diese Vergangenheit zu bewahren und in vollem Umfang zu würdigen, als sie andere zu lehren, nicht nur im Schulzimmer, wie er das jahrelang getan hatte, sondern ebenso durch Konfrontation mit den Relikten einer lang vergangenen Zeit? Sein Vater hatte Blätter der Untergrundzeitung G.I.F.T., verschiedene Nazi-Bekanntmachungen, eine Luftwaffenmütze, ein Parteiabzeichen, eine rostige Pistole, eine Gasmaske und eine Karbidlampe aufbewahrt. Mit sieben Jahren hatte Frank, der Junge, diese Stücke in seinen Händen gehalten und sich der Sache einer großen Sammlung verschrieben.

*Fangen wir doch an zu sammeln, Dad. Machst du mit? Das würde Spaß machen, meinst du nicht? Hier auf der Insel liegt bestimmt ein Haufen Zeug herum.*

*Es war kein Spiel, mein Junge. Glaub ja nicht, dass es ein Spiel war. Verstehst du mich?*

O ja, er verstand. Er verstand wirklich. Das war ja die Qual. Er verstand. Es war nie ein Spiel gewesen.

Frank vertrieb die Stimme seines Vaters aus seinem Kopf, aber an ihrer Stelle wurde etwas anderes laut, eine Erklärung sowohl der Vergangenheit als auch der Zukunft, die aus dem Nichts kam und Worte brachte, deren Ursprung er gut zu kennen glaubte, ohne ihn nennen zu können. *Es geht um die Sache, es geht um die Sache, ganz bestimmt.* Er wimmerte wie ein Kind, das in einem bösen Traum gefangen ist, und zwang sich, dem Albtraum ins Auge zu sehen.

Die Schublade des Aktenschranks hatte sich, wie er jetzt bemerkte, nicht ganz geschlossen, als er sie zugestoßen hatte. Er näherte sich ihr zaghaft wie ein unerfahrener Soldat, der ein Minenfeld überqueren soll. Als er sie erreichte hatte, krümmte er die Finger um den Griff der Schublade und erwartete beinahe, sich daran zu verbrennen, als er zog.

Er war endlich in dem Krieg, in dem er immer hatte dienen wollen, um seine Tapferkeit zu beweisen. Er wusste endlich, wie es war, wenn man Hals über Kopf vor dem Feind fliehen wollte, um sich an einem sicheren Ort zu verstecken, einem Ort, den es in Wirklichkeit nicht gab.

Als Ruth Brouard nach *Le Reposoir* zurückkehrte, sah sie, dass ein Trupp Polizisten das Gelände verlassen hatte und zur Straße weitergerückt war, von wo die Männer sich zu der Abzweigung vorarbeiteten, die zur Bucht hinunterführte. Ihre Arbeit in *Le Reposoir* selbst schien beendet zu sein. Jetzt würden sie an der Böschung und in den Hecken suchen – vielleicht sogar in den Waldgebieten und den Feldern dahinter –, um zu finden, was immer sie brauchten, um die Richtigkeit dessen zu beweisen, was sie über den Tod ihres Bruders wussten oder zu wissen glaubten.

Sie beachtete sie nicht. Was sie in St. Peter Port erfahren hatte, hatte sie beinahe ihre letzte Kraft gekostet und drohte, ihr auch noch das zu rauben, was sie in einem von Flucht, Angst und Verlust geprägten Leben so lange aufrechterhalten hatte. Bei allem, was geschehen war, was die Persönlichkeit eines anderen Kindes – das von zwei liebenden Eltern, von Großeltern und liebevollen Tanten und Onkeln sorgsam gelegte Fundament – vielleicht zerstört hätte, war es ihr gelungen, an sich selbst festzuhalten. Der Grund dafür war Guy gewesen und das, wofür er gestanden hatte: Für die Familie und das Gefühl, von irgendwoher gekommen zu sein, auch wenn dieses Irgendwo für immer verschwunden war. Jetzt aber schien es Ruth, als drohte Guy in seiner Wirklichkeit als lebender, atmender Mensch, den sie gekannt und geliebt hatte, ausgelöscht zu werden. Sie wusste nicht, wie sie sich davon erholen sollte, wenn das geschah, und ob sie es überhaupt konnte. Sie glaubte, sie würde es gar nicht wollen.

Langsam fuhr sie unter den Kastanien die Auffahrt hinauf und dachte daran, wie gut es tun würde, zu schlafen. Jede Bewegung war schon seit Wochen eine Qual, und sie wusste, dass die nächste Zukunft keine Linderung ihrer Leiden bereithielt. Morphin in genau berechneten Dosen würde vielleicht die Schmerzen in ihren Knochen dämpfen, aber gegen den Verdacht, der sie zu quälen begonnen hatte, würde nur vollständiges Vergessen helfen.

Sie sagte sich, dass es für das, was sie erfahren hatte, tausendundeine Erklärung gab. Aber das änderte nichts daran, dass vielleicht bei einer dieser Erklärungen die Umstände zugrunde lagen, die ihren Bruder das Leben gekostet hatten. Es zählte nichts, dass die Entdeckungen, die sie über das Verhalten ihres Bruders in seinen letzten Lebensmonaten gemacht hatte, das bedrückende Gefühl hätten erleichtern können, an seiner Ermordung, deren Hintergründe bisher unerklärt waren, Anteil gehabt zu haben. Von Bedeutung war die Tatsache, dass sie vom Tun ihres Bruders nichts gewusst hatte, und dieses einfache *Nichtwissen* genügte, einen Prozess in Gang zu setzen, in dessen Verlauf ihr alle ihre lebenslangen Überzeugungen genommen werden würden. Aber wenn sie das zuließ, würde das absolute Grauen in ihr Leben eindringen. Und deshalb musste sie Mauern errichten, um nicht zu verlieren, was ihrem Leben seinen Halt gegeben hatte. Aber sie wusste nicht, wie sie das machen sollte.

Nach ihrem Besuch bei Dominic Forrest hatte sie zuerst Guys Anlageberater aufgesucht und dann seinen Banker. Den Gesprächen mit den beiden hatte sie entnommen, auf welchen Weg ihr Bruder sich in den letzten zehn Monaten vor seinem Tod begeben hatte. So wie er nach dem Verkauf riesiger Wertpapierpakete die Gelder herumgeschoben hatte, sah es danach aus, als wären alle seine Transaktionen mit dem Fingerabdruck der Illegalität beschmutzt. Die unbewegten Mienen seiner Finanzberater hatten vieles ahnen lassen, jedoch hatten sich die Herren auf die Präsentation von Fakten beschränkt, die so mager waren, dass sie die finstersten Vermutungen erzeugten.

Fünfzigtausend Pfund hier, fünfundsiebzigtausend Pfund da, ständig anwachsend, bis Anfang November die immense Summe von zweihundertfünfzigtausend Pfund erreicht war. Natürlich würde es Spuren geben, über die sich die Transaktionen zurückverfolgen ließen, aber sie wollte noch nicht versuchen, sie aufzunehmen. Im Moment wollte sie lediglich das endgültige Resultat der Buchprüfung, von dem Dominic Forrest ihr berichtet hatte, abwarten. In den neun Jahren seit ihrer Übersiedlung auf die Insel hatte er sein Geld stets vorsichtig und klug angelegt, aber plötzlich, in seinen letzten Lebensmonaten, war ihm das Geld wie Sand durch die Hände geronnen... oder war ihm wie Blut abgezapft worden... oder war gebraucht... oder gespendet worden... oder – was?

Sie wusste es nicht. Einen lächerlichen Moment lang sagte sie sich, es sei ihr egal. Es war nicht wichtig – das Geld an sich –, und das war nicht gelogen. Aber was das Geld repräsentierte, was das *Fehlen* des Geldes nahe legte, nachdem Guys Testament den Anschein erweckt hatte, es wäre reichlich davon da, um es unter seine Kinder und die beiden anderen Erben zu verteilen... Darüber konnte man nicht so leicht hinwegsehen. Denn das Nachdenken darüber führte Ruth unausweichlich zu Gedanken an die Ermordung ihres Bruders und der Frage, ob und wie diese Tat mit dem Geld zu tun hatte.

Ihr schmerzte der Kopf. So viele Informationen wirbelten da oben herum, und jede schien sich mit Gewalt vordrängen zu wollen, so dass ihr schien, sie versuchten, ihr in ihrem Kampf um Aufmerksamkeit den Schädel zu sprengen. Aber sie wollte sich jetzt nicht mit ihnen befassen. Sie wollte nur schlafen.

Sie lenkte den Wagen ums Haus herum, am Rosengarten vorbei, wo die kahlen Büsche schon für den Winter beschnitten waren. Jenseits dieser Anlage krümmte sich die Auffahrt noch einmal und führte zu der alten Remise, wo sie ihren Wagen unterzustellen pflegte. Als sie vor dem Gebäude anhielt, wusste sie, dass sie nicht die Kraft hatte, das Tor aufzuziehen. Sie drehte deshalb nur den Schlüssel, um den Motor abzustellen, und ließ den Kopf auf das Lenkrad sinken.

Sie spürte, wie die Kälte in den Wagen kroch, aber sie blieb, wo sie war, und lauschte mit geschlossenen Augen der wohltuenden Stille, die ungeheuer beruhigend war. In der Stille warteten keine neuen Überraschungen.

Aber sie wusste, dass sie nicht lange so sitzen bleiben konnte. Sie musste ihre Medikamente nehmen. Und sich ausruhen. Gott, wie dringend sie jetzt Ruhe brauchte!

Sie musste mit der Schulter gegen die Wagentür drücken, um sie öffnen zu können. Als sie stand, merkte sie überrascht, dass sie nicht fähig war, auf dem Kies zum Wintergarten hinüberzugehen, durch den sie ins Haus hineinkam. Sie lehnte sich an den Rover, und da bemerkte sie, dass sich drüben beim Ententeich etwas bewegte.

Sie dachte sofort an Paul Fielder, und dabei fiel ihr ein, dass jemand ihm sagen musste, dass sein Erbe nicht so groß ausfallen würde, wie Dominic Forrest ihn glauben gemacht hatte. Nicht dass das eine große Rolle spielen würde. Die Familie war verarmt, das Geschäft seines Vaters durch den gnadenlosen Druck von Modernisierung und Komfortstreben auf der Insel ruiniert. Da war jeder Betrag, der ihm zufiel, weit mehr, als er sich je hätte erhoffen können… vorausgesetzt, er hatte überhaupt von Guys Testament gewusst. Aber das waren Spekulationen, denen Ruth nicht nachgehen wollte.

Den Weg zum Ententeich brachte sie nur mit größter Willensanstrengung hinter sich. Aber als sie dort ankam und zwischen zwei Rhododendronbüschen hervortrat, so dass der Teich vor ihr lag wie eine flache Zinnschale, der der Himmel die Farbe gab, erkannte sie, dass sie nicht Paul Fielder gesehen hatte, sondern den Mann aus London. Er stand am Rand des Teichs, vielleicht einen Meter von einigen liegen gelassenen Werkzeugen entfernt. Seine Aufmerksamkeit schien dem Entenfriedhof über dem Wasser zu gelten.

Ruth wäre umgekehrt, um unbemerkt zu verschwinden, aber er schaute zu ihr herüber und dann wieder zum Entenfriedhof. »Was ist da passiert?«, fragte er.

»Jemand hatte was gegen Enten.«

»Wer kann was gegen Enten haben? Sie sind doch völlig harmlos.«

»Sollte man meinen.« Mehr sagte sie nicht, aber als er sie ansah, hatte sie das Gefühl, er läse ihr die Wahrheit vom Gesicht ab.

Er sagte: »Die Häuser der Enten sind auch zerstört worden. Wer ist dabei, sie neu zu bauen?«

»Das waren Guy und Paul. Sie hatten sie ursprünglich gebaut. Der ganze Teich war eines ihrer Projekte.«

»Vielleicht hatte dagegen jemand etwas einzuwenden.« Er richtete seinen Blick zum Haus.

»Ich kann mir nicht vorstellen, wer«, sagte sie, obwohl sie selbst hörte, wie falsch ihr Ton klang. Sie wusste – und fürchtete –, dass er ihr nicht einen Moment glaubte. »Wie Sie sagten, wer könnte was gegen Enten haben.«

»Jemand, der was gegen Paul hatte? Oder gegen die Beziehung, die den Jungen mit Ihrem Bruder verband?«

»Sie denken an Adrian.«

»Wäre Eifersucht von ihm zu erwarten gewesen?«

Von Adrian, dachte Ruth, war alles zu erwarten. Aber sie hatte nicht die Absicht, mit diesem Mann oder sonst jemandem über ihren Neffen zu sprechen. Darum sagte sie: »Es ist feucht hier. Ich werde Sie Ihren Betrachtungen überlassen, Mr. St. James. Ich gehe ins Haus.«

Er begleitete sie, obwohl sie ihn nicht dazu aufgefordert hatte. Hinkend ging er an ihrer Seite, ohne etwas zu sagen, und ihr blieb nichts anderes übrig, als ihm zu gestatten, mit ihr zum Wintergarten zu gehen, dessen Tür – wie immer – unverschlossen war.

St. James fiel das auf. Ob die Tür immer offen sei, wollte er wissen.

Ja. Guernsey sei nicht London. Hier fühlten sich die Menschen sicher. Schlösser seien überflüssig.

Sie spürte den Blick der graublauen Augen auf sich, während sie sprach; spürte ihn durchbohrend auf ihrem Hinterkopf, als sie vor dem Mann in der schwülen Luft unter dem Glas den Terrakottaweg entlangging. Sie wusste, dass er über eine unverschlossene Tür nachdachte, eine Möglichkeit für jeden, der ihrem Bruder Böses wollte, zu kommen und zu gehen, wie es ihm beliebte.

Nun, besser er dachte darüber nach, als über den Tod der unschuldigen Enten. Sie glaubte nicht einen Augenblick, dass ein unbekannter Eindringling für den Tod ihres Bruders verantwortlich war, aber sollte der Mann sich ruhig seine Gedanken machen, wenn ihn das davon abhielt, sich mit Adrian zu beschäftigen.

Er sagte: »Ich habe vorhin mit Mrs. Duffy gesprochen. Sie waren in der Stadt?«

»Beim Anwalt meines Bruders«, antwortete Ruth. »Und bei seinem Anlageberater und seiner Bank.«

Sie führte ihn ins Damenzimmer. Valerie war, wie sie sah, schon hier gewesen. Die Vorhänge waren zurückgezogen, so dass das milchige Dezemberlicht ins Zimmer hereinfiel, und das Gasfeuer brannte, um die Kühle zu vertreiben. Auf dem Beistelltisch neben dem Sofa stand eine Karaffe mit Kaffee und eine Tasse mit Untertasse daneben. Ihr Stickkasten war offen, zur Weiterarbeit am neuen Bild bereit, und die Post lag in einem Stapel auf ihrem Sekretär.

Alles im Zimmer schien so, als wäre es ein ganz normaler Tag. Aber so war es nicht. Einen ganz normalen Tag würde es nie wieder geben.

Der Gedanke bewog Ruth zu sprechen. Sie berichtete St. James, was sie in St. Peter Port erfahren hatte. Sie ließ sich aufs Sofa sinken, während sie sprach, und wies ihn zu einem der Sessel. Er hörte ihr schweigend zu, und als sie fertig war, war er mit einem Arsenal von Erklärungen zur Hand. Die meisten hatte sie sich auf der Heimfahrt selbst schon überlegt. Wie auch nicht, da doch am Ende der Spur, die Guy mit seinem Verhalten gelegt zu haben schien, der Tod gewartet hatte?

»Das lässt natürlich an Erpressung denken«, sagte St. James. »Ein solcher Verlust von Geld bei einer stetigen Steigerung der Beträge ...«

»Es gab in seinem Leben nichts, womit man ihn hätte erpressen können.«

»Das mag auf den ersten Blick so scheinen. Aber er hatte Geheimnisse, Miss Brouard. Das wissen wir durch die Reise nach Amerika, von der Sie keine Ahnung hatten, nicht wahr?«

»Aber er hatte kein Geheimnis, das diese Geldgeschichte notwendig gemacht hätte. Es gibt eine einfach Erklärung für das, was er mit dem Geld getan hat, eine, die völlig einwandfrei ist. Wir kennen sie nur noch nicht.« Sie glaubte sich selbst nicht, und an St. James' skeptischer Miene sah sie, dass auch er ihr nicht glaubte.

Er sagte – und sie merkte, dass er sich bemühte, taktvoll zu sein: »Ich denke, Sie wissen, dass diese finanziellen Transaktionen wahrscheinlich nicht legal waren.«

»Nein, das weiß ich *nicht* –«

»Und wenn Sie seinen Mörder finden wollen – und ich glaube, das wollen Sie –, müssen alle Möglichkeiten bedacht werden, das wissen Sie auch.«

Sie sagte nichts. Aber ihre innere Qual wurde durch das Mitleid in seinem Gesicht noch verschlimmert. Sie hasste das Mitleid anderer. Sie hatte es immer gehasst. Arme kleine Seele, hat ihre ganze Familie unter den Nazis verloren. Wir müssen nachsichtig sein. Wir müssen ihr ihre kleinen Anfälle von Angst und Kummer lassen.

»Wir haben seine Mörderin«, erklärte Ruth mit steinerner Miene. »Ich habe sie an dem Morgen gesehen. Wir wissen, wer sie ist.«

St. James verfolgte seinen eigenen Gedankengang, als hätte sie nichts gesagt. »Vielleicht hat er eine Art Lösegeld bezahlt. Oder einen riesigen Kauf getätigt. Vielleicht sogar einen illegalen Kauf. Waffen? Drogen? Sprengstoff?«

»Absurd«, sagte sie.

»Wenn er eine Sache unterstützte –«

»Die Araber? Die Algerier? Die Palästinenser? Die Iren?«, zählte sie verächtlich auf. »Mein Bruder war politisch so interessiert wie ein Gartenzwerg, Mr. St. James.«

»Dann bleibt nur der Schluss, dass er das Geld im Lauf der Zeit jemandem geschenkt hat. In dem Fall müssen wir uns die möglichen Empfänger eines solchen Batzen Geldes ansehen.« Er blickte zur Tür, als überlegte er, was sich dahinter befand. »Wo ist Ihr Neffe heute Morgen, Miss Brouard?«

»Das hat mit Adrian nichts zu tun.«

»Trotzdem...«

»Ich nehme an, er fährt seine Mutter herum. Sie kennt die Insel nicht. Die Straßen sind schlecht gekennzeichnet, da braucht sie seine Hilfe.«

»Er war also häufig zu Besuch bei seinem Vater? Im Verlauf der Jahre. Er kennt sich –«

»Es geht hier nicht um Adrian!« Ihre Stimme klang schrill, sie hörte es selbst. Ihre Knochen schmerzten wie von hundert Dornen durchbohrt. Sie musste diesen Mann loswerden, ganz gleich, was seine Absichten ihr und ihrer Familie gegenüber waren. Sie musste ihre Tabletten nehmen, eine ausreichende Dosis, um ihren Körper unempfindlich zu machen, wenn das überhaupt möglich war. Sie sagte: »Mr. St. James, Sie sind doch aus einem bestimmten Grund hier. Ich weiß, das ist kein Anstandsbesuch.«

»Ich war bei Henry Moullin«, sagte er.

Sie wurde sofort vorsichtig. »Ja?«

»Ich wusste nicht, dass Mrs. Duffy seine Schwester ist.«

»Es gab keinen Grund, Ihnen das zu erzählen.«

Er lächelte flüchtig in Anerkennung ihres Arguments und berichtete ihr weiter, dass er Henry Moullins Zeichnungen der Museumsfenster gesehen hatte. Dabei seien ihm, sagte er, die Baupläne im Besitz ihres Bruders eingefallen. Ob er sie sich einmal ansehen könne.

Ruth war so erleichtert über dieses einfache Anliegen, dass sie sofort darauf einging, ohne sich zu überlegen, wohin das möglicherweise führen konnte. Die Pläne seien oben in Guys Arbeitszimmer, antwortete sie. Sie würde sie ihm sofort holen.

St. James sagte, er würde sie gern begleiten, wenn sie nichts dagegen habe. Er wollte sich auch das Modell noch einmal ansehen, das Bertrand Debiere für Mr. Brouard hergestellt hatte. Es würde nicht lange dauern, versicherte er.

Wieder blieb ihr nichts anderes übrig als zuzustimmen. Erst auf der Treppe sprach St. James wieder.

»Henry Moullin scheint seine Tochter im Haus eingesperrt zu haben«, sagte er. »Haben Sie eine Ahnung, wie lange das schon so geht, Miss Brouard?«

Ruth ging weiter die Treppe hinauf und tat so, als hätte sie die Frage nicht gehört.

Doch St. James ließ nicht locker. »Miss Brouard ...?«, sagte er.

Sie antwortete rasch, auf dem Weg durch den Korridor zum Arbeitszimmer ihres Bruders. Sie war froh um den trüben Tag und die schlechte Beleuchtung des Flurs, denn da würde ihr Gesichtsausdruck nicht so leicht zu erkennen sein. »Ich habe keine Ahnung«, erklärte sie. »Ich habe es mir zur Gewohnheit gemacht, meine Nase nicht in die Angelegenheiten anderer Leute zu stecken, Mr. St. James.«

»Na gut, es war kein Ring in seinem Verzeichnis«, sagte Cherokee River zu seiner Schwester. »Aber das heißt nicht, dass nicht irgendwann jemand den Ring geklaut hat, ohne dass er es merkte. Er sagt, Adrian, Steve Abbott und der kleine Fielder waren alle mal da gewesen.«

China schüttelte den Kopf. »Der Ring aus der Bucht ist meiner. Ich weiß es. Ich spür es. Du nicht?«

»Sag so was nicht«, bat Cherokee. »Es muss eine andere Erklärung geben.«

Sie waren in der Wohnung in den Queen-Margaret-Apartments, alle drei in dem kleinen Zimmer, in dem Deborah und Cherokee bei ihrer Heimkehr China angetroffen hatten. Sie hatte auf einem Holzstuhl aus der Küche bei eisiger Kälte am offenen Fenster gesessen, das einen Blick auf die ferne Festung Castle Cornet umrahmte.

»Ich hab mir gedacht, ich gewöhn mich schon mal daran, die Welt von einem kleinen Zimmer aus zu sehen, das nur ein Fenster hat«, hatte sie mit bitterer Ironie zu den beiden gesagt.

Sie hatte weder Jacke noch Pullover an. Ihre Arme waren mit Gänsehaut überzogen, aber sie schien das gar nicht wahrzunehmen.

Deborah zog ihren Mantel aus. Sie hätte die Freundin gern mit der gleichen Begeisterung aufgemuntert wie Cherokee, aber sie wollte ihr keine falschen Hoffnungen machen. Das offene Fenster bot einen Vorwand, eine Diskussion über Chinas immer aussichtsloser werdende Situation zu vermeiden. »Du frierst«, sagte sie, »komm, zieh das an.« Sie legte China ihren Mantel um die Schultern.

Cherokee ging hin und machte das Fenster zu. »Gehen wir rüber«, sagte er mit einer Kopfbewegung zum Wohnzimmer, wo es ein wenig wärmer war.

Als sie China mit einer Decke um die Beine auf das Sofa gesetzt hatten, sagte Cherokee zu seiner Schwester: »Du musst wirklich besser auf dich Acht geben. Wir können manches für dich tun, aber das können wir dir nicht abnehmen.«

China sagte zu Deborah: »Er glaubt, dass ich es war, stimmt's? Er kommt deshalb nicht hierher, weil er glaubt, dass ich es war.«

Cherokee sagte: »Was redest du –«

Aber Deborah, die verstanden hatte, fiel ihm ins Wort. »Nein, das ist nicht Simons Art, so arbeitet er nicht. Es gehört zu seinem Beruf, Beweismaterial zu prüfen. Dazu muss er offen sein und darf keine vorgefasste Meinung haben. Und so ist es jetzt auch. Er ist absolut offen.«

»Warum war er dann noch nicht hier? Ich wollte, er würde mal kommen. Dann könnte ich – wenn wir uns kennen lernen würden, und ich mit ihm reden könnte ... Ich könnte ihm Informationen geben, wenn was unklar ist ...«

»Es braucht überhaupt nichts erklärt zu werden«, sagte Cherokee, »weil du keinem Menschen was getan hast.«

»Aber der Ring ...«

»Er ist eben irgendwie dahin gekommen. An den Strand. Wenn es wirklich deiner ist und du dich nicht erinnern kannst, ihn bei dir gehabt zu haben, als du unten warst, um dir die Bucht anzusehen, dann ist das alles ein abgekartetes Spiel, und basta.«

»Hätte ich das blöde Ding doch nie gekauft.«

»Genau. Du sagst es. Mann, ich dachte, du wärst endgültig fertig mit Matt. Du hast gesagt, es wäre aus zwischen euch.«

China sah ihren Bruder ruhig an, so lange, bis er wegschaute. »Ich bin nicht wie du«, sagte sie schließlich.

Deborah merkte, dass unterschwellig noch eine Kommunikation anderer Art zwischen den Geschwistern stattgefunden hatte. Cherokee war unruhig geworden und trat von einem Fuß auf den anderen. Er strich mit den Fingern durch sein Haar und sagte: »Mensch, China, komm!«

China wandte sich Deborah zu. »Cherokee ist immer noch ein leidenschaftlicher Surfer. Wusstest du das, Debs?«

»Er hat mal vom Surfen gesprochen«, erwiderte Deborah, »aber ich glaube nicht, dass er was davon sagte...« Sie ließ den Satz unvollendet. Es war so offenkundig, dass die Freundin nicht vom Surfen sprach.

»Matt hat es ihm beigebracht. Damals haben sie sich angefreundet. Cherokee hatte kein eigenes Surfbrett, aber Matt hat's ihm auf seinem eigenen beigebracht. Wie alt warst du damals?«, fragte China ihren Bruder. »Vierzehn?«

»Fünfzehn«, murmelte er.

»Fünfzehn. Richtig. Aber du hattest kein Brett.« Sie sagte zu Deborah: »Wenn man wirklich gut werden will, braucht man ein eigenes Brett. Man muss viel üben, und das kann man nicht dauernd mit geliehenen Brettern tun.«

Cherokee ging zum Fernsehapparat und nahm die Fernbedienung zur Hand. Er musterte sie prüfend und richtete sie auf das Gerät. Nachdem er es eingeschaltet hatte, schaltete er es genauso schnell wieder aus. »Chine, jetzt komm«, sagte er.

»Matt war zuerst mit Cherokee befreundet, aber die Freundschaft ging auseinander, als er mit mir zusammenkam. Ich fand das traurig und hab Matt mal gefragt, was los war. Er sagte nur, dass sich die Verhältnisse zwischen Menschen manchmal verändern, und verlor nie wieder ein Wort darüber. Ich dachte, es läge an den unterschiedlichen Interessen. Matt fing an, Filme zu machen, und Cherokee tat, was er immer getan hatte: Er machte

Musik, braute Bier, zog seine Nummer mit dem nachgemachten indianischen Zeug ab. Ich dachte, Matt wäre erwachsen und Cherokee wollte ewig neunzehn bleiben. Aber so simpel läuft das in einer Freundschaft nicht, richtig?«

»Soll ich verschwinden?«, fragte Cherokee seine Schwester. »Ich kann jederzeit abhauen. Zurück nach Kalifornien. Mam kann ja herkommen.«

»Mam?« China lachte erstickt. »Das wäre perfekt. Ich seh sie schon, wie sie hier in der Wohnung rumstöbert – und in meinen Sachen – und alles verschwinden lässt, was auch nur im Entferntesten mit Tieren zu tun hat; wie sie dafür sorgt, dass ich meine tägliche Dosis an Vitaminen und Tofu bekomme, und genau darauf achtet, ob der Reis braun ist und das Brot Vollkorn. Das wäre einfach toll. Vor allem wäre es eine super Ablenkung.«

»Was dann?«, fragte Cherokee. Sein Ton klang verzweifelt. »Sag's mir. Was soll ich tun?«

Sie starrten einander an. Cherokee stand, seine Schwester saß. Aber er schien kleiner als sie. Vielleicht, sagte sich Deborah, war es Ausdruck ihrer Persönlichkeiten, dass China im Vergleich zu ihrem Bruder beinahe mächtig wirkte. Geschwisterbeziehungen, dachte sie flüchtig. Wenn es zu verstehen galt, was zwischen Geschwistern vorging, war sie restlos überfordert.

Den Blick immer noch auf ihren Bruder gerichtet, sagte China: »Wünschst du manchmal, du könntest die Zeit zurückdrehen, Debs?«

»Ich glaube, das wünscht sich hin und wieder jeder.«

»Welche Zeit würdest du wählen?«

Deborah dachte nach. »Ich erinnere mich an ein Ostern, als meine Mutter noch lebte... Auf einer der Gemeindewiesen fand ein Fest statt. Für fünfzig Pence konnte man einmal auf dem Pony reiten. Es war genau der Betrag, den ich hatte. Mir war klar, wenn ich das Geld ausgäbe, wäre alles weg, futsch für drei Minuten auf dem Pony, und für was anderes wäre nichts mehr übrig. Ich wusste nicht, was ich tun sollte. Ich bin richtig ins Schwitzen gekommen, weil ich Angst hatte, dass ich mich falsch entscheiden und es hinterher bereuen würde. Ich fragte meine

Mutter, und sie sagte, es gibt keine falsche Entscheidung. Es gibt nur die Entscheidung und was wir aus ihr lernen.« Deborah lächelte bei der Erinnerung. »Zu diesem Moment würde ich zurückkehren und von da an noch einmal weiterleben, wenn ich könnte. Nur würde sie diesmal nicht sterben.«

»Und was hast du schließlich getan?«, fragte Cherokee. »Bist du aufs Pony gestiegen?«

Deborah überlegte. »Ist das nicht merkwürdig? Ich kann mich nicht erinnern. Wahrscheinlich war mir das Pony gar nicht so wichtig, selbst damals nicht. Das, was meine Mutter zu mir gesagt hat, das war wichtig. Wie sie war.«

»Glück«, sagte China.

»Ja«, antwortete Deborah.

Draußen klopfte es, gleich darauf wurde mit Nachruck geklingelt. Cherokee ging zur Tür und machte auf.

Zwei uniformierte Polizeibeamte standen vor ihm. Der eine schaute sich so nervös um, als prüfte er die Möglichkeiten eines Hinterhalts, der andere hielt einen Schlagstock, mit dem er leicht auf seine Hand schlug.

»Mr. Cherokee River?«, sagte der mit dem Schlagstock. Er schien genau zu wissen, wen er vor sich hatte, denn er wartete nicht auf eine Antwort. »Wir müssen Sie bitten, mitzukommen, Sir.«

»Was?«, fragte Cherokee. »Wohin denn?«

China sprang auf. »Cherokee? Was…?« Aber sie sprach die Frage nicht aus.

Deborah ging zu ihr und legte ihr den Arm um die Taille.

»Bitte«, sagte sie. »Was hat das zu bedeuten?«

Woraufhin Cherokee River von den Beamten der Polizei von Guernsey in aller Form auf seine Rechte hingewiesen wurde.

Sie hatten Handschellen mitgebracht, aber sie benutzten sie nicht. Einer von ihnen sagte: »Wenn Sie bitte mitkommen würden, Sir.«

Der andere nahm Cherokee beim Arm und führte ihn ab.

# 20

In den Lagerhäusern bei der Wassermühle hatte Frank auf gute Beleuchtung keinen Wert gelegt, weil er dort selten am Spätnachmittag oder abends arbeitete. Aber er brauchte nicht viel Licht, um zu finden, was er unter den Papieren im Aktenschrank suchte. Er wusste, wo das Schriftstück lag, und das Entsetzliche war, dass er auch wusste, was es bedeutete.

Er zog es heraus. Ein steifer brauner Hefter umschloss es wie eine glatte Haut. Der Umschlag darin jedoch war zerknittert, mit abgeknickten Ecken, und hatte längst seine kleine Metallklammer verloren.

In den letzten Kriegstagen hatten die Besatzer auf der Insel eine Überheblichkeit an den Tag gelegt, die angesichts der Niederlagen, die das deutsche Militär an allen Fronten hinnehmen musste, höchst erstaunlich war. Sie hatten anfangs sogar die Kapitulation abgelehnt, weil sie nicht glauben wollten, dass ihre Pläne zur Unterwerfung Europas gescheitert waren. Erst einen Tag nachdem im übrigen Europa der Sieg ausgerufen worden war, begab sich Generalmajor Heine endlich an Bord der *HMS Bulldog*, um die Bedingungen zur Übergabe der Insel auszuhandeln.

Die Deutschen, die zu erhalten versuchten, was sie noch hatten, und vielleicht, wie alle, die seit Urzeiten auf der Insel gelandet waren, eine Spur hinterlassen wollten, hatten nicht alles zerstört, was sie geschaffen hatten. Einiges aus ihrer Hinterlassenschaft – wie Geschützstellungen – widersetzte sich dem Abbruch, anderes – wie das Schriftstück, das Frank in den Händen hielt – diente als stumme Botschaft, dass es Inselbewohner gegeben hatte, deren Eigennützigkeit stärker gewesen war als ihr Gemeinschaftsgefühl und deren Verhalten infolgedessen suggerierte, sie hätten sich der Sache der Deutschen aus Überzeugung verschrieben. Dass das nicht zutraf, hatte die Besatzer vermutlich wenig gekümmert. Was zählte, war die Wirkung, ein solches eklatantes Zeugnis des Verrats vorweisen zu können: Schwarz auf Weiß in krakeliger Handschrift.

Franks Fluch war sein Respekt vor der Geschichte, der ihn dazu getrieben hatte, dieses Fach zu studieren, um sich danach beinahe dreißig Jahre lang als Lehrer zu bemühen, es vor allem uninteressierten Halbwüchsigen nahe zu bringen. Sein Vater hatte ihn diesen Respekt gelehrt. Und dieser Respekt hatte ihn bewogen, eine Sammlung anzuhäufen, von der er gehofft hatte, sie würde auch dann noch, wenn er längst nicht mehr da war, die Erinnerung wach halten.

Er hatte stets an die Wahrheit des Wortes geglaubt, dass man sich der Vergangenheit erinnern muss, wenn man nicht dazu verdammt werden will, sie zu wiederholen. In den bewaffneten Auseinandersetzungen überall auf der Welt sah er seit langem die Unfähigkeit des Menschen, die Sinnlosigkeit aggressiven Handelns anzuerkennen. Invasion und Unterwerfung zogen Unterdrückung und Hass nach sich. Und daraus wiederum entsprang Gewalt in allen ihren Ausformungen. Das Gute aber erwuchs nicht daraus. Frank wusste das und glaubte fest daran. Er war ein Missionar, der versuchte, seine kleine Welt zu dem Wissen zu bekehren, das hochzuhalten man ihn gelehrt hatte, und die Sammlung von Relikten aus der Besatzungszeit, die er im Lauf der Jahre zusammengetragen hatte, sollte dazu dienen, diese Erkenntnis zu verbreiten. Die Objekte sollten für sich selbst sprechen. Die Menschen sollten sie sehen. Und niemals vergessen.

Er hatte daher, wie vor ihm die Deutschen, nichts vernichtet und einen so riesigen Bestand an Objekten angesammelt, dass er schon lange den Überblick verloren hatte. Alles, was im Entferntesten mit dem Krieg oder der Besatzung zu tun hatte, hatte er haben müssen.

Er wusste nicht, was seine Sammlung im Einzelnen umfasste. Lange hatte er von den Dingen immer nur in allgemeinen Begriffen gedacht: Feuerwaffen, Uniformen, Dolche, Schriftstücke, Patronen, Werkzeuge. Kopfbedeckungen. Erst Guy Brouard hatte ihn veranlasst, anders zu denken.

*Es könnte eine Art Denkmal werden, Frank. Eine Auszeichnung der Insel und der Menschen, die gelitten haben. Ganz zu schweigen von denen, die umgekommen sind.*

Das war die Ironie. Das war der Sinn.

Frank trug den abgegriffenen alten Umschlag zu dem Stuhl mit dem geflochtenen Sitz, neben dem eine Stehlampe mit verfärbtem Schirm und abgerissenen Troddeln stand. Er knipste die Lampe an und setzte sich. Gelbes Licht fiel auf den Umschlag auf seinem Schoß, und er betrachtete ihn eine Minute lang, bevor er ihn öffnete und ihm ein dünnes Bündel entnahm, das aus vierzehn Blättern brüchigen Papiers bestand.

Er zog ein Blatt Papier aus der Mitte des Bündels heraus und glättete es auf seinem Schenkel. Die anderen Blätter legte er zu Boden. Er studierte das eine Blatt mit so viel intensiver Aufmerksamkeit, dass jeder uneingeweihte Beobachter hätte glauben müssen, er habe sich noch nie damit befasst. Und warum hätte er das auch tun sollen? Es war ja nur ein harmloses Stück Papier.

*6 Würstchen*, las er. *1 Dutzend Eier, 2 kg Mehl, 6 kg Kartoffeln, 1 kg Bohnen, 200 g Tabak.*

Es war eine simple kleine Liste über Käufe von Waren, die vom Benzin bis zur Malerfarbe reichten. Es war insgesamt gesehen ein unwichtiges Schriftstück, ein nichts sagender kleiner Zettel, der leicht verloren gehen konnte, ohne dass es jemandem auffiel. Frank jedoch sagte er vieles, vor allem auch über die Arroganz der Besatzer, die alles, was sie taten, schriftlich festgehalten und diese Unterlagen aufbewahrt hatten, um am Tag ihres Sieges ihre Helfer identifizieren zu können.

Wäre Frank nicht von Kindesbeinen an beigebracht worden, dass jedes Stück, das irgendwie mit Guernseys schweren Zeiten der Prüfung zu tun hatte, unschätzbaren Wert besaß, so hätte er diesen Zettel vielleicht absichtlich verloren, und kein Mensch hätte etwas davon gewusst. Aber *er* hätte gewusst, dass er einmal existiert hatte, und nichts hätte dieses Wissen löschen können.

Hätten die Ouseleys sich nicht auf die Pläne zum Bau eines Museums eingelassen, so wäre dieses Schriftstück wahrscheinlich unentdeckt geblieben, auch von Frank. Aber nachdem er und sein Vater Guy Brouards Angebot angenommen hatten, das Graham-Ouseley-Kriegsmuseum zur Mahnung und Aufklärung der heutigen und zukünftigen Bürger von Guernsey zu errichten, hatte das für ein solches Unternehmen unerlässliche Sichten, Sortieren und Ordnen des Materials begonnen. Dabei war diese kleine Liste zum Vorschein gekommen. *6 Würstchen* – im Jahr 1943 –, *1 Dutzend Eier, 2 kg Mehl, 6 kg Kartoffeln, 1 kg Bohnen, 200 g Tabak.*

Guy hatte sie entdeckt und, da er kein Deutsch sprach, gefragt: »Frank, was ist das?«

Frank hatte die Übersetzung geliefert, automatisch und gedankenlos, ohne sich die Zeit zu nehmen, jede einzelne Zeile zu lesen oder über die Bedeutung der kleinen Liste nachzudenken. Die wurde ihm erst klar, als das letzte Wort – *Tabak* – über seine Lippen kam. Als ihm aufging, was das bedeutete, hatte er zum oberen Teil des Blatts hinaufgeschaut und es Guy hingehalten, der es schon gelesen hatte. Guy, der beide Eltern durch die Deutschen verloren hatte, seine ganze Familie und sein Erbe.

»Wie wollen Sie das angehen?«, fragte Guy.

Frank antwortete nicht.

»Aber Sie müssen etwas tun«, sagte Guy. »Sie können es nicht unter den Tisch fallen lassen. Lieber Gott, Frank! Sie haben doch nicht vor, das einfach durchgehen zu lassen?«

Das war zum Leitmotiv ihrer Tage geworden. *Haben Sie schon etwas unternommen, Frank? Haben Sie ihn darauf angesprochen?*

Frank hatte geglaubt, jetzt würde er es nicht mehr tun müssen; jetzt, wo Guy tot und begraben war und er der Einzige, der es wusste. Er hatte geglaubt, er würde es nun niemals tun müssen. Aber der vergangene Tag hatte ihn eines Besseren belehrt.

Wer die Vergangenheit vergisst, wiederholt sie.

Er stand auf, schob die anderen Unterlagen wieder in den Umschlag und legte den Umschlag in den Hefter zurück. Er stieß die Schublade des Aktenschranks zu und machte das Licht aus. Dann schloss er die Haustür hinter sich ab.

Sein Vater saß in seinem Sessel und schlief, als er zurückkam. Im Fernsehen lief ein amerikanischer Krimi. Zwei Polizisten mit den Buchstaben NYPD auf den Rücken ihrer Windjacken lauerten mit gezückten Pistolen zum Angriff bereit vor einer geschlossenen Tür. Zu einer anderen Zeit hätte Frank seinen Vater geweckt und nach oben gebracht. Aber jetzt ging er an ihm vorüber und stieg die Treppe hinauf zu seinem Zimmer. Er wollte allein sein.

Auf seiner Kommode standen zwei gerahmte Fotografien. Die eine zeigte seine Eltern am Tag ihrer Hochzeit nach dem Krieg. Auf der anderen waren er und sein Vater zu sehen. Stolz standen sie am Fuß des deutschen Beobachtungsturms unweit dem Ende der Rue de la Prevote. Frank konnte sich nicht mehr erinnern, wer die Aufnahme gemacht hatte, aber den Tag selbst hatte er noch genau im Gedächtnis. Es hatte in Strömen geregnet, trotzdem waren sie den Klippenweg entlangmarschiert, und als sie ihr Ziel erreichten, war die Sonne hervorgebrochen. Gottes Wohlgefallen an ihrer kleinen Wallfahrt, hatte Graham gesagt.

Frank lehnte die Liste aus dem Aktenschrank an das zweite Foto. Er trat einige Schritte zurück wie ein Priester, der den Altar nicht aus den Augen lassen will, tastete hinter sich, und als er das Fußende seines Betts spürte, ließ er sich darauf nieder. Er hielt den Blick auf das nichts sagend aussehende, kleine Schriftstück gerichtet und versuchte, die fordernde Stimme zu ignorieren.

*Sie können das nicht unter den Tisch fallen lassen.*

Er wusste, dass er das nicht konnte. Denn: *Das ist doch der Sinn der Sache.*

Frank war zwar kein welterfahrener Mann, aber er war auch nicht dumm. Er wusste, dass der menschliche Geist ein seltsames Gespinst ist, das wie ein Zerrspiegel wirken kann, wenn ihm Dinge zugemutet werden, die zu erinnern zu schmerzlich sind. Der Geist kann verleugnen, umgestalten oder vergessen. Er kann, wenn nötig, eine Parallelwelt erschaffen. Er kann für jede Situation, die ihm unerträglich ist, eine gesonderte Wirklichkeit erdenken. Er log nicht, wenn er das tat, das wusste Frank. Er bediente sich nur einer Strategie, um mit der jeweiligen Situation umgehen zu können.

Schlimm wurde es, wenn die Strategie die Wahrheit auslöschte, anstatt nur vorübergehend vor ihr zu schützen. Wenn das geschah, entstand Ausweglosigkeit. Verwirrung fasste Fuß. Chaos folgte.

Frank wusste, dass sie am Rand des Chaos standen. Es war Zeit, zu handeln, aber er fühlte sich wie gelähmt. Er hatte sein Leben für den Dienst an einer Chimäre geopfert, und obwohl er das seit zwei Monaten wusste, taumelte er immer noch unter der Gewalt des Schlags.

Die Enthüllung der Wahrheit würde mehr als ein halbes Jahrhundert der Verehrung, der Bewunderung und des Glaubens sinnlos machen. Sie würde ein Menschenleben in öffentlicher Schande enden lassen.

Frank wusste, dass er es verhindern konnte. Es stand ja nur ein kleines Stück Papier zwischen der Einbildung eines alten Mannes und der Wahrheit.

In der Fort Road öffnete eine attraktive, unverkennbar hochschwangere Frau St. James die Tür zum Haus der Familie Debiere. Sie stellte sich als Caroline, Ehefrau des Architekten, vor. Ihr Mann Bertrand sei mit den Kindern hinten im Garten. Er habe sie ihr ein paar Stunden abgenommen, damit sie eine Weile ungestört schreiben könne. In dieser Hinsicht sei er wunderbar, überhaupt ein vorbildlicher Ehemann. Sie wisse gar nicht, womit sie das Glück verdient habe, ihn zum Mann zu bekommen.

Caroline Debieres Blick fiel auf die Rolle großformatiger Papiere, die St. James unter dem Arm trug. Ob es etwas Geschäftliches sei?, erkundigte sie sich, und ihr Ton verriet recht deutlich, wie sehr sie hoffte, das möge der Fall sein. Ihr Mann sei ein hervorragender Architekt, erklärte sie St. James. Wer ein Haus bauen wolle, eine Renovierung oder Erweiterung eines bestehenden Gebäudes wünsche, sei gut beraten, Bertrand Debiere mit der Planung zu beauftragen.

St. James sagte, er wolle Mr. Debiere gern einige bereits existierende Pläne zur Begutachtung vorlegen. Er habe in seinem Büro vorgesprochen, aber eine Sekretärin dort habe ihm gesagt, dass Mr. Debiere bereits nach Hause gegangen sei. Daraufhin habe er sich erlaubt, im Telefonbuch nachzuschlagen, um die Privatadresse Mr. Debieres ausfindig zu machen. Er hoffe, er komme nicht ungelegen …

Gar nicht. Caroline würde ihren Mann sofort holen, wenn Mr. St. James nichts dagegen habe, sich einen Moment ins Wohnzimmer zu setzen.

Aus dem Garten hinter dem Haus erschallte fröhliches Geschrei. Das Geräusch eines Hammers folgte, das klang, als würde ein Nagel in Holz geschlagen. Darauf sagte St. James, er wolle Mr. Debiere nicht von seiner Tätigkeit wegholen, er würde, wenn Mrs. Debiere nichts dagegen habe, einfach zu ihm und den Kindern in den Garten hinausgehen.

Caroline Debiere wirkte erleichtert, und vermutlich froh darüber, noch eine Weile ungestört in ihrer Arbeit fortfahren zu können. Sie führte St. James zur Hintertür, die in den Garten hinausführte.

Bertrand Debiere war, wie St. James sofort sah, einer der beiden Männer, die sich am Vortag aus dem Zug zu Guy Brouards Grabstätte in *Le Reposoir* entfernt und abseits ein intensives Gespräch geführt hatten. Er war ein hoch aufgeschossener, tollpatschig wirkender Mann, der an gewisse Figuren in Dickens' Romanen erinnerte, und hockte im Moment in den untersten Ästen einer Platane, wo er gerade etwas zusammenzimmerte, was vermutlich der Boden eines Baumhauses für seine Söhne werden sollte. Die beiden Jungen bemühten sich nach Kinderart zu helfen: Der Ältere reichte seinem Vater aus einem Lederbeutel, den er um den Hals hängen hatte, Nägel hinauf, der Jüngere kauerte unter dem Baum und schlug mit einem Plastikhammer auf ein Stück Holz ein, wobei er unaufhörlich sang: »Sie hämmern, sie hämmern, sie hämmern den ganzen Tag …«

Debiere sah St. James über den Rasen kommen, aber er schlug noch den Nagel ein, den er gerade in der Hand hatte, ehe er ihn begrüßte. Der Blick des Mannes, der St. James' Hinken wahrgenommen hatte, suchte die Ursache dafür – die Beinschiene, deren Querstück sich unter den Schuhabsatz schob –, wanderte dann aber aufwärts und blieb, wie zuvor der seiner Frau, auf der Papierrolle unter St. James' Arm liegen.

Debiere sprang vom Baum herab und sagte zu dem älteren Jungen: »Bert, geh jetzt mit deinem Bruder rein. Mama hat die Plätzchen fertig. Aber jeder nur eines, verstanden? Sonst verderbt ihr euch den Appetit fürs Abendbrot.«

»Die Zitronenplätzchen?«, fragte der Junge. »Hat sie Zitronenplätzchen gebacken, Papa?«

»Ich nehme es an. Die wolltet ihr doch haben, nicht?«

»Die Zitronenplätzchen!«, flüsterte Bert seinem kleinen Bruder zu.

Diese Verheißung veranlasste beide Jungen, alles stehen und liegen zu lassen und mit lautem »Mami, Mami, wir wollen unsere Plätzchen haben« ins Haus zu laufen, wo die Ungestörtheit ihrer Mutter ein Ende hatte. Debiere sah ihnen mit liebevollem Blick nach, ehe er sich bückte, um den Lederbeutel aufzuheben, den Bert abgeworfen hatte, ohne sich darum zu kümmern, dass dabei die Hälfte des Inhalts im Gras gelandet war.

Während Debiere die Nägel aufsammelte, stellte St. James sich vor und erklärte seine Verbindung zu China River. Er sei auf Bitte des Bruders der Beschuldigten hergekommen, sagte er, und die Polizei sei von seinen privaten Nachforschungen unterrichtet.

»Was für Nachforschungen?«, fragte Debiere. »Die Polizei hat doch die Mörderin schon.«

St. James wollte sich nicht auf eine Diskussion über China Rivers Schuld oder Unschuld einlassen, deshalb wies er nur auf die Papierrolle unter seinem Arm und fragte den Architekten, ob er sich die Pläne freundlicherweise einmal ansehen würde.

»Was sind das für Pläne?«

»Es sind die Pläne zu dem Entwurf, den Mr. Brouard für das Kriegsmuseum auswählte. Sie haben sie noch nicht gesehen, nicht wahr?«

Debiere hatte, wie er erklärte, nur das gesehen, was alle anderen auf Brouards Fest auch gesehen hatten: die detaillierte 3-D-Zeichnung, die den Entwurf des amerikanischen Architekten darstellte.

»Absoluter Mist«, sagte Debiere. »Ich weiß nicht, was Guy

sich dabei gedacht hat, als er diesen Entwurf auswählte. Der Bau ist als Museum für Guernsey ungefähr so geeignet wie eine Raumfähre. Vorn Riesenfenster. Decken wie in einer Kathedrale. Allein den Kasten zu heizen, würde ein Vermögen kosten, ganz zu schweigen davon, dass das Ganze aussieht, als wäre es entworfen, um irgendwo mit tollem Blick auf hohen Felsklippen zu thronen.«

»Und der Standort des Museums …?«

»Ist in der Nähe der St.-Saviour's-Kirche, gleich bei den ehemaligen unterirdischen Krankenhäusern, die die Deutschen gebaut haben. Das ist ungefähr so weit von der Küste entfernt, wie es auf dieser Insel überhaupt möglich ist.«

»Und der Blick?«

»Gleich null. Außer man findet den Parkplatz für die Tunnel sehenswert.«

»Und Sie haben Mr. Brouard Ihre Bedenken mitgeteilt?«

Debieres Miene verschloss sich. »Ich habe mit ihm gesprochen.« Er wog den Beutel in seiner Hand, als erwöge er, ihn umzuhängen und die Arbeit an dem Baumhaus wieder aufzunehmen. Doch ein kurzer Blick zum Himmel, der ihm zeigte, wie rasch das Tageslicht schwand, veranlasste ihn offenbar, diesen Plan aufzugeben. Er begann die Holzteile einzusammeln, die er am Fuß des Baums auf dem Rasen bereitgelegt hatte, trug sie zu einer großen blauen Kunststoffplane auf einer Seite des Gartens und stapelte sie dort säuberlich.

»Ich habe gehört, dass Ihr Gespräch mit Brouard ein wenig heftig war«, sagte St. James. »Sie haben anscheinend mit ihm gestritten. Unmittelbar nach dem Feuerwerk.«

Debiere antwortete nicht, sondern fuhr fort, Holzteile aufzuschichten wie ein braver Arbeiter. Als er fertig war, sagte er leise: »Ich s-s-sollte den verd-d-dammten Auftrag bekommen. Das wusste jeder. Als d-d-dann ein anderer ihn b-b-bekam …« Er kehrte zu der Platane zurück, wo St. James wartete, und stützte sich mit einer Hand an den gesprenkelten Stamm. Eine Minute lang sagte er gar nichts; er schien zu versuchen, das plötzliche Stottern unter Kontrolle zu bringen. »Ein Baumhaus«, sagte er schließlich spottend. »Hier steh ich und baue ein gottverdammtes Baumhaus!«

»Hatte Mr. Brouard Ihnen den Auftrag denn versprochen?«, fragte St. James.

»Nicht direkt, nein. Das w-w-« Er sah gequält aus. Nach einer kleinen Pause, setzte er erneut an. »Das war nicht Guys Art. Er hat nie was versprochen. Er hat immer nur durchblicken lassen und auf Möglichkeiten hingewiesen. Tun Sie *dies*, mein Freund, und ehe Sie es sich versehen, wird *das* geschehen.«

»Und was bedeutete das in Ihrem Fall?«

»Unabhängigkeit. Eine eigene Firma. Nicht mehr Handlanger zu sein und sich für den Erfolg eines anderen abzuschuften, sondern Freiraum zu haben und meine eigenen Ideen umzusetzen. Er wusste, dass ich das anstrebte, und er ermutigte mich dazu. Er war schließlich Unternehmer. Warum sollten wir anderen das nicht auch probieren?« Debiere starrte auf die Borke der Platane und lachte bitter. »Also habe ich meine Stellung aufgegeben und mich selbstständig gemacht. Er war in seinem Leben Risiken eingegangen. Und ich war bereit, das auch zu tun. Es war natürlich leichter für mich, weil ich dachte, mir wäre ein Riesenauftrag sicher.«

»Sie sagten, Sie wollten sich von ihm nicht in den Ruin treiben lassen«, bemerkte St. James.

»Habe ich das gesagt?«, fragte Debiere. »Ich kann mich nicht mehr erinnern, was ich gesagt habe. Ich weiß nur, dass ich mir diese Zeichnung genauer angeschaut habe, anstatt in blinder Bewunderung zu erstarren wie alle anderen. Ich habe auf den ersten Blick gesehen, dass sie von hinten bis vorne nicht stimmte, und konnte nicht verstehen, warum er diesen Entwurf ausgewählt hatte, da er doch gesagt hatte – da er doch –, er hatte es so gut wie versprochen. Und ich weiß noch, dass ich das Gefühl hatte –« Er brach ab. Seine Handknöchel waren weiß von der Anstrengung, mit der er gegen den Baum drückte.

»Was geschieht jetzt, nach seinem Tod?«, fragte St. James. »Wird das Museum trotzdem gebaut?«

»Ich weiß es nicht«, antwortete Debiere. »Frank Ouseley hat

mir erzählt, das Testament habe keine Verfügungen bezüglich des Museums enthalten. Ich kann mir nicht vorstellen, dass Adrian so viel daran liegt, dass er es finanzieren würde. Es wird also Ruth überlassen bleiben, zu entscheiden, ob sie das Projekt weiterführen will.«

»Ich könnte mir vorstellen, dass sie Vorschlägen zugänglich wäre.«

»Guy hat keinen Zweifel daran gelassen, dass ihm das Museum wichtig war. Das weiß sie, auch ohne dass ich ihr das sage.«

»Ich meine nicht, zugänglich für Vorschläge bezüglich der Fortführung des Projekts«, erklärte St. James. »Ich meinte bezüglich des Entwurfs. Zugänglicher vielleicht als ihr Bruder. Haben Sie schon mit ihr gesprochen? Haben Sie die Absicht, es zu tun?«

»O ja«, antwortete Debiere. »Ich habe ja gar keine andere Wahl.«

»Und wie kommt das?«

»Schauen Sie sich um, Mr. St. James. Ich habe zwei Kinder, und ein drittes Kind ist unterwegs. Ich habe meine Frau überredet, ihre Arbeit aufzugeben, damit sie ihren Roman schreiben kann. Das Haus ist mit einer Hypothek belastet, und am Trinity Square habe ich ein neues Büro mit einer Sekretärin, die erwartet, regelmäßig bezahlt zu werden. Ich brauche den Auftrag. Wenn ich ihn nicht bekomme... Natürlich werde ich mit Ruth sprechen. Ich werde für meine Sache eintreten. Ich werde *alles* tun.«

Er merkte offenbar selbst, wie seine letzten Worte sich interpretieren ließen, denn er trat unvermittelt vom Baum weg und kehrte zu dem Holzstapel am Rand des Rasens zurück. Er zog die blaue Plastikplane rund um den Bretterstapel in die Höhe, ergriff die ordentlich gewickelte Rolle Schnur, die darunter zum Vorschein kam, und verschnürte sorgsam die Plane über dem Holz. Als er damit fertig war, begann er, seine Werkzeuge aufzusammeln.

St. James folgte ihm, als er Hammer, Nägel, Wasserwaage und Maßband zu einem adretten Geräteschuppen am Ende des Gartens trug und sie dort auf einem Bord über einem Arbeitstisch verstaute. Auf diesen Arbeitstisch legte St. James die Pläne, die er aus *Le Reposoir* mitgenommen hatte. In erster Linie hatte er eigentlich feststellen wollen, ob Henry Moullins kunstvolle Fenster für den Entwurf brauchbar waren, für den Brouard sich entschieden hatte, jetzt aber hatte er erfahren, dass Moullin nicht der Einzige war, für den die Mitarbeit an der Errichtung des Kriegsmuseums möglicherweise eine Existenzfrage war.

Er sagte: »Das sind die Pläne, die der amerikanische Architekt Mr. Brouard geschickt hat. Ich verstehe leider von solchen Dingen gar nichts. Würden Sie sich die einmal ansehen und mir sagen, was Sie von ihnen halten? Es scheinen mehrere Pläne unterschiedlicher Art zu sein.«

»Ich habe Ihnen doch schon gesagt, was ich von dem Entwurf halte.«

»Vielleicht möchten Sie noch etwas hinzufügen, wenn Sie diese Pläne gesehen haben.«

Die Blätter waren groß, gut über einen Meter lang und beinahe ebenso breit. Debiere erklärte sich seufzend bereit, sie sich anzusehen, und ergriff einen Hammer, um die Blätter an einem Ende zu beschweren.

Es waren keine Blaupausen. Blaupausen, teilte Debiere St. James mit, seien den gleichen Weg gegangen wie Kohlepapier und Schreibmaschinen. Hier handelte es sich um Schwarz-Weiß-Dokumente, die aussahen wie von einer gigantischen Kopiermaschine ausgeworfen, und während Debiere die Blätter durchsah, erklärte er jedes Einzelne: schematische Darstellungen aller Stockwerke des Gebäudes; Konstruktionszeichnungen mit Beschriftungen zur Kennzeichnung des Deckenplans, der Elektroplanung, der Haustechnikplanung, der Gebäudeschnitte; der Lageplan, der zeigte, wie das Gebäude auf dem dafür vorgesehenen Gelände stehen würde; die Aufrisspläne.

Debiere schüttelte immer wieder den Kopf, während er die Pläne durchsah. »Absurd«, murmelte er. Und: »Was hat dieser Idiot sich dabei gedacht?« Er wies auf die unmöglichen Dimensionen der Räume innerhalb des Bauwerks hin. »Wie, zum Teufel«, fragte er und tippte mit einem Schraubenzieher auf einen,

»soll das eine Galerie werden? Oder ein Ausstellungssaal? Oder wozu es sonst vorgesehen ist. Schauen Sie sich das doch mal an. In so einen Raum könnten sie bequem drei Personen unterbringen, aber das wär's auch schon. Der ist ja nicht größer als eine Zelle. Und sie sind alle so.«

St. James sah sich die schematische Darstellung an, auf die der Architekt hinwies. Ihm fiel auf, dass auf der Zeichnung nichts gekennzeichnet war, und er fragte Debiere, ob das so üblich sei. »Würde man normalerweise nicht jeden Raum seiner Funktion gemäß benennen?«, fragte er. »Warum fehlen diese Bezeichnungen auf den Zeichnungen?«

»Wer, zum Teufel, kann das wissen«, meinte Debiere wegwerfend. »Schlamperei, vermute ich. Kein Wunder, wenn man sich überlegt, dass er seinen Entwurf abgegeben hat, ohne sich die Mühe gemacht zu haben, das Gelände zu besichtigen. Und schauen Sie sich das hier an –« Er zog eines der Blätter heraus und legte es obenauf. Wieder tippte er mit dem Schraubenzieher darauf. »Ist das allen Ernstes ein Innenhof mit einem Swimmingpool? Gott, würde ich mich gern mal mit diesem Idioten unterhalten. Der entwirft wahrscheinlich Häuser in Hollywood und glaubt, ohne ein Fleckchen, wo sich ein paar Zwanzigjährige im Bikini tummeln können, geht's nicht. So eine Raumverschwendung! Das Ganze ist eine einzige Katastrophe! Ich kann nicht glauben, dass Guy –« Er runzelte die Stirn. Beugte sich über die Zeichnung und betrachtete sie genauer. Er schien nach etwas Bestimmtem zu suchen, aber es war nicht etwas, das zum eigentlichen Bau gehörte, denn er suchte an den vier Ecken des Blatts und ließ den Blick dann an seinen Rändern entlangwandern. »Das ist verdammt komisch«, sagte er und schob das Blatt auf die Seite, um das darunter liegende inspizieren zu können. Und so machte er weiter, nahm sich ein Blatt nach dem anderen vor. Schließlich blickte er hoch.

»Was ist?«, fragte St. James.

»Sie müssten signiert sein«, sagte Debiere. »Jedes Einzelne. Aber ich seh nirgendwo eine Unterschrift.«

»Was heißt das?«

Debiere wies auf die Pläne. »Wenn solche Pläne fertig sind, setzt der Architekt seinen Stempel darunter und unterzeichnet eigenhändig mit seinem Namen auf dem Stempel.«

»Ist das eine Formalität?«

»Nein. Das ist unerlässlich. Daran sieht man, ob es sich um legitime Pläne handelt. Keine Planungs- oder Baubehörde genehmigt Ihnen Pläne, die nicht abgestempelt sind, und kein Bauunternehmer wird auf Grund solcher Pläne Ihren Auftrag annehmen.«

»Na schön, wenn sie nicht legitim sind, was können sie dann sein?«, fragte St. James.

Debiere blickte von St. James zu den Plänen und wieder zu St. James. »Gestohlen«, antwortete er.

Sie schwiegen, beide in die Betrachtung der Zeichnungen auf dem Tisch vertieft. Irgendwo draußen fiel krachend eine Tür zu, und eine Kinderstimme rief: »Daddy, Mami hat für dich auch Plätzchen gebacken.«

Debiere riss sich aus seinen Gedanken. Er runzelte die Stirn und versuchte zu begreifen, was unbegreiflich schien: eine Riesenversammlung von Inselbewohnern und anderen Leuten in *Le Reposoir*, alles da, was Rang und Namen hat, ein großes gesellschaftliches Ereignis, eine überraschende Bekanntmachung, ein festliches Feuerwerk zur Feier des Abends, Anwesenheit von Presse und Fernsehen.

Seine Söhne riefen: »Daddy! Daddy! Komm zum Abendessen!«, aber Debiere schien sie nicht zu hören. Er murmelte: »Aber was hatte er nur vor?«

Die Antwort auf diese Frage, dachte St. James, würde einiges dazu beitragen, Licht ins Dunkel dieses Mordfalls zu bringen.

Es erwies sich als nicht allzu schwierig, einen Anwalt zu finden. Margaret Chamberlain und ihr Sohn ließen den Range Rover auf dem Parkplatz eines Hotels am St. Ann's Place stehen und marschierten zu Fuß erst einen Berg hinunter und dann einen hinauf. Ihr Weg führte sie am Royal Court House vorbei, was Margaret vermuten ließ, dass es in dieser Gegend wahrscheinlich Anwälte wie Sand am Meer gab. So schlau war Adrian wenigstens gewesen. Auf sich gestellt hätte sie sich auf das Telefonbuch und einen Stadtplan von St. Peter Port verlassen und herumtelefonieren müssen, ohne eine Ahnung zu haben, wo ihre Anrufe landeten. So jedoch erübrigte sich das. Sie konnte die Zitadelle ihrer Wahl erstürmen und, die Situation zufrieden stellend unter Kontrolle, einen juristischen Fachmann anheuern, der tun würde, was sie ihm sagte.

Sie entschied sich schließlich für die Kanzlei Gibbs, Grierson und Godfrey. Die Alliteration war albern, aber die Haustür war beeindruckend, und die robuste Schrift auf dem Messingschild daneben ließ auf ein Durchsetzungsvermögen schließen, wie Margarets Mission es erforderte. Ohne Anmeldung rauschte sie mit ihrem Sohn in die Kanzlei und verlangte einen der namensgebenden Herren der Sozietät zu sprechen, wobei sie heldenhaft den Impuls unterdrückte, Adrian anzuherrschen, er solle sich gerade halten. Es reichte fürs Erste, sagte sie sich beschwichtigend, dass er vorhin ihr zuliebe und um sie zu beschützen diesen kleinen Rowdy Paul Fielder niedergerungen hatte.

Wie das Schicksal es wollte, befand sich an diesem Nachmittag keiner der Mitbegründer des Unternehmens in der Kanzlei. Einer hatte vier Jahre zuvor das Zeitliche gesegnet, und die beiden anderen waren ihrem Praktikanten zufolge in wichtigen juristischen Angelegenheiten unterwegs. Aber einer der Juniorpartner könne Mrs. Chamberlain und Mr. Brouard empfangen.

Was Junior heiße, verlangte Margaret zu wissen.

Ach, das sei nur so ein Begriff, versicherte man ihr.

Der Juniorpartner entpuppte sich als eine Frau mittleren Alters namens Julia Crown. Sie hatte ein dickes Muttermal unter dem linken Auge und verströmte einen Anflug von Mundgeruch, offenbar von dem angebissenen Salamibrot verursacht, das auf einem Pappteller auf ihrem Schreibtisch lag.

Während Adrian gelangweilt in einem Sessel an ihrer Seite saß, erläuterte Margaret den Grund ihres Besuchs: Ein Sohn, der um sein Erbe betrogen worden war, und ein Erbe, von dem mindestens drei Viertel des Vermögens, das es hätte umfassen sollen, abgängig waren.

Das, teilte Miss Crown ihnen mit einem nachsichtigen Lächeln mit, das für Margarets Geschmack eine Spur zu herablassend war, sei höchst unwahrscheinlich. Ob Mr. Chamberlain –

Brouard, korrigierte Margaret. Guy Brouard, *Le Reposoir*, Gemeinde St. Martin. Sie sei seine geschiedene Frau, und dies ihr gemeinsamer Sohn Adrian Brouard, erklärte sie Miss Crown und fügte mit Betonung hinzu: Mr. Guy Brouards ältester Sohn und einziger männlicher Erbe.

Sie vermerkte mit Befriedigung, dass Julia Crown plötzlich die Ohren spitzte, wenn auch nur bildlich gesprochen. Die Wimpern hinter den goldgeränderten Brillengläsern zuckten. Sie betrachtete Adrian mit erhöhtem Interesse. Es war ein Moment, in dem Margaret ihrem verstorbenen Exmann gegenüber endlich so etwas wie Dankbarkeit für sein rücksichtsloses Streben nach persönlichem Erfolg aufbringen konnte. Wenigstens hatte er sich einen Namen gemacht, von dem auch sein Sohn profitierte.

Margaret schilderte Miss Crown die Situation: ein hälftig geteilter Nachlass; zwei Töchter und ein Sohn, die sich die eine Hälfte teilen mussten; zwei Fremde – jawohl, Fremde in Gestalt zweier einheimischer Jugendlicher, die der Familie praktisch unbekannt waren –, die zu gleichen Teilen die andere Hälfte erhielten. Dagegen musste etwas unternommen werden.

Miss Crown nickte verständig und wartete auf Margarets weiteren Vortrag. Als nichts kam, erkundigte sich Miss Crown, ob es eine hinterbliebene Ehefrau gebe. Nein? Tja – und sie faltete die Hände auf dem Schreibtisch und verzog die Lippen zu einem Lächeln eisiger Höflichkeit –, dann sei an dem Testament, so weit sie sehen könne, nichts Irreguläres. Das in Guernsey geltende Erbrecht schreibe die Aufteilung des Nachlasses genau vor. Eine Hälfte falle stets den gesetzlichen Nachkommen des Erblassers zu. In den Fällen, in denen es keinen überlebenden Ehepartner gab, könne der Erblasser die andere Hälfte des Nachlasses nach persönlichem Gutdünken verteilen. Das habe der Herr, um den es hier ging, offensichtlich getan.

Margaret spürte die Unruhe ihres Sohnes, die ihn an dieser Stelle trieb, in seine Jackentasche zu greifen und ein Streichholzheftchen herauszuholen. Sie glaubte, er wolle rauchen, obwohl nirgends im Zimmer ein Aschenbecher stand, aber er begann, sich mit einer Ecke des Heftchens die Fingernägel zu reinigen. Miss Crown verzog leicht angewidert den Mund, als sie es bemerkte.

Margaret wäre am liebsten auf ihn losgegangen, aber sie begnügte sich damit, wütend seinen Fuß anzustoßen. Er zog ihn weg. Sie räusperte sich.

Die im Testament vorgenommene Aufteilung des Nachlasses sei die kleinere ihrer Sorgen, erklärte sie der Anwältin. Dringender sei die Frage, was aus dem Vermögen geworden sei, das dem Gesetz nach Teil des Nachlasses hätte sein müssen, ganz gleich, wer geerbt hätte. Im Testament sei der Landsitz, auf dem ihr geschiedener Mann gelebt hatte, mit keinem Wort erwähnt – weder das Haus noch seine Einrichtung, noch der Grundbesitz, den *Le Reposoir* umfasste. Unerwähnt geblieben seien auch die Immobilien ihres Mannes in Spanien, England, Frankreich, auf den Seychellen und weiß Gott wo sonst noch; sowie alle persönlichen Besitztümer wie Autos, Boote, ein Flugzeug und ein Hubschrauber. Schließlich habe ihr Mann bedeutende Sammlungen von Miniaturen, Antiquitäten, Silber, Gemälden, Skulpturen und Münzen besessen. Auch über diese sei in seinem Testament kein Wort verloren worden. Das alles müsse doch Teil des gesetzlichen Nachlasses sein. Ihr geschiedener Mann sei ein erfolgreicher Unternehmer gewesen und habe ein Millionenvermögen besessen. In seinem Testament aber sei lediglich von einem Sparkonto, einem Girokonto und einem Wertpapierkonto die Rede. Wie Miss Crown sich das erkläre, erkundigte sich Margaret süffisant.

Miss Crown machte ein nachdenkliches Gesicht. Aber höchstens drei Sekunden lang, dann fragte sie Margaret, ob sie sich der Fakten sicher sei.

Margaret erwiderte verschnupft, natürlich sei sie sicher. Sie laufe doch nicht zum Anwalt, ohne sich vorher gründlich zu informieren. Wie sie schon zu Anfang gesagt habe, es fehlten mindestens drei Viertel des Nachlasses, und sie sei entschlossen, für Aufklärung zu sorgen, schon um ihres Sohnes willen, ältestes Kind und einziger Sohn seines Vaters.

An dieser Stelle forderte Margaret ihren Sohn mit einem Blick zu einem Zeichen der Zustimmung oder Bekräftigung auf. Er schlug ein Bein über das andere, enthüllte dabei ein wenig attraktives Stück fischweiße Haut und sagte nichts. Er hatte, wie Margaret erst jetzt bemerkte, keine Socken an.

Julia Crown warf einen Blick auf das weiße Leichenbein ihres potentiellen Mandanten und schaffte es, ein Schaudern zu unterdrücken. Sie richtete ihre Aufmerksamkeit wieder auf Margaret und sagte, ob Mrs. Chamberlain so freundlich sein wolle, einen Moment zu warten, sie habe da etwas, was helfen würde.

Hier hilft nur Rückgrat, dachte Margaret. Das Rückgrat, das Adrian erst noch eingepflanzt werden musste. Aber zu der Anwältin sagte sie, natürlich, jede Hilfe sei willkommen, und wenn Miss Crown zu beschäftigt sei, um den Fall zu übernehmen, könne sie vielleicht einen Kollegen empfehlen ...?

Miss Crown ging hinaus, während Margaret noch sprach. Sie schloss die Tür behutsam hinter sich, und Margaret konnte hören, wie sie mit dem Praktikanten im Vorzimmer sprach. »Edward, wo haben wir diese Erläuterungen zum *Retrait Linager*, die Sie an die Mandanten schicken?« Die Antwort des Praktikanten war nicht zu verstehen.

Margaret nutzte dieses Intermezzo, um wütend zu ihrem Sohn zu sagen: »Du könntest dich auch beteiligen. Das würde einiges erleichtern.« Vorhin, in der Küche von *Le Reposoir*, hatte sie tatsächlich einen Moment lang geglaubt, ihr Sohn hätte es endlich geschafft. Er hatte sich wie ein Mann mit Paul Fielder geschlagen, und bei ihr hatte sich ein Fünkchen echter Hoffnung geregt – leider verfrüht. »Du könntest wenigstens so tun, als hättest du ein Interesse an deiner Zukunft.«

»Dein Interesse könnte ich unmöglich übertreffen, Mutter«, erwiderte Adrian ungerührt.

»Du kannst einen wirklich wahnsinnig machen. Kein Wunder, dass dein Vater –« Sie brach ab.

Er hob mit einer herausfordernden Bewegung den Kopf und sah sie mit spöttischem Lächeln an. Aber er sagte nichts.

Julia Crown kam mit einigen mit Maschine beschriebenen Blättern Papier wieder ins Zimmer. Hier seien die gesetzlichen Vorschriften des *Retrait Linager* genau erklärt, bemerkte sie.

Margaret war an nichts anderem interessiert, als von der Anwältin zu hören, ob sie bereit war, sie und Adrian zu vertreten oder nicht, damit sie sich um ihre anderen Geschäfte kümmern konnte. Es gab eine Menge zu tun, und in einer Anwaltskanzlei herumzusitzen und die Erläuterungen zu irgendwelchen vorsintflutlichen Gesetzen zu lesen, gehörte nicht zu ihren Prioritäten. Aber sie nahm die Papiere entgegen und kramte in ihrer Handtasche nach ihrer Brille. Während sie damit beschäftigt war, unterrichtete Miss Crown sie und ihren Sohn, welche rechtlichen Auswirkungen es hatte, wenn man als ständiger Bewohner der Insel Guernsey einen großen Besitz sein Eigen nannte oder einen solchen veräußern wollte.

Auf dieser Insel, erklärte sie, hatte das Gesetz wenig Verständnis für Leute, die ihren direkten Nachkommen nichts hinterlassen wollten. Nicht nur konnte man sein Geld nicht nach Belieben vererben, ohne Rücksicht darauf, ob man Kinder hatte oder nicht, man konnte auch nicht einfach seinen gesamten Grundbesitz *vor* dem Tod verkaufen und hoffen, das Gesetz auf diese Weise zu umgehen. Die eigenen Kinder hatten das Vorkaufsrecht auf den Besitz und waren berechtigt, ihn für den Preis zu erwerben, für den man ihn auf dem Markt anbieten wollte, sollte man sich zum Verkauf entschließen. Wenn sie sich den Preis nicht leisten konnten, war man natürlich aus dem Schneider. Dann konnte man verkaufen und jeden Penny vor seinem Tod verschenken oder ausgeben. Auf jeden Fall aber mussten die eigenen Kinder als Erste davon informiert werden, dass man vorhatte, ihr zukünftiges Erbe zu veräußern. Auf diese Weise wurde dafür gesorgt, dass Grundbesitz in der Familie blieb, solange die Familie es sich leisten konnte, ihn zu behalten.

»Ich nehme an, Ihr Vater hat Sie nicht von einer Absicht unterrichtet, irgendwann vor seinem Tod verkaufen zu wollen«, sagte Miss Crown zu Adrian gewandt.

»Natürlich nicht!«, antwortete Margaret.

Miss Crown wartete auf eine Bestätigung von Adrian. Sie sagte, wenn das tatsächlich der Fall sei, gebe es nur eine Erklärung für das Fehlen eines offenbar beträchtlichen Teils der Erbmasse. Ja, es gebe im Grunde nur eine einzige, sehr *einfache* Erklärung.

»Und die wäre?«, fragte Margaret höflich.

Dass Mr. Brouard nie der Eigentümer des Grundbesitzes gewesen sei, als dessen Eigentümer er gegolten hatte.

Margaret starrte die Anwältin an. »Das ist doch absurd!«, sagte sie. »Natürlich war er der Eigentümer. Seit Jahren. Der Besitz gehörte ihm, genau wie alles andere. Ihm gehörte – hören Sie mal! Er war doch nicht irgendjemandes Pächter!«

»Das behaupte ich gar nicht«, erwiderte Miss Crown. »Ich sage nur, dass er möglicherweise den Besitz, der ihm zu gehören schien – den er zweifellos im Lauf der Jahre oder zumindest im Lauf der Jahre seiner Ansässigkeit auf der Insel selbst erworben hatte –, tatsächlich für jemand anderen erworben hat. Oder aber auf seine Anweisungen hin von einem Dritten erworben wurde.«

Als Margaret das hörte, spürte sie die ersten Schockwellen einer Katastrophe, die sie nicht wahrhaben, geschweige denn hinnehmen wollte. »Das ist ausgeschlossen«, hörte sie sich heiser hervorstoßen und merkte, wie ihr Körper in die Höhe schoss, als wollten Beine und Füße sich nicht länger von ihr beherrschen lassen. Ehe sie wusste, wie ihr geschah, stand sie über Julia Crowns Schreibtisch gebeugt und blies der Anwältin ihren keuchenden Atem ins Gesicht. »Das ist absoluter Blödsinn, hören Sie mich? Das ist Idiotie. Wissen Sie überhaupt, wer dieser Mann war? Haben Sie eine Ahnung, was für ein ungeheures Vermögen er angehäuft hatte? Haben Sie schon mal von Chateaux Brouard gehört? England, Schottland, Wales, Frankreich, der Himmel allein weiß, wie viele Hotels. Ein Imperium war das! Wem außer Guy Brouard hätte es gehören sollen?«

»Mutter!« Auch Adrian war aufgestanden. Als Margaret sich

umdrehte, sah sie, dass er dabei war, seine Lederjacke überzuziehen, um zu gehen. »Wir wissen jetzt, was wir –«

»Wir wissen gar nichts!«, schrie Margaret. »Dein Vater hat dich dein Leben lang betrogen, und ich werde nicht zulassen, dass er dich auch noch nach seinem Tod betrügt. Er hat Konten versteckt und Grundbesitz unterschlagen, und ich werde sie finden. Ich will, dass du sie bekommst, und *nichts* – hörst du mich? – nichts wird verhindern, dass das geschieht.«

»Er hat dich überlistet, Mutter. Er wusste –«

»Nichts. Er wusste nichts.« Sie fauchte die Anwältin an, als hätte die ihre Pläne durchkreuzt. »Wer?«, rief sie. »Wer? Eines von seinen Flittchen? Wollen Sie das sagen?«

Miss Crown schien zu wissen, wovon Margaret sprach. Sie sagte: »Ich denke, es kann nur jemand sein, dem er vertraut hat. Rückhaltlos. Jemand, von dem er wusste, dass er über den Besitz verfügen würde, wie es seinen Wünschen entsprach.«

Da gab es natürlich nur eine Person. Das wusste Margaret, ohne dass diese Person beim Namen genannt werden musste, und sie dachte, dass sie so etwas von dem Moment an geahnt hatte, als dieses Testament im Wohnzimmer verlesen worden war. Es gab auf der ganzen Welt nur eine Person, bei der Guy sich darauf hätte verlassen können, dass er ihr *alles*, was er im Lauf der Zeit erwarb, schenken konnte, ohne fürchten zu müssen, dass sie etwas anderes damit täte, als es zu bewahren und zum Zeitpunkt ihres eigenen Todes – oder früher, wenn das von ihr verlangt wurde – nach seinen Wünschen darüber zu verfügen.

Warum hatte sie nicht gleich daran gedacht?, fragte sich Margaret.

Die Antwort war einfach: Weil sie die Gesetze nicht gekannt hatte.

Von Kopf bis Fuß bebend vor Zorn stürmte sie aus der Kanzlei. Aber sie war nicht geschlagen. Noch lange nicht. Das wollte sie ihrem Sohn klar machen. Mit einer heftigen Bewegung wandte sie sich ihm zu.

»Das werden wir ihr sofort ausreden. Sie ist deine Tante und weiß, was recht ist. Wenn ihr noch niemand die ganze Ungerechtigkeit dieser Geschichte klar gemacht hat… Für sie war er ja nie etwas anderes als ein Gott… Sein Geist war gestört, und das hat er vor ihr verborgen. Er hat es vor allen verborgen, aber wir werden beweisen –«

»Tante Ruth hat Bescheid gewusst«, fiel Adrian ihr schroff ins Wort. »Sie hat genau gewusst, was er wollte, und sie hat mitgemacht.«

»Unmöglich!« Margaret packte ihn fest beim Arm. Es war Zeit, dass er in den Kampf zog, wenn er auch nur einen Funken Kampfgeist besaß; wenn nicht, würde sie es für ihn tun, bei Gott. »Er muss ihr erzählt haben…« Was?, fragte sie sich. Was hatte Guy seiner Schwester erzählt, um sie glauben zu machen, das, was er vorhatte, diene dem Wohl aller: seinem, ihrem, dem seiner Kinder. Was hatte er gesagt?

»Es ist erledigt«, sagte Adrian. »Wir können das Testament nicht ändern. Wir können nichts daran ändern, wie er das alles ausgetüftelt hat. Wir können es nur hinnehmen.« Er schob die Hand in die Tasche seiner Lederjacke und nahm wieder das Streichholzheftchen heraus. Dazu eine Packung Zigaretten. Er zündete sich eine Zigarette an und lachte leise, obwohl seine Miene keine Spur von Erheiterung zeigte. »Der gute alte Dad«, sagte er kopfschüttelnd. »Er hat uns alle aufs Kreuz gelegt.«

Margaret fröstelte bei seinem emotionslosen Ton. Sie versuchte es anders. »Adrian, Ruth ist eine gute Seele. Sie ist absolut fair. Wenn sie erfährt, wie tief dich das verletzt hat –«

»Hat es nicht.« Adrian zupfte eine Tabakfaser von seiner Zunge, inspizierte sie und schnippte sie auf die Straße.

»Sag so was nicht. Warum musst du immer so tun, als könnte dein Vater –«

»Ich tue nicht so. Ich bin nicht verletzt. Was hätte das für einen Sinn? Und selbst *wenn* ich gekränkt wäre, würde es keine Rolle spielen. Es würde überhaupt nichts ändern.«

»Wie kannst du so etwas –? Sie ist deine Tante. Sie liebt dich.«

»Sie war dabei«, sagte Adrian. »Sie kannte seine Absichten. Und, glaub mir, sie wird nicht einen Fußbreit davon abweichen.

Schon gar nicht, da sie aus der Geschichte schon genau weiß, was er wollte.«

Margaret runzelte die Stirn. »›Sie war dabei‹? Wo? Wann? Welche Geschichte?«

Adrian trat aus dem Schatten des Gebäudes. Er klappte den Kragen seiner Jacke hoch und setzte sich in Richtung zum Royal Court House in Bewegung. Margaret hielt das für ein Manöver, die Beantwortung ihrer Frage zu vermeiden. Sofort erwachte ihr Argwohn. Und mit ihm ein bösartiges Gefühl der Angst. Sie hielt ihren Sohn am Fuß des Kriegerdenkmals auf und stellte ihn unter dem düsteren Blick dieses schwermütigen Soldaten zur Rede.

»Was läufst du mir einfach so davon? Wir sind hier noch nicht fertig. Was war das für eine Geschichte? Warum hast du mir nichts gesagt?«

Adrian warf seine Zigarette in Richtung einer Gruppe Motorroller, die wild durcheinander geparkt nicht weit von dem Denkmal standen. »Dad wollte nicht, dass ich etwas von seinem Geld bekomme«, sagte er. »Weder jetzt noch später. Tante Ruth weiß das. Selbst wenn wir uns jetzt an sie wenden – an ihre Loyalität oder ihre Fairness appellieren oder wie du es sonst nennen willst –, sie wird nicht vergessen, was er wollte, und wird sich einzig danach richten.«

»Woher soll sie wissen, was Guy zur Zeit seines Todes wollte?«, fragte Margaret geringschätzig. »Natürlich, sie kann Bescheid gewusst haben, als diese ganze Schweinerei eingefädelt wurde. Sie *muss* Bescheid gewusst haben, um gemeinsame Sache mit ihm zu machen. Aber das ist doch der springende Punkt. Das wollte er *damals*. Die Menschen ändern sich. Ihre Wünsche ändern sich. Glaub mir, deine Tante Ruth wird das einsehen, wenn man es ihr klar macht.«

»Nein. Es war nicht nur damals«, entgegnete Adrian und wollte sich an ihr vorbeidrängen, um zum Parkplatz zu gehen, wo sie den Rover abgestellt hatten.

»Verdammt noch mal, du bleibst jetzt hier«, sagte Margaret und hörte die Unsicherheit in ihrer Stimme. Das ärgerte sie, und sie richtete diesen Ärger gegen ihren Sohn. »Wir müssen planen, überlegen, wie wir vorgehen wollen. Keinesfalls werden wir die Situation so akzeptieren, wie dein Vater sie geschaffen hat – wie brave Christenmenschen, die auch noch die andere Wange hinhalten! Was wissen wir denn, vielleicht hat er diese Vereinbarungen mit Ruth in einem Anfall von Verärgerung getroffen und hat sie später bereut, aber natürlich nicht erwartet, dass er sterben würde, bevor er sie ändern könnte.« Margaret holte Luft und erklärte die tiefere Bedeutung dessen, was sie soeben gesagt hatte. »Jemand hat das gewusst«, erklärte sie. »Ja, so muss es sein. Jemand wusste, dass er vorhatte, alles zu ändern und dich so zu bedenken, wie es dir zusteht. Deshalb musste dein Vater ausgeschaltet werden.«

»Er hatte keinerlei Absicht irgendwas zu ändern«, erwiderte Adrian.

»Hör endlich auf! Woher willst du wissen –«

»Weil ich ihn darum gebeten habe, okay?« Adrian schob die Hände in die Jackentaschen und sah aus wie ein Häufchen Elend. »Ich habe ihn *gefragt*«, wiederholte er. »Und sie war dabei. Tante Ruth. Sie war mit im Zimmer. Sie hat uns gehört. Sie hat gehört, wie ich ihn gebeten habe.«

»Sein Testament zu ändern?«

»Mir Geld zu geben. Sie hat alles mitbekommen. Ich habe ihn um das Geld gebeten. Er sagte, er hätte es nicht. Nicht so einen Betrag. Ich glaubte ihm nicht. Es gab Streit. Ich bin schließlich wütend gegangen, und er blieb.« Erst jetzt sah er sie an, Resignation im Gesicht. »Du glaubst doch nicht, dass die beiden nicht hinterher alles durchgekaut haben? Sie wird gesagt haben: Was sollen wir mit Adrian machen? Und er wird gesagt haben: Wir lassen alles, wie es ist.«

Margaret hörte ihm zu und fühlte sich wie von einem kalten Sturm erfasst. »Du hast deinen Vater noch einmal um Geld gebeten?«, sagte sie. »Nach dem September? Du hast ihn nach dem September ein zweites Mal gebeten?«

»Richtig. Und er hat nein gesagt.«

»Wann war das?«

»Am Abend vor dem Fest.«

»Aber du hast mir erzählt, du hättest nicht wieder … seit dem vergangenen September …« Margaret sah, wie er sich erneut von ihr abwandte, den Kopf gesenkt wie so oft bei den unzähligen Enttäuschungen und Niederlagen der Kindheit. Sie wütete gegen die ganze Welt, vor allem aber gegen das Schicksal, das Adrian das Leben so schwer machte. Neben dieser mütterlichen Reaktion jedoch fühlte Margaret noch etwas anderes, das sie nicht fühlen wollte. Und keinesfalls konnte sie riskieren, es beim Namen zu nennen. Sie sagte: »Adrian, du hast mir erzählt …« Im Geist ging sie die Chronologie der Ereignisse durch. Was hatte er gesagt? Dass sein Vater gestorben sei, ehe er Gelegenheit gehabt habe, ihn ein zweites Mal um das Geld zu bitten, das er für die Finanzierung seiner Firma brauchte. Internetzugang, das war es gewesen, die Welle der Zukunft. Eine Welle, die er reiten konnte, um seinen Vater stolz zu machen, einen so weitblickenden Sohn hervorgebracht zu haben. »Du hast gesagt, du hättest bei diesem letzten Besuch keine Gelegenheit gehabt, ihn um das Geld zu bitten.«

»Ich habe gelogen«, sagte Adrian. Er zündete sich eine neue Zigarette an und schaute seine Mutter nicht an.

Margaret wurde der Mund trocken. »Warum?«

Er antwortete nicht.

Am liebsten hätte sie ihn geschüttelt. Sie musste die Antwort erzwingen, denn nur wenn sie die Antwort hatte, würde sie den Rest der Wahrheit aufdecken können. Nur dann würde sie sich ein Bild davon machen können, womit sie es zu tun hatte, und entsprechend handeln können. Aber neben diesem Drang, zu planen, zu entschuldigen, alles zu tun, um ihren Sohn zu schützen, nahm Margaret bei sich noch etwas anderes wahr, das tiefer ging.

Wenn er sie über das Gespräch mit seinem Vater belogen hatte, hatte er sie auch in anderen Dingen belogen.

Nach seinem Gespräch mit Bertrand Debiere kehrte St. James in nachdenklicher Stimmung ins Hotel zurück. Die junge Rezeptionistin am Empfang überreichte ihm eine Nachricht, aber er faltete den Zettel nicht auseinander, als er die Treppe hinauf zu seinem Zimmer ging. Ihn beschäftigte die Frage, was es zu bedeuten hatte, dass Guy Brouard sich beträchtlichen Mühen und Ausgaben unterzogen hatte, um sich einen Satz Baupläne zu besorgen, die anscheinend nicht in Ordnung waren. Hatte er das gewusst, oder war er einem skrupellosen Geschäftsmann in Amerika aufgesessen, der sein Geld genommen und ihm dafür einen Entwurf für ein Gebäude gegeben hatte, das kein Mensch würde bauen können, weil es kein Originalentwurf war? Und was hatte das wiederum zu bedeuten? Dass es kein Originalentwurf war. War es also ein Plagiat? Gab es das bei Bauplänen überhaupt?

Im Zimmer ging er zum Telefon und kramte in seiner Tasche nach den Notizen, die er sich bei Ruth Brouard und Chief Inspector Le Gallez gemacht hatte. Er fand die Nummer für Jim Ward und tippte sie ein, während er seine Gedanken sammelte.

Es war noch früh in Kalifornien, und der Architekt war offenbar gerade erst ins Büro gekommen. Die Frau am Telefon sagte: »Gerade kommt er rein …«, und dann: »Mr. Ward, da will Sie jemand mit einem absolut coolen Akzent sprechen …«, dann wieder ins Telefon: »Von wo rufen Sie an? Und würden Sie mir Ihren Namen noch mal sagen?«

St. James wiederholte seinen Namen und erklärte, er rufe aus St. Peter Port in Guernsey an, das sei eine der Inseln im Ärmelkanal.

»Wow!«, sagte sie. »Bleiben Sie einen Augenblick dran, okay?« Und kurz bevor sie ihn in die Warteschleife beförderte, hörte James sie noch sagen: »Hey, Leute, wo ist der Ärmelkanal?«

Fünfundvierzig Sekunden lang wurde St. James von flotten Reggae-Klängen unterhalten, dann brach die Musik abrupt ab, und eine angenehme Männerstimme meldete sich. »Jim Ward hier. Was kann ich für Sie tun? Geht es wieder um Guy Brouard?«

»Ah, Sie haben also mit Chief Inspector Le Gallez gesprochen«, konstatierte St. James und erklärte dann, wer er war und was er mit der Geschichte in Guernsey zu tun hatte.

»Ich fürchte, ich kann Ihnen da nicht viel helfen«, sagte Ward.

»Ich habe diesem Kriminalbeamten schon gesagt, dass ich Mr. Brouard nur einmal getroffen habe. Sein Projekt klang interessant, aber ich war noch nicht weitergekommen als bis zur Versendung dieser Arbeitsproben an ihn. Ich hatte ein paar Bilder in den Kasten gesteckt, um ihm Gelegenheit zu geben, sich auch noch ein paar andere Projekte von mir anzusehen, die gerade im Norden von San Diego im Bau sind. Aber das war's auch schon.«

»Was meinen Sie mit Arbeitsproben?«, fragte St. James. »Wir haben hier einen umfassenden Satz Pläne. Ich habe sie mir heute angesehen. Zusammen mit einem hiesigen Architekten –«

»Stimmt, umfassend kann man sagen. Ich habe ihm sämtliche Unterlagen eines einzigen Projekts von Anfang bis Ende zusammengestellt. Es handelt sich um ein großes Gesundheitszentrum, das hier an der Küste gebaut wird. Er hat von mir alles bekommen außer dem gebundenen Heft. Ich sagte ihm, er wolle doch sicher eine Vorstellung davon haben, wie ich arbeite, bevor er sich entschließt, mir einen Auftrag anzuvertrauen. Das ganze Vorgehen war äußerst seltsam, wenn Sie mich fragen. Aber es war für mich kein großes Problem, ihm entgegenzukommen, und es sparte mir Zeit.«

St. James unterbrach ihn. »Heißt das, die Unterlagen, die per Kurier hierher gebracht wurden, waren gar keine Pläne für ein Museum?«

Ward lachte. »Museum? Nein. Es ist ein hochkarätiges Gesundheits- und Wellnesszentrum. Verhätschelung von Kopf bis Fuß für Leute, die nicht alt werden können. Als er mich um eine Probe meiner Arbeit bat – einen möglichst kompletten Satz Pläne –, waren diese Unterlagen am leichtesten zur Hand. Das sagte ich ihm auch. Ich machte ihn darauf aufmerksam, dass die Pläne nichts darüber aussagten, wie ich ein Museum gestalten würde. Aber er meinte, das wäre in Ordnung. Hauptsache, er bekäme einen kompletten Satz und könne halbwegs verstehen, was er vor sich habe.«

»Darum sind das keine offiziellen Pläne«, sagte St. James mehr zu sich selbst.

»Richtig. Das sind schlichte Kopien aus unserem Büro hier.«

St. James dankte dem Architekten und legte auf. Er setzte sich auf die Bettkante und starrte zu seinen Schuhspitzen hinunter.

Was er da gerade erlebte, war eine Art Alice-im-Wunderland-Effekt. Es sah immer mehr so aus, als hätte das Museum Brouard nur zur Tarnung gedient. Aber was hatte es tarnen wollen? Und war es von Anfang an nur Tarnung gewesen? Was, wenn das tatsächlich so gewesen war und einer der Mitarbeiter an dem Museumsprojekt die Täuschung entdeckt hatte – vielleicht jemand, dessen Existenz von dem Bau abhing, in den er auf alle möglichen Arten investiert hatte? – und sich für den Missbrauch, den Brouard mit ihm getrieben hatte, gerächt hatte?

St. James drückte die Finger an seinen Kopf und verlangte von seinem Gehirn, augenblicklich Klarheit zu schaffen. Doch Guy Brouard blieb ihm, wie offenbar allen anderen, die im Leben mit ihm zu tun gehabt hatten, einen Schritt voraus. Und das war ein frustrierendes Gefühl.

Er hatte den gefalteten Zettel, den er an der Rezeption erhalten hatte, auf den Toilettentisch gelegt, und als er jetzt vom Bett aufstand, fiel sein Blick darauf. Es war, sah er, eine Nachricht von Deborah, allem Anschein nach in großer Hast geschrieben. »Cherokee ist verhaftet worden. Bitte komm, sobald du diese Nachricht erhältst.« Das Wort *bitte* hatte sie zweimal unterstrichen und noch einen schnell hingeworfenen Plan angefügt, der ihm den Weg zu den Queen-Margaret-Apartments in der Clifton Street zeigte. Er machte sich unverzüglich auf den Weg dorthin.

Seine Fingerknöchel hatten kaum die Tür von Apartment B berührt, da öffnete Deborah schon. »Gott sei Dank«, rief sie. »Ich bin so froh, dass du hier bist, Liebster. Komm rein, und dann kannst du endlich China kennen lernen.«

China River hockte im Schneidersitz auf dem Sofa, eine Decke um die Schultern, die sie wie eine Stola zusammenhielt. Sie sagte: »Ich hätte nie gedacht, dass ich Sie tatsächlich noch mal kennen lernen würde. Ich hätte nie gedacht...« Sie konnte nicht weitersprechen und drückte die Faust auf den Mund.

»Was ist geschehen?«, wandte St. James sich an Deborah.

»Das wissen wir auch nicht«, antwortete sie. »Die Polizisten wollten uns nicht sagen, wo sie ihn hinbringen. Chinas Anwalt ist gleich nach unserem Anruf losgefahren, um mit der Polizei zu reden, aber wir haben noch nichts von ihm gehört. Aber, Simon« – sie senkte die Stimme – »ich glaube, sie haben was – sie haben irgendwas gefunden. Was könnte es sonst sein?«

»Seine Abdrücke auf dem Ring?«

»Cherokee wusste nichts von dem Ring. Er hatte ihn nie gesehen. Er war so überrascht wie ich, als wir ihn in dem Antiquitätengeschäft zeigten und hörten –«

»Deborah«, rief China vom Sofa her, und sie drehten sich nach ihr um. Es war ihr deutlich anzusehen, dass sie unschlüssig war. Und dann voller Bedauern. »Ich… wie soll ich…?« Sie schien nach der Kraft zu suchen fortzufahren. »Deborah, ich habe Cherokee den Ring gezeigt, nachdem ich ihn gekauft hatte.«

St. James sagte zu seiner Frau: »Bist du sicher, dass er nicht –«

»Debs wusste nichts davon. Ich habe es nicht gesagt. Ich wollte nichts sagen, weil Cherokee kein Wort sagte, als sie mir den Ring zeigte – hier im Apartment. Er hat so getan, als würde er ihn nicht kennen. Ich konnte das nicht verstehen – ich meine, warum er…« Nervös biss sie an der Nagelhaut ihres Daumens herum. »Er sagte nichts… Und ich dachte nicht…«

»Seine Sachen haben sie auch mitgenommen«, berichtete Deborah ihrem Mann. »Er hatte einen Matchsack und einen Rucksack. Auf die waren sie besonders scharf. Sie waren zu zweit – zwei Constables, meine ich –, und sie sagten ein paar Mal: ›Ist das alles? Ist das alles, was Sie bei sich haben?‹ Nachdem sie ihn weggebracht hatten, kamen sie noch einmal zurück und schauten sämtliche Schränke durch. Unter den Möbeln haben sie auch nachgesehen. Sogar im Müll.«

St. James nickte. Er sah China an. »Ich werde sofort mit Chief Inspector Le Gallez sprechen.«

»Das war von Anfang an geplant«, erklärte China. »Man sucht sich zwei dumme Amerikaner, möglichst solche, die noch nie außer Landes waren und wahrscheinlich das Geld nicht haben, um auch nur über Kaliforniens Grenzen zu reisen, es sei denn, sie trampen. Und man bietet ihnen ein einmaliges Geschäft an, das sich so fantastisch anhört, dass sie sofort mit beiden Händen zugreifen. Und dann hat man sie im Sack.« Ihre Stimme zitterte. »Wir sind reingelegt worden. Zuerst ich. Jetzt er. Es wird heißen, wir hätten es schon vor unserer Abreise von zu Hause geplant. Gemeinsam. Wie sollen wir beweisen, dass das nicht stimmt? Dass wir diese Leute nicht einmal *gekannt* haben. Keinen von ihnen. Wie sollen wir das beweisen?«

St. James hätte am liebsten nicht gesagt, was Deborahs Freundin gesagt werden musste. Gewiss lag für sie ein perverser Trost darin zu glauben, sie und ihr Bruder steckten nun gemeinsam im Morast. Aber die Wahrheit der Geschichte lag in dem, was zwei Zeuginnen am Morgen des Mordes gesehen hatten. Sie lag in den Spuren, die am Tatort hinterlassen worden waren, und sie lag in der Person des Verhafteten und dem Grund für diese Verhaftung.

Er sagte: »Ich denke, es ist ziemlich klar, dass es nur einen Täter gibt, China. Es wurde nur eine Person beobachtet, die Brouard zur Bucht folgte, und bei seiner Leiche wurden die Fußabdrücke nur einer Person gefunden.«

Das Licht im Zimmer war gedämpft, aber er sah, wie China schluckte. »Dann war es wahrscheinlich egal, wer von uns beiden angeklagt werden würde. Ich oder er. Aber sie brauchten uns auf jeden Fall alle beide hier, um die Chance zu verdoppeln, dass einer von uns reinrasseln würde. Es war alles geplant, von Anfang an. Das muss Ihnen doch auch klar sein, oder nicht?«

St. James schwieg. Ja, ihm war klar, dass jemand alles genau überlegt hatte. Ihm war klar, dass das Verbrechen nicht ein Werk des Moments gewesen war. Aber ihm war auch klar, dass nach allem, was er bis jetzt wusste, nur vier Personen bekannt gewesen war, dass zwei Amerikaner – zwei mögliche Sündenböcke für einen Mord – nach Guernsey kommen würden, um bei Guy Brouard eine Lieferung abzugeben: Brouard selbst, dem Anwalt, den er in Kalifornien beauftragt hatte, und den Geschwistern River. Brouard war tot, der Anwalt, der in Amerika saß, kam nicht in Frage, also konnten nur die beiden Rivers den Mord geplant haben. Oder einer von beiden.

Er sagte vorsichtig: »Das Problem ist, dass offenbar niemand von Ihrem Kommen wusste.«

»Irgendjemand muss davon gewusst haben. Es war doch extra das Fest angesetzt worden – das Museumsfest …«

»Ja, das sehe ich auch. Aber Brouard scheint eine ganze Anzahl Leute glauben gemacht zu haben, dass er sich für Debieres Entwurf entscheiden würde. Das sagt uns, dass Ihr Eintreffen – Ihre Anwesenheit in *Le Reposoir* – für alle außer Brouard eine Überraschung war.«

»Aber er hat es bestimmt jemandem erzählt. Jeder Mensch hat Leute, mit denen er redet. Wie ist es mit Frank Ouseley? Die beiden waren doch gut befreundet? Oder Ruth? Glauben Sie nicht, er hätte seiner Schwester davon erzählt?«

»Es scheint nicht so. Und selbst wenn er mit ihr gesprochen hätte, sie hatte keinen Grund –«

»Aber *wir* hatten einen?« Chinas Stimme wurde laut. »Hören Sie doch auf. Er hat jemandem gesagt, dass wir kommen. Wenn nicht Frank oder Ruth … Irgendjemand hat es gewusst. Ich sag's Ihnen. Jemand hat's gewusst.«

Deborah sagte zu St. James: »Vielleicht hat er es Mrs. Abbott erzählt. Anaïs. Der Frau, mit der er zusammen war.«

»Und sie könnte es weitererzählt haben«, sagte China. »So gesehen könnte jeder es gewusst haben.«

St. James musste einräumen, dass das möglich war. Ja, sogar wahrscheinlich. Aber wenn Brouard auch nur einem Menschen von der bevorstehenden Ankunft der Rivers erzählt hatte, stellte sich die Frage nach einem entscheidenden Detail, das noch geklärt werden musste: Was hatten diese falschen Baupläne zu bedeuten? Brouard hatte seinen Gästen die Aufrisszeichnung als authentisch präsentiert, als eine Ansicht des zukünftigen Kriegsmuseums, obwohl er die ganze Zeit gewusst hatte, dass sie nichts Dergleichen war. Wenn er also jemandem gesagt hatte, dass die Rivers Pläne aus Kalifornien bringen würden, hatte er dieser Person dann auch verraten, dass es falsche Pläne waren?

»Wir müssen mit Anaïs Abbott sprechen, Schatz«, drängte

Deborah. »Und mit ihrem Sohn. Er war … Er war ziemlich außer sich, Simon.«

»Sehen Sie?«, sagte China. »Es gibt noch andere, und einer von ihnen wusste, dass wir kommen. Einer von ihnen hat alles geplant. Und diese Person müssen wir finden, Simon. Denn die Polizei wird bestimmt nicht nach ihr suchen.«

Draußen hatte es leicht zu regnen begonnen. Deborah hakte sich bei Simon unter und schmiegte sich an ihn. Sie hätte gern geglaubt, er würde die Geste als ein Zeichen dafür interpretieren, dass sie seinen männlichen Schutz suchte, aber sie wusste, dass er nicht dazu neigte, sich solcherart zu schmeicheln. Ihm war zweifellos klar, dass sie sicher sein wollte, dass er auf dem glitschigen Kopfsteinpflaster nicht ausrutschte, und je nach Stimmung würde er sich ihre Fürsorge gefallen lassen oder nicht.

Diesmal ließ er sie gewähren, aus welchem Grund auch immer, und sagte, ohne ihre Motive anzusprechen: »Die Tatsache, dass er zu dir nichts von dem Ring gesagt hat … Nicht einmal, dass seine Schwester ihn gekauft hatte oder ihm von dem Kauf erzählt hatte oder irgendetwas in dieser Richtung … Das sieht nicht gut aus, Liebes.«

»Ich will nicht darüber nachdenken, was es bedeutet«, bekannte sie. »Schon gar nicht, wenn womöglich ihre Fingerabdrücke darauf sind.«

»Hm. Ich dachte mir schon, dass dir so etwas im Kopf herumspukte. Trotz der Bemerkung über Mrs. Abbott … Du hast so« – Deborah spürte seinen Blick … »so erschüttert ausgesehen. Ja, erschüttert.«

»Er ist ihr *Bruder*«, sagte Deborah. »Ich finde es furchtbar, mir vorzustellen, dass ihr eigener Bruder …« Sie wollte den Gedanken so gern wegschieben, aber sie konnte es nicht. Er hatte sich beharrlich festgesetzt, von dem Moment an, als ihr Mann darauf hingewiesen hatte, dass niemand vom Kommen der Geschwister River gewusst hatte. Von da an hatte sie nur noch daran denken können, wie oft sie im Lauf der Jahre von Cherokee Rivers Balanceakten am Rande des Gesetzes gehört hatte. Immer hatte er große Pläne gehabt, und unweigerlich war es dabei um das schnelle Geld gegangen. So hatte sie es jedenfalls den Geschichten von Cherokees abenteuerlichen Geschäften entnommen, die sie während ihres Zusammenlebens mit China in Santa Barbara mitbekommen hatte: Das reichte von der stundenweisen Vermietung seines Zimmers an jugendliche Liebespärchen, als er selbst noch ein Teenager war, bis zu einer florierenden Cannabis-Farm, als er Anfang zwanzig gewesen war. Cherokee River war, so wie Deborah ihn kannte, der geborene Opportunist gewesen. Fragte sich nur, was an Guy Brouards Tod für ihn opportun gewesen war.

»Weißt du, das Schlimmste ist, mir klar zu machen, was das in Bezug auf China bedeutet«, sagte Deborah. »Er hätte es einfach geschehen lassen, dass sie … ich meine, dass man ihr … ausgerechnet … Es ist entsetzlich, Simon. Ihr eigener Bruder. Wie konnte er nur …? Ich meine, immer vorausgesetzt, er hat es wirklich getan. Meiner Ansicht nach muss es eine andere Erklärung geben. Diese hier möchte ich einfach nicht glauben.«

»Wir können nach einer anderen suchen«, sagte Simon. »Wir können mit den Abbotts sprechen. Und mit allen anderen. Aber trotzdem …«

Sie blickte hoch und sah die Betroffenheit in seinem Gesicht. »Trotzdem musst du dich auf das Schlimmste gefasst machen«, sagte er.

»Das Schlimmste wäre, wenn man China den Prozess machte«, antwortete Deborah. »Das Schlimmste wäre es gewesen, wenn China ins Gefängnis gekommen wäre. Wenn sie für … für einen anderen hätte büßen müssen …« Sie verstummte, als sie erkannte, wie Recht ihr Mann hatte. Ohne Vorwarnung, ohne dass sie Zeit gehabt hätte, sich darauf einzustellen, fühlte sie sich zwischen zwei Alternativen gefangen, die »schlimm« und »schlimmer« hießen. Ihre erste Loyalität galt ihrer Freundin. Sie hätte sich also eigentlich darüber freuen müssen, dass das Schicksal einer langen Gefängnisstrafe, das China aufgrund einer ungerechtfertigten Verhaftung und lückenhafter Polizeiarbeit gedroht hatte, ihr nun endgültig erspart worden war. Doch wenn Chinas

Rettung der Erkenntnis zu verdanken war, dass ihr eigener Bruder die Ereignisse inszeniert hatte, die zu ihrer Verhaftung geführt hatten... Wie sollte man unter diesen Umständen Chinas Rettung feiern? Und wie sollte China sich je von einem derartigen Verrat erholen? »Sie wird nicht glauben, dass er ihr das angetan hat«, sagte Deborah schließlich.

»Und du?«, fragte Simon leise.

»Ich?« Deborah blieb stehen. Sie hatten die Ecke der Berthelot Street erreicht, die steil zur High Street und dem Quai auf ihrer anderen Seite abfiel. Das Pflaster der schmalen Gasse war schmierig, und das Regenwasser, das zur Bucht hinunterrann, begann bereits Bäche zu bilden, die in den kommenden Stunden noch anzuschwellen versprachen. Für jemanden, der an einer Gehbehinderung litt, war das keine empfehlenswerte Route, doch Simon schlug sie entschlossen ein, während Deborah über seine Frage nachdachte.

Auf halbem Weg den Hang hinunter blinkten freundlich die Lichter des *Admiral le Saumarez Inn* durch die Düsternis und verhießen Obdach und Wärme. Aber sie wusste, dass die Verheißung trügerisch war, ihr Trost so wenig dauerhaft wie der Regen, der auf die Stadt fiel. Trotzdem steuerte ihr Mann zielstrebig das Lokal an. Sie gab ihm erst Antwort auf seine Frage, als sie sicher und trocken im Foyer standen.

»Darüber hatte ich gar nicht nachgedacht, Simon«, sagte sie. »Ich bin auch nicht ganz sicher, was du eigentlich meinst.«

»Genau das, was ich gesagt habe. Kannst du es glauben?«, fragte er. »Wirst du es glauben können? Wenn es hart auf hart geht, wirst du dann bereit sein, zu glauben, dass Cherokee River seine eigene Schwester verkaufen wollte? Denn das würde wahrscheinlich heißen, dass er nur nach London gekommen ist, um dich zu holen. Oder mich. Oder auch uns beide. Aber nicht, um bei der Botschaft Druck zu machen.«

»Und warum?«

»Er uns geholt hat, meinst du? Um seiner Schwester weiszumachen, er wolle ihr helfen. Um sicher zu sein, dass sie nicht über Dinge nachdachte, die sie hätten veranlassen können, Verdacht gegen ihn zu schöpfen, oder, schlimmer noch, die ihn ins Visier der Polizei gebracht hätten. Ich vermute, er wollte auch sein Gewissen damit beruhigen, dass er jemanden für China holte. Wenn er allerdings tatsächlich vorhatte, ihr einen Mord in die Schuhe zu schieben, kann ich mir nicht vorstellen, dass er überhaupt ein Gewissen besitzt.«

»Du magst ihn nicht«, sagte Deborah.

»Es geht nicht um mögen und nicht mögen. Es geht darum, sich die Fakten vor Augen zu halten, sie so zu sehen, wie sie sind, und sie auf den Tisch zu legen.«

Das sah Deborah ein. Sie verstand, dass Simons leidenschaftslose Einschätzung Cherokee Rivers aus zwei Quellen gespeist wurde: aus seiner wissenschaftlichen Ausbildung, auf die er bei polizeilichen Untersuchungen regelmäßig zurückgriff; und aus der Tatsache, dass seine Bekanntschaft mit Chinas Bruder nur oberflächlicher Natur war. Kurz gesagt, Simon hatte nichts in Cherokees Unschuld oder Schuld investiert. Bei ihr selbst verhielt sich die Sache anders.

Sie sagte: »Nein, ich kann nicht glauben, dass er das getan hat. Ich kann es einfach nicht glauben.«

Simon nickte. Deborah fand, dass sein Gesicht unerklärlich bedrückt aussah, aber sie redete sich ein, es müsse an der Beleuchtung liegen. »Ja«, sagte er, »genau das macht mir Kopfzerbrechen«, und ging ihr voraus in das Restaurant hinein.

Sie wissen, was das heißt, Frank? Sie wissen doch, was das heißt.

Frank konnte sich nicht erinnern, ob Guy Brouard die Worte ausgesprochen oder ob nur seine Miene sie ausgedrückt hatte. Aber er wusste, dass sie zwischen ihnen gestanden hatten. Sie waren so real wie der Name G. H. Ouseley und die Adresse *Moulin des Niaux*, die eine arrogante deutsche Hand oben auf die Quittung für erhaltene Waren gesetzt hatte: Würstchen, Mehl, Eier, Kartoffeln und Bohnen. Und Tabak, damit der Judas unter ihnen nicht mehr das Kraut zu rauchen brauchte, das, von den Büschen an der Straße gepflückt, getrocknet und in dünnes Papier eingerollt, zu Zigaretten gedreht wurde.

Frank brauchte nicht zu fragen, er wusste, welchen Preis diese Waren gekostet hatten. Er wusste es, weil drei der mutigen Männer, die bei trübem Kerzenschein in der Sakristei der Kirche St. Pierre du Bois, die kleine Untergrundzeitung G.I.F.T. getippt hatten, wegen dieser Tätigkeit in Arbeitslager gekommen waren, während der vierte lediglich in ein Gefängnis in Frankreich transportiert worden war. Die drei waren in den Arbeitslagern oder als Folge ihres Aufenthalts dort ums Leben gekommen. Der vierte hatte nur ein Jahr im Gefängnis gesessen. Wenn er überhaupt einmal von dieser Zeit gesprochen hatte, hatte er sie als grausam und unmenschlich dargestellt, aber Frank war inzwischen klar, dass er sie so hatte sehen müssen. Wahrscheinlich hatte er sie auch so im Gedächtnis, denn sich zu erinnern, dass dieser Abtransport nach Frankreich nach dem Verrat an seinen Kameraden eine logische und notwendige Maßnahme zu seinem Schutz gewesen war ... sich zu erinnern, dass dies ein Mittel gewesen war, den Spitzel zu schützen, der bei seiner Heimkehr den Nazis viel zu danken hätte ... sich zu erinnern, dass dies die Entschädigung für eine Tat war, die er begangen hatte, weil er *hungrig* gewesen war, Herrgott noch mal, und nicht, weil er an irgendetwas geglaubt hatte ... Wie sollte jemand damit leben, dass er den Tod seiner Freunde verursacht hatte, um endlich einmal wieder etwas Anständiges in den Magen zu bekommen?

Mit der Zeit war die Lüge, dass er zu denen gehörte, die von einem Quisling verraten worden waren, Graham Ouseleys Wahrheit geworden. Anders hätte er vermutlich nicht weiterleben können, und wenn man ihn damit konfrontiert hätte, dass er selbst der Quisling gewesen war und den Tod drei ehrenhafter Männer auf dem Gewissen hatte, so hätte das seinen gequälten Geist zweifellos in tödliche Verwirrung gestürzt. Doch genau zu dieser Konfrontation würde es kommen, wenn die Presse einmal begann, in den Unterlagen herumzuwühlen, die sie als Beweis für die genannten Namen verlangen würde.

Frank konnte sich vorstellen, was das für ein Leben würde, wenn die Story herauskam. Die Presse würde sie tagelang breittreten, die Fernseh- und Rundfunksender der Insel würden sie sofort übernehmen. Unter dem Protestgeheul der Nachkommen der Kollaborateure – sowie jener Kollaborateure, die wie Graham noch lebten – würde die Presse dann die einschlägigen Beweise präsentieren. Die Story würde nur gedruckt werden, wenn vorher diese Beweise beigebracht wurden, und so würde unter den von der Zeitung veröffentlichten Namen der Verräter auch der Name Graham Ouseley erscheinen. Welch eine köstliche Ironie, ein gefundenes Fressen für die Medien: Dass der Mann, der so versessen darauf war, die Schurken zu entlarven, die Internierung, Deportation und Tod über ihre Mitbürger gebracht hatten, selbst ein Schurke erster Ordnung war, ein Aussätziger, der mit Schimpf und Schande zum Tor hinausgejagt werden musste.

Guy hatte Frank gefragt, was er nun, da ihm der Verrat seines Vaters bekannt war, tun wolle, und Frank hatte es nicht gewusst. So wie Graham Ouseley unfähig war, sich der Wahrheit über sein Verhalten während der Besatzung zu stellen, so fand Frank es unmöglich, sich seiner Verantwortung zu stellen und reinen Tisch zu machen. Stattdessen hatte er den Abend verflucht, an dem er Guy bei dem Vortrag in der Stadt begegnet war, und den Moment bedauert, als er bei ihm ein Interesse an der Kriegszeit erkannt hatte, das seinem eigenen glich. Hätte er das nicht bemerkt und spontan darauf reagiert, wäre alles anders gekommen. Diese Quittung, mit anderen zusammen von den Nazis aufbewahrt, um zur Erkennung ihrer Helfer zu dienen, wäre in dem Sammelsurium von Dokumenten untergegangen, das Teil einer zwar beeindruckenden, aber bisher völlig ungeordneten und daher unübersichtlichen Sammlung war.

Mit Guy Brouards Eintritt in ihr Leben hatte sich das aber geändert. Guys enthusiastischer Vorschlag, für eine angemessene Unterbringung ihrer Sammlung zu sorgen, hatte – im Zusammenspiel mit seiner Liebe zu der Insel, die ihm ein Zuhause geworden war – zu einer eingehenden Beschäftigung mit der Sammlung und, für Frank, zu einer schockierenden Erkenntnis geführt, die Offenlegung und Handeln verlangte. Bisher hatte Frank vergeblich versucht, einen Weg aus dieser Falle zu finden.

Die Zeit war knapp. Nach Guys Tod hatte Frank geglaubt, nun hätten sie Ruhe. Aber dieser Tag hatte ihm gezeigt, dass das eine Illusion war. Graham war wild entschlossen, den Weg ins Verderben zu gehen. Er hatte es mehr als fünfzig Jahre lang geschafft, sich zu verstecken, aber nun war ihm die Zuflucht genommen, und es gab keine Rettung mehr vor dem, was ihm bevorstand.

Frank hatte das Gefühl, seine Füße wären mit Eisenketten beschwert, als er zur Kommode in seinem Schlafzimmer trat. Er nahm die Liste an sich, die er dort an das Foto gelehnt hatte, und trug sie wie eine Opfergabe vor sich her, als er die Treppe hinunterging.

Im Wohnzimmer lief der Fernsehapparat. Auf dem Bildschirm standen zwei Ärzte in grünen Kitteln in einem Operationssaal über einen Patienten gebeugt. Frank schaltete das Gerät aus und trat zu seinem Vater. Er schlief immer noch, den Mund geöffnet, mit hängender Unterlippe, hinter der sich Speichel angesammelt hatte.

Frank beugte sich zu ihm hinunter und legte ihm die Hand auf die Schulter. »Dad, wach auf«, sagte er. »Wir müssen miteinander reden.« Er schüttelte ihn sanft.

Die Augen hinter den dicken Brillengläsern öffneten sich. Graham zwinkerte verwirrt und sagte: »Ich muss eingeschlafen sein, Frankie. Wie spät ist es?«

»Spät«, antwortete Frank. »Zeit, richtig schlafen zu gehen.«

»Oh«, sagte Graham, »gut, mein Junge«, und er machte Anstalten, aufzustehen.

»Noch nicht«, sagte Frank. »Schau dir erst mal das hier an, Dad.« Er hielt seinem Vater die Quittung über die Nahrungsmittellieferung vor die schwachen Augen.

Graham zog die Brauen zusammen, als sein Blick über den Zettel flog. »Und was soll das sein?«, fragte er.

»Das musst schon du mir sagen. Es steht ja dein Name darauf. Siehst du? Hier. Und ein Datum steht auch darauf. August neunzehnhundertdreiundvierzig. Es ist in Deutsch geschrieben. Was sagst du dazu, Dad?«

Sein Vater schüttelte den Kopf. »Nichts. Ich hab keine Ahnung, was das ist.« Die Worte klangen wahr, wie sie es für ihn zweifellos auch waren.

»Weißt du, was das heißt? Das Deutsche, meine ich. Kannst du das übersetzen?«

»Ich spreche kein Deutsch. Hab's nie gesprochen und werd's nie sprechen.« Graham rutschte in seinem Sessel nach vor und stemmte die Hände auf die Armlehnen.

»Noch nicht, Dad«, sagte Frank, um ihn aufzuhalten. »Ich will dir erst noch vorlesen, was hier steht.«

»Du hast gesagt, es ist Zeit zum Schlafengehen.« Grahams Ton war argwöhnisch.

»Vorher kommt noch das hier. Also, pass auf, da steht: Sechs Würstchen. Ein Dutzend Eier. Zwei Kilo Mehl. Sechs Kilo Kartoffeln. Ein Kilo Bohnen. Und Tabak, Dad, echter Tabak, zweihundert Gramm. Das haben die Deutschen dir gegeben.«

»Die Deutschen?«, sagte Graham. »Blödsinn. Wo hast du das – zeig mal her.« Er griff mit schwacher Hand nach dem Zettel.

Frank zog ihn weg und sagte: »Ich sag dir, wie es war, Dad. Ich vermute, du hattest die Nase voll von dem ständigen Herumkrebsen, nur um irgendwie durchzukommen. Magere Zuteilungen. Dann überhaupt keine mehr. Tee aus Brombeerblättern. Kuchen aus Kartoffelstärke. Du hattest Hunger, warst hundemüde und hattest es restlos satt, von Wurzeln und Kräutern zu leben. Da hast du ihnen Namen genannt –«

»Niemals habe ich –«

»Du hast ihnen die gegeben, die sie haben wollten, weil *du* endlich mal eine richtige Zigarette rauchen wolltest. Und ein Stück Fleisch essen. Du hattest einen richtigen Heißhunger auf Fleisch. Und du hast gewusst, wie du es kriegen kannst. So ist es gewesen, Dad. Drei Menschenleben für sechs Würstchen. Ein fairer Handel, wo man doch sonst höchstens die Hauskatze hätte fressen können.«

»Das ist nicht wahr!«, protestierte Graham. »Bist du verrückt geworden?«

»Das ist doch dein Name, oder nicht? Das ist die Unterschrift des Feldkommandanten da unten, am Ende der Seite. Heine. Bitte sehr. Sieh sie dir an. Deine Dienste sind von ganz oben gewürdigt worden. Sie haben dir immer mal ein bisschen was fürs leibliche Wohl zukommen lassen, um dir über die harten Kriegszeiten zu helfen. Wenn ich die restlichen Papier durchsehe, wie viele von der Sorte werde ich dann noch finden?«

»Ich weiß überhaupt nicht, von was du redest.«

»Nein. Das ist wahr. Du hast dich gezwungen, alles zu vergessen. Was hättest du auch sonst tun sollen, als alle umgekommen waren? Das hattest du nicht erwartet, oder? Du hast gedacht, die würden nur eine Weile eingesperrt werden und dann wieder heimkommen. Das glaub ich dir sogar.«

»Du hast den Verstand verloren, Junge. Lass mich jetzt raus aus dem Sessel. Zurück mit dir, los! Zurück, sag ich, oder ich vergess mich.«

Diese väterliche Drohung, die er als Kind so selten zu hören bekommen hatte, dass er sie fast vergessen hatte, wirkte. Frank wich einen Schritt zurück. Sein Vater kämpfte sich aus dem Sessel.

»Ich gehe jetzt zu Bett«, sagte Graham zu seinem Sohn. »Ich hab genug von diesem Quatsch. Ich hab morgen eine Menge vor, dafür will ich ausgeruht sein. Und bilde dir ja nicht ein, Frank« – mit zitterndem Finger deutete er auf Franks Brust – »du kannst mich daran hindern. Hast du gehört? Einer muss endlich das Kind beim Namen nennen, und ich werde derjenige sein.«

»Hast du mir überhaupt nicht zugehört?«, fragte Frank verzweifelt. »Du warst *einer* von ihnen. Du hast deine Kameraden verraten. Du bist zu den Nazis gegangen und hast ein Geschäft mit ihnen gemacht. Und du hast das sechzig Jahre lang geleugnet.«

»Ich habe *niemals* –!« Mit geballten Fäusten trat Graham einen Schritt auf ihn zu. »Da sind Menschen *ums Leben gekommen*. Tapfere Männer – tapferer, als du jemals sein kannst – sind in den Tod gegangen, weil sie sich nicht unterwerfen wollten. Obwohl man ihnen geraten hatte, es zu tun, ha, ha! Am besten, ihr seid kooperativ, haltet die Ohren steif und kämpft euch irgendwie durch. Der König hat euch zwar im Stich gelassen, aber ihr liegt ihm am Herzen, wirklich, und eines Tages, wenn das hier alles vorbei ist, werdet ihr sehen, wie er den Hut vor euch zieht. Inzwischen tut einfach so, als tätet ihr brav, was die Jerrys euch sagen.«

»Ach, hast du dir das so zurechtgelegt? Dass du nur so getan hast, als würdest du kollaborieren? Und hast dabei deine Freunde verraten, hast zugesehen, wie sie verhaftet wurden, hast die Scharade von deiner eigenen Deportation mitgemacht, obwohl du wusstest, dass sie nichts als Theater war? Wohin haben sie dich eigentlich verfrachtet, Dad? Wo haben sie dich während deines ›Gefängnisaufenthalts‹ versteckt? Ist bei deiner Rückkehr niemandem aufgefallen, dass du für einen armen Kerl, der ein Jahr im Krieg hinter Gittern gesessen hat, ein bisschen zu wohlgenährt warst?«

»Ich hab TB gehabt! Ich musste eine Kur machen.«

»Und wer hat die Diagnose gestellt? Bestimmt kein Arzt aus Guernsey. Und wenn wir jetzt eine Untersuchung durchführen lassen – so eine, bei der sich's zeigt, ob man mal Schwindsucht gehabt hat–, wie wird die wohl ausfallen? Positiv? Ich bezweifle es.«

»Nichts als Blödsinn«, schrie Graham ihn an. »Blödsinn, Blödsinn, Blödsinn. Gib mir das Papier. Hast du mich verstanden, Frank? Gib es her!«

»Nein, das gebe ich dir nicht«, entgegnete Frank. »Und du wirst nicht mit der Presse sprechen. Denn wenn du es tust... Dad, wenn du das tust...« Ihn überfiel endlich der ganze Horror der Ereignisse: ein Leben, das eine einzige Lüge war, zu deren Erhaltung er selbst, unwissentlich zwar, aber dennoch voll Enthusiasmus beigetragen hatte. Er hatte dreiundfünfzig Jahre seines Lebens auf dem Altar der Verehrung seines Vaters geopfert und dann entdecken müssen, dass sein großes Idol das goldene Kalb angebetet hatte. Der Schmerz, den ihm diese unerwünschte Erkenntnis bereitete, war unerträglich. Die Wut, die mit ihm einherging, war so groß, dass sie ihn wie eine Flutwelle packte und zerschmetterte. Bis ins Innerste erschüttert, sagte er: »Ich war ein kleiner Junge. Ich habe dir geglaubt…« Seine Stimme brach bei den Worten.

Graham zog seine Hose hoch. »Was ist denn das? Tränen? Ist das alles, was du in dir hast? Wir hatten allen Grund zu heulen, damals. Fünf lange Jahre die Hölle auf Erden, Frankie. *Fünf* Jahre lang, mein Junge. Hast du uns weinen hören? Hast du je erlebt, dass wir dagestanden und die Hände gerungen und uns gefragt haben, was wir tun sollen? Hast du uns wie die Lämmer darauf warten sehen, dass irgendjemand endlich die Jerrys von unserer Insel jagt? Nichts Dergleichen. Wir haben Widerstand geleistet, o ja. Wir haben das V gemalt. Wir haben unsere Rundfunkempfänger im Dreck versteckt. Wir haben Telefonleitungen durchgeschnitten und unsere Straßenschilder abmontiert und die Leute aus den Arbeitslagern versteckt, wenn sie es schafften, zu fliehen. Wir haben britische Soldaten aufgenommen, die als Spione hier gelandet sind, obwohl wir dafür auf der Stelle hätten erschossen werden können. Aber haben wir geflennt wie die kleinen Kinder? Haben wir gejammert und gewinselt? Keine Spur. Wir haben es wie Männer getragen. Weil wir Männer waren.« Er wandte sich zur Treppe.

Frank sah seinem Vater ungläubig nach. Seine persönliche Version der Geschichte war so fest in seinem Bewusstsein verwurzelt, dass es schwer werden würde, überhaupt an ihr zu rütteln. Der Beweis, den Frank in der Hand hatte, existierte für ihn nicht, weil er nicht zulassen konnte, dass er existierte. Zuzugeben, dass er ehrenhafte Männer verraten hatte, käme einem Mordgeständnis gleich. Ein solches Geständnis würde er niemals ablegen. Niemals. Wieso, fragte sich Frank, hatte er je etwas anderes geglaubt?

Draußen auf der Treppe packte sein Vater den Handlauf des Geländers. Beinahe wäre Frank zu ihm geeilt, um ihm wie immer zu helfen, aber er merkte, dass er es nicht über sich brachte, den alten Mann so anzufassen wie sonst. Er hätte ihm seine rechte Hand auf den Arm legen und den linken Arm um die Körpermitte schlingen müssen, aber er konnte nicht einmal den Gedanken an diese Berührung ertragen. Er blieb stehen und sah zu, wie sein Vater sich mühevoll eine Stufe nach der anderen hinaufschleppte.

»Sie kommen«, sagte Graham, mehr zu sich als zu seinem Sohn. »Ich habe sie angerufen. Es ist Zeit, dass jemand erzählt, wie's wirklich war, und ich werde es tun. Jetzt werden Namen genannt. Und die Strafe wird folgen.«

Franks Stimme war die des ohnmächtigen kleinen Kindes, als er sagte: »Aber, Dad, du kannst doch nicht –«

»Sag du mir nicht, was ich kann oder nicht kann!«, bellte sein Vater. »Wag es nicht noch einmal, deinem Vater zu sagen, was er zu tun und zu lassen hat. Wir haben gelitten. Einige von uns sind ums Leben gekommen. Und die, die daran schuld sind, werden dafür bezahlen, Frank. Und damit Schluss. Hast du gehört? Damit *Schluss.*«

Er wandte sich ab und umfasste den Handlauf fester. Er taumelte, als er den Fuß hob, um die nächste Stufe zu erklimmen und begann zu husten.

Da setzte sich Frank in Bewegung. Denn die Antwort war so einfach und lag mitten im Herzen der Dinge. Sein Vater redete über die einzige Wahrheit, die er kannte. Aber die Wahrheit, die sie teilten – Vater und Sohn –, war die Tatsache, dass jemand bezahlen musste.

Frank erreichte die Treppe und rannte hinauf. Er blieb stehen, als Graham in Reichweite war. Er sagte: »Dad. Oh, Dad«, und ergriff die Hosenaufschläge seines Vaters. Er riss an ihnen, kurz und fest und trat zur Seite, als Graham vornüberstürzte.

Sein Vater schlug mit dem Kopf auf der obersten Stufe auf. Er stürzte, stieß einen erschrockenen Aufschrei aus, und als er dann mit wachsender Geschwindigkeit die Treppe hinunterrutschte, war er still.

# 21

St. James und Deborah frühstückten am nächsten Morgen an einem Fenster mit Blick auf den kleinen Hotelgarten, wo ungebändigte Büschel von Stiefmütterchen eine bunte Borte um ein Stück Rasen bildeten. Gerade besprachen sie ihre Pläne für den bevorstehenden Tag, als China zu ihnen an den Tisch trat, von Kopf bis Fuß in Schwarz, so dass sie noch mehr wie ein bleicher Geist wirkte.

Mit einem raschen Lächeln entschuldigte sie sich für die frühe Störung. »Ich muss etwas tun«, sagte sie. »Ich kann nicht einfach rumsitzen. Das hab ich bisher lang genug getan. Jetzt brauch ich das nicht mehr, und meine Nerven liegen blank. Es muss doch irgendwas geben …« Ihr schien selbst aufzufallen, in was für einem Tempo sie das alles heraussprudelte, denn sie hielt einen Moment inne, ehe sie mit einer kleinen Grimasse sagte: »Entschuldigt. Ich laufe auf ungefähr fünfzig Tassen Kaffee. Ich bin seit drei Uhr wach.«

»Trinken Sie einen Schluck Orangensaft«, sagte St. James. »Haben Sie schon gefrühstückt?«

»Ich kann nichts essen«, antwortete sie. »Aber danke, das habe ich gestern nicht gesagt, obwohl ich es sagen wollte. Ohne euch beide … Ich danke euch.« Sie setzte sich auf einen Stuhl am Nebentisch und rutschte mit ihm zu St. James und Deborah herüber. Ihr Blick schweifte über die anderen Gäste im Speisesaal: Männer in korrekten Anzügen mit Handys neben dem Besteck, Aktenköfferchen zu ihren Füßen, aufgeschlagene Zeitungen in den Händen. Die Atmosphäre war so gedämpft wie in einem vornehmen Londoner Klub. Sie sagte leise: »Man kommt sich hier drinnen vor wie in einer Bibliothek.«

St. James sagte: »Banker. Die haben den Kopf voll mit Zahlen.«

Deborah sagte: »Total spießig«, und sah China mit einem warmen Lächeln an.

China nahm das Glas mit Saft, das St. James ihr eingeschenkt hatte. »Ich denke unaufhörlich: Was wäre gewesen, wenn … Ich wollte nicht nach Europa. Wenn ich nur fest geblieben wäre… Wenn ich nur abgelehnt hätte, überhaupt noch mal darüber zu sprechen… Wenn ich nur genug Arbeit gehabt hätte, um nicht weg zu können… Dann wäre er vielleicht auch nicht gereist. Dann wäre das alles nie passiert.«

»So zu denken, tut nicht gut«, sagte Deborah. »Die Dinge geschehen nun mal. Unsere Aufgabe ist es nicht, sie ungeschehen zu machen, sondern, nach vorn zu schauen und weiterzugehen.«

China lächelte. »Ich glaube, das habe ich schon mal gehört.«

»Du hast mich gut beraten.«

»Aber besonders gefallen hat's dir damals nicht.«

»Nein. Es kam mir wahrscheinlich – herzlos – ja, es kam mir wahrscheinlich herzlos vor. So kommt es einem immer vor, wenn man viel lieber möchte, dass die Freunde mit einem zusammen im Selbstmitleid versinken.«

China rümpfte die Nase. »Sei nicht so streng mit dir.«

»Du dann aber auch nicht mit dir.«

»Okay. Abgemacht.«

Die beiden sahen einander mit liebevollem Blick an. St. James schaute von einer zur anderen und erkannte, dass da eine Verständigung unter Frauen stattfand, die er nicht nachvollziehen konnte. Es endete damit, dass Deborah zu China River sagte: »Du hast mir gefehlt«, und China mit einem leisen Lachen und einer herausfordernden Kopfbewegung zurückgab: »Das wird dir hoffentlich eine Lehre sein.« Womit das Gespräch abgeschlossen war.

Dieser Austausch erinnerte St. James daran, dass Deborahs Leben aus mehr bestand als den Jahren seiner Bekanntschaft mit ihr. Sie war in sein Leben getreten, als sie sieben Jahre alt gewesen war, und schien ihm seither ein fester Bestandteil seiner Welt zu sein. Zwar war die Erkenntnis, dass auch sie eine eigene Welt hatte, kein Schock für ihn, dennoch fiel es ihm nicht leicht, zu akzeptieren, dass sie eine Fülle von Erfahrungen gemacht hatte, an denen er keinen Anteil gehabt hatte. Dass er Anteil hätte haben können, war ein Gedanke für einen anderen Tag, wenn nicht so viel auf dem Spiel stand.

Er fragte: »Haben Sie schon mit dem Anwalt gesprochen?«

China schüttelte den Kopf. »Er ist nicht in der Kanzlei. Er ist sicher während der Vernehmung im Präsidium geblieben. Da er mich nicht angerufen hat…« Sie griff nach dem Toasthalter, als wollte sie sich eine Scheibe nehmen, aber sie schob ihn nur weg. »Ich vermute, es hat bis in die Nacht hinein gedauert. So war es jedenfalls, als sie mit mir gesprochen haben.«

»Dann werde ich dort den Anfang machen«, sagte St. James zu China. »Und ihr beide… Ich denke, ihr solltet Stephen Abbott besuchen. Er hat ja neulich schon mit dir gesprochen, Liebes«, sagte er zu Deborah gewandt »da wird er sicher bereit sein, sich noch einmal mit dir zu unterhalten.«

Er ging mit den beiden Frauen nach draußen und um das Hotel herum zum Parkplatz. Dort breiteten sie auf der Kühlerhaube des Escort eine Karte der Insel aus und suchten auf ihr den Weg zum Grand Havre, eine tief eingeschüttete Bucht in der Nordküste der Insel mit drei sanft geschwungenen Stränden und einem Hafen, über dem ein Netz von Fußwegen zu militärischen Beobachtungstürmen und alten Forts führte. China würde mit Deborah zusammen zu Anaïs Abbott fahren, die in La Garenne ein Haus hatte, und St. James würde Chief Inspector Le Gallez im Polizeipräsidium aufsuchen, um von ihm möglichst viele Einzelheiten zu Cherokees Verhaftung zu erfahren.

Er sah seiner Frau und ihrer Freundin nach, als sie davonfuhren. Sie schossen in die Hospital Lane hinaus und folgten der Straße in Richtung zum Hafen. Er sah flüchtig die Kontur von Deborahs Wange, als der Wagen in die St. Julian's Avenue abbog. Seine Frau lächelte über irgendetwas, was ihre Freundin gerade gesagt hatte.

Einen Moment blieb er noch stehen und dachte daran, dass es so viele Wege gegeben hätte, seine Frau zu warnen, wäre sie bereit und fähig gewesen, auf ihn zu hören. Es geht nicht um das, was ich *denke*, hätte er ihr erklärt. Es geht um all das, was ich noch nicht weiß.

Auf dem Weg zum Präsidium hoffte er, Le Gallez würde die Lücken füllen.

Der Chief Inspector war gerade erst an seinem Arbeitsplatz eingetroffen. Als er St. James abholte, hatte er noch seinen Mantel an. Er legte ihn auf einem Stuhl in der Einsatzzentrale ab und führte St. James zu einem Anschlagbrett, auf dem ein uniformierter Constable gerade eine Reihe Farbfotos befestigte.

»Bitte«, sagte Le Gallez mit einem Nicken. Er wirkte sehr zufrieden mit sich.

Auf den Bildern war eine mittelgroße braune Flasche zu sehen, einer Hustensaftflasche ähnlich. Sie lag, wie es aussah, zwischen Erdfurchen mitten in welkem Gras und Unkraut. Ein Bild zeigte ihre Größe im Vergleich zu einem Plastiklineal. Ein anderes zeigte ihre Lage bezogen auf die Pflanzen, auf das Feld oder die Wiese, in der sie lag, auf die Hecke, die das Feld von der Straße abschirmte, auf die von Wäldern beschattete Straße, die St. James erkannte.

»Die kleine Straße, die zur Bucht führt«, sagte er.

»Richtig«, bestätigte Le Gallez.

»Und was ist es?«

»In der Flasche?« Le Gallez ging zu einem Schreibtisch und nahm einen Zettel zur Hand, von dem er laut ablas: *Eschscholzia californica.*«

»Und was ist das?«

»Mohnöl.«

»Da haben Sie also Ihr Opiat.«

Le Gallez grinste. »Genau.«

»Und *californica* heißt...«

»Genau das, was Sie vermuten. Seine Abdrücke sind auf der Flasche. Groß und deutlich. Eine Augenweide für jeden Polizisten.«

»Verdammt«, murmelte St. James mehr zu sich selbst.

»Wir haben den Täter.« Le Gallez schien sich seiner Sache absolut sicher, als wäre er nicht noch vor vierundzwanzig Stunden genauso sicher gewesen, dass sie die Täterin hatten.

»Und wie ist die Flasche dahin gekommen?«

Le Gallez zeigte mit einem Bleistift auf die Bilder, während er sprach. »Meiner Ansicht nach war es folgendermaßen: Keinesfalls hat er das Mittel am Abend vorher oder auch am frühen Morgen in die Thermosflasche gefüllt. Er musste damit rechnen, dass Brouard sie noch einmal ausspülen würde, bevor er seinen Tee hineingoss. Also ist er ihm zur Bucht gefolgt und hat das Öl in die Kanne gegossen, während Brouard draußen herumschwamm.«

»Und hat es riskiert, gesehen zu werden?«

»Wo war das Risiko? Es ist noch dunkel, da braucht er nicht zu fürchten, dass schon jemand unterwegs ist. Für den Fall des Falles trägt er den Umhang seiner Schwester. Brouard schwimmt in die Bucht hinaus und achtet nicht auf den Strand. River kann gemütlich warten, bis er draußen ist. Dann schleicht er sich zu der Thermosflasche – er ist Brouard ja gefolgt, also weiß er, wo der die Flasche abgestellt hat – und gießt das Öl rein. Danach versteckt er sich irgendwo – in den Bäumen, hinter einem Felsen, bei der Imbissbude. Er wartet, bis Brouard aus dem Wasser kommt und den Tee trinkt, wie er das jeden Morgen tut. Jeder weiß das. Ginkgo und Grüntee. Das gibt Muskeln und Feuer in den Eiern. Was Brouard braucht, um seine Freundin zufrieden zu stellen. River wartet, bis das Opiat wirkt. Sobald es so weit ist, legt er los.«

»Und wenn es unten am Strand noch nicht gewirkt hätte?«

»Das konnte ihm doch egal sein.« Le Gallez zuckte vielsagend die Schultern. »Es war immer noch nicht richtig hell, und das Zeug hätte spätestens irgendwo auf Brouards Heimweg gewirkt. Er hätte ihn sich auf jeden Fall geschnappt, ganz gleich, wo. Als es dann unten am Strand so weit war, hat er ihm den Stein in die Kehle gerammt, und das war's. Er rechnete sich aus, dass als Todesursache Ersticken an einem Fremdobjekt festgestellt werden würde, und Recht hatte er. Die Mohnölflasche hat er irgendwo in die Büsche geschmissen, als er nach Hause joggte. Er wusste ja nicht, dass man die Leiche auf jeden Fall toxikologisch untersuchen würde, ohne Rücksicht auf die vermeintliche Todesursache.«

Von der Hand zu weisen war das alles nicht. Mörder pflegten irgendwann immer einen Fehler zu machen, nur deshalb wurden viele von ihnen gefasst. Wenn Cherokee Rivers Fingerabdrücke auf der Opiatflasche waren, leuchtete es ein, dass Le Gallez ihn ins Visier nahm. Aber alle anderen Details des Falles bedurften der Erklärung. St. James wählte nur eines.

»Wie erklären Sie den Ring? Trägt der auch seine Fingerabdrücke?«

Le Gallez schüttelte den Kopf. »Da ließ sich nicht ein einziger anständiger Abdruck sichern. Ein Teilabdruck von einem Teilabdruck, mehr nicht.«

»Und?«

»Er hat ihn bei sich gehabt. Vielleicht wollte er Brouard sogar ursprünglich den Ring in den Hals stoßen und nicht den Stein. Der Stein hat bei uns ein bisschen Verwirrung gestiftet, und das konnte ihm natürlich nur recht sein. Er wollte uns seine Schwester ja nicht gleich auf dem silbernen Tablett servieren. Das wäre zu einfach gewesen. Wir sollten ruhig ein bisschen was tun, um zu diesem Ergebnis zu kommen.«

St. James ließ sich das durch den Kopf gehen. Es war ganz vernünftig – bei aller Loyalität Deborahs den Geschwistern River gegenüber –, aber in seiner Hast, den Fall abzuschließen, ohne einen Landsmann von der Insel in Bedrängnis zu bringen, hatte Le Gallez etwas unterschlagen. St. James griff es auf.

»Ihnen ist doch klar, nehme ich an, dass man alles, was sich von Cherokee River sagen lässt, auch von anderen sagen kann. Und es gibt einige andere, die Grund genug hatten, Brouard den Tod zu wünschen.«

Er wartete nicht auf eine Widerrede Le Gallez', sondern fuhr gleich fort. »Henry Moullin hat ein Feenrad an seinem Schlüsselring hängen und sein Traum, nur noch Kunst zu machen – in dem gerade Brouard ihn bestärkte –, ist geplatzt. Bertrand Debiere steckt anscheinend bis zum Hals in Schulden, weil er überzeugt war, er würde den Auftrag für den Bau von Brouards Museum bekommen. Und was das Museum selbst angeht –«

Le Gallez fiel ihm mit einer wegwerfenden Handbewegung ins Wort. »Moullin und Brouard waren dicke Freunde. Seit Jahren. Sie haben gemeinsam aus dem alten Thibault-Haus das heutige

*Le Reposoir* gemacht. Ich kann mir gut vorstellen, dass Henry ihm den Stein irgendwann zum Zeichen ihrer Freundschaft geschenkt hat. Um ihm zu sagen, ›du bist jetzt einer von uns, mein Freund‹. Und was Debiere angeht – ich kann mir nicht vorstellen, dass Nobby genau den Mann umbringen würde, den er umstimmen wollte.«

»Nobby?«

»Bertrand.« Le Gallez besaß immerhin den Anstand zu erröten. »Ein Spitzname. Wir waren zusammen in der Schule.«

Und damit kam Debiere für Le Gallez wahrscheinlich noch weniger als möglicher Mörder Guy Brouards in Frage. St. James suchte nach einem Weg, den Chief Inspector in seiner sturen Voreingenommenheit zu erschüttern, nur ein klein wenig. »Aber warum? Was für ein Motiv soll Cherokee River gehabt haben? Oder seine Schwester, als *sie* noch Ihre Hauptverdächtige war?«

»Brouards Reise nach Kalifornien. Vor ein paar Monaten. Damals hat River das Ganze geplant.«

»Aber warum?«

Le Gallez verlor die Geduld. »Mann, ich weiß es nicht«, erwiderte er hitzig. »Ich brauch es auch nicht zu wissen. Ich brauche nur Brouards Mörder zu finden, und das hab ich geschafft. Gut, ich hatte zuerst seine Schwester im Auge, aber nur auf Grund der Spuren, die er gelegt hatte. Genauso wie ich jetzt ihn auf Grund der Spuren im Auge habe.«

»Die allesamt von jemand ganz anderem gelegt worden sein könnten.«

»Von wem denn? Und warum?« Le Gallez sprang auf und näherte sich St. James um einiges aggressiver, als der Moment rechtfertigte, und St. James war klar, dass er nahe daran war, ein zweites Mal an die Luft gesetzt zu werden.

Er sagte in ruhigem Ton: »Von Brouards Konto fehlt Geld, Inspector. Sehr viel Geld. Wussten Sie das?«

Le Gallez' Miene veränderte sich. St. James nutzte seinen Vorteil.

»Ruth Brouard hat es mir gesagt. Es wurde anscheinend über längere Zeit hinweg abgezogen.«

Le Gallez dachte darüber nach. Nicht mehr so überzeugt wie vorher, sagte er: »River könnte –«

St. James unterbrach ihn. »Wenn Sie unbedingt glauben wollen, dass River dabei die Hände im Spiel hatte – bei einer Erpressung großen Stils, sagen wir mal –, dann erklären Sie mir, warum er die Gans töten sollte, solange sie noch die goldenen Eier legte? Und wenn River wirklich Brouard erpresst hat, warum sollte Brouard dann ihn – ausgerechnet ihn! – als Kurier akzeptieren? Kiefer, der Anwalt, hätte ihm auf jeden Fall vor Rivers Ankunft dessen Namen genannt, denn sonst hätte Brouard ja nicht gewusst, wen er vom Flughafen abholen soll. Glauben Sie nicht, dass er das Unternehmen abgeblasen hätte, sobald er den Namen River hörte?«

»Er hat es nicht rechtzeitig erfahren«, konterte Le Gallez, aber er schien sich seiner Sache nicht mehr so sicher zu sein.

St. James ließ nicht locker. »Inspector, Ruth Brouard hatte keine Ahnung, dass ihr Bruder dabei war, sein Vermögen durchzubringen. Ich vermute, das wusste auch sonst keiner. Wäre es da nicht logisch, anzunehmen, dass jemand ihn umgebracht hat, weil er verhindern wollte, dass er sein ganzes Vermögen aufbrauchte? Und wenn nicht das, wäre es dann nicht logisch, anzunehmen, dass er in irgendwelche illegalen Geschäfte verwickelt war? Und lässt sich daraus nicht ableiten, dass andere als die beiden Rivers weit triftigere Gründe hatten, ihn zu töten?«

Le Gallez schwieg. St. James sah ihm an, dass es ihm peinlich war, mit Erkenntnissen über sein Mordopfer konfrontiert zu werden, über die er selbst hätte verfügen müssen. Er sah zum Anschlagbrett hinauf, wo die Bilder mit der Opiatflasche davon kündeten, dass der Mörder gefasst war. Er sah St. James an und schien über die Herausforderung nachzudenken, die dieser ihm hingeworfen hatte. Schließlich sagte er: »Gut. Kommen Sie mit. Wir müssen telefonieren.«

»Mit wem?«, fragte St. James.

»Mit den einzigen Leuten, die es schaffen, Banker zum Reden zu bringen.«

China war eine ausgezeichnete Navigatorin. Dort, wo es Schilder gab, rief sie die Namen der Straßen, an denen sie auf ihrer Fahrt nach Norden vorüberkamen, und lotste Deborah ohne ein einziges falsches Manöver zur Vale Road am Nordende der Belle-Greve-Bucht.

Sie durchfuhren einen kleinen Vorort mit Lebensmittelgeschäft, Frisör und Autowerkstatt, und an einer Verkehrsampel – eine der wenigen auf der Insel – bogen sie nach Nordwesten ab. Wie es dem Abwechslungsreichtum der Landschaft auf der Insel entsprach, gelangten sie keine zwei Kilometer weiter in landwirtschaftlich genutztes Gebiet mit Wiesen und langen Reihen Gewächshäusern, die im Morgenlicht blitzten. Nach ein paar hundert Metern erkannte Deborah, wo sie waren, und wunderte sich, dass sie es nicht früher bemerkt hatte. Sie warf ihrer Freundin einen vorsichtigen Blick zu und sah, dass auch sie wusste, wo sie sich befanden.

Als sie zur Abzweigung zum staatlichen Gefängnis kamen, sagte China abrupt: »Halte doch bitte mal hier an.« In einer Parkbucht etwa zwanzig Meter weiter bremste Deborah, und China stieg aus und trat zu der Hecke aus Weißdorn und Schlehdorn. In der Ferne dahinter erhoben sich zwei der Gebäude, die zum Gefängnis gehörten. Der Komplex mit den blassgelben Mauern und den rot gedeckten Dächern hätte eine Schule oder ein Krankenhaus sein können. Nur die vergitterten Fenster verrieten seine Bestimmung.

Deborah gesellte sich zu ihrer Freundin. China wirkte verschlossen, und Deborah wollte sie nicht stören. Darum blieb sie schweigend neben ihr stehen. Sie litt unter ihrer eigenen Unzulänglichkeit, besonders wenn sie an die Freundschaft dachte, die ihr diese Frau entgegengebracht hatte, als sie, Deborah, unglücklich gewesen war.

China brach schließlich das Schweigen. »Er könnte nie damit fertig werden. Nie im Leben!«

»Ich weiß nicht, wie irgendjemand das könnte.« Deborah stellte sich vor, wie die Gefängnistüren zufielen und der Schlüssel umgedreht wurde und dachte an die endlose Zeit: Tage, die zu Wochen und Monaten verschmolzen, bis endlich Jahre vergangen waren.

»Für Cherokee wäre es schlimmer«, sagte China. »Für Männer ist es immer schlimmer.«

Deborah warf ihr einen Blick zu. Sie erinnerte sich an Chinas Schilderung – Jahre war das her – ihres einzigen Besuchs bei ihrem Vater im Gefängnis. »Seine Augen«, hatte sie gesagt. »Er konnte nicht ruhig sitzen bleiben. Wir saßen uns an einem Tisch gegenüber, und jedes Mal, wenn direkt hinter ihm jemand vorbeiging, ist er herumgefahren, als hätte er Angst, er bekäme ein Messer in den Rücken. Oder Schlimmeres.«

Er hatte damals fünf Jahre absitzen müssen. Die kalifornischen Gefängnisse, hatte China erklärt, hielten ihre Türen immer für ihren Vater offen.

Jetzt sagte sie: »Er weiß nicht, was ihn da drinnen erwartet.«

»So weit wird es nicht kommen«, versicherte ihr Deborah. »Wir klären das, und dann könnt ihr beide nach Hause fliegen.«

»Weißt du, ich habe immer damit gehadert, so arm zu sein und jeden Penny zweimal umdrehen zu müssen. Ich fand das furchtbar. Als ich auf der Highschool war, hab ich gearbeitet, nur damit ich mir mal ein paar Schuhe in einem Billigkaufhaus leisten konnte. Jahrelang hab ich bedient, um das Geld für die Fotoschule zusammenzukriegen. Und diese Wohnung in Santa Barbara! Mein Gott haben wir damals in einem Loch gehaust, Debs. Ich hatte es alles so satt. Aber ich würde es auf der Stelle alles wieder auf mich nehmen, nur um aus dieser Situation herauszukommen. Meistens treibt er mich ja zur Weißglut. Ich hatte immer Angst, abzuheben, wenn das Telefon klingelte, weil ich dachte, es wäre Cherokee mit seinem üblichen: ›Hey, Chine. Das musst du hören. Ich hab einen tollen Plan!‹ Ich wusste jedes Mal sofort, dass es entweder etwas sein würde, das nicht ganz astrein war, oder etwas, wofür er Geld von mir haben wollte. Aber jetzt – jetzt, in diesem Moment – würde ich so ziemlich alles geben, um mit meinem Bruder am Pier in Santa Barbara stehen zu können und mir seine neueste Idee erklären zu lassen.«

Impulsiv nahm Deborah die Freundin in den Arm. Zuerst war

China steif und abwehrend, aber Deborah hielt sie fest, bis sie spürte, wie sie weich wurde. »Wir holen ihn raus«, sagte sie. »Wir holen euch beide da raus. Ihr *werdet* nach Hause fliegen.«

Sie gingen zum Wagen zurück. Als Deborah zurücksetzte und wendete, um wieder auf die Hauptstraße hinauszufahren, sagte China: »Wenn ich gewusst hätte, dass sie als Nächstes ihn holen... Ich weiß, das klingt märtyrerhaft, aber ich glaube, ich würde lieber selbst ins Gefängnis gehen.«

»Niemand geht ins Gefängnis«, sagte Deborah. »Dafür wird Simon sorgen.«

China schaute auf die Karte, die sie aufgeschlagen auf dem Schoß hielt. Zaghaft sagte sie: »Er ist überhaupt nicht wie... Er ist ganz anders... Ich hätte nie gedacht...« Sie gab auf. Dann sagte sie: »Er scheint sehr nett zu sein, Deborah.«

Deborah sah sie kurz an und vollendete für sie: »Aber er ist überhaupt nicht wie Thomas Lynley, richtig?«

»Nein, überhaupt nicht. Ich habe den Eindruck – ich weiß nicht –, als wärst du irgendwie unfrei mit ihm? Nicht so unbefangen, wie du mit Tommy warst. Ich erinnere mich, wie du mit ihm gelacht hast. Was ihr für Dummheiten gemacht habt. Wie ausgelassen ihr wart. Irgendwie kann ich mir nicht vorstellen, dass du mit Simon auch so bist.«

»Nein?« Deborah lächelte, aber es war ein gezwungenes Lächeln. Was die Freundin sagte, war wahr – ihre Beziehung mit Simon unterschied sich grundlegend von der Zeit mit Tommy –, aber ihre Bemerkungen wirkten wie eine Kritik an Simon, so dass Deborah sich genötigt fühlte, ihn zu verteidigen, und das war ein Gefühl, das ihr gar nicht gefiel. »Vielleicht kommt das daher, dass du uns beide jetzt unter ziemlich ernsten Umständen erlebst.«

»Nein, ich glaube nicht, dass es das ist«, widersprach China. »Wie du eben gesagt hast, er ist anders als Tommy. Vielleicht kommt es... du weißt schon. Von seinem Bein. Dass er das Leben deswegen ernster nimmt?«

»Vielleicht ist es einfach so, dass er mehr Grund hat, das Leben ernst zu nehmen.« Deborah wusste, dass das nicht unbedingt stimmte. Als Kriminalbeamter bei der Mordkommission hatte Tommy beruflich mit weit schlimmeren Dingen zu tun als Simon in seiner Arbeit. Aber sie suchte nach einem Weg, der Freundin ihren Mann zu erklären, ihr begreiflich zu machen, dass ein liebender Mann, der beinahe ganz in seinem eigenen Kopf lebte, gar nicht so schrecklich anders war als ein liebender Mann, der offen und leidenschaftlich war und das Leben beim Schopf packte. Das kommt daher, dass Tommy sich das alles leisten kann, hätte Deborah gern zur Verteidigung ihres Mannes vorgebracht. Nicht weil er Geld hat, sondern weil er der ist, der er ist. Ein Mensch mit einer großen Selbstsicherheit, wie andere Männer sie nicht haben.

»Du sprichst von seiner Behinderung?«, fragte China nach einem kurzen Schweigen.

»Was?«

»Dass die der Grund ist, dass er das Leben ernster nimmt.«

»Ich bemerke seine Behinderung gar nicht«, sagte Deborah. Sie hielt den Blick auf die Straße gerichtet, um China keine Gelegenheit zu geben, ihr die Lüge vom Gesicht abzulesen.

»Ah ja. Bist du glücklich mit ihm?«

»Sehr.«

»Na dann, du Glückskind.« China wandte ihre Aufmerksamkeit wieder der Karte zu. »Geradeaus über die Kreuzung«, sagte sie unvermittelt, »und an der nächsten Ampel rechts.«

Sie dirigierte sie zum Nordende der Insel, in ein Gebiet, das nichts mit der Gegend gemein hatte, in der *Le Reposoir* und St. Peter Port lagen. Die Granitklippen des Südens wichen hier im Norden einer sanften Dünenlandschaft. Statt steiler, bewaldeter Abhänge gab es sandige Strände, und wo Vegetation das Land vor dem Wind schützte, wuchsen auf den Wanderdünen Strandhafer und Winde, dort, wo die Dünen sich verfestigt hatten, gediehen rotes Schwindelgras und Wolfsmilch.

Ihre Fahrt ging am Südende der Grand-Havre-Bucht entlang, an deren geschütztem Strand kleine Boote überwinterten. Auf der einen Seite dieser Bucht reihten sich die bescheidenen weißen *cottages* von Le Picquerel an einer Straße, die nach Westen abbog zu den vielen kleinen Buchten des flacheren Küstengebiets von Guernsey. Auf der anderen Seite bog nach links die Straße La Garenne ab. Sie hatte ihren Namen von den Kaninchengehegen, in denen man hier früher diese Tiere gehalten hatte, eine bevorzugte Delikatesse auf der Insel. Sie war nur ein schmaler Asphaltstreifen, der dem östlichen Bogen der Grand-Havre-Bucht folgte.

Dort, wo La Garenne sich mit der Küstenlinie krümmte, fanden sie Anaïs Abbotts Haus. Es stand auf einem stattlichen Grundstück, von der Straße durch Mauern abgeschirmt, die aus den gleichen grauen Granodioritblöcken errichtet war wie das Haus selbst. Vorne war ein großer Garten, durch den sich ein Fußweg zur Haustür schlängelte, und vor dieser Haustür stand mit verschränkten Armen Anaïs Abbott. Sie unterhielt sich mit einem fast kahlköpfigen Mann mit Aktentasche, der Mühe hatte, seinen Blick oberhalb ihres Dekolletés zu halten.

Als Deborah den Wagen am Straßenrand dem Haus gegenüber anhielt, tauschten der Mann und Anaïs Abbott gerade einen Händedruck wie zur Besiegelung einer Absprache, dann kam der Mann den mit Steinplatten belegten Weg zwischen Strauchveronika und Lavendel herunter. Anaïs sah ihm von der Haustür aus nach und bemerkte, da sein Wagen direkt vor Deborahs geparkt war, die beiden Frauen, die gerade aus dem Escort stiegen. Ein sichtbarer Ruck ging durch ihren Körper, und der Ausdruck ihres Gesichts – weich und ernsthaft während des Gesprächs mit dem Mann – veränderte sich schlagartig. Die Augen wurden schmal und misstrauisch, als Deborah und China durch den Garten auf sie zukamen.

Wie schützend fasste sie sich mit einer Hand an den Hals und sagte zu Deborah: »Wer sind Sie?« und: »Wieso sind Sie nicht im Gefängnis? Was hat das zu bedeuten?« zu China. An beide gerichtet waren die Worte: »Was tun Sie hier?«

»China ist auf freiem Fuß«, sagte Deborah. Sie stellte sich vor und begründete ihren Besuch mit der etwas verschwommenen Erklärung, sie wolle »versuchen, die Dinge zu klären«.

»Auf freiem Fuß?«, wiederholte Anaïs. »Was heißt das?«

»Das heißt, dass China unschuldig ist, Mrs. Abbott«, antwortete Deborah. »Sie hat Mr. Brouard nichts angetan.«

Bei der Erwähnung dieses Namens röteten sich Anaïs Abbotts Augen. Sie sagte: »Ich kann nicht mit Ihnen sprechen. Ich weiß nicht, was Sie hier wollen. Lassen Sie mich in Ruhe.« Sie wollte ins Haus gehen.

»Warten Sie, Anaïs!«, rief China. »Wir müssen miteinander reden –«

Anaïs Abbott fuhr herum. »Ich *will* aber nicht mit Ihnen reden. Ich will Sie nicht sehen. Haben Sie nicht genug angerichtet? Sind Sie immer noch nicht zufrieden?«

»Wir –«

»Nein! Ich habe gesehen, wie Sie sich ihm gegenüber benommen haben. Oder dachten Sie, ich hätte es nicht bemerkt? Dann haben Sie sich getäuscht. Ich *weiß*, was Sie wollten.«

»Anaïs, er hat mir nur sein Haus und das Gelände gezeigt. Er wollte mir –«

»Er wollte, er wollte«, äffte Anaïs sie verächtlich nach, aber ihre Stimme zitterte, und sie war nahe daran, in Tränen auszubrechen. »Sie wussten, dass er zu mir gehört. Sie wussten es, Sie haben es gesehen, Sie haben es von jedem gehört, und trotzdem haben Sie es bei ihm versucht. Sie waren entschlossen, ihn zu verführen, und haben jede Minute darauf verwendet –«

»Ich habe nur fotografiert«, sagte China. »Für mich war das eine Chance, Aufnahmen für eine Zeitschrift zu Hause zu machen. Das habe ich ihm erzählt, und er war einverstanden. Wir haben nichts –«

»Leugnen Sie doch nicht!« Anaïs' Stimme wurde schrill. »Er hat sich von mir abgewandt. Er sagte, er könnte nicht, aber ich wusste, dass er nicht wollte… Und jetzt habe ich alles verloren. *Alles!*«

Ihre Reaktion war so extrem, dass Deborah den Eindruck gewann, sie wären hier in einer anderen Dimension gelandet. Sie versuchte einzugreifen. »Wir müssen mit Stephen sprechen, Mrs. Abbott. Ist er da?«

Anaïs trat zur Tür zurück. »Was wollen Sie von meinem Sohn?«

»Er war zusammen mit Mr. Brouard bei Frank Ouseley, um sich dessen Sammlung für das Kriegsmuseum anzusehen. Darüber würden wir gern mit ihm sprechen.«

»Warum?«

Deborah dachte nicht daran, ihr mehr zu sagen, vor allem nicht etwas, was sie zu der Vermutung veranlassen könnte, ihr Sohn sei in irgendeiner Weise für die Ermordung Guy Brouards verantwortlich. Das würde sie wahrscheinlich vollends umwerfen. Auf dem schmalen Grat zwischen Wahrheit, Manipulation und Ausflucht wandernd, sagte Deborah: »Wir möchten gern wissen, was er damals alles gesehen hat.«

»Warum?«

»Ist er zu Hause, Mrs. Abbott?«

»Stephen hat niemandem etwas getan. Wie kommen Sie dazu–« Anaïs Abbott stieß die Tür auf. »Verschwinden Sie von meinem Grundstück. Wenn Sie mit jemandem sprechen wollen, dann wenden Sie sich an meinen Anwalt. Stephen ist nicht hier. Und er wird auch nicht mit Ihnen reden.«

Sie ging hinein und schlug die Tür zu, aber vorher warf sie noch einen Blick in die Richtung, aus der Deborah und China gekommen waren, und der verriet sie. Keinen Kilometer entfernt ragte auf einem kleinen Hügel ein Kirchturm in die Höhe.

Deborah und China machten sich dorthin auf den Weg. Den Kirchturm als Orientierung benutzend, fuhren sie auf der Straße La Garenne wieder zurück. Wenig später gelangten sie zu einem von einer Mauer umgebenen Friedhof am Hang eines Hügels, auf dessen Kuppe die Kirche St. Michel de Vale stand. Der spitze Turm hatte eine Uhr mit blauem Zifferblatt ohne Minutenzeiger. Der Stundenzeiger stand auf der Sechs. In der Hoffnung, Stephen Abbott in der Kirche zu finden, gingen sie hinein.

Aber drinnen war alles still. Glockenseile hingen reglos neben einem marmornen Taufbecken, und von einem bunten Fenster blickte der gekreuzigte Christus auf den Altar mit seiner Dekoration aus Ilex und Beeren herab. Im Kirchenschiff war niemand und auch nicht in der Kapelle der Erzengel seitlich vom Hauptaltar, in der ein ewiges Licht brannte.

Sie gingen wieder auf den Friedhof hinaus. China sagte gerade: »Sie wollte uns wahrscheinlich verschaukeln. Ich wette, er ist zu Hause«, als Deborah auf der anderen Straßenseite einen Teich bemerkte. Von der Straße her war er, von Schilf geschützt, nicht zu sehen gewesen, aber von dieser Position vom Hügel aus konnten sie ihn, nicht weit entfernt von einem Haus mit rotem Dach, liegen sehen. Am Ufer stand eine Gestalt mit einem Hund an ihrer Seite und warf Stöcke ins Wasser. Noch während sie hinsahen, versetzte der Junge dem Tier einen Stoß.

»Stephen Abbott«, sagte Deborah grimmig. »Amüsiert sich offensichtlich auf seine Weise.«

»Reizendes Bürschchen«, meinte China, als sie zum Auto zurückgingen und dort die Straße überquerten.

Er warf gerade wieder einen Stock ins Wasser, als sie aus dem dichten Gebüsch rund um den Teich traten. »Na los«, rief er dem Hund zu, der nicht weit weg saß und mit Trauermiene ins Wasser starrte. »Komm schon!«, schrie Stephen Abbott ihn an. »Kannst du eigentlich gar nichts?« Er warf noch einen Stock und noch einen, als wollte er dem Tier, dem Gehorsam und die eventuell damit verbundene Belohnung offensichtlich längst gleichgültig geworden waren, unbedingt seinen Willen aufzwingen.

»Er möchte wahrscheinlich nicht nass werden«, sagte Deborah. Und dann: »Hallo, Stephen. Erinnerst du dich an mich?«

Stephen warf ihr über die Schulter einen Blick zu. Dann bemerkte er China, und seine Augen weiteten sich kurz, ehe sein Gesicht sich verschloss und sein Blick hart wurde. »Dieser doofe Hund«, sagte er. »Genau wie diese doofe Insel. Wie überhaupt alles. Scheißdoof.«

»Er schaut aus, als ob er friert«, sagte China. »Er zittert.«

»Er hat Angst, dass ich ihn schlage. Und das tu ich auch, wenn er seinen Arsch nicht bald ins Wasser kriegt. Biscuit«, schrie er. »Los, mach schon. Spring rein und hol den beschissenen Stock.«

Der Hund kehrte ihm den Rücken.

»Der ist sowieso taub«, sagte Stephen. »Aber er weiß genau, was ich will. Und wenn er weiß, was ihm gut tut, gehorcht er jetzt endlich.« Er schaute sich um, hob einen Stein auf und wog ihn abschätzend in der Hand.

»Hey!«, sagte China. »Das wirst du nicht tun.«

Stephen sah sie an und verzog geringschätzig den Mund. Dann schrie er: »Biscuit! Du blödes Vieh! Spring endlich rein«, und warf den Stein.

Er traf den Hund seitlich am Kopf. Das Tier jaulte auf, sprang auf die Füße und rannte ins Schilf, wo sie es wimmern hörten.

»Ist sowieso nur der Hund von meiner Schwester«, bemerkte Stephen verächtlich. Er wandte sich ab und begann, Steine ins Wasser zu werfen, aber Deborah sah, dass er dem Weinen nahe war.

China trat mit zornigem Gesicht zu ihm hin und zischte: »Du widerlicher kleiner Kotzbrocken«, aber Deborah legte ihr besänftigend die Hand auf den Arm und sagte behutsam: »Stephen ...«

Er unterbrach sie. »Mir sagt sie, ich soll mit dem Hund rausgehen«, erklärte er voll Bitterkeit. »›Komm, Darling, mach einen kleinen Spaziergang mit ihm.‹ Ich sag ihr, sie soll das Jemima sagen. Ist doch ihr blöder Hund. Aber nein. Das bringt sie nicht über sich. Die arme kleine Jemima hockt in ihrem Zimmer und heult sich die Augen aus, weil sie von dieser Scheißinsel nicht weg will.«

»Weg von der Insel?«, fragte Deborah.

»Klar, wir ziehen weg. Der Makler sitzt bei uns zu Hause im Wohnzimmer und würde meiner Mutter am liebsten an die Titten gehen. Er redet von irgendwelchen Vereinbarungen ›zum beiderseitigen Nutzen‹, als ob er in Wirklichkeit nichts anderes im Sinn hat, als sie zu bumsen. Der Köter bellt ihn an, und Jemima ist total hysterisch, weil sie nicht nach Liverpool zu unserer Großmutter will, aber mir geht das echt am Arsch vorbei. Mir ist alles recht, wenn ich nur hier wegkomme. Also schlepp ich den blöden Köter hierher, aber ich bin leider nicht Jemima, und sie ist die Einzige, auf die er hört.«

»Warum zieht ihr von hier weg?« Deborah hörte regelrecht, wie es in Chinas Kopf arbeitete. Ihr selbst ging es nicht viel anders.

»Das ist doch sonnenklar«, antwortete Stephen. Aber bevor sie das Thema weiter vertiefen konnte, sagte er: »Was wollen Sie überhaupt?« und schaute hinüber zum Schilf, wo Biscuit still geworden war.

Deborah fragte ihn nach *Moulin des Niaux*. Ob er dort mal mit Mr. Brouard gewesen sei.

Ein Mal, ja. »Meine Mutter hat ein Riesending daraus gemacht, aber er hat mich nur mitgenommen, weil sie es unbedingt wollte.« Er lachte spöttisch. »Wir sollten uns *nahe* kommen. Die dumme Kuh. Als ob er je vorgehabt hätte... Es war total blöd. Ich, Guy, Frank, Franks Vater, der ungefähr zwei Millionen Jahre alt ist, und dazu der ganze Krempel. Haufenweise Kartons, Säcke, Schränke voll Zeug. Die reine Zeitverschwendung.«

»Was habt ihr dort getan?«

»Getan? Sie haben Mützen sortiert. Mützen, Kappen, Helme, was auch immer. Wer wann was, wo, wie und warum auf dem Kopf getragen hat. Es war unheimlich langweilig – echt, nichts als Zeitverschwendung. Nach einer Weile bin ich raus und bin spazieren gegangen.«

»Du hast also nicht beim Sortieren geholfen?«, fragte China.

Stephen schien einen Unterton in ihrer Stimme zu hören, denn er sagte: »Warum wollen Sie das wissen? Was tun Sie hier überhaupt? Müssten Sie nicht im Knast sein?«

Wieder griff Deborah ein. »War noch jemand dabei? An dem Tag, an dem du dir die Sammlung angesehen hast?«

»Nein. Nur Guy und ich.« Er konzentrierte sich wieder auf Deborah und das Thema, das ihn im Moment offenbar am meisten beschäftigte. »Wie gesagt, es sollte das große Vater-Sohn-Ereignis werden. Ich sollte ausflippen vor Freude drüber, dass er mal eine Viertelstunde lang Vater spielen wollte. Und er sollte merken, dass ich als Sohn viel besser geeignet wäre als Adrian, der ja ein erbärmlicher Trottel ist, während man von mir wenigstens erwarten kann, dass ich's schaffe, auf die Uni zu gehen, ohne durchzudrehen, weil Mami nicht da ist, um mir das Händchen zu halten. Es war alles so blöd, einfach hirnverbrannt blöd. Als hätte der je daran gedacht, sie zu heiraten.«

»Na ja, jetzt ist es ja vorbei«, sagte Deborah. »Jetzt kannst du nach England zurück.«

»Nur weil sie von Brouard nicht gekriegt hat, was sie wollte«, sagte er und warf einen verächtlichen Blick in Richtung zum Haus seiner Mutter. »Das war doch von vorneherein klar, dass sie von dem nichts zu erwarten hatte. Ich hab's ihr immer wieder gesagt, aber sie hört ja nie zu. Jeder, der Augen im Kopf hatte, konnte sehen, was da lief.«

»Was denn?«, fragten Deborah und China gleichzeitig.

Stephen sah sie mit der gleichen Geringschätzung an, mit der er zuvor sein Zuhause und seine Mutter bedacht hatte. »Er hat sich's woanders geholt«, sagte er kurz. »Ich hab's ihr immer wieder gesagt, aber sie wollte es nicht hören. Sie konnte sich nicht vorstellen, dass er's mit einer anderen treiben würde nach den ganzen Verrenkungen, die sie gemacht hatte, um sich ihn zu schnappen – mit Operation und allem Drum und Dran, auch wenn er dafür gezahlt hat. ›Das bildest du dir ein‹, hat sie immer zu mir gesagt. ›Darling, das denkst du dir doch nur aus, weil du selber ein bisschen Pech gehabt hast. Warte nur ab, eines Tages hast du auch deine eigene Freundin. Glaub mir. So ein großer, gut aussehender, *strammer* Junge wie du.‹ Mein Gott! So eine blöde Kuh!«

Deborah versuchte, das alles zu sortieren, um ein klares Bild zu bekommen: der Mann, die Frau, der Junge, die Mutter, und die Beschuldigungen. Sie sagte: »Weißt du, wer die andere Frau war, Stephen?« Endlich sah es so aus, als würden sie weiterkommen. Deborah bedeutete China, die begierig noch einen Schritt näher an Stephen Abbott herangetreten war, den Jungen nicht durch ihren Eifer, der Sache möglichst schnell auf den Grund zu kommen, zu verschrecken.

»Klar, weiß ich das. Cynthia Moullin.«

Deborah sah China an, die den Kopf schüttelte. Deborah sagte zu Stephen: »Cynthia Moullin? Wer ist das?«

Eine Schulkameradin, wie sich herausstellte. Ein Teenager aus der Weiterbildungsfachschule.

»Aber woher weißt du das alles?«, fragte Deborah, und als

er vielsagend die Augen verdrehte, erkannte sie die Wahrheit. »Mr. Brouard hat sie dir ausgespannt? War es so?«

Statt einer Antwort sagte er: »Wo ist dieser blöde Köter?«

Als ihr Bruder den dritten Morgen in Folge nicht ans Telefon ging, hielt Valerie Duffy es nicht mehr aus. Nachdem Kevin zur Arbeit gegangen war, nachdem Ruth Brouard gefrühstückt hatte und sie sich eine freie Stunde gönnen konnte, setzte sie sich in ihren Wagen und fuhr nach La Corbière. Sie wusste, sie würde nicht vermisst werden.

Bei ihrer Ankunft am Muschelhaus sah sie als Erstes den verwüsteten Garten und erschrak heftig. Dieses Werk der Zerstörung sprach eine deutliche Sprache. Henry war ein guter Mensch – ein hilfsbereiter Bruder, ein treuer Freund und seinen Töchtern ein liebevoller Vater –, aber er war jähzornig und explodierte schnell. Sie hatte seinen blind wütenden Zorn nicht mehr erlebt, seit sie erwachsen war, dafür jedoch seine Auswirkungen. Zum Glück hatte er ihn noch nie gegen einen Menschen gerichtet, obwohl sie gefürchtet hatte, dass er genau das tun würde, als sie an jenem Tag hierher gekommen war. Er war gerade dabei gewesen, seiner jüngsten Tochter ihre Lieblingsplätzchen zu backen, als sie ihm eröffnet hatte, dass sein Arbeitgeber und guter Freund Guy Brouard regelmäßig mit seiner ältesten Tochter Geschlechtsverkehr hatte.

Es war das einzige Mittel gewesen, der Geschichte einen Riegel vorzuschieben. Sie hatte versucht, mit Cynthia zu sprechen, ohne das Geringste zu erreichen. »Wir lieben uns, Tante Val«, hatte das junge Mädchen ihr mit der ganzen großäugigen Unschuld der frisch Entjungferten erklärt. »Du warst doch bestimmt auch mal verliebt und weißt, wie das ist?«

Das Mädchen war nicht davon zu überzeugen gewesen, dass Männer wie Guy Brouard gar nicht lieben konnten. Sie wusste, dass er neben ihr auch mit Anaïs Abbott schlief, aber das ließ sie völlig ungerührt. »Oh, darüber haben wir gesprochen. Er muss das tun«, sagte Cynthia. »Sonst denken die Leute, er hätte was mit mir.«

»Aber er *hat* ja auch was mit dir. Er ist achtundsechzig Jahre alt. Mein Gott, dafür könnte er ins Gefängnis wandern.«

»Nein, nein, Tante Val. Wir haben gewartet, bis ich sechzehn war.«

»Gewartet –?« Valerie hatte an die Jahre gedacht, in denen ihr Bruder in *Le Reposoir* gearbeitet und immer mal wieder eine seiner Töchter mitgenommen hatte. Es war ihm wichtig, mit jeder von ihnen auch Zeit allein zu verbringen, seit ihre Mutter sie wegen eines Rockstars verlassen hatte.

Cynthia hatte ihren Vater am häufigsten begleitet. Valerie hatte sich nichts dabei gedacht, bis ihr eines Tages die Blicke aufgefallen waren, die zwischen dem Mädchen und Guy Brouard hin und her flogen, und die scheinbar beiläufigen Berührungen – eine flüchtige Begegnung von Hand und Arm. Sie war den beiden daraufhin gefolgt, hatte sie beobachtet und abgewartet. Als sie danach das Mädchen zur Rede stellte, hatte sie das Schlimmste erfahren.

Sie hatte es Henry sagen müssen. Eine andere Möglichkeit gab es nicht, als Cynthia sich von dieser Geschichte nicht abbringen ließ. Und jetzt hingen die Konsequenzen ihres Handelns über ihr wie ein Damoklesschwert.

Sie ging zwischen den Trümmern des einst fantastischen Gartens hindurch. Henrys Wagen stand neben dem Haus, nicht weit von der Scheune, in der er seine Werkstatt hatte. Doch das Tor war geschlossen und abgesperrt. Sie ging weiter zur Haustür und sammelte sich einen Moment, ehe sie klopfte.

Er ist mein Bruder, sagte sie sich. Sie hatte keinen Grund zur Beunruhigung oder gar Angst. Sie hatten gemeinsam eine schwierige Kindheit mit einer verbitterten Mutter gemeistert, die – wie später ihr Sohn – von einem treulosen Ehepartner verlassen worden war. Sie waren nicht nur durch das gleiche Blut miteinander verbunden, sondern vor allem durch Erinnerungen, die so tief gingen, dass nichts jemals verdrängen konnte, was sie damals gelernt hatten: sich gegenseitig zu stützen, einander den Vater, der sich physisch entzogen, und die Mutter, die sich emotional entzogen hatte, zu ersetzen. Sie hatten den Mangel an elterlicher

Fürsorge für unwichtig erklärt und sich geschworen, ihr Leben davon nicht beeinflussen zu lassen. Dass sie an diesem Vorsatz gescheitert waren, war niemandes Schuld, an Entschlossenheit und Bemühen hatte es gewiss nicht gefehlt.

Die Haustür wurde aufgemacht, noch ehe sie klopfen konnte. Ihr Bruder stand mit einem Wäschekorb auf der Hüfte vor ihr. Sein Gesicht war so finster, wie sie es noch nie gesehen hatte. »Val«, sagte er. »Was, zum Teufel, willst du hier?« Damit ging er zum Anbau hinter der Küche, der als Waschraum diente.

Sie sah, als sie ihm folgte, dass er die Wäsche immer noch so sortierte, wie sie es ihn gelehrt hatte. Weiße, dunkle und bunte Wäsche sorgfältig voneinander getrennt, Handtücher extra.

Er bemerkte ihren Blick, und ein Ausdruck der Selbstverachtung flog über sein Gesicht. »Manche Lektionen lernt man für die Ewigkeit«, sagte er.

»Ich habe versucht, dich anzurufen«, sagte sie. »Warum hast du nie abgenommen. Du warst doch zu Hause.«

»Keine Lust.« Er öffnete die Waschmaschine und nahm die fertig gewaschene Wäsche heraus, um sie in den Trockner zu werfen. Nebenan tropfte Wasser in ein Spülbecken, in dem irgendetwas eingeweicht war. Henry warf einen kurzen Blick ins Becken, gab einen Spritzer Bleiche hinein und rührte ein paar Mal kräftig mit einem langen Holzlöffel um.

»Fürs Geschäft ist das aber nicht gut«, sagte Valerie. »Es könnte doch sein, dass jemand einen Auftrag für dich hat.«

»Ans Handy bin ich ja gegangen«, erwiderte er. »Die geschäftlichen Anrufe laufen alle übers Handy.«

Valerie ärgerte sich. An das Handy hatte sie nicht gedacht. Wieso nicht? Weil sie viel zu verängstigt und besorgt und von Schuldgefühlen geplagt gewesen war, um an etwas anderes als an die Beruhigung ihrer flatternden Nerven zu denken. »Oh«, sagte sie. »Das Handy. Daran hab ich gar nicht gedacht.«

»Genau«, sagte er und stopfte die nächste Ladung Wäsche in die Maschine. Jeans, Pullis, Socken der Mädchen. »Du hast überhaupt nicht gedacht, Val.«

Die Verachtung in seinem Ton tat weh, aber sie war entschlossen, sich nicht abwimmeln zu lassen. »Wo sind die Mädchen, Harry?«, fragte sie.

Er sah sie kurz an, als sie seinen Spitznamen benutzte. Flüchtig konnte sie hinter die Maske der Ablehnung, die er trug, wieder den kleinen Jungen erkennen, den sie an der Hand genommen hatte, wenn sie über die Esplanade gegangen waren, um unten bei der Havelet-Bucht zu baden. Vor mir kannst du dich nicht verstecken, Harry, hätte sie gern gesagt. Aber stattdessen wartete sie auf seine Antwort.

»In der Schule. Wo sonst?«

»Ich hab eigentlich Cyn gemeint«, bekannte sie.

Er schwieg.

Sie sagte: »Harry, du kannst sie nicht einsperren –«

Er zeigte mit dem Finger auf sie und sagte: »Niemand ist hier eingesperrt. Hast du mich verstanden? *Niemand* ist eingesperrt.«

»Dann hast du sie rausgelassen. Mir ist schon aufgefallen, dass du das Gitter am Fenster abmontiert hast.«

Anstatt ihr eine Antwort zu geben, griff er nach dem Waschmittel und kippte es über die Kleider. Er maß es nicht ab und schaute sie an, als wollte er sie herausfordern, ihn zu belehren. Aber das hatte sie ein Mal gewagt, nur ein einziges Mal, mochte Gott ihr verzeihen. Und sie war nur gekommen, um sich zu vergewissern, dass ihre Worte: »Henry, du musst etwas unternehmen«, keine unverzeihlichen Folgen gehabt hatten.

»Ist sie ausgegangen?«, fragte sie.

»Sie weigert sich, aus ihrem Zimmer zu kommen.«

»Hast du das Schloss vor der Tür abgenommen?«

»Es ist jetzt nicht mehr nötig.«

»Nicht mehr nötig?« Es fröstelte sie. Sie schlang die Arme fest um ihren Oberkörper, obwohl es im Haus nicht kalt war.

»Nicht mehr nötig«, bestätigte Henry und ging, als wollte er etwas demonstrieren, zum Spülbecken unter dem tropfenden Wasserhahn. Mit dem Holzlöffel fischte er ein Wäschestück heraus.

Es war ein Höschen. Er hielt es hoch und ließ das Wasser auf den Boden tropfen, wo sich eine Pfütze bildete. Valerie konnte den schwachen Fleck erkennen, der trotz des Einweichens und des Bleichmittels nicht ganz herausgegangen war. Eine Welle der Übelkeit erfasste sie, als sie begriff, warum ihr Bruder seine Tochter in ihrem Zimmer festgehalten hatte.

»Also nicht«, sagte sie.

»Wenigstens ein Lichtblick.« Er wies mit dem Kopf in Richtung der Schlafzimmer. »Sie kommt nicht raus. Du kannst ja versuchen, mit ihr zu reden, wenn du Lust hast, aber sie hat von innen abgesperrt und jammert wie eine Katze, der man die Jungen ertränkt hat. Dieses dumme Ding!« Er klappte den Deckel der Waschmaschine zu, drückte auf ein paar Knöpfe und schaltete sie ein.

Valerie ging zum Zimmer ihrer Nichte. Sie klopfte und sagte: »Cynthia? Ich bin's, Tante Val, Schatz. Machst du mir auf?« Drinnen blieb alles still. Valerie fürchtete das Schlimmste. »Cynthia?«, rief sie. »Cynthia! Ich möchte mit dir reden. Bitte mach die Tür auf.« Wieder war die einzige Antwort Stille. Totenstille. Unmenschliche Stille. Valerie war überzeugt, dass diese Stille bei einer Siebzehnjährigen, die bisher geweint und geklagt hatte, nur einen Grund haben konnte. Sie rannte zu ihrem Bruder.

»Wir müssen das Zimmer aufbrechen«, sagte sie. »Ich habe Angst, dass sie sich was angetan –«

»Unsinn. Sie kommt schon wieder raus, wenn ihr danach ist.« Er lachte bitter. »Vielleicht gefällt's ihr da drinnen.«

»Henry, du kannst das Kind nicht einfach –«

»Sag du mir nicht, was ich zu tun habe«, brüllte er sie an. »Halt du in Zukunft einfach deinen gottverdammten Mund. Du hast ihn weit genug aufgerissen. Du hast dein Teil getan. Mit dem Rest werde ich auf meine Weise fertig.«

Davor hatte sie die größte Angst: Wie ihr Bruder damit fertig werden wollte. Denn er musste mit weit mehr fertig werden, als der heimlichen Liebschaft seiner Tochter. Wäre es ein junger Mann aus der Stadt gewesen, aus der Schule, dann hätte Henry Cynthia vor den Gefahren gewarnt und alles getan, um sie vor den Auswirkungen eines vielleicht flüchtigen, aber dennoch emotional aufgeladenen, sexuellen Abenteuers zu bewahren, weil das alles neu für sie war. Aber dies hier war etwas anderes gewesen als ein neugieriger erster Ausflug einer heranwachsenden Tochter in die Sexualität. Dies war eine Verführung gewesen und ein so gemeiner Verrat, dass Henry seiner Schwester nicht geglaubt hatte, als sie es ihm gesagt hatte. Er hatte es nicht über sich gebracht, ihr zu glauben. Er hatte sich vor der Erkenntnis zurückgezogen wie ein Tier, das einen betäubenden Schlag erhalten hat.

Sie hatte gesagt: »Glaub mir, Henry. Es ist die Wahrheit, und wenn du nicht etwas tust, dann weiß Gott, was aus dem Kind wird.«

Das waren die verhängnisvollen Worte gewesen: *Wenn du nicht etwas tust*. Die Affäre war vorbei, und Valerie musste wissen, was er getan hatte.

Henry sah sie lange an, nachdem er sie angeschrien hatte, und die Worte *auf meine Weise* dröhnten ihnen beiden in den Ohren. Valerie hob die Hand zum Mund und drückte sie auf die Lippen, als könnte sie sich so daran hindern, auszusprechen, was sie dachte, was sie am meisten fürchtete.

Henry durchschaute sie so leicht wie immer. Er sah sie mit einem Blick von oben bis unten an und sagte: »Schuldgefühle, Val? Mach dir keine Sorgen.«

Ihr erleichtertes »O Henry, Gott sei Dank, ich …« unterbrach er mit den Worten: »Du warst nicht die Einzige, die es mir gesagt hat.«

# 22

Ruth betrat das Zimmer ihres Bruders zum ersten Mal seit seinem Tod. Sie hatte beschlossen, seine Kleider durchzusehen. Nicht weil das aus irgendeinem Grund notwendig gewesen wäre, sondern weil es ihr Beschäftigung bot, und die suchte sie. Sie wollte etwas tun, was eine Beziehung zu Guy hatte, etwas, das sie ihm nahe genug bringen würde, um seine tröstliche Präsenz zu fühlen, aber doch nicht so nahe, dass sie fürchten musste, noch mehr über die vielerlei Arten zu erfahren, wie er sie getäuscht hatte.

Sie trat zum Schrank und nahm das Tweedjackett vom Bügel, das er am liebsten getragen hatte. Nachdem sie sich einen Moment Zeit genommen hatte, um den vertrauten Duft seines Rasierwassers einzuatmen, entleerte sie nacheinander alle Taschen: ein Taschentuch, eine Rolle Pfefferminzdrops, ein Kugelschreiber und ein Zettel, der, wie an seinem ausgefransten Rand zu erkennen, aus einem kleinen Spiralheft herausgerissen war. Er war zu einem winzigen Quadrat gefaltet, das Ruth öffnete. *C + G = Immer und Ewig*, stand in unverkennbar kindlicher Handschrift darauf geschrieben. Ruth knüllte den Zettel hastig zusammen und ertappte sich dabei, dass sie nach rechts und links schaute, als fürchtete sie, jemand könnte sie beobachten, irgendein Racheengel, der einen Beweis suchte, wie sie ihn soeben ohne es zu wollen, entdeckt hatte.

Aber sie benötigte sowieso keinen Beweis mehr, denn man brauchte keinen Beweis für etwas, von dem man wusste, dass es eine ungeheuerliche Tatsache war, weil man die Wahrheit mit eigenen Augen gesehen hatte…

Ruth fühlte das gleiche Gefühl des Ekels wie an dem Tag, als sie unerwartet früh von ihrem Samaritertreffen nach Hause gekommen war. Damals hatte sie für den Grund ihrer ständigen Schmerzen noch keine Diagnose erhalten gehabt. Sie hatte es Arthritis genannt und Aspirin geschluckt und das Beste gehofft. Aber an diesem besonderen Tag waren die Schmerzen so stark, dass sie zu nichts zu gebrauchen war und nur noch nach Hause in ihr Bett wollte. Sie hatte das Treffen lange vor Schluss verlassen und war nach *Le Reposoir* zurückgefahren.

Das Treppensteigen war ein Kraftakt gewesen: ihr Wille gegen die Schwäche. Sie gewann den Kampf und schleppte sich durch den Korridor zu ihrem Schlafzimmer, das sich neben Guys befand. Ihre Hand lag auf dem Türknauf, als sie das Gelächter hörte. Dann die Stimme eines jungen Mädchens, das rief: »Nicht, Guy! Das kitzelt!«

Ruth blieb wie erstarrt stehen. Sie kannte diese Stimme, und weil sie sie kannte, konnte sie sich nicht von der Tür weg bewegen. Sie konnte sich nicht bewegen, weil sie es nicht glauben konnte. Und aus diesem Grund versuchte sie, sich einzureden, dass es für das, was ihr Bruder mit einem Teenager in seinem Schlafzimmer trieb, wahrscheinlich eine ganz einfache Erklärung gab.

Wäre sie unverzüglich aus dem Korridor verschwunden, so hätte sie vielleicht an dieser Illusion festhalten können. Doch ehe sie überhaupt an Verschwinden denken konnte, flog die Tür zum Zimmer ihres Bruders auf. Guy trat heraus, im Begriff, einen Morgenmantel um seinen nackten Körper zu werfen, während er gleichzeitig ins Zimmer hinter sich rief: »Dann nehme ich einen von Ruths Schals. Das gefällt dir bestimmt.«

Als er sich umdrehte, entdeckte er seine Schwester. Sein erhitztes Gesicht wurde schlagartig leichenblass, das wenigstens konnte man zu seiner Ehre sagen, aber das war auch das Einzige. Ruth ging einen Schritt auf ihn zu, aber er packte den Knauf der Tür und schloss sie. Hinter ihm rief Cynthia Moullin: »Was ist denn? Guy?«, während Guy und seine Schwester einander anstarrten.

Ruth sagte: »Geh zur Seite, *frère*«, und gleichzeitig stieß Guy heiser hervor: »Um Gottes willen, Ruth. Wieso bist du zu Hause?«

Sie antwortete: »Um zu sehen, vermute ich«, und drängte sich an ihm vorbei zur Tür.

Er hatte nicht versucht, sie aufzuhalten, und darüber machte sie sich jetzt ihre Gedanken. Es war beinahe so, als hätte er gewollt, dass sie alles sah: das junge Mädchen auf dem Bett – schlank, schön, nackt, frisch und unverbraucht – und die Quaste, mit der er sie gekitzelt hatte, auf ihrem Oberschenkel.

»Zieh dich an«, sagte sie zu Cynthia Moullin.

»Das werde ich nicht tun«, antwortete das Mädchen.

Sie waren wie erstarrt, alle drei, Schauspieler, die auf ein Stichwort warteten, das nicht kam: Guy an der Tür, Ruth beim Schrank, das Mädchen auf dem Bett. Cynthia sah Guy an und zog eine Augenbraue hoch, und Ruth fragte sich, wie ein halbwüchsiges Mädchen in so einer Situation so selbstsicher aussehen konnte. Als wüsste sie genau, was als Nächstes geschehen würde.

Guy sagte: »Ruth.«

»Nein!«, erwiderte Ruth. Und zu dem Mädchen: »Zieh dich an und verschwinde. Wenn dein Vater dich sehen könnte –«

Weiter kam sie nicht. Guy trat zu ihr und legte ihr den Arm um die Schultern. Wieder sprach er ihren Namen. Dann sagte er ihr leise ins Ohr: »Wir möchten jetzt gern allein sein, Ruthie, wenn du nichts dagegen hast. Wir hatten ja keine Ahnung, dass du so zeitig nach Hause kommen würdest.«

Die ruhige Sachlichkeit von Guys Worten unter diesen Umständen, wo man ruhige Sachlichkeit am wenigsten erwartet hätte, bewog Ruth, das Zimmer zu verlassen. Sie trat in den Korridor hinaus. Guy murmelte: »Wir reden später«, und schloss die Tür. Bevor sie ganz geschlossen war, hörte Ruth ihn sagen: »Dann werden wir jetzt wohl ohne den Schal auskommen müssen.« Der alte Fußboden knarrte unter seinen Schritten, als er zu dem Mädchen ging, und das alte Bett quietschte, als er sich zu ihr legte.

Später – Stunden, wie es schien, obwohl es wahrscheinlich nicht mehr als eine halbe Stunde war – rauschte eine Zeit lang das Wasser, und ein Fön summte. Ruth lag auf ihrem Bett und lauschte den Geräuschen, häusliche und alltägliche Geräusche, dass sie sich beinahe hätte einbilden können, dass alles, was sie gesehen hatte, Täuschung gewesen wäre.

Aber das erlaubte Guy ihr nicht. Er kam zu ihr, sobald Cynthia gegangen war. Es war dunkel geworden, und Ruth hatte noch kein Licht gemacht. Sie hätte es vorgezogen, auf unbestimmte Zeit im Dunkeln zu bleiben, aber auch das erlaubte er ihr nicht. Er trat an ihren Nachttisch und knipste die Lampe an. »Ich wusste, du würdest noch nicht schlafen«, sagte er.

Er sah sie lange an, sagte leise: »*chère sœur*«, und schien so tief erschüttert, dass Ruth im ersten Moment glaubte, er wolle sie um Verzeihung bitten. Sie irrte sich.

Er ging zu dem kleinen gepolsterten Sessel und ließ sich hineinsinken. Er sah verzückt aus, fand Ruth, wie in eine andere Welt versetzt.

»Sie ist die Richtige«, sagte er in einem Ton, als wäre ihm eine Heilige erschienen. »Endlich ist sie zu mir gekommen. Kannst du dir das vorstellen, Ruth? Nach so vielen Jahren? Sie ist es, ganz eindeutig.« Er stand auf, als ließen sich die Emotionen, die ihn bewegten, nicht zurückhalten, und begann im Zimmer umherzugehen. Während er sprach, berührte er die Vorhänge am Fenster, den Rand von Ruths Stickerei, die Ecke der Kommode, die Spitze an einem Zierdeckchen. »Wir werden heiraten«, sagte er. »Ich sage dir das nicht, weil du uns heute – in dieser Situation vorgefunden hast. Ich wollte es dir nach ihrem Geburtstag sagen. Wir wollten es dir zusammen sagen.«

Nach ihrem Geburtstag. Ruth starrte ihren Bruder an. Sie fühlte sich in einer Welt gefangen, die sie nicht wiedererkannte, die einzig von der Maxime beherrscht schien: Wenn es gut tut, dann tu's; erklären kannst du es später, aber nur, wenn du ertappt wirst.

Guy sagte: »Sie wird in drei Monaten achtzehn. Wir haben an ein kleines Abendessen gedacht... Du, ihr Vater und ihre Schwestern. Vielleicht kommt Adrian aus England herüber. Wir haben uns überlegt, dass ich ihr den Ring zu den Geschenken lege, und wenn sie sie öffnet...« Er lachte. Er sah, das musste Ruth zugeben, richtig jungenhaft aus. »Das wird eine Überraschung! Kannst du es bis dahin für dich behalten?«

»Das ist«, begann Ruth, aber sie konnte es mit Worten nicht ausdrücken. Sie konnte es nur denken, und *was* sie dachte, war zu entsetzlich, um es zur Kenntnis zu nehmen. Darum wandte sie den Kopf ab.

»Ruth«, sagte Guy, »du hast nichts zu fürchten. Dein Zuhause ist und bleibt bei mir. Cyn weiß das und will es auch so. Sie liebt dich wie...« Aber er sprach den Satz nicht zu Ende.

So konnte sie ihn vollenden. »Wie eine Großmutter«, sagte sie. »Und was bist dann du?«

»Das Alter spielt in der Liebe keine Rolle.«

»Mein Gott. Du bist fünfzig Jahre –«

»Ich weiß, wie viel älter ich bin«, fuhr er sie an. Er kam wieder ans Bett und blickte zu ihr hinunter. Sein Gesicht drückte Verwirrung aus. »Ich dachte, du würdest diesen Moment feiern. Uns beide feiern. Dass wir uns lieben und uns ein gemeinsames Leben wünschen.«

»Wie lang?«, fragte sie.

»Niemand weiß, wie lange er lebt.«

»Ich meinte, wie lange geht das schon. Heute… Das kann nicht… Dazu wirkte sie viel zu vertraut mit dir.«

Guy antwortete nicht gleich, und Ruth bekam feuchte Hände, als ihr klar wurde, was sein Zögern bedeutete. »Sag es mir«, verlangte sie. »Wenn du es nicht tust, wird sie es tun.«

Er sagte: »Seit ihrem sechzehnten Geburtstag, Ruth.«

Es war schlimmer, als sie gedacht hatte, denn sie wusste, was das hieß: dass ihr Bruder dieses Mädchen zu sich ins Bett genommen hatte, sobald er vom Gesetz nichts mehr zu fürchten gehabt hatte. Daraus konnte man schließen, dass er schon lange ein Auge auf sie geworfen hatte. Er hatte alles geplant und ihre Verführung sorgfältig inszeniert. Mein Gott, dachte sie, wenn Henry das erfährt… wenn er sich das alles überlegt, wie ich es eben getan habe…

»Aber was ist mit Anaïs?«, fragte sie benommen.

»Was soll mit Anaïs sein?«

»Von ihr hast du das Gleiche gesagt. Weißt du nicht mehr? Du hast gesagt: Sie ist die Richtige. Und damals hast du es auch geglaubt. Wie kommst du dann auf die Idee –«

»Das hier ist etwas völlig anderes.«

»Guy, es ist jedes Mal etwas völlig anderes. In deiner Einbildung ist es etwas anderes. Aber es scheint nur so, weil es etwas Neues ist.«

»Du verstehst das nicht. Wie solltest du auch? Wir sind sehr unterschiedliche Wege gegangen.«

»Ich habe jeden Schritt gesehen, den du gegangen bist«, sagte Ruth, »und das hier ist –«

»Etwas Besonderes«, fiel er ihr ins Wort. »Etwas sehr Tiefes, das mich verwandelt hat. Wenn ich so wahnsinnig wäre, mich von ihr zu trennen und wegzuwerfen, was wir besitzen, dann verdiente ich, für immer allein zu bleiben.«

»Aber was ist mit Henry?«

Guy schaute weg.

Er war sich also sehr wohl bewusst, dass er seinen Freund Henry Moullin mit kalter Berechnung benutzt hatte, um an Cynthia heranzukommen. Sie erkannte, dass sein »Lassen wir doch Henry kommen, damit er sich das mal ansieht«, wann immer es in Haus oder Park etwas zu tun gab, für ihn das Mittel gewesen war, um sich an Henrys Tochter heranzumachen. Und so, wie er zweifellos diese Hinterhältigkeit Henry gegenüber einfach wegerklären würde, so würde er fortfahren, zu verklären, was in Wirklichkeit wieder nur Selbsttäuschung bezüglich einer Frau war, die scheinbar sein Herz gewonnen hatte. Oh, er *glaubte* daran, dass Cynthia Moullin die Richtige war. Aber das hatte er auch bei Margaret geglaubt und danach bei JoAnna und all den Margarets und JoAnnas, die gefolgt waren, bis zu Anaïs Abbott. Er sprach von Heirat mit dieser neuesten Nachfolgerin von Margaret und JoAnna nur deshalb, weil sie achtzehn Jahre alt war und ihn verehrte und das seinem Altmänner-Ego gut tat. Aber nach einer Weile würde sein Blick weiterwandern. Oder ihrer. Egal, was hier geschah, würde andere verletzen und vernichten. Ruth musste etwas unternehmen, um das zu verhindern.

Sie hatte mit Henry gesprochen. Sie hatte sich eingeredet, sie täte es, weil sie nicht zusehen wollte, wie Cynthia das Herz gebrochen wurde, und selbst jetzt noch musste sie an dieser Begründung festhalten. Aus tausend Gründen war die Affäre zwischen ihrem Bruder und dem jungen Mädchen nicht nur in moralischer und sittlicher Hinsicht verwerflich gewesen. Wenn es Guy an der Einsicht und dem Mut fehlte, sie auf behutsame Art zu beenden und dem Mädchen seine Freiheit zu geben, damit sie ein erfülltes und richtiges Leben führen konnte – ein Leben mit Zukunft –, dann musste sie durch ihr Handeln dafür sorgen, dass ihm gar nichts anderes übrig blieb, als dies zu tun.

Sie hatte sich entschieden, Henry Moullin nur einen Teil der

Wahrheit zu sagen: dass Cynthia vielleicht beginne, Guy ein wenig zu gern zu haben, dass sie ein bisschen zu oft in *Le Reposoir* sei, anstatt sich für ihre Freunde und die Schule zu interessieren, dass sie immer irgendwelche Vorwände finde, um in *Le Reposoir* vorbeizukommen und ihre Tante zu besuchen, dass sie in ihrer Freizeit viel zu viel an Guy klebe. Ruth nannte es Jungmädchenschwärmerei und meinte, Henry solle vielleicht einmal mit seiner Tochter sprechen…

Das hatte er getan. Cynthia hatte mit einer Offenheit reagiert, die Ruth nicht erwartet hatte. Es sei keine Jungmädchenschwärmerei, erklärte sie ihrem Vater ruhig. Er brauche sich keine Sorgen zu machen. Sie hätten vor, zu heiraten, sie seien ein Paar, sie und der Freund ihres Vaters, und sie seien das schon seit beinahe zwei Jahren.

Henry war nach *Le Reposoir* gestürmt und hatte Guy am Rand des tropischen Gartens beim Entenfüttern angetroffen. Stephen Abbott war auch da, aber das interessierte Henry überhaupt nicht. Er brüllte: »Du dreckiges Stück Scheiße!«, und rannte auf Guy zu. »Ich bring dich um, du Dreckskerl. Ich schneid dir deinen Schwanz ab und stopf dir das Maul damit. Fahr zur Hölle. Du hast es gewagt, meine Tochter anzurühren!«

Stephen war keuchend angelaufen gekommen, um Ruth zu holen. Sie fing bei seiner atemlosen Erklärung den Namen Henry Moullin auf und die Worte »streiten wegen Cyn«, ließ alles stehen und liegen und folgte dem Jungen nach draußen. Schon als sie über den Krocketrasen hetzte, konnte sie das Geschrei hören. Verzweifelt sah sie sich nach jemandem um, der eingreifen könnte, aber der Wagen von Kevin und Valerie war nicht da, und sie und Stephen mussten allein versuchen, das Schlimmste zu verhindern.

Denn dass es zu Gewalt kommen würde, war Ruth klar. Wie hatte sie nur so töricht sein können, zu glauben, ein Vater könnte dem Mann, der seine Tochter verführt hatte, ruhig gegenübertreten?

Als sie sich dem tropischen Garten näherte, hörte sie die Schläge. Henry brüllte und wütete, die Enten quakten, aber Guy war ganz still. Still wie ein Grab. Mit einem Aufschrei brach sie durch das Gebüsch.

Die toten Körper lagen überall herum. Blut, Federn, Tod. Henry stand mitten unter den Enten, die er mit dem Brett totgeschlagen hatte, das er immer noch in den Händen hielt.

Er keuchte heftig, und sein verzerrtes Gesicht war von Tränen verschmiert.

Er hob zitternd einen Arm und wies auf Guy, der wie angewurzelt neben einer Palme stand, zu Füßen einen offenen Beutel Entenfutter. »Wag dich ja nie wieder in ihre Nähe«, zischte Henry ihn an. »Wenn du sie noch einmal anrührst, bring ich dich um.«

Jetzt, in Guys Schlafzimmer, durchlebte Ruth das alles noch einmal. Sie spürte die ungeheure Last ihrer eigenen Verantwortung an dem, was geschehen war. Guter Wille hatte nicht gereicht. Nicht, um Cynthia zu verschonen, und auch nicht, um Guy zu retten.

Sie faltete das Jackett ihres Bruders langsam zusammen. Ebenso langsam drehte sie sich herum und ging wieder zum Schrank, um das nächste Kleidungsstück herauszunehmen.

Als sie eine Hose aus einem Spanner nahm, flog die Zimmertür auf, und Margaret Chamberlain sagte: »Ich möchte mit dir reden, Ruth. Du bist mir gestern Abend beim Essen aus dem Weg gegangen – der lange Tag, die Arthritis, die notwendige Ruhe... wie praktisch für dich. Aber jetzt entkommst du mir nicht.«

Ruth hielt in ihrer Arbeit inne. »Ich bin dir nicht aus dem Weg gegangen.«

Margaret prustete spöttisch und trat ins Zimmer. Sie sah mitgenommen aus. Ihre Frisur war aus dem Leim gegangen, die immer so sorgfältig gedrehte Rolle am Hinterkopf saß schief und drohte, sich aufzulösen. Ihr Schmuck, den sie stets auf ihre Kleidung abstimmte, passte nicht zu dem Ensemble, das sie trug, und sie hatte die Sonnenbrille vergessen, die bei jedem Wetter auf ihrem Kopf zu thronen pflegte.

»Wir haben mit einer Anwältin gesprochen«, verkündete sie.

»Adrian und ich. Du wusstest natürlich, dass wir das tun würden.«

Ruth legte die Hose sachte auf Guys Bett. »Ja«, sagte sie.

»Und er wusste es offensichtlich auch. Deshalb hat er uns von vornherein den Hahn zugedreht.«

Ruth sagte nichts.

Margarets Mund wurde schmal. »Ist es nicht so, Ruth?«, fragte sie mit einem gehässigen Lächeln. »Hat Guy nicht genau gewusst, wie ich reagieren würde, wenn er seinen einzigen Sohn enterbt?«

»Margaret, er hat ihn nicht enterbt –«

»Ach, tu doch nicht so. Er hat sich über die Gesetze auf dieser popeligen kleinen Insel informiert und entdeckt, was mit seinem Besitz geschehen würde, wenn er nicht jedes Stück gleich beim Kauf dir überschriebe. Nicht einmal *verkaufen* hätte er können, ohne vorher Adrian zu fragen. Also hat er dafür gesorgt, dass sein Besitz gar nicht erst sein Eigentum war. Ein toller Plan war das, Ruthie. Ich hoffe, es hat dir Spaß gemacht, die Träume deines einzigen Neffen zu zerstören. Das war nämlich das Resultat dieser miesen Tour.«

»Es ging überhaupt nicht darum, irgendjemandem etwas zu zerstören«, entgegnete Ruth leise. »Guy hat diese Vorkehrungen nicht getroffen, weil er seine Kinder nicht liebte, und er hat sie nicht getroffen, weil er ihnen wehtun wollte.«

»Aber es ist anders gekommen, nicht wahr.«

»Bitte, hör mir zu, Margaret. Guy hat nicht…« Ruth zögerte. Wie sollte sie der geschiedenen Frau ihres Bruders erklären, was diesen getrieben hatte; wie sollte sie ihr sagen, dass nichts so einfach war, wie es aussah, und ihr begreiflich machen, dass ein Teil von Guys Persönlichkeit seine Vorstellung davon war, wie seine Kinder sein sollten. »Er hat von ererbten Rechten nichts gehalten. Das war alles. Er hat sich alles, was er hatte, aus dem Nichts geschaffen, und er wollte, dass seine Kinder die gleiche Erfahrung machen. In ihrer ganzen Reichhaltigkeit. Mit dem Selbstvertrauen, das nur –«

»So ein Quatsch!«, fuhr Margaret dazwischen. »Das widerspricht doch allem, was ... Und das weißt du auch, Ruth. Ganz genau weißt du das!« Sie hielt inne, als wollte sie sich beruhigen und Ordnung in ihre Gedanken bringen und als glaubte sie tatsächlich, es gäbe etwas, worauf sie ihre Argumente stützen und eine Beweisführung aufbauen könnte, um die Veränderung einer Sachlage zu erzwingen, die in Beton fixiert war. »Ruth«, sagte sie, sichtlich darum bemüht, ruhig zu bleiben, »wenn man sich im Leben etwas schafft, dann geht es doch gerade darum, den Kindern mehr zu hinterlassen, als man selbst hatte. Der Sinn der Sache ist doch nicht, sie in die gleiche Situation hineinzustoßen, aus der man sich selbst hochkämpfen musste. Warum sollte jemand nach einer besseren Zukunft streben, wenn er von vornherein weiß, dass es keinen Sinn hat.«

»Es *hat* Sinn. Man lernt dabei und wächst daran. Man muss mit Herausforderungen fertig werden. Guy war davon überzeugt, dass es den Charakter bildet, wenn man sich selbst sein Leben aufbaut. Er hat es getan, und es hat ihm geholfen, ein besserer Mensch zu werden. Das wollte er auch für seine Kinder erreichen. Er wollte sie nicht in eine Situation versetzen, in der sie keinen Finger hätten rühren müssen. Er wollte sie nicht der Versuchung aussetzen, ihr Leben zu vergeuden.«

»Aha. Aber das galt nicht für die anderen zwei. Die darf man ruhig der Versuchung aussetzen, weil sie es aus irgendeinem Grund leichter haben sollen. Ist es so?«

»JoAnnas Töchter sind nicht anders gestellt als Adrian.«

»Ich spreche nicht von Guys Töchtern. Als wüsstest du das nicht«, sagte Margaret. »Ich spreche von den anderen beiden – Fielder und Moullin. In Anbetracht der Verhältnisse, in denen sie leben, hat er ihnen ein Vermögen hinterlassen. Allen beiden. Was hast du dazu zu sagen?«

»Das sind Sonderfälle. Das ist etwas anderes. Die beiden haben nicht die Vorteile –«

»Das stimmt. Aber sie grapschen jetzt nach ihnen, nicht wahr, Ruthie?« Margaret lachte und trat vor den offenen Schrank und klopfte auf einen Stapel Kaschmirpullover, die Guy lieber getragen hatte als Hemd und Schlips.

»Sie haben ihm besonders am Herz gelegen«, sagte Ruth. »Man könnte sie vielleicht als Pflege-Enkel bezeichnen. Er war ihnen eine Art kluger Lehrer, und sie waren –«

»Diebe«, sagte Margaret. »Aber das macht ja nichts. Sie sollen ihre Belohnung ruhig bekommen, auch wenn sie lange Finger machen.«

Ruth runzelte die Stirn. »Diebe? Wovon redest du?«

»Das kann ich dir sagen: Ich habe Guys Schützling – oder soll ich ihn weiterhin als seinen Enkel sehen, Ruth? – hier im Haus beim Stehlen ertappt. Gestern morgen. In der Küche.«

»Paul hatte wahrscheinlich Hunger. Valerie steckt ihm manchmal etwas zu. Er wird sich einen Keks genommen haben.«

»Ach ja? Und den hat er in seinem Rucksack versteckt und seinen Köter auf mich gehetzt, als ich sehen wollte, was er mitgehen lassen wollte? Lass ihn ruhig mit dem Familiensilber durchbrennen, Ruth. Oder mit einer von Guys hübschen kleinen Antiquitäten. Oder einem Schmuckstück. Oder was er eingesteckt hat. Er ist davongelaufen, als er uns sah – Adrian und mich –, und wenn du nicht glaubst, dass er etwas auf dem Kerbholz hat, dann frag ihn doch mal, warum er seinen Rucksack so schnell geschnappt und uns beide angegriffen hat, als wir ihm das Ding wegnehmen wollten.«

»Ich glaube dir nicht«, sagte Ruth. »Paul würde uns niemals bestehlen.«

»Ach nein? Vielleicht sollten wir die Polizei bitten, sich seinen Rucksack mal anzusehen.«

Margaret ging zum Nachttisch und hob den Telefonhörer ab. Herausfordernd hielt sie ihn ihrer Schwägerin hin. »Soll ich anrufen, oder erledigst du das, Ruth? Wenn der Junge unschuldig ist, hat er ja nichts zu fürchten.«

Guy Brouards Bank lag in Le Pollet, einer schmalen Verlängerung der High Street parallel zur unteren North Esplanade. Es war eine relativ kurze Straße, die meist im Schatten lag, mit Gebäuden auf beiden Seiten, deren Architektur einen Zeitraum von nahezu dreihundert Jahren umfasste. Die Gebäude erinnerten an die Wandelbarkeit der Städte: Eine prächtige Stadtvilla aus dem achtzehnten Jahrhundert – mit behauenem Granit und mit Keilsteinen versehenen Ecken – war im zwanzigsten Jahrhundert zum Hotel umgebaut worden, und in zwei Häusern des neunzehnten Jahrhunderts, die sich nicht durch irgendeinen besonderen Stein auszeichneten, waren jetzt Kleidergeschäfte untergebracht. Die gebogenen Glasfenster edwardianischer Ladenfassaden so nah bei der Stadtvilla erzählten noch von dem regen Handelsleben, das in diesem Viertel in den Tagen vor dem Zweiten Weltkrieg geblüht hatte, während hinter ihnen schon lange eine moderne Niederlassung eines Londoner Bankhauses ihren Sitz hatte.

Die Bank, die Le Gallez und St. James suchten, lag am Ende von Le Pollet, unweit eines Taxistands, an dem vorbei man zu den Kais gelangte. Sie wurden auf dem Weg dorthin von Detective Sergeant Marsh von der Betrugsabteilung begleitet, einem noch jüngeren Mann mit altmodischen Koteletten, der zu Le Gallez sagte: »Bisschen wie mit Kanonen auf Spatzen schießen, finden Sie nicht, Sir?«

Le Gallez antwortete scharf: »Ich möchte diesen Leuten Grund geben, von Anfang an mit uns zu kooperieren, Dick. Das spart eine Menge Zeit.«

»Ich würde sagen, mit einem Anruf der Steuerfahndung hätten Sie das auch erreicht, Sir«, entgegnete Marsh.

»Ich gehe gern auf Nummer Sicher. Und ich halte an meinen Gewohnheiten fest. Bei der Steuerfahndung würden sie vielleicht ein bisschen ins Schwitzen kommen, das stimmt schon. Aber ein Besuch vom Betrugsdezernat …? Da werden sie mehr als Wasser schwitzen, mein Lieber.«

Detective Sergeant Marsh verdrehte lächelnd die Augen. »Ihr Burschen vom Morddezernat habt anscheinend nicht genug Unterhaltung.«

»Wir holen sie uns, wo wir sie kriegen, Dick.« Le Gallez zog die schwere Glastür der Bank auf und ließ St. James den Vortritt.

Der Direktor war ein Mann namens Robilliard, mit dem Le Gallez, wie sich herausstellte, gut bekannt war. Als sie sein Büro betraten, stand er auf und sagte: »Louis, wie geht es Ihnen?« und reichte Le Gallez die Hand. »Wir haben Sie beim Fußball vermisst«, fügte er hinzu. »Was macht der Fuß?«

»Alles wieder in Ordnung.«

»Na, dann sehen wir Sie hoffentlich am Wochenende auf dem Platz. Mir scheint, ein bisschen Bewegung würde Ihnen gut tun.«

»Die Frühstückscroissants. Die bringen mich noch um«, bekannte Le Gallez.

Robilliard lachte. »Nur die Dicken sterben jung.«

Le Gallez machte den Bankdirektor mit seinen Begleitern bekannt und erklärte: »Wir wollten uns mit Ihnen gern mal über Guy Brouard unterhalten.«

»Ah.«

»Er hat doch seine Bankgeschäfte bei Ihnen getätigt?«

»Ja. Seine Schwester auch. Stimmt etwas nicht mit seinen Konten?«

»Es sieht so aus, David. Tut mir Leid.« Le Gallez berichtete, was sie wussten: Vom Verkauf eines bedeutenden Wertpapierdepots, dem innerhalb einer relativ kurzen Zeitspanne eine Serie von Abhebungen von Brouards Konto gefolgt war. Infolge dieser Abhebungen, erklärte Le Gallez, sei das Konto ganz erheblich geschrumpft. Der Mann sei tot – wie Robilliard vermutlich wisse, wenn er in letzter Zeit die Zeitung gelesen habe –, und er sei ermordet worden ... »Da müssen wir uns natürlich alles genau ansehen«, schloss Le Gallez.

Robilliard machte ein nachdenkliches Gesicht. »Natürlich, das verstehe ich«, sagte er. »Aber wenn Sie Bankunterlagen als Beweismittel verwenden wollen ... dazu brauchen Sie eine Anordnung vom Bailiff, das wissen Sie.«

»Richtig«, bestätigte Le Gallez. »Aber im Augenblick geht es uns nur um eine Auskunft. Zum Beispiel, wohin dieses Geld gegangen ist und wie es dorthin gelangte.«

Robilliard ließ sich dieses Anliegen durch den Kopf gehen. Die anderen warteten. Le Gallez hatte St. James zuvor erklärt, dass ein Anruf von der Steuerfahndung ausreichen würde, um der Bank Informationen allgemeiner Art herauszukitzeln, dass er aber den persönlichen Kontakt vorzog. Das würde nicht nur mehr bringen, sondern die Sache auch beschleunigen, hatte er gesagt. Geldinstitute waren gesetzlich verpflichtet, der Steuerfahndung verdächtige Transaktionen offen zu legen, wenn diese das verlangte. Aber sie mussten nicht sofort springen, wenn sie nicht wollten. Sie verfügten über Dutzende von Möglichkeiten, die Auskünfte hinauszuzögern. Aus diesem Grund hatte er einen Vertreter des Betrugsdezernats in Gestalt von Detective Sergeant Marsh mitgenommen. Guy Brouard war schon ein paar Tage zu lange tot, sie hatten keine Zeit mehr, herumzusitzen und Däumchen zu drehen, während die Bank ihre Verschleppungstänzchen machte.

Robilliard sagte schließlich: »Solange die Situation in Bezug auf offizielle Beweismittel klar ist ...«

Le Gallez tippte sich an die Schläfe. »Ich hab's gespeichert, David. Geben Sie uns, was Sie können.«

Der Direktor verließ den Raum, um sich persönlich um die Sache zu kümmern, und überließ sie der prachtvollen Aussicht auf den Hafen und den St. Julian's Pier, die sich von seinem Fenster aus bot. »Mit einem anständigen Teleskop kann man von hier aus bis nach Frankreich sehen«, bemerkte Le Gallez.

»Aber wer will das schon«, gab Marsh zurück, und die beiden Männer lachten, Einheimische, die von den Touristen längst genug hatten.

Als Robilliard etwa fünf Minuten später zu ihnen zurückkam, brachte er einen Computerausdruck mit. Er wies zu einem kleinen Konferenztisch, und nachdem sie Platz genommen hatten, legte er ihnen den Ausdruck zur Ansicht vor.

Er sagte: »Guy Brouard hatte ein großes Konto. Nicht so groß wie das seiner Schwester, aber groß. Auf ihrem haben in den letzten Monaten kaum Bewegungen stattgefunden, aber wenn man bedenkt, wer Guy Brouard war – Chateaux Brouard, den Umfang dieses Unternehmens, als er es leitete –, dann bestand eigentlich kein Grund, angesichts seiner Kontenbewegungen die rote Flagge zu schwenken.«

»Botschaft empfangen«, sagte Le Gallez. Und zu Marsh: »Haben Sie das mitgekriegt?«

»Bis jetzt kooperieren wir«, interpretierte Marsh.

St. James musste dieses Kleinstadtpalaver zwischen den Männern bewundern. Er konnte sich vorstellen, wie kompliziert so ein Verfahren werden konnte, wenn die Beteiligten anfingen, Rechtsbeistand, gerichtliche Anordnungen oder eine Verfügung der Steuerfahndung zu fordern. Er wartete auf den Fortgang des Palavers.

»Er hat eine ganze Serie von telegrafischen Überweisungen nach London vorgenommen«, berichtete Robilliard. »Alle an dieselbe Bank und auf dasselbe Konto. Das hat vor« – er warf einen Blick auf den Ausdruck – »etwas mehr als acht Monaten angefangen und setzte sich mit wachsenden Beträgen das Frühjahr und den Sommer hindurch fort, bis zu einer letzten Überweisung am ersten Oktober. Die erste Überweisung belief sich auf fünftausend Pfund, die letzte auf zweihundertfünfzigtausend.«

»Zweihundertfünfzigtausend? Und das alles immer auf dasselbe Konto?«, sagte Le Gallez. »Du meine Güte, David. Da habt ihr aber nicht richtig aufgepasst, was?«

Robilliard errötete ein wenig. »Wie gesagt, die Brouards sind große Kunden. Er leitete ein Unternehmen mit Beteiligungen in der ganzen Welt.«

»Er war im Ruhestand, verdammt noch mal.«

»Da haben Sie natürlich Recht. Aber sehen Sie, wären die Überweisungen von einem Kunden vorgenommen worden, der uns nicht so gut bekannt war – von einem ausländischen Kunden, beispielsweise –, hätten wir sofort reagiert. Aber in diesem Fall ließ nichts irgendwelche Unregelmäßigkeiten vermuten. Und das ist auch jetzt noch so.« Er zog einen gelben Haftzettel ab, der oben auf dem Computerausdruck klebte, und sagte: »Der Name des Empfängers ist International Access, mit einer Adresse in Bracknell. Ich vermute, es handelte sich um ein Start-up-Unternehmen, an dem Brouard sich beteiligte. Ich wette, genau das werden Sie feststellen, wenn Sie der Sache nachgehen.«

»Sie *möchten* gern, dass wir das feststellen werden«, sagte Le Gallez.

»Das ist jedenfalls alles, was ich weiß«, erwiderte Robilliard.

Le Gallez ließ nicht locker. »Alles, was Sie wissen, oder alles, was Sie uns sagen wollen, David?«

Worauf Robilliard mit der Hand auf den Ausdruck schlug und sagte: »Hören Sie, Louis, es gibt keinerlei Hinweise darauf, dass bei der Sache etwas nicht koscher ist.«

Le Gallez griff nach dem Papier. »Na schön. Wir werden sehen.«

Draußen blieben die drei Männer vor einer Bäckerei stehen. Während Le Gallez sehnsüchtig eine Auslage mit Schokoladencroissants betrachtete, sagte Detective Sergeant Marsh: »Überprüfen sollte man die Sache auf jeden Fall, Sir, aber da Brouard tot ist, glaube ich nicht, dass die Leute drüben in London sich überschlagen werden, um ihr auf den Grund zu kommen.«

»Es könnte eine ganz ordnungsgemäße Transaktion sein«, bemerkte St. James. »Der Sohn – Adrian Brouard – lebt in England, soviel ich weiß. Und es sind noch andere Kinder da. Es könnte doch sein, dass eines von ihnen Eigentümer von International Access ist, und Brouard das Unternehmen stützen wollte.«

»Anlagekapital«, sagte Sergeant Marsh. »Wir brauchen jemanden in London, der sich die dortige Bank mal vorknöpft. Ich ruf bei der Bankenaufsichtsbehörde an und geb die Sache weiter, aber ich vermute, die werden eine gerichtliche Verfügung verlangen. Die Bank, meine ich. Wenn man Scotland Yard einschaltet –«

»Ich habe jemanden in London«, warf St. James ein. »Beim Yard. Vielleicht kann er uns weiterhelfen. Ich rufe ihn an. Aber inzwischen ...« Er ließ alles, was er in den letzten Tagen herausgefunden hatte, noch mal Revue passieren und folgte den logischen Pfaden, die jede einzelne Information geöffnet hatte. »Lassen Sie mich das mit London erledigen«, sagte er zu Le Gallez. »Danach, würde ich sagen, ist es Zeit für ein offenes Wort mit Adrian Brouard.«

# 23

»Tja, so ist das, mein Junge«, sagte Ol Fielder zu seinem Sohn Paul. Er umfasste Pauls Fußgelenk und lächelte liebevoll, aber Paul konnte das Bedauern in seinem Blick erkennen. Er hatte es schon bemerkt, bevor sein Vater ihn gebeten hatte, mit nach oben zu kommen, weil »wir mal ernsthaft miteinander reden müssen, Paulie«. Das Telefon hatte geklingelt. Ol Fielder war hingegangen, hatte gesagt: »Ja, Mr. Forrest, der Junge sitzt hier neben mir«, und hatte lange schweigend zugehört, wobei die Freude in seinem Gesicht sich langsam in Besorgnis und mühsam zurückgehaltene Enttäuschung verwandelt hatte. »Tja, nun«, hatte er am Ende gesagt, »es ist ja trotzdem noch ein schöner Betrag, und von unserem Paulie werden Sie deswegen bestimmt kein Naserümpfen sehen.«

Danach hatte er Paul aufgefordert, mit ihm nach oben zu gehen, und Billys Fragen – »Was ist denn jetzt wieder los? Wird aus unserm Paulie doch kein zweiter Richard Branson, oder was?« – ignoriert.

Sie waren in Pauls Zimmer gegangen, wo Paul sich, ans Kopfbrett gelehnt, auf sein Bett gesetzt hatte. Sein Vater hatte sich auf der Kante niedergelassen und ihm erklärt, dass die Erbschaft, von der Mr. Forrest gesagt hatte, sie würde um die siebenhunderttausend Pfund betragen, sich in Wirklichkeit nur auf ungefähr sechzigtausend Pfund belief, wie sich jetzt herausgestellt hatte. Das war natürlich sehr viel weniger, als Mr. Forrest ihnen in Aussicht gestellt hatte, aber trotzdem ein Betrag, über den man nicht meckern konnte. Paul könne ihn auf alle erdenkliche Weise verwenden: zum Studium an der Universität oder einer Fachhochschule, zum Beispiel. Oder er könne reisen, sich ein Auto kaufen, damit er nicht mehr auf das klapprige alte Fahrrad angewiesen sei, er könne auch eine kleine Firma gründen, wenn er das wolle, vielleicht sogar irgendwo ein Häuschen kaufen. Was Tolles werde er zwar dafür nicht bekommen, das war klar, aber er könne es ja herrichten, es mit der Zeit richtig gemütlich machen, und wenn er dann mal heirate… Na ja, lauter Träume, nicht wahr? Aber Träume seien etwas Schönes. Die haben wir doch alle.

»Du hattest doch nicht im Geist schon das ganze Geld ausgegeben, Paulie?«, fragte Ol Fielder seinen Sohn teilnahmsvoll, als er zum Schluss seiner Erklärung gekommen war. Er gab Paul einen Klaps auf das Bein. »Nein? Das habe ich mir schon gedacht, mein Junge. Du bist in solchen Dingen ein kluger Bursche. Gut, dass es dir hinterlassen worden ist, Paulie, und nicht… du weißt schon, was ich meine.«

»Ach, sind das jetzt die letzten Neuigkeiten? So eine Verarschung!«

Paul blickte auf und sah, dass sein Bruder sich zu ihnen gesellt hatte, unaufgefordert wie immer. Er lümmelte am Türpfosten und leckte den Guss von einem ungetoasteten Pop-Tart.

»Na, da wird der gute kleine Paulie wohl nicht so bald in die große Welt rausziehen und das Geld unter die Leute bringen. Hm, ich kann nur sagen, ich find's gut. Ehrlich. Kann mir gar nicht vorstellen, wie das hier wäre, ohne unseren kleinen Wichser.«

»Das reicht, Bill.« Ol Fielder stand auf und streckte seinen Rücken. »Ich nehme an, du hast heute Morgen was zu tun wie alle anderen auch.«

»Ach, das nimmst du an?«, sagte Billy. »Nein, ich hab nichts zu tun. Ich bin eben anders als ihr. Ich find so leicht keine Arbeit.«

»Du könntest es versuchen«, erwiderte Ol Fielder. »Das ist der einzige Unterschied zwischen uns, Bill.«

Paul sah von seinem Bruder zu seinem Vater. Dann senkte er den Kopf und betrachtete die Knie seiner Hose. Sie waren fast durchgescheuert. Zu oft getragen, dachte er. Nicht genug Hosen zum Wechseln.

»Ach, so ist das?«, rief Billy höhnisch. Paul zuckte bei seinem Ton zusammen. Er wusste, dass die Worte seines Vaters, obwohl wohlwollend gemeint, für Billy die Kampfansage waren, die er suchte. Er schleppte seine Wut schon seit Monaten mit sich herum und wartete auf eine Gelegenheit, ihr Luft zu machen. Es war noch schlimmer geworden, als ihr Vater die Arbeit beim Straßenbau angenommen und Billy zurückgelassen hatte, seine Wunden zu lecken. »Das ist der *einzige* Unterschied, was, Dad? Sonst gibt's keinen, hä?«

»So ist es, Bill.«

Bill kam einen Schritt ins Zimmer herein. Paul duckte sich in sein Bett. Billy war genauso groß wie sein Vater, und Ol, wenn auch dem Sohn an Gewicht überlegen, war viel zu friedfertig. Außerdem konnte er sich nicht leisten, seine Kraft bei Raufereien zu vergeuden. Er brauchte alle seine Kräfte, um Tag für Tag mit den Männern des Straßenbaus mithalten zu können. Und schließlich war er noch nie ein Mann gewesen, der sich prügelte. Genau das war natürlich in Billys Augen die Schmach: dass ihrem Vater der Kampfgeist fehlte. Alle Standbetreiber in den Markthallen von St. Peter Port waren informiert worden, dass ihre Mietverträge nicht erneuert würden, weil die Hallen geschlossen und zu einem modernen Einkaufszentrum mit schicken Boutiquen, Antiquitätengeschäften, Espressobars und Touristenläden umgebaut werden sollten. Sie würden weichen müssen – all die Metzger und Fischhändler und Lebensmittelhändler – und es war ihnen überlassen, zu warten, bis ihre Mietverträge abgelaufen waren, oder lieber gleich das Feld zu räumen. Den maßgeblichen Leuten war es einerlei, Hauptsache, sie würden rechtzeitig verschwunden sein.

»Wir wehren uns«, hatte Billy abends beim Essen geschworen. Abend für Abend hatte er Pläne geschmiedet. Wenn sie nicht gewinnen konnten, würden sie die Hallen abfackeln. Niemand durfte den Fielders ihr Geschäft wegnehmen, ohne dafür zu bezahlen.

Aber er hatte die Rechnung ohne seinen Vater gemacht. Ol Fielder war ein friedliebender Mensch.

Wie sich das auch in diesem Moment zeigte, als Billy, der nur eine Gelegenheit zum Angriff wartete, versuchte, ihn zum Kampf zu reizen.

Ol Fielder sagte: »Ich muss zur Arbeit, Bill. Am besten suchst du dir auch einen Job.«

»Ich hatte einen Job«, entgegnete Billy. »Den gleichen wie du. Den gleichen wie mein Großvater und mein Urgroßvater.«

Ol schüttelte den Kopf. »Die Zeiten sind vorbei, Junge.« Er wandte sich zur Tür.

Billy packte ihn beim Arm. »Du«, sagte er, »bist ein nutzloses Stück Scheiße«, und als Paul einen erstickten Protestschrei ausstieß, fuhr Billy ihn an: »Und du hältst dich da gefälligst raus, blöder Wichser.«

»Ich geh jetzt zur Arbeit, Bill«, sagte Ol Fielder.

»Du gehst nirgendwo hin. Wir reden jetzt endlich mal darüber. Jetzt gleich. Und du schaust dir an, was du getan hast.«

»Die Dinge ändern sich«, sagte Ol Fielder zu seinem Sohn.

»Weil du dich nicht dagegen wehrst«, entgegnete Billy. »Das hat uns gehört. Das war unsere Arbeit. Unser Geld. Unser Geschäft. Großvater hat's dir hinterlassen. *Sein* Vater hat es aufgebaut und ihm hinterlassen. Aber hast du vielleicht darum gekämpft? Hast du versucht, es zu retten?«

»Ich konnte es nicht retten, und das weißt du, Bill.«

»Es sollte mal meines werden, so wie es deines war. Das war die Arbeit, die ich tun sollte.«

»Es tut mir Leid«, sagte Ol.

»Es tut dir Leid?« Billy riss seinen Vater am Arm. »Das bringt einen Scheißdreck. Das ändert überhaupt nichts.«

»Und was würde etwas ändern?«, fragte Ol Fielder. »Lass meinen Arm los.«

»Warum? Hast du Schiss, dass es wehtut? Hast du dich deshalb nicht gewehrt? Weil du Schiss gehabt hast, dass sie dich ein bisschen durch die Mangel drehen, Dad? Dass du Prügel kriegst? Ein paar blaue Flecken vielleicht?«

»Ich muss an meine Arbeit, Junge. Lass mich los. Treib es nicht zu weit, Billy.«

»Ich tu, was ich will. Und du gehst, wenn ich dich gehen lass. Jetzt reden wir erst mal.«

»Das ist doch sinnlos. Es ist, wie es ist.«

»Sag das nicht noch mal!« Billys Stimme wurde laut. »Du hast mir gar nichts zu sagen. Ich hab in der Metzgerei gearbeitet, seit ich zehn Jahre alt war. Ich hab das Geschäft gelernt, und ich war gut. Das war meine Arbeit, Dad. Jahrelang. Blut an meinen Händen und meinen Kleidern. Der Geruch war so stark, dass sie mich Bluthund genannt haben. Weißt du das, Dad? Aber mir hat's nichts ausgemacht, weil das mein Leben war. Ich war dabei, mir was aufzubauen. Der Stand hat mir gehört, und jetzt ist nichts davon übrig, und ich steh ohne alles da. Du hast zugelassen, dass sie uns das Geschäft weggenommen haben, weil du dir zu fein warst, dich zu wehren. Und was ist mir jetzt geblieben? Sag mir das mal. Sag's mir, Dad!«

»So was kommt vor, Bill.«

»Bei mir nicht!«, schrie Billy. Es ließ seinen Vater los und versetzte ihm einen Stoß. Dann noch einen und noch einen, und Ol Fielder tat nichts, um ihm Einhalt zu gebieten. »Los, kämpf, du Arsch«, schrie Billy bei jedem Stoß. »Kämpf! Kämpf mit mir.«

Paul hockte auf dem Bett und beobachtete alles wie durch einen Schleier. Irgendwo im Haus bellte Taboo, und er hörte gedämpfte Stimmen. Die Glotze, dachte er. Wo ist Mama? Hört sie denn nichts? Warum kommt sie nicht und sorgt dafür, dass er aufhört?

Aber das konnte sie natürlich gar nicht. Niemand konnte das, jetzt nicht und früher auch nicht. Billy hatte die Gewalt bei seinem Handwerk gemocht. Es hatte ihm Spaß gemacht, mit dem Hackbeil die Schläge zu führen, die das Fleisch vom Knochen trennten oder den Knochen in Stücke zerlegten. Seit er das nicht mehr tun konnte, lechzte er danach, endlich einmal wieder dieses Machtgefühl zu spüren, das sich einstellte, wenn man etwas kurz und klein schlug, in so kleine Stücke hackte, dass nichts mehr davon übrig blieb. Der Drang, Gewalt auszuüben, hatte sich in ihm angestaut und wollte befriedigt werden.

»Ich kämpfe nicht mit dir, Billy«, sagte Ol Fielder, als sein Sohn ihm einen letzten wütenden Stoß versetzte. Seine Waden waren gegen das Bett gepresst, und er ließ sich darauf hinabsinken. »Ich kämpfe nicht mit dir, mein Junge.«

»Hast wohl Angst, dass du verlierst? Los! Steh auf!« Und Billy rammte seinem Vater den Handballen in die Schulter. Ol Fielder verzog das Gesicht. Billy lachte. »Ja. Genau. So ist's richtig. Das war nur ein kleiner Vorgeschmack. Steh auf, du Feigling. Steh endlich auf!«

Paul griff nach seinem Vater, um ihn in Sicherheit zu bringen, obwohl er wusste, dass es keine gab.

»Halt du dich da raus, Wichser«, schrie Billy ihn an. »Halt dich raus. Kapiert? Wir haben was zu erledigen, er und ich.« Er umfasste den Unterkiefer seines Vaters und drückte ihn zusammen, drehte dabei den Kopf so, dass Paul das Gesicht seines Vaters deutlich sehen konnte. »Schau sie dir an, die Fresse«, sagte Billy zu ihm, »von diesem beschissenen Waschlappen. Mit dem jeder machen kann, was er will.«

Taboos Bellen wurde lauter. Die Stimmen kamen näher.

Billy riss den Kopf seines Vaters wieder herum. Er kniff ihn in die Nase und packte ihn dann bei beiden Ohren. »Was braucht's noch?«, spottete er. »Was braucht's, damit du endlich ein Mann wirst, Dad?«

Ol stieß die Hände seines Sohnes weg. »Es reicht!« Seine Stimme war laut.

»Jetzt schon?« Billy lachte wieder. »Dad, Dad. Wir fangen gerade erst an.«

»Ich habe gesagt, es reicht!«, schrie Ol Fielder.

Billy, der endlich hatte, was er wollte, sprang triumphierend ein paar Schritte zurück. Laut lachend schlug er mit geballten Fäusten in die Luft, drehte sich wieder zu seinem Vater um und tänzelte ihm wie ein Boxer entgegen. »Also, wo soll ich's dir geben? Hier drinnen oder draußen?«

Boxhiebe verteilend, rückte er auf das Bett vor. Aber nur einer der Schläge traf seinen Vater – an der Schläfe –, bevor das Zimmer plötzlich voller Leute war. Männer in blauen Uniformen stürmten zur Tür herein, gefolgt von Mave Fielder, die Pauls kleine Schwester auf dem Arm trug. Gleich hinter ihr waren die zwei mittleren Jungen, Marmelade im Gesicht und Toast in der Hand.

Paul glaubte, sie wären gekommen, um seinen Vater und seinen Bruder zu trennen. Er glaubte, irgendjemand hätte die Polizei gerufen, und die Beamten wären zufällig gerade in der Nähe gewesen, so dass sie es geschafft hatten, in Rekordzeit da zu sein. Sie würden hier kurzen Prozess machen und Billy mitnehmen. Sie würden ihn einsperren, und es wäre endlich Frieden im Haus.

Aber es kam ganz anders. Einer der Polizisten sagte zu Billy: »Paul Fielder? Bist du Paul Fielder?« und der andere fragte Pauls Vater: »Was ist hier los, Sir? Hat's hier Ärger gegeben?«

Nein, nein, versicherte Ol Fielder. Kein Ärger, nur eine kleine Meinungsverschiedenheit in der Familie, die sie gerade geklärt hatten.

Ist das Ihr Sohn Paul?, wollte der Constable wissen.

»Sie wollen unseren Paulie holen«, sagte Mave Fielder zu ihrem Mann. »Sie sagen nicht, warum, Ol.«

Billy juchzte. »Haben sie dich endlich geschnappt, du kleine Schwuchtel«, rief er Paul zu. »Hast dich wohl wieder mal im öffentlichen Pissoir rumgetrieben? Ich hab dich ja gewarnt!«

Paul drückte sich zitternd ans Kopfbrett seines Betts. Er sah, dass einer seiner jüngeren Brüder Taboo am Halsband hielt. Der Hund bellte unaufhörlich, und einer der Constables sagte: »Würde mal einer den Köter ruhig stellen?«

»Haben Sie 'ne Pistole da?«, fragte Billy lachend.

»Bill!«, rief Mave. Und gleich darauf: »Ol? Ol? Was hat das zu bedeuten?«

Aber Ol Fielder wusste es natürlich auch nicht.

Taboo bellte weiter. Er zog und zerrte, um sich zu befreien.

Der Constable sagte scharf: »Kümmern Sie sich endlich um den verdammten Köter!«

Paul wusste, dass Taboo nur losgelassen werden wollte. Er wollte sich nur vergewissern, dass Paul nichts geschehen war.

Der andere Constable sagte: »Augenblick mal. Lass mich …« Und er packte Taboo beim Halsband, um ihn wegzuziehen.

Der Hund fletschte die Zähne und schnappte. Der Constable schrie auf und versetzte ihm einen Tritt. Paul sprang vom Bett, um seinem Hund zu Hilfe zu kommen, doch Taboo rannte jaulend die Treppe hinunter.

Paul wollte ihm nach und wurde festgehalten. Seine Mutter rief immer wieder: »Was hat er denn getan? Was hat er denn getan?«, und Billy lachte wie ein Verrückter. Paul rutschte aus, suchte strampelnd Halt und traf mit einem Fuß versehentlich den Constable am Bein. Der Mann stöhnte auf und ließ Paul los. Paul packte seinen Rucksack und rannte zur Tür.

»Aufhalten!«, rief jemand.

Das war schnell geschehen. Es waren so viele Leute im Zimmer, dass man sich kaum bewegen, geschweige denn verstecken konnte. Ruckzuck wurde Paul eingefangen und die Treppe hinunter aus dem Haus geführt.

Von dem Moment an existierte er in einem Wirbel von Bildern und Klängen. Er hörte seine Mutter immer wieder fragen, was sie von ihrem kleinen Paulie wollten, er hörte seinen Vater sagen: »Mave, beruhig dich doch!« Er hörte Billy lachen und irgendwo hörte er Taboo bellen. Draußen sah er die Nachbarn auf der Straße stehen. Der Himmel über ihnen war zum ersten Mal seit Tagen blau, und die Bäume rund um den Parkplatz hoben sich wie mit Kohle gezeichnet von ihm ab.

Bevor er wusste, wie ihm geschah, saß er hinten in einem Polizeiauto, den Rucksack an seine Brust gedrückt. Er hatte kalte Füße, und als er hinunterschaute, sah er, dass er keine Schuhe trug. Seine Füße steckten noch in den ausgetretenen alten Hausschuhen, und niemand hatte daran gedacht, ihm Zeit zu lassen, sich eine Jacke überzuziehen.

Die Autotür fiel zu, und der Motor heulte auf. Paul hörte seine Mutter immer weiter schreien. Er drehte den Kopf, als der Wagen sich in Bewegung setzte. Er schaute zurück, bis seine Familie nicht mehr zu sehen war.

Da kam plötzlich hinter dem Knäuel der Gaffer Taboo hervorgeschossen. Laut kläffend und mit fliegenden Ohren jagte er dem Polizeiauto hinterher.

»Dieser dämliche Köter«, knurrte der Constable, der den Wagen fuhr. »Wenn der nicht bald umkehrt –«

»Nicht unser Problem«, sagte der andere.

Sie verließen Le Bouet und bogen in die Pitronnerie Road ein.

Als sie Le Grand Bouet erreichten und beschleunigten, war Taboo immer noch hinter ihnen.

Deborah und China hatten Mühe, Cynthia Moullins Zuhause in La Corbière zu finden. Man hatte ihnen gesagt, das Haus werde nur das Muschelhaus genannt, sie könnten es gar nicht verfehlen, obwohl es an einer schmalen Straße liege. Aber erst beim dritten Anlauf bemerkten sie endlich einen Briefkasten, der mit Austernschalen verziert war, und schlossen daraus, dass sie endlich am Ziel waren. Deborah lenkte den Wagen auf das Grundstück, wo sie statt eines Gartens ein Trümmerfeld aus Muscheln erwartete.

»Das ehemalige Muschelhaus«, kommentierte Deborah. »Kein Wunder, dass wir es nicht gleich gefunden haben.«

Der Ort schien verlassen: kein Auto in der Einfahrt, eine abgeschlossene Scheune, geschlossene Vorhänge hinter den Fenstern mit den Rautenscheiben. Aber als sie aus dem Auto stiegen, bemerkten sie eine junge Frau, die auf der anderen Seite dieses ehemals fantastischen Gartens kauerte. Sie hielt einen kleinen, mit Muscheln verzierten Wunschbrunnen umschlungen, den blonden Kopf auf seinen Rand gelegt. Sie sah ein wenig aus wie eine Statue der Viola nach dem Schiffbruch, und sie rührte sich auch nicht, als Deborah und China sich näherten.

Aber sie sprach. Sie sagte: »Geh weg. Ich will dich nicht sehen. Ich hab Oma angerufen, und sie hat gesagt, ich kann nach Alderney kommen. Sie *will*, dass ich komme, und ich fahr auch.«

»Sind Sie Cynthia Moullin?«, fragte Deborah.

Das Mädchen hob erstaunt den Kopf. Sie blickte von China zu Deborah, als versuchte sie dahinter zu kommen, wer sie waren. Sie schaute an ihnen vorbei zur Einfahrt, vielleicht um zu sehen, ob sie in Begleitung waren. Als sie sah, dass niemand sonst da war, sank sie wieder in sich zusammen, und über ihr Gesicht zog sich erneut der Ausdruck trostloser Verzweiflung.

»Ich dachte, Sie wären mein Vater«, sagte sie tonlos und ließ den Kopf wieder auf den Rand des Brunnens sinken. »Ich wollte, ich wäre tot.« Sie umklammerte die Wände des kleinen Brunnens, als könnte sie so ihrem Körper ihren Willen aufzwingen.

»Das Gefühl kenne ich«, sagte China.

»Das Gefühl kennt niemand«, widersprach Cynthia. »Niemand kennt es, weil es meines ist. *Er* ist froh. Er sagt: ›Komm, rapple dich auf. Passiert ist passiert, und vorbei ist vorbei.‹ Aber so ist es nicht. Das glaubt nur er, dass es vorbei ist. Das geht nie vorbei. Jedenfalls nicht für mich. Ich vergesse das *nie.*«

»Meinen Sie das zwischen Ihnen und Mr. Brouard? Dass das vorbei ist?«, fragte Deborah. »Weil er tot ist?«

Als das Mädchen den Namen Brouard hörte, hob sie wieder den Kopf. »Wer sind Sie?«

Deborah erklärte es ihr. Auf der Fahrt vom Grand Havre hierher hatte China ihr gesagt, dass sie nie auch nur andeutungsweise von einer Geschichte zwischen Guy Brouard und einer Frau namens Cynthia Moullin gehört hatte, solange sie in *Le Reposoir* gewesen war. Ihres Wissens war Anaïs Abbott Guy Brouards einzige Geliebte gewesen. »Und sie haben sich auch genauso verhalten«, hatte China erzählt. Damit war klar, dass das junge Mädchen schon vor der Ankunft der Rivers in Guernsey keine Rolle mehr gespielt hatte. Blieb die Frage, warum und auf wessen Betreiben hin.

Cynthias Lippen begannen zu beben und verzogen sich zum Weinen, als Deborah sich und China vorstellte und den Grund ihres Besuchs darlegte. Als alles erklärt war, liefen ihr die ersten Tränen die Wangen hinunter und sie tat nichts, um sie zurückzuhalten. Sie tropften auf ihr graues Sweatshirt und zeichneten es mit kleinen Tupfen ihres Schmerzes.

»Ich wollte es«, sagte sie schluchzend. »Er wollte es auch. Er hat es nie gesagt, und ich auch nicht, aber wir wussten es beide. Er hat mich damals, bevor wir es getan haben, nur angesehen, und ich wusste, dass sich alles zwischen uns verändert hat. Ich konnte es in seinem Gesicht sehen – was es ihm bedeuten würde und so –, und da hab ich gesagt: ›Benütze nichts‹. Er hat gelächelt, dieses Lächeln, das bedeutete, dass er wusste, was ich dachte, und es war okay. Es hätte alles einfacher gemacht. Denn dann wäre es logisch gewesen, dass wir heiraten.«

Deborah sah China an. China formulierte lautlos: Wow!

Deborah sagte zu Cynthia: »Sie waren mit Mr. Brouard verlobt?«

»Wir hätten uns verlobt«, erwiderte sie. »Und jetzt... Ach, Guy. Guy.« Sie weinte ohne Scham wie ein kleines Mädchen. »Nichts ist geblieben. Wenn ich ein Kind bekommen hätte, wäre mir wenigstens etwas geblieben. Aber jetzt ist er wirklich und wahrhaftig tot, und ich kann es nicht ertragen. Ich hasse ihn. Ich hasse ihn. O Gott, wie ich ihn hasse. Dauernd sagt er: ›Komm schon, reiß dich zusammen. Das Leben geht weiter. Du bist frei, du kannst weiterleben wie zuvor.‹ Und dabei tut er so, als hätte er nicht darum *gebetet*, dass es so kommt, als hätte er keine Ahnung, dass ich davongelaufen wäre und mich versteckt hätte, bis das Baby auf die Welt gekommen und es für ihn zu spät gewesen wäre, irgendwas zu tun, um es zu verhindern. Er erzählt mir, wie mir das mein Leben verpfuscht hätte, dabei ist es doch sowieso verpfuscht. Und darüber ist er froh. Ja, froh. Richtig froh!« Sie schlang erneut die Arme um den Brunnen und ließ ihre Tränen auf seinen Muschelrand tropfen.

Sie hatten die Antwort auf ihre Frage, dachte Deborah.

Es gab kaum den Hauch eines Zweifels, dass zwischen Cynthia Moullin und Guy Brouard eine Liebesbeziehung bestanden hatte. Und dieser *er*, den sie hasste, musste ihr Vater sein. Deborah konnte sich nicht vorstellen, wer sonst so reagiert haben sollte, die sie erzählt hatte.

Sie sagte: »Cynthia, sollen wir Ihnen nicht ins Haus helfen? Es ist kalt hier draußen, und Sie haben nur das Sweatshirt an...«

»Nein! Da rein geh ich nie wieder! Ich bleib hier draußen, bis ich sterbe. Ich will es so.«

»Ich glaube nicht, dass Ihr Vater das zulassen wird.«

»Er will es genauso wie ich«, sagte sie. »›Gib das Rad her‹, hat er zu mir gesagt. ›Du verdienst seinen Schutz nicht.‹ Als wüsste ich nicht, dass er mich damit verletzen will. Als wüsste ich nicht, was er meint. Er sagt: ›Du bist nicht mehr meine Tochter‹, und ich soll das hören, ohne dass er es ausspricht. Aber es ist mir gleichgültig, verstehen Sie? Es interessiert mich nicht.«

Deborah sah China einigermaßen verwirrt an. China deutete

mit einem Schulterzucken ihre eigenen Schwierigkeiten an, zu verstehen, worum es ging. Diese Wasser waren zu tief, um nur darin herumzuplanschen. Sie mussten irgendwo einen Halt finden.

»Ich hatte es sowieso schon Guy geschenkt«, fuhr Cynthia fort. »Schon Monate vorher. Ich habe ihm gesagt, er soll es immer bei sich tragen. Es war albern, ich weiß. Es war ja nur ein blöder Stein. Aber ich habe ihm gesagt, es würde ihn beschützen, und ich denke, er hat geglaubt ... weil ich ihm gesagt habe ... ich habe ihm gesagt ...« Sie begann erneut zu schluchzen. »Aber es hat ihn nicht beschützt. Es war nur ein blöder, blöder *Stein.*«

Das Mädchen war eine faszinierende Mischung aus Unschuld, Sinnlichkeit, Naivität und Verletzlichkeit. Deborah konnte sich ihre Anziehungskraft auf einen Mann vorstellen, der sich vielleicht berufen gefühlt hatte, sie in das Leben einzuführen, sie gleichzeitig vor ihm zu schützen und ihr einige seiner Köstlichkeiten zu zeigen. Cynthia Moullin bot so etwas wie eine Full-Service-Beziehung, entschieden eine Versuchung für einen Mann, der zu allen Zeiten den Eindruck der Überlegenheit aufrechterhalten musste. Deborah konnte sich selbst in dem jungen Mädchen erkennen – die junge Frau, die sie vielleicht gewesen wäre, wenn sie nicht auf eigene Faust drei Jahre nach Amerika gegangen wäre.

Diese Erkenntnis veranlasste sie, neben dem Mädchen niederzuknien und ihr sachte die Hand in den Nacken zu legen. »Cynthia«, sagte sie, »es tut mir entsetzlich Leid, was Sie durchmachen müssen. Aber bitte, lassen Sie sich ins Haus bringen. Jetzt wollen Sie sterben, aber das werden Sie nicht immer wollen. Glauben Sie mir. Ich weiß es.«

»Ich auch«, stimmte China ein. »Wirklich, Cynthia. Sie sagt die Wahrheit.«

Die Atmosphäre von schwesterlicher Gemeinschaft, die durch diese Worte erzeugt wurde, schien auf das Mädchen zu wirken. Sie ließ sich auf die Füße helfen, und als sie stand, wischte sie sich mit dem Ärmel ihres Sweatshirts die Augen und sagte, rührend wie ein Kind: »Ich muss mich schnäuzen.«

Deborah erwiderte: »Im Haus ist sicher ein Taschentuch.«

So gelang es ihnen, sie von dem kleinen Wunschbrunnen zur Haustür zu lotsen. Dort blieb sie stocksteif stehen, und einen Moment lang fürchtete Deborah, sie würde nicht hineingehen, aber als Deborah »Hallo?« rief und fragte, ob jemand da sei, und daraufhin niemand antwortete, war Cynthia doch bereit, einzutreten. Drinnen benutzte sie ein Geschirrtuch als Taschentuch, ging ins Wohnzimmer und kuschelte sich in einen alten Polstersessel. Sie legte den Kopf auf die Armlehne und zog von der Rückenlehne eine gestrickte Decke herunter, mit der sie sich zudeckte.

»Er sagte, ich müsste abtreiben.« Sie schien wie betäubt. »Er sagte, er würde mich solange einsperren, bis er wüsste, ob es nötig ist. Ich solle mir bloß nicht einbilden, ich könnte weglaufen und irgendwo heimlich den Bastard von diesem Bastard zur Welt bringen, sagte er. Da hab ich gesagt, es würde kein Bastard werden, weil wir lange vor seiner Geburt heiraten würden, und da ist er ausgerastet. ›Du bleibst hier, bis ich Blut sehe‹, hat er geschrien. ›Und um Brouard werde ich mich schon kümmern.‹«

Cynthia hielt den Blick unverwandt auf die Wand gegenüber gerichtet, an der eine Anzahl Familienfotos hing. Eine große Aufnahme in der Mitte zeigte einen sitzenden Mann – vermutlich ihren Vater –, um den sich drei kleine Mädchen gruppierten. Er wirkte zuverlässig und gutmütig. Die Mädchen sahen ernst aus, so, als hätten sie ein wenig Spaß nötig.

»Was *ich* wollte, hat ihn gar nicht interessiert«, sagte Cynthia. »Nicht im Geringsten. Und jetzt ist nichts geblieben. Wenn ich wenigstens das Baby hätte ...«

»Glauben Sie mir, ich verstehe Sie«, sagte Deborah.

»Wir haben uns geliebt, aber er hat das nicht begriffen. Er hat behauptet, er hätte mich verführt, aber so war es nicht.«

»Nein«, sagte Deborah, »so läuft das nicht, nicht wahr?«

»Nein. Und so ist es auch nicht gelaufen.« Cynthia knüllte die Decke zusammen und drückte sie ans Kinn. »Ich hab sofort gemerkt, dass er mich mochte, und ich hab ihn auch gemocht. Genauso war's. Wir haben uns einfach nur gemocht. Er hat mit mir geredet. Ich hab mit ihm geredet. Und er hat mich wirklich *gese-*

*hen.* Für ihn war ich nicht nur einfach da, wie ein Stuhl oder so was. Ich war ich. Das hat er mir selbst gesagt. Und alles andere ist dann mit der Zeit geschehen. Aber es ist nichts passiert, wofür ich nicht bereit gewesen wäre. Nichts, was ich nicht selbst wollte. Dann ist mein Vater dahinter gekommen. Ich weiß nicht, wie. Und er hat es uns beide kaputtgemacht. Er hat was Hässliches und Verdorbenes daraus gemacht. Hat geredet, als hätte Guy alles nur aus Spaß getan. Als ob er mit jemandem gewettet hätte, dass er mein erster Mann sein würde, und die Laken brauchte, um es zu beweisen.«

»Väter sind in dieser Hinsicht sehr besorgt«, sagte Deborah. »Er meinte es wahrscheinlich nicht –«

»Doch, genauso hat er's gemeint. Und außerdem war's das ja auch bei Guy.«

»Was? Er hatte gewettet, Sie ins Bett zu kriegen?« China warf Deborah einen unergründlichen Blick zu. Ihre Lippen formten das Wort *Schwein.*

Cynthia belehrte sie hastig. »Ich meine, er wollte mir zeigen, wie es sein kann. Er wusste, dass ich noch nie ... ich hatte es ihm gesagt. Und er hat mit mir darüber gesprochen, wie wichtig es für eine Frau ist, dass das erste Mal ... er sagte Wonne und Glück, dass es Wonne und Glück ist. Und das war es. Jedes Mal. Das war es.«

»Sie fühlten sich mit ihm verbunden«, sagte Deborah.

»Ich wollte, dass er ewig lebt, mit mir. Es hat mich nicht interessiert, dass er älter war. Was hat das schon für eine Rolle gespielt? Wir waren nicht einfach zwei Körper auf einem Bett, die miteinander gevögelt haben. Wir waren zwei Seelen, die sich gefunden hatten und zusammenbleiben wollten, ganz gleich, was geschehen würde. Und so wäre es auch gekommen, wenn nicht ... wenn er nicht ...« Cynthia ließ den Kopf erneut auf die Armlehne des Sessels sinken und begann wieder zu weinen. »Ich möchte auch sterben.«

Deborah ging zu ihr, strich ihr über den Kopf und sagte: »Es tut mir so Leid. Ihn zu verlieren und dann nicht wenigstens ein Kind von ihm zu haben ... Sie müssen verzweifelt sein.«

»Ich bin vernichtet«, schluchzte sie.

China blieb, wo sie war, ein paar Schritte entfernt. Sie verschränkte die Arme, als wollte sie sich vor dem Ansturm von Cynthias Gefühlen schützen, und sagte: »Es hilft wahrscheinlich nichts, das jetzt zu hören, aber Sie *werden* darüber hinwegkommen. Sie werden sich eines Tages sogar wieder besser fühlen. In der Zukunft. Sie werden sich ganz anders fühlen.«

»Ich will aber nicht.«

»Nein. Wir wollen nie. Wir lieben bis zum Wahnsinn, und meinen, wenn wir diese Liebe verlieren, werden wir verdorren und sterben, was ein Segen wäre. Aber kein Mann ist es wert, dass wir wegen ihm sterben, egal, wer es ist. Außerdem laufen die Dinge in der Realität nicht so ab. Wir leben irgendwie weiter und kommen endlich darüber hinweg. Dann fühlen wir uns wieder gut.«

»Ich will mich aber nicht gut fühlen!«

»Jetzt noch nicht«, sagte Deborah. »Jetzt wollen Sie trauern. Die Stärke Ihrer Trauer zeigt die Stärke Ihrer Liebe. Und den Schmerz loszulassen, wenn die Zeit dafür gekommen ist, macht dieser Liebe Ehre.«

»Ist das wahr?« Es war die Stimme eines Kindes, und sie sah so kindlich aus, dass Deborah einen heftigen Impuls verspürte, sie schützend in die Arme zu nehmen. Plötzlich verstand sie, wie dem Vater dieses Mädchens zumute gewesen sein musste, als er erfahren hatte, dass Guy Brouard sie in sein Bett geholt hatte.

»Ich bin überzeugt davon«, sagte Deborah und bemerkte, dass China sich zur Tür schob.

Mit diesem abschließenden Gedanken verließen sie Cynthia Moullin, die unter ihrer Decke in den Sessel gekuschelt dasaß, den Kopf auf einen Arm gebettet. Das viele Weinen hatte sie erschöpft, und sie war ruhig geworden. Sie würde jetzt schlafen, sagte sie. Vielleicht würde es ihr gelingen, von Guy zu träumen.

Draußen, auf dem mit Muschelsplittern übersäten Weg zum Auto, schwiegen China und Deborah. Sie blieben stehen und betrachteten den Garten, der aussah, als wäre ein achtloser Riese in ihm herumgetrampelt, und China sagte mit ausdrucksloser Stimme: »So eine Sauerei!«

Deborah sah sie an. Sie wusste, dass die Freundin nicht von der Zerstörung der Muscheldekorationen sprach, die einmal den Rasen und die Blumenbeete geschmückt hatten. »Tja, manchmal werfen wir uns selbst Minen vor die Füße«, meinte sie.

»Eher Atombomben, wenn du mich fragst. Er war fast siebzig. Und sie ist – wie alt? Siebzehn? Gottverdammt, das ist doch Kindesmissbrauch! Aber nein, nicht doch, in der Hinsicht war er sehr vorsichtig.« Sie fuhr sich durch das kurze Haar. Es war eine unsanfte, ruckartige Geste, die stark an ihren Bruder erinnerte. Sie sagte: »Männer sind Schweine. Wenn es wirklich irgendwo einen anständigen Mann gibt, würde ich ihn bei Gelegenheit verdammt gern kennen lernen. Nur um ihm die Hand zu schütteln und Hallo zu sagen. Um zu wissen, dass nicht alle nur auf einen tollen Fick aus sind. Dieser ganze Scheißdreck von wegen du bist die Richtige und ich liebe dich. Warum fallen die Frauen nur immer wieder darauf rein?« Sie warf Deborah einen Blick zu, und bevor diese antworten konnte, fügte sie hinzu: »Ach, vergiss es. Lass es. Ich vergess das immer. Du gehörst ja nicht zu denen, die sich von den Männern niedermachen lassen.«

»China, das ist –«

China winkte ab. »Entschuldige. Entschuldige bitte. Ich hätte nicht … Aber sie zu sehen … sich das anzuhören … Schon gut.« Sie lief hastig zum Wagen.

Deborah folgte. »Keinem von uns bleiben Schmerzen erspart. Das Leben verlangt, dass wir mit ihnen fertig werden. Das ist einfach so. Schmerzen sind so etwas wie ein Nebenprodukt der Lebendigkeit.«

»Aber es muss nicht so sein.« China riss die Tür auf und warf sich in den Wagen. »Frauen brauchen nicht so dumm zu sein.«

»Wir werden darauf gedrillt, an Märchen zu glauben«, sagte Deborah. »Ein gequälter Mann muss durch die Liebe einer reinen Frau erlöst werden. Diese Idee wird uns von der Wiege an eingeimpft.«

»Aber hier hatten wir es nun nicht gerade mit einem gequälten Mann zu tun«, widersprach China und wies mit der Hand zum Haus. »Wieso ist sie trotzdem auf ihn reingefallen? Sicher, er war charmant, sah gut aus. Und er war fit, wirkte nicht wie siebzig. Aber sich überreden zu lassen … ich meine, beim ersten Mann … Du kannst es drehen und wenden, wie du willst, er hätte ihr Großvater sein können. Ihr Urgroßvater sogar.«

»Sie hat ihn offenbar trotzdem geliebt.«

»Ich wette, sein Bankkonto hatte einiges damit zu tun. Schönes Haus, schöner Besitz, schönes Auto, schönes Dies und schönes Das. Die Verlockung, einmal Herrin dieses Besitzes zu werden. Tolle Urlaube auf der ganzen Welt. Klamotten, so viel man will. Du magst Diamanten? Bitte, sie gehören dir. Fünfzigtausend Paar Schuhe? Das schaffen wir. Einen Ferrari hättest du gern? Kein Problem. Ich wette, *das* hat Guy Brouard in ihren Augen supersexy gemacht. Ich meine, schau dich hier doch mal um. Schau dir an, wo sie herkommt. Sie war eine leichte Beute für ihn. Jedes Mädchen aus solchen Verhältnissen wäre eine leichte Beute gewesen. Sicher, die Frauen fallen gern auf den gequälten Idioten rein. Aber versprich ihnen das große Geld, dann hast du sie schon in der Tasche.«

Deborah hörte sich das alles an, und ihr Herz klopfte schnell und leicht oben am Hals. Sie sagte: »Glaubst du das wirklich, China?«

»Worauf du dich verlassen kannst. Und die Männer wissen genau, wie's läuft. Schmeiß mit der Kohle um dich, und warte ab, was passiert. Geld wirkt ungefähr wie Fliegenpapier. Den meisten Frauen ist nur das Geld wichtig, ob der Mann überhaupt auf den Beinen stehen kann, interessiert sie gar nicht. Hauptsache, er atmet noch und ist reich. Da fragen wir nicht lang und unterschreiben. Ist doch ein gutes Geschäft. Aber wir nennen es Liebe und erzählen allen, wie glücklich wir sind, wenn wir mit ihm zusammen sind. Wenn wir zusammen sind, behaupten wir, zittert die Erde und der Himmel tut sich auf. Aber wenn man diese ganzen Theaterdonner mal weglässt, läuft's einzig auf die Kohle hinaus. Wir können einen Mann lieben, der Mundgeruch hat, keine Beine und keinen Schwanz, wenn er uns nur einen Lebensstandard bieten kann, an den wir uns gern gewöhnen.«

Deborah konnte nichts erwidern. Chinas Worte ließen sich in vielerlei Hinsicht auf sie selbst beziehen, nicht nur auf ihre Beziehung mit Tommy, die sich damals, praktisch unmittelbar, nachdem sie mit gebrochenem Herzen von London nach Kalifornien geflohen war, so rasant entwickelt hatte, sondern auch auf ihre Heirat mit Simon, die anderthalb Jahre nach Beendigung der Affäre mit Tommy stattgefunden hatte. Oberflächlich gesehen schien es alles ein Abbild dessen zu sein, was China soeben beschrieben hatte: Tommys Reichtum war die erste Verlockung; Simons beschränktere Mittel die Zweite, die aber immer noch ausreichten, ihr Freiheiten zu bieten, die die meisten Frauen ihres Alters nie genossen hatten. Dass der Schein trog – dass ihr das Geld und die Sicherheit, die es bot, manchmal wie ein Netz vorkamen, das um sie herumgesponnen worden war, um sie ihrer Bewegungsfreiheit zu berauben, nicht sie selbst sein zu können, zu nichts beitragen zu können … Wie sollte man behaupten, das spiele eine Rolle im Vergleich zu dem großen Glück, einmal einen reichen Liebhaber gehabt und jetzt einen Ehemann zu haben, der sie leicht ernähren konnte?

Deborah schluckte das alles hinunter. Ihr Leben war das, was sie selbst daraus machte. Ihr Leben war etwas, von dem China wenig wusste. Sie sagte: »Ja, hm. Was für die eine Frau die wahre Liebe ist, ist für die andere ein Freifahrtschein. Komm, fahren wir zurück. Simon müsste inzwischen mit der Polizei gesprochen haben.«

## 24

Es hatte sein Gutes, mit einem Stellvertretenden Superintendent bei der Kriminalpolizei befreundet zu sein: Man wurde nicht abgewimmelt, wenn man anrief. St. James brauchte nur einen Moment zu warten, ehe Thomas Lynley sich meldete und mit einiger Erheiterung sagte: »Also hat Deb es geschafft, dich nach Guernsey zu schleppen, hm? Das hatte ich mir schon gedacht.«

»Eigentlich wollte sie nicht, dass ich mitkomme«, erwiderte St. James. »Aber ich konnte sie davon überzeugen, dass es nicht unbedingt im Interesse der Beteiligten wäre, wenn sie Miss-Marple-in-St.-Peter-Port spielt.«

Lynley lachte. »Und es geht –?«

»Vorwärts, aber nicht so glatt, wie ich es gern hätte.« St. James brachte den Freund aufs Laufende über seine und Deborahs Bemühungen, unabhängige Nachforschungen anzustellen, ohne der einheimischen Polizei auf die Zehen zu treten. »Ich weiß nicht, wie lange ich allein auf Grund meines doch eher auf Fachkreise beschränkten Rufs noch weitermachen kann«, schloss er.

»Darum der Anruf?«, fragte Lynley. »Ich habe mit Le Gallez gesprochen, als Deborah hier bei uns war. Er hat sich sehr deutlich ausgedrückt: Keinerlei Einmischung von unserer Seite in diesem Fall.«

»Darum geht es auch nicht«, versicherte St. James eilig. »Aber du könntest ein, zwei Anrufe für mich tätigen.«

»Was für Anrufe?«, erkundigte sich Lynley vorsichtig.

St. James erklärte es ihm. Als er endete, sagte Lynley, eigentlich sei die Bankenaufsichtsbehörde die amtliche Stelle, die für solche Angelegenheiten zuständig sei. Er werde versuchen, Auskunft von der Bank zu erhalten, an die die Überweisungen aus Guernsey getätigt worden waren, aber es werde möglicherweise auf eine gerichtliche Verfügung hinauslaufen, und das werde eine gewisse Zeit in Anspruch nehmen.

»Die ganze Sache kann völlig legitim sein«, sagte St. James. »Wir wissen, dass das Geld an eine Gruppe namens International Access in Bracknell ging. Kannst du es vielleicht von der Seite angehen?«

»Möglicherweise wird uns gar nichts anderes übrig bleiben. Ich werde sehen, was ich tun kann.«

Nach diesem Gespräch ging St. James in die Hotellobby hinunter, und während er der Rezeptionistin einbläute, dass sie ihn unbedingt ausfindig machen müsse, falls Anrufe aus London für ihn kämen, gestand er sich ein, dass er sich längst ein Handy hätte zulegen müssen. Die junge Frau schrieb sich seine Angaben auf und versicherte ihm, sie würde alle Nachrichten sofort weitergeben, als Deborah und China von ihrer Fahrt zum Grand Havre zurückkehrten.

Sie gingen alle drei in die Lounge und tauschten bei Kaffee ihre Informationen aus. Deborah hatte, wie St. James erfuhr, aus dem, was sie zusammengetragen hatte, einige nicht unrealistische Schlussfolgerungen gezogen. China ihrerseits unternahm keinen Versuch, ihn mit Hilfe dieser neuen Fakten in seinen Überlegungen zu dem Fall zu beeinflussen, und er musste das bewundern. Er wusste nicht, ob er in der gleichen Situation ebenso zurückhaltend hätte sein können.

»Cynthia Moullin hat von einem Stein gesprochen«, sagte Deborah zum Schluss. »Sie sagte, sie hätte ihn Guy Brouard geschenkt, um ihn zu beschützen. Ihr Vater wollte ihn von ihr zurückhaben. Ich frage mich, ob das der Stein ist, mit dem Brouard erstickt wurde. Cynthias Vater hat ein überzeugendes Motiv. Er hat sie sogar solange eingesperrt, bis sie ihre Periode bekam, weil er sehen wollte, ob sie von Brouard schwanger ist oder nicht.«

St. James nickte. »Le Gallez vermutet, der Mörder hätte ursprünglich vorgehabt, Brouard mit dem Totenkopfring zu ersticken, hätte seinen Plan aber geändert, als er den Stein bei Brouard entdeckte.«

»Und dieser Mörder ist natürlich Cherokee?« China wartete nicht auf eine Antwort. »Aber er hat genauso wenig ein Motiv, wie ich eines habe. Und sie brauchen doch ein Motiv, nicht wahr, Simon?«

»Im Idealfall, ja.« Er hätte gern gesagt, was er noch wusste – dass die Polizei etwas gefunden hatte, was für sie so bedeutsam war wie ein Motiv –, aber er wollte niemanden einweihen. Weniger, weil er China River oder ihren Bruder der Tat verdächtigte, als vielmehr deshalb, weil er *jeden* für verdächtig hielt, und die Vorsicht gebot, sich bedeckt zu halten.

Ehe er fortfahren konnte – ehe er sich zwischen Improvisation und vorsätzlicher Ausflucht entschieden hatte –, ergriff Deborah das Wort. »Cherokee kann nicht gewusst haben, dass Brouard den Stein besaß.«

»Es sei denn, er hat ihn bei ihm gesehen«, warf St. James ein.

»Wie denn?«, konterte Deborah. »Cynthia sagte, Brouard hätte ihn immer bei sich gehabt. Das heißt doch wohl, dass er ihn in der Tasche hatte und nicht in der Hand herumtrug.«

»Kann sein, ja«, sagte St. James.

»Aber Henry Moullin hat gewusst, dass er den Stein hatte. Er wollte ihn von seiner Tochter zurückhaben, so hat sie's uns jedenfalls erzählt. Wenn sie ihrem Vater also gesagt hat, dass sie ihren Talisman oder ihr Amulett, oder was immer es war, ausgerechnet dem Mann geschenkt hatte, auf den er so wütend war, warum sollte er dann nicht schnurstracks hingegangen sein und das Ding zurückverlangt haben?«

»Nichts weist darauf hin, dass er das nicht getan hat«, erwiderte St. James. »Aber solange wir es nicht mit Sicherheit wissen –«

»– halten wir uns an Cherokee«, sagte China prompt. Sie warf Deborah einen Blick zu, als wollte sie sagen: Siehst du?

St. James gefiel diese Andeutung – Frauen-gegen-Männer – nicht, die in diesem Blick enthalten war. Er sagte: »Wir bleiben für alles offen. Und sonst nichts.«

»Mein Bruder hat es nicht getan«, beteuerte China. »Überlegen Sie doch mal! Anaïs Abbott hat ein Motiv. Henry Moullin hat eines. Sogar Stephen Abbott könnte eines haben, wenn er Cynthia für sich beanspruchte oder seine Mutter und Brouard auseinander bringen wollte. Wo passt Cherokee da ins Bild? Nirgends. Und warum nicht? Weil er es nicht getan hat. Er kannte diese Leute genauso wenig wie ich.«

Deborah fügte hinzu: »Du kannst nicht alles, was Henry Moullin belasten könnte, unberücksichtigt lassen – zu ungunsten von Cherokee. Da es nicht mal den kleinsten Hinweis darauf gibt, dass er etwas mit Brouards Tod zu tun hat.« Bei den letzten Worten entdeckte sie offenbar etwas in St. James' Miene, was sie veranlasste hinzuzufügen: »Oder gibt es doch etwas? Ja, es muss etwas geben, warum hätten sie ihn sonst verhaftet. Natürlich, da ist was. Was hab ich nur gedacht? Du warst bei der Polizei, Simon. Was haben sie dir gesagt? Geht es um den Ring?«

St. James warf einen Blick auf China, die sich ihm mit gespannter Aufmerksamkeit entgegenneigte, dann sah er wieder seine Frau an. Er schüttelte den Kopf, sagte nur: »Deborah«, und dann mit einem Seufzen: »Es tut mir Leid, Liebes.«

Deborahs Augen weiteten sich, als sie begriff, was ihr Mann da sagte und tat. Sie wandte sich von ihm ab, und St. James bemerkte, dass sie die Hände im Schoß zusammendrückte, als könnte sie so den aufsteigenden Zorn zurückhalten.

China hatte anscheinend erkannt, was vorging, denn sie stand auf, obwohl sie ihren Kaffee kaum angerührt hatte. »Ich glaub, ich geh jetzt mal und schau, ob sie mich zu meinem Bruder lassen«, sagte sie. »Sonst bitte ich Holberry, ihm eine Nachricht von mir mitzunehmen. Oder ...« Sie zögerte. Ihr Blick flog zur Tür, wo gerade zwei mit Einkaufstüten beladene Frauen erschienen, um sich bei einer Tasse Kaffee von den Anstrengungen des Einkaufsbummels zu erholen. China sah deprimiert aus, während sie beobachtete, wie die beiden es sich lachend an einem Tisch bequem machten. Sie sagte: »Bis später«, zu Deborah, nickte St. James zu und nahm ihren Mantel.

Deborah rief ihr nach, als sie aus dem Raum eilte, aber China drehte sich nicht um. Zornig wandte sich Deborah an ihren Mann. »War das nötig?«, fragte sie erregt. »Du hast ihn praktisch einen Mörder genannt. Und du glaubst, dass sie mit drinsteckt, richtig? Deshalb wolltest du vor ihr nicht sagen, was du weißt. Du glaubst, sie waren es. Entweder zusammen, oder einzeln. Das glaubst du doch, stimmt's?«

»Wir wissen jedenfalls nicht mit Sicherheit, dass sie es nicht waren«, antwortete St. James, obwohl er eigentlich etwas ganz anderes sagen wollte. Er wusste, das war keine Antwort auf Deborahs Frage, sondern eine Reaktion auf ihren anklagenden Ton, die er nicht unterdrücken konnte, obwohl ihm klar war, dass dies der erste Schritt auf dem Weg zum Streit war.

»Wie kannst du das sagen?«, rief Deborah.

»Wie kannst du es nicht sagen, Deborah?«

»Weil ich dir gerade erzählt habe, was wir entdeckt haben, und weil nichts davon mit Cherokee zu tun hat. Und ebenso wenig mit China.«

»Das stimmt«, räumte er ein. »Was du entdeckt hast, hat mit ihnen nichts zu tun.«

»Aber das, was du weißt, *hat* mit ihnen zu tun. Das willst du doch sagen. Und als vorbildlicher Ermittler behältst du es für dich. Na, wunderbar. Dann kann ich ja nach Hause fahren und es dir überlassen –«

»Deborah!«

»– die Sache hier in die Hand zu nehmen, da du ja so versessen darauf bist.« Wie China ergriff sie ihren Mantel. Aber als sie ihn anziehen wollte, erwies er sich als widerspenstig und vereitelte so den großen Abgang, den sie zweifellos geplant hatte.

»Deborah«, sagte er. »Setz dich, und hör mir zu.«

»Rede nicht in diesem Ton mit mir! Ich bin kein Kind.«

»Dann benimm dich auch –« Er brach ab und hob die Hände, eine Geste, die besagte: Komm, lassen wir das. Er zwang sich, ruhig und vernünftig zu sprechen. »Was ich glaube, ist überhaupt nicht wichtig.«

»Dann glaubst du also –«

»Und«, unterbrach er sie, ohne sich beirren zu lassen, »was du glaubst, das ist auch nicht wichtig. Wichtig sind allein die Fakten. Gefühle dürfen in eine Situation wie diese nicht hineinspielen.«

»Mein Gott, du hast deine Entscheidung schon getroffen, nicht? Auf welcher Grundlage bitte?«

»Ich habe überhaupt keine Entscheidung getroffen. Es ist nicht meine Sache, etwas zu entscheiden.«

»Dann sag mir, was los ist.«

»Es sieht nicht gut aus.«

»Was weißt du? Was hat die Polizei in der Hand?« Als er nicht sofort antwortete, rief sie: »Herrgott noch mal, vertraust du mir nicht? Was denkst du denn, dass ich mit der Information anfange?«

»Was *würdest* du mit ihr anfangen, wenn sie den Bruder deiner Freundin belastete?«

»Was für eine Frage! Was glaubst du denn? Dass ich es ihm sagen würde?«

»Bei dem Ring…« St. James sagte es ungern, aber es musste gesagt werden. »Wie sich zeigte, hat er ihn gekannt, aber er sagte kein Wort davon. Wie erklärst du das, Deborah?«

»Es ist nicht meine Sache, das zu erklären. Das muss er tun. Und er wird es tun.«

»So fest glaubst du an ihn?«

»Er ist kein Mörder.«

Aber die Fakten sprachen eine andere Sprache, auch wenn St. James nicht riskieren konnte, sie ihr mitzuteilen. *Eschscholzia californica*, eine Flasche auf einem Feld, Fingerabdrücke auf der Flasche. Und außerdem alles, was sich in Orange County, Kalifornien abgespielt hatte.

Er überlegte einen Moment. Alles deutete auf River hin, nur eines nicht: Die Verschiebung der Gelder von Guernsey nach London.

Margaret stand am Fenster. Jedes Mal, wenn sich draußen etwas bewegte, und sei es nur ein vorbeiflatternder Vogel, kreischte sie aufgeregt. Sie hatte noch zweimal bei der Polizei angerufen und zu wissen verlangt, wann man endlich gegen diesen »elenden kleinen Dieb« vorgehen würde, und erwartete jetzt die Ankunft einer Amtsperson, die sich ihre Geschichte anhören und die angebrachten Maßnahmen ergreifen würde.

Ruth versuchte, sich auf ihre Stickerei zu konzentrieren, aber das ließ Margaret nicht zu. Sie machte unaufhörlich irgendwelche Bemerkungen wie »In spätestens einer Stunde wird dir dein frommer Glaube an die Unschuld dieses Früchtchens vergehen«, oder: »Ich werde dir beweisen, was Wahrheit und Ehrlichkeit ist«, während sie warteten. Worauf sie warteten, wusste Ruth nicht, denn ihre Exschwägerin hatte nach ihrem ersten Anruf bei der Polizei nur gesagt: »Sie kümmern sich sofort darum.«

Das Warten zog sich in die Länge, und Margaret wurde immer

ungeduldiger. Sie war auf dem besten Weg, ein weiteres Mal zum Telefon zu greifen, um sofortiges Handeln zu verlangen, als draußen ein Streifenwagen vorfuhr. »Sie haben ihn«, jubelte sie und eilte zur Tür.

Ruth versuchte, ihr zu folgen. Sie stemmte sich mühevoll aus ihrem Stuhl hoch und hinkte Margaret mit steifen Gliedern hinterher. Diese stürmte schon ins Freie hinaus, wo einer der zwei uniformierten Constables die hintere Tür des Streifenwagens öffnete. Sie drängte sich zwischen den Polizisten und den Insassen auf dem Rücksitz des Autos. Als Ruth endlich ankam, hatte sie Paul Fielder schon am Kragen gepackt und versuchte, ihn aus dem Wagen zu ziehen.

»Das hast du dir so gedacht, was, mein Freundchen?«, sagte sie.

»Augenblick mal, Madam«, mischte sich der Constable ein.

»Her mit dem Rucksack, du Dieb!«

Paul wehrte sich gegen ihren Zugriff und drückte den Rucksack fest an seine Brust. Er trat nach ihren Füßen. Sie schrie: »Er will fliehen«, und fuhr die beiden Polizisten an: »Tun Sie endlich was, verdammt noch mal. Nehmen Sie ihm den Rucksack ab.«

Der zweite Constable kam um den Wagen herum. Er sagte: »Sie greifen hier –«

»Ja, verdammt noch mal, wenn Sie beide ihre Arbeit täten, müsste ich es nicht tun.«

»Treten Sie zurück, Madam«, befahl Constable Nummer eins.

Ruth sagte: »Margaret, du machst ihm nur Angst. Paul, mein Junge, komm mit mir ins Haus, ja? Constable, würden Sie ihn bitte hineinbringen?«

Widerstrebend ließ Margaret den Jungen los, und Paul rannte mit ausgestreckten Armen zu Ruth. Was das hieß, war klar: Ihr und niemand anderem würde er seinen Rucksack anvertrauen.

Ruth führte den Jungen und die beiden Polizisten ins Haus. In einem Arm hielt sie den Rucksack, mit dem anderen hängte sie sich bei Paul ein. Es war eine Demonstration. Er zitterte von Kopf bis Fuß, und sie wollte ihn wissen lassen, dass er nichts zu fürchten hatte. Die Behauptung, der Junge habe irgendetwas aus ihrem Haus gestohlen, war einfach lachhaft.

Es tat ihr Leid, dass er solche Angst ausstehen musste, und sie wusste, dass die Anwesenheit ihrer Exschwägerin die Angst nur verschlimmerte. Sie hätte Margaret nicht bei der Polizei anrufen lassen dürfen. Aber wie sie das hätte anstellen sollen, ohne sie entweder auf dem Speicher einzusperren oder die Telefonleitungen zu durchtrennen, wusste sie nicht.

Aber da der Schaden nun mal angerichtet war, musste sie wenigstens jetzt dafür sorgen, dass Margaret nicht an dem Gespräch teilnahm, das für den Jungen sicherlich eine Tortur werden würde. Als sie in die steinerne Vorhalle traten, sagte sie deshalb: »Bitte kommen Sie. Paul, meine Herren – würden Sie solange im Frühstückszimmer Platz nehmen? Es ist gleich diese zwei Stufen hinunter auf der anderen Seite des offenen Kamins.« Und als sie bemerkte, wie Paul den Rucksack fixierte, klopfte sie leicht darauf und sagte: »Ich bringe ihn gleich mit. Geh du inzwischen mit ihnen, mein Junge. Du brauchst keine Angst zu haben.«

Nachdem die Constables mit Paul im Frühstückszimmer verschwunden waren und die Tür geschlossen hatten, wandte Ruth sich Margaret zu. »Ich habe mich bis hierher nach dir gerichtet, Margaret. Jetzt wirst du dich nach mir richten.«

Margaret war nicht dumm. Sie merkte sofort, dass aus ihrem Plan, den Jungen zur Rede zu stellen, der das Geld ihres Sohnes gestohlen hatte, nichts werden würde. Sie sagte: »Mach den Rucksack auf. Dann siehst du die Wahrheit.«

»Das werde ich in Anwesenheit der Polizei tun«, entgegnete Ruth. »Wenn er wirklich etwas genommen hat –«

»– wirst du Entschuldigungen für ihn finden«, fiel Margaret ihr mit Bitterkeit ins Wort. »Natürlich. Du findest immer für jeden eine Entschuldigung. Das ist bei dir ein Lebensstil, Ruth.«

»Wir können uns später unterhalten. Falls es noch etwas zu sagen gibt.«

»Du sperrst mich da nicht aus. Das kannst du gar nicht.«

»Das ist wahr. Aber die Polizei kann. Und sie wird.«

Margaret straffte den Rücken. Sie wusste, dass sie geschlagen war, aber sie suchte nach einem letzten Wort, um zu veranschaulichen, was sie von den schändlichen Brouards erduldet hatte und immer noch erdulden musste. Da ihr keines einfiel, begnügte sie sich mit brüsker Abkehr und schnellem Rückzug.

Ruth wartete, bis sie Margarets Schritte auf der Treppe hörte, dann ging sie ins Frühstückszimmer. Sie sah Paul mit einem gütigen Lächeln an. »Setz dich, mein Junge«, sagte sie zu ihm und bat auch die Polizisten, sich zu setzen, wobei sie auf Sessel und Sofa wies. Paul wählte das Sofa, und sie setzte sich zu ihm. Sie tätschelte seine Hand und murmelte: »Es tut mir so Leid. Sie regt sich immer so sehr schnell auf.«

»Madam, der Junge wurde beschuldigt, einen Diebstahl –«

Ruth hob eine Hand, um den Constable zum Schweigen zu bringen. »Ich kann das nur für ein Hirngespinst meiner ehemaligen Schwägerin halten. Sie hat eine rege Fantasie. Wenn hier etwas fehlt, so weiß ich nicht, was es sein sollte. Ich vertraue diesem Jungen und würde ihm jederzeit mein Haus und meinen Besitz anvertrauen.« Und zum Beweis gab sie den Rucksack ungeöffnet an Paul zurück. »Ich bedauere nur die Unannehmlichkeiten, die für alle Beteiligten entstanden sind. Der Tod meines Bruders hat Mrs. Chamberlain sehr erschüttert. Sie ist im Moment nicht fähig, vernünftig zu handeln.«

Sie glaubte, damit wäre die Sache erledigt, aber sie irrte sich. Paul schob ihr den Rucksack wieder zu, und als sie sagte: »Was ist denn, Paul? Ich verstehe nicht«, öffnete er die Schnallen und entnahm dem Rucksack einen zylindrischen Gegenstand, eine aufgerollte Röhre.

Ruth sah Paul verständnislos an. Die beiden Polizisten standen auf. Paul drückte Ruth die Rolle in die Hände, und als sie nicht recht wusste, was sie damit anfangen sollte, ergriff er die Initiative und breitete seine Gabe auf ihrem Schoß aus.

Sie blickte darauf hinunter. Sie sagte: »Oh, mein Gott«, und verstand plötzlich.

Ihr Blick verschleierte sich, und sie verzieh ihrem Bruder alles: seine Geheimnisse und seine Lügen, die Art und Weise, wie er andere benutzt hatte, den Männlichkeitswahn, den Zwang, jede Frau zu verführen. Sie war wieder das kleine Mädchen, das der ältere Bruder fest bei der Hand hielt. »*N'aie pas peur*«, hatte er gesagt. »*N'aie jamais peur. On rentrera à la maison.*«

Einer der Polizisten sagte etwas, aber Ruth nahm seine Stimme nur undeutlich wahr. Sie verbannte tausend Erinnerungen aus ihren Gedanken, und es gelang ihr, zu sagen: »Paul hat das nicht gestohlen. Er hat es für mich aufbewahrt. Er hatte immer die Absicht, es mir zu geben. Ich nehme an, er sollte es für meinen Geburtstag aufbewahren. Guy hätte gewünscht, dass es sicher aufgehoben wird. Er hat gewusst, dass er sich auf Paul verlassen kann. So wird es gewesen sein.«

Mehr konnte sie nicht sagen. Sie war von Gefühlen überwältigt und erschüttert von dem, was ihr Bruder getan hatte – von den unvorstellbaren Anstrengungen, die er auf sich genommen hatte –, um sie, ihre Familie und ihr gemeinsames Erbe zu ehren. »Wir haben Ihnen eine Menge Umstände gemacht«, sagte sie leise zu den Polizisten, »dafür bitte ich um Entschuldigung.« Das reichte, um die beiden Männer zum Gehen zu veranlassen.

Sie blieb mit Paul auf dem Sofa sitzen. Er drängte sich näher an sie heran. Er wies auf das Bauwerk, das der Maler abgebildet hatte, auf die kleinen Arbeiter, die Hand an es legten, auf die entrückt aussehende Frau, die im Vordergrund saß, den Blick auf das voluminöse Buch gesenkt, das auf ihrem Schoß lag. Ihr Gewand umfloss sie in blauen Falten. Ihr Haar wehte, wie von einem leichten Wind erfasst, aus ihrem Gesicht. Sie war noch genauso schön wie damals, als Ruth sie vor mehr als sechzig Jahren das letzte Mal gesehen hatte: unberührt und zeitlos.

Ruth suchte Pauls Hand und ergriff sie. Jetzt zitterte *sie* und konnte nicht sprechen. Aber sie konnte handeln, und das tat sie. Sie zog seine Hand an ihre Lippen und stand auf.

Sie bedeutete ihm, ihr zu folgen. Sie würde ihn mit nach oben nehmen, damit er mit eigenen Augen sehen und auch begreifen konnte, was für ein außergewöhnliches Geschenk er ihr soeben gemacht hatte.

Valerie fand den Zettel bei ihrer Rückkehr aus La Corbière. Die Nachricht, in Kevins ordentlicher Handschrift verfasst, bestand aus zwei Wörtern: *Cheries Konzert*. Die Tatsache, dass er sich so kurz gefasst hatte, verriet seinen Unmut.

Sie spürte einen feinen Stich. Sie hatte das Weihnachtskonzert in der Schule des kleinen Mädchens ganz vergessen. Eigentlich hatte sie mit ihrem Mann zusammen hingehen wollen, um ihrer sechsjährigen Nichte zu ihrem Mut, sich ganz allein auf die Bühne zu stellen und zu singen, zu applaudieren. Aber in ihrer angstvollen Besessenheit, sich Gewissheit darüber zu verschaffen, wie weit ihre Schuld am Tod Guy Brouards reichte, hatte sie an nichts anderes mehr gedacht. Es war sogar möglich, dass Kevin sie beim Frühstück an das Konzert erinnert und sie ihn einfach nicht gehört hatte. Sie war zu der Zeit schon beim Planen gewesen: Wie und wann sie zu ihrem Bruder fahren könnte, ohne vermisst zu werden, und was sie ihm sagen würde.

Als Kevin nach Hause kam, stand sie am Herd und kochte Hühnerfond, wobei sie immer wieder das Fett von der kochenden Brühe abschöpfte. Ein neues Suppenrezept lag auf der Arbeitsplatte neben dem Herd. Sie hatte es aus einer Zeitschrift ausgeschnitten, weil sie hoffte, mit einem neuen Gericht Ruths Appetit anzuregen.

Kevin blieb an der Tür stehen und sah ihr zu. Er hatte seinen Schlips gelockert und die Weste aufgeknöpft. Er war für das Schülerkonzert viel zu fein gekleidet, und Valerie spürte erneut einen Stich. Er sah gut aus. Sie hätte mit ihm gehen sollen.

Kevins Blick schweifte zu dem Zettel, den er, mit einem Magneten am Kühlschrank befestigt, zurückgelassen hatte. Valerie sagte: »Tut mir Leid. Ich hab's einfach vergessen. Hat Cherie ihre Sache gut gemacht?«

Er nickte, nahm den Schlips ab, wickelte ihn um seine Hand und legte ihn auf den Küchentisch. Er zog sein Jackett und die Weste aus, nahm sich einen Stuhl und setzte sich.

»Geht's Mary Beth gut?«, erkundigte sich Valerie.

»So gut, wie man erwarten kann. Es ist das erste Weihnachten ohne ihn.«

»Für dich auch.«

»Das ist was anderes.«

»Ja, wahrscheinlich. Aber es ist gut, dass die Mädchen dich haben.«

Ein Schweigen breitete sich zwischen ihnen aus. Die Hühnerbrühe blubberte. Der Kies in der Auffahrt knirschte, als ein Auto über ihn rollte. Valerie schaute zum Fenster hinaus und sah einen Streifenwagen zur Straße hinausfahren. Stirnrunzelnd wandte sie sich wieder ihrem Suppentopf zu und warf gehackten Sellerie in die Brühe. Sie fügte noch einen Löffel Salz hinzu und wartete darauf, dass ihr Mann etwas sagen würde.

»Der Wagen war nicht da, als ich in die Stadt fahren wollte«, bemerkte er. »Ich musste Guys Mercedes nehmen.«

»Das hat doch prima gepasst, wo du dich so fein gemacht hattest. Hat es Mary Beth gefallen, in so einem Nobelauto vorzufahren?«

»Ich bin allein gefahren. Es war zu spät, um sie abzuholen. Ich bin nicht mal pünktlich zum Konzert gekommen, weil ich so lange auf dich gewartet habe. Ich war sicher, du wärst nur mal kurz weg, für Ruth was aus der Apotheke holen oder so.«

Noch einmal strich sie mit dem Löffel über die Oberfläche der Brühe, um nicht vorhandenes Fett abzuschöpfen. Ruth mochte keine fette Brühe. Sie brauchte nur die schillernden Augen zu sehen, und schon schob sie den Teller weg. Darum musste Valerie aufpassen. Sie musste der Hühnerbrühe ihre ganze Aufmerksamkeit widmen.

»Cherie war traurig, dass du nicht da warst«, sagte Kevin. »Du hattest zugesagt.«

»Aber Mary Beth war sicher nicht traurig, oder?«

Kevin antwortete nicht.

»Und...«, sagte Valerie so unbefangen sie konnte. »Sind die Fenster in ihrem Haus jetzt gut abgedichtet, Kevin? Keine undichten Stellen mehr?«

»Wo bist du gewesen?«

Sie ging zum Kühlschrank und schaute hinein und überlegte dabei, was sie sagen könnte. Sie tat so, als inspizierte sie die Vorräte, aber ihre Gedanken schwirrten herum wie Fruchtfliegen um überreifes Obst.

Die Stuhlbeine schrammten laut über den Boden, als Kevin aufstand. Er trat an den Kühlschrank und schlug die Tür zu. Valerie ging wieder an den Herd, und er folgte ihr. Als sie nach dem Holzlöffel griff, nahm er ihr den aus der Hand und legte ihn sorgsam auf die Ablage. »Wir müssen endlich miteinander reden.«

»Worüber?«

»Ich glaube, das weißt du.«

Sie dachte nicht daran, das oder irgendetwas anderes zuzugeben. Sie konnte es sich nicht erlauben. Darum lenkte sie das Gespräch in eine andere Richtung. Sie tat es, obwohl sie um das schreckliche Risiko wusste, das sie damit einging; das Risiko, das gleiche elende Schicksal zu erleiden, das schon ihre Mutter erlitten hatte und das wie ein Fluch über der Familie hing: vom Ehepartner verlassen zu werden. Ihre Kindheit und ihre Jugend waren von diesem Schicksal überschattet gewesen, und sie hatte alles getan, was in ihrer Macht stand, um dafür zu sorgen, dass sie nicht verlassen werden würde. Ihre Mutter hatte es getroffen. Ihren Bruder hatte es getroffen. Aber sie, das hatte sie sich geschworen, würde es niemals treffen. Wenn wir hart arbeiten und uns bemühen und Opfer bringen und einander lieben, dann haben wir dafür Treue verdient, daran hatte sie fest geglaubt. Und sie hatte Treue bekommen, jahrelang und ohne Fragen. Aber jetzt musste sie den Verlust riskieren, um zu schützen, was des Schutzes am dringendsten bedurfte.

Sie wappnete sich innerlich und sagte: »Dir fehlen die Jungs, nicht? Das ist ein Teil davon. Wir haben unsere Sache gut gemacht, aber jetzt führen sie ihr eigenes Leben, und es ist schwer für dich, dass du als Vater nicht mehr gebraucht wirst. Damit hat es angefangen. Ich habe dir die Sehnsucht gleich angesehen, als Mary Beths Mädchen das erste Mal zum Tee hier waren.«

Sie sah ihren Mann nicht an, und er sagte nichts. In jeder anderen Situation hätte sie sein Schweigen als Zustimmung auslegen und das Thema ruhen lassen können. Aber in dieser Situation konnte sie das nicht, denn würde sie das Thema jetzt ruhen lassen, so bestand die Gefahr, dass ein anderes zur Sprache kam. Die Auswahl an unverfänglichen Themen war im Moment zu gering, darum blieb sie bei diesem Thema und sagte sich, dass sie früher oder später sowieso an diesen Punkt gekommen wären.

Sie sagte: »Das stimmt doch, Kev, nicht? So hat es angefangen.« Obwohl sie das Thema bewusst und kaltblütig gewählt hatte, um das andere, schrecklichere Wissen für immer unter Verschluss zu halten, musste sie an ihre Mutter denken und wie es gewesen war – das Betteln und die Tränen und das Flehen: Bitte verlass mich nicht, ich tue alles, was du willst, ich werde so sein, wie du mich haben willst, ich werde sein wie sie, wenn du das willst. Sie schwor sich, dass sie, wenn es je so weit kommen sollte, nicht den gleichen Weg gehen würde wie ihre Mutter.

»Valerie!« Kevins Stimme klang rau. »Was ist aus uns geworden?«

»Das weißt du nicht?«

»Sag's mir!«

Sie sah ihn an. »Gibt es denn ein ›uns‹?«

Er schien so perplex, dass sie einen Moment lang versucht war, an dieser Stelle Halt zu machen, die Grenze, die so nahe war, nicht zu überschreiten. Aber das ging nicht.

»Wovon redest du?«, fragte er.

»Von Entscheidungen«, antwortete sie. »Von solchen, vor denen man sich drückt, und von solchen, die man trifft, um sich vor anderen zu drücken. So ist es gekommen. Und ich habe zugesehen. Ich habe weggesehen, die Augen davor verschlossen. Aber es ist trotzdem da, und du hast Recht, wir müssen endlich miteinander reden.«

»Val, wem hast du gesagt –«

Diese Richtung ließ sie ihn nicht einschlagen. Sie sagte: »Männer gehen nicht fremd, wenn nicht eine Leere da ist, Kev.«

»Fremd gehen?«

»Wenn nicht irgendwo eine Leere ist in ihrem Leben. Zuerst dachte ich, na gut, soll er ihren Vater spielen, er muss ja nicht gleich ihr Vater werden. Er kann ihnen geben, was ein Vater seinen Töchtern gibt, und wir beide, Kev und ich, wir werden damit schon zurechtkommen. Er kann in ihrem Leben Coreys Platz einnehmen. Das soll er ruhig für sie tun. Das ist gut.« Sie schluckte und wünschte, sie brauchte es nicht zu sagen. Aber sie wusste, dass sie, genau wie ihr Mann, in dieser Sache keine echte Wahl hatte. »Ich dachte, Kev«, sagte sie, »er braucht das Gleiche ja nicht auch für Coreys Frau zu tun.«

Kevin sagte: »Moment mal. Du hast geglaubt… Mary Beth – und ich?«

Er war entsetzt. Sie wäre erleichtert gewesen, hätte sie ihn nicht weiter bedrängen müssen, um bei ihm jeden anderen Gedanken zu ersticken, dass sie ihn verdächtigt hatte, ein Verhältnis mit der Witwe seines Bruders zu haben. »So war es doch?«, setzte sie nach. »So war es doch, oder nicht? Ich will die Wahrheit wissen, Kev. Ich finde, ich verdiene sie.«

»Wir wollen alle die Wahrheit wissen«, erwiderte Kevin. »Ich weiß nicht, ob wir sie verdienen.«

»In einer Ehe?«, sagte sie. »Sag es mir, Kevin. Ich möchte wissen, was vorgeht.«

»Nichts«, sagte er. »Ich verstehe nicht, wie du überhaupt auf so eine Idee kommen konntest.«

»Ihre Mädchen. Ihre Anrufe. Immer brauchte sie dich, damit du ihr dies oder jenes richtest. Du warst immer für sie da, und die Jungs fehlen dir, und du wolltest… Ich merke genau, wie sehr dir die Jungs fehlen, Kev.«

»Natürlich fehlen sie mir. Ich bin schließlich ihr Vater. Ist doch klar, dass sie mir fehlen. Aber das heißt doch nicht… Val, ich schulde Mary Beth das, was ein Bruder seiner Schwester schuldet. Nicht mehr und nicht weniger. Gerade von dir hätte ich erwartet, dass du das verstehst. Und das war der ganze Grund für das alles?«

»Für was alles?«, fragte Valerie.

»Die ausweichenden Antworten, die Geheimniskrämerei. Als hättest du was vor mir zu verbergen. So ist es auch, stimmt's? Du verheimlichst mir was. Du hast immer gern geredet, aber in letzter Zeit hast du überhaupt nicht mehr geredet. Und wenn ich gefragt habe, was los ist…« Er hob die Hand und ließ sie an seiner

Seite herabsinken. »Du hast nur noch geschwiegen. Ich dachte…« Er schaute von ihr weg und starrte den Topf mit der Brühe an, als enthielte er einen Hexentrank.

»Was dachtest du?«, fragte sie, denn sie musste es wissen, und er musste sprechen, damit sie es leugnen und damit das Thema zwischen ihnen ein für alle Mal ad acta legen konnte.

»Zuerst«, sagte er, »war ich überzeugt, du hättest mit Henry geredet, obwohl du mir versprochen hattest, den Mund zu halten. Mein Gott, dachte ich, sie hat ihrem Bruder von Cyn erzählt, und jetzt glaubt sie, dass er Brouard umgebracht hat, und sagt mir nichts, weil ich sie von Anfang an davor gewarnt habe, mit Henry zu sprechen. Aber dann sagte ich mir, es müsste was anderes sein, was Schlimmeres. Schlimmer für mich, meine ich.«

»Was denn?«

»Val, ich habe den Mann gekannt. Er hatte die Abbott, aber die war nichts für ihn. Er hatte Cyn, aber Cyn war ein kleines Mädchen. Er hat eine Frau gesucht, eine richtige Frau, die das Verhalten und das Wissen einer Frau besaß, die er genauso brauchen würde wie sie ihn. Und du bist so eine Frau, Val. Das hat er gewusst. Ich hab's ihm angesehen, dass er das wusste.«

»Und da hast du gedacht, Guy Brouard und ich…?« Valerie konnte es kaum fassen; dass er das geglaubt hatte, und sie das Glück gehabt hatte, dass er es glaubte. Er sah so unglücklich aus, dass er ihr Leid tat. Am liebsten hätte sie gelacht über diese irrsinnige Vorstellung, dass Guy Brouard ausgerechnet sie begehrt haben sollte, mit ihren schwieligen Händen und ihrem verbrauchten Körper, den kein Schönheitschirurg wieder hergerichtet hatte. Du Dummkopf, hätte sie am liebsten gesagt, er wollte Jugend und Schönheit, um sich selbst jung und schön zu fühlen. Aber stattdessen sagte sie: »Wie konntest du so was nur glauben, Schatz?«

»Geheimniskrämerei ist nicht deine Art«, sagte er. »Wenn es nicht wegen Henry war –«

»Was es nicht war«, sagte sie lächelnd und ließ der Lüge ihren Lauf.

»Was hätte es sonst sein können?«

»Aber die Vorstellung, dass Mr. Brouard und ich … wie konntest du nur denken, dass ich mich für ihn interessiere?«

»Ich habe nicht gedacht. Ich habe nur die Augen aufgemacht. Ich weiß, wie er war, und du hattest Geheimnisse vor mir. Er war reich, und wir werden nie reich werden – ich dachte, das könnte auch eine Rolle spielen. Und du … das war der Teil, der leicht zu verstehen war.«

»Warum?«

Er breitete die Hände aus. Sein Gesicht verriet ihr, dass das, was er gleich sagen würde, das Vernünftigste an dieser ganzen Fantasie war, mit der er sich herumgequält hatte. »Wer würde nicht versuchen, dich zu erobern, wenn er die geringste Aussicht auf Erfolg sähe?«

Sie spürte, wie ihr Körper weich wurde: wegen der Frage, die er gestellt hatte, wegen dem Ausdruck in seinem Gesicht, wegen der Bewegung seiner Arme. Sie merkte, wie die Weichheit sich in ihren Augen und ihren Gesichtszügen ausbreitete. Sie ging zu ihm und sagte: »In meinem Leben hat es immer nur einen Mann gegeben, Kevin. Es gibt wenige Frauen, die das sagen können, und noch weniger, die stolz darauf sind, es sagen zu können. Ich kann es sagen, und ich bin stolz darauf: Es hat immer nur dich gegeben.«

Er nahm sie in die Arme, zog sie ohne Zärtlichkeit an sich und hielt sie ohne Begehren fest. Was er suchte, war Gewissheit; sie wusste es, weil sie sie auch suchte.

Zum Glück stellte er ihr keine Fragen mehr.

So brauchte sie nichts mehr zu sagen.

Margaret warf ihren zweiten Koffer aufs Bett, klappte ihn auf und nahm den nächsten Stapel Kleidung aus der Kommode. Sie hatte sie bei ihrer Ankunft alle sorgsam gefaltet hineingelegt, jetzt war es ihr egal, wie sie im Koffer landeten. Sie war fertig mit den Brouards, fertig mit allem hier. Sie hatte keine Ahnung, wann die nächste Maschine nach England ging, aber sie würde darin sitzen.

Sie hatte getan, was sie konnte: für ihren Sohn, für ihre ehemalige Schwägerin, für alle rundherum, verdammt noch mal. Aber so wie Ruth sie abserviert hatte, das war noch unerträglicher gewesen als das letzte Gespräch mit Adrian.

»Ich kann dir sagen, welcher Meinung sie ist«, hatte sie erklärt. Sie hatte ihn in seinem Zimmer vermutet, dort aber nicht angetroffen und ihn schließlich oben in der Galerie aufgestöbert, wo sich ein Teil der Antiquitäten und die meisten Kunstwerke befanden, die Guy im Lauf der Jahre gesammelt hatte. Das alles hätte Adrian gehören können... hätte ihm gehören müssen... Egal, dass die meisten Bilder modernes Geschmier waren – Farbkleckse und Figuren, die aussahen wie durch den Wolf gedreht –, sie waren sicherlich wertvoll und hätten ihrem Sohn gehören müssen. Aber Guy hatte seine letzten Jahre darauf verwendet, ihrem Sohn ganz bewusst zu entziehen, was ihm zustand... Margaret kochte. Sie schwor, sich zu rächen.

Adrian saß in einem Sessel und tat gar nichts. Es war kalt in der Galerie, und er hatte seine Lederjacke an. Die Beine hatte er lang vor sich ausgestreckt, die Hände in den Taschen. Er saß da wie jemand, der zusehen muss, wie seine bevorzugte Fußballmannschaft gerade eine fürchterliche Niederlage erleidet. Aber sein Blick war nicht auf den Bildschirm eines Fernsehgeräts gerichtet, sondern auf den Kaminsims. Dort stand ungefähr ein halbes Dutzend Familienfotos, unter ihnen Aufnahmen von Adrian mit seinem Vater, Adrian mit seinen Schwestern, Adrian mit seiner Tante.

»Adrian«, sagte Margaret, »hörst du mich? Sie ist der Meinung, du hättest kein Recht auf sein Geld. Und sie behauptet, er wäre der gleichen Meinung gewesen. Sie sagte, er hätte von *ererbten Rechten* nichts gehalten. Genauso hat sie es formuliert. Und wir sollen diesen Quatsch glauben. Wenn dein Vater das Glück gehabt hätte, ein Vermögen zu erben, glaubst du, er hätte es ausgeschlagen? Glaubst du, er hätte gesagt: ›Ach, du liebe Zeit. Nein, danke. Das tut mir nicht gut. Soll es lieber jemand bekommen, der sich seine reine Seele auch dann bewahrt, wenn ihm unerwartet Geld in den Schoß fällt.‹ Bestimmt nicht. Heuchler sind sie, alle beide. Was er getan hat, das hat er nur getan, um mich auf dem Weg über dich zu bestrafen, und sie freut sich wie ein Schneekönig darüber, dass sie seine Pläne weiterführen kann. Adrian! Hörst du mir eigentlich zu? Hast du auch nur ein Wort von dem gehört, was ich eben gesagt habe?«

Sie hatte sich gefragt, ob er wieder einmal in einen seiner Trancezustände geflohen war, denn das wäre typisch gewesen. Nehmen wir uns einfach eine Auszeit und stellen uns tot. Mami wird schon alles richten.

Irgendwann war Margaret alles zu viel geworden: die unaufhörlichen Anrufe von all den Schulen, an denen Adrian aufgefallen war; die Schulkrankenschwestern, die ihr im Vertrauen mitgeteilt hatten, dass dem Jungen »eigentlich« nichts fehle; die Psychologen mit ihrem einfühlsamen Getue, die ihr erklärten, sie müsse ihrem Sohn endlich erlauben, sich abzunabeln, wenn sein Zustand sich bessern solle; die Ehemänner, deren Herz nicht groß genug war, um einen Stiefsohn mit so vielen Problemen zu akzeptieren; die Geschwister, die man bestrafte, weil sie ihn quälten; die Lehrer, die man herunterputzte, weil sie ihn nicht verstanden; die Ärzte, mit denen man stritt, weil sie ihm nicht helfen konnten; die Haustiere, auf die man verzichtete, weil er sie nicht mochte; die Arbeitgeber, bei denen man um eine dritte und vierte Chance bettelte; die Vermieter, mit denen man sich auseinander setzte; die möglichen Freundinnen, die man mit Bitten beschwor und manipulierte ... Und das alles, damit er ihr wenigstens mal zuhörte, ein einziges Wort der Anerkennung murmelte, ihr sagte: Du hast dein Bestes getan, Mama, oder vielleicht auch nur brummte – aber nein, das war zu viel verlangt, das erforderte ja eine kleine Anstrengung, ein bisschen Mut und Interesse daran, ein Leben zu führen, das wirklich ein eigenes Leben war und nicht nur eine Erweiterung des ihren, denn auf irgendetwas musste eine Mutter sich doch verlassen können. Konnte sie sich nicht wenigstens darauf verlassen, dass ihre Kinder den Willen zum Überleben haben würden, wenn man sie sich selbst überließ?

Aber bei ihrem ältesten Sohn konnte sie sich auf nichts verlassen. Und als Margaret das erkannte, begann ihre Entschlossenheit endlich zu bröckeln.

»Adrian!«, rief sie, und als er nicht antwortete, schlug sie ihn mitten ins Gesicht. »Ich bin kein Möbelstück«, kreischte sie. »Antworte mir! Auf der Stelle! Adrian, wenn du mir nicht sofort –« Sie hob noch einmal die Hand.

Er fing sie ab, hielt sie fest und ließ sie auch nicht los, als er aufstand. Erst dann schleuderte er sie von sich weg wie ein Stück Müll und sagte: »Du machst alles immer nur schlimmer. Ich will dich hier nicht haben. Fahr nach Hause.«

Sie sagte: »Mein Gott! Wie kannst du es wagen …« Aber das war alles, was sie hervorbrachte.

»Genug!«, rief er und ließ sie in der Galerie stehen.

Sie war in ihr Zimmer gelaufen und hatte ihre Koffer unter dem Bett hervorgeholt. Den ersten hatte sie bereits gepackt und war jetzt beim zweiten. Sie würde wirklich nach Hause fliegen und ihn seinem Schicksal überlassen. Sie würde ihm die Gelegenheit geben, die er offenbar so dringend haben wollte: die Gelegenheit, zu sehen, wie es ihm gefiel, allein mit dem Leben fertig werden zu müssen.

In der Auffahrt wurden rasch hintereinander zwei Autotüren zugeschlagen, und Margaret trat ans Fenster. Vor knapp fünf Minuten war der Streifenwagen weggefahren, und sie hatte gesehen, dass er diesen Fielder-Jungen nicht mitgenommen hatte. Sie hoffte, sie hätten doch noch einen Grund gefunden, diesen kleinen Gauner wegzusperren, und wären jetzt zurückgekommen, um ihn zu holen. Aber unten sah sie einen dunkelblauen Escort und zwei Leute, die über seine Motorhaube hinweg miteinander sprachen.

Die Person auf der Mitfahrerseite war ihr von dem Empfang nach Guys Bestattung bekannt: Es war der behinderte, asketisch wirkende Mann, den sie beim offenen Kamin hatte stehen sehen. Seine Begleiterin, die auf der Fahrerseite stand, war eine rothaarige Frau. Margaret hätte gern gewusst, was die beiden wollten.

Es dauerte nicht lang, da sah sie Adrian zu Fuß von der Bucht her die Auffahrt heraufkommen. Die beiden Neuankömmlinge blickten ihm entgegen, und Margaret schloss daraus, dass sie ihn schon auf der Straße gesehen hatten und nun auf ihn warteten.

Sie war sofort in höchster Alarmbereitschaft. Mochte sie auch eben beschlossen haben, ihren Sohn seinem Schicksal zu überlassen, aber wenn Fremde mit Adrian sprechen wollten, solange der Mord an seinem Vater noch ungeklärt war, so hieß das, dass Adrian in Gefahr war.

Margaret warf das Nachthemd, das sie gerade in den Koffer hatte legen wollen, aufs Bett und eilte aus ihrem Zimmer.

Aus Guys Arbeitszimmer hörte sie Ruths gedämpfte Stimme, als sie zur Treppe lief. Sie nahm sich vor, ihrer Exschwägerin später gründlich die Meinung darüber zu sagen, dass sie sie daran gehindert hatte, dem kleinen Dieb die Leviten zu lesen, als die Polizei ihn hergebracht hatte. Jetzt gab es Dringenderes zu tun.

Draußen sah sie, dass der Mann und seine rothaarige Begleiterin ihrem Sohn entgegengingen. »Hallo!«, rief sie laut. »Hallo! Kann ich Ihnen irgendwie behilflich sein? Ich bin Margaret Chamberlain.«

Sie sah den flüchtigen Schimmer der Verachtung in Adrians Gesicht und hätte ihn beinahe den beiden zum Fraß überlassen – er hatte es weiß Gott nicht anders verdient –, aber das brachte sie dann doch nicht über sich, ohne wenigstens zu erfahren, was die Fremden wollten.

Sie holte sie ein und nannte noch einmal ihren Namen. Der Mann stellte sich als Simon Allcourt-St.-James vor und die Rothaarige als seine Frau Deborah. Er sagte, sie wollten zu Adrian Brouard, und nickte dabei Margarets Sohn zu. Es war eine Geste, die sagte, ich kenne Sie, und die einer Flucht Adrians vorbeugte, sollte er an eine solche denken.

»Worum geht es denn?«, erkundigte sich Margaret jovial. »Ich bin übrigens Adrians Mutter.«

»Haben Sie ein paar Minuten Zeit?«, wandte sich dieser Allcourt-St.-James an Adrian, als hätte sie – Margaret – sich nicht klar und deutlich ausgedrückt.

Sie merkte, wie sie ärgerlich wurde, aber sie bemühte sich, den jovialen Ton beizubehalten. »Tut mir Leid. Wir haben im Moment überhaupt keine Zeit. Ich muss meinen Flug nach England erreichen, und da Adrian –«

»Kommen Sie rein«, sagte Adrian. »Wir können uns drinnen unterhalten.«

»Adrian, Darling!« Margaret sah ihrem Sohn lange und eindringlich in die Augen. Sei nicht so dumm, sagte der Blick. Wir haben doch keine Ahnung, wer diese Leute sind.

Ohne sie zu beachten, ging er den Fremden voraus zur Haustür. Ihr blieb nichts anderes übrig, als zu folgen, und um Einigkeit zu demonstrieren, sagte sie: »Nun gut. Ich denke, ein paar Minuten haben wir noch.«

Sie hätte diese Leute gezwungen, ihr Gespräch stehend in der steinernen Vorhalle zu führen, wo es eiskalt und ungemütlich war. Dann hätte der Besuch gewiss nicht lange gedauert. Adrian aber führte sie ins Wohnzimmer hinauf. Immerhin war er so klug, sie – Margaret – nicht zu bitten, ihn mit den Leuten allein zu lassen, und damit diese ihre Anwesenheit nicht vergaßen, nahm sie mitten auf dem Sofa Platz.

St. James – so bat er sie, ihn der Einfachheit halber zu nennen, als sie ihn mit seinem Doppelnamen ansprach – schien es nicht zu stören, dass sie Zeugin seines Gesprächs mit ihrem Sohn werden würde. Ebenso wenig seine Frau, die sich unaufgefordert zu ihr aufs Sofa setzte und so wachsam um sich schaute, als hätte sie den Auftrag, eine Studie über die Gesprächsteilnehmer durchzuführen. Adrian schien es überhaupt nicht zu kümmern, dass zwei Fremde eigens hergekommen waren, um mit ihm zu sprechen, und an seiner Unbekümmertheit änderte sich auch nichts, als St. James berichtete, dass aus dem Nachlass seines Vaters eine große Summe Geldes fehlte.

Margaret brauchte einen Moment, um St. James' Worte in ihrer ganzen Tragweite zu erfassen und sich klar zu machen, dass Adrians Erbschaft soeben empfindlich gekürzt worden war. So bescheiden sie ohnehin schon gewesen war, wenn man bedachte, wie sie ausfallen hätte *müssen*, hätte Guy nicht seinen Sohn auf hinterhältige Art und Weise um den Genuss seines Vermögens gebracht, jetzt schien sie nur noch ein Bruchteil dessen zu sein, was nach dem skandalösen Testament zu erwarten gewesen war.

Margaret rief: »Wollen Sie uns allen Ernstes sagen –«

»Mutter!«, unterbrach Adrian sie. »Bitte, fahren Sie fort«, forderte er dann St. James auf.

Der Mann war offenbar nicht nur hergekommen, um Adrian darauf vorzubereiten, dass er seine Erwartungen hinsichtlich der Erbschaft nach unten würde korrigieren müssen. Als Nächstes teilte er Adrian mit, dass sein Vater einen großen Teil seines Geldes per Überweisungen aus Guernsey abgezogen hatte. Er würde gern wissen, sagte er, ob Adrian eine Ahnung habe, aus welchem Grund sein Vater große Beträge auf das Konto einer Firma in Bracknell bei einer Londoner Bank überwiesen hatte. Er habe jemanden in England, der diese Information überprüfe, aber vielleicht könne Mr. Brouard ihnen die Sache erleichtern und mit Details zu Hilfe kommen, über die er eventuell verfügte...

Was das zu bedeuten hatte, war sonnenklar, und bevor Adrian sich äußern konnte, sagte Margaret: »In welcher Eigenschaft sind Sie eigentlich hier, Mr. St. James? Bitte, verstehen Sie mich nicht falsch, aber ich sehe nicht ein, weshalb mein Sohn Ihre Fragen beantworten sollte.« Das hätte Adrian eigentlich Mahnung genug sein müssen, den Mund zu halten, aber so war es natürlich nicht.

Ohne auf Margaret zu achten, sagte er: »Ich weiß nicht, warum mein Vater irgendjemandem Geld überwiesen hat.«

»Er hat es nicht an Sie geschickt? Aus persönlichen Gründen? Für ein Geschäftsunternehmen? Oder aus irgendeinem anderen Grund? Eine Schuld, vielleicht?«

Adrian zog eine zerdrückte Packung Zigaretten aus der Tasche seiner Jeans. Er nahm sich eine Zigarette und zündete sie an. »Mein Vater hat meine geschäftlichen Unternehmungen nicht unterstützt«, sagte er. »Er hat mich auch sonst in keiner Weise unterstützt. Ich hätte es mir gewünscht, aber er hat es nicht getan. Das ist alles.«

Margaret wand sich innerlich. Er hatte keine Ahnung, wie er sich anhörte. Er hatte keine Ahnung, wie er aussah. Und natürlich musste er ihnen gleich mehr erzählen, als sie verlangt hatten. Warum auch nicht, wo das doch so eine prächtige Gelegenheit war, ihr eins auszuwischen. Sie hatten sich gestritten, und hier bot sich die Chance, die Rechnung zu begleichen, und natürlich musste er sie ergreifen, ohne sich die möglichen Folgen seiner Worte zu überlegen. Er konnte einen wirklich zur Weißglut treiben!

St. James sagte zu ihm: »Sie haben also keine Verbindung zu International Access, Mr. Brouard?«

»Was ist das?«, erkundigte sich Margaret vorsichtig.

»Das ist der Empfänger sämtlicher Überweisungen, die Mr. Brouards Vater getätigt hat. Über zwei Millionen Pfund, wie sich gezeigt hat.«

Margaret versuchte krampfhaft, nur interessiert und nicht entsetzt auszusehen, aber sie fühlte sich, als schlösse sich ein stählernes Band um ihren Leib. Sie zwang sich, ihren Sohn nicht anzusehen. Wenn Guy ihm tatsächlich Geld geschickt hatte, wenn Adrian sie auch darüber belogen hatte... Denn war nicht International Access der Name gewesen, den Adrian für das Unternehmen erwogen hatte, das er aufziehen wollte? Typisch Adrian, sich über den Namen der Firma Gedanken zu machen, noch ehe sie überhaupt offiziell war. Aber vielleicht ist sie das ja? Sein Geistesprodukt, der Geniestreich, mit dem er angeblich Millionen hätte machen können, wenn nur sein Vater ihn gesponsert hätte? Ihr gegenüber hatte er behauptet, sein Vater hätte nichts in seine Idee investiert, nicht einen Penny. Wenn das gelogen war, wenn Guy ihm in Wirklichkeit die ganze Zeit Geld gegeben hatte...

Alles, was Adrian irgendwie schuldig aussehen ließ, ganz gleich, woran, musste auf der Stelle angepackt werden. Margaret sagte: »Mr. St. James, ich kann Ihnen versichern, wenn mein verstorbener Exmann Geld nach England geschickt hat, dann ganz sicher nicht an Adrian.«

»Nein?« St. James sprach so freundlich, wie sie selbst es versuchte, aber sie bemerkte den Blick, den er mit seiner Frau tauschte, und sie wusste genau, was er zu bedeuten hatte. Bestenfalls fanden sie es seltsam, dass sie für ihren erwachsenen Sohn sprach, der durchaus in der Lage schien, für sich selbst sprechen zu können. Schlimmstenfalls hielten sie sie für eine lästige Wichtigtuerin. Ach, sollten sie denken, was sie wollten. Sie hatte andere Sorgen, als sich darum zu kümmern, wie sie auf Fremde wirkte.

»Ich denke, sonst hätte mein Sohn es mir erzählt. Er bespricht alles mit mir«, erklärte sie. »Da er nie gesagt hat, sein Vater schicke ihm Geld, hat der ihm auch keines geschickt. So einfach ist das.«

St. James sagte: »Ah ja«, und sah Adrian an. »Mr. Brouard? Vielleicht aus anderen als geschäftlichen Gründen?«

»Das haben Sie schon gefragt«, sagte Margaret scharf.

»Aber ich glaube, er hat die Frage noch nicht beantwortet«, sagte St. James' Frau sehr höflich. »Das heißt, noch nicht vollständig.«

Sie war genau der Typ Frau, den Margaret von Herzen verabscheute: Wie sie da saß, selbstzufrieden, mit ihrer roten Mähne und ihrem perfekten Teint. Sie war wahrscheinlich eine von denen, die es sich zur Regel gemacht hatten, gesehen und nicht gehört zu werden, genau wie die viktorianischen Ehefrauen, denen man beigebracht hatte, die Beine zu spreizen und an England zu denken.

Sie sagte: »Jetzt hören Sie mal her –«, aber Adrian ließ sie nicht ausreden. »Ich habe nie einen Penny von meinem Vater bekommen«, sagte er. »Weder aus geschäftlichen noch aus anderen Gründen.«

»Na bitte«, sagte Margaret. »Wenn das alles ist – wir haben noch viel zu tun, bevor ich abreise.« Sie machte Anstalten aufzustehen.

St. James' nächste Frage ließ sie innehalten. »Gibt es dann vielleicht jemand anderen, Mr. Brouard? Wissen Sie von jemandem in England, dem Ihr Vater unter die Arme greifen wollte? Einer Person, die mit einem Unternehmen namens International Access zu tun haben könnte?«

Das war die Höhe. Der verdammte Kerl hatte von ihnen doch bereits bekommen, was er wollte. Jetzt sollte er gefälligst abziehen. »Wenn Guy an irgendjemanden Geld geschickt hat«, bemerkte Margaret süffisant, »dann wahrscheinlich an eine Frau. Ich würde vorschlagen, Sie forschen einmal in dieser Richtung.

Adrian, Darling, würdest du mir mit den Koffern helfen? Wir müssen langsam losfahren.«

»Denken Sie an eine bestimmte Frau?«, erkundigte sich St. James. »Ich weiß von seiner Beziehung zu Mrs. Abbott, aber da sie hier, in Guernsey, lebt... Gibt es in England jemanden, mit dem wir uns unterhalten sollten?«

Margaret begriff, dass sie ihm den Namen nennen mussten, wenn sie ihn loswerden wollten. Aber immer noch besser, er hörte ihn von ihnen, als dass er ihn selbst ausgrub und später dazu verwendete, Adrian mit Schmutz zu bewerfen. Wenn sie ihm den Namen nannte, würde er unschuldig wirken. Wenn St. James ihn von anderen erfuhr, würde es aussehen, als hätten sie etwas zu verbergen. In einem Ton, der beiläufig klingen sollte und eine Spur ungeduldig, um die Eindringlinge wissen zu lassen, dass sie ihr die Zeit stahlen, sagte sie: »Oh... Da war doch diese junge Frau, mit der zusammen du letztes Jahr deinen Vater besucht hast. Deine kleine Schachfreundin. Wie hieß sie gleich wieder? Carol? Carmen? Nein! Carmel. Genau. Carmel Fitzgerald. Dein Vater war ganz hingerissen von ihr, nicht? Die beiden haben sogar ein bisschen miteinander geflirtet, wie ich mich erinnere. Als deinem Vater klar war, dass zwischen dir und ihr nichts... du weißt schon. Hieß sie nicht so, Adrian?«

»Dad und Carmel –«

Margaret redete weiter, um sicherzugehen, dass St. James verstand. »Guy hatte ein Faible für Frauen, und da Carmel und Adrian kein Paar waren... Darling, vielleicht war dein Vater weit mehr hingerissen von Carmel, als du dachtest. Du hast dich darüber amüsiert; daran erinnere ich mich. ›Dad hat Carmel zu seinem Liebling erklärt‹, hast du gesagt. Ich weiß noch, wie wir darüber gelacht haben. Kann es sein, dass dein Vater mehr für sie übrig hatte, als du dachtest? Ich weiß, du hast mir erzählt, dass sie es für einen netten Spaß gehalten habe, aber vielleicht hat dein Vater mehr darin gesehen...? Es war zwar nicht seine Art, sich Liebe zu kaufen, das hatte er ja auch nie nötig. Und in ihrem Fall... Darling, was meinst du?«

Margaret hielt die Luft an. Sie wusste, das sie viel zu viel geredet hatte, aber das ließ sich jetzt nicht mehr ändern. Man musste ihm doch andeuten, wie er die Beziehung zwischen seinem Vater und der Frau darstellen sollte, die er hatte heiraten wollen. Jetzt brauchte er nur noch den Faden aufzunehmen und zu sagen: »Ach ja, Dad und Carmel. Das war wirklich komisch. Mit ihr sollten Sie sich unterhalten, wenn Sie wissen wollen, was aus seinem Geld geworden ist.« Aber er sagte nichts Dergleichen.

Stattdessen erklärte er dem Mann aus London: »Carmel kann es nicht sein. Die beiden kannten sich kaum. Mein Vater hatte kein Interesse an ihr. Sie war nicht sein Typ.«

Ohne es zu wollen, rief Margaret: »Aber du hast mir doch erzählt …«

Er sah sie an. »Das glaube ich nicht. Du hast es angenommen. Und warum auch nicht? Es wäre ja völlig normal gewesen, nicht wahr?«

Margaret sah den anderen beiden an, dass sie keine Ahnung hatten, wovon Mutter und Sohn sprachen, aber sie hätten es offensichtlich gern gewusst. Sie selbst war so entgeistert über diese Neuigkeit, die sie gerade von ihrem Sohn gehört hatte, dass sie nicht schnell genug einschätzen konnte, wie viel Schaden es anrichten würde, wenn sie die nunmehr notwendig gewordene Auseinandersetzung mit Adrian vor diesen Leuten führte. Guter Gott. Was für Lügen hatte er ihr noch aufgetischt? Und wenn sie vor diesen Londonern das Wort Lüge in den Mund nahm, was würden die dann daraus machen? Wie würden sie es verdrehen?

Sie sagte: »Ich habe voreilige Schlüsse gezogen. Dein Vater war immer … Nun, du weißt ja, wie er war, wenn Frauen da waren. Ich nahm an … Ich muss das missverstanden haben … Aber du hast doch gesagt, sie hätte es als netten Spaß gesehen, oder nicht? Vielleicht hast du von jemand anderem gesprochen, und ich glaubte nur, du meintest Carmel …?«

Er lächelte boshaft. Offensichtlich genoss er es, wie sie sich abstrampelte, um sich irgendwie von ihren Behauptungen zu distanzieren. Er ließ sie noch einen Moment im Saft ihrer Voreiligkeit schmoren, ehe er eingriff.

»Ich weiß von niemandem in England«, sagte er zu den Londonern, »aber ich weiß, dass mein Vater hier auf der Insel eine Affäre hatte. Ich weiß nicht, mit wem, aber meine Tante weiß es.«

»Sie hat es Ihnen gesagt?«

»Ich hörte eine Diskussion zwischen ihr und meinem Vater. Ich weiß nur, dass es eine sehr junge Frau gewesen sein muss, weil meine Tante drohte, zu ihrem Vater zu gehen. Sie sagte, wenn sie meinen Vater nur auf diese Weise daran hindern könnte, die Geschichte mit dem Mädchen fortzusetzen, würde sie es tun.« Er lächelte ohne Heiterkeit und fügte hinzu: »Ja, mein Vater war schon aus einem besonderen Holz geschnitzt. Es wundert mich nicht, dass ihn jemand umgebracht hat.«

Margaret schloss die Augen, wünschte sich inbrünstig fort aus diesem Zimmer und verwünschte ihren Sohn.

# 25

St. James und Deborah brauchten Ruth Brouard nicht zu suchen. Sie kam von selbst zu ihnen. Glühend vor Erregung erschien sie im Wohnzimmer und sagte: »Mr. St. James, welch ein Glück. Ich habe gerade bei Ihnen im Hotel angerufen, und da sagte man mir, dass sie auf dem Weg hierher seien.« Sie ignorierte Margaret und Adrian und bat St. James, ihr doch bitte zu folgen, denn nun sei plötzlich alles sonnenklar, und sie wolle ihm zeigen, wieso.

»Soll ich …?«, fragte Deborah mit einer Kopfbewegung nach draußen.

Nein, nein, sie solle auch mitkommen, sagte Ruth, als sie hörte, wer sie war.

Margaret Chamberlain protestierte. »Was soll das alles, Ruth? Wenn es mit Adrians Erbe zu tun hat –«

Aber auch jetzt beachtete Ruth sie nicht, sondern ging sogar so weit, einfach die Tür zu schließen, während sie noch sprach. Zu St. James sagte sie: »Sie müssen Margaret entschuldigen. Sie ist ziemlich …« Sie zuckte vielsagend mit den Schultern und fügte hinzu: »Kommen Sie bitte. Ich bin in Guys Arbeitszimmer.«

Dort angelangt, kam sie ohne Umschweife zur Sache. »Ich weiß jetzt, was er mit dem Geld gemacht hat«, sagte sie. »Hier. Schauen Sie. Sehen Sie sich das an.«

Auf dem Schreibtisch ihres Bruders lag ein ungerahmtes Ölgemälde. Es war etwa sechzig Zentimeter hoch und fünfundvierzig Zentimeter breit, an den Enden war es mit Büchern aus dem Regal beschwert. Ruth berührte es so vorsichtig, als wäre es etwas Heiliges, und sagte: »Guy hat es endlich nach Hause geholt.«

»Was ist es?«, fragte Deborah, die neben Ruth stand und auf das Bild hinunterblickte.

»Die Dame mit dem Buch und der Feder«, sagte Ruth. »Sie hat meinem Großvater gehört, und vorher seinem Vater und wiederum dessen Vater und sofort bis weit in die Vergangenheit. Guy sollte das Bild bekommen. Und ich vermute, er hat das ganze Geld ausgegeben, um sie zu finden. Etwas anderes ist nicht …« Ihre Stimme wurde brüchig, und als St. James den Kopf hob, sah er, dass die Augen hinter den runden Brillengläsern feucht geworden waren. »Das ist alles, was wir jetzt noch von ihnen haben.«

Sie nahm die Brille ab, und während sie sich die Augen mit dem Ärmel ihres dicken Pullover abwischte, trat sie zu einem Tisch, der zwischen zwei Sessel an einem Ende des Zimmers stand. Dort ergriff sie eine Fotografie und brachte sie ihnen. »Hier ist es«, sagte sie. »Sie können es auf dem Foto erkennen. *Maman* hat es uns am Abend unserer Abreise gegeben, weil alle darauf sind. Da: *Grandpère*, *Grandmère,* Tante Esther, Tante Becca, ihre Männer, sie waren gerade frisch verheiratet, unsere Eltern und wir. Sie sagte: ›*Gardez-la …*‹«

Ruth schien sich bewusst zu werden, dass sie in eine andere Zeit und an einen anderen Ort abgeschweift war. Sie kehrte zum Englischen zurück. »Verzeihen Sie. Unsere Mutter sagte: ›Behaltet es, bis wir uns wiedersehen, damit ihr uns erkennt, wenn ihr uns seht.‹ Wir wussten nicht, dass es niemals dazu kommen würde. Und schauen Sie. Da, auf dem Foto, da ist sie. Über der

Anrichte. Die Dame mit dem Buch und der Feder. Ja, dort hing das Bild. Sehen Sie die winzigen Gestalten hinter ihr in der Ferne … alle eifrig mit dem Bau der Kirche beschäftigt. Irgendeine riesige gotische Kathedrale, deren Bau hundert Jahre dauerte, und da sitzt *sie,* so … so heiter, als wüsste sie etwas über diese Kirche, was keiner von uns je erfahren wird.« Ruth lächelte zärtlich zu dem Gemälde hinunter. »*Très cher frère*«, murmelte sie. *Tu n'as jamais oublié.*«

St. James war, während Ruth gesprochen hatte, zu Deborah getreten, um sich ebenfalls das Foto anzusehen. Ja, das Gemälde, das vor ihnen auf dem Schreibtisch lag, war dasselbe wie das auf dem Foto. Es war das Foto, das ihm bei seinem letzten Besuch in diesem Zimmer aufgefallen war. Eine Großfamilie zum Passahfest um einen Tisch versammelt. Alle lächelten fröhlich in die Kamera, in Einklang mit einer Welt, die sie bald vernichten sollte.

»Was ist aus dem Gemälde geworden?«

»Das haben wir nie erfahren«, antwortete Ruth. »Wir konnten nur vermuten. Nach dem Krieg haben wir gewartet. Eine Zeit lang glaubten wir, unsere Eltern würden kommen und uns holen. Wir wussten noch nichts. Wir wussten eine ganze Weile nichts und hofften weiter … Nun ja, so sind Kinder, nicht wahr? Wir haben es erst später erfahren.«

»Dass sie umgekommen waren«, sagte Deborah leise.

»Dass sie umgekommen waren«, bestätigte Ruth. »Sie waren zu lange in Paris geblieben. Sie flohen in den Süden, weil sie glaubten, dort sicher zu sein. Danach haben wir nichts mehr von ihnen gehört. Sie waren nach Lavaurette gegangen. Aber vor den Vichy-Leuten gab es nirgends Schutz. Sie verrieten die Juden, wenn es von ihnen verlangt wurde. Im Grunde waren sie schlimmer als die Nazis, denn die Juden waren ja auch Franzosen, sie gehörten also zu ihren eigenen Leuten.«

Sie griff nach der Fotografie, die St. James noch in der Hand hielt, und blickte auf sie hinunter, als sie weitersprach. »Bei Kriegsende war Guy zwölf, ich war neun Jahre alt. Es dauerte Jahre, ehe er nach Frankreich reisen konnte, um herauszufinden, was aus unserer Familie geworden war. Wir wussten aus ihrem letzten Brief, dass sie alles außer den Kleidern, die sie in je einem Koffer unterbringen konnten, zurückgelassen hatten. Die Dame mit dem Buch und der Feder blieb also zusammen mit dem übrigen Eigentum der Familie in der Obhut eines Nachbarn, Didier Bombard. Er erzählte Guy, die Nazis hätten es als jüdisches Eigentum beschlagnahmt. Aber er kann natürlich gelogen haben. Das war uns klar.«

»Wie, um alles in der Welt, hat Ihr Bruder das Gemälde wiedergefunden?«, fragte Deborah. »Nach so langer Zeit.«

»Mein Bruder war ein sehr entschlossener Mann. Er wird so viele Leute engagiert haben, wie notwendig waren, zuerst für die Suche und dann für den Kauf.«

»International Access«, bemerkte St. James.

»Was ist das?«, fragte Ruth.

»Dorthin ist sein Geld geflossen, das Geld, das er von seinem Konto hier in Guernsey überweisen ließ. Es ist eine Firma in England.«

»Ach so.« Sie schob die kleine Schreibtischlampe ein wenig näher, so dass mehr Licht auf das Gemälde fiel. »Das sind vermutlich die Leute, die es gefunden haben. Eigentlich ganz einleuchtend, nicht wahr, wenn man die riesigen Kunstsammlungen bedenkt, die in England jeden Tag gekauft und verkauft werden. Man wird Ihnen dort wahrscheinlich sagen können, wie man diesem Bild auf die Spur gekommen ist und wer daran beteiligt war, es uns zurückzubringen. Privatdetektive, höchstwahrscheinlich. Vielleicht war auch eine Galerie involviert. Er musste es natürlich *kaufen*. Man wird es ihm nicht einfach zurückgegeben haben.«

»Aber wenn es Ihres ist …«, sagte Deborah.

»Wie hätten wir das beweisen können? Wir hatten nur das eine Familienfoto als Beweis, und wer würde nach einem Blick auf das Foto so mir nichts, dir nichts akzeptieren, dass das Bild, das im Hintergrund an der Wand hängt, genau dieses hier ist?« Sie wies zu dem Gemälde auf dem Schreibtisch. »Wir hatten keine anderen Unterlagen. Es gab keine. Das Bild – die Dame mit dem Buch und der Feder – war seit Ewigkeiten im Besitz unserer Familie, aber abgesehen von diesem Foto hatten wir keinen Beweis dafür.«

»Hätte es nicht jemand bezeugen können, der es im Haus Ihres Großvaters gesehen hatte?«

»Diese Leute sind heute vermutlich alle tot«, sagte Ruth. »Und abgesehen von Monsieur Bombard, wären sie mir sowieso unbekannt gewesen. Guy hatte keine andere Möglichkeit, das Bild wiederzubeschaffen, als es demjenigen abzukaufen, der es besaß, und genau das hat er getan, verlassen Sie sich darauf. Ich vermute, er wollte es mir zum Geburtstag schenken. Er wollte das Einzige, was von der Familie geblieben waren, in die Familie zurückholen. Vor seinem Tod.«

Schweigend blickten sie zu dem Bild hinunter. Es war ein altes Gemälde, daran konnte es keinen Zweifel geben. Niederländisch oder flämisch, dachte St. James, ein faszinierendes Bild, ein Werk von zeitloser Schönheit, vor Zeiten zweifellos eine Allegorie sowohl für den Künstler als auch für seinen Mäzen.

»Wer sie wohl ist«, sagte Deborah. »Sicher eine Adlige, das sieht man an ihren Gewändern. Sie sind sehr edel, nicht wahr? Und das Buch. Es ist so groß. Um ein solches Buch zu besitzen – um überhaupt darin lesen zu können, damals... Sie muss eine reiche Frau gewesen sein. Vielleicht war sie eine Königin.«

»Sie ist einfach die Dame mit dem Buch und der Feder«, sagte Ruth. »Das genügt mir.«

St. James riss sich aus der Betrachtung des Gemäldes los. »Wie sind Sie plötzlich zu dem Bild gekommen?«, fragte er Ruth Brouard. »War es hier im Haus? Unter den Sachen Ihres Bruders?«

»Paul Fielder hatte es.«

»Der Junge, den Ihr Bruder unter seine Fittiche genommen hatte?«

»Ja. Er hat es mir gebracht. Margaret glaubte, er hätte etwas aus dem Haus gestohlen, weil er niemanden an seinen Rucksack lassen wollte. Aber er hatte das Bild darin, und er hat es mir sofort gegeben.«

»Wann war das?«

»Heute Morgen. Die Polizei hatte ihn aus Le Bouet hergebracht.«

»Ist er noch hier?«

»Vermutlich, ja. Irgendwo auf dem Gelände, nehme ich an. Warum?« Ruths Miene zeigte Besorgnis. »Sie glauben doch nicht, er hätte das Bild gestohlen? Das hätte er nie getan. Wirklich nicht. So ist er nicht.«

»Darf ich es mitnehmen, Miss Brouard?« St. James berührte den Rand des Gemäldes. »Nur für eine Weile. Ich werde es sicher aufbewahren.«

»Warum?«

Statt ihr zu antworten, sagte er nur: »Wenn Sie nichts dagegen haben? Sie brauchen sich keine Sorgen zu machen. Ich gebe es Ihnen bald wieder zurück.«

Sie sah das Bild an, als wollte sie sich nie mehr wieder von ihm trennen. Aber dann nickte sie und zog die Bücher von den beiden Enden der Leinwand weg. »Es gehört dringend in einen Rahmen«, sagte sie. »Es muss aufgehängt werden.«

Sie reichte St. James das Bild, und als er es entgegennahm, sagte er: »Ich denke, Sie wissen, dass Ihr Bruder eine Beziehung zu Cynthia Moullin hatte, Miss Brouard?«

Ruth knipste die Schreibtischlampe aus und schob sie an ihren ursprünglichen Platz zurück. Er glaubte schon, sie würde ihm keine Antwort geben, aber da sagte sie: »Ich habe die beiden zusammen überrascht. Er behauptete, er hätte es mir früher oder später ohnehin gesagt. Er sagte, er wolle sie heiraten.«

»Sie glaubten ihm nicht?«

»Mein Bruder hat zu oft behauptet, er hätte die Richtige gefunden, Mr. St. James. ›Sie ist die Richtige‹, sagte er jedes Mal. ›Diese Frau, Ruth, das ist endlich die Richtige.‹ In dem Moment, in dem er es sagte, hat er es wirklich geglaubt – weil er wie viele den Reiz sexueller Spannung mit Liebe verwechselte. Er ist nie darüber hinausgewachsen. Und wenn das Gefühl verging – wie das bei solchen Gefühlen ist –, war er immer überzeugt, es wäre der Tod der Liebe, und nicht eine Chance, endlich *anzufangen* zu lieben.«

»Haben Sie mit dem Vater des Mädchens gesprochen?«, wollte St. James wissen.

Ruth ging vom Schreibtisch zu dem Modell des Kriegsmuseums auf dem Tisch in der Mitte des Raumes und fegte nicht vorhandenen Staub von seinem Dach. »Er ließ mir keine Wahl. Er war nicht bereit, die Sache zu beenden, obwohl es ein Unrecht war.«

»Warum?«

»Sie ist ein junges Mädchen, fast noch ein Kind. Sie hatte keinerlei Erfahrung. Ich war bereit, die Augen zu verschließen, wenn er sich mit älteren Frauen vergnügte, eben *weil* sie älter waren. Sie wussten, was sie taten, ganz gleich, was sie von ihm erwarteten. Aber Cynthia! Das war zu viel. Er hat es einfach zu weit getrieben. Und er ließ mir keine Wahl, als zu Henry zu gehen. Das war die einzige Möglichkeit, um sie beide zu retten. Sie vor Schmerz und Kummer, und ihn vor harter Kritik.«

»Aber es hat nicht geklappt, nicht wahr?«

Sie wandte sich von dem Museumsmodell ab. »Henry hat meinen Bruder nicht getötet. Er hat ihn nicht angerührt. Er hätte die Gelegenheit gehabt, es zu tun, aber er brachte es nicht fertig. Glauben Sie mir, so ein Mensch ist er nicht.«

St. James verstand, wie nötig Ruth Brouard es hatte, daran zu glauben. Hätte sie ihren Gedanken erlaubt, in eine andere Richtung zu schweifen, so wäre die Last der Verantwortung unerträglich geworden. Und sie hatte schon schwer genug zu tragen.

Er sagte: »Sie sind sich dessen, was Sie am Morgen des Todestags Ihres Bruders von Ihrem Fenster aus gesehen haben, immer noch sicher, Miss Brouard?«

»Ich habe sie gesehen«, antwortete sie. »Wie sie ihm gefolgt ist. Ich habe sie gesehen.«

»Sie haben jemanden gesehen«, korrigierte Deborah behutsam. »Jemanden in Schwarz. Aus der Ferne.«

»Sie war nicht im Haus. Sie ist ihm gefolgt. Ich weiß es.«

»Jetzt ist ihr Bruder verhaftet worden«, sagte St. James. »Die Polizei scheint zu glauben, dass sie vorher einen Fehler gemacht hat. Könnte es sein, dass Sie nicht China River, sondern ihren

Bruder gesehen haben? Er hatte Zugang zu ihrem Cape. Wenn jemand, der vorher sie darin gesehen hatte, nun ihn darin gesehen hätte... Es wäre logisch, dass Sie glaubten, China River vor sich zu haben.«

St. James' vermied es, Deborah anzublicken, während er sprach. Er wusste, wie sie auf die Andeutung, dass eines der beiden Geschwister in die Sache verwickelt sein könnte, reagieren würde. Aber es gab Fragen, die geklärt werden mussten, ohne Rücksicht auf Deborahs Gefühle.

»Haben Sie im Haus auch nach Cherokee River gesucht?«, fragte er Ruth Brouard. »Haben Sie auch in sein Schlafzimmer geschaut wie angeblich in ihres?«

»Ich *habe* in ihrem Zimmer nachgesehen«, beteuerte Ruth Brouard.

»Und in Adrians Zimmer? Haben Sie dort nachgesehen? Oder im Zimmer Ihres Bruders? Haben Sie dort nach China gesucht?«

»Adrian hat nicht... Guy und diese Frau haben nie... Guy hat nicht...« Ruth sprach nicht weiter.

Das genügte St. James als Antwort.

Als sich die Wohnzimmertür hinter den Londonern schloss, kam Margaret sofort zur Sache. Adrian war aufgestanden, um ebenfalls das Zimmer zu verlassen, aber sie war vor ihm an der Tür und versperrte ihm den Weg.

»Setz dich wieder hin, Adrian«, befahl sie. »Wir haben einiges zu besprechen.« Sie hörte ihren drohenden Ton und wünschte, sie wäre ruhiger, aber sie war es so verdammt müde, aus ihren definitiv begrenzten Reserven mütterlichen Verständnisses zu schöpfen, und man musste jetzt wirklich einmal den nackten Tatsachen ins Gesicht sehen. Adrian war vom Tag seiner Geburt an ein schwieriges Kind gewesen, und aus schwierigen Kindern wurden häufig schwierige Jugendliche und aus denen wiederum schwierige Erwachsene.

Lange hatte sie ihren Sohn als Opfer der Verhältnisse betrachtet und mit diesen Verhältnissen jede seiner Eigenarten zu erklären versucht. Unsicherheit, verursacht durch Männer in seinem

Leben, die ihn nicht verstanden – so hatte sie Jahre des Schlafwandelns und der Dämmerzustände erklärt, aus denen höchstens ein Tornado ihren Sohn hätte herausreißen können. Angst, von einer Mutter verlassen zu werden, die sich nicht nur einmal, sondern gleich dreimal wiederverheiratet hatte – damit entschuldigte sie seine Unfähigkeit, sich ein eigenes Leben zu schaffen. Frühkindliches Trauma, veranschaulicht durch jenen einen grässlichen Fall öffentlicher Defäkation, der seinen Ausschluss von der Universität zur Folge gehabt hatte. In Margarets Augen hatte es stets für alles einen Grund gegeben. Aber ihr fiel nichts mehr dazu ein, dass er eben die Frau belogen hatte, die sich aufgeopfert hatte, um sein Leben erträglicher zu gestalten. Dafür wollte sie etwas haben. Wenn sie schon nicht die Rache haben konnte, nach der sie lechzte, dann wenigstens eine Erklärung.

Noch einmal sagte sie: »Setz dich hin. Du bleibst jetzt hier. Wir haben etwas zu besprechen.«

»Was?«, fragte er, und es machte Margaret wütend, dass seine Stimme überhaupt nicht ängstlich klang, sondern tatsächlich gereizt, so als stähle sie ihm seine kostbare Zeit.

»Carmel Fitzgerald«, sagte sie. »Ich werde dieser Geschichte auf den Grund gehen.«

Er hielt ihrem Blick stand, und sie sah, dass er tatsächlich die Kühnheit besaß, ihr so frech ins Gesicht zu starren wie ein Jugendlicher, den man bei einer verbotenen Handlung erwischt hat, bei der er hatte erwischt werden *wollen*, um durch sie seinen Widerstand zum Ausdruck zu bringen. Es juckte sie in den Händen, ihm diesen Ausdruck – diese leicht hochgezogene Oberlippe und diese geblähten Nasenflügel – mit einer Ohrfeige aus dem Gesicht zu schlagen. Aber sie beherrschte sich und ging zu einem Sessel.

Er blieb an der Tür, aber er verließ das Zimmer nicht. »Also gut: Carmel«, sagte er. »Was ist mit ihr?«

»Du hast zu mir gesagt, dass sie und dein Vater –«

»Das hast du angenommen. Ich habe gar nichts gesagt, verdammt noch mal.«

»Untersteh dich, mit mir in diesem Ton –«

»Gar nichts, verdammt noch mal«, wiederholte er. »Kein einziges beschissenes Wort, Mutter. Keinen Furz.«

»Adrian!«

»Du hast es automatisch *angenommen*. Du hast mich dein Leben lang mit ihm verglichen. Und von deinem Standpunkt aus war es undenkbar, dass irgendjemand den Sohn dem Vater vorziehen würde.«

»Das ist nicht wahr!«

»Du wirst es nicht glauben, aber sie hat tatsächlich mich bevorzugt. Selbst als sie ihn hautnah erlebte. Natürlich kann man jetzt sagen, sie hätte gemerkt, dass sie nicht sein Typ war – nicht blond, nicht unterwürfig, wie er es gern hatte, nicht starr vor Ehrfurcht vor seinem Geld und seiner Macht. Tatsache ist aber, dass sie von ihm überhaupt nicht beeindruckt war, ganz gleich, wie dick er den Charme auftrug. Sie wusste, dass es nur ein Spiel war, und das stimmte ja auch: das geistreiche Gerede, die Anekdötchen, die tiefschürfenden Fragen, die scheinbar ungeteilte Aufmerksamkeit. Begehrt hat er sie nicht, aber wenn sie bereit und willens gewesen wäre, hätte er es mitgenommen, weil er das immer tat. Das weißt du ja. Wer wüsste es besser, hm? Nur war sie eben nicht bereit und willens.«

»Wieso, um alles in der Welt, hast du mir dann erzählt… hast du durchblicken lassen – denn das kannst du nicht bestreiten. Du *hast* durchblicken lassen. Warum?«

»Du hattest dir doch längst dein eigenes Bild gemacht. Carmel und ich haben nach unserem Besuch hier bei ihm Schluss gemacht, was für einen anderen Grund hätte es also geben können? Ich hatte ihn mit ihr beim Beischlaf erwischt –«

»Hör endlich auf!«

»– und hatte keine Wahl, als Schluss zu machen. Oder sie hatte Schluss gemacht, weil er ihr besser gefiel als ich. Das war doch das Einzige, was du dir vorstellen konntest. Wenn ich sie nämlich nicht an Dad verloren hatte, dann musste es etwas anderes sein, und daran wolltest du nicht denken, weil du hofftest, das alles wäre endlich passé.«

»Was redest du da für einen Unsinn!«

»Also, pass auf, Mutter, ich sag dir, wie's war. Carmel war bereit, so ziemlich alles hinzunehmen. Sie ist keine Schönheit, und besonders witzig ist sie auch nicht. Sie konnte nicht damit rechnen, dass sie in ihrem Leben mehr als einen Mann ergattern würde, also war sie bereit, sich für eine feste Beziehung zu entscheiden. Und nachdem sie sich entschieden hatte, war nicht damit zu rechnen, dass sie sich für andere Männer interessieren würde. Kurz, sie war perfekt. Das hast du gesehen. Das habe ich gesehen. Das haben alle gesehen. Auch Carmel. Wir waren füreinander geschaffen. Es gab nur ein Problem: einen Kompromiss, auf den sie sich nicht einlassen konnte.«

»Was für einen Kompromiss? Wovon redest du?«

»Von einem nächtlichen Kompromiss.«

»Du meinst, wegen deiner Schlafwandelei? Sie hatte Angst? Sie hat nicht verstanden, dass das –«

»Ich hab ins Bett gemacht«, unterbrach er sie. Die Demütigung stand ihm ins Gesicht geschrieben. »Okay? Zufrieden? Ich hab ins Bett gepisst.«

Margaret versuchte, ihren Ekel zu unterdrücken, als sie sagte: »So was kann doch jedem mal passieren. Man hat am Abend vorher ein bisschen zu viel getrunken... Vielleicht auch ein Traum... Verwirrung darüber, nicht in den eigenen vier Wänden zu sein...«

»Jede Nacht, solange wir hier waren«, sagte er. »Jede Nacht. Sie war teilnahmsvoll, aber kann man es ihr verübeln, dass sie Schluss gemacht hat? Sogar eine unscheinbare kleine Schachspielerin, die nicht hoffen kann, einen anderen Mann zu finden, hat ihre Grenzen. Sie war bereit gewesen, sich mit dem Schlafwandeln zu arrangieren, mit den nächtlichen Schweißausbrüchen, den Alpträumen. Sogar mit meinem gelegentlichen Abwandern in den Nebel. Aber in meiner Pisse zu schlafen, das war zu viel des Guten. Und ich nehme es ihr nicht übel. Ich hab selbst siebenunddreißig Jahre lang darin geschlafen, und es ist nicht besonders angenehm.«

»Nein! Das war doch vorbei. Ich weiß, dass es vorbei war. Was hier, im Haus deines Vaters passiert ist, war ein Ausrutscher.

Jetzt, wo dein Vater tot ist, wird das nicht noch einmal vorgekommen. Ich rufe sie an. Ich sage es ihr.«

»So wichtig ist es dir, hm?«

»Du verdienst –«

»Machen wir uns doch nichts vor. Carmel war deine beste Chance, mich loszuwerden, Mutter. Es hat nur nicht so geklappt, wie du gehofft hattest.«

»Das ist nicht wahr!«

»Nein?« Er schüttelte mit spöttischer Belustigung den Kopf. »Und ich dachte, du wolltest keine Lügen mehr.« Er wandte sich zur Tür. Es gab keine Mutter mehr, die ihn daran hindern konnte, das Zimmer zu verlassen. Er öffnete die Tür und sagte im Hinausgehen: »Für mich ist das erledigt.«

»Was? Adrian, du kannst nicht –«

»Doch, ich kann«, entgegnete er. »Und ich will. Ich bin, wie ich bin, und zwar genauso – wenn wir ausnahmsweise mal ehrlich sind –, wie du mich haben wolltest. Schau dir an, wohin es uns beide geführt hat, Mutter. An einen Punkt, wo einer den anderen nicht mehr los wird.«

»Willst du mir Vorwürfe machen?«, fragte sie, entsetzt über seine Interpretation all dessen, was sie nur aus Liebe getan hatte. Kein Dank dafür, dass sie ihn beschützt hatte, dass sie ihm stets mit Rat und Tat zur Seite gestanden hatte; dass sie sich für ihn in die Bresche geworfen hatte. Mein Gott, ein kleines bisschen Anerkennung für ihr unermüdliches Interesse an ihm und seinem Leben hätte sie doch wirklich verdient gehabt! »Adrian, willst du mir Vorwürfe machen?«, rief sie noch einmal, als er nichts sagte.

Aber die einzige Antwort, die sie erhielt, war ein kurzes Lachen. Dann schloss er die Tür und war weg.

»China hat erklärt, sie hätte nichts mit ihm gehabt«, sagte Deborah zu ihrem Mann, als sie wieder draußen in der Auffahrt waren. Sie überlegte jedes Wort. »Aber sie könnte… vielleicht wollte sie es mir nicht sagen. Vielleicht ist es ihr peinlich, dass sie was mit ihm angefangen hatte, da doch gerade erst mit Matt Schluss war. Nicht aus moralischen Gründen, sondern weil… na ja, es ist alles ziemlich traurig. Es zeigt – es zeigt doch eine starke Bedürftigkeit. Und sie würde sich selbst dafür verachten, bedürftig zu sein, und könnte nicht ertragen, darüber nachzudenken, was das über sie aussagt.«

»Es würde erklären, warum sie nicht in ihrem Zimmer war«, stimmte Simon zu.

»Und es hätte jemand anderem – jemandem, der wusste, wo sie war – eine Chance gegeben, sich ihren Umhang zu schnappen, den Ring, ein paar ihrer Haare, ihre Schuhe… Es wäre ein Kinderspiel gewesen.«

»Aber nur eine Person könnte das getan haben«, sagte Simon. »Das ist dir doch klar?«

Deborah schaute weg. »Ich kann das nicht von Cherokee glauben. Simon, es gibt noch andere, die auch die Gelegenheit und vor allem ein Motiv hatten. Adrian, zum Beispiel, und Henry Moullin.«

Simon schwieg. Er beobachtete einen kleinen Vogel, der in den kahlen Zweigen einer Kastanie umherhüpfte. Seufzend sagte er ihren Namen, und Deborah begriff deutlich den Unterschied ihrer Positionen. Er verfügte über Informationen. Sie nicht. Und er brachte diese Informationen eindeutig mit Cherokee in Zusammenhang.

Deborah spürte, wie sie unter seinem liebevollen Blick erstarrte. »Und wie geht es jetzt weiter?«, fragte sie ziemlich förmlich.

Er akzeptierte die Veränderung in ihrem Ton und ihrer Stimmung ohne Protest. »Kevin Duffy, denke ich.«

Sie war erleichtert über diesen Richtungswechsel. »Du glaubst also doch, dass es noch andere gibt.«

»Ich glaube, man sollte sich mal mit ihm unterhalten.« Er hielt das Gemälde in der Hand und sah es an. »Könntest du inzwischen versuchen, Paul Fielder aufzustöbern, Deborah? Ich nehme an, er wird irgendwo hier in der Nähe sein.«

»Paul Fielder? Warum?«

»Ich möchte gern wissen, woher er das Bild hat. Hat Guy Brouard es ihm zur Aufbewahrung gegeben, oder hat er es irgendwo liegen sehen und an sich genommen und Ruth Brouard erst gegeben, als er damit erwischt wurde?«

»Ich kann mir nicht vorstellen, dass er es gestohlen hat. Was soll er damit gewollt haben? Ich meine, wenn Teenager stehlen, dann doch ganz andere Dinge.«

»Das ist richtig. Andererseits scheint er kein gewöhnlicher Teenager zu sein. Und wenn ich richtig verstanden habe, hat die Familie zu kämpfen. Vielleicht dachte er, er könnte das Bild an eines der Antiquitätengeschäfte in der Stadt verhökern. Man sollte da auf jeden Fall mal auf den Busch klopfen.«

»Glaubst du denn, er sagt es mir, wenn ich ihn frage?«, sagte Deborah zweifelnd. »Ich kann ihn doch nicht einfach beschuldigen, das Bild genommen zu haben.«

»So wie ich dich kenne, kannst du jeden dazu bringen, sich dir anzuvertrauen«, erwiderte ihr Mann. »Auch Paul Fielder.«

Sie trennten sich. Simon schlug den Weg zum Verwalterhaus ein, Deborah blieb beim Wagen und überlegte, wo sie nach Paul Fielder suchen sollte. Nach allem, was der Junge an diesem Tag schon mitgemacht hatte, hatte er vermutlich Sehnsucht nach ein bisschen Ruhe. Wahrscheinlich saß er in einem der Gärten, und sie würde sie eben nacheinander absuchen müssen.

Sie begann mit dem tropischen Garten, der dem Haus am nächsten war. Ein paar Enten schwammen im Teich herum, und in einer Ulme zwitscherten Vögel, aber sonst war niemand hier. Als Nächstes ging sie in den Skulpturengarten, wo Guy Brouard beerdigt worden war. Da das verwitterte Törchen offen stand, war sie ziemlich sicher, dass sie den Jungen hier finden würde.

Und so war es auch. Paul Fielder saß neben dem Grab seines Mentors auf dem kalten Boden und klopfte behutsam die Erde unter einer Gruppe Stiefmütterchen fest, die am Rand des Grabs gepflanzt waren.

Deborah ging durch den Garten auf ihn zu. Der Kies knirschte unter ihren Schritten, und sie versuchte nicht, die Geräusche zu dämpfen. Aber der Junge reagierte nicht.

Er hatte keine Strümpfe an und trug Hausschuhe anstatt Straßenschuhe. An einem mageren Fuß haftete etwas Erde, und die

Säume seiner Bluejeans waren schmutzig und ausgefranst. Er war zu dünn angezogen für den kühlen Tag. Es wunderte Deborah, dass er nicht fröstelte.

Sie stieg die wenigen an den Rändern bemoosten Stufen zum Grab hinauf. Anstatt sich jedoch zu dem Jungen zu gesellen, ging sie zu dem Laubengang hinter ihm, wo unter Winterjasmin eine Steinbank stand. Die gelben Blüten verströmten einen zarten Duft. Sie atmete ihn ein und sah dem Jungen bei seiner Arbeit mit den Stiefmütterchen zu.

»Du vermisst ihn sicher sehr«, sagte sie schließlich. »Es ist furchtbar, einen Menschen zu verlieren, den man liebt. Vor allem einen Freund. Denn Freunde haben wir ja irgendwie nie genug. Den Eindruck hatte ich jedenfalls immer.«

Er neigte sich über ein Stiefmütterchen und zupfte eine verwelkte Blüte ab und rollte sie zwischen Daumen und Zeigefinger hin und her.

An einem kaum wahrnehmbaren Zucken seiner Augenlider erkannte Deborah, dass er ihr zuhörte. Sie sprach weiter. »Ich finde, das Wichtigste an einer Freundschaft ist die Freiheit, so zu sein, wie man ist. Wahre Freunde akzeptieren einen mit allen Unebenheiten. Sie sind in guten Zeiten da, und sie sind in schlechten Zeiten da. Man kann sich darauf verlassen, dass sie immer die Wahrheit sagen.«

Paul warf das Stiefmütterchen weg, und zupfte an den Stauden herum.

»Sie wollen unser Bestes«, fuhr Deborah fort. »Auch wenn wir selbst nicht wissen, was das Beste für uns ist. Ich vermute, so ein Freund war Mr. Brouard für dich. Du hattest großes Glück. Es ist sicher schwer für dich, jetzt, wo er fort ist.«

Paul stand plötzlich auf. Er wischte sich die Hände an seiner Jeans ab. Deborah, die fürchtete, er würde davonlaufen, sprach eilig weiter, um irgendwie Zugang zu dem schweigsamen Jungen zu finden.

»Wenn jemand so plötzlich stirbt – besonders so wie… ich meine, auf diese schreckliche Art, wie er sterben musste –, würden wir alles tun, um ihn zurückzuholen. Und wenn wir das nicht können, wenn wir *erkennen*, dass wir es nicht können, dann möchten wir irgendetwas von diesem Menschen haben, um ihn noch eine Weile länger bei uns zu haben. Bis wir ihn gehen lassen können.«

Paul scharrte mit den Füßen im Kies. Er wischte sich die Nase am Ärmel seines Flanellhemds ab und sah mit wachsamem Blick kurz zu Deborah hinüber. Dann drehte er hastig den Kopf und starrte unverwandt auf das vielleicht dreißig Meter entfernte Tor. Deborah hatte es hinter sich geschlossen und machte sich jetzt deswegen Vorwürfe. Er würde sich von ihr eingesperrt fühlen und unter diesen Umständen wohl kaum bereit sein, mit ihr zu sprechen.

Sie sagte: »Die Leute früher, zur Zeit von Königin Victoria, haben es richtig gemacht. Sie haben Schmuckstücke aus den Haaren der Toten angefertigt. Wusstest du das? Ich weiß, das klingt makaber, aber es kann doch auch ein wunderbarer Trost gewesen sein, eine Brosche oder einen Anhänger zu besitzen, in dem noch etwas von dem Menschen enthalten war, den sie geliebt hatten. Es ist schade, dass wir diesen Brauch vergessen haben, denn auch wir möchten gern etwas behalten, und wenn ein Mensch stirbt und uns nichts von sich zurücklässt... was bleibt uns da anderes übrig, als zu nehmen, was wir finden?«

Paul hörte auf, mit den Füßen zu scharren. Er stand stocksteif da wie die Skulpturen, aber auf seiner Wange zeichnete sich eine feine Röte ab, ein Daumenabdruck auf seiner hellen Haut.

Deborah sagte: »War es so mit dem Bild, das du Miss Brouard gegeben hast? Hat Mr. Brouard es dir gezeigt, weil er seine Schwester damit überraschen wollte? Vielleicht sagte er, es sei ein Geheimnis nur zwischen euch beiden. Daher wusstest du, dass sonst niemand etwas von dem Bild ahnte.«

Die Röte breitete sich wie ein Brand auf dem Gesicht des Jungen aus. Er sah Deborah kurz an und schaute gleich wieder weg. Er zupfte an seinem Hemd, das auf einer Seite schlaff aus der Jeans heraushing und ebenso abgetragen war wie diese.

Deborah sagte: »Als Mr. Brouard dann so plötzlich starb, hast du dir vielleicht gedacht, du würdest das Bild als Erinnerung behalten. Denn nur ihr beide wusstet ja davon. Wem hätte es geschadet. War es so, Paul?«

Der Junge zuckte zusammen, als hätte man ihn geschlagen. Er stieß einen unartikulierten Schrei aus.

Deborah sagte: »Es ist ja gut. Wir haben das Bild wieder. Aber ich wollte eigentlich gern wissen –«

Er wirbelte herum und floh. Er rannte die Treppe hinunter und den Kiesweg entlang. Deborah sprang auf und rief nach ihm. Sie glaubte schon, sie würde ihn nicht wiedersehen, da blieb er etwa in der Mitte des Gartens neben der gewaltigen Bronzestatue einer kauernden Schwangeren mit melancholischem Gesicht und schweren Brüsten stehen. Er drehte sich nach Deborah um, und sie sah, dass er sie beobachtete. Sie machte einen Schritt vorwärts. Er rührte sich nicht. Sie begann, vorsichtig auf ihn zuzugehen wie auf ein verschrecktes Rehkitz. Als sie noch etwa zehn Meter von ihm entfernt war, rannte er wieder los. Aber an der Gartenpforte blieb er erneut stehen und blickte zurück. Er zog die Pforte auf und ließ sie offen. Er entfernte sich in östlicher Richtung, aber er rannte nicht.

Deborah verstand, dass sie ihm folgen sollte.

# 26

St. James musste um das Haus des Verwalters herumgehen, um Kevin Duffy bei der Arbeit in einem anscheinend brachliegenden, kleinen Nutzgarten zu finden. Er war dabei, den Boden mit einer Art Heugabel zu lockern, aber als er St. James um die Ecke kommen sah, hielt er inne.

»Meine Frau ist drüben im großen Haus«, sagte er. »Wahrscheinlich in der Küche.«

»Ich hätte gern mit *Ihnen* gesprochen«, erwiderte St. James. »Haben Sie einen Moment Zeit?«

Kevin Duffys Blick flog zu dem Gemälde, das St. James in der

Hand hielt, aber wenn er es erkannte, so ließ er sich nichts anmerken. »Bitte«, sagte er.

»Wussten Sie, dass Guy Brouard ein Liebesverhältnis mit Ihrer Nichte hatte?«

»Meine Nichten sind sechs und acht Jahre alt, Mr. St. James. Guy Brouard mag vieles gewesen sein, aber Pädophilie gehörte nicht zu seinen Hobbys.«

»Ich meinte die Nichte Ihrer Frau. Cynthia Moullin«, erklärte St. James. »Wussten Sie, dass Cynthia ein Verhältnis mit Brouard hatte?«

Er antwortete nicht, aber sein Blick schweifte zum Herrenhaus, und das war Antwort genug.

»Haben Sie deswegen mit Brouard gesprochen?«, fragte St. James.

Wieder keine Antwort.

»Oder mit dem Vater des Mädchens?«

»Ich kann Ihnen da nicht weiterhelfen«, sagte Duffy. »Sind Sie nur deshalb hergekommen?«

»Nein«, antwortete St. James. »Ich bin auch hergekommen, weil ich Sie nach diesem Bild fragen wollte.« Er entrollte vorsichtig die alte Leinwand.

Kevin Duffy stieß die Heugabel in den Boden und ließ sie so stehen. Sich die Hände am Gesäß seiner Jeans abwischend, näherte er sich St. James. Als er das Bild sah, stieß er pfeifend den Atem aus.

»Mr. Brouard hat allem Anschein nach keine Mühe gescheut, um es zurückzubekommen«, sagte St. James. »Seine Schwester hat mir erzählt, dass es in den Vierzigerjahren aus dem Familienbesitz verschwand und nie wieder auftauchte. Sie weiß nicht, woher es ursprünglich stammt, und auch nicht, wo es seit dem Krieg gewesen ist, und sie hat keine Ahnung, wie ihr Bruder es wiedergefunden hat. Ich wollte wissen, ob Sie vielleicht etwas Licht in dieses Dunkel bringen können.«

»Wieso sollte ich –«

»Sie haben ein ganzes Regal voll Kunstbände und Videos in Ihrem Wohnzimmer, Mr. Duffy, und Sie haben den Urkunden an

Ihren Wänden zufolge ein abgeschlossenes Kunstgeschichtsstudium. Das lässt vermuten, dass Sie mehr über dieses Gemälde wissen könnten als ein normaler Gutsverwalter.«

»Ich weiß nicht, wo es gewesen ist«, erwiderte er, »und ich weiß nicht, wie er es wiederbekommen hat.«

»Bleibt der letzte Punkt«, hakte St. James ein. »Sie wissen, woher es ursprünglich stammt?«

Kevin Duffy hatte die ganze Zeit nicht aufgehört, das Bild zu betrachten. Jetzt hob er den Kopf, sagte kurz: »Kommen Sie mit«, und ging ins Haus.

An der Tür zog er seine schmutzigen Stiefel aus und führte St. James ins Wohnzimmer. Er knipste zwei Strahler an, deren Licht direkt auf seine Bücher fiel, und griff nach einer Brille, die auf der Armlehne eines abgewetzten Sessels lag. Er ging an seiner Kollektion von Kunstbüchern entlang, bis er den Band entdeckt hatte, den er suchte, zog ihn heraus, setzte sich und schlug das Inhaltsverzeichnis auf. Nachdem er gefunden hatte, was er suchte, schlug er die entsprechende Seite auf. Er ließ den Blick lange auf ihr ruhen, bevor er das Buch auf seinem Schoß herumdrehte. »Sehen Sie selbst«, sagte er zu St. James.

Was St. James sah, war nicht die Fotografie eines Gemäldes – wie er erwartet hatte –, sondern die einer Zeichnung, einer bloßen Skizze für ein künftiges Gemälde. Sie war teilweise koloriert, als hätte der Künstler die Absicht gehabt, zu prüfen, welche Farbtöne in der Endfassung am besten wirken würden. Aber er hatte nur dem Gewand der Frau Farbe gegeben, und das von ihm gewählte Blau stimmte mit dem überein, das auf dem Gemälde zu sehen war. Vielleicht hatte der Künstler, nachdem er hinsichtlich der Farbgebung des restlichen Werks zu einem raschen Entschluss gelangt war und Proben nicht mehr für nötig hielt, direkt auf die Leinwand gemalt; auf diese Leinwand, die St. James jetzt in den Händen hielt.

Komposition und Figuren der im Buch abgebildeten Zeichnung und des Gemäldes, das Paul Fielder Ruth Brouard gebracht hatte, stimmten überein. Auf beiden saß die Dame mit dem Buch und der Feder ruhig und heiter im Vordergrund, während im

Hintergrund ein kleines Heer von Arbeitern die Steine schleppten, die das Gemäuer der massigen gotischen Kathedrale bildeten. Es gab nur einen Unterschied zwischen der Zeichnung und dem vollendeten Werk: Irgendwann hatte jemand der Zeichnung den Titel *Die Heilige Barbara* gegeben. Das Original war im Museum der schönen Künste in Antwerpen zu besichtigen.

»Ah«, sagte St. James langsam. »Ja. Als ich es sah, dachte ich mir gleich, dass es nicht ganz unbedeutend ist.«

»Nicht ganz unbedeutend?« In Kevin Duffys Ton mischten sich Ehrfurcht und Ungläubigkeit. »Was sie da in der Hand halten, ist ein Pieter de Hooch. Siebzehntes Jahrhundert. Einer der drei Delfter Meister. Ich vermute, bis vor kurzem wusste keiner, dass dieses Gemälde überhaupt existiert.«

St. James blickte zu dem Bild in seiner Hand hinunter und sagte: »Guter Gott!«

»Sie können in jedem Kunstbuch nachschlagen, doch dieses Gemälde werden Sie nirgends finden«, sagte Kevin Duffy. »Nur die Zeichnung, die Skizze dafür. Nach bisherigem Wissen aller Experten hat de Hooch das eigentliche Bild nie gemalt. Religiöse Themen waren nicht seine Sache, darum hat man immer angenommen, er hätte sich nur spielerisch an diesem Thema versucht und das Ergebnis ad acta gelegt.«

»Nach bisherigem Wissen.« Kevin Duffys Erklärungen erhärteten Ruth Brouards Behauptung, das Bild sei im Besitz ihrer Familie gewesen, solange man zurückdenken könne. Generation um Generation hatte es der Vater an die Kinder weitergegeben: ein Erbstück der Familie. Vielleicht war es aus diesem Grund nie jemandem eingefallen, mit dem Bild zu einem Sachverständigen zu gehen, um Genaueres darüber zu erfahren. Es war, wie Ruth gesagt hatte, immer nur das Bild von der Dame mit dem Buch und der Feder gewesen. St. James sagte Kevin Duffy, welchen Titel Ruth Brouard dem Gemälde gegeben hatte.

»Nein, das ist keine Feder«, widersprach Duffy. »Sie hält einen Palmwedel in der Hand. Das ist ein Symbol der Märtyrer, dem man auf religiösen Bildern häufig begegnet.«

St. James betrachtete das Bild genauer und erkannte, dass die

Frau tatsächlich einen Palmwedel zu halten schien. Aber er konnte sich gut vorstellen, dass ein Kind, das von dieser Symbolik nichts wusste, darin einen langen, eleganten Federkiel gesehen hatte.

»Ruth erzählte mir, dass ihr Bruder nach dem Krieg nach Paris reiste, sobald er alt genug dazu war«, sagte er. »Er wollte die verbliebenen Besitztümer der Familie abholen, aber es war alles weg. Das Gemälde vermutlich auch.«

»Das wäre als Erstes verschwunden«, meinte Duffy. »Die Nazis haben ja alles an sich gerissen, was sie als arische Kunst bezeichneten. ›Rückführung ins Vaterland‹, nannten sie das. In Wahrheit haben diese Schweine alles kassiert, was sie kriegen konnten.«

»Ruth Brouard glaubt, dass der Nachbar der Familie – ein Monsieur Didier Bombard – ihre Sachen in Verwahrung hatte. Er war nicht jüdisch. Da könnte doch das Gemälde, wenn es wirklich bei ihm war, leicht bei den Nazis gelandet sein.«

»Es gab viele Wege, auf denen Kunstwerke in die Hände der Nazis gelangten. Nicht nur durch direkten Diebstahl. Es gab französische Mittelsmänner, Kunsthändler, die die Objekte für sie erwarben. Und deutsche Händler, die Annoncen in Pariser Zeitungen setzten und die Leute aufforderten, ihre Kunstwerke zur Besichtigung für Kaufinteressenten in dieses oder jenes Hotel zu bringen. Ihr Monsieur Bombard könnte das Gemälde auf diesem Weg verkauft haben. Wenn er nicht wusste, worum es sich handelte, hat er es vielleicht zu einem dieser Leute gebracht und sich gefreut, zweihundert Francs dafür einstecken zu können.«

»Und wie ging es danach weiter? Wohin wäre das Bild gewandert?«

»Wer kann das sagen?«, erwiderte Duffy. »Bei Kriegsende stellten die Alliierten Untersuchungsgruppen zusammen, um die gestohlenen Kunstwerke wieder ihren Eigentümern zuzuführen. Aber die Sachen waren überall verstreut. Göring allein hatte Zugladungen davon. Und Millionen Menschen waren tot – ganze Familien waren ausgelöscht, es war niemand mehr da, um Ansprüche geltend zu machen. Und wer noch am Leben war, aber nicht beweisen konnte, dass er Eigentümer des fraglichen Stücks war, der hatte Pech.« Er schüttelte den Kopf. »So ähnlich wird das auch mit diesem Bild gewesen sein. Vielleicht hat es auch ein Soldat der Alliierten in seinem Gepäck versteckt und als Souvenir mit nach Hause genommen. Oder jemand in Deutschland – ein privater Sammler – hat es während des Krieges einem französischen Händler abgekauft und beim Einmarsch der Alliierten so gut versteckt, dass es nicht entdeckt wurde. Ich meine, wenn es die Familie nicht mehr gab, krähte doch kein Hahn danach, was aus so einem Bild geworden ist. Und wie alt war Guy Brouard damals? Zwölf? Vierzehn? Bei Kriegsende hat er sicher nicht daran gedacht, sich das Eigentum seiner Familie zurückzuholen. Daran wird er erst Jahre später gedacht habe, und zu der Zeit war das Bild bestimmt längst verschwunden.«

»Und es wird viele Jahre gebraucht haben, es zu finden«, sagte St. James. »Und wahrscheinlich ein Heer von Kunsthistorikern, Konservatoren, Museen, Auktionshäusern und Privatdetektiven.« Außerdem ein kleines Vermögen, fügte er im Stillen hinzu.

»Es war Glück, dass er es überhaupt gefunden hat«, sagte Duffy. »Viele Werke sind im Krieg verloren gegangen und nie wieder aufgetaucht. Um andere wird heute noch gestritten. Es würde mich interessieren, wie Mr. Brouard sein Eigentum an diesem Bild nachgewiesen hat.«

»Er scheint es gekauft und gar nicht erst versucht zu haben, irgendetwas zu beweisen«, erklärte St. James. »Von seinen Konten fehlt eine Riesensumme, die nach London überwiesen wurde.«

Duffy zog eine Augenbraue hoch. »Tatsächlich?« In seiner Stimme schwang Zweifel. »Hm, er könnte es bei einer Nachlassauktion erworben haben. Oder vielleicht hat es in einem Trödelladen auf dem Land herumgelegen. Vielleicht ist es auch bei einem Straßenmarkt aufgetaucht. Aber es ist schwer zu glauben, dass niemand erkannt hätte, worum es sich handelt.«

»Wie viele Kunstexperten gibt es?«

»Das meinte ich nicht«, erklärte Duffy. »Jeder kann sehen, dass es ein altes Bild ist. Man sollte doch meinen, dass irgendjemand einmal auf die Idee gekommen wäre, es schätzen zu lassen.«

»Aber wenn wirklich jemand das Bild am Ende des Krieges gestohlen hätte ...? Ein Soldat es irgendwo mitgenommen hätte in – wo? – München? Berlin?«

»Berchtesgaden«, meinte Duffy. »Die Nazi-Bonzen hatten dort ihre Häuser. Da brauchte man lediglich zuzugreifen. Und bei Kriegsende hat es dort von alliierten Soldaten nur so gewimmelt.«

»Also gut, Berchtesgaden«, stimmte St. James zu. »Bei den allgemeinen Plünderungen fällt es einem Soldaten in die Hände. Er nimmt es mit heim nach Hackney und hängt es in seinem Reihenhäuschen über dem Sofa auf. Dort bleibt es bis zu seinem Tod, dann bekommen es seine Kinder. Sie haben nie viel vom Geschmack ihrer Eltern gehalten und verkaufen das Bild – bei einer Versteigerung, auf dem Flohmarkt, was auch immer. Es wird gekauft und landet auf irgendeinem Trödelmarkt. In der Portobello Road, zum Beispiel, oder in Bermondsey. Oder auch irgendwo auf dem Land, wie Sie meinten. Brouard lässt das Bild seit Jahren suchen, und als seine Leute es entdecken, nehmen sie es mit.«

»Ja, so könnte es gewesen sein«, sagte Duffy. »Nein. So *muss* es gewesen sein.«

Duffys Bestimmtheit machte St. James neugierig. »Warum?«

»Weil Mr. Brouard es nur auf diesem Weg zurückbekommen konnte. Er hatte keinen Beweis dafür, dass es sein Bild war. Das heißt, er musste es zurück*kaufen*. Von Christie's oder Sotheby's kann er es nicht haben, also muss er –«

»Moment mal«, unterbrach St. James. »Warum kann er es nicht bei Christie's oder Sotheby's gekauft haben?«

»Da wäre er überboten worden. Von einem Verein wie dem Getty Museum mit unerschöpflichen Ressourcen. Oder von einem arabischen Ölscheich. Weiß der Himmel.«

»Aber Brouard hatte Geld ...«

»Nicht genug. Bei Sotheby's oder Christie's hätte man genau gewusst, was man vor sich hat, und die gesamte Kunstwelt hätte mitgeboten.«

St. James sah wieder zu dem Gemälde hinunter: fünfundvierzig mal sechzig Zentimeter Leinwand, Ölfarbe und unleugbares Genie. Er sagte langsam: »Von was für einer Summe genau sprechen wir hier, Mr. Duffy? Was ist dieses Bild Ihrer Meinung nach wert?«

»Mindestens zehn Millionen Pfund, würde ich schätzen«, sagte Kevin Duffy. »Und das wäre nur der Anfangspreis bei der Auktion.«

Paul führte Deborah hinten um das Herrenhaus herum. Zuerst glaubte sie, er wolle zu den Stallungen. Aber an die verschwendete er keinen Blick. Unbeirrt lief er weiter, über den Hof, der die Stallungen vom Haus trennte, bis zu einem Gebüsch, durch das er sich hindurchzwängte.

Ihm folgend, gelangte Deborah auf eine weite Rasenfläche mit einem Ulmenwäldchen am anderen Ende, in das Paul jetzt eintauchte. Deborah beschleunigte ihren Schritt, um ihn nicht zu verlieren. Als sie zu den Bäumen kam, entdeckte sie dort einen gut sichtbaren Fußweg. Der Boden war weich durch den dicken Laubteppich, der ihn bedeckte. Sie ging auf dem Weg weiter bis sie in der Ferne vor sich eine raue Steinmauer erkennen konnte, und Paul, der über sie hinüberkletterte. Wieder fürchtete sie, ihn zu verlieren, aber er hielt inne, als er die Mauer erklommen hatte, und schaute zurück, als wollte er sehen, ob sie ihm nachkam. Er wartete, bis sie am Fuß der Mauer war, bot ihr die Hand und half ihr auf die andere Seite.

Hier wartete statt der sorgsam gestalteten Anlagen von *Le Reposoir* eine große, ungenutzte Koppel, über die sich zwischen hüfthoch wucherndem Buschwerk und Dornengestrüpp hindurch ein Trampelpfad zu einem merkwürdigen Erdhügel schlängelte. Überrascht sah sie, dass Paul, nachdem er von der Mauer gesprungen war, diesen Weg einschlug. Vor dem Erdhügel bog er nach rechts ab, um ihn zu umrunden. Sie lief ihm eilig nach.

Sie fragte sich, wo man in so einem Haufen Erde ein Gemälde verstecken wollte, aber da bemerkte sie die sorgfältig angeordneten Steine rund um die Basis des Hügels und erkannte, dass dies keine natürliche Bodenerhebung war, sondern ein prähistorisches Bauwerk.

Ein kurzes Stück auf dem Trampelpfad um den Hügel herum fand sie Paul Fielder vor einer verwitterten Eichentür, wo er sich an einem Zahlenschloss zu schaffen machte. Er musste sie gehört haben, denn er stellte sich so, dass seine Schulter ihr den Blick auf die Zahlenkombination des Schlosses versperrte. Mit einem Klicken sprang das Schloss auf, er nahm es ab und steckte es ein, während er gleichzeitig mit dem Fuß die schiefe Tür aufstieß. Die Öffnung, die sich zum Inneren des Hügels auftat, war nur knapp einen Meter hoch. Paul ging in die Knie, rutschte hinein und war rasch in der Dunkelheit verschwunden.

Jetzt gab es nur zwei Möglichkeiten: Entweder sie kehrte um und berichtete Simon, wie sich das für eine brave Frau gehörte, oder sie folgte dem Jungen. Deborah tat Letzteres.

Hinter der Tür umfing sie ein beengend schmaler, muffiger Gang, weniger als anderthalb Meter von steinernem Boden zu steinerner Decke hoch. Aber nach ungefähr sechs Metern wurde die Decke höher, und der Gang weitete sich zu einer zentralen Kammer, die vom eindringenden Tageslicht dämmrig erleuchtet war. Deborah richtete sich auf und zwinkerte ein paar Mal, und als ihre Augen sich an das trübe Licht gewöhnt hatten, sah sie, dass sie sich in einer großen, aus Granitblöcken erbauten Kammer befand. Auf einer Seite erhob sich wie ein steinerner Wächter ein aufrecht stehender Block, in dessen Oberfläche man mit einiger Fantasie beinahe noch die uralte, in den Stein geritzte Darstellung eines Kriegers erkennen konnte, der mit erhobener Waffe darauf wartete, feindliche Eindringlinge zurückzuschlagen. Ein weiterer Granitblock, der sich etwa zehn Zentimeter über den Boden erhob, schien als eine Art Altar zu dienen. Nicht weit von ihm stand eine Kerze, die aber nicht angezündet war. Der Junge war nirgends zu sehen.

Ein Gefühl der Beklemmung befiel Deborah. Sie stellte sich vor, sie wäre in diesem Steingrab eingesperrt, und kein Mensch wüsste davon. Sie verfluchte sich dafür, Paul Fielder so unbesonnen gefolgt zu sein, aber dann redete sie sich gut zu, um ihre Nerven zu beruhigen, und rief laut Pauls Namen. Sie hörte ein Kratzen, als würde ein Streichholz angerissen. Gleich darauf leuchtete hinter einer Spalte in der unförmigen Steinmauer zu ihrer Rechten ein Licht auf. Dort war offensichtlich eine zweite Kammer. Deborah machte sich auf den Weg zu ihr.

Die Öffnung, die sie entdeckte, war nicht mehr als fünfundzwanzig Zentimeter breit. Die feuchte Kühle der äußeren Steinmauer streifte sie, als sie sich in die zweite Kammer hineinzwängte, die mit reichlich Kerzen und einem kleinen Feldbett ausgestattet war. Am Kopfende des Betts lag ein Kissen, an seinem Fußende stand ein geschnitzter Holzkasten, dazwischen saß Paul Fielder mit einem Heftchen Streichhölzer in der einen Hand und einer brennenden Kerze in der anderen. Er versuchte, die Kerze in einer von zwei Steinen gebildeten Nische in der äußeren Mauer aufzustellen, und als er das geschafft hatte, zündete er eine zweite an und befestigte sie in einer Wachspfütze auf dem Fußboden.

»Ist das dein Versteck?«, fragte Deborah leise. »Hast du hier das Bild gefunden, Paul?«

Sie hielt es für unwahrscheinlich. Ihr schien es eher ein Versteck ganz anderer Art zu sein, und sie ahnte auch schon, welcher Art. Das Feldbett zeugte davon, und als Deborah zu dem Holzkasten auf dem Fußende des Betts griff und seinen Deckel aufklappte, sah sie ihre Ahnung bestätigt.

Der Kasten enthielt eine Auswahl an Kondomen: mit Noppen und glatt, farbig und mit Geschmack. Es waren genug, um die Vermutung zu rechtfertigen, dass sich hier jemand regelmäßig zu Liebesspielen getroffen hatte. Es war ja auch der ideale Platz dafür: versteckt, wahrscheinlich vergessen und angemessen extravagant für ein romantisches junges Mädchen. Hierher also hatte Guy Brouard Cynthia Moullin gebracht. Es fragte sich nur, warum er offenbar auch Paul Fielder hierher gebracht hatte.

Deborah betrachtete den Jungen. Im weichen Kerzenlicht sah sie, wie engelhaft dieses zarthäutige Gesicht war, wie schmeichelnd das blonde Haar sich um den Kopf ringelte. Sie fühlte sich an Renaissance-Bildnisse erinnert. Der Junge hatte etwas ausgesprochen Feminines an sich, das die zarten Gesichtszüge und der feingliedrige Körper noch betonten. Zwar hatte es bisher so ausgesehen, als sei Guy Brouard ein Mann gewesen, dessen sexuelles Interesse ausschließlich dem weiblichen Geschlecht gegolten hatte, aber vielleicht war ja auch Paul Fielder ein Objekt seiner Begierde gewesen.

Der Junge starrte in den offenen Holzkasten auf Deborahs Schoß. Mit langsamer Bewegung nahm er eine Hand voll der kleinen bunten Päckchen, hielt sie auf der offenen Hand und betrachtete sie. Als Deborah leise sagte: »Paul, wart ihr ein Liebespaar, du und Mr. Brouard?«, warf er die Kondome in den Kasten zurück und klappte mit lautem Knall den Deckel zu.

Deborah sah ihn an und wiederholte ihre Frage.

Der Junge wandte sich brüsk ab, blies die Kerzen aus und verschwand durch den Spalt, durch den sie beide gerade gekommen waren.

Er würde nicht weinen, nahm Paul sich vor. Es hatte nichts zu bedeuten. Er war ein Mann gewesen, und nach allem, was er von Billy und seinem Vater, aus dem Fernsehen und dem hin und wieder heimlich gelesenen *Playboy* und von den Jungen in der Schule – wenn er tatsächlich einmal zur Schule gegangen war – gehört hatte, taten Männer so was dauernd. Dass er es hier getan hatte, in ihrem Geheimversteck … Denn er musste es hier getan haben. Was sonst konnten diese glänzenden kleinen Päckchen bedeuten. Er hatte noch jemanden mit hierher genommen, eine Frau, eine andere Person, die ihm wichtig genug war, um dieses Geheimversteck mit ihr zu teilen.

Kannst du unser Geheimnis für dich behalten, Paul? Wenn ich dich mit hineinnehme, versprichst du mir dann, dass du nie jemandem von diesem Ort erzählen wirst? Ich denke, er ist im Lauf der Zeit von den Menschen vergessen worden. Ich möchte, dass es so lange wie möglich so bleibt. Bist du bereit …? Kannst du mir das versprechen?

Natürlich konnte er das. Und er tat es.

Er hatte das Feldbett bemerkt, aber er hatte geglaubt, Mr. Guy hätte es hier aufgestellt, um ab und zu ein Nickerchen zu machen oder hier zu übernachten oder vielleicht auch zum Beten oder

Meditieren. Er hatte auch den Holzkasten bemerkt, aber er hatte ihn nie geöffnet, weil ihn seine Eltern und bittere Erfahrung gelehrt hatten, die Finger von Dingen zu lassen, die ihm nicht gehörten. Beinahe wäre er sogar der rothaarigen Frau in den Arm gefallen, als sie ihn öffnete. Aber sie hatte ihn schon auf dem Schoß stehen und den Deckel offen gehabt, bevor er ihn ihr wegnehmen konnte. Als er gesehen hatte, was darin war…

Er wusste, was das für Päckchen waren. Er hatte trotzdem nach ihnen gegriffen, weil er allen Ernstes geglaubt hatte, sie würden dann verschwinden, wie das im Traum immer geschah, wenn man etwas ergreifen wollte. Aber sie waren geblieben, konkretes Zeugnis dafür, welche Bedeutung dieser Ort in Wirklichkeit für Mr. Guy besessen hatte.

Die Frau hatte etwas gesagt, aber er hatte die Wörter nicht verstanden. Nur ihre Stimme hatte er gehört, während die steinerne Kammer sich um ihn gedreht hatte. Er hatte nur noch rauslaufen wollen, nicht mehr gesehen werden, darum hatte er die Kerzen ausgeblasen und war geflohen.

Aber er konnte natürlich nicht einfach weglaufen. Er hatte das Schloss, und er war immer noch verantwortlich. Er konnte die Tür nicht einfach offen lassen. Er musste absperren, weil er Mr. Guy versprochen hatte…

Und er würde nicht weinen, weil es einfach total blöd war, zu weinen. Mr. Guy war ein Mann gewesen, und Männer hatten ihre Bedürfnisse, die erfüllt werden mussten, und basta. Mit Paul oder seiner Freundschaft mit Mr. Guy hatte das nichts zu tun. Sie waren immer Freunde gewesen, vom Anfang bis zum Ende, und daran änderte auch die Tatsache nichts, dass er diesen geheimen Ort noch mit einer anderen Person geteilt hatte.

Denn was hatte Mr. Guy denn eigentlich gesagt? Es soll unser Geheimnis sein.

Hatte er gesagt, dass niemand sonst in das Geheimnis eingeweiht würde? Hatte er auch nur angedeutet, dass niemand sonst ihm je wichtig genug sein würde, um ihm diesen Ort zu zeigen? Nein, das hatte er nicht gesagt. Er hatte nicht gelogen. Sich also jetzt aufzuregen…

*Hey, wie magst du's am liebsten, Schwanzlutscher? Wie hat er's dir gemacht, hm?*

Das hatte Billy geglaubt. Aber so etwas war nie passiert. Wenn Paul sich mehr Nähe ersehnt hatte, so war diese Sehnsucht dem Wunsch entsprungen, ihm *ähnlich* zu sein, nicht *eins* zu sein mit ihm. Ähnlich wurde man einander, wenn man etwas miteinander teilte. Und das hatten sie hier getan.

Geheime Orte und geheime Gedanken. Ein Ort, wo man reden kann, ein Ort, wo man sein kann. Dafür ist dieser Platz da, Prinz. Dafür nutze ich ihn.

Er hatte ihn allem Anschein nach für mehr als das genutzt. Aber dadurch wurde er nicht entweiht, es sei denn, Paul ließ es zu.

»Paul? Paul?«

Er hörte sie an der Öffnung zur zweiten Kammer herumtappen. Sie musste sich den Weg ertasten, da er ja die Kerzen ausgeblasen hatte. Wenn sie es in die Hauptkammer schaffte, würde es besser werden. Da brannten zwar auch keine Kerzen, aber von draußen sickerte das Tageslicht herein und erzeugte im Hauptgang ein Leuchten, das tiefer drinnen schwächer wurde wie eindringender Nebel, wenn er das Innere des Hügels erreichte.

»Bist du hier?«, fragte sie. »Ah! Da bist du ja. Du hast mich ganz schön erschreckt. Ich dachte ...« Sie lachte leise, aber Paul merkte, dass sie nervös war und sich dessen schämte. Er wusste aus eigener Erfahrung, wie das war.

»Warum hast du mich hierher gebracht?«, fragte sie. »Ist es – ist es wegen des Bildes?«

Das hatte er beinahe vergessen. Der Anblick des geöffneten Kastens, was er ihm gezeigt und erzählt hatte ... Darüber hatte er es beinahe vergessen. Er hatte sich ihr anvertrauen wollen, denn jemand musste wissen, wie es gewesen war. Miss Ruth glaubte nicht, dass er gestohlen hatte, aber bei den anderen würde der Verdacht fortbestehen, wenn er nicht irgendwie erklärte, wie er zu dem Gemälde gekommen war. Er konnte es nicht aushalten, diesen Verdacht bestehen zu lassen, denn *Le Reposoir* war seine einzige Zuflucht. Er wollte sie nicht verlieren, er durfte sie nicht verlieren, weil der Gedanke unerträglich war, sich zu Hause von Billy oder in der Schule von den anderen Jungen verspotten lassen zu müssen, ohne entkommen und sich je wieder auf etwas freuen zu können. Aber sich jemandem aus *Le Reposoir* anzuvertrauen, hätte bedeutet, das Geheimnis zu verraten, das zu bewahren er geschworen hatte: den Ort, wo der Dolmen war. Das durfte er nicht tun, darum konnte er nur mit einer Fremden sprechen, der das nicht wichtig sein würde und die nie wieder hierher käme.

Nur jetzt... Die *genaue* Stelle konnte er ihr nicht zeigen. Er hatte selbst ein Geheimnis, das bewahrt werden musste. Aber irgendetwas musste er ihr zeigen, darum trat er zu dem niedrigen Opferstein und kniete vor der schmalen Vertiefung nieder, die sich, von gleicher Länge wie der Stein selbst, auf seiner Rückseite und beinahe unter ihm im Boden befand. Er nahm die Kerze aus der Mulde und zündete sie an. Er hielt sie nach unten, damit die Frau sehen konnte.

»Hier?«, fragte sie. »Hier war das Bild?« Sie blickte von der flachen Nische zu ihm, und er hatte den Eindruck, dass sie in seinem Gesicht forschte, darum nickte er feierlich. Er zeigte ihr, wie es tatsächlich in der Nische hätte gelegen haben können, dass es, wenn es so gewesen wäre, für niemanden sichtbar gewesen wäre, der nicht auf die andere Seite des Altarsteins getreten wäre und sich niedergekniet hätte wie Paul.

»Wie merkwürdig«, sagte die Frau leise. Aber sie lächelte ihn freundlich an. »Danke, Paul«, sagte sie. »Ich denke, du hattest nie die Absicht, das Bild zu behalten, nicht wahr? Ich habe nicht das Gefühl, dass du so ein Mensch bist.«

»Mr. Ouseley, es ist unsere Aufgabe, Ihnen diese Übergangszeit so weit wie möglich zu erleichtern«, sagte die junge Frau zu Frank. Sie wirkte verständnisvoller, als er das bei jemandem ihres Alters für möglich gehalten hätte. »Wir sind hier, um Ihnen bei Ihrem Verlust beizustehen. Alle, was Sie über uns regeln möchten, *können* wir regeln. Wir sind für Sie da. Sie sollten das nutzen.«

Das Einzige, was Frank dazu durch den Kopf ging, war der Gedanke, dass sie viel zu jung war, um die Geschäfte des Bestattungsunternehmens Markham & Swift zu leiten. Sie sah aus wie sechzehn, obwohl sie vermutlich Mitte zwanzig war, und hatte sich als Arabella Agnes Swift vorgestellt, älteste Enkelin des Firmengründers. Anteilnehmend hatte sie ihm die Hand gedrückt und ihn in ihr Büro geführt, das aus Rücksicht auf die gramgebeugten Kunden, mit denen sie im Allgemeinen zu tun hatte, so wenig büromäßig wie möglich eingerichtet war. Es sah eher aus wie Großmutters Wohnstube, mit einer Couchgarnitur, dem dazu passenden Couchtisch und Familienfotos auf dem Sims einer Kaminattrappe, in der ein elektrisches Heizgerät glomm. Auch Arabellas Bild war unter den Fotos. Es zeigte sie im Talar der Hochschulabsolventin. Daher Franks Vermutung bezüglich ihres Alters.

Sie wartete höflich auf seine Antwort. Zuvor hatte sie diskret ein in Leder gebundenes Album auf den Couchtisch gelegt, zweifellos mit Fotografien der Särge, die zur Auswahl standen. Sie hielt einen Spiralblock auf ihrem Schoß, aber sie griff nicht zu dem Schreiber, den sie akkurat quer über den Block gelegt hatte, als sie sich zu ihm aufs Sofa gesetzt hatte. Sie war von Kopf bis Fuß die professionelle junge Karrierefrau und hatte überhaupt keine Ähnlichkeit mit dem salbungsvollen Trauerkloß, die Frank erwartet hatte.

»Wir können die Trauerfeier auch hier in unserer Kapelle abhalten, wenn Sie das vorziehen«, sagte sie in teilnehmendem Ton. »Manche Leute gehen nicht in die Kirche. Sie bevorzugen eine Feier neutraler Art.«

»Nein«, sagte Frank endlich.

»Sie wollen die Feier also in einer Kirche abhalten? Darf ich mir den Namen der Kirche notieren? Und den des Geistlichen auch?«

»Keine Feier«, sagte Frank. »Keine Beerdigung. Die würde er nicht wollen. Ich möchte, dass er …« Frank brach ab. *Ich möchte* war nicht die angebrachte Formulierung. »Er wollte eingeäschert werden. Das machen Sie doch auch, nicht wahr?«

»O ja, selbstverständlich«, versicherte Arabella. »Wir erledigen alle Formalitäten und bringen den Leichnam zum Staatlichen Krematorium. Sie brauchen nur die Urne auszusuchen. Warten Sie, dann zeige ich Ihnen …«

Sie beugte sich vor, und er fing den Duft ihres Parfüms auf, einen angenehmen Duft, der wahrscheinlich ein Trost war für all jene, die Trost brauchten. Selbst bei ihm, der ihr Mitgefühl nicht erwartete, weckte der Duft Erinnerungen daran, wie seine Mutter ihn an ihrer Brust gehalten hatte. Woher wussten die Parfümhersteller, welches Aroma diese blitzartige Rückkehr in die Vergangenheit bewerkstelligen würde, fragte er sich.

»Es gibt da verschiedene Modelle«, fuhr Arabella fort. »Sie sollten sich bei Ihrer Wahl vielleicht danach richten, was sie mit der Asche tun wollen. Manchen Menschen ist es ein Trost, sie zu behalten, andere –«

»Keine Urne«, unterbrach Frank. »Ich nehme die Asche so, wie sie ist. In einem Karton. Oder einem Beutel. Je nachdem.«

»Oh. Ja, natürlich.« Ihr Gesichtsausdruck blieb unverändert. Sie wusste gut genug, dass ein Kommentar darüber, wie die trauernden Hinterbliebenen mit den sterblichen Überresten des oder der Verstorbenen verfuhren, ihr nicht zukam. Franks Entscheidung war für die Firma Markham & Swift nicht so profitabel, wie sie das wahrscheinlich gern gehabt hätte, aber das war nicht Franks Problem.

Die Vorkehrungen waren schnell und ohne große Umstände getroffen. Sehr bald schon stieg Frank wieder in seinen Peugeot und fuhr über die Brock Road zum Hafen von St. Sampson hinauf.

Die ganze Geschichte war einfacher gewesen, als er gedacht hatte. Zuerst war er aus dem Wohnhaus in die zwei Lagerhäuser nebenan gegangen, um nach den Beständen zu sehen und für die Nacht abzuschließen. Im Haus zurück, war er zu seinem Vater getreten, der reglos am Fuß der Treppe lag. »Dad! O Gott! Ich habe dir doch gesagt, du sollst nie allein die Treppe …«, hatte er gerufen und sich über ihn gebeugt. Der Atem seines Vaters war flach, kaum noch wahrnehmbar. Frank ging auf und ab und sah immer wieder auf die Uhr. Nach zehn Minuten ging er ans Telefon und rief den Rettungsdienst an. Dann wartete er.

Graham Ouseley starb, noch ehe der Rettungswagen in *Moulin des Niaux* eintraf. Frank weinte um seinen Vater und um sich selbst und um das, was sie verloren hatten. So fanden ihn die Sanitäter: weinend wie ein Kind, den Kopf seines Vaters in den Schoß gebettet. Ein Bluterguss an der Stirn zeigte, wo er auf der Treppe aufgeschlagen war.

Grahams Arzt war rasch zur Stelle und klopfte Frank mit schwerer Hand auf die Schulter. Es sei ohne Zweifel ganz schnell gegangen, sagte Dr. Langlois. Er habe wahrscheinlich beim Treppensteigen einen Herzinfarkt erlitten. Die Anstrengung sei zu groß gewesen. Aber wenn man sehe, wie relativ unverletzt das Gesicht sei … Es spreche alles dafür, dass er schon bewusstlos gewesen sei, als er auf die Treppe aufgeschlagen war, und wenig später tot, praktisch ohne etwas gemerkt zu haben.

»Ich war nur mal drüben, um für die Nacht abzusperren«, erklärte Frank. Er spürte, wie die Tränen auf seinen Wangen trockneten und in der aufgesprungenen Haut um seine Augen brannten. »Als ich zurückkam … Ich habe ihm immer wieder gesagt, dass er *nie* versuchen soll …«

»Die Alten sind eigensinnig«, sagte Langlois. »Ich erlebe das immer wieder. Sie wissen genau, dass sie nicht mehr so gut auf den Beinen sind, aber sie wollen auf keinen Fall jemandem zur Last fallen und hassen es, um etwas zu bitten.« Er drückte Franks Schulter. »Sie hätten nichts ändern können, Frank.«

Er war geblieben, während die Sanitäter die Trage hereingebracht hatten, und er war immer noch da, als Graham Ouseley hinausgetragen wurde. Frank hatte sich genötigt gefühlt, ihm eine Tasse Tee anzubieten, und als der Arzt darauf in vertraulichem Ton sagte: »Ein Whisky wäre mir lieber«, hatte er ihm zwei Fingerbreit Oban Single Malt eingeschenkt und ihm dabei zugesehen, wie er den Whisky mit Genuss getrunken hatte.

Bevor er ging, sagte Langlois: »Wenn ein Vater oder eine Mutter so plötzlich stirbt, ist das ein Schock, auch wenn wir uns noch so gut darauf vorbereitet haben. Aber er war – wie alt? Neunzig?«

»Zweiundneunzig.«

»Zweiundneunzig. Er war sicher bereit. Das sind sie in diesem Alter immer, wissen Sie. Gerade diese Generation. Sie mussten ja damals, vor fünfzig Jahren, jederzeit bereit sein. Er betrachtete wahrscheinlich jeden Tag, den er nach neunzehnhundertvierzig erlebte, als Gottesgeschenk.«

Frank wünschte verzweifelt, der Mann würde endlich gehen, aber Langlois redete unverdrossen weiter und sagte all die Dinge, die er am wenigsten hören wollte: Dass es Männer von Graham Ouseleys Format heute nicht mehr gebe, dass Frank sich glücklich preisen solle, einen solchen Vater gehabt und so viele Jahre – bis in sein eigenes Alter hinein! – mit ihm erlebt zu haben; dass Graham stolz darauf gewesen sei, einen Sohn zu haben, mit dem er bis an sein Lebensende in Frieden und Harmonie habe zusammenleben können, dass Franks Liebe und Zuneigung ihm ungeheuer viel bedeutet habe …

»Erinnern Sie sich an das alles«, riet Langlois feierlich. Dann war er endlich gegangen, und Frank war nach oben gelaufen in sein Zimmer, wo er sich auf sein Bett gesetzt und dann irgendwann hingelegt hatte, um auf den Beginn der Zukunft zu warten.

Jetzt am South Quay stellte er fest, dass er vorerst in St. Sampson festsaß. Hinter ihm stauten sich die aus dem Einkaufsviertel rund um The Bridge kommenden Autos, und vor ihm war bis zur Bulwer Avenue alles hoffnungslos verstopft, weil dort an der Kreuzung ein Sattelschlepper die Kurve zum South Quay offenbar etwas zu scharf genommen und sich quer gestellt hatte. Fahrzeuge versuchten, sich irgendwie an ihm vorbeizuquetschen, es gab keine Möglichkeit, zu wenden, und viel zu viele Gaffer, die meinten, gute Ratschläge geben zu müssen. Als Frank das sah, zog er den Peugeot nach links, scherte aus der Schlange aus und fuhr an den Rand der Straße am Kai, wo er mit Blick aufs Wasser anhielt.

Er stieg aus dem Wagen. Um diese Zeit lagen kaum Boote in dem von Granitmauern umschlossenen Hafenbecken, und das eisige Dezemberwasser, das gegen die Steine schlug, war frei von den Ölschlieren, die im Hochsommer sehr zum Zorn der einheimischen Fischer von den Booten achtloser Wassersportler hinterlassen wurden. Jenseits des Wassers, am Nordende von The Bridge, erschallte von der Schiffswerft der gewohnte Lärm, eine Mischung aus Hämmern, Zischen, Schleifen und Fluchen, während Schiffe für den Winter aus dem Wasser gehievt wurden, um für die nächste Saison überholt zu werden. Für Frank, der alle diese Geräusche kannte und jedes genau zuordnen konnte, bekamen sie an diesem Tag ganz andere Bedeutung: das Hämmern wurde zum knallenden Gleichschritt schwerer Stiefel auf Kopfsteinpflaster, das Schleifen zum Knirschen des Metalls, wenn an einem Gewehr der Hahn gespannt wurde, das Fluchen zum – in jeder Sprache verständlichen – Feuerbefehl.

Er konnte die Geschichten nicht loswerden, nicht einmal jetzt, wo er es unbedingt wollte. Dreiundfünfzig Jahre lang hatte er sie gehört, immer wieder, ohne dass sie sich abgenutzt hatten, ohne dass sie ihm je unwillkommen gewesen waren – bis zu diesem Moment. Aber immer noch drängten sie sich auf, ganz gleich, ob er es wollte oder nicht: 28. Juni 1940, 18 Uhr 55. Das gleichmäßige tiefe Brummen näher kommender Flugzeuge: die wachsende Angst und Verwirrung all derer, die sich im Hafen von St. Peter Port zur Abfahrt des Postdampfers eingefunden hatten, wie es Brauch war, und all derer, die in ihren Lastautos in einer langen Reihe darauf warteten, die geladenen Tomaten an die Frachtschiffe abzugeben... Es waren zu viele Menschen da. Als die sechs Maschinen über sie hinwegflogen, ließen sie Tote und Verwundete zurück. Brandbomben fielen auf die Lastwagen, die explodierten, während die Menschen mit Maschinengewehrfeuer niedergemäht wurden. Ohne Rücksicht. Männer, Frauen und Kinder.

Deportationen, Verhöre, Hinrichtungen und Internierungen folgten. Und die Jagd auf die Juden. Zahllose Verbote und Bestimmungen. Arbeitslager für dies, und Hinrichtung durch Exekutionskommandos für das. Alles wurde kontrolliert: die Presse, das Kino, die Nachrichten, die Gedanken.

Schieber tauchten auf, um aus dem Elend ihrer Mitbürger Profit zu schlagen. Bauern, die Rundfunkempfänger in ihren Scheunen versteckt hatten, wurden zu Helden. Während Nahrungsmittel und Treibstoff immer knapper wurden, versuchten die Menschen, die die Welt vergessen zu haben schien, sich irgendwie durchzuschlagen, ständig beobachtet und belauscht von der Gestapo, die nur darauf lauerte, jeden, der einen falschen Schritt tat, zu ergreifen.

*Es sind Menschen umgekommen, Frankie. Hier, auf dieser Insel, mussten Menschen wegen der Deutschen leiden und sterben. Und manche wehrten sich, so gut sie konnten. Vergiss das nie, mein Junge. Du kannst den Kopf hoch tragen. Du kommst aus einer Familie, die das Schlimmste mitgemacht und überlebt hat, um davon Zeugnis abzulegen. Nicht jeder hier auf der Insel kann das von sich sagen, Frank.*

Die Stimme und die Erinnerungen. Die Stimme, die unablässig die Erinnerungen einträufelte. Frank konnte sie beide nicht abschütteln, nicht einmal jetzt. Er war überzeugt, dass sie ihn bis an sein Lebensende verfolgen würden. Er könnte sich in die Fluten der Lethe stürzen und würde selbst dort kein Vergessen finden.

Ein Vater durfte seinen Sohn nicht belügen. Wenn er sich entschied, Vater zu werden, dann sollte es geschehen, um die Wahrheiten des Lebens weiterzugeben, die ihn die Erfahrung gelehrt hatte. Wem sonst sollte ein Sohn vertrauen, wenn nicht seinem Vater?

Darauf lief es für Frank hinaus, der, allein hier am Kai stehend, im Wasser eine Spiegelung der geschichtlichen Zeiten sah, die mit grausamer Hand eine Generation von Inselbewohnern geformt hatten. Es lief auf Vertrauen hinaus, das einzige Geschenk, das ein Kind dem fernen, Ehrfurcht gebietenden Vater machen kann. Er hatte es gegeben, und Graham hatte es glücklich entgegengenommen und dann rücksichtslos missbraucht. Geblieben war danach das gebrechliche Gerüst einer Beziehung, die aus Stroh und Leim gefügt war. Der raue Wind der Wahrheit hatte es vernichtet. Es schien so, als wäre das zarte Gebilde nie gewesen.

Mehr als ein halbes Jahrhundert weiterzuleben und so zu tun, als wäre er nicht schuld am Tod tapferer Männer... Frank wusste nicht, wie er aus dem stinkenden Bodensatz, den diese Tat Graham Ouseleys hinterlassen hatte, je wieder auch nur ein Körnchen liebevolles Gefühl herausfiltern sollte. Jetzt jedenfalls konnte er es nicht. Eines Tages vielleicht... Wenn er das gleiche Alter erreichte... Wenn er irgendwann einmal das Leben mit anderen Augen betrachtete...

Er hörte, wie sich hinter ihm die Autos in Bewegung setzten, und sah, dass der Sattelschlepper an der Kreuzung endlich wieder auf Kurs gekommen war. Er stieg in den Peugeot und fädelte sich in die Reihe von Fahrzeugen ein, die aus St. Sampson hinaus in Richtung St. Peter Port fuhren. Als er das Industriegebiet an der Bulwer Avenue hinter sich gelassen hatte, konnte er endlich Gas geben und brauste zu der Straße hinaus, die dem lang gezogenen Bogen der Belle-Greve-Bucht folgte.

Einen Besuch musste er noch erledigen, bevor er ins Talbot Valley zurückfuhr. Er hielt sich in südlicher Richtung, links das Wasser und rechts wie eine terrassenförmig angelegte, graue Bergfestung St. Peter Port. Unter den Bäumen von Le Val des Terres fuhr er den Hügel hinauf und erreichte die Fort Road keine Viertelstunde nach der mit Debiere vereinbarten Zeit.

Er hätte ein weiteres Gespräch mit Debiere gern vermieden. Aber als der Architekt ihn angerufen und nicht locker gelassen hatte, hatten die alten Schuldgefühle schließlich Frank veranlasst, zu sagen: »Ja, gut, ich komme vorbei«, und eine Zeit zu nennen.

Debiere öffnete selbst und führte Frank in die Küche, wo er seinen Söhnen gerade das Essen machte. Die Hitze im Raum war unerträglich, Debieres Gesicht glänzte vor Schweiß. Der beißende Geruch nach verbrannten Fischstäbchen hing in der Luft. Aus dem Wohnzimmer waren die Geräusche eines Computerspiels zu hören, durchsetzt mit regelmäßigen Explosionen, wenn wieder ein Bösewicht abgeschossen wurde.

»Caroline ist in der Stadt.« Debiere bückte sich zum Backrohr hinunter und zog vorsichtig ein Blech heraus, auf dem dampfend eine zweite Ladung Fischstäbchen lag und neue unangenehme Gerüche verbreitete. Er schnitt ein Gesicht: »Wie können sie das nur essen?«

»Hauptsache, die Eltern finden es furchtbar«, meinte Frank.

Debiere knallte das Blech auf die Arbeitsplatte und beförderte die Stäbchen mit einem Holzlöffel auf einen Teller. Aus der Tiefkühltruhe nahm er einen Beutel gefrorene Pommes Frites, kippte sie auf das Blech und schob dieses wieder ins Rohr.

Auf dem Herd stand ein brodelnder Topf, der dichte Dampfwolken in die Luft sandte. Sie hingen wie der Geist von Mrs. Beeton über Debiere, als der sich jetzt darüber beugte und einen Löffel voll Erbsen heraushob, giftgrün, als wären sie künstlich gefärbt. Er musterte sie mit zweifelnder Miene und warf sie wieder ins kochende Wasser. »Wäre gescheiter, wenn sie das machen würde. Sie kann's besser als ich. Ich bin ein hoffnungsloser Fall.«

Frank wusste, dass sein ehemaliger Schüler ihn nicht angerufen hatte, um sich beim Kochen helfen zu lassen, aber ihm war auch klar, dass er es nicht mehr lange aushalten würde, in dieser Küche zu schmoren. Kurzerhand packte er deshalb selbst an, suchte ein Sieb heraus, goss die Erbsen ab und deckte sie sowie die grauenvollen Fischstäbchen mit Folie ab, während die Pommes Frites vor sich hin brutzelten. Dann öffnete er das Fenster und sagte zu Debiere, der dabei war, für seine Söhne den Tisch zu decken: »Warum wollten Sie mich sprechen, Nobby? Was gibt's denn?«

»Sie ist in der Stadt«, antwortete er.

»Das sagten Sie, ja.«

»Auf Arbeitssuche. Fragen Sie mich, wo.«

»Meinetwegen. Wo?«

Debiere lachte ganz ohne Erheiterung. »Bei der Bürgerberatung. Und fragen Sie mich, was sie da macht.«

»Nobby...« Frank war müde.

»Sie schreibt ihnen ihre beschissenen Informationsblätter«, sagte Debiere und lachte wieder, so schrill diesmal, dass es beinahe ein bisschen verrückt klang. »Von der *Architectural Review* zur Bürgerberatung! Und das hat sie mir zu verdanken. Ich habe ihr geraten, ihre Stellung aufzugeben. Schreib deinen Roman, hab ich gesagt. Versuch, deine Träume zu verwirklichen. Genau wie ich es getan habe.«

»Es tut mir Leid, dass es so gekommen ist«, sagte Frank. »Sie wissen gar nicht, wie sehr.«

»Nein, wahrscheinlich nicht. Aber der richtige Tritt in den Hintern kommt erst noch: Es war alles Schaumschlägerei. Von Anfang an. Ist Ihnen das klar? Oder wussten Sie es die ganze Zeit?«

Frank runzelte die Stirn. »Wie? Was war –?«

Debiere nahm die Schürze ab, die er getragen hatte, und legte sie über die Lehne eines Küchenstuhls. Es war verrückt, aber es sah aus, als machte ihm das Gespräch großen Spaß, und diese Freude schien sich mit seiner nächsten Enthüllung noch zu steigern. Was Guy sich da aus Amerika habe kommen lassen, das seien nicht gültige Pläne gewesen. Er habe sie mit eigenen Augen gesehen, und sie seien rechtlich nicht einwandfrei gewesen. So weit zu erkennen, seien es nicht einmal Pläne für ein Museum gewesen. Was Frank davon halte.

»Er hatte gar nicht vor, ein Museum zu bauen«, sagte Debiere. »Das Ganze war nur ein Spiel nach dem Motto: Bau sie auf und mach sie nieder. Und wir waren bei dem Spiel die Kegel. Sie, ich, Henry Moullin und wer sonst noch dazu gehörte. Erst mit tollen Plänen unsere Erwartungen hochschrauben und dann zuschauen, wie wir uns winden, wenn sie zusammenfallen: Das wollte er. Leider hat's nur bis zu mir gereicht. Dann hat ihn jemand umgebracht, und nun hängt ihr anderen plötzlich in der Luft und überlegt krampfhaft, wie ihr das Projekt ohne seinen ›Segen‹ wieder auf die Beine bringen könnt. Aber ich wollte, dass Sie auch erfahren, was da gespielt worden ist. Ich wollte nicht der Einzige sein, dem es vergönnt ist, Guys makabren Humor zu würdigen«, sagte er sarkastisch.

Frank hatte Mühe, diese Neuigkeiten aufzunehmen. Sie widersprachen allen seinen Erfahrungen mit Guy. Guys Tod und die Testamentsbedingungen hatten dem Museumsprojekt ein Ende gesetzt. Aber dass nie die Absicht bestanden haben sollte, das

Museum zu bauen... Daran durfte Frank jetzt nicht denken. Jetzt nicht und niemals. Der Preis war zu hoch.

»Die Pläne«, sagte er. »Die Pläne, die die Amerikaner mitgebracht haben...?«

»Augenwischerei«, sagte Debiere beinahe vergnügt. »Ich habe sie mir angeschaut. Der Mann aus London brachte sie mir. Ich weiß nicht, wer sie gezeichnet hat und wofür sie sind, aber für ein Museum neben der St. Saviour's-Kirche sind sie ganz bestimmt nicht.«

»Aber er muss doch...« Was? dachte Frank. Was muss er? Gewusst haben, dass jemand sich die Pläne genauer ansehen würde? Wann denn? An dem Abend? Er hatte eine professionelle Zeichnung eines Gebäudes vorgestellt und behauptet, das wäre der von ihm ausgewählte Entwurf. Kein Mensch hatte daran gedacht, ihn nach den Plänen zu fragen. »Er muss reingelegt worden sein«, sagte Frank. »Ich weiß, dass er das Museum bauen wollte.«

»Mit welchem Geld?«, fragte Debiere. »Sie haben doch selbst gerade gesagt, dass er in seinem Testament keinen Penny für einen Bau vorgesehen hatte, Frank, und er hat auch Ruth keinerlei Anweisungen hinterlassen, ihn zu finanzieren, falls ihm etwas zustoßen sollte. Nein. Guy hat sich von niemandem reinlegen lassen. Er hat *uns* reingelegt. Alle miteinander. Und wir haben es uns gefallen lassen.«

»Das muss ein Irrtum sein. Ein Missverständnis. Vielleicht hat er in letzter Zeit mit seinen Investments Pech gehabt und das Geld verloren, das er für den Bau vorgesehen hatte. Das wollte er natürlich nicht an die große Glocke hängen... Er wollte ja nicht bei den Leuten hier das Gesicht verlieren. Also hat er weitergemacht, als wäre nichts geschehen. Damit keiner erfährt...«

»Glauben Sie das wirklich?« Debiere bemühte sich nicht, seine Ungläubigkeit zu verbergen. »Das glauben Sie allen Ernstes?«

»Was für eine Erklärung soll es sonst...? Die Sache war schon angekurbelt, Nobby. Er hätte sich doch verantwortlich gefühlt. Sie hatten Ihre Stellung aufgeben und sich selbstständig gemacht.

Henry hatte in seine Glaskunstwerkstatt investiert. Die Zeitungen brachten Artikel, die Leute hatten große Erwartungen. Wenn er das Geld für den Bau wirklich nicht mehr gehabt hätte, hätte er nur entweder reinen Tisch machen oder so tun können, als liefe alles ganz normal, in der Hoffnung, dass die Leute mit der Zeit das Interesse verlieren würden, wenn er die Sache lange genug verschleppte.«

Debiere, der am Tisch saß, verschränkte die Arme. »Das glauben Sie wirklich?«, fragte er wieder. Sein Ton legte nahe, dass aus dem früheren Schüler der Lehrer geworden war. »Ja, klar. Ich kann verstehen, warum Sie unbedingt an diesem Glauben festhalten möchten.«

Frank meinte, plötzliches Begreifen in Debieres Gesicht aufblitzen zu sehen: dass er, der einen ihm offensichtlich teuren Schatz an Andenken aus Kriegszeiten besaß, diese Kostbarkeiten niemals ans Licht der Öffentlichkeit gelangen lassen wollte. Doch selbst wenn das den Nagel auf den Kopf traf, konnte Nobby Debiere unmöglich den Grund dafür wissen. Nie wäre er auf so etwas gekommen. Was ihn anging, gehörte Frank Ouseley ganz einfach auch zu den Enttäuschten, die auf hochfliegende Pläne gebaut hatten, aus denen nichts geworden war.

Frank sagte: »Ich bin völlig fertig wegen dieser Geschichte. Ich kann einfach nicht glauben … Es muss eine Erklärung geben.«

»Die habe ich Ihnen doch gerade präsentiert. Schade, dass Guy nicht hier ist und sich über den Erfolg seiner Machenschaften freuen kann. Warten Sie, ich zeige Ihnen was.« Er trat zur Arbeitsplatte, wo die Familie in einer Ecke die Post aufzubewahren schien. Hier sah es, ganz anders als im restlichen Haus, ziemlich unordentlich aus. Da lagen Briefe, Zeitschriften, Kataloge und Telefonbücher wild durcheinander. Ganz unten aus diesem Papierberg zog Debiere ein loses Blatt heraus und reichte es Frank.

Es war der Entwurf einer Werbeanzeige. Eine Karikatur von Nobby Debiere stand an einem Reißbrett, auf dem irgendein Plan ausgebreitet war. Zu seinen Füßen lagen halb aufgerollt weitere Pläne. Die Anzeige stellte sein neues Unternehmen vor:

Bertrand Debiere – Reparaturen, Sanierungen und Renovierungen. Sitz der Firma war das Haus in der Fort Road.

»Ich musste meine Sekretärin natürlich entlassen«, erklärte Debiere mit einem unangenehmen künstlichen Lachen. »Sie sitzt also jetzt auch ohne Job da, was Guy sicherlich amüsiert hätte, wenn er es noch hätte erleben können.«

»Nobby …«

»Und ich arbeite von jetzt an zu Hause, eine prima Lösung, weil Caroline ja wahrscheinlich die meiste Zeit in der Stadt sein wird. Ich habe meine alte Firma natürlich verärgert, als ich dort kündigte, aber früher oder später werde ich sicher bei einer anderen unterkommen, wenn ich nicht überall auf der schwarzen Liste stehe. Ja. Herrlich zu sehen, wie sich alles so entwickelt, nicht wahr?« Er nahm Frank die Anzeige aus der Hand und schob sie zusammengeknüllt unter das Telefonbuch.

»Es tut mir Leid«, sagte Frank. »Es ist sicher –«

»– das Beste«, sagte Debiere.

## 27

St. James fand Ruth Brouard im Wintergarten. Er war größer, als er ihn von seinem ersten Besuch am Tag der Beerdigung in Erinnerung hatte. Die Luft war feucht und warm, von den beschlagenen Fensterscheiben rannen Wasserbäche herab. Das Tropfen des Wassers von den Fenstern und aus einer Bewässerungsanlage auf die großen Blätter tropischer Pflanzen und den Terracottaweg, der sich zwischen ihnen hindurchwand, bildete ein leises Hintergrundgeräusch.

Ruth Brouard saß auf einem kleinen runden Platz in der Mitte des Glasbaus an einem Seerosenteich. Sie hatte es sich auf einer Chaiselongue bequem gemacht, die Füße auf einem Gobelinkissen, neben sich auf einem Korbtischchen ein Teetablett. Auf ihrem Schoß lag ein aufgeschlagenes Fotoalbum.

»Verzeihen Sie die Hitze hier«, sagte sie mit einer Kopfbewegung zu dem elektrischen Heizgerät, das auf dem Boden stand. »Sie tut mir gut. Sie ändert nichts am Lauf der Dinge, aber es fühlt sich so an.« Ihr Blick flog zu dem Gemälde, das er locker gerollt bei sich trug, aber sie sagte nichts. Vielmehr forderte sie ihn auf, sich einen weißen Korbstuhl heranzuziehen, weil sie ihm zeigen wollte, »wer wir waren«.

Das Album dokumentierte die englischen Jahre der beiden Geschwister Brouard. Die gesammelten Fotografien zeigten das Geschwisterpaar im London der Kriegs- und Nachkriegszeit, stets zusammen, stets mit ernstem Blick. Sie wurden älter, doch die ernsten Mienen blieben unverändert, während sie bald vor dieser Tür oder jenem Tor, bald in diesem Garten oder vor jenem offenen Kamin zu sehen waren.

»Er hat mich nie vergessen«, sagte Ruth beim Umblättern. »Wir waren nie bei derselben Familie, und ich hatte jedes Mal, wenn er ging, Angst, dass er nicht wiederkommen würde, dass ihm etwas zustoßen und man es mir nicht sagen würde. Dass er eines Tages einfach nicht mehr käme. Aber er erklärte mir immer, das könne nicht geschehen, und wenn, würde ich es merken. Ich würde es fühlen, sagte er. Ich würde fühlen, wie sich die Welt verschiebt, und solange ich das nicht fühlte, solle ich mir keine Sorgen machen.« Sie schlug das Album zu und legte es weg. »Aber ich habe es nicht gefühlt. Als er zur Bucht hinuntergegangen ist, Mr. St. James, da habe ich es nicht gefühlt.«

St. James gab ihr das Gemälde.

»Aber was für ein Glück, das Bild wiederzuhaben«, sagte sie leise, als sie es entgegennahm. »Es bringt mir ein Stück Familie zurück.« Sie legte es auf das Album und sah ihn an. »Was noch?«, fragte sie.

Er lächelte. »Sind Sie sicher, dass Sie keine Hexe sind, Miss Brouard?«

»Absolut«, antwortete sie. »Sie wollen doch noch etwas von mir, nicht wahr?«

Er bestätigte es. Ihren Worten entnahm er, dass sie von dem Wert des Gemäldes, das ihr Bruder für sie zurückgeholt hatte, keine Ahnung hatte. Und er unternahm in diesem Moment auch nichts, um sie zu belehren. Er hatte den Eindruck, dass sich für sie an der Bedeutung des Gemäldes nichts ändern würde, wenn sie hörte, dass es das Werk eines Meisters war.

»Sie können Recht haben mit Ihrer Vermutung, dass Ihr Bruder den größten Teil seines Geldes darauf verwendet hat, dem Bild auf die Spur zu kommen«, sagte er. »Aber ich würde mir doch sicherheitshalber gern einmal seine Abrechnungen ansehen. Er hat doch über seine Ausgaben und Einnahmen Buch geführt?«

Ja, sagte sie, das sei alles oben in seinem Arbeitszimmer. Sie würde es ihm gern zeigen, wenn er ihr folgen wolle. Sie nahmen das Gemälde und das Fotoalbum mit, aber es war ziemlich klar, dass Ruth Brouard ohne ihn beides in aller Unschuld bis zu ihrer Rückkehr im Wintergarten liegen gelassen hätte.

Nachdem sie im Arbeitszimmer, in dem es schon dunkel zu werden begann, mehrere Lampen eingeschaltet hatte, holte sie aus einem Schrank neben seinem Schreibtisch zu St. James' Überraschung ein altmodisches, in Leder gebundenes Rechnungsbuch. Sie sah St. James' Reaktion und lächelte.

»In der Firma ist natürlich alles über Computer gelaufen«, sagte sie. »Aber privat hat Guy lieber am Althergebrachten festgehalten.«

»Na ja, es ist schon ein wenig…« St. James suchte nach einem freundlichen Wort.

»– antiquiert«, sagte sie. »Eigentlich gar nicht die Art meines Bruders. Aber mit dem Computer hat er sich nie angefreundet. Bei Tastentelefon und Mikrowellenherd war für ihn die Grenze. Aber Sie werden sehen, es ist alles sehr übersichtlich. Guy hat seine Bücher sehr ordentlich geführt.«

Als St. James sich setzte und das Rechnungsbuch aufschlug, brachte sie zwei weitere Bücher und erklärte, dass jedes einen Zeitraum von drei Jahren umfasse. Ihr Bruder habe keine großen Ausgaben gehabt, da der größte Teil des Vermögens ja auf ihren Namen eingetragen sei und sie daher die Kosten für Instandhaltung und Unterhalt von *Le Reposoir* getragen habe.

St. James nahm sich das letzte Rechnungsbuch vor und überprüfte die finanziellen Transaktionen in den vergangenen drei Jahren. Er brauchte nicht lange, um festzustellen, wie Guy Brouard sein Geld in dieser Zeit ausgegeben hatte. Das meiste war Anaïs Abbott zugute gekommen. Immer wieder hatte Brouard für seine Geliebte tief in die Tasche gegriffen. Er hatte alles bezahlt, was gerade anfiel – Schönheitsoperation, Grundsteuer, Hypothekenraten, Urlaube in der Schweiz und Belize, einen Model-Kurs für ihre Tochter. Darüber hinaus hatte er Geld für den Kauf eines Mercedes-Benz ausgegeben, für zehn Skulpturen, die durch Titel und Namen des Künstlers identifiziert waren, für ein Darlehen an Henry Moullin, das mit dem Vermerk »für Schmelzofen« versehen war, und, wie es aussah, für Darlehen oder Geschenke an seinen Sohn. In jüngerer Zeit hatte er allem Anschein nach ein Grundstück in St. Saviour erworben und Zahlungen an Bertrand Debiere sowie an die Schreinerei De Carteret, an die Installationsfirma Burton-Terry und die Elektrofirma Tissier geleistet.

Aus diesen Vorgängen schloss St. James, dass Brouard ursprünglich vorgehabt hatte, das Kriegsmuseum zu bauen und Debiere die Bauleitung zu übertragen. Alle Zahlungen jedoch, die auch nur im Entferntesten mit dem Bau zu tun haben könnten, hatten vor neun Monaten aufgehört. An die Stelle der sorgfältigen Eintragungen, mit denen Brouard bisher alle Vorgänge belegt hatte, trat jetzt eine Kolumne von Zahlen, die mit einer Klammer zu einer Gruppe zusammengefasst waren, ohne dass jedoch ein Empfänger angegeben war. Aber St. James hatte eine recht gute Ahnung, wer der ungenannte Empfänger war: International Access. Die Zahlen stimmten mit denen überein, die die Bank Le Gallez zur Verfügung gestellt hatte. St. James vermerkte, dass die letzte Zahlung – der höchste Betrag von allen – genau an dem Tag aus Guernsey abgegangen war, an dem die Geschwister River auf der Insel eingetroffen waren.

St. James bat Ruth Brouard um einen Taschenrechner, und sie nahm einen aus der Schreibtischschublade. Er addierte die Zahlungen an den ungenannten Empfänger und kam auf eine Summe von mehr als zwei Millionen Pfund.

»Mit welchem Betrag hat Ihr Bruder angefangen, als Sie hierher übersiedelt sind?«, fragte er Ruth. »Sie sagten, dass er damals fast alles auf Sie überschrieben hat, sich aber einen Teil für seine persönlichen Ausgaben zurückbehielt. Wissen Sie, wie viel das war?«

»Anderthalb Millionen Pfund«, antwortete sie. »Er meinte, von den Zinsen könne er gut leben, wenn er es richtig anlege. Warum? Stimmt etwas …?«

Das *nicht* ließ sie unausgesprochen. Die Frage erübrigte sich. Mit den finanziellen Transaktionen ihres Bruders in den letzten Monaten vor seinem Tod stimmte ja ganz offensichtlich etwas nicht.

Das Klingeln des Telefons enthob St. James fürs Erste einer Antwort. Ruth ging an den Apparat, der auf dem Schreibtisch stand, und reichte den Hörer an St. James weiter.

»Du hast dich bei der Rezeptionistin in deinem Hotel nicht gerade beliebt gemacht«, sagte Thomas Lynley. »Sie meint, du sollst dir ein Handy zulegen. Ich gebe die Empfehlung hiermit weiter.«

»Verstanden. Hast du was herausbekommen?«

»O ja. Das Ganze ist richtig spannend, ich glaube allerdings nicht, dass du über meine Neuigkeiten erfreut sein wirst. Die Sache hat nämlich einen Haken.«

»Lass mich raten: In Bracknell gibt's keine Firma namens International Access.«

»Richtig. Ich habe mit einem alten Arbeitskollegen telefoniert, der in Hendon bei der Sitte ist. Er wollte sich die Firma mal ansehen, aber an der angegebenen Adresse gibt's nur ein Sonnenstudio. Es ist seit acht Jahren dort – das Geschäft mit der Sonne läuft anscheinend gut in Bracknell.«

»Werd ich mir merken.«

»Und die Betreiber behaupteten, sie wüssten überhaupt nicht, wovon der Kollege redet. Das führte zu weiteren Diskussionen mit der Bank, ich erwähnte kurz die Bankenaufsicht, woraufhin man sich bereit erklärte, mir ein bisschen was über das International-Access-Konto zu sagen. Das Geld aus Guernsey, das auf diesem Konto einging, wurde jeweils achtundvierzig Stunden später an einen Ort namens Jackson Heights in Queens im Staat New York überwiesen.«

»Jackson Heights? Ist das –«

»Das ist der Ort, nicht der Name des Kunden.«

»Hast du einen Namen?«

»Vallera & Sohn.«

»Ein Geschäftsunternehmen?«

»Offenbar. Aber wir wissen nicht, welcher Sorte. Die Bank hat auch keine Ahnung. Es sei schließlich nicht ihre Aufgabe und so weiter... Es schaut mir sehr nach etwas aus, was amerikanische Ermittlungsbehörden interessieren dürfte.«

St. James, der das Muster des Teppichs unter seinen Füßen studierte, wurde sich plötzlich der Nähe Ruth Brouards bewusst, die neben ihm stand, und als er aufblickte, sah er, dass sie ihn beobachtete. Ihr Gesicht war ernst, darüber hinaus jedoch war ihren Zügen nichts zu entnehmen.

Lynley versicherte ihm, dass man versuchen werde, jemanden von Vallera & Sohn ans Telefon zu bekommen, warnte ihn aber gleichzeitig, sich keine allzu großen Hoffnungen auf Kooperation der anderen Seite zu machen. »Wenn wir es tatsächlich mit dem zu tun haben, was zu vermuten ist, landen wir möglicherweise in einer Sackgasse. Es sei denn, wir klemmen uns hinter eine der knallharten Behörden drüben. Das Finanzamt. Das FBI. Die New Yorker Polizei.«

»*Das* wird bestimmt Wunder wirken«, sagte St. James sarkastisch.

Lynley lachte. »Ich melde mich.« Und schon war er weg.

Nachdem St. James aufgelegt hatte, nahm er sich einen Moment Zeit, um alles zu bedenken, was Lynleys Informationen beinhalteten. Er stellte es in Zusammenhang mit dem, was er bereits wusste, und war nicht erfreut über das Ergebnis.

»Was ist?«, fragte Ruth Brouard schließlich.

Er riss sich aus seinen Überlegungen. »Haben Sie zufällig noch die Verpackung, in der die Museumspläne hier angekommen sind, Miss Brouard?«

Zuerst bemerkte Deborah ihren Mann gar nicht, als sie aus dem Gebüsch trat. Es war dämmrig, und sie war in Gedanken noch bei dem, was sie in der Steinkammer des Dolmen gesehen hatte. Vor allem beschäftigte sie die Frage, was es zu bedeuten hatte, dass Paul Fielder die Zahlenkombination des Schlosses gekannt hatte und so sehr darauf bedacht gewesen war, sie die Kombination nicht sehen zu lassen.

Sie wurde erst auf Simon aufmerksam, als sie praktisch vor ihm stand. Er war auf der anderen Seite der drei Stallgebäude, die dem Herrenhaus am nächsten waren, damit beschäftigt, mit einem Rechen den Hausmüll zu durchsuchen, den er offenbar aus den vier Tonnen auf die Erde gekippt hatte.

Als sie ihn rief, hielt er inne. Auf ihre Frage: »Bist du jetzt unter die Müllmänner gegangen?«, antwortete er lächelnd: »Das wäre vielleicht gar nicht so dumm. Aber ich würde mich nur mit dem Müll von Popstars und Politikern befassen. Na, was hast du entdeckt?«

»Alles, was du wissen willst, und noch einiges dazu.«

»Hat Paul mit dir über das Bild gesprochen? Gut gemacht, Liebes.«

»Ich weiß nicht, ob Paul überhaupt spricht«, sagte sie. »Aber er hat mich an den Ort geführt, wo er es gefunden hat. Im ersten Moment dachte ich allerdings, er wollte mich dort einsperren.« Sie berichtete von dem Dolmen, zu dem Paul sie geführt hatte, beschrieb seine Lage und erzählte von dem Kombinationsschloss und den beiden Kammern im Inneren des prähistorischen Bauwerks. »Die Kondome, das Feldbett …«, sagte sie zum Schluss. »Es liegt auf der Hand, was Guy Brouard dort getrieben hat, Simon. Wobei ich, ehrlich gesagt, nicht verstehe, warum er seine Spielchen nicht einfach zu Hause gemacht hat.«

»Seine Schwester war fast immer da«, erinnerte St. James sie. »Und da er seine Spielchen unter anderem mit einem Teenager trieb …«

»Mit zwei, wenn Paul Fielder auch dazu gehört hat. Und ich vermute, dass es so war. Ziemlich unappetitlich das Ganze, nicht?« Sie blickte zurück zu den Büschen, zu der weiten Rasenfläche und dem Trampelpfad durch den Wald. »Also eines steht jedenfalls fest, sie waren dort bestens versteckt. Um sie zu finden, hätte man genau wissen müssen, wo der Dolmen steht.«

»Hat er dir auch gezeigt, wo genau?«

»Du meinst, wo er das Bild gefunden hat?«

Als Simon nickte, berichtete es ihm Deborah. Auf den Rechen gestützt wie ein Landarbeiter, der sich einen Moment ausruht, hörte St. James ihr zu. Als sie mit ihrer Beschreibung des Opfersteins und der Mulde dahinter fertig war, und als er sich hatte bestätigen lassen, dass die Mulde sich tatsächlich im Boden befand, schüttelte er den Kopf.

»Das kann nicht stimmen, Deborah. Das Gemälde ist ein Vermögen wert.« Er erzählte seinerseits, was er von Kevin Duffy erfahren hatte, und schloss mit den Worten: »Und Brouard hätte das gewusst.«

»Er hätte gewusst, dass es ein de Hooch ist? Aber woher? Wenn das Bild über Generationen in seiner Familie war, wenn es als Erbstück vom Vater an den Sohn weitergegeben wurde... Woher soll er das gewusst haben? Glaubst du, *du* hättest das in einem solchen Fall gewusst?«

»Nein. Aber selbst wenn er früher nichts gewusst hat, so hat er auf jeden Fall gewusst, was er bezahlt hatte, um das Bild zurückzubekommen, und das war ein Betrag um die zwei Millionen Pfund. Ich kann mir nicht vorstellen, dass er das Bild, nachdem er so viel Geld und Mühe aufgewendet hatte, um es zu finden, auch nur fünf Minuten lang in einem Dolmen deponiert hätte.«

»Aber wenn abgeschlossen war –?«

»Darum geht es nicht, Liebes. Wir sprechen hier von einem Gemälde aus dem siebzehnten Jahrhundert. Das hätte er doch niemals an einem Ort versteckt, wo Kälte und Feuchtigkeit es hätten ruinieren können.«

»Dann glaubst du also, dass Paul lügt?«

»Das sage ich nicht. Ich sage nur, dass ich es für unwahrscheinlich halte, dass Brouard das Bild in dem Dolmen untergebracht hat. Wenn er es verstecken wollte – weil es eine Geburtstagsüberraschung für seine Schwester werden sollte, wie diese behauptet, oder aus irgendeinem anderen Grund –, hätte er es in seinem Haus bestimmt an Dutzenden von Orten aufbewahren können, wo nicht die Gefahr einer Beschädigung bestand.«

»Dann hat jemand anders …?«, sagte Deborah.

»Ich fürchte, das ist die einzige vernünftige Antwort.« Er begann, wieder mit dem Rechen zu arbeiten.

»Was suchst du eigentlich?« Sie hörte selbst die Beklommenheit in ihrer Stimme und wusste, dass auch er sie wahrgenommen hatte, denn als er sie ansah, waren seine Augen dunkler geworden, wie immer, wenn er beunruhigt war.

»Wie es nach Guernsey gekommen ist«, sagte er.

Er richtete seine Aufmerksamkeit wieder auf den Müll und fuhr fort, ihn zu zerteilen, bis er auf den Gegenstand stieß, den er offenbar gesucht hatte. Es war eine Röhre von etwa neunzig Zentimetern Länge und einem Durchmesser von zwanzig Zentimetern. Sie war an beiden Enden mit stabilen Metallscheiben geschlossen, deren Ränder sich über die Ränder der Röhre stülpen ließen, so dass sie fest und unverrückbar saßen.

Simon zog sie aus den Abfällen heraus und bückte sich mühsam, um sie aufzuheben. Auf die Seite gedreht, zeigte sie einen Schlitz in der Außenhaut, der über ihre ganze Länge reichte, und, wie an den ausgerissenen Rändern zu sehen war, mit Gewalt zu einer klaffenden Öffnungen auseinander gezogen worden war. Durch diese Öffnung war zu erkennen, wie die Röhre gebaut war. Was sie entdeckten, war eine zweite Röhre in der ersten, und man brauchte kein Genie zu sein, um zu erraten, was der geheime innere Raum enthalten hatte.

»Ah«, murmelte Simon und sah Deborah an.

Sie wusste, was er dachte, sie dachte es ebenfalls. »Darf ich mal sehen?«, sagte sie und nahm die Röhre entgegen, dankbar, dass er sie ihr ohne Kommentar reichte.

Bei genauerer Inspektion der Röhre entdeckte sie ein Detail, das sie äußerst bedeutsam fand. In das innere Geheimfach konnte man nur durch die äußere Verschalung hineingelangen. Die Verschlussringe an den beiden Enden saßen so fest, dass die gesamte

Konstruktion irreparabel beschädigt worden wäre, hätte man die Ringe mit Gewalt geöffnet. Und das hätte jedem, der die Röhre in die Hände bekommen hätte – ihrem eigentlichen Empfänger oder auch dem Zoll –, verraten, dass jemand sich an ihr zu schaffen gemacht hatte. Doch rund um die Metallringe an beiden Enden gab es keinerlei verräterische Spuren. Deborah machte ihren Mann darauf aufmerksam.

»Ja, das sehe ich«, sagte er. »Aber du weißt, was das heißt?«

Die Eindringlichkeit seines Blicks und seiner Frage machten sie nervös. »Was denn?«, fragte sie. »Dass die Person, die das Paket nach Guernsey gebracht hat, nicht wusste –«

»– es nicht vorzeitig öffnete«, unterbrach er sie. »Aber das heißt nicht, dass sie nicht wusste, was es enthielt, Deborah.«

»Wie kannst du das mit solcher Sicherheit sagen?« Ihr war elend. Ihre innere Stimme und alle ihre Instinkte riefen *Nein*.

»Weil es in dem Dolmen lag. Guy Brouard ist wegen dieses Gemäldes getötet worden, Deborah. Das ist das einzige Motiv, das alles erklärt.«

»Das ist zu bequem«, widersprach sie. »Es ist genau das, was wir glauben sollen. Nein«, wehrte sie ab, als er sprechen wollte, »hör mir zu, Simon. Du sagst, sie wussten vorher, was in der Röhre war.«

»Ich sage, dass einer von ihnen es wusste, nicht beide.«

»Gut. Einer. Aber wenn das zutrifft – wenn es ihnen darum ging –«

»Ihm! Ich sage, *ihm* ging es darum«, warf ihr Mann ruhig ein.

»Ja. In Ordnung. Aber du siehst das sehr eng. Wenn er –«

»Cherokee River, Deborah.«

»Ja. Cherokee. Wenn es ihm um den Besitz des Gemäldes ging, wenn er wusste, was die Röhre enthielt, warum hat er es erst hierher, nach Guernsey, gebracht? Warum ist er nicht einfach damit verschwunden? Es ergibt doch keinen Sinn, dass er es erst hierher transportiert und dann gestohlen haben soll. Es gibt eine ganz andere Erklärung.«

»Und die wäre?«

»Ich glaube, du kennst sie. Guy Brouard machte das Paket auf und zeigte das Gemälde irgendjemandem. Und diese Person hat ihn umgebracht.«

Adrian fuhr viel zu schnell und viel zu nahe an der Straßenmitte. Er überholte alles, was ihm in den Weg kam, und bremste nicht ein einziges Mal. Kurz, er wollte sie mit seiner Fahrweise reizen, aber Margaret dachte nicht daran, sich provozieren zu lassen. Was ihr Sohn da trieb, war allzu plump. Er hoffte, sie würde ihm befehlen, anders zu fahren, damit er dann im gleichen Stil weiterfahren und ihr so ein für alle Mal demonstrieren konnte, dass sie ihm nichts zu sagen hatte. So etwas erwartete man vielleicht von einem Zehnjährigen, aber nicht von einem erwachsenen Mann.

Adrian hatte sie schon wütend genug gemacht. Sie brauchte ihre ganze Selbstbeherrschung, um nicht auf ihn loszugehen. Sie kannte ihn gut genug, um zu wissen, dass sie von ihm nichts mehr erfahren würde. Er meinte, wenn er ihr jetzt noch irgendeine von ihr gewünschte Auskunft gäbe, würde das bedeuten, sie hätte gewonnen. Sie hatte allerdings keine Ahnung, was. Sie hatte sich für ihren ältesten Sohn *nie* etwas anderes gewünscht als ein normales Leben mit Erfolg im Beruf, einer Frau und Kindern.

War das zu viel erwartet? Margaret fand das nicht. Aber die letzten Tage hatten ihr gezeigt, dass jeder ihrer Versuche, Adrian den Weg zu ebnen, jedes Eingreifen, um ihm zu helfen, alle Entschuldigungen, die sie stets für ihn und sein Verhalten gefunden hatte, dass das alles Verschwendung gewesen war; Perlen vor die Säue geworfen.

Nun gut, sagte sie sich. Dann ist es eben so. Aber sie würde nicht aus Guernsey verschwinden, bevor sie ihm nicht in einem Punkt die Meinung gesagt hatte. Ausflüchte – gut und schön. Die konnte man eventuell sogar als ein erfreuliches Zeichen lange verspäteten Erwachsenwerdens betrachten. Aber Lügen – nein, die waren absolut inakzeptabel. Denn Lügen waren etwas für die unheilbar Charakterschwachen.

Ihr war jetzt klar, dass Adrian sie wahrscheinlich sein Leben lang belogen hatte, direkt und indirekt. Aber sie war so sehr von ihrem Bestreben erfüllt gewesen, ihn dem verderblichen Einfluss seines Vaters fern zu halten, dass sie, wenn irgendetwas vorgefallen war, stets ohne Frage seine Version der Dinge geglaubt hatte: Ob es um den angeblichen Unfall seines jungen Hundes ging, der am Abend vor ihrer zweiten Hochzeit ertrunken war, oder um den Grund seiner Trennung von Carmel Fitzgerald.

Margaret zweifelte nicht daran, dass er sie auch weiterhin belog. Und diese International-Access-Geschichte war ja wohl die dickste Lüge, die er ihr je aufgetischt hatte.

»Er hat dir doch das Geld geschickt, stimmt's?«, sagte sie. »Schon vor Monaten. Mich würde interessieren, wofür du es ausgegeben hast.«

Adrian entgegnete: »Wovon redest du?« Sein Ton war gleichgültig. Nein, gelangweilt.

»Hast du es verwettet? Oder verspielt? Bei irgendwelchen hirnverbrannten Börsengeschäften verloren? Ich weiß, dass es die Firma International Access nicht gibt, denn du hast ja seit mehr als einem Jahr das Haus nicht mehr verlassen, außer um deinen Vater zu besuchen oder dich mit Carmel zu treffen. Aber vielleicht ist das ja die Antwort. Hast du es für Carmel ausgegeben? Hast du ihr ein Auto gekauft? Oder teuren Schmuck? Oder ein Haus?«

Er verdrehte die Augen. »Na klar. Genau. Sie wollte mich heiraten, aber wahrscheinlich nur, weil ich so wahnsinnig großzügig war.«

»Das ist kein Spaß«, sagte Margaret. »Du hast mir nichts als Lügen erzählt. Über deine Gespräche mit deinem Vater wegen des Geldes. Über Carmel und ihr Verhältnis mit deinem Vater. Du hast mir weisgemacht, ihr hättet euch getrennt, weil du ›andere Dinge‹ von der Frau wolltest, mit der du verlobt warst … Wann hast du eigentlich nicht gelogen?«

Er warf ihr einen Blick von der Seite zu. »Was spielt das für eine Rolle?«

»Was spielt was für eine Rolle?«

»Ob es Wahrheit oder Lüge ist. Du siehst doch sowieso nur das, was du sehen willst. Ich erleichtere es dir nur.« Die Hand auf der Hupe, raste er an einem Kleintransporter vorbei, der vor ihnen dahinzuckelte, und schaffte es, wenige Zentimeter vor einem entgegenkommenden Bus wieder auf die innere Spur einzuscheren.

»Wie kannst du so etwas sagen?«, fuhr Margaret ihn an. »Ich habe mein Leben lang –«

»Du hast dein Leben lang *mein* Leben gelebt«, fiel er ihr ins Wort.

»Das ist nicht wahr. Ich habe mich gekümmert, so sehr das eine Mutter nur kann. Ich habe Anteil genommen.«

»Du hast dafür gesorgt, dass immer alles nach deinem Kopf ging.«

»Und«, sprach Margaret weiter, die entschlossen war, Adrian das Gespräch nicht an sich reißen zu lassen, »der Dank für mein Bemühen waren nur Falschheit und Lüge. Das kann ich nicht hinnehmen. Ich verdiene und verlange die Wahrheit. Und zwar auf der Stelle.«

»Weil ich sie dir schulde?«

»Richtig.«

»Natürlich. Aber nicht weil sie dich interessiert.«

»Wie kannst du es wagen, das zu sagen? Ich bin allein deinetwegen hierher gekommen. Nur deinetwegen habe ich mich den Qualen der Erinnerung an diese Ehe –«

»Bitte!«, sagte er verächtlich.

»– ausgesetzt. Um dafür zu sorgen, dass du aus dem Nachlass deines Vaters bekommst, was du verdienst. Denn ich wusste von Anfang an, dass er alles versuchen würde, um dir dein Erbe vorzuenthalten. Das war das einzige Mittel, das ihm noch geblieben war, um mich zu bestrafen.«

»Und wofür hätte er dich bestrafen wollen?«

»Er glaubte, ich hätte gewonnen. Und er konnte nicht damit umgehen, dass er verloren hatte.«

»Was denn?«

»Dich. Ich habe dich zu deinem Besten von ihm fern gehalten, aber das hat er natürlich nicht gesehen. Für ihn war es nur Rache. Anders konnte er es gar nicht sehen. Sonst hätte er nämlich mal sein eigenes Leben anschauen und sich überlegen müssen, wie sein Lebenswandel sich auf seinen einzigen Sohn auswirken würde. Und das wollte er natürlich nicht. Er wollte nicht hinschauen. Also hat er mir die Schuld an der Trennung von dir in die Schuhe geschoben.«

»Die du natürlich nie wolltest«, warf Adrian mit grimmigem Spott ein.

»Aber natürlich wollte ich sie! Was hätte ich denn anderes tun sollen? Eine Geliebte nach der anderen. Auch während seiner Ehe mit JoAnna. Weiß der Himmel, was sonst noch alles. Orgien, wahrscheinlich, Drogen, Trinkgelage. Würde mich nicht wundern, wenn auch noch Nekrophilie und Sodomie dabei waren. Ja, vor alldem habe ich dich geschützt. Und ich würde es wieder tun.«

»Und dafür stehe ich in deiner Schuld«, stellte Adrian fest. »Ich verstehe. Dann sag mir doch bitte mal« – er warf ihr einen kurzen Blick zu, als sie anhalten mussten, um auf die Straße abzubiegen, die zum Flughafen führte – »was genau du wissen willst.«

»Was ist mit diesem Geld geschehen? Nicht mit dem, das er für das alles ausgegeben hat, was er dann Ruth überschrieben hat, sondern mit dem Geld, das er für sich behielt, denn er hat garantiert einen Haufen Geld für sich behalten. Von den paar Kröten, die er von Ruth bekam, hätte er sich seine Affären nicht leisten können und schon gar nicht eine teure Geliebte wie Anaïs Abbott. Sie ist viel zu streng, sie hätte ihm seine Mätressen bestimmt nicht finanziert. Also, was, in Gottes Namen, ist aus seinem Geld geworden? Entweder er hat es dir gegeben, oder es ist irgendwo versteckt. Ich kann nur entscheiden, ob ich die Sache weiterverfolgen soll, wenn du mir die Wahrheit sagst. Hat er dir Geld gegeben?«

»Lass es einfach gut sein«, sagte er kurz. Sie näherten sich dem Flughafen, über dem eben eine Maschine im Anflug war, vermutlich dieselbe, die in einer Stunde, frisch aufgetankt, Margaret nach England zurückbringen würde. Adrian bog in die Straße zum Terminal ein und hielt direkt davor, anstatt in eine der Parkbuchten auf der anderen Seite zu fahren. »Lass die Geschichte ruhen«, sagte er.

Sie versuchte, in seinem Gesicht zu lesen. »Heißt das …?«

»Das heißt genau das, was es heißt«, sagte er. »Das Geld ist weg. Du wirst es nicht finden. Lass es also gut sein.«

»Woher weißt du … Also hat er es doch dir gegeben? Du hast es die ganze Zeit schon? Aber wenn das so ist, warum hast du dann nichts …? Adrian, ich möchte ausnahmsweise einmal die Wahrheit hören.«

»Du verschwendest deine Zeit«, sagte er. »Das ist die Wahrheit.«

Er stieß seine Tür auf und ging zum Heck des Range Rover. Kalte Luft fegte in den Wagen, als er ihn hinten öffnete, ihre Koffer herausholte und am Bordstein abstellte. Er kam zu ihr an die Tür. Das Gespräch zwischen ihnen schien beendet zu sein.

Margaret zog ihren Mantel fester um sich, als sie ausstieg. Es ging ein kalter Wind. Sie hoffte, er würde ihren Flug nach England beschleunigen. Ihr Sohn würde bald nachkommen. Sie wusste, was sie von Adrian zu erwarten hatte, trotz seines Benehmens ihr gegenüber. Er würde zurückkommen. Das war unumgänglich, so wie sie ihrer beider Leben gestaltet hatte.

Sie sagte: »Wann kommst du nach Hause?«

»Das kann dir doch egal sein, Mutter.« Er kramte seine Zigaretten heraus und brauchte fünf Versuche, um sich eine anzuzünden. Jeder andere hätte nach dem zweiten ausgegangenen Streichholz aufgegeben, aber nicht Adrian. Er war, zumindest in dieser Hinsicht, ihr Sohn.

»Adrian«, sagte sie, »ich bin wirklich am Ende meiner Geduld mit dir.«

»Flieg nach Hause«, erwiderte er. »Du hättest nicht herkommen sollen.«

»Und was hast du jetzt vor? Wenn du nicht mit mir nach Hause kommst?«

Er lächelte kühl, dann ging er zur anderen Seite des Wagens und sagte über die Motorhaube hinweg: »Mir wird schon was einfallen.«

Auf dem Weg vom Parkplatz zum Hotel trennten sich St. James und Deborah. Sie war die ganze Rückfahrt über nachdenklich gewesen. Sie war so umsichtig wie immer gefahren, aber er hatte gemerkt, dass sie mit ihren Gedanken woanders gewesen war. Er wusste, dass sie über ihre eigene Erklärung darüber nachdachte, wie ein Gemälde von unschätzbarem Wert in eine prähistorische Steinkammer unter einem Erdhügel gekommen war. Er dachte selbst auch über diese Erklärung nach, die er nicht einfach außer Acht lassen konnte. Wie ihre Neigung, bei den Menschen immer nur das Gute zu sehen, sie leicht dazu verleitete, andere Seiten an ihnen zu ignorieren, so konnte seine Tendenz, jedem zu misstrauen, ihn dazu verführen, die Dinge anders zu sehen, als sie waren. Sie sprachen also beide auf der Rückfahrt nach St. Peter Port kaum ein Wort, und erst als sie sich dem Hotel näherten, wandte Deborah sich ihm zu, als hätte sie einen Entschluss gefasst.

»Ich komme noch nicht mit rein. Ich gehe erst noch eine Runde spazieren.«

Er zögerte mit einer Antwort. Er wusste um die Gefahr, das Falsche zu sagen. Er wusste aber auch um die größere Gefahr, gar nichts zu sagen in dieser Situation, in der Deborah, die ja nicht unvoreingenommen war, mehr wusste, als für sie gut war.

»Wohin willst du denn?«, fragte er. »Möchtest du nicht lieber etwas trinken? Eine Tasse Tee oder so was.«

Der Ausdruck ihrer Augen veränderte sich. Sie wusste, was er in Wirklichkeit sagte, auch wenn er sich noch so große Mühe gab, sie darüber hinwegzutäuschen. »Vielleicht brauche ich einen bewaffneten Bodyguard, Simon«, sagte sie.

»Deborah ...«

»Ich bin bald zurück«, sagte sie nur und ging bergab davon, in Richtung zur Smith Street, die zur High Street und zum Hafen führte.

Ihm blieb nichts anderes übrig, als sie gehen zu lassen. Er wusste ja, wie er sich eingestand, in diesem Moment so wenig wie sie, wie die Wahrheit über Guy Brouards Tod aussah. Er hatte nichts als seine Vermutungen, die sie ganz sicher nicht teilen würde oder wollte.

Als er ins Hotel trat, hörte er jemanden seinen Namen rufen, und sah, dass die Rezeptionistin am Empfang ihm mit einem Zettel winkte. »Anruf aus London«, sagte sie, als sie ihm das Papier zusammen mit dem Zimmerschlüssel überreichte. Er sah, dass sie zur Kennzeichnung seines Freundes bei New Scotland Yard »Super Linley« auf den Zettel gekritzelt hatte. Lynley hätte das zweifellos trotz des falsch geschriebenen Namens amüsiert. »Er lässt Ihnen ausrichten, Sie sollen sich ein Handy anschaffen«, fügte sie vielsagend hinzu.

Oben in seinem Zimmer trat St. James an den Schreibtisch, aber er rief Lynley nicht gleich zurück, sondern tippte zuerst eine andere Nummer ein.

Jim Ward, sagte man ihm, als er mit Kalifornien verbunden war, sei gerade in einer Besprechung. Leider finde sie nicht im Büro statt, sondern im Ritz Carlton Hotel. »An der Küste«, erklärte ihm betont wichtig eine Frau, die sich mit den Worten »Southby, Strange, Willow und Ward. Crystal am Apparat«, gemeldet hatte.

»Sie sind alle nicht zu erreichen«, fügte sie hinzu. »Aber wenn Sie eine Nachricht hinterlassen wollen ...«

St. James hatte nicht die Zeit, zu warten, bis die Nachricht den Architekten erreichte, er fragte deshalb die junge Frau, die etwas zu kauen schien, ob sie ihm helfen könne.

»Ich werde mich bemühen«, versicherte sie freundlich. »Ich studiere selbst Architektur.«

Er hatte Glück mit seiner Frage nach den Plänen, die Jim Ward nach Guernsey geschickt hatte. Es war noch nicht so lange her, dass die Dokumente das Architekturbüro verlassen hatten, und zufällig war Crystal persönlich für den Versand von Plänen zuständig. Da die Verfahrensweise in diesem Fall so ungewöhnlich gewesen war, erinnerte sie sich ganz genau und war gern bereit, ihm Auskunft zu geben ... wenn er einen Moment am Apparat bleiben könne, »weil ich gerade jemanden in der anderen Leitung habe«.

Er wartete, und binnen kurzem meldete sie sich wieder. Normalerweise, erklärte sie ihm, wären die Pläne über Internet an einen Architekten in Übersee gegeben worden, der das Projekt dann an Ort und Stelle weitergeführt hätte. Aber in diesem Fall waren die Pläne lediglich Arbeitsproben von Mr. Ward gewesen, die Sache war also nicht eilig gewesen. Sie hatte sie verpackt »wie immer« und einem Anwalt übergeben, der vorbeigekommen war, um sie zu holen. So war es, wie sie hörte, zwischen Mr. Ward und dem Kunden in Übersee vereinbart gewesen.

»War das ein Mr. Kiefer?«, fragte St. James. »Mr. William Kiefer? War das der Mann, der die Pläne geholt hat?«

Crystal sagte, an den Namen könne sie sich nicht erinnern. Aber sie glaube nicht, dass es Kiefer gewesen sei. Obwohl... Augenblick mal. Nein, jetzt, wo sie darüber nachdenke... der Typ habe überhaupt keinen Namen genannt. Er hatte nur gesagt, er wolle die Pläne abholen, die nach Guernsey geschickt werden sollten, und sie hatte sie ihm daraufhin ausgehändigt.

»Sie sind doch angekommen?«, fragte sie mit einiger Besorgnis.

Natürlich.

Wie sie verpackt gewesen seien, wollte St. James wissen.

Ganz normal, antwortete sie. Eine große Versandröhre aus festem Karton. »Das Paket ist doch nicht unterwegs beschädigt worden?«, erkundigte sie sich mit gleicher Besorgnis.

St. James beruhigte sie, dankte ihr und beendete nachdenklich das Gespräch. Dann tippte er die nächste Nummer ein und hatte Glück, als er nach William Kiefer fragte. Keine dreißig Sekunden später hatte er den Anwalt am Apparat.

Der zog Crystals Darstellung in Zweifel. Er habe niemanden geschickt, die Pläne abzuholen, sagte er. Mr. Brouard habe ihm ausdrücklich erklärt, dass die Pläne vom Architekturbüro an die Kanzlei geliefert würden, sobald sie fertig seien. Dann sollte er die Kuriere in Marsch setzen, die sie nach Guernsey bringen sollten. Genauso sei es abgelaufen.

»Erinnern Sie sich zufällig an den Boten, der die Pläne bei Ihnen vorbeibrachte?«, fragte St. James.

»Ich habe ihn nicht zu Gesicht bekommen. Oder sie. Oder wer immer es war«, antwortete Kiefer. »Er – oder sie – hat die Pläne bei der Sekretärin abgegeben. Ich bekam sie, als ich vom Mittagessen zurückkam. Sie waren fertig verpackt und adressiert. Aber vielleicht weiß sie noch... Bleiben Sie dran, ja?«

Es dauerte gut eine Minute. St. James wurde in der Zeit von Neil Diamond berieselt, der die englische Sprache um grässlicher Reime willen misshandelte. Dann meldete sich eine Frau namens Cheryl Bennett.

Der Bote, der die Pläne vorbeigebracht hatte, sei ein Mann gewesen, sagte sie. Auf St. James' Frage, ob sie sich an etwas Besonderes erinnere, kicherte sie. »Ganz entschieden. Diese Typen sieht man in Orange County nur ganz selten.«

»Was für Typen?«

»Rastas.« Der Mann, der die Pläne gebracht hatte, sei so ein karibischer Typ gewesen. »Rastalocken bis zum Hintern. Sandalen, abgeschnittene Jeans und ein Hawaihemd. Ziemlich ausgeflippt für einen Architekten, fand ich. Aber vielleicht war er ja auch nur der Bürobote.«

Nein, den Namen wisse sie nicht, sagte sie zum Schluss. Sie hätten nicht miteinander gesprochen. Er habe Kopfhörer aufgehabt und Musik gehört. Er habe sie an Bob Marley erinnert.

St. James dankte ihr und machte Schluss.

Er trat zum Fenster mit der Aussicht auf St. Peter Port. Er ließ sich durch den Kopf gehen, was sie gesagt hatte und was das bedeuten konnte. Es gab nur eine mögliche Schlussfolgerung: Nichts, was sie bisher wussten, war so, wie es zu sein schien.

# 28

Simons Misstrauen reizte Deborah, und es reizte sie zusätzlich, dass er dieses Misstrauen wahrscheinlich damit rechtfertigte, dass sie mit dem Nazi-Ring nicht sofort zur Polizei gerannt war, wie er sich das vorgestellt hatte. Seine Zweifel hatten mit der realen Situation nichts zu tun. Tatsache war, dass Simon ihr misstraute, weil er ihr *immer* misstraute. Es war eine Reflexreaktion bei ihm, wann immer irgendetwas die Denkfähigkeit einer Erwachsenen von ihr forderte, derer er sie nicht für fähig zu halten schien. Diese Einstellung ihr gegenüber war der Fluch ihrer Beziehung. Das hatte sie davon, dass sie einen Mann geheiratet hatte, der früher einmal ihr gegenüber die Elternrolle eingenommen hatte. Er fiel zwar nicht immer in Momenten des Konflikts in diese Rolle zurück. Aber die Tatsache, dass er es überhaupt tat, ärgerte sie.

Sie schlug den Weg zu den Queen-Margaret-Apartments ein anstatt in der High Street zu bummeln oder den Hang zu den Candie Gardens hinaufzusteigen, zum Castle Cornet hinauszuwandern oder in den Schmuckgeschäften in der Commercial Arcade zu stöbern. Aber der Besuch in der Clifton Street war umsonst. Auf ihr Klopfen an der Tür von Wohnung B rührte sich nichts. Sie stieg die Treppe zum Marktviertel hinunter und redete sich ein, sie suche *nicht* nach China, und selbst wenn, sagte sie sich, was sei denn schon dabei. Sie waren alte Freundinnen, und China wartete gewiss auf tröstende Zusicherungen, dass die Situation, in die sie und ihr Bruder hineingeraten waren, bald geklärt würde.

Deborah wollte ihr diesen Trost geben. Es war das Mindeste, was sie tun konnte.

In den alten Markthallen am Fuß der Treppe war China nicht, auch nicht in dem Lebensmittelgeschäft, in dem Deborah schon mal auf sie und ihren Bruder gestoßen war. Erst als Deborah jeden Gedanken daran aufgegeben hatte, die Freundin zu finden, entdeckte sie diese rein zufällig oben in der Smith Street, als sie selbst, von der High Street kommend, in die Straße einbog.

Gerade hatte sie resigniert den Anstieg in Angriff genommen, um ins Hotel zurückzukehren, und hielt noch einmal kurz an, um einem Händler eine Zeitung abzukaufen. Als sie ihr Portemonnaie wieder in ihre Umhängetasche schob, sah sie China auf halber Höhe aus einem Geschäft treten und zu dem Platz am Ende der Smith Street hinaufgehen, wo das Kriegerdenkmal stand.

Deborah rief ihren Namen. China drehte sich herum und musterte mit suchendem Blick die Leute, die ebenfalls hügelaufwärts gingen, gut gekleidete Männer und Frauen am Ende ihres Arbeitstags in einer der vielen Banken weiter unten. Sie winkte und wartete auf Deborah.

»Wie läuft's?«, fragte sie, als Deborah nahe genug war, um sie zu hören. »Was Neues?«

Deborah sagte: »Wir wissen es nicht genau.« Um das Gespräch in eine andere Richtung zu lenken und sich vor der Versuchung zu schützen, China zur Beruhigung Details zu erzählen, sagte sie: »Was tust du hier?«

»Ich war auf der Suche nach Süßigkeiten, Baby Ruth oder Butterfinger.« China klopfte auf ihre voluminöse Umhängetasche. »Die mag er am liebsten. Aber es gibt sie hier nirgends. Da hab ich ihm was anderes mitgenommen. Ich hoffe, sie lassen mich zu ihm.«

Bei ihrem ersten Besuch auf dem Präsidium sei sie abgewiesen worden, erzählte sie. Nachdem sie sich von Deborah und ihrem Mann getrennt hatte, war sie in die Hospital Lane gegangen, aber man hatte ihr nicht gestattet, mit ihrem Bruder zu sprechen. Solange ein Verdächtiger vernommen werde, hatte man ihr erklärt, dürfe nur sein Anwalt mit ihm sprechen. Sie hätte das eigentlich aus eigener Erfahrung wissen müssen, sagte sie. Sie hatte Holberry angerufen, und der hatte ihr versprochen, sein Bestes zu tun, um für sie eine Besuchserlaubnis zu erwirken. Deshalb war sie losgezogen, um Süßigkeiten zu besorgen, die sie ihrem Bruder jetzt bringen wollte.

Sie blickte zum Platz und zu den, strahlenförmig von ihm wegführenden Straßen hinauf. »Kommst du mit?«

Deborah bejahte, und sie gingen gemeinsam zum Polizeipräsidium, das nur zwei Minuten von der Stelle entfernt war, an der sie zusammengetroffen waren.

An der Rezeption informierte sie ein unfreundlicher Constable, dass Miss River ihren Bruder nicht sehen könne. Als China vorbrachte, Roger Holberry habe aber eigens eine Besuchserlaubnis für sie beschafft, erklärte der Constable, davon wisse er nichts, wenn also die Damen nichts dagegen hätten, würde er sich jetzt wieder an seine Arbeit machen.

»Rufen Sie den zuständigen Beamten an«, sagte China. »Der die Ermittlungen leitet. Le Gallez. Holberry hat wahrscheinlich mit ihm gesprochen. Er hat mir versprochen, er würde veranlassen... Hören Sie, ich möchte doch nur meinen Bruder sehen, okay?«

Der Mann blieb ungerührt. Wenn von Roger Holberry irgendwas veranlasst worden sei, teilte er China mit, dann hätte der Betreffende – sei es nun Chief Inspector Gallez oder die Königin von Saba – die Wache entsprechend informiert. Da das nicht geschehen sei, könne niemand außer seinem Anwalt den Beschuldigten besuchen.

»Aber Holberry ist doch sein Anwalt«, protestierte China.

Der Mann lächelte ironisch. »Ich kann ihn aber nirgends sehen«, gab er zurück und tat so, als spähte er rechts und links über ihre Schultern.

Als China zu einer hitzigen Erwiderung ansetzte, die mit den Worten: »Jetzt hören Sie mal her, Sie kleiner –« begann, griff Deborah ein. »Vielleicht«, sagte sie ruhig zu dem Beamten, »wären Sie so nett, Mr. River ein paar Süßigkeiten zu bringen...?« Aber da rief China abrupt: »Ach, vergiss es!« und rannte schnurstracks aus dem Präsidium hinaus.

Deborah entdeckte sie im Hof, der als Parkplatz diente. Dort saß sie auf der Kante eines großen Übertopfs und riss dem Busch, der darin wuchs, wütend die Blätter aus. Als Deborah sich näherte, sagte sie: »Diese verdammten Schweine. Was denken die denn? Glauben die, ich will ihm beim Ausbrechen helfen, oder was?«

»Vielleicht können wir mit Le Gallez persönlich sprechen.«

»Na klar, der wird ganz scharf darauf sein, uns zu helfen.« China warf eine Hand voll Blätter auf den Boden.

»Hast du den Anwalt gefragt, wie es Cherokee geht?«

»›Den Umständen entsprechend‹«, antwortete China. »Das sollte mich beruhigen, aber es kann alles bedeuten, das weiß ich aus eigener Erfahrung. In diesen Zellen ist *nichts*, Deborah. Kahle Wände, nackter Boden, eine Holzbank, auf der sie einem ein Bett machen, wenn man über Nacht bleiben muss. Ein Klo aus rostfreiem Stahl. Waschbecken ebenso. Und diese große blaue Tür. Weit und breit keine Zeitschrift, kein Buch, kein Poster, kein Radio, kein Kreuzworträtsel oder Kartenspiel. Er wird da durchdrehen. Er ist auf so was nicht vorbereitet ... er ist nicht der Typ ... Gott, ich kann dir gar nicht sagen, wie froh ich war, als ich da wieder herauskam. Ich konnte nicht atmen da drinnen. Sogar das Gefängnis war besser. Und nie im Leben kann er ...« Sie schien sich zur Ruhe zu zwingen. »Ich muss Mam anrufen. Sie muss herkommen. Er würde sie hier haben wollen, und wenn ich sie hole, brauche ich vielleicht kein so schlechtes Gewissen mehr zu haben. Ich meine, weil ich froh bin, dass ein anderer dort drin ist und nicht ich. Ist es nicht furchtbar, so zu denken?«

»Das ist menschlich«, entgegnete Deborah.

»Wenn ich ihn nur mal sehen könnte, um zu wissen, ob er okay ist.«

Sie machte Anstalten, aufzustehen, und Deborah glaubte, sie habe eine zweite Attacke auf die Polizei vor. Sie wusste, dass es sinnlos wäre, darum stand sie ebenfalls auf. »Komm, gehen wir ein Stück.«

Sie gingen zurück. Auf der anderen Seite des Kriegerdenkmals schlugen sie den direkten Weg zu den Queen-Margaret-Apartments ein. Zu spät sah Deborah, dass dieser Kurs sie am Royal Court House vorbeiführte, doch China war schon vor der breiten Treppe stehen geblieben und blickte zur imposanten Fassade hinauf. Hoch oben flatterte im Wind die Fahne Guernseys, drei Löwen auf rotem Grund.

Ehe Deborah vorschlagen konnte, weiterzugehen, stieg China die Treppe zur großen Tür des Gebäudes hinauf und ging hinein. Deborah blieb nichts anderes übrig, als ihr zu folgen.

China war noch im Foyer und studierte die Hinweistafeln. Als Deborah zu ihr trat, sagte sie: »Du brauchst nicht bei mir zu bleiben. Ich bin okay. Simon wartet wahrscheinlich sowieso schon auf dich.«

»Ich möchte aber bei dir bleiben«, sagte Deborah. »China, es wird bestimmt alles gut.«

China sagte nur: »Ja?« und ging quer durch das Foyer an den

Türen aus Holz und Glas vorbei, auf denen zu lesen stand, welche Abteilung sich jeweils hinter ihnen befand. Sie eilte direkt auf eine prächtige Treppe zu, an deren holzgetäfelter Wand in Gold die Namen alter Familien der Insel aufgeführt waren. Im oberen Stockwerk fand sie, was sie anscheinend gesucht hatte: den Gerichtssaal.

Das war gerade für China, weiß Gott, nicht der Ort, um Aufheiterung zu suchen, und dass sie ihn gewählt hatte, zeigte deutlich, wie anders sie war als ihr Bruder. Cherokee hatte in der gleichen Situation – als seine Schwester unschuldig von der Polizei festgehalten worden war – geplant und gehandelt. Deborah sah, dass sein Hang, ständig irgendwelche Pläne zu schmieden, dass gerade diese Neigung, die China oft zur Verzweiflung getrieben hatte, auch ihre Vorteile besaß: So jemand war nicht so leicht zu entmutigen.

»Also, das ist nun wirklich nicht der richtige Ort für dich«, sagte Deborah, als China sich hinten im Saal in die letzte Reihe setzte.

Als hätte Deborah nichts gesagt, erläuterte China: »Holberry hat mir erklärt, wie hier Strafprozesse geführt werden. Als ich dachte, dass es mich erwischen würde, habe ich ihn danach gefragt.« Sie blickte starr geradeaus, als könnte sie die Szene vor sich sehen, während sie sie beschrieb. »Also pass auf: Geschworene gibt es nicht. Jedenfalls nicht so wie bei uns. Ich meine, zu Hause. Da wird niemand auf die Geschworenenbank gesetzt und auf Herz und Nieren geprüft, um sicherzustellen, dass er nicht längst beschlossen hat, den Angeklagten für schuldig zu halten. Hier arbeiten sie mit Berufsgeschworenen. Ich meine, diese Leute üben das als Beruf aus. Aber ich kann mir nicht vorstellen, wie dabei ein gerechter Prozess rauskommen soll. Das heißt doch, dass schon vor dem Prozess jeder mit ihnen reden kann. Und sie können alles über einen Fall lesen, wenn sie wollen. Wahrscheinlich können sie sogar ihre eigenen Nachforschungen anstellen, weiß der Himmel. Auf jeden Fall ist es ganz anders als bei uns zu Hause.«

»Ja, das macht einem Angst«, meinte Deborah.

»Zu Hause hätte ich wenigstens eine Ahnung, was ich jetzt tun könnte, weil ich weiß, wie alles funktioniert. Wir könnten uns jemanden engagieren, der sich darauf versteht, Geschworene in die Mangel zu nehmen und die Besten auszuwählen. Wir könnten Presseinterviews geben. Wir könnten mit Fernsehreportern und solchen Leuten reden. Wir könnten irgendwie auf die öffentliche Meinung einwirken, damit bei einem Prozess –«

»Zu dem es nicht kommen wird«, unterbrach Deborah mit Entschiedenheit. »Ganz bestimmt nicht. Du musst das glauben.«

»– die Leute nicht ganz so negativ denken. Er ist ja nicht ganz ohne Freunde. Ich bin hier. Du. Simon. Wir könnten etwas tun. Wenn es hier so wäre wie bei uns zu Hause ...«

Zu Hause, dachte Deborah. Sie wusste, dass die Freundin Recht hatte. Alles, was sie hier erlebte, wäre weniger traumatisch gewesen, wenn sie zu Hause gewesen wäre, wo ihr alles vertraut war: die Menschen, die Gewohnheiten und, was am wichtigsten war, das Verfahren selbst – oder das, was zu ihm führte.

Deborah war klar, dass sie China dieses Gefühl von Sicherheit, das mit einer vertrauten Umwelt einherging, nicht bieten konnte, jedenfalls nicht hier, an diesem Ort, wo eine schreckliche Zukunft drohte. Sie konnte nur versuchen, sie in eine neutrale Umgebung zu bringen und ihr, die ihr einmal eine große Hilfe gewesen war, Trost spenden.

In das Schweigen hinein, das Chinas Worten folgte, sagte sie: »Hey, Freundin ...«

China sah sie an.

Deborah lächelte und sagte, was China selbst vielleicht, ganz sicher aber ihr Bruder in dieser Situation gesagt hätte: »Hey, das ist echt nicht der Bringer hier. Komm, machen wir uns vom Acker.«

Trotz ihrer Stimmung lächelte China. »Okay, cool«, sagte sie.

Als Deborah aufstand und China die Hand bot, ergriff diese sie. Und sie ließ sie erst wieder los, als sie draußen auf der Straße standen.

Nachdenklich legte St. James nach seinem zweiten Telefongespräch mit Lynley an diesem Tag den Hörer auf. Es war Lynleys Bericht zufolge nicht schwierig gewesen, bei Vallera & Sohn genauere Auskünfte zu erhalten. Der Mann, der dort Lynleys Anruf entgegengenommen hatte, war eindeutig nicht mit übermäßiger Intelligenz gesegnet gewesen. Nicht nur hatte er jemandem im Hintergrund zugerufen: »Dad! Hey! Ich hab hier gerade einen Anruf aus Schottland! Irre, was?«, nachdem Lynley sich vorgestellt hatte, er war auch ausgesprochen redselig gewesen, als Lynley sich nach der Art der Geschäfte erkundigte, denen die Firma Vallera & Sohn nachging.

Mit einem Akzent, der des *Paten* würdig gewesen wäre, hatte der Mann, der sich nach eigenen Angaben Chiz Vallera nannte, Lynley auseinander gesetzt, dass das Hauptgeschäft der Firma darin bestand, Gehaltsschecks einzulösen, Kredite zu gewähren und Geld »in der ganzen Welt rumzuschicken, je nachdem, wo Sie's haben wollen. Warum? Wollen Sie Kohle hier herüberschicken? Das können wir für Sie erledigen. Wir können jede Währung in Dollar umwechseln. Mit was zahlen Sie da drüben in Schottland eigentlich? Haben Sie Francs? Kronen? Oder haben Sie den Euro? Ganz egal, wir machen alles. Kostet Sie natürlich eine Kleinigkeit.«

Entgegenkommend bis zum Schluss und offensichtlich ohne einen Funken Verstand, geschweige denn Misstrauen, erklärte er, ihre Firma verschicke Geld in Einzelbeträgen bis zu neuntausendneunhundertneunundneunzig Dollar – »Und Sie können auch noch die neunundneunzig Cents dazu tun, wenn Sie wollen«, sagte er mit einem glucksenden Lachen, »aber das geht vielleicht ein bisschen weit, oder?« – im Auftrag vorsichtiger Kunden, die vermeiden wollten, dass das FBI bei ihnen anklopfte, was es wahrscheinlich tun würde, wenn die Firma Vallera & Sohn telegrafische Überweisungen im Betrag von zehntausend Dollar und mehr meldete, wie »Onkel Sam und die Wichser in Washington« das verlangten. Wenn also jemand eine Summe unter zehntausend Dollar von Schottland in die USA schicken wolle, sei die Firma gern bereit, bei der Transaktion die Rolle des

Mittelsmanns zu übernehmen, gegen eine entsprechende Gebühr natürlich. In den USA, Zentrum korrupter Politiker und Lobbyisten, des Wahlbetrugs und des wild gewordenen Kapitalismus, koste alles eine Gebühr.

Was geschehe, wenn der Überweisungsbetrag 9999 Dollar und 99 Cents übersteige, hatte Lynley gefragt.

Oh, dann müsse die Firma den Betrag beim FBI melden.

Und was das FBI dann tue?

Na, da werden die neugierig. Wen man Gotti hieß, wurden sie sofort neugierig. Bei Joe Schmo dauerte es vielleicht ein bisschen länger.

»Es war alles sehr aufschlussreich«, hatte Lynley am Schluss seines Berichts zu St. James gesagt. »Mr. Vallera hätte wahrscheinlich noch endlos weitererzählt, weil er es so aufregend fand, aus Schottland angerufen zu werden.«

St. James lachte. »Und warum hat er es nicht getan?«

»Weil plötzlich Mr. Vallera senior auf der Bildfläche erschien. Ich vermute jedenfalls, dass er es war. Es gab etwas böses Blut im Hintergrund, und gleich darauf wurde aufgelegt.«

»Du hast dir was verdient, Tommy«, sagte St. James.

»Hoffentlich nicht von Mr. Vallera senior.«

In seinem Hotelzimmer überlegte St. James, wie er weiter verfahren sollte. Wenn er nicht diese oder jene US-Behörde einschalten wollte, musste er versuchen, sich irgendwie zusätzliche Informationen zu beschaffen, um dann mit ihrer Hilfe Brouards Mörder in die Enge zu treiben. Er erwog verschiedene Möglichkeiten, die Sache anzupacken, und ging, nachdem er einen Entschluss gefasst hatte, ins Foyer hinunter.

Dort erkundigte er sich, ob er den Computer des Hotels benutzen könne. Die Rezeptionistin, die ihn immer noch nicht mochte, war von dem Anliegen nicht begeistert. Sie zog eine Schnute und teilte ihm mit, da müsse sie erst mit Mr. Alyar sprechen, dem Direktor. »Im Allgemeinen können wir unseren Gästen den Zugang nicht… Die meisten Leute haben ihren eigenen Computer dabei. Haben Sie keinen Laptop?« Na, dann wird's aber Zeit, sagte ihre Miene, bevor sie ging, um Mr. Alyar zu holen.

St. James wanderte beinahe zehn Minuten im Foyer auf und ab, ehe ein kleiner Dicker im Zweireiher auf ihn zukam, sich als Felix Alyar vorstellte, und fragte, wie er ihm behilflich sein könne.

St. James erklärte sein Anliegen etwas genauer. Er reichte dem Mann seine Visitenkarte und bezog sich auf Le Gallez, um seinen Nachforschungen einen möglichst amtlichen Anstrich zu verleihen.

Weit höflicher als seine Rezeptionistin erklärte Mr. Alyar sich bereit, ihm einen der Hotelcomputer zur Benutzung zu überlassen, und führte ihn in ein Büro hinter dem Empfang. Dort saßen zwei Angestellte an Computern und eine Dritte fütterte ein Faxgerät mit Papieren.

Felix Alyar wies St. James zu dem Computer, der frei war, und sagte zu der Frau am Faxgerät: »Penelope, dieser Herr hier wird mal kurz Ihren Computer benutzen.« Danach zog er sich mit einem »Wir freuen uns, Ihnen behilflich sein zu können« und einem falschen Lächeln zurück, und St. James setzte sich ohne weitere Umstände vor den Computer und ging ins Internet.

Er begann mit der *International Herald Tribune*. Auf deren Webseite entdeckte er jedoch, dass auf Artikel, die über zwei Wochen alt waren, nur über die Seite zugegriffen werden konnte, auf der die Story ursprünglich erschienen war. In Anbetracht des Gegenstands seiner Suche und der begrenzten Bandbreite der Berichterstattung der Zeitung wunderte ihn das nicht. Als Nächstes versuchte er sein Glück bei *USA Today*, bei der sich die Nachrichten allerdings beinahe ausschließlich auf die großen Storys beschränkten: Regierungskrisen, internationale Zwischenfälle, sensationelle Morde, Aufsehen erregende Heldentaten.

Er wandte sich der *New York Times* zu und gab zuerst *Pieter de Hooch* ein und dann, als das nichts brachte, *Heilige Barbara*. Aber auch dabei kam nichts Brauchbares heraus, und er begann, an der Theorie zu zweifeln, die er entwickelt hatte, nachdem er von der Firma Vallera & Sohn in Jackson Heights, New York, und ihren Geschäften gehört hatte.

Als einzige Möglichkeit blieb, soweit er sehen konnte, eine

Suche bei der *Los Angeles Times*. Er klickte also die Webseite der Zeitung an und begann, das Archiv durchzusehen. Wie zuvor gab er die Zeitspanne ein, um die es ihm ging – die letzten zwölf Monate –, sowie den Namen Pieter de Hooch. Es dauerte keine fünf Sekunden, da erschien auf dem Bildschirm eine Liste relevanter Artikel, fünf davon auf einer Seite mit einem Hinweis, dass mehr folgte.

Er entschied sich für den ersten Artikel und wartete, während der Computer ihn herunterlud. Als Erstes zeigte sich auf dem Bildschirm die Überschrift: *Ein Vater, der nie vergessen hat.*

St. James überflog den Artikel. Einzelne Wendungen sprangen ihm ins Auge, als wären sie in fetter Schrift gedruckt. Als er auf die Worte *Teilnehmer des Zweiten Weltkriegs* stieß, las er langsamer. In dem Artikel ging es um eine vor Jahren vorgenommene dreifache Organtransplantation – Herz, Lunge und Nieren –, eine bis zu diesem Zeitpunkt nie gewagte Operation, die am St. Clare's Hospital in Santa Ana, Kalifornien, durchgeführt worden war. Der Organempfänger war ein fünfzehnjähriger Junge namens Jerry Ferguson gewesen. Sein Vater Stuart war der zuvor erwähnte Kriegsteilnehmer.

Der Autovertreter Stuart Ferguson hatte offenbar den Rest seiner Tage nach einem Weg gesucht, dem Krankenhaus Dank dafür abzustatten, dass die Ärzte und Schwestern das Leben seines Sohnes gerettet hatten. Das St. Clare's, eine wohltätige Einrichtung, deren Grundsatz es war, niemanden abzuweisen, hatte auf die Bezahlung der Kosten, die sich auf weit über zweihunderttausend Dollar beliefen, verzichtet. Ein Autovertreter mit vier Kindern konnte nicht hoffen, jemals so viel Geld zusammenzubringen, darum hatte Stuart Ferguson nach seinem Tod dem St.-Clare's-Krankenhaus das einzige Stück aus seinem bescheidenen Besitz hinterlassen, das möglicherweise einen gewissen Wert besaß: ein Gemälde.

»Wir hatten keine Ahnung…«, wurde seine Witwe zitiert. »Stu hat bestimmt nicht gewusst… Er hat es aus dem Krieg mitgebracht… Ein Andenken… Mehr weiß ich nicht darüber.«

»Ich dachte, es wäre nur irgendein altes Bild«, erklärte Jerry

Ferguson, nachdem das Gemälde von Fachleuten des Getty Museums begutachtet und geschätzt worden war. »Es hing bei meinen Eltern im Schlafzimmer. Ich hab's nie besonders beachtet, wissen Sie.«

So waren die entzückten Barmherzigen Schwestern, die das St.-Clare's-Krankenhaus mit äußerst dürftigen Mitteln betrieben und die meiste Zeit damit zubrachten, Spenden zu sammeln, um es in Betrieb zu halten, unversehens in den Besitz eines Kunstwerks von unschätzbarem Wert gekommen. Eine Fotografie, die den Artikel begleitete, zeigte den erwachsenen Jerry Ferguson und seine Mutter bei der Übergabe von Pieter de Hoochs Gemälde der Heiligen Barbara an eine säuerlich dreinschauende Schwester Monica Casey, die zu diesem Zeitpunkt noch nicht ahnte, was ihr da in die gottesfürchtigen Hände gelegt worden war.

Als Mrs. Ferguson und ihr Sohn später gefragt wurden, ob sie es bedauerten, sich von einem so wertvollen Stück getrennt zu haben, sagten sie: »Wir waren platt, als wir hörten, was da all die Jahre bei uns im Haus gehangen hatte«, und: »Wieso? Es war der Wunsch meines Vaters, und das genügt mir.« Schwester Monica Casey ihrerseits bekannte sich zu »heftigem Herzflattern« und erklärte, sie würden den de Hooch versteigern lassen, sobald das Gemälde ordentlich restauriert sei. Bis dahin, sagte sie zu dem Reporter, würden die Barmherzigen Schwestern das Werk an »einem sicheren Ort« aufbewahren.

Nicht sicher genug, dachte St. James. Und das hatte die Dinge ins Rollen gebracht.

Er klickte die nachfolgenden Berichte an und war wenig verwundert darüber, wie sich die Sache in Santa Ana, Kalifornien, weiterentwickelt hatte. Sehr bald war ihm klar, wie Pieter de Hoochs *Heilige Barbara* vom St. Clare's Hospital nach *Le Reposoir* gekommen war. Er druckte die relevanten Artikel aus, heftete sie zusammen und ging wieder nach oben in sein Zimmer.

Während Deborah Tee machte, griff China immer wieder zum Telefon. Manchmal tippte sie ein paar Zahlen ein, bevor sie wieder auflegte, manchmal kam sie gar nicht so weit. Auf dem Rückweg zu den Queen-Margaret-Apartments hatte sie endlich den Entschluss gefasst, ihre Mutter anzurufen. Sie müsse erfahren, was mit Cherokee los war, sagte sie. Aber jetzt, da der Moment der Wahrheit, wie sie es nannte, bevorstand, schaffte sie es nicht, dort anzurufen. Sie tippte die Nummer für die internationale Verbindung ein, sie tippte die Eins für die Vereinigten Staaten ein, und sie kam sogar bis zur Vorwahl von Orange, Kalifornien. Aber dann verließ sie jedes Mal der Mut.

Sie erklärte Deborah den Grund ihrer Unschlüssigkeit. Ihr Aberglaube steckte dahinter. »Ich habe Angst, dass es ihm Unglück bringt, wenn ich anrufe. Als wenn ich's beschreie.«

Deborah erinnerte sich, solchen Aberglauben schon früher bei ihr erlebt zu haben. Du brauchst dir nur einzubilden, du bestehst eine Prüfung mit Glanz und Gloria, und prompt fällst du durch, weil du es beschrien hast. Du brauchst nur zu sagen, du erwartest einen Anruf von deinem Freund, und er kommt nicht, weil du es beschrien hast. Du brauchst nur eine Bemerkung darüber zu machen, wie angenehm zu fahren es ausnahmsweise auf einem der ständig verstopften Highways Kaliforniens ist, und schon sitzt du in einem kilometerlangen Stau fest, weil vorn irgendwo ein Unfall war. Deborah hatte für diese verdrehte Denkweise den Ausdruck »Das Gesetz von Chinaland« erfunden und sich während ihres Zusammenlebens mit China in Kalifornien angewöhnt, nur ja nichts zu beschreien.

Sie sagte: »Wieso würdest du mit dem Anruf irgendwas beschreien?«

»Ich weiß auch nicht. Es kommt mir einfach so vor. Wenn ich sie anrufe und ihr sage, was los ist, dann kommt sie rüber, und alles wird noch viel schlimmer.«

»Aber das verstößt doch eigentlich gegen das Gesetz von Chinaland«, meinte Deborah. »Jedenfalls so, wie ich es in Erinnerung habe.« Sie setzte das Teewasser auf.

Als China den alten Ausdruck hörte, musste sie lächeln, wider Willen, wie es schien. »Wieso?«, fragte sie.

»Na ja, so wie ich es in Erinnerung habe, muss man doch genau das Gegenteil von dem vortäuschen, was man wirklich will. Man verrät dem Schicksal nicht, was man schön oder gut findet, damit es einem nicht dazwischen funken kann. Man schleicht sich sozusagen heimlich von hinten an das heran, was man will.«

»Man trickst das Schicksal aus«, murmelte China.

»Genau.« Deborah nahm zwei Becher aus dem Küchenschrank. »Mir scheint, in diesem besonderen Fall, musst du deine Mutter anrufen. Du hast gar keine Wahl. Wenn du sie anrufst und darauf besteht, dass sie nach Guernsey kommt –«

»Sie hat nicht mal einen Pass, Debs.«

»Umso besser. Dann wird's richtig schwierig für sie, hierher zu kommen.«

»Ganz zu schweigen von den Kosten.«

»Hm. Ja. Das garantiert praktisch den Erfolg.« Deborah lehnte sich an die Arbeitsplatte. »Sie muss sich schnell einen Pass besorgen. Das heißt, sie muss – wohin muss sie deshalb?«

»Nach Los Angeles zum Federal Building. In der Nähe vom San Diego Freeway.«

»Am Flughafen vorbei?«

»Weit daran vorbei. Sogar noch hinter Santa Monica.«

»Bestens. Riesenverkehr. Riesenumstände. Also, zuerst muss sie dorthin und sich einen Pass besorgen. Sie muss die Reise buchen. Sie muss nach London fliegen und von da weiter nach Guernsey. Und wenn sie nach der ganzen Mühe schweißgebadet vor Angst und Sorge hier ankommt –«

»– stellt sie fest, dass sich alles in Wohlgefallen aufgelöst hat.«

»Wahrscheinlich eine Stunde vor ihrer Ankunft.« Deborah lächelte. »Voilà! Das Gesetz von Chinaland in Aktion. So viel Mühe und so hohe Kosten für nichts und wieder nichts, wie sich herausstellt.« Hinter ihr schaltete sich der elektrische Wasserkocher aus. Sie goss den Tee in der dickwandigen grünen Kanne auf, trug diese zum Tisch und bedeutete China, sich zu ihr zu setzen. »Aber wenn du sie nicht anrufst ...«

China kam in die Küche. Deborah wartete darauf, dass sie den von ihr begonnenen Satz vollenden würde. Aber China setzte sich nur schweigend nieder, nahm einen der Teebecher und drehte ihn langsam zwischen den Händen. »Diese Denkweise habe ich schon vor einiger Zeit aufgegeben«, sagte sie. »Es war sowieso immer nur ein Spiel und hat nicht mehr geklappt. Vielleicht lag's auch an mir. Ich weiß es nicht.« Sie stellte den Becher ab. »Mit Matt hat es damals angefangen. Habe ich dir das mal erzählt. Wir waren noch Teenager. Ich geh an seinem Haus vorbei, und wenn ich nicht schaue, ob er in der Garage ist oder für seine Mutter den Rasen mäht oder so was, wenn ich beim Vorbeigehen nicht mal an ihn *denke*, dann wird er da sein. Aber wenn ich schaue oder an ihn denke – nur seinen Namen denke –, wird er nicht da sein. Es hat immer geklappt. Also hab ich weitergemacht. Wenn ich gleichgültig tue, wird er total interessiert an mir sein. Wenn ich nicht mit ihm ausgehen will, wird er mit mir ausgehen wollen. Wenn ich ganz fest denke, dass er mir bestimmt nie einen Gutenachtkuss vor der Tür geben wird, wird er mir einen geben. Er wird mir unbedingt einen geben wollen. Irgendwo habe ich natürlich immer gewusst, dass es in Wirklichkeit nicht so läuft – dass es nicht stimmt, dass man immer das Gegenteil von dem denken und sagen muss, was man wirklich will –, aber nachdem ich einmal damit angefangen hatte, mit diesem Spiel, ist es immer so weitergegangen. Am Ende hieß es: Plane ein Leben mit Matt, und es wird nie dazu kommen. Leb dein eigenes Leben, und er wird dir hinterherhecheln und alles versuchen, um dich für immer an sich zu binden.«

Deborah schenkte den Tee ein und schob den Becher China zu. Sie sagte: »Es tut mir Leid, dass es so ausgegangen ist. Ich weiß, wie sehr du an ihm gehangen hast, und was du dir gewünscht hast, erhofft, erwartet. Was immer.«

»Ja, was immer. So könnte man das sagen.« Sie nahm den Zuckerspender, der auf dem Tisch stand, und ließ den Zucker in ihren Becher fließen. Als sie endlich aufhörte, hatte Deborah den Eindruck, das Gebräu wäre restlos ungenießbar.

»Ich wollte, es wäre alles so gekommen, wie du es dir gewünscht hast«, sagte Deborah. »Aber vielleicht klappt es ja doch noch.«

»So wie in deinem Leben immer alles klappt? Nein. Ich bin

nicht so wie du. Ich lande nicht automatisch auf den Füßen. Das war noch nie so.«

»Du weißt doch gar nicht –«

»Ich habe mit dem einen Mann Schluss gemacht, Deborah«, unterbrach China ungeduldig. »Glaub mir einfach, okay? Bei mir gibt's keinen anderen – ob verkrüppelt oder nicht –, der nur darauf gewartet hat, dass alles in die Brüche geht, damit er einspringen und da weitermachen kann, wo der andere aufgehört hat.«

Deborah zuckte unter den schneidenden Worten der Freundin zusammen. »So siehst du mein Leben...? Wie es sich entwickelt hat? So... China, das ist nicht fair.«

»Findest du? Meine ganze Beziehung mit Matt war doch von Anfang an nur ein einziger Kampf. Zusammen, getrennt und wieder zusammen. Heute der heiße Sex, morgen der große Bruch. Dann die Versöhnung und heilige Schwüre, dass diesmal alles anders wird. Und schon waren wir wieder zusammen im Bett, und es war herrlich. Drei Wochen später die nächste Trennung wegen irgendwas total Blödem: Er hat gesagt, er kommt um acht, aber er kreuzt erst um halb zwölf auf und hält es nicht mal für nötig, mich anzurufen, um mir zu sagen, dass er sich verspätet. Ich hab die Nase voll von dieser Art und sag ihm: Schluss, mir reicht's, hau gefälligst ab. Zehn Tage später ruft er an und sagt: Hey, Baby, gib mir noch eine Chance, ich brauch dich doch. Und ich glaube ihm, weil ich so unglaublich blöd oder in meiner Verzweiflung zu allem bereit bin, und das Ganze fängt wieder von vorn an. Und die ganze Zeit schwelgst du im Glück mit einem beschissenen Grafen, oder was er war. Und als der von der Bildfläche verschwindet, taucht wie gerufen Simon aus der Versenkung auf. Es ist schon so, wie ich gesagt habe. Du landest immer auf den Füßen.«

»Aber so war es doch gar nicht«, protestierte Deborah.

»Nein? Dann sag mir doch mal, wie es war. Erzähl mir, dass es nicht anders war als meine Situation mit Matt.« China griff nach ihrem Tee, aber sie trank nicht. »Das kannst du nicht, stimmt's?«, sagte sie. »Weil deine Situation eine ganz andere war.«

»Männer sind nicht –«

»Ich rede nicht vom Männern. Ich rede vom Leben. Was für ein Leben ich bis jetzt gehabt habe. Und was für eines du bis jetzt gehabt hast.«

»Du siehst nur das Äußere«, sagte Deborah. »Du vergleichst es – den äußeren Anschein – mit dem, was sich bei dir innen abspielt. Aber das geht nicht. China, ich hatte nicht mal eine Mutter. Das weißt du. Ich bin praktisch bei fremden Leuten aufgewachsen. Ich hatte als Kind und als Jugendliche Angst vor meinem eigenen Schatten, ich wurde in der Schule wegen meiner roten Haare und meiner Sommersprossen gehänselt, ich war zu schüchtern, um irgendjemanden um etwas zu bitten. Sogar meinen Vater. Ich wäre vor Dankbarkeit fast in die Knie gegangen, wenn mir mal jemand den Kopf getätschelt hat wie einem Hund. Meine einzigen Freunde, bis ich vierzehn war, waren Bücher und ein alter Fotoapparat. Ich wohnte im Haus anderer Leute, bei denen mein Vater Hausangestellter war, und ich dachte immer, warum kann er nicht was Richtiges sein? Arzt oder Zahnarzt oder Banker oder so was? Warum geht er nicht jeden Tag ganz normal zur Arbeit wie die Väter von anderen Kindern? Warum –«

»Herrgott noch mal! Mein Vater war im *Gefängnis*«, schrie China. »Und da ist er jetzt wieder. Er handelt mit Drogen, Deborah. Hast du mich gehört? Er ist ein beschissener Dealer. Und meine Mutter ... Wie würde es dir gefallen, Miss Mammutbaum zur Mutter zu haben? Du musst unbedingt die gepunktete Eule und das dreibeinige Eichhörnchen retten. Du musst verhindern, dass ein Damm hochgezogen wird, eine Straße gebaut oder ein Ölschacht gebohrt wird, aber lass dir ja nie – nie – einfallen, an einen Geburtstag deiner Kinder zu denken, für die Schule ein Pausebrot zu machen, darauf zu achten, dass deine Kinder ein anständiges Paar Schuhe haben. Und tauche, um Himmels willen, nicht zum Sportfest oder zum Pfadfindertreffen oder zum Elternsprechtag oder sonst was auf, denn wenn tatsächlich der Löwenzahn ausstirbt, der auf der Liste der gefährdeten Pflanzen steht, könnte das ja das ganze beschissene Ökosystem aus den Fugen bringen. Vergleiche also bitte nicht dein armes, armes

Leben auf irgendeinem hochherrschaftlichen Besitz – als zart besaitetes Töchterchen eines Hausangestellten – mit meinem Leben.«

Deborah holte zitternd Luft. Es schien nichts mehr zu sagen zu geben.

China trank von ihrem Tee, das Gesicht abgewandt.

Deborah wollte sagen, dass kein Mensch auf der Welt sich sein Schicksal aussuchen könne, dass es nicht darauf ankomme, wie dieses Schicksal ausfalle, sondern wie man damit umgehe. Aber sie sagte es nicht. Und sie sagte auch nicht, dass sie vor langer Zeit, mit dem Tod ihrer Mutter, erfahren hatte, dass aus Schlimmem sehr wohl Gutes entstehen konnte. Es hätte hochmütig und selbstgefällig geklungen, und es hätte außerdem das Gespräch unweigerlich auf ihre Ehe mit Simon gelenkt, die nie zustande gekommen wäre, hätten seine Eltern es nicht für notwendig gehalten, ihren todtraurigen Vater zu zwingen, Southampton zu verlassen. Hätten sie nicht Joseph Cotter mit der Renovierung des heruntergekommenen Stadthauses der Familie in Chelsea beauftragt, hätte sie nie den Mann kennen und lieben gelernt, den sie geheiratet hatte und mit dem sie heute ihr Leben teilte. Aber das China auseinander setzen zu wollen, hatte im Moment keinen Sinn. Sie stand viel zu sehr unter Druck.

Deborah wusste, dass sie über Kenntnisse verfügte, die China, hätte sie diese Dinge erfahren, einen Teil ihrer Sorgen hätten nehmen können, Informationen über den Dolmen, das Kombinationsschloss an seiner Tür, das Gemälde in der Steinkammer, den Zustand der Versandröhre, in der das Gemälde von Cherokee River unwissentlich nach Großbritannien und weiter nach Guernsey geschmuggelt worden war, und was das alles vermuten ließ. Aber sie wusste auch, dass sie es ihrem Mann schuldete, diese Informationen für sich zu behalten. Darum sagte sie stattdessen: »Ich weiß, dass du Angst hast, China. Aber er wird da schon wieder herauskommen. Du musst nur ganz fest daran glauben.«

China wandte sich noch mehr ab. Deborah sah, wie sie krampfhaft schluckte. »Wir waren doch schon in dem Moment geliefert, als wir den Fuß auf diese Insel setzten«, sagte sie. »Ich wollte, wir hätten einfach diese blöden Pläne abgeliefert und wären weitergereist. Aber nein, ich musste ja unbedingt eine Story über dieses Haus machen. Dabei hätte ich sie sowieso nicht verkaufen können. Es war einfach doof. Dumm. Typisch für mich. Und jetzt... Ich habe uns beide da reingeritten, Deborah. Er wäre weitergeflogen. Gern sogar. Er *wollte* weiterreisen. Aber ich witterte die Chance, ein paar tolle Fotos zu schießen und eine Story daraus zu machen. Nur so auf Verdacht, was noch dümmer war. Denn wann hab ich schon mal etwas verkaufen können, das ich ohne Auftrag gemacht hab? Nie. Mein Gott! Was bin ich für eine Niete.«

Das war zu viel. Deborah stand auf und ging zu der Freundin. Sie blieb hinter ihrem Stuhl stehen, legte ihre Arme um China und drückte ihre Wange auf ihren Scheitel und sagte: »Hör auf. *Hör auf!* Ich schwöre dir –«

Ehe sie aussprechen konnte, flog hinter ihnen die Wohnungstür auf, und kalte Dezemberluft fegte ins Zimmer. Sie drehten sich beide herum, und Deborah lief los, um die Tür wieder zu schließen. Sie hielt inne, als sie sah, wer dort stand.

»Cherokee!«, rief sie.

Er sah völlig erledigt aus – unrasiert und zerknautscht –, aber er lachte. Er hob eine Hand, um ihre Ausrufe und Fragen abzuwehren, und verschwand für einen Moment noch einmal nach draußen.

China stand langsam auf. Die Hand auf die Rückenlehne ihres Stuhls gestützt, blieb sie stehen.

Cherokee kam wieder herein. Mit zwei Matchsäcken, die er zu Boden warf. Aus seiner Jacke zog er zwei dunkelblaue Büchlein mit goldenem Aufdruck. Das eine warf er seiner Schwester zu, das andere hielt er an den Mund und küsste es. »Unsere Fahrscheine«, sagte er. »Komm, Chine, machen wir uns vom Acker.«

Sie starrte ihn sprachlos an und sah dann zu dem Reisepass in ihrer Hand hinunter. »Was...?«, sagte sie und rannte durchs Zimmer, um ihren Bruder zu umarmen. »Was ist passiert? *Cherokee.* Was ist passiert?«

»Ich weiß es nicht, und ich hab auch nicht gefragt«, antwortete ihr Bruder. »Vor ungefähr zwanzig Minuten kam ein Bulle mit unseren Sachen in meine Zelle und sagte: ›Das wär's, Mr. River. Sehen Sie zu, dass Sie bis spätestens morgen früh die Insel verlassen haben.‹ So in der Art. Er hat mir sogar Tickets nach Rom angeboten. Falls wir den versäumten Urlaub nachholen wollten, sagte er. Mit dem Bedauern der Regierung von Guernsey über die Ungelegenheiten, die man uns bereitet hat.«

»*Ungelegenheiten?* Verklagen sollten wir diese Mistkerle und –«

»Brrr!«, sagte Cherokee. »Ich hab nicht das geringste Interesse dran, irgendwas anderes tun, als von hier zu verschwinden. Wenn heute Abend noch eine Maschine ginge, säße ich drin, das kannst du mir glauben. Es gibt nur eine Frage: Willst du nach Rom?«

»Ich will nach Hause«, antwortete China.

Cherokee nickte und küsste sie auf die Stirn. »Ich muss auch zugeben, dass mir meine alte Bretterhütte im Canyon noch nie so verlockend erschienen ist.«

Deborah beobachtete diese Szene zwischen Bruder und Schwester, und ihr wurde leicht ums Herz. Sie wusste, wem Cherokee Rivers Freilassung zu verdanken war. Simon war ihr mehr als einmal in ihrem Leben zu Hilfe gekommen, niemals aber auf so angenehme Weise wie dieses Mal. Er hatte sich ihre Interpretation der Fakten tatsächlich zu Herzen genommen. Aber nicht nur das. Er hatte ihr endlich einmal zugehört.

Ruth Brouard beendete ihre Meditation, sie fühlte sich innerlich so ruhig wie seit Monaten nicht mehr. Seit Guys Tod hatte sie sich die tägliche halbe Stunde stiller Kontemplation nicht mehr gegönnt, und die Folge war spürbar: Ihre Gedanken flatterten unaufhörlich von einem Thema zum anderen, ihr Körper war in einem ständigen Alarmzustand wegen der nächsten Schmerzattacke. Wenn sie nicht gerade in den Papieren ihres Bruders gegraben hatte, um herauszubekommen, wie und warum er sein Testament geändert hatte, war sie herumgelaufen, um mit Anwälten, Bankern und Finanzberatern zu sprechen. Und dazwischen war sie zum Arzt gerannt, weil sie gehofft hatte, durch eine Änderung der Medikation würde sie mit den Schmerzen besser fertig werden. Dabei hatten Antworten und Lösungen, die sie suchte, immer schon darin gelegen, einfach nach innen zu gehen.

Diese Sitzung bewies, dass sie noch zu ruhiger anhaltender Kontemplation fähig war. Allein in ihrem Zimmer, nur eine brennende Kerze auf dem Tisch, hatte sie dagesessen und sich auf ihren Atem konzentriert. Sie hatte die Ängste, die sie geplagt hatten, abziehen lassen. Eine halbe Stunde lang war es ihr gelungen, den Schmerz loszulassen.

Es war dunkel geworden, als sie von ihrem Stuhl aufstand. Stille erfüllte das Haus. Die Geräusche geschwisterlicher Gemeinschaft, die so lange ihr Leben begleitet hatten, waren mit dem Tod ihres Bruders verstummt und hatten eine Leere hinterlassen, in der sie sich vorkam wie ein Geschöpf, das unerwartet in den Weltraum geschleudert worden ist.

So würde es bleiben bis zu ihrem eigenen Tod. Sie konnte nur wünschen, dass er bald kommen würde. Solange Gäste im Haus gewesen waren und sie sich um die Vorbereitungen der Beerdigung hatte kümmern müssen, hatte sie sich recht gut gehalten. Doch ihre Einsamkeit erlaubte ihr jetzt, sich von dem zu erholen, was sie durchgemacht hatte. Und loszulassen.

Niemand mehr, dachte sie, für den ich die Gesunde spielen muss. Guy war tot, und Valerie wusste Bescheid, obwohl Ruth es ihr nie gesagt hatte. Aber das war in Ordnung, denn Valerie hatte von Anfang an den Mund gehalten. Ruth hatte nicht davon gesprochen, also hatte auch Valerie es nicht erwähnt. Mehr konnte man von einer Frau, die sich ständig in der Nähe aufhielt, nicht verlangen.

Ruth nahm die Flasche aus ihrer Kommode und schüttete zwei Tabletten in ihre Hand. Sie schluckte sie mit Wasser aus der Karaffe neben ihrem Bett. Sie würden sie schläfrig machen, aber es war ja niemand da, für den sie munter sein musste. Sie konnte beim Essen vor sich hin dösen, wenn sie wollte. Sie konnte beim Fernsehen einschlafen. Sie konnte, wenn sie das wollte, jetzt gleich, hier in ihrem Schlafzimmer ein Nickerchen machen und liegen bleiben bis zum Morgen. Das erforderte nur ein paar Tabletten mehr. Es war ein verlockender Gedanke.

Sie hörte unten den Kies knirschen, als ein Auto die Auffahrt heraufrollte. Als sie ans Fenster ging, konnte sie nur noch die Rücklichter eines Fahrzeugs erkennen, das gerade um die Hausecke verschwand. Sie überlegte, aber sie erwartete keinen Besuch.

Sie ging ins Arbeitszimmer ihres Bruders und trat dort ans Fenster. Drüben, über dem Hof, hatte jemand ein großes Auto in einen der alten Ställe hineingefahren. Die Lichter brannten noch, als müsste der Fahrer überlegen, was er als Nächstes tun wollte.

Sie wartete, aber alles blieb, wie es war. Der Fahrer des Wagens schien darauf zu warten, dass sie den nächsten Schritt tat.

Sie verließ Guys Arbeitszimmer und ging zur Treppe. Sie war steif vom langen Sitzen während der Meditation, und nahm langsam Stufe um Stufe. Der Geruch ihres Abendessens, das Valerie auf dem Herd stehen lassen hatte, wehte ihr entgegen. Sie würde in die Küche gehen, aber nicht, weil sie hungrig war, sondern weil es ihr das Vernünftigste zu sein schien.

Wie Guys Arbeitszimmer lag auch die Küche nach hinten hinaus. Sie konnte das Essen als Vorwand benutzen, um nachzusehen, wer so unerwartet nach *Le Reposoir* gekommen war.

Sie erfuhr es, als sie durch den Korridor nach hinten ging, wo durch eine halb offene Tür ein Lichtstrahl auf den Teppich fiel. Als sie die Tür aufstieß, sah sie ihren Neffen am Herd stehen und energisch in einem Topf rühren, der auf der hinteren Flamme köchelte.

»Adrian!«, rief sie. »Ich dachte …«

Er drehte sich herum.

Ruth sagte: »Ich dachte … Du bist hier? Als deine Mutter sagte, dass sie abreist –«

»– hast du geglaubt, ich würde auch abreisen. Natürlich. Wo sie hingeht, gehe ich im Allgemeinen auch hin. Aber diesmal nicht, Tante Ruth.« Er hielt ihr einen langen Holzlöffel hin, um sie von der Speise, die er umgerührt hatte – einem Gulasch, wie es aussah –, kosten zu lassen.

»Hast du Appetit darauf? Möchtest du im Speisezimmer essen oder lieber hier?«

»Danke dir, aber ich bin gar nicht hungrig.« Sie war eher ein wenig benommen, vielleicht weil sie die Schmerztabletten auf leeren Magen genommen hatte.

»Das fällt mir schon lange auf«, sagte Adrian. »Du hast wahnsinnig abgenommen. Verliert denn da niemand ein Wort darüber?« Er trat zum Küchenschrank und nahm eine Schüssel heraus. »Aber heute Abend wirst du essen.«

Er begann, das Gulasch in die Schüssel zu löffeln. Als sie voll war, deckte er sie zu und nahm aus dem Kühlschrank einen ebenfalls von Valerie vorbereiteten, grünen Salat. Aus dem Backrohr holte er eine weitere Schüssel – diese war mit Reis gefüllt –, und stellte alles auf den Tisch in der Mitte der Küche. Dazu ein Wasserglas sowie ein Gedeck für eine Person.

Ruth sagte: »Adrian, warum bist du zurückgekommen? Deine Mutter – nun ja, sie hat es nicht direkt gesagt, aber als sie mir mitteilte, dass sie abreisen wolle, nahm ich an ... Mein Junge, ich weiß, wie enttäuscht du über das Testament deines Vaters bist, aber es war sein fester Entschluss, und ich bin der Meinung, dass ich ihn respektieren muss, auch wenn –«

»Ich erwarte nicht von dir, dass du irgendetwas unternimmst«, sagte Adrian. »Dad hat getan, was er für richtig hielt. Setz dich, Tante Ruth. Komm, ich hole dir ein Glas Wein.«

Ruth war ein wenig verwundert. Sie wartete, während er in die Speisekammer ging, die Guy vor langer Zeit zum Weinkeller umfunktioniert hatte. Sie hörte das Klirren der Flaschen, als er unter den teuren Weinen seines Vaters seine Wahl traf. Eine schlug laut gegen das alte Marmorbord. Dann hörte sie es glucksen.

Sie fragte sich, was er vorhatte. Als er wenig später zurückkehrte, hielt er eine geöffnete Burgunderflasche in der einen Hand und ein Glas mit Wein in der anderen. Es war eine alte Flasche, ihr Etikett staubig. Guy hätte sie für so eine bedeutungslose Mahlzeit nicht geöffnet.

Sie sagte: »Ich glaube nicht ...« Aber Adrian ging an ihr vorbei und zog mit großer Geste einen Stuhl für sie heraus.

»Setzen Sie sich, Madam«, sagte er. »Das Abendessen ist serviert.«

»Isst du nichts?«

»Ich habe auf der Rückfahrt vom Flughafen etwas gegessen. Mama ist übrigens weg. Sie ist wahrscheinlich inzwischen gelandet. Wir haben uns endlich für immer voneinander verabschiedet. William – das ist ihr derzeitiger Ehemann, falls du es vergessen haben solltest – wird das bestimmt sehr zu schätzen wissen. Ist ja auch verständlich. Er hat meine Mutter ja nicht geheiratet, um gleich auch noch einen Dauermieter in Gestalt eines Stiefsohns bei sich aufzunehmen.«

Hätte Ruth ihren Neffen nicht besser gekannt, so hätte sie sein Verhalten und sein Gerede als Anzeichen eines manischen Zustands ausgelegt. Aber sie kannte ihn seit siebenunddreißig Jahren und hatte nie etwas Manisches in seinem Verhalten entdeckt. Was sie in diesem Moment erlebte, war etwas anderes. Sie wusste nur nicht, wie sie es bezeichnen sollte, oder was es zu bedeuten hatte. Und wie sie es aufnehmen sollte.

»Ist das nicht merkwürdig«, murmelte sie. »Ich war überzeugt, du hättest gepackt. Ich habe zwar den Koffer nicht gesehen, aber ich... Seltsam, nicht wahr, wie uns die Dinge erscheinen, wenn wir uns bereits unsere Meinung über sie gebildet haben?«

»Ja, da hast du Recht.« Er gab Reis auf ihren Teller und Gulasch und stellte ihr den Teller hin. »Damit machen wir uns es uns ständig selbst schwer: Mit unseren vorgefassten Meinungen über das Leben und die Menschen. Du isst ja gar nicht, Tante Ruth.«

»Mein Appetit... Es ist schwierig.«

»Dann werde ich es dir erleichtern.«

»Wie willst du das denn machen?«

»Warte ab«, sagte er. »Ich bin nicht so unnütz, wie ich aussehe.«

»Ich wollte nicht –«

»Ist schon gut.« Er hob ihr Glas. »Trink einen Schluck Wein. Eines habe ich von Dad gelernt – es ist wahrscheinlich das Einzige: Wie man Wein aussucht. Dieser Tropfen hier –« er hob das Glas mit dem Wein ans Licht und betrachtete es – »hat, ich freue mich, es sagen zu können, hervorragendes Gefühl, ausgezeichneter Körper, exzellentes Bouquet und am Ende einen angenehmen Abgang … Fünfzig Pfund pro Flasche, vielleicht? Oder mehr? Na, ist ja auch egal. Er passt jedenfalls perfekt zu deinem Essen. Probier einen Schluck.«

Sie lächelte. »Wenn ich es nicht besser wüsste, hätte ich den Verdacht, du wolltest mich betrunken machen.«

»Dann schon eher vergiften«, sagte Adrian. »Um ein Vermögen zu erben, das nicht existiert. Ich nehme doch an, dass auch du mich nicht als Erben eingesetzt hast.«

»Es tut mir wirklich Leid, mein Junge«, sagte Ruth wieder. Und als er ihr den Wein aufdrängen wollte: »Ich kann nicht. Meine Tabletten … Die Mischung täte mir nicht gut.«

»Ach so.« Er stellte das Glas ab. »Keine Lust, mal ein bisschen über die Stränge zu schlagen?«

»Das habe ich immer deinem Vater überlassen.«

»Tja, und wohin hat's ihn gebracht?«, sagte Adrian.

Ruth senkte den Blick und spielte mit ihrem Besteck. »Er fehlt mir.«

»Das kann ich verstehen. Komm, iss ein bisschen Fleisch. Es schmeckt sehr gut.«

Sie sah ihn an. »Hast du es probiert?«

»Niemand kocht wie Valerie. Iss, Tante Ruth. Ich lass dich nicht aus der Küche, bis du nicht mindestens die Hälfte gegessen hast.«

Es entging Ruth nicht, dass er ihre Frage nicht beantwortete. Und das, in Zusammenhang mit seiner unerwarteten Rückkehr nach *Le Reposoir*, machte sie nachdenklich. Aber sie hatte keinen Grund, ihrem Neffen mit Argwohn zu begegnen. Er wusste vom Testament seines Vaters, und sie hatte ihm gerade eröffnet, wie das ihre aussah. Dennoch sagte sie: »All diese Fürsorge! Ich bin richtig – ich fühle mich geschmeichelt.«

Über den Tisch hinweg, zwischen ihnen die dampfenden Schüsseln mit dem Reis und dem Fleisch, sahen sie einander an.

Die Stille zwischen ihnen hatte eine andere Qualität als jene, die Ruth vorher genossen hatte, und sie war froh, als das Telefon klingelte.

Sie wollte aufstehen, um hinzugehen.

Adrian ließ es nicht zu. »Nein«, sagte er, »ich möchte, dass du isst, Tante Ruth. Du hast die ganze letzte Woche überhaupt nicht auf dich geachtet. Wenn es etwas Wichtiges ist, wird der Anrufer sich bestimmt noch einmal melden. Inzwischen wirst du etwas essen.«

Sie hob die Gabel, die ihr ungeheuer schwer schien. »Ja, gut«, sagte sie. »Wenn du darauf bestehst, mein Junge...« Es war ja egal, ob so oder so. Das Ende würde dasselbe sein. »Aber wenn ich fragen darf... Warum tust du das, Adrian?«

»Keiner hat jemals begriffen, dass ich ihn wirklich geliebt habe«, antwortete Adrian. »Trotz allem. Und er würde wollen, dass ich jetzt hier bin, Tante Ruth. Das weißt du so gut wie ich. Er würde wollen, dass ich bis zum Ende durchhalte, weil er das auch getan hätte.«

Was er sagte, war wahr. Ruth konnte es nicht leugnen. Und darum führte sie die Gabel zum Mund.

# 29

Als Deborah ging, waren Cherokee und China dabei, ihre Sachen durchzusehen, um sich vor ihrer Abreise aus Guernsey zu vergewissern, dass nichts fehlte. Zuerst allerdings verlangte Cherokee die Umhängetasche seiner Schwester und kramte auf der Suche nach ihrer Brieftasche geräuschvoll darin herum. Er wollte wissen, ob sie so viel Bargeld in der Tasche hatte, dass sie am Abend alle zusammen zum Essen ausgehen und feiern konnten. »*Vierzig* Pfund, Chine?«, rief er, als er sah, wie es um die Barschaft seiner Schwester bestellt war. »Du meine Güte. Da muss ich wohl selber was springen lassen.«

»Na, das wäre mal was ganz Neues«, meinte China.

»Aber warte mal!« Cherokee hielt einen Finger hoch, als hätte er plötzlich eine Eingebung gehabt. »Bestimmt gibt es in der High Street einen internationalen Geldautomat.«

»Und wenn keiner da ist«, fügte China hinzu, »habe ich rein zufällig meine Kreditkarte bei mir.«

»Hey, heute ist mein Glückstag!«

Bruder und Schwester lachten. Sie öffneten ihre Matchsäcke und begannen, ihre Sachen zu sortieren. An dieser Stelle verabschiedete sich Deborah. Cherokee brachte sie zur Tür. Im trüben Licht der Außenbeleuchtung hielt er sie fest.

So in Schatten getaucht sah er dem halbwüchsigen Jungen, der er im Herzen wahrscheinlich immer bleiben würde, sehr ähnlich. »Debs«, sagte er. »Danke. Ohne dich ... ohne Simon ... Danke euch.«

»So viel haben wir gar nicht getan.«

»Doch. Schon allein, dass du hier warst. Aus reiner Freundschaft.« Er lachte kurz. »Ich wollte, es hätte mehr sein können. Ach, verdammt. Wusstest du das? Ich wette, ja. Eine verheiratete Frau. Mit dir hatte ich nie Glück.«

Deborah zwinkerte verwirrt. Ihr wurde heiß, aber sie sagte nichts.

»Falsche Zeit, falscher Ort«, fuhr Cherokee fort. »Wenn die Umstände anders gewesen wären, entweder damals oder heute ...« Er blickte an ihr vorbei zum kleinen Innenhof und zu den Straßenlichtern auf der anderen Seite. »Ich wollte nur, dass du es weißt. Und es ist nicht wegen dem, was du für uns getan hast. Es war immer so.«

»Danke«, sagte Deborah. »Das werde ich nicht vergessen, Cherokee.«

»Wenn einmal eine Zeit kommen sollte ...«

Sie legte ihm die Hand auf den Arm. »Die wird nicht kommen«, sagte sie. »Aber ich danke dir.«

Er sagte: »Ja, hm«, und küsste sie auf die Wange. Und bevor sie sich von ihm entfernen konnte, umfasste er ihr Kinn und küsste sie auf den Mund. Seine Zunge berührte ihre Lippen, öffnete sie, verweilte und zog sich zurück. »Das wollte ich schon tun, als ich dich das erste Mal gesehen habe«, sagte er. »Wieso, zum Teufel, haben diese Engländer so ein Glück?«

Deborah trat von ihm weg, aber sie schmeckte den Kuss. Sie merkte, dass ihr Herz ruhig schlug. Aber das würde nicht so bleiben, wenn sie noch einen Augenblick länger mit Cherokee River im Halbdunkel stehen blieb. Sie sagte: »Die Engländer haben immer Glück«, und ging.

Sie wollte auf dem Rückweg zum Hotel über diesen Kuss nachdenken und alles, was ihm vorangegangen war. Sie nahm nicht den direkten Weg, sondern stieg die Constitution Steps hinunter und suchte sich von dort den Weg zur High Street.

Es waren kaum Leute unterwegs. Die Geschäfte hatten geschlossen, und die wenigen Restaurants, die es gab, waren weiter draußen, näher bei Le Pollet. An Cherokees Geldautomaten vor einer Bank warteten drei Leute, und fünf halbwüchsige Jungen brüllten bei einem gemeinsamen Handygespräch so laut, dass ihre Stimmen in der ganzen engen Straße widerhallten. Eine magere Katze kam die Treppe vom Kai herauf und trottete an der Hausmauer entlang vorbei, während irgendwo in der Nähe ein Hund kläffte, dem eine laute Männerstimme immer wieder Schweigen gebot.

An der Ecke, wo die High Street nach rechts abbog und unter dem Namen Le Pollet adrett gepflastert einen Hang hinunter zum Hafen führte, zweigte links die ansteigende Smith Street ab. Hier bog Deborah ein und nahm den Anstieg in Angriff, während sie darüber nachdachte, wie die Situation sich innerhalb zwölf kurzer Stunden verändert hatte. Was mit Angst und Verzweiflung begonnen hatte, hatte mit Freude und Erleichterung geendet. Und mit einem Geständnis. Aber darauf war nichts zu geben. Sie wusste, dass Cherokees Worte dem übersprudelnden Glück des Moments entsprungen waren, dem Glück darüber, die Freiheit wiedergewonnen zu haben, die er beinahe verloren hätte. Was in einem solchen Zustand gesprochen wurde, konnte man nicht ernst nehmen.

Aber der Kuss ... Den konnte sie ernst nehmen. Als das, was er war – ein Kuss. Er war ihr angenehm gewesen. Mehr, er hatte sie erregt. Aber sie war klug genug, um Erregung nicht mit mehr zu verwechseln. Und sie fühlte sich Simon gegenüber weder unloyal noch schuldig. Es war schließlich nichts weiter als ein Kuss gewesen.

Sie lächelte bei der Erinnerung an die Augenblicke, die zu diesem Kuss geführt hatten. Das Talent, sich zu freuen wie ein Kind, war immer schon typisch für Chinas Bruder gewesen. Dieser Zwischenfall in Guernsey war eine Ausnahme in seinen dreiunddreißig Lebensjahren gewesen. Die Regel sah ganz anders aus.

Sie konnten jetzt ihre Reise fortsetzen oder heimkehren. Wie auch immer, sie würden einen Teil von Deborah mitnehmen, jenen Teil, der sich in drei kurzen Jahren in Kalifornien vom Mädchen zur Frau entwickelte hatte. Ohne Zweifel würde Cherokee weiterhin seine Schwester wütend machen; ohne Zweifel würde China ihren Bruder weiterhin frustrieren. Sie würden fortfahren, sich aneinander zu reiben, wie das bei zwei so komplexen Persönlichkeiten nicht anders zu erwarten war. Aber am Ende würden sie immer wieder zusammenfinden. So war das bei Geschwistern.

Über die Beziehung der beiden nachdenkend, ging Deborah an den Geschäften in der Smith Street vorüber, ohne ihre Umgebung richtig wahrzunehmen. Erst als sie auf halber Höhe war, blieb sie stehen, etwa dreißig Meter von dem Zeitungshändler entfernt, bei dem sie zuvor eine Zeitung gekauft hatte. Sie musterte die Gebäude zu beiden Seiten der Straße: Bürgerberatungsbüro, Marks & Spencer, Davies Reisebüro, Bäckerei Fillers, St. James' Galerie, Buchhandlung Buttons … Sie betrachtete sie alle und runzelte die Stirn. Sie ging zum Anfang der Straße zurück und lief noch einmal den Weg entlang – langsam und konzentriert. Am Kriegerdenkmal blieb sie stehen.

Sie hastete zum Hotel.

Simon war nicht im Zimmer. Er war in der Bar und las, einen Whisky neben sich, den *Guardian*. Eine Gruppe Geschäftsleute, die bei lautstarken Gesprächen Gin und Tonic kippten und dazu knirschend Kartoffelchips kauten, teilte sich die Bar mit ihm.

In der Luft hingen beißender Zigarettenrauch und der Geruch durchgeschwitzter Hemden nach einem langen Tag heißer Finanzgeschäfte.

Deborah drängte sich zu ihrem Mann durch. Sie sah, dass er sich schon zum Abendessen umgezogen hatte, und sagte hastig: »Ich laufe rauf und ziehe mich um.«

»Das ist doch nicht nötig«, sagte er. »Wollen wir reingehen? Oder möchtest du vorher noch etwas trinken?«

Es wunderte sie, wieso er nicht fragte, wo sie gewesen war. Er faltete die Zeitung zusammen und ergriff sein Whiskyglas, während er auf ihre Antwort wartete.

Sie sagte: »Ich ... einen Sherry vielleicht.«

»Ich hole ihn«, sagte er und ging los, um sich einen Weg zum Tresen zu bahnen.

Als er mit dem Drink zurückkam, sagte sie: »Ich war bei China. Sie haben Cherokee freigelassen. Man hat ihnen gesagt, dass sie abreisen können. *Sollen*, genauer gesagt. Mit der nächsten Maschine. Was ist denn da passiert?«

Er sah sie forschend an, lange, so lange, dass ihr neue Hitze ins Gesicht stieg. »Du hast Cherokee River sehr gern, nicht wahr?«, sagte er.

»Ich habe sie beide sehr gern. Simon, was ist geschehen? Bitte, sag es mir.«

»Das Gemälde wurde gestohlen, nicht gekauft«, sagte er und fügte in ausdruckslosem Ton hinzu: »In Südkalifornien.«

»In Südkalifornien?« Deborah wusste, dass ihre Stimme beunruhigt klang, aber sie konnte es nicht ändern, trotz der Ereignisse der letzten zwei Stunden.

»Ja. Südkalifornien.« Simon erzählte ihr die Geschichte des Gemäldes. Dabei sah er sie die ganze Zeit an, mit einem endlosen Blick, der sie zu ärgern begann, weil sie sich unter diesem Blick vorkam wie ein Kind, das seine Eltern irgendwie enttäuscht hat. Sie hasste diesen Blick – hatte ihn immer schon gehasst –, aber sie sagte nichts und ließ ihn schweigend zu Ende erklären.

»Die Schwestern vom St.-Clare's-Krankenhaus haben natürlich Vorsichtsmaßnahmen getroffen, als ihnen klar wurde, was sie da in Händen hatten, aber die reichten nicht aus. Irgendjemand hatte alles in Erfahrung gebracht oder wusste es von Anfang an: die Route, das Transportmittel und den Bestimmungsort. Es war ein gepanzerter Wagen, und die Wächter waren bewaffnet, aber wir haben es eben mit Amerika zu tun, dem Land, wo du ungehindert alles vom AK-47 bis zum Sprengstoff kaufen kannst.«

»Der Wagen wurde überfallen?«

»Als das Bild von der Restaurierung zurückgebracht wurde, ja. Ein Kinderspiel. Und so, wie die Sache aufgezogen war, hat gerade auf einer kalifornischen Schnellstraße keiner Verdacht geschöpft.«

»Wie meinst du das? Ein Stau? Straßenarbeiten?«

»Beides.«

»Aber wie haben sie es gemacht? Wie konnten sie entkommen?«

»Der Motor des Wagens überhitzte im Stau infolge eines winzigen Lecks im Kühler, wie später entdeckt wurde. Der Fahrer fuhr an den Straßenrand. Er musste aussteigen, um nach dem Motor zu sehen. Ein Motorradfahrer erledigte den Rest.«

»Vor so vielen Zeugen? Vor all den Leuten, die in den anderen Autos und Lastwagen saßen?«

»Ja. Aber was haben sie denn schon gesehen? Zunächst einen Motorradfahrer, der anhielt und einem Fahrzeug, das eine Panne hatte, seine Hilfe anbot. Später denselben Motorradfahrer, wie er sich zwischen den stehenden Fahrzeugen durchschlängelte –«

»– die ihm nicht folgen konnten. Ja. Ich kann mir vorstellen, wie es abgelaufen ist. Aber wo … Woher sollte Guy Brouard gewusst haben … So weit weg, in Südkalifornien?«

»Er war seit Jahren auf der Suche nach dem Gemälde, Deborah. Wenn ich es geschafft habe, die Story über das Bild im Internet aufzustöbern, wird ihm das auch gelungen sein. Und als er alle Informationen beisammen hatte, brauchte er nur noch nach Kalifornien zu reisen und das Geld auf den Tisch zu legen.«

»Aber wenn er nicht wusste, was für ein bedeutendes Werk es war … keine Ahnung hatte, wer der Maler war … eigentlich überhaupt nichts wusste... Simon, das heißt, dass er über Jahre sämtliche Storys in der Kunstwelt verfolgt haben muss. Über Jahre!«

»Er hatte die Zeit dazu. Und diese Geschichte war ja ganz außergewöhnlich. Ein Mann, der den Zweiten Weltkrieg mitgemacht hat, schenkt auf dem Totenbett dem Krankenhaus, das seinem Sohn als Kind das Leben gerettet hat, ein altes Bild. Das Bild entpuppt sich als ein wertvolles Kunstwerk, von dessen Existenz bisher niemand etwas ahnte. Es ist Millionen wert, und die Nonnen beabsichtigen, es versteigern zu lassen, um das Betriebskapital ihres Krankenhauses aufzustocken. Das ist ein Knüller, Deborah. Es war nur eine Frage der Zeit, wann Brouard auf die Story aufmerksam werden und etwas unternehmen würde.«

»Er ist also persönlich hinübergeflogen...«

»Um alles zu veranlassen, ja. Ausschließlich dazu. Um die notwendigen Schritte zu veranlassen.«

»Hm...« Deborah wusste, wie er ihre nächste Frage möglicherweise interpretieren würde, aber sie stellte sie trotzdem. Sie musste Gewissheit haben, weil hier irgendetwas nicht stimmte, sie *spürte* es. Sie hatte schon vorhin in der Smith Street das Gefühl gehabt. Und sie hatte es jetzt wieder. »Wenn das alles in Kalifornien passiert ist, wieso hat Le Gallez dann Cherokee auf freien Fuß gesetzt? Warum hat er beide – Cherokee und China – aufgefordert, die Insel zu verlassen?«

»Ich nehme an, er hat neue Spuren«, antwortete St. James. »Einen Hinweis, der eine andere Person belastet.«

»Du hast ihm nichts von dem Bild erzählt?«

»Nein.«

»Warum nicht?«

»Die Person, die dem Anwalt in Tustin das Bild zum Versand nach Guernsey lieferte, war nicht Cherokee River, Deborah. Sie hatte keinerlei Ähnlichkeit mit Cherokee River. Er hat mit der Sache nichts zu tun.«

Paul Fielder hatte die Hand noch nicht auf den Knauf gelegt, da riss sein Bruder Billy schon die Tür des Reihenhauses in Le Bouet auf. Er hatte offensichtlich auf Pauls Rückkehr gewartet. Wahrscheinlich hatte er im Wohnzimmer vor der Glotze gesessen, geraucht und sein Lager getrunken und die anderen Kinder angeschrien, sobald sie sich in seine Nähe gewagt hatten, dass sie ihn gefälligst in Ruhe lassen sollten. Und dazwischen hatte er immer wieder zum Fenster rausgeschaut und auf den Moment gewartet, wo Paul den holprigen Weg heraufkommen würde. Als er Paul kommen sah, hatte er sich an die Haustür gestellt, um ihn als Erster in Empfang zu nehmen.

Noch bevor Paul ins Haus getreten war, sagte Billy: »Na, das ist aber ’ne Überraschung. Der kleine Schleimscheißer ist wieder da. Sind die Bullen mit dir fertig, Wichser? Haben sie’s dir richtig gegeben, da oben im Knast? Ich hab gehört, das sollen sie am besten können, die Bullen.«

Paul drängte sich an ihm vorbei. Von oben hörte er seinen Vater rufen: »Ist das Paulie?«, und aus der Küche rief seine Mutter: »Paulie? Bist du das, Junge?«

Paul blickte zur Treppe und zur Küche und wunderte sich, dass seine Eltern um diese Zeit beide zu Hause waren. Sein Vater kam von seinem Job beim Straßenbau normalerweise erst heim, wenn es dunkel wurde, und seine Mutter machte Überstunden an der Kasse, wann immer sich die Gelegenheit dazu bot, und das war meistens der Fall. Deshalb war das Abendessen im Allgemeinen eine improvisierte Angelegenheit. Man nahm sich eine Dose Suppe oder Baked Beans und machte sich vielleicht einen Toast. Jeder versorgte sich selbst, außer den Kleinen. Für die bereitete Paul meistens irgendwas zu.

Er wollte zur Treppe, aber Billy hielt ihn auf. »Hey«, sagte er. »Wo ist der Hund, Wichser? Wo ist dein ständiger Begleiter, hm?«

Paul zögerte. Sofort packte ihn die Angst. Er hatte Taboo seit dem Morgen nicht mehr gesehen, als die Polizei gekommen war. Hinten im Streifenwagen sitzend, hatte er sich herumgedreht, weil Taboo ihnen nachrannte. Er hatte unablässig gebellt. Er war ihnen hinterhergerannt, als wollte er sie unbedingt einholen.

Paul schaute sich um. Wo war Taboo?

Er kniff die Lippen zusammen, um zu pfeifen, aber sein Mund

war zu trocken. Er hörte seinen Vater die Treppe herunterkommen. Im selben Moment kam seine Mutter aus der Küche. Sie trug eine Schürze mit einem Ketchup-Fleck und wischte sich die Hände an einem Handtuch ab.

»Paulie«, sagte sein Vater mit ernster Stimme.

»Junge«, sagte seine Mutter.

Billy lachte. »Er ist überfahren worden. Der blöde Köter ist überfahren worden. Erst von einem Auto und dann von einem LKW, und er ist einfach weitergerannt. Am Schluss hat er am Straßenrand gelegen und geheult wie eine Hyäne. Er hat nur noch darauf gewartet, dass einer kommt und ihm die Kugel gibt.«

»Das reicht, Bill«, fuhr Ol Fielder seinen Ältesten an. »Geh, zisch ab ins Pub oder wo du sonst hingehen wolltest.«

Billy sagte: »Ich wollte nirgends –«

Mave Fielder schrie: »Du tust, was dein Vater sagt. Auf der Stelle!« Es war ein wütendes Kreischen, so untypisch für Pauls sanftmütige Mutter, dass ihr ältester Sohn sie mit offenem Mund anstarrte, bevor er zur Tür schlurfte und seine Jacke nahm.

»Blödes Arschloch«, sagte er zu Paul. »Du kannst wirklich gar nichts. Nicht mal um einen dämlichen Köter kannst du dich kümmern.« Er stürmte in die Nacht hinaus und schlug die Tür hinter sich zu. Paul hörte noch, wie er höhnisch lachte und laut sagte: »Fahrt doch alle zur Hölle, ihr Nieten.«

Aber was Billy sagte oder tat, konnte ihn gar nicht berühren. Er taumelte ins Wohnzimmer, aber er sah nichts als Taboo. Taboo, wie er hinter dem Streifenwagen herrannte. Taboo am Straßenrand, tödlich verwundet, aber bellend und knurrend, so dass niemand sich an ihn heranwagte. Es war alles seine Schuld, weil er die Polizisten nicht angeschrien und ihnen gesagt hatte, sie sollten anhalten und den Hund ins Auto lassen. Dann hätte er ihn nach Hause bringen und anbinden können.

Er stieß gegen das durchgesessene alte Sofa und ließ sich darauf niederfallen. Jemand kam durchs Zimmer und setzte sich zu ihm. Er spürte, wie ein Arm sich um seine Schulter legte. Es sollte ein Trost sein, aber es fühlte sich an wie eine Klammer aus glühendem Metall. Er schrie auf und schüttelte den Arm ab.

»Ich weiß, wie schlimm das für dich ist, mein Junge«, sagte sein Vater so dicht an seinem Ohr, dass er die Worte hören musste. »Sie haben das arme Tier zum Tierarzt gebracht. Sie haben gleich angerufen. Bei Mama in der Arbeit, weil jemand da unten wusste, wem es gehört, und –«

*Es*. Sein Vater nannte Taboo *es*. Paul konnte es nicht hören, dass jemand so ein Nichts-Wort für seinen Freund gebrauchte, das einzige Wesen, das ihn wirklich kannte. Er hatte eine Seele, und er war so wenig ein *Es* wie Paul selbst.

»... fahren wir gleich rüber. Sie warten auf uns«, schloss sein Vater.

Paul sah ihn an, verwirrt und voller Angst. Was hatte er gesagt?

Mave Fielder schien zu wissen, war in ihrem Sohn vorging. Sie sagte: »Sie haben ihn noch nicht eingeschläfert, Paulie, Schatz. Ich habe nein gesagt. Ich habe gesagt, sie sollen warten. Ich habe gesagt, unser Paulie muss sich doch von ihm verabschieden, tun Sie bitte alles, was möglich ist, um es dem Hund angenehm zu machen, und warten Sie, bis Paul da ist. Dad fährt dich jetzt rüber. Die Kinder und ich ...« Sie wies zur Küche, wo Pauls Brüder und seine kleine Schwester beim Abendbrot saßen, froh und glücklich, dass ausnahmsweise die Mutter es ihnen gerichtet hatte. »Wir warten hier auf dich, Paulie.« Und als Paul und sein Vater aufstanden, fügte sie hinzu: »Es tut mir so Leid, mein Schatz.«

Draußen sagte Pauls Vater nichts mehr. Sie gingen zu dem alten Lieferwagen, auf dessen Seite noch die verblasste rote Aufschrift *Fielders Metzgerei in den Markthallen* sichtbar war, stiegen schweigend ein, und Ol Fielder ließ den Motor an.

Die Fahrt von Le Bouet aus dauerte viel zu lang. Die Tierklinik, die rund um die Uhr geöffnet war, befand sich am anderen Ende an der Route Isabelle, und einen direkten Weg dorthin gab es nicht. Sie mussten genau um die Tageszeit, wo der Verkehr am schlimmsten war, nach St. Peter Port hineinfahren und quer durch die ganze Stadt zuckeln, um ihr Ziel zu erreichen. Paul war krank vor Sorge. Seine Hände wurden feucht, sein Gesicht wurde eiskalt. Er konnte den Hund sehen, aber sonst nichts: immer nur den Hund, wie er bellend, bellend hinter dem Streifenwagen rannte, weil der einzige Mensch, den er liebte, ihm fortgenommen werden sollte. Paul und Taboo waren immer unzertrennlich gewesen. Selbst wenn Paul in der Schule war, saß der Hund geduldig wie ein Lamm in der Nähe und wartete.

»Hier sind wir, Paul. Komm mit rein.«

Die Stimme seines Vaters war sanft. Paul ließ sich zur Tür der Klinik führen. Er nahm alles wie durch einen Schleier wahr. Er roch die Tiere und die Medikamente, hörte die Stimmen seines Vaters und des Tierarztes. Aber er konnte nichts richtig erkennen. Er konnte erst wieder etwas erkennen, als sie ihn nach hinten gebracht hatten, in die stille dämmrige Ecke, wo ein elektrischer Heizofen eine zugedeckte kleine Gestalt warm hielt und aus einem Tropf ein Beruhigungsmittel in den Körper sickerte.

»Er hat keine Schmerzen«, murmelte sein Vater ihm ins Ohr, bevor er die Hand nach dem Hund ausstreckte. »Das haben wir ihnen extra gesagt, Paul. Sie sollen dafür sorgen, dass er nicht leidet. Geben Sie ihm keine Betäubung, haben wir gesagt. Wir möchten, dass er weiß, dass Paulie bei ihm ist. Und genauso haben sie's gemacht.«

Eine andere Stimme gesellte sich dazu. »Ihm gehört der Hund? Das ist Paul?«

»Das ist er«, bestätigte Ol Fielder.

Sie sprachen über Pauls Kopf hinweg, als dieser sich zu dem Hund hinunterbeugte und die Decke wegschob, um Taboo sehen zu können. Er lag mit halb geschlossenen Augen da und hechelte leicht, in seinem teilweise rasierten Vorderlauf steckte eine Nadel. Paul senkte sein Gesicht zu dem des Hundes hinunter. Er atmete in Taboos lakritzschwarze Nase. Der Hunde winselte, und seine Augenlider flatterten matt. Er schob die Zunge vor – eine schwache Bewegung – und berührte mit ihr Pauls Wange.

Wer konnte wissen, was sie miteinander teilten und was sie einander waren und was sie voneinander wussten? Niemand. Denn was sie hatten, was sie waren und was sie wussten, war zwischen ihnen allein. Wenn die Menschen Hund sagten, dachten sie an ein Tier. Paul aber dachte nie so von Taboo. Für ihn war Taboo ein göttliches Wesen, und mit Taboo zusammen zu sein, war Liebe und Hoffnung.

Dumm, dumm, dumm, hätte sein Bruder gesagt.

Dumm, dumm, dumm, hätte die ganze Welt gesagt.

Aber das spielte für Paul und Taboo keine Rolle. Sie hatten eine gemeinsame Seele. Sie waren Teil eines Wesens.

»... Operation«, sagte der Tierarzt. Paul konnte nicht erkennen, ob er mit seinem Vater sprach oder einer anderen Person. »... Milz erwischt, aber das muss nicht tödlich sein ... die größte Herausforderung ... die Hinterläufe ... könnte letztlich verlorene Liebesmüh sein ... schwer zu sagen ... eine sehr schwierige Sache.«

»Das kommt leider nicht in Frage«, sagte Ol Fielder mit Bedauern. »Die Kosten ...«

»... verstehe ... selbstverständlich.«

»Ich meine, allein schon das heute ... was Sie getan haben ...« Er seufzte tief. »Das wird einiges ...«

»Ja. Ich verstehe ... natürlich ... Sowieso nur eine geringe Chance bei der gebrochenen Hüfte ... weitgehende orthopädische Maßnahmen ...«

Paul sah zu ihnen hinauf, als er begriff, wovon sie sprachen. Von seiner Position aus, in der Hocke und über den Hund gebeugt, sahen die beiden Männer wie Riesen aus: der Tierarzt in seinem langen weißen Kittel und Ol Fielder in seiner schmutzigen Arbeitskluft. Aber für Paul waren sie die Verkörperung plötzlicher Hoffnung.

Er richtete sich auf und nahm seinen Vater beim Arm. Ol Fielder sah seinen Sohn an und schüttelte den Kopf. »So viel Geld haben wir nicht, mein Junge. Das können wir uns einfach nicht leisten. Und selbst wenn sie das alles mit dem armen Tier machen würden, wäre Taboo danach wahrscheinlich nicht mehr derselbe.«

Paul sah den Tierarzt an. Er hatte ein Plastikschildchen am Kittel, auf dem *Dr. Alistair Knight, Tierarzt*, stand. »Er wäre langsamer, das ist wahr. Und mit der Zeit würde er arthritisch werden. Und, wie gesagt, es kann sein, dass alle diese Maßnahmen ihn nicht am Leben erhalten würden. Wenn doch, würde die Rekonvaleszenz Monate dauern.«

»Das ist zu viel«, sagte Ol Fielder. »Das siehst du doch ein, nicht, Paulie? Deine Mutter und ich … Wir schaffen das nicht … Es würde ein Vermögen kosten. Und das haben wir nicht … Es tut mir so Leid, Paul.«

Dr. Knight kauerte nieder und strich mit der Hand über Taboos zottiges Fell. Er sagte: »Ein braver Hund ist das. Nicht wahr, mein Freund?« Und als verstünde er, schob Taboo wieder seine blasse Zunge vor. Er zitterte, und sein Atem pfiff. Seine Vorderpfoten zuckten. »Tja, dann werden wir ihn wohl einschläfern müssen«, sagte Dr. Knight und richtete sich wieder auf. »Ich hole die Spritze.« Und zu Paul: »Es wäre für euch beide ein Trost, wenn du ihn hältst.«

Paul beugte sich wieder zu Taboo hinunter, aber er nahm den Hund nicht in die Arme. Er hätte nur noch mehr Schaden angerichtet, wenn er ihn hochgenommen hätte, und das wollte er auf keinen Fall.

Ol Fielder trat von einem Fuß auf den anderen, während sie auf die Rückkehr des Tierarztes warteten. Paul zog behutsam die Decke über Taboo hoch. Er schob das elektrische Heizgerät näher heran, und als der Tierarzt mit zwei Spritzen in der Hand zu ihnen trat, war er bereit.

Ol Fielder kauerte nieder. Der Tierarzt ebenfalls. Paul wehrte die Hand des Arztes ab. »Ich habe das Geld«, sagte er so klar, als spräche er die ersten Worte, die je zwischen zwei Menschen gesprochen worden waren. »Es ist mir egal, was es kostet. Retten Sie Taboo.«

Deborah und ihr Mann ließen sich gerade den ersten Gang des Abendessens schmecken, als der Oberkellner an ihren Tisch trat. Nachdem er sich für die Störung entschuldigt hatte, sagte er zu Simon, draußen sei ein Herr, der ihn zu sprechen wünsche. Er warte gleich vor der Tür zum Speisesaal. Ob Mr. St. James ihm etwas ausrichten lassen wolle? Oder ob er ihn gleich persönlich sprechen wolle?

Simon drehte sich auf seinem Stuhl herum und blickte in die Richtung, aus der der Oberkellner gekommen war. Deborah machte es wie er und sah einen schweren Mann im grünen Anorak, der unmittelbar vor der Tür zu lauern und sie zu beobachten schien. Als ihre Augen sich trafen, richtete er seinen Blick auf Simon.

»Das ist Le Gallez. Entschuldige mich einen Moment, Liebes«, sagte Simon und ging hinaus, um mit dem Mann zu sprechen.

Beide Männer kehrten dem Restaurant den Rücken. Ihr Gespräch dauerte weniger als eine Minute. Deborah beobachtete sie und versuchte zu erraten, was das unerwartete Erscheinen der Polizei in ihrem Hotel bedeuten konnte, während sie gleichzeitig zu taxieren suchte, mit welchem Grad von Intensität die Unterhaltung geführt wurde.

Wenig später war Simon wieder zurück, aber er setzte sich nicht.

»Ich muss dich allein lassen.« Sein Gesicht war ernst. Er ergriff die Serviette, die er auf dem Stuhl liegen gelassen hatte, und faltete sie akkurat, wie das seine Art war.

»Warum?«, fragte sie.

»Ich hatte offenbar Recht. Le Gallez hat neue Beweise. Er möchte gern, dass ich sie mir ansehe.«

»Das kann nicht warten? Wenigstens bis nach …?«

»Er hat es eilig. Anscheinend will er noch heute Abend jemanden festnehmen.«

»Und dazu braucht er deine Erlaubnis? Simon, das ist doch –«

»Ich muss gehen, Deborah. Iss du ruhig weiter. Ich werde nicht lange weg sein. Ich muss ja nur zum Präsidium. Einmal um die Ecke, und schon bin ich wieder da.« Er beugte sich zu ihr hinunter und küsste sie.

»Wieso ist er persönlich gekommen, um dich zu holen?«, fragte sie. »Er hätte doch – Simon!« Aber er ging schon davon.

Deborah blieb einen Moment still sitzen und starrte ins flackernde Licht der Kerze auf ihrem Tisch. Sie hatte dieses unbehagliche Gefühl, das einen befällt, wenn man eine eklatante Lüge aufgetischt bekommt. Sie wollte Simon nicht nachlaufen und eine Erklärung verlangen, aber gleichzeitig war ihr klar, dass sie nicht hier sitzen bleiben und warten konnte. Also entschied sie sich für den Mittelweg und verließ den Speisesaal, um in die Bar zu gehen, wo ein Fenster nach vorn hinausführte.

Dort, vor dem Hotel, sah sie Simon, wie er gerade seinen Mantel überzog. Le Gallez sprach mit einem uniformierten Constable. Draußen auf der Straße wartete ein Streifenwagen mit Fahrer. Dahinter stand ein weißer Kleinbus der Polizei, durch dessen Fenster Deborah die Silhouetten weiterer Polizisten erkennen konnte.

Sie stieß einen kleinen Schrei aus. Sie fühlte den Schmerz, erkannte ihn als das, was er war, und eilte aus der Bar hinaus.

Sie hatte Tasche und Mantel im Zimmer gelassen. Auf Simons Vorschlag hin, wie sie jetzt erkannte. Er hatte gesagt: »Das brauchst du doch alles gar nicht, Liebes«, und sie hatte sich nach ihm gerichtet, wie sie sich immer nach ihm richtete, da er ja so klug war, so um sie besorgt, so … was? So fest entschlossen, zu verhindern, dass sie ihm folgte. Während er selbst natürlich seinen Mantel irgendwo ganz in der Nähe des Speisesaals gehabt hatte, weil er von Anfang an gewusst hatte, dass Le Gallez aufkreuzen würde.

Aber Deborah war nicht so töricht, wie ihr Mann anscheinend glaubte. Sie verfügte über den Vorteil der Intuition. Und über den noch größeren Vorteil, schon einmal an dem Ort gewesen zu sein, der zweifellos das Ziel der Männer war. Der ihr Ziel sein *musste*, trotz allem, was Simon ihr erzählt hatte, um eine falsche Spur zu legen.

Nachdem sie Mantel und Tasche geholt hatte, lief sie wieder nach unten und zur Straße hinaus. Die Polizeifahrzeuge waren weg, der Bürgersteig war leer, die Straße frei. Sie rannte zum Parkplatz um die Ecke vom Hotel und gegenüber dem Polizeipräsidium. Es wunderte sie nicht, weder Streifenwagen noch einen Kleinbus auf seinem Hof stehen zu sehen. Sie hatte von Anfang an nicht geglaubt, dass Le Gallez mit einer Eskorte gekommen war, um Simon abzuholen und die knapp hundert Meter bis zur Polizeidienststelle zu befördern.

»Wir haben im Herrenhaus angerufen, um ihr Bescheid zu geben«, sagte Le Gallez zu St. James, als sie schnell durch die Dunkelheit in Richtung St. Martin fuhren, »aber es hat sich niemand gemeldet.«

»Was glauben Sie, hat das zu bedeuten?«

»Ich hoffe, es bedeutet, dass sie ausgegangen ist, in ein Konzert oder zu Freunden zum Essen vielleicht. Sie ist Samariterin, vielleicht ist bei denen heute Abend was los. Wir können es nur hoffen.«

Sie folgten den Windungen des Val des Terres, immer nahe an der moosbewachsenen Mauer entlang, die die baumbestandenen Hänge befestigte. Mit dem Kleinbus hinter ihnen erreichten sie Fort George, wo das Licht der Straßenlampen auf die leere Wiese auf der Ostseite der Fort Road fiel. Die Häuser auf der Westseite wirkten seltsam unbewohnt um diese Stunde, bis auf das von Bernard Debiere. In seinem Haus waren sämtliche Fenster, die nach vorn hinausgingen, hell erleuchtet, als erwartete er eine große Gesellschaft.

Das einzige Geräusch im Wagen, während sie mit unvermindert hoher Geschwindigkeit dahinfuhren, war das gelegentliche Knistern und Knacken des Funkgeräts. Le Gallez ergriff es, als sie schließlich in eine der schmalen, heckengesäumten Landstraßen der Insel einbogen und unter den Bäumen dahinbrausten, bis sie die Mauer erreichten, die die Grenze von *Le Reposoir* bildete. Er befahl dem Fahrer des nachfolgenden Kleinbusses, die Abzweigung zur Bucht hinunter zu nehmen. Lassen Sie den Wagen dort, und kommen Sie mit Ihren Leuten auf dem Fußweg wieder herauf, sagte er. Man würde sich innerhalb des Tors von *Le Reposoir* treffen.

»Und achten Sie darauf, dass niemand Sie sieht«, befahl er, bevor er das Gespräch beendete. Zum Fahrer ihres eigenen Wagens sagte er: »Fahren Sie beim *Bayside* rein. Hinten auf den Hof.«

Das *Bayside* war ein Hotel, das wie so viele andere außerhalb von St. Peter Port den Winter über geschlossen war. Es stand wie ein dunkler Block in der Dunkelheit am Straßenrand, etwa zwölfhundert Meter vom Tor zu *Le Reposoir* entfernt. Sie fuhren hinter das Gebäude, wo neben einer mit einem Vorhängeschloss gesicherten Tür eine Mülltonne stand. Le Gallez öffnete seinen Sicherheitsgurt und stieß die Autotür auf, sobald der Wagen zum Stehen gekommen war.

Auf dem Fußmarsch die Straße entlang nach *Le Reposoir* erzählte St. James Le Gallez alles, was er über die Anlage des Geländes wusste. Sobald sie das Tor passiert hatten, tauchten sie in die Schatten der Kastanien an der Auffahrt und warteten auf die Polizisten aus dem Kleinbus.

»Sie sind sich Ihrer Sache ganz sicher?«, murmelte Le Gallez, während sie in der Dunkelheit standen und gegen die Kälte mit den Füßen stampften.

»Es ist die einzige plausible Erklärung«, antwortete St. James.

»Hoffen wir's.«

Beinahe zehn Minuten vergingen, bevor die anderen Beamten, keuchend vom raschen Aufstieg, zu ihnen stießen.

»Zeigen Sie uns den Weg«, sagte Le Gallez zu St. James und ließ diesen vorausgehen.

Das Besondere an seiner Frau, der Fotografin, war ihr Blick fürs Detail – was Deborah wahrnahm und was sie sich merkte. Es war daher für St. James kein großes Problem, den Dolmen zu finden. Die Hauptsorge der Männer war es, nicht gesehen zu werden: weder vom Verwalterhaus aus, wo die Duffys wohnten, noch vom Herrenhaus aus, wo Ruth Brouard sich auf einen Anruf hin nicht gemeldet hatte. Sie schlichen sich an der Ostseite der Auffahrt entlang und schlugen in einem Abstand von vielleicht dreißig Metern einen Bogen um das Haus, wobei sie sich im Schutz der Bäume hielten und sich vorantasteten, ohne Taschenlampen zu benutzen.

Die Nacht war ungewöhnlich finster, eine dicke Wolkendecke verbarg Mond und Sterne. Mit St. James an der Spitze bewegten sich die Männer einzeln hintereinander unter den Bäumen voran und gelangten so zum Gebüsch hinter den Stallungen. Sie fanden die Lücke in der Hecke, durch die sie weiter zum Wald und zum Trampelpfad zu der Koppel gelangten, wo der Dolmen war.

Die aus losen Steinen aufgeschichtete Mauer war für jeden mit gesunden Gliedern leicht zu überwinden, doch für St. James, durch die Beinschiene behindert, war die Sache nicht so einfach, und die schwarze Dunkelheit war eine zusätzliche Schwierigkeit.

Le Gallez war das offenbar klar. Er knipste eine kleine Taschenlame an und ging suchend an der Mauer entlang, bis er eine Stelle fand, wo die oberen Steine abgebröckelt waren. Durch die so entstandene, schmale Lücke konnte man leichter zur anderen Seite hinüberklettern. »Das müsste eigentlich gehen«, murmelte er und stieg als Erster zur Koppel hinüber.

Auf der anderen Seite fanden sie sich von einer Wildnis aus dornigem Gebüsch, Farn und Brombeergestrüpp umgeben. Le Gallez blieb mit dem Anorak sofort an irgendeinem Stachel hängen, und die beiden Constables, die ihm folgten, fluchten bald leise vor sich hin, weil sie sich immer wieder dem Zugriff dorniger Ranken erwehren mussten.

»Du meine Güte«, schimpfte Le Gallez mit gesenkter Stimme, während er seine Jacke von dem Ast löste, an dem sie festhing. »Sind Sie sicher, dass wir hier richtig sind?«

»Es muss einen bequemeren Zugang geben«, sagte St. James.

»Da haben Sie verdammt Recht.« Le Gallez wandte sich an einen seiner Leute. »Machen Sie mal Licht, Saumarez.«

St. James sagte: »Aber wir wollen doch nicht –«

»Wir werden überhaupt nichts erreichen«, unterbrach ihn Le Gallez, »wenn wir hier rumstrampeln wie die Fliegen im Netz. Los, Saumarez, Licht. Halten Sie's nach unten.«

Der angesprochene Constable hatte eine starke Lampe bei sich, die das Gelände mit Licht überflutete. St. James stöhnte – vom Haus aus konnte man den Lichtschein bestimmt sehen. Aber wenigstens hatten sie den Übergang über die Mauer glücklich gewählt: keine zehn Meter zu ihrer Rechten konnten sie einen Pfad erkennen, der über die Koppel führte.

»Ausmachen!«, befahl Le Gallez, als er das gesehen hatte. Das Licht erlosch. Le Gallez ging voraus und bahnte den Männern, die ihm folgten, den Weg. Die Dunkelheit war ein Segen und ein Fluch zugleich. Sie war schuld daran, dass sie den Trampelpfad zur Mitte der Koppel nicht auf Anhieb gefunden hatten, sondern zuerst einmal in unwegsamer Wildnis gelandet waren. Aber sie verbarg sie jetzt auf dem Marsch zum Hauptweg, der bei Mondschein nur allzu deutlich sichtbar gewesen wäre.

Der Dolmen war so, wie Deborah ihn St. James beschrieben hatte. Er erhob sich in der Mitte der Koppel, als wären vor Generationen mehrere Morgen Land eigens zu dem Zweck abgegrenzt worden, ihn zu schützen. Für das unerfahrene Auge sah er aus wie ein schlichter Erdhügel, der aus unerklärlichem Grund mitten auf diesem verwilderten Feld emporragte. Aber jemand, der einen Blick für Spuren früher Geschichte besaß, hätte ihn näherer Erforschung für wert befunden.

Um ihn herum führte ein schmaler Weg, der aus dem umgebenden Wildwuchs herausgeschlagen worden war. Knapp sechzig Zentimeter breit, umschrieb er die Rundung des Hügels, und die Männer folgten ihm, bis sie zu der dicken Holztür mit dem Vorhängeschloss gelangten.

Le Gallez hielt an. Wieder schaltete er seine kleine Taschenlame ein und richtete den Strahl zuerst auf das Schloss, dann auf Farn und Gestrüpp. »Keine gute Deckung«, sagte er leise.

Das stimmte. Wenn sie dem Killer hier auflauern wollten, würde das nicht einfach werden. Aber sie brauchten sich andererseits, um sich zu verstecken, nicht weit von dem Dolmen zu entfernen, da die Vegetation so dicht war, dass sie reichlich Deckung bot.

»Hughes, Sebastian, Hazell«, sagte Le Gallez mit einer Kopfbewegung zum Feld hin. »Kümmern Sie sich darum. Sie haben genau fünf Minuten. Ich will Zugang, aber in voller Deckung. Und still, um Himmels willen. Wer sich das Bein bricht, weint leise. Hawthorne, Sie sind drüben an der Mauer. Sobald einer drübersteigt, geben Sie Zeichen. Ich hab meinen Piepser auf Vibration gestellt. Alle anderen: Handy aus, Piepser aus, Funk aus. Keiner redet, niest, rülpst oder furzt. Wenn wir das vermasseln, können wir wieder von vorn anfangen, und ich fände das nicht lustig. Verstanden? Dann los.«

Ihr Vorteil war, das wusste St. James, die Zeit. Es schien zwar finsterste Nacht zu sein, aber es war noch nicht spät am Abend.

Dass der Mörder sich vor Mitternacht zum Dolmen wagen würde, war unwahrscheinlich. Zu groß war vorher das Risiko, auf dem Gelände jemandem zu begegnen und erklären zu müssen, warum man ohne Licht in der Dunkelheit herumstolperte.

St. James war deshalb sehr erstaunt, als er keine Viertelstunde später Le Gallez mit einem unterdrückten Fluch sagen hörte: »Hawthorne hat draußen jemanden gesichtet. Scheiße. So ein gottverdammter Mist.« Zu den Constables, die etwa fünf Meter von der Tür zum Dolmen entfernt immer noch im Gestrüpp herumtrampelten sagte er: »Hey, ich hab gesagt, fünf Minuten. Wir kommen jetzt.«

Er ging voraus, und St. James folgte. Die Männer hatten es geschafft, im Unterholz ein abgeschirmtes Fleckchen von der Größe einer Hundehütte zu lichten. Es bot zwei Beobachtern Platz. Fünf quetschten sich hinein.

Die Person, die der Mann an der Mauer gesichtet hatte, näherte sich rasch und zielstrebig, überstieg ohne einen Moment des Zögerns die Mauer und schlug den Trampelpfad zum Dolmen ein. Sehr bald konnten sie in der Dunkelheit eine noch dunklere Gestalt ausmachen. Ein stetig länger werdender Schatten auf dem Farn, der den Hügel bedeckte, zeigte eine Sicherheit der Bewegung, die verriet, dass die unbekannte Person mit diesem Ort vertraut war.

Plötzlich war eine Stimme zu hören, leise, aber klar und deutlich. »Simon? Wo bist du?«

»Was, zum Teufel ...«, knurrte Le Gallez.

»Ich weiß, dass du hier bist, und ich gehe nicht weg«, verkündete Deborah unmissverständlich.

St. James stieß einen Seufzer aus, der halb Fluch war. Er hätte das in Betracht ziehen müssen. »Sie ist dahinter gekommen«, sagte er zu Le Gallez.

»Ach nein?«, erwiderte Le Gallez mit bitterer Ironie. »Los, sehen Sie zu, dass sie auf der Stelle verschwindet.«

»Das«, sagte St. James, »wird nicht leicht werden.« Er schob sich an Le Gallez und den Constables vorbei und suchte sich den Weg zurück zum Dolmen. »Hier, Deborah«, sagte er.

Sie drehte sich nach ihm um. »Du hast mich angelogen«, sagte sie nur.

Er antwortete erst, als er sie erreicht hatte. Gespensterbleich konnte er ihr Gesicht in der Dunkelheit ausmachen. Ihre Augen waren groß und dunkel, und er musste ausgerechnet in diesem Moment an die Augen des Kindes denken, das vor beinahe zwei Jahrzehnten am Grab seiner Mutter gestanden hatte, verwirrt und auf der Suche nach einem Menschen, dem es vertrauen konnte.

»Es tut mir Leid«, sagte er. »Mir ist nichts anderes eingefallen.«

»Ich möchte wissen –«

»Das ist jetzt weder der Ort noch die Zeit. Du musst wieder gehen, Deborah. Le Gallez hat bei mir ein Auge zugedrückt, aber er wird nicht für dich das zweite auch noch zudrücken.«

»Ich gehe nicht«, entgegnete sie. »Ich weiß, was du denkst. Ich bleibe. Ich will dabei sein, wenn sich dein Verdacht als falsch erweist.«

»Hier geht es nicht um richtig oder falsch«, sagte er.

»Natürlich nicht. Darum geht es für dich nie. Für dich geht es immer nur um Fakten und darum, wie du sie interpretierst. Wer sie anders interpretiert, kann zum Teufel gehen. Aber ich kenne diese Menschen. Du nicht. Du hast sie nie kennen gelernt. Du siehst sie nur durch –«

»Du bist voreilig in deinem Urteil, Deborah. Wir haben jetzt keine Zeit, zu streiten. Es steht zu viel auf dem Spiel. Du musst gehen.«

»Dann müsst ihr mich schon wegtragen.« Er hörte diesen aufreizend endgültigen Ton in ihrer Stimme. »Du hättest dir das vorher überlegen sollen. Was mach ich, wenn die kleine Debbie merkt, dass ich gar nicht brav und harmlos zum Polizeipräsidium gehe?«

»Deborah, um Gottes willen –«

»Was, zur Hölle, ist hier eigentlich los?« Le Gallez stand direkt hinter St. James und trat drohend auf Deborah zu.

Es war St. James ein Gräuel, jemandem, den er kaum kannte, eingestehen zu müssen, dass er diese eigenwillige rothaarige

Person nicht unter Kontrolle hatte und nie gehabt hatte. In einer anderen Welt und zu einer anderen Zeit hätte ein Mann vielleicht eine gewisse Macht über eine Frau wie Deborah besessen. Aber leider lebten sie nicht in dieser längst vergangenen Zeit, wo Frauen mit der Heirat zum Eigentum ihrer Männer wurden.

Er sagte: »Sie will nicht –«

»Ich gehe nicht.« Deborah sprach Le Gallez direkt an.

»Sie tun, was Ihnen gesagt wird, Madam, sonst lasse ich Sie einsperren«, entgegnete Le Gallez.

»Wunderbar«, sagte sie. »Darauf verstehen Sie sich ja offensichtlich bestens. Sie haben schon zwei Freunde von mir ohne wirklich ausreichende Gründe eingesperrt. Warum also nicht auch mich?«

»Deborah!« St. James wusste, dass es sinnlos war, vernünftig mit ihr reden zu wollen, aber er versuche es trotzdem. »Du kennst nicht alle Fakten.«

»Und wie kommt das?«, fragte sie spitz.

»Es war keine Zeit.«

»Ach was?«

An ihrem Ton erkannte er, dass er nicht richtig eingeschätzt hatte, wie sehr sein heimlicher Alleingang sie treffen würde. Aber er hatte einfach nicht die Freiheit gehabt, sie so umfassend zu unterrichten, wie sie das anscheinend wollte. Dazu war alles viel zu schnell gegangen.

»Wir sind zusammen hierher gekommen«, sagte sie leise zu ihm. »Wir wollten ihnen gemeinsam helfen.«

Den Rest brauchte sie nicht zu sagen: *Also sollten wir es auch gemeinsam zu Ende bringen.* Aber so war es nicht, und im Moment konnte er ihr nicht erklären, warum. Sie waren kein Witzblattpärchen à la Tommy und Tuppence, das nach Guernsey gekommen war, um sich mit Schlagfertigkeit und Witz zwischen Chaos, Mord und Anarchie hindurchzulavieren. Ein Mensch war ums Leben gekommen, nicht irgendein erfundener Schurke, der um die Ecke gebracht worden war, weil er es nicht besser verdient hatte. Und Gerechtigkeit gab es für diesen Menschen jetzt nur noch, wenn es gelang, seinen Mörder in dem Moment zu fassen, in dem er sich selbst verriet. Doch der Erfolg dieses Bemühens war ernstlich gefährdet, wenn es St. James nicht schaffte, seiner Frau irgendwie Vernunft beizubringen.

Er sagte: »Es tut mir Leid. Wir haben jetzt keine Zeit mehr. Ich erkläre dir alles später.«

»Meinetwegen«, gab sie zurück. »Dann warte ich. Du kannst mich ja im Gefängnis besuchen.«

»Deborah, um Himmels willen…«

Le Gallez unterbrach. »Herrgott, Mann!« Und dann zu Deborah: »Ich werde mich später mit Ihnen befassen, Madam.«

Er drehte sich herum und marschierte zur Deckung zurück. Daraus schloss St. James, dass er sich mit Deborahs Bleiben abgefunden hatte. Es gefiel ihm nicht, aber er wusste, dass es keinen Sinn hatte, den Streit mit seiner Frau fortzusetzen. Auch er würde sich später mit der Situation befassen.

# 30

Sie hatten sich ein Versteck angelegt, ein Rechteck niedergetrampelter Vegetation, in dem schon zwei andere Polizisten auf der Lauer lagen, wie Deborah sah. Es war offenbar noch ein dritter da gewesen, aber der war aus irgendeinem Grund zum anderen Rand der Koppel hinübergegangen. Sie verstand nicht, was das sollte, denn es gab hier nur einen Weg hinein und hinaus: den Trampelpfad durch die Wildnis.

Wie viele Polizisten sonst noch auf dem Gelände waren, wusste sie nicht, und es interessierte sie auch nicht sonderlich. Sie versuchte immer noch, damit fertig zu werden, dass ihr Mann sie zum ersten Mal in ihrer Ehe bewusst und vorsätzlich belogen hatte. Zumindest glaubte sie, dass es das erste Mal war, wenn sie auch zugeben musste, dass so, wie die Dinge standen, alles möglich war. Ihre Gefühle wechselten zwischen Zorn und Rachegelüsten, und sie überlegte sich, was sie ihm sagen würde, wenn die

Polizei ihre Arbeit erledigt hatte, wie auch immer die aussehen mochte.

Gnadenlose Kälte überfiel die Wartenden. Von der Bucht heraufziehend, breitete sie sich über der Koppel aus und erreichte sie kurz vor Mitternacht. So jedenfalls schien es Deborah. Niemand wollte es riskieren, Licht zu machen, um auf die Uhr zu sehen.

Sie warteten in tiefer Stille. Minuten verstrichen und wurden zu Stunden, ohne dass etwas geschah. Ab und zu ließ ein Rascheln im Gebüsch die kleine Gruppe aufhorchen. Aber wenn dann nichts mehr folgte als weiteres Rascheln, schrieben sie das Geräusch irgendeinem Tier zu, in dessen Revier sie eingedrungen waren. Vielleicht war es eine Ratte gewesen. Oder eine neugierige Wildkatze, die sich die Eindringlinge näher ansehen wollte.

Deborah hatte den Eindruck, es müsste bald Tag werden, als Le Gallez endlich leise sagte: »Er kommt.« Sie hätte es wahrscheinlich überhört, wenn nicht eine spürbare Veränderung durch die Truppe gegangen wäre.

Dann hörte sie es: das Knirschen von Steinen auf der Koppelmauer, gefolgt vom Knacken eines Ästchens auf dem Boden, als sich in der Finsternis jemand dem Dolmen näherte. Kein Licht erhellte den Weg, der demjenigen offenbar bekannt war. Nur ein Augenblick verging, bevor eine Gestalt, ganz in Schwarz wie eine Todesfee, auf den Pfad huschte, der um den Dolmen herumführte.

An der Tür richtete die schwarze Gestalt kurz ein Licht auf das Zahlenschloss. Aus dem Dickicht jedoch konnte Deborah nur den Rand einer kleinen Lichtpfütze erkennen, deren Schimmer die schwarze Rundung eines gebeugten Rückens vor der Tür zum Dolmen umriss.

Sie erwartete, dass die Polizei jetzt zuschlagen würde. Aber niemand rührte sich. Niemand, so schien es, wagte auch nur zu atmen, als die Gestalt am Dolmen das Vorhängeschloss abnahm und in gebückter Haltung in das uralte Bauwerk eindrang.

Die Tür blieb halb offen. Einen Moment nur, dann fiel von drinnen schwacher Lichtschein nach draußen, der flackernde Glanz einer Kerze, wie Deborah wusste. Er wurde heller, als eine zweite Kerze entzündet wurde. Doch hinter der Tür war nichts zu erkennen, und die dicken Mauern aus Steinen und aufgeschütteter Erde verschluckten jedes Geräusch, das drinnen vielleicht laut wurde.

Deborah konnte nicht verstehen, warum die Polizei untätig blieb. Zu Simon gewandt flüsterte sie: »Was …?«

Er drückte ihren Arm. Sie konnte sein Gesicht nicht erkennen, aber sie hatte den Eindruck, dass alle seine Sinne auf die Tür des Dolmen konzentriert waren.

Drei Minuten verstrichen, nicht mehr, dann erloschen plötzlich die Kerzen im Inneren des Dolmen. An ihre Stelle trat der ruhige Lichtstrahl der Taschenlampe und näherte sich von innen der Tür, als Le Gallez murmelte: »Ganz ruhig jetzt, Saumarez. Warten Sie. Ruhig Blut. Ganz ruhig, Mann.«

Die Gestalt trat ins Freie hinaus, und als sie sich aufrichtete, sagte Le Gallez: »Jetzt!« In ihrem engen kleinen Versteck sprang der angesprochene Beamte auf und schaltete im selben Augenblick eine Taschenlampe ein, deren Licht so stark war, dass es Deborah ebenso blendete wie China River, die im grellen Strahl und in Le Gallez' Falle gefangen war.

»Bleiben Sie, wo Sie sind, Miss River«, befahl Le Gallez. »Das Gemälde ist nicht hier.«

»Nein«, flüsterte Deborah. Sie hörte Simon leise sagen: »Es tut mir Leid, Liebes«, aber sie konnte die Worte nicht richtig hören, weil auf einmal alles rasend schnell ging.

An der Tür zum Dolmen wirbelte China herum, als ein zweiter Lichtstrahl von der Mauer hinter ihnen sie einfing wie ein gejagtes Tier. Sie sprach kein Wort. Mit einer blitzschnellen Bewegung tauchte sie wieder unter den Erdhügel und schlug die Tür hinter sich zu.

Deborah sprang auf, ohne zu überlegen. »China!«, rief sie laut und versicherte ihrem Mann und den Polizisten in Panik: »Es ist nicht so, wie es aussieht.«

Als hätte sie gar nicht gesprochen, sagte Simon als Antwort auf eine Frage Le Gallez': »Nur das Feldbett, Kerzen, ein Holzkasten mit Kondomen …« Und da wusste sie, dass ihr Mann jedes Wort, das sie über den Dolmen gesagt, an die Polizei weitergegeben hatte.

Aus irgendeinem Grund – es war völlig unlogisch, lächerlich, dumm, aber sie konnte es nicht ändern – schien ihr das ein noch schlimmerer Verrat zu sein, den sie nicht begriff. Sie kam aus dem Versteck hervor, um ihrer Freundin zu helfen.

Simon hielt sie fest.

»Lass mich los!«, schrie sie und versuchte, sich von ihm loszureißen. Sie hörte, wie Le Gallez sagte: »Gott verdammt, schafft sie weg!«, und schrie: »Ich hole sie euch raus. Lass mich los. Lass mich los.«

Sie entwand sich Simons Umklammerung, aber sie lief nicht weg. Schwer atmend standen sie einander gegenüber. Deborah sagte: »Sie kann doch gar nicht fliehen. Das weißt du. Und sie wissen das auch. Ich hole sie. Du *musst* mich zu ihr lassen.«

»Das kann ich nicht entscheiden.«

»Dann sag es ihnen.«

Le Gallez sagte: »Sie sind sicher?«, und zu Simon: »Es gibt keinen anderen Weg hier raus?«

Deborah sagte: »Was macht das schon für einen Unterschied? Wie soll sie von der Insel wegkommen? Sie weiß, dass sie den Flughafen und die Hafenbehörden alarmieren werden. Soll Sie nach Frankreich schwimmen? Sie kommt bestimmt raus, wenn ich … Lassen Sie mich ihr sagen, wer hier draußen ist …« Sie hörte das Zittern ihrer Stimme und war zornig, dass sie nicht nur mit der Polizei, nicht nur mit Simon, sondern auch noch mit ihren verwünschten Gefühlen kämpfen musste, die ihr niemals erlaubten, so zu sein wie er: kühl, leidenschaftslos, zu absoluter Sachlichkeit fähig, wenn es darauf ankam. So wie es jetzt darauf ankam.

Erschüttert sagte sie zu Simon: »Wie bist du darauf gekommen …« Aber sie konnte die Frage nicht vollenden.

»Ich wusste es nicht«, antwortete er. »Nicht mit Sicherheit. Ich wusste nur, dass es einer von ihnen sein musste.«

»Was hast du mir verschwiegen? Nein. Es ist mir egal. Lass

mich zu ihr gehen. Ich sage ihr, was ihr bevorsteht. Ich bringe sie heraus.«

Simon blickte sie forschend an. Sie konnte die Unschlüssigkeit in seinem klugen, markanten Gesicht erkennen. Aber sie sah auch die ängstliche Frage, wie weit er ihr Vertrauen zu ihm zerstört hatte.

Über seine Schulter hinweg sagte er zu Le Gallez: »Wären Sie damit einverstanden –«

»Sind Sie wahnsinnig? Nein! Wir haben es mit einer Mörderin zu tun. Eine Leiche haben wir schon. Ich will keine zweite.« Dann zu seinen Leuten: »Holt das Miststück raus!«

Das wirkte auf Deborah wie ein Signal. Sie rannte durch das Gestrüpp und erreichte die Tür des Dolmen, noch ehe Le Gallez rufen konnte: »Haltet sie auf!«

Als sie einmal dort war, blieb den Männern nicht viel anderes übrig, als abzuwarten, was als Nächstes geschehen würde. Sie konnten den Dolmen stürmen und ihr Leben gefährden, wenn China bewaffnet war, was, wie Deborah wusste, nicht zutraf. Oder sie konnten warten, bis Deborah die Freundin herausbrachte. Wie es danach weitergehen würde – wahrscheinlich mit ihrer eigenen Festnahme –, darüber wollte Deborah im Augenblick nicht nachdenken.

Sie stieß die schwere Holztür auf und trat in den Bau aus uralten Steinen.

Als die Tür sich hinter ihr geschlossen hatte, hüllte Schwärze sie ein, so undurchdringlich und still wie in einer Gruft. Das Letzte, was sie hörte, war ein Ruf von Le Gallez, der von der zufallenden Tür abgeschnitten wurde. Das Letzte, was sie sah, war der schmale Lichtstreif, der im selben Moment erlosch.

»China«, sagte sie in die Stille und lauschte. Sie versuchte, sich zu vergegenwärtigen, was sie vom Inneren des Dolmen gesehen hatte, als sie mit Paul Fielder hier gewesen war. Die große zentrale Kammer befand sich geradeaus vor ihr. Die Nebenkammer war zu ihrer Rechten. Es war gut möglich, dass es noch weitere Kammern gab, vielleicht links von ihr, aber die hatte sie bei ihrem ersten Besuch nicht gesehen, und sie konnte sich auch nicht erinnern, ob es irgendwelche Spalten zwischen den Steinen gab, durch die man vielleicht in diese Kammern hineingelangte.

Sie versuchte, sich an die Stelle ihrer Freundin zu versetzen, an die Stelle jedes Menschen, der in so einer Situation gefangen war. Sicherheit, dachte sie. Das Gefühl der Rückkehr in den Mutterschoß. Die innere Nebenkammer, die klein war und in der man sich geschützt fühlte.

Sie hob die Hand tastend zur Mauer. Es war sinnlos darauf zu warten, dass ihre Augen sich an die Dunkelheit gewöhnen würden, doch kein noch so schwaches Licht durchdrang die Finsternis.

Noch einmal sagte sie: »China. Draußen ist die Polizei. Sie sind auf dem Feld. Drei von ihnen sind vielleicht neun bis zehn Meter von der Tür entfernt, und einer ist auf der Mauer. Wie viele sonst noch da sind, vielleicht auf den Bäumen, weiß ich nicht. Ich bin nicht mit ihnen gekommen. Ich bin Simon gefolgt…« Selbst jetzt brachte sie es nicht fertig, der Freundin zu sagen, dass ihr Mann an dieser Aktion mitgewirkt hatte.

»Es gibt keinen Weg hier heraus«, sagte sie. »Ich will nicht, dass dir etwas geschieht. Ich weiß nicht, warum…« Aber sie konnte diesen Satz nicht mit der Ruhe vollenden, die sie wünschte, darum wählte sie einen anderen Weg. »Es gibt für alles eine Erklärung. Das weiß ich. Es gibt eine. Nicht wahr? China?«

Sie horchte angestrengt, während sie nach der Spalte suchte, die den Zugang zu der kleinen Seitenkammer bot. Sie sagte sich, es gebe nichts zu fürchten, dies war ja ihre Freundin, die Frau, die für sie da gewesen war, als sie die schlimmste Zeit ihres Lebens durchgemacht hatte; eine Zeit, die von Liebe und Verlust, von Unschlüssigkeit, von Entscheidungen und den Folgen dieser Entscheidungen bestimmt gewesen war. Sie hatte sie in den Armen gehalten und immer wieder versprochen: »Es geht vorbei, Debs. Es geht vorbei, glaube mir.«

Noch einmal rief Deborah in der Dunkelheit Chinas Namen. »Lass mich dich hier rausbringen«, fügte sie hinzu. »Ich will dir helfen. Ich will für dich da sein. Ich bin doch deine Freundin.«

Sie schob sich in die innere Kammer hinein. Ihre Jacke streifte den kalten Stein. Sie hörte das Rascheln des Stoffs. Und China River hörte es offenbar auch, denn endlich sprach sie.

»Freundin?«, sagte sie. »O ja, Debs. Eine schöne Freundin bist du.« Sie knipste die Taschenlampe an, mit der sie das Schloss an der Tür zum Dolmen angeleuchtet hatte. Der Lichtstrahl traf Deborah mitten ins Gesicht. Er kam von unten, von dem Feldbett, auf dem China saß. Das Gesicht hinter dem Licht war so weiß wie eine marmorne Totenmaske. »Du«, sagte China, »hast von Freundschaft keine Ahnung. Und hast nie eine gehabt. Erzähl mir also nicht, was du alles für mich tun willst.«

»Ich habe die Polizei nicht hergebracht. Ich wusste nicht…« Aber Deborah konnte nicht lügen, nicht in diesem letzten Moment. Sie war in der Smith Street gewesen. Sie war dorthin zurückgekehrt und hatte nirgends ein Geschäft gesehen, wo man die Süßigkeiten hätte bekommen können, die China für ihren Bruder gekauft haben wollte. Cherokee selbst hatte ihre Schultertasche geöffnet, um nach Geld zu sehen, und keine Süßigkeiten zum Vorschein gebracht, schon gar nicht die Schokoriegel, die er angeblich so gern aß.

Mehr zu sich selbst als zu China sagte Deborah: »Warst du in diesem Reisebüro? Ja, natürlich, dort musst du gewesen sein. Du hast geplant, wohin du zuerst reisen würdest, sobald du die Insel verlassen könntest. Du hast gewusst, dass sie dich auf freien Fuß setzen würden. Schließlich hatten sie ja ihn. So musst du es von Anfang an gewollt haben, wahrscheinlich hast du es sogar so geplant. Aber warum?«

»Das würdest du gern wissen, nicht?« China ließ den Lichtstrahl an Deborahs Körper hinauf und hinunter wandern. Sie sagte: »Perfekt in jeder Hinsicht. Immer erfolgreich bei allem, was du tust. Immer irgendeines Mannes Liebling. Ich kann mir vorstellen, dass du gern wissen würdest, wie es ist, zu nichts gut zu sein, und es dir dann auch noch von jemandem demonstrieren zu lassen, der sich dabei kaputtlacht.«

»Du willst doch nicht sagen, dass du ihn getötet hast, weil – China, was hast du getan? Warum hast du es getan?«

»Fünfzig Dollar«, sagte sie. »Fünfzig Dollar und ein Surfbrett. Überleg dir das mal, Deborah. Fünfzig Dollar und ein lumpiges altes Surfbrett.«

»Wovon redest du?«

»Ich rede davon, was er bezahlt hat. Ich rede vom Preis. Er dachte, es würde nur einmal stattfinden. Das dachten sie beide. Aber ich war gut – viel besser, als er erwartet hatte und viel besser, als ich erwartet hatte. Da wollte er mehr. Ursprünglich ging's nur darum, dass er endlich mal eine Jungfrau knacken wollte, und mein Bruder hat ihm versichert, dass ich ein williges Opfer wäre, wenn er sich nur wie ein netter, anständiger Junge benimmt und so tut, als ginge es ihm überhaupt nicht darum, mich in die Kiste zu kriegen. Und so ist es dann auch gelaufen. Allerdings dreizehn Jahre lang. Eigentlich ein prima Geschäft für ihn, wenn man sich überlegt, dass er dafür nur fünfzig Dollar und ein Surfbrett an meinen Bruder rausrücken musste. An meinen eigenen *Bruder*.« Der Lichtstrahl der Taschenlampe zitterte. Sie zwang sich zu einem Lachen.

»Stell dir das vor. Der eine glaubt, es wär die ewige Liebe, und der andere kommt nur, um sich den besten Fick abzuholen, den er weit und breit kriegen kann. Und die ganze Zeit – die ganze Zeit, Deborah! – hat er eine Rechtsanwältin in LA, eine Galeristin in New York, eine Ärztin in Chicago und weiß der Himmel wen noch alles in den übrigen Teilen des Landes. Aber keine von ihnen – wohlgemerkt, Deborah, keine von ihnen – macht's ihm so gut wie ich, darum kann er nicht genug kriegen und kommt immer wieder zu mir zurück. Und ich bin so blöd zu glauben, dass wir irgendwann für immer zusammen sein werden, weil es so wunderbar ist, so einmalig, das muss er doch auch sehen, richtig? Und er sieht's ja auch, klar, aber es gibt eben noch andere, es hat von Anfang an andere gegeben. Ich hab das allerdings erst erfahren, als ich ihn zur Rede stellte. Nachdem mein Bruder, dieses gottverdammte Schwein, zugegeben hatte, dass er mich für fünfzig Dollar und ein Surfbrett an seinen besten Freund verschachert hat, als ich siebzehn Jahre alt war.«

Deborah wagte nicht, sich zu rühren, wagte kaum, zu atmen,

weil sie Angst hatte, eine falsche Bewegung könnte die Freundin über die Grenze treiben, an der sie sich mühsam hielt. Sie sagte das Einzige, wovon sie überzeugt war: »Das kann nicht wahr sein!«

»Was kann nicht wahr sein?«, fragte China. »Der Teil über dich oder der über mich? Der über mich ist Fakt, das kann ich dir sagen. Also sprichst du wohl von dem Teil über dich. Willst du vielleicht sagen, dass dein Leben nicht von Tag eins bis Tag hundertscheißtausend wie am Schnürchen gelaufen ist, alles total nach Plan?«

»Natürlich ist es nicht so gelaufen. Kein Leben läuft so.«

»Der Daddy, der dich vergöttert. Der reiche Freund, der dir jeden Wunsch von den Augen abliest. Als Nächstes der gleichermaßen betuchte Ehemann. *Alles*, was man sich nur wünschen kann. Kein Wölkchen am Himmel. Okay, in Santa Barbara lief's nicht ganz so glatt, aber am Ende hat sich alles zum Besten gewendet. Und ist das bei dir nicht immer so? Alles wendet sich immer zum Besten.«

»China, so leicht macht es das Leben keinem. Das weißt du ganz genau.«

Es war, als hätte Deborah nicht gesprochen. »Und dann klinkst du dich einfach aus. Genau wie alle anderen. Als hätte ich nicht mein Herz und meine Seele daran gehängt, dir eine gute Freundin zu sein, als du eine gebraucht hast. Du bist genau wie Matt. Genau wie alle anderen. Du nimmst dir, was du brauchst, und vergisst, was du schuldig bist.«

»Soll das heißen ... Du willst doch nicht etwa sagen, dass du das alles getan hast – was du getan hast ... Hast du das etwa –«

»– deinetwegen getan? Bilde dir nichts ein. Es ist an der Zeit, dass mein Bruder seine Zeche bezahlt.«

Deborah dachte über Chinas Worte nach. Sie erinnerte sich daran, was Cherokee ihr an jenem ersten Abend in London erzählt hatte. Sie sagte: »Du wolltest doch gar nicht mit ihm nach Guernsey fliegen. Jedenfalls zu Anfang nicht.«

»Nein. Erst als ich mir überlegt hatte, dass ich diese Reise dazu benutzen könnte, ihn bluten zu lassen«, bestätigte China. »Ich wusste noch nicht, wann und wie, aber mir war klar, dass sich eine Gelegenheit ergeben würde. Vielleicht Drogen im Koffer bei der Zollabfertigung. Wir wollten nach Amsterdam, da hätte ich das Zeug besorgen können. Das wäre nicht schlecht gewesen. Nicht hundertprozentig, aber eine gute Möglichkeit. Auch eine Waffe wäre eine Möglichkeit gewesen. Oder Sprengstoff in der Bordtasche. Oder irgendetwas. Mir war's egal. Ich wusste nur, dass ich schon das Richtige finden würde, wenn ich die Augen offen hielte. Und als wir dann hierher kamen, nach *Le Reposoir*, und er mir – na ja, zeigte, was er da hatte ...« Ein gespenstisches Lächeln huschte über das Gesicht hinter der Lichtquelle. »Da war's klar. Die Chance war zu schön, um sie nicht wahrzunehmen.«

»Cherokee hat dir das Bild gezeigt?«

»Aha«, sagte China. »Du steckst also dahinter. Du und Simon, dieses Wunder von einem Ehemann. Quatsch, Debs. Cherokee hatte keine Ahnung, dass er dieses Gemälde rumschleppte. Und ich auch nicht. Ich wusste nichts davon, bis Guy es mir zeigte. Kommen Sie doch auf einen Schlaftrunk zu mir ins Arbeitszimmer, meine Schöne. Ich möchte Ihnen etwas zeigen, was Sie mehr beeindrucken wird, als alles, was ich Ihnen bisher gezeigt oder erzählt habe, um sie flachzulegen, meine Hübsche, denn das möchte ich gern, und Sie möchten es auch, das sehe ich Ihnen an. Und selbst wenn Sie es nicht wollen, kann ein Versuch nicht schaden, denn ich bin reich und Sie nicht, und reiche Männer brauchen nur reich zu sein, um von den Frauen zu kriegen, was Sie wollen, und das weißt du besser als jede andere, stimmt's, Debs? Nur war's diesmal nicht für fünfzig Dollar und ein Surfbrett, und die Bezahlung ging nicht an meinen Bruder. Es war ein Dutzend Fliegen mit einer Klappe und nicht nur zwei. Also hab ich genau hier, auf dieser Pritsche, mit ihm gevögelt, als er mir die Bude hier zeigte. Er wollte es, nur deshalb hatte er mich hierher gebracht. Seine ganz besondere Freundin hat er mich genannt – dieses Arschloch. Er hat die Kerze angezündet und auf das Feldbett hier geklopft und gesagt: Was halten Sie von meinem kleinen Versteck? Sagen Sie es mir ins Ohr. Kommen Sie ganz nahe. Lass mich dich berühren. Ich kann dich erwecken, und du kannst mich erwecken, und das Licht liegt sanft auf unserer Haut, und sie wird golden, wo wir berührt werden wollen. Wie hier, an dieser Stelle, und dort, an jener. Ach Gott, ich glaube wirklich, du bist endlich die Richtige, meine Schöne. Also hab ich's mit ihm getan, Deborah, und glaub mir, er hat's genossen, genau wie Matt es genossen hat. Und hier habe ich das Bild versteckt, als ich es an dem Abend, bevor ich ihn getötet habe, an mich genommen habe.«

»O Gott«, sagte Deborah.

»Gott hatte nichts damit zu tun. Damals nicht. Und heute auch nicht. Nie. In meinem Leben kommt er nicht vor. In deinem vielleicht, aber nicht in meinem. Und du weißt, dass das ungerecht ist. Es war immer ungerecht. Ich bin so gut wie du, so gut wie jeder andere, und ich verdiene etwas Besseres als das, was ich bekommen habe.«

»Du hast also das Bild genommen? Weißt du, was es ist?«

»Du wirst es nicht glauben, aber ich lese Zeitung«, sagte China. »In Südkalifornien sind sie nicht besonders gut und in Santa Barbara noch schlechter. Aber die großen Storys … O ja, über die großen Storys berichten sie.«

»Aber was wolltest du denn damit anfangen?«

»Keine Ahnung. Es war eigentlich nur eine nachträgliche Zutat. Nicht der Kuchen, nur der Guss. Ich wusste, wo es in seinem Arbeitszimmer lag. Er hat sich gar keine Mühe gegeben, es zu verstecken. Da hab ich's genommen und in Guys Geheimfach versteckt. Ich wollte es mir später holen. Ich wusste, dass es hier gut aufgehoben sein würde.«

»Aber es hätte doch jeder hier hereinkommen und es finden können«, sagte Deborah. »Ich meine, er hätte nur das Schloss aufzubrechen brauchen, wenn er die Zahlenkombination nicht gekannt hätte. Wenn er mit einer Taschenlampe gekommen wäre, hätte er es sofort gesehen und –«

»Wie denn?«

»Man konnte es doch gar nicht übersehen, wenn man hinter diesen Altarstein trat.«

»*Da* hast du es gefunden?«

»Nicht ich. Paul, Guy Brouards Freund. Der Junge...«

»Ach so«, sagte China. »Bei ihm muss ich mich also bedanken.«

»Wofür?«

»Dass er mir stattdessen das hier hingelegt hat.« China hob eine Hand ins Licht. Sie hielt einen Gegenstand von der Form einer kleinen Ananas. Deborah wollte fragen, was das ist, aber da hatte ihr Verstand schon verarbeitet, was ihre Augen sahen.

Draußen sagte Le Gallez zu St. James: »Ich gebe ihr noch zwei Minuten. Dann ist Schluss.«

St. James versuchte immer noch, damit klarzukommen, dass an diesem Abend China River und nicht ihr Bruder hier erschienen war. Er hatte zwar zu Deborah gesagt, er habe gewusst, dass einer der beiden Rivers der Täter sein müsse – denn das war die einzige vernünftige Erklärung für alles, was geschehen war, vom Ring am Strand bis zur Flasche auf der Wiese –, aber für ihn hatte von Anfang an festgestanden, dass es der Bruder sein würde, wenn es ihm auch an der moralischen Kraft gefehlt hatte, sich dies offen einzugestehen. Es hatte weniger damit zu tun gehabt, dass Mord ein Verbrechen war, das er eher Männern als Frauen zutraute. Es hatte damit zu tun gehabt, dass er auf einer primitiven Ebene, die er am liebsten gar nicht zur Kenntnis genommen hätte, Cherokee River aus dem Weg haben wollte. Das war von dem Moment an so gewesen, als der Amerikaner liebenswürdig und mit gesunden Gliedern in London vor ihrer Tür gestanden und seine Frau Debs genannt hatte.

Er antwortete daher Le Gallez nicht gleich. Er war zu sehr damit beschäftigt, sich irgendwie aus der Konfrontation mit seiner Fehlbarkeit und seiner erbärmlichen persönlichen Schwäche herauszuwinden.

»Saumarez«, sagte Le Gallez neben ihm. »Halten Sie sich bereit. Die anderen –«

»Sie bringt sie bestimmt heraus«, unterbrach St. James. »Sie sind Freundinnen. China wird auf meine Frau hören. Sie wird sie sicher herausbringen. Es gibt keine Alternative.«

»Ich bin nicht bereit, dieses Risiko auf mich zu nehmen«, sagte Le Gallez.

Die Handgranate sah uralt aus. Selbst von der anderen Seite der Kammer konnte Deborah erkennen, dass das Ding völlig mit Erde verkrustet und von Rost verfärbt war. Es schien aus dem Zweiten Weltkrieg zu stammen. Sie konnte nicht glauben, dass sie wirklich gefährlich war. Wie sollte so ein altes Ding heute noch explodieren?

China schien ihre Gedanken zu lesen. »Aber du weißt es nicht mit Sicherheit, nicht wahr?«, sagte sie. »Und ich auch nicht. Erzähl mir, wie sie es rausgebracht haben, Debs.«

»Was?«

»Alles. Dass ich es war. Das Ganze hier. Warum haben sie dich mitgenommen? Das hätten sie nicht getan, wenn sie nicht Bescheid gewusst hätten.«

»Ich sage dir doch, ich bin Simon gefolgt. Wir saßen beim Abendessen, und da kam die Polizei. Simon sagte mir –«

»Lüg mich nicht an, okay? Sie mussten die Mohnölflasche gefunden haben, sonst hätten sie Cherokee nicht abgeholt. Sie dachten sich, er hätte die anderen Spuren gelegt, um mich in Verdacht zu bringen. Denn warum sollte ich mich selbst in Verdacht bringen wollen, einzig im Vertrauen darauf, dass sie diese Flasche finden würden? Okay, sie haben sie also gefunden. Aber wie ging es weiter?«

»Ich weiß nichts von einer Flasche«, erklärte Deborah. »Ich weiß nichts von Mohnöl.«

»Bitte! Mach mir doch nichts vor. Simon würde dir nie etwas Wichtiges verschweigen. Also los, sag's mir, Debs.«

»Ich habe dir alles gesagt. Ich weiß nicht, was sie wissen. Simon hat mir nichts gesagt. Er wollte nicht.«

»Ah, er hat dir nicht vertraut?«

»Anscheinend nicht.« Deborah fühlte sich bei diesem Eingeständnis, als wäre sie von Vater oder Mutter mitten ins Gesicht geschlagen worden. Eine Mohnölflasche. Er hatte ihr nicht vertraut. Sie sagte: »Wir müssen gehen. Sie warten. Sie werden den Dolmen stürmen, wenn wir nicht –«

»Ich nicht«, sagte China.

»Was meinst du?«

»Ich gehe nicht. Ich gehe nicht ins Gefängnis. Ich lasse mich nicht vor Gericht stellen. Ich verschwinde.«

»Du kannst hier nicht weg, China. Du kannst die Insel nicht verlassen. Sie haben wahrscheinlich schon… Du kannst nicht weg.«

»Du hast mich falsch verstanden«, sagte China. »Ich will hier gar nicht weg. Ich verschwinde einfach, das ist was anderes. Du und ich, wir verschwinden zusammen. Freundinnen – wenn man so sagen will – bis zum letzten Atemzug.« Sie legte die Taschenlampe weg und begann, am Stift der alten Granate zu ziehen. »Ich kann mich nicht mehr erinnern, wie lang es dauert, bis diese Dinger explodieren«, murmelte sie. »Weißt du es?«

»China!«, rief Deborah. »Nein. Das klappt doch nicht. Und wenn doch –«

»Darauf baue ich«, sagte China.

Zu Deborahs Entsetzen gelang es China, den Stift zu lockern. Alt und verrostet, sechzig Jahre lang den Elementen ausgesetzt, hätte er eigentlich unverrückbar festsitzen müssen. Aber so war es nicht. Wie eine Erinnerung – ähnlich den scharfen Bomben, die bis heute gelegentlich in Süd-London gefunden wurden – lag sie in Chinas Hand, während Deborah sich vergeblich ins Gedächtnis zu rufen versuchte, wie viel Zeit ihnen noch blieb – wie viel Zeit *ihr* noch blieb –, um dem Tod zu entgehen.

China murmelte: »Fünf, vier, drei, zwei…«

Deborah warf sich nach rückwärts und stürzte blind in die Finsternis. Einen Moment lang, der sich zur Unendlichkeit dehnte, geschah nichts. Dann erschütterte eine donnernde Explosion den Dolmen.

Danach kam nichts mehr.

Die Tür wurde aus der Verankerung gerissen und flog wie ein Geschoss ins dichte Gestrüpp. Ein Windstoß folgte ihr, stinkend wie ein Sturm aus der Hölle. Die Zeit schien still zustehen. Alle Geräusche versiegten, aufgesogen vom Entsetzen des Begreifens.

Nach einer Stunde, einer Minute, einer Sekunde brach die Reaktion der ganzen Welt über den Stecknadelkopf herein, der dieser Ort auf der Insel Guernsey war. Rund um St. James begann alles zu toben wie das abfließende Wasser bei einem Dammbruch, das alles mitreißt, was es auf seinem Weg findet. Er wurde sich bewusst, dass er auf dem geschützten Fleckchen platt getretener Vegetation herumgeschoben und gestoßen wurde. Menschen rannten an ihm vorbei, und er hörte wie von einem fernen Planeten das Fluchen eines Mannes und die heiseren Rufe eines anderen. In noch weiterer Ferne schien hoch über ihnen ein dünner Schrei zu schweben, während rundherum Lichter, die Staub und Finsternis durchdringen sollten, hin und her schwangen wie die Gliedmaßen Gehängter.

Er starrte auf den Dolmen und erkannte in der abgerissenen Tür, dem ungeheuren Lärm, dem schaurigen Windstoß die Manifestation dessen, was keiner von ihnen für möglich gehalten hatte. Als er das akzeptiert hatte, stolperte er vorwärts, direkt zur Tür, ohne zu merken, dass er sich mitten im Gestrüpp befand, das ihn festhielt. Er kämpfte sich von Stacheln und Dornen frei. Für ihn gab es nur die Tür, das Innere des Dolmen und die unsagbare Furcht vor etwas, das er nicht benennen wollte, aber dennoch begriff. Niemand musste ihm erklären, was soeben seiner Frau und ihrer Freundin, die eine Mörderin gewesen war, geschehen war.

Jemand packte ihn, und er nahm laute Stimmen wahr und verstand auch die Worte. »O Gott. Hierher. Kommen Sie, Mann. Saumarez. Um Gottes willen, halten Sie ihn fest. Saumarez, Licht, verdammt noch mal. Hier drüben. Hawthorne, gleich werden die Leute oben vom Haus kommen. Halten Sie sie zurück.«

Er wurde gezogen und gezerrt und dann vorwärts gestoßen. Dann war er von den Hecken befreit und rannte Le Gallez hinterher zum Dolmen.

Denn der stand da, wie er schon seit hunderttausend Jahren stand: Granit, aus dem Stoff gehauen, aus dem die Insel selbst gemacht war, Mauern, Boden, Decke, und dann in der Erde verborgen, die die Menschen hervorgebracht hatte, die immer wieder versuchen sollten, ihn zu zerstören.

Ohne Erfolg. Selbst jetzt.

Le Gallez brüllte Befehle. Er hatte seine Taschenlampe herausgezogen und leuchtete mit ihr ins Innere des Dolmen. Ihr Licht fiel auf den Staub, der in die Höhe stieg wie die erlösten Seelen am Tag des Jüngsten Gerichts. Über seine Schulter hinweg sprach er mit einem seiner Männer, der ihn etwas fragte. Und diese Frage – wie auch immer sie lautete, St. James war unfähig, irgendetwas wahrzunehmen außer dem, was dort im Inneren des Dolmen auf ihn wartete – veranlasste Le Gallez, an der Tür stehen zu bleiben, um zu antworten. St. James sah eine Gelegenheit, in den Dolmen hineinzukommen, die sich ihm sonst vielleicht nicht geboten hätte, und er nutzte sie. Er begann zu beten, als er hineinschlüpfte, mit Gott zu feilschen: Wenn sie überlebt, werde ich alles tun, alles sein, alles versuchen, was du willst, alles annehmen. Nur bitte, Gott, nicht dies, nicht dies.

Er hatte keine Lampe, aber das machte nichts. Er brauchte kein Licht, er hatte seine Hände. Er ertastete sich seinen Weg ins Innere. Er schlug mit den Händen auf die rauen Steine, er schrammte mit den Knien dagegen, und in seiner Hast stieß er sich an irgendeinem tiefen Stein in der Decke den Kopf an. Er taumelte und fühlte die Wärme seines Bluts, das aus der Wunde an der Stirn sickerte. Er feilschte immer noch. Ich werde alles sein, was du von mir verlangst, alles tun, alles annehmen, ohne Frage. Ich werde für andere leben, nur für sie leben, treu und loyal sein, besser zuhören, versuchen zu verstehen, denn da liegt mein Versagen, da lag es schon immer, und du weißt das, und darum hast du sie mir genommen. Ist es nicht so, ist es nicht so, ist es nicht so.

Er hätte sich auf die Knie hinuntergelassen und wäre gekrochen, aber er konnte nicht. Er war in der Schiene eingesperrt, die ihn aufrecht hielt. Aber er musste kriechen, knien, um in der

Finsternis und dem Staub, wo er sie nicht finden konnte, Gott anzuflehen. Er riss an seinem Hosenbein, versuchte, den verhassten Kunststoff zu erreichen und den Klettverschluss, aber es gelang ihm nicht, und darum fluchte er so viel, wie er bettelte und bat.

So fand ihn Le Gallez. »Heiliger Jesus«, sagte er und schrie, sich herumdrehend: »Saumarez, wir brauchen mehr Licht.«

Aber nicht St. James. Er hatte schon gesehen. Zuerst die Farbe, Kupfer, dann die Fülle und die Pracht – wie sehr hatte er ihr Haar geliebt.

Deborah lag unmittelbar vor dem leicht erhobenen Stein, den sie ihm als Altar beschrieben hatte, an der Stelle, wo Paul Fielder seiner Aussage nach das Gemälde der Dame mit dem Buch und der Feder gefunden hatte.

St. James rannte stolpernd zu ihr. Verschwommen nahm er um sich herum Bewegung wahr und Licht, das in die Kammer strömte. Er hörte Stimmen und das Scharren von Füßen auf Stein. Er roch den Staub und den beißenden Gestank des Sprengstoffs. Er schmeckte das Salz und das Kupfer seines Bluts, und er fühlte zuerst den kalten harten Stein des Altars, als er ihn erreichte, und dahinter den warmen, weichen Körper seiner Frau.

Er sah nur Deborah, als er sie herumdrehte. Das Blut in ihrem Gesicht und ihren Haaren, ihre zerfetzten Kleider, ihre geschlossenen Augen.

Er riss sie in seine Arme und drückte ihr Gesicht an seinen Hals. Er konnte weder beten noch fluchen, die Mitte seines Lebens – das, was ihn zu dem machte, was er war, er selbst – war ihm in einem Augenblick entrissen worden, den er nicht vorausgesehen hatte, nicht hatte voraussehen können. Ohne dass ihm ein Moment der Vorbereitung gegönnt worden war.

Er sagte ihren Namen. Er schloss die Augen, um nichts mehr sehen zu müssen, und er hörte nichts.

Aber er konnte noch fühlen, nicht nur den Körper der Frau, die er in den Armen hielt und nie wieder loszulassen schwor, sondern nach einer kleinen Weile auch den Hauch eines Atems, flach und schnell an seinem Hals. Barmherziger Gott. An seinem Hals.

»Mein Gott«, sagte St. James. »Mein Gott. Deborah!«

Er ließ seine Frau sachte zu Boden gleiten und rief laut um Hilfe.

Das Bewusstsein kehrte in zwei Stufen zurück. Zuerst kam der Ton: ein hohes, dünnes Vibrieren, das immer gleich blieb. Es erfüllte ihren Gehörgang und drückte pulsierend an die zarte, schützende Membran in seinem Inneren. Dann schien er durch das Trommelfell hindurchzusickern und in ihren Schädel einzudringen. Und dort blieb er. Es gab keinen Raum für andere Geräusche, wie sie sie bisher gekannt hatte.

Nach dem Ton kam das Licht: nur hell und dunkel, Schatten vor einem Vorhang, der die Sonne selbst zu sein schien. Der Glanz war so stark, dass sie sich ihm immer nur wenige Sekunden aussetzen konnte. Danach musste sie die Augen wieder schließen, wodurch das Geräusch in ihrem Kopf lauter zu werden schien.

Das Vibrieren blieb. Ob ihre Augen geöffnet oder geschlossen waren, ob sie wach war oder in einem Dämmerzustand zwischen Wachen und Schlafen, das Geräusch war da. Es wurde ihr zur einzigen Konstanten, auf die sie sich verlassen konnte, und sie nahm es als ein Zeichen dafür, dass sie am Leben war. Vielleicht, dachte sie, hören Kinder so, wenn sie zur Welt kommen; vielleicht ist dies ihre erste klangliche Wahrnehmung. Es war etwas Greifbares, ein Orientierungspunkt, und als den nahm sie den Ton und schwamm zu ihm hinauf, wie man zur fernen Oberfläche eines Sees hinaufschwimmt, unter schweren, heftig wogenden Wellen, in denen dennoch stets die Verheißung von Luft und Sonne blitzt.

Als Deborah das Licht länger als ein paar Sekunden vertragen konnte, erkannte sie, dass es daran lag, dass der ewige Tag endlich zur Nacht geworden war. Wo immer sie sich befand, aus der strahlenden Helligkeit einer für das Publikum erleuchteten Bühne war ein dämmriger Raum geworden. Eine schmale Neonröhre über ihrem Bett warf einen sanft leuchtenden Schein auf ihren Körper, der sich unter der dünnen, über ihm ausgebreiteten Decke in Hügeln und Tälern abzeichnete. An ihrem

Bett saß ihr Mann auf einem Stuhl, den er so nahe herangezogen hatte, dass er den Kopf auf ihrer Matratze legen konnte. Seine Arme hielten seinen Kopf umschlungen, und sein Gesicht war von ihr abgewandt. Sie wusste, dass es Simon war, weil sie diesen Mann überall erkannt hätte: seine Größe und seine Gestalt, wie sein Haar sich im Nacken lockte, wie seine Schulterblätter zu glatten, kräftigen Flächen wurden, wenn er die Arme hob.

Ihr fiel auf, dass sein Hemd schmutzig war. Auf dem Kragen waren rotbraune Flecken, als hätte er sich beim Rasieren geschnitten und das Blut hastig mit seinem Hemd abgetupft. Schmutzstreifen zogen sich über den Ärmel an dem Arm, der näher bei ihr lag, und auch der Stoff der Manschetten war mit Blut voll gesogen. Mehr sah sie nicht von ihm, und ihr fehlte die Kraft, ihn zu wecken. Sie konnte nur ihre Finger ein paar Zentimeter näher zu ihm hin schieben. Aber das genügte.

Simon hob den Kopf. Er sprach, aber das Geräusch in ihrem Kopf übertönte alles, und sie konnte ihn nicht hören. Sie schüttelte den Kopf, versuchte, selbst zu sprechen, konnte aber auch das nicht, weil ihre Kehle so trocken war und Zunge und Lippen an ihren Zähnen zu kleben schienen.

Simon griff nach etwas, das auf dem Tisch am Bett stand. Er hob ihren Kopf ein wenig an und hielt ihr einen Plastikbecher mit einem gebogenen Trinkhalm an die Lippen, den er ihr behutsam in den Mund schob. Sie trank dankbar das Wasser, es war lauwarm, aber das machte ihr nichts aus. Während sie trank, spürte sie, wie er näher kam. Sie fühlte sein Zittern und glaubte, dass er gleich das Wasser verschütten würde. Sie wollte seine Hand ruhig halten, aber er ließ sie nicht. Er hob ihre Hand an seine Wange und ihre Finger an seinen Mund. Er neigte sich zu ihr hinunter und drückte seine Wange auf ihren Scheitel.

Deborah war mit dem Leben davongekommen, erklärte man ihm, weil sie entweder nie in die innere Kammer, wo die Explosion stattgefunden hatte, hineingegangen war, oder weil sie es geschafft hatte, kurz vor der Explosion der Granate aus ihr in die größere Kammer zu fliehen. Es sei eindeutig eine Handgranate gewesen, sagte die Polizei. Es gab Beweise genug dafür.

Was die andere Frau anging... Niemand zündete einen mit TNT gefüllten Sprengkörper in der eigenen Hand und überlebte. Die Polizei vermutete, dass die Explosion absichtlich herbeigeführt worden war. Eine andere Erklärung gab es nicht.

»Ein Glück, dass die Explosion unter dem Hügel passierte«, sagten zuerst die Polizisten und dann zwei Ärzte vom Princess Elizabeth Hospital zu St. James. »Jeder andere Bau wäre bei so einer Explosion über den beiden eingestürzt. Sie wäre zermalmt, wenn nicht bis nach Timbuktu geschleudert worden. Sie hat Glück gehabt. Alle haben Glück gehabt. Ein moderner Sprengstoff hätte nicht nur den Dolmen, sondern die ganze Koppel weggefegt. Wie, zum Teufel, ist die Frau an diese Granate gekommen? Das ist doch die entscheidende Frage.«

Nur eine der entscheidenden Fragen, dachte St. James. Die anderen begannen alle mit dem Wort *warum*. Dass China River zum Dolmen zurückgekehrt war, um das Gemälde zu holen, das sie dort versteckt hatte, daran gab es keinen Zweifel. Dass sie irgendwie davon erfahren hatte, dass das Gemälde zum Transport nach Guernsey unter den Bauplänen versteckt war, war ebenfalls klar. Dass sie das Verbrechen eingebettet in die ihr bekannten Gewohnheiten Guy Brouards geplant und ausgeführt hatte, konnten sie sich aus den Gesprächen zusammenreimen, die sie mit den Betroffenen geführt hatten. Aber der *Grund* des Ganzen blieb zunächst rätselhaft. Warum hatte sie sich die Mühe gemacht, ein Gemälde zu stehlen, das sie niemals auf dem freien Merkt hätte verkaufen können, sondern höchstens zu einem Preis, der weit geringer gewesen wäre als der tatsächliche Wert, an einen privaten Sammler... Und auch nur dann, wenn sich ein Sammler gefunden hätte, der sich nichts daraus gemacht hätte, ein gestohlenes Kunstwerk zu erwerben. Warum hatte sie lediglich auf die geringe Chance hin, dass die Polizei eine Flasche finden würde, die die Fingerabdrücke ihres Bruders trug und Reste des Opiats enthielt, mit dem das Opfer betäubt worden war, Spuren gelegt, die sie selbst in Verdacht bringen mussten? Und warum hatte sie die Spuren gelegt, die ihren Bruder in Verdacht bringen mussten? Das vor allem.

Weiter war da der *Ablauf*. Wie hatte sie sich das Feenrad beschafft, mit dem sie Brouard erstickt hatte? Hatte er es ihr gezeigt? Hatte sie gewusst, dass er es bei sich trug? Hatte sie geplant, es für den Mord zu benutzen? Oder war das ein Moment plötzlicher Eingebung gewesen, in dem sie beschlossen hatte, Verwirrung zu stiften, indem sie statt des Rings, den sie mitgebracht hatte, etwas verwendete, was sie an diesem Morgen in einer der Taschen von Brouards zum Schwimmen abgelegten Kleidern gefunden hatte.

St. James hoffte, dass seine Frau irgendwann einige dieser Fragen würde beantworten können. Andere, das war ihm klar, würden nie beantwortet werden.

Deborah würde wieder hören können, sagte man ihm. Es könne ein durch die Nähe der Explosion hervorgerufener Schaden zurückbleiben, aber das lasse sich erst im Lauf der Zeit feststellen. Sie habe eine schwere Gehirnerschütterung erlitten und würde mehrere Monate brauchen, um sich ganz davon zu erholen. Zweifellos werde sie sich an die Ereignisse unmittelbar vor und nach der Explosion zunächst nicht erinnern können. Ob und in welchem Umfang die Erinnerung zurückkehren werde, sei ungewiss.

Er rief ihren Vater stündlich an und erstattete Bericht. Als alle Gefahr vorbei war, sprach er mit Deborah über die Geschehnisse. Er sprach direkt in ihr Ohr, leise, seine Hand auf der ihren. Die Verbände, die die Verletzungen in ihrem Gesicht bedeckt hatten, waren abgenommen worden, doch an der großen Wunde an ihrem Kinn mussten noch die Fäden gezogen werden. Die Verfärbungen in ihrem Gesicht waren erschreckend anzusehen, aber sie hatte keine Ruhe. Sie wollte nach Hause. Heim zu ihrem Vater, zu ihrer Fotografie, zu ihrem Hund und ihrer Katze; heim nach London in die Cheyne Row und zu allem, was ihr vertrautest war.

»China ist tot, nicht wahr?«, sagte sie mit einer Stimme, die sich ihrer Kraft immer noch nicht wieder sicher war. »Erzähl mir alles. Ich glaube, ich kann es hören, wenn du ganz nah rankommst.«

Und ganz nah bei ihr wollte er ja ohnehin sein. Er setzte sich neben sie aufs Bett und erzählte ihr, was geschehen war, soweit er es wusste. Er sagte ihr alles, was er ihr verschwiegen hatte. Und er gestand, dass er ihr diese Erkenntnisse zum Teil als Strafe dafür unterschlagen hatte, weil sie mit dem Totenkopfring ihre eigenen Wege gegangen war, zum Teil aber auch wegen der Standpauke, die Le Gallez ihm wegen des Rings gehalten hatte. Nachdem er mit Guy Brouards amerikanischem Anwalt gesprochen und erfahren hatte, dass die Pläne nicht von Cherokee River geliefert worden waren, sondern einem schwarzen Rastafari, hatte er, wie er sagte, Le Gallez überreden können, dem Killer eine Falle zu stellen. Es muss einer der beiden Rivers sein, hatte er gesagt und Le Gallez vorgeschlagen, beide auf freien Fuß zu setzen. Lassen Sie sie unter der Bedingung frei, hatte er gesagt, dass sie die Insel am nächsten Morgen mit dem ersten verfügbaren Verkehrsmittel verlassen müssen. Wenn dieser Mord wegen des Gemäldes begangen wurde, das im Dolmen gefunden worden ist, muss der Mörder es vor Morgengrauen holen – vorausgesetzt, es ist einer der beiden Rivers.

»Ich habe fest damit gerechnet, dass es Cherokee sein würde«, sagte St. James und zögerte einen Moment, ehe er gestand: »Ich wollte, dass er es ist.«

Deborah drehte den Kopf, um ihn anzusehen. Er wusste nicht, ob sie ihn hören konnte, wenn seine Lippen nicht direkt an ihrem Ohr waren, und er wusste nicht, ob sie von seinen Lippen ablesen konnte, was er sagte, aber er sprach trotzdem weiter, während ihr Blick auf ihn gerichtet war. Das war er ihr schuldig: genau dieses Geständnis unter vier Augen.

»Ich frage mich immer wieder, ob es irgendwann einmal *nicht* darauf hinauslaufen wird«, sagte er.

Sie hörte ihn, oder sie las die Worte von seinen Lippen ab. Es spielte keine Rolle. Sie sagte: »Worauf?«

»Auf diese ewige Rivalität. Ich gegen sie. So, wie ich bin. So wie sie sind. Wofür du dich entschieden hast, und was du bei einem anderen hättest haben können.«

Ihre Augen wurden groß. »Cherokee?«

»Es hätte jeder sein können. Da steht er plötzlich vor unserer Tür. Ich kenne ihn nicht und kann mich nicht erinnern, in den Jahren, seit du aus Amerika zurück bist, je von ihm gehört zu haben. Aber er ist dir bekannt. Ihr seid *vertraut* miteinander. Er gehört unbestreitbar zu dieser Zeit deines Lebens, was für mich nicht gilt und nie gelten wird. Das ist das eine, und das andere ist, dass dieser gut aussehende Bursche hierher gekommen ist, um meine Frau nach Guernsey zu holen. Denn darauf wird es hinauslaufen, das sehe ich sofort, ganz gleich, was er von der amerikanischen Botschaft erzählt. Und ich weiß, dass daraus alles Mögliche entstehen kann. Aber das ist das Letzte, was ich zugeben will.«

Sie sah ihm forschend ins Gesicht. »Wie konntest du glauben, dass ich dich verlassen könnte, Simon? Ganz gleich, für wen. Jemanden lieben, heißt doch was ganz anderes.«

»Es geht ja auch nicht um dich«, sagte er. »Es geht um mich. Du bist jemand... Du bist nie vor etwas weggelaufen, und du würdest das auch nie tun, weil du dann nicht mehr diejenige sein könntest, die du bist. Aber ich sehe die Welt mit den Augen eines Menschen, der weggelaufen ist, Deborah. Mehr als ein Mal. Mehr als nur vor dir. Und darum ist die Welt für mich ein Ort, wo die Menschen einander ständig fertig machen durch Egoismus, Gier, Schuldgefühle, Dummheit. Oder, wie in meinem Fall, Angst. Reine Angst. Das ist es, was mich überfällt, wenn jemand wie Cherokee River vor meiner Tür steht. Die Angst ergreift Besitz von mir, und alles, was ich tue, wird von der Angst bestimmt. Ich wollte, dass er der Mörder ist, weil ich dann deiner hätte sicher sein können.«

»Glaubst du wirklich, es hat eine große Bedeutung, Simon?«

»Was?«

»Du weißt schon.«

Er senkte den Kopf und blickte zu seiner Hand hinunter, die auf der ihren lag. Wenn sie wirklich von seinen Lippen las, würde sie es so vielleicht nicht lesen können. Er sagte: »Ich konnte nicht einmal ohne Probleme zu dir gelangen, Liebes. Im Dolmen. So wie ich bin. Darum – ja, ich denke, es hat eine große Bedeutung.«

»Nur wenn du glaubst, dass ich beschützt werden muss. Aber das ist nicht mehr nötig. Simon, ich bin schon lange nicht mehr sieben Jahre alt. Was du damals für mich getan hast … das brauche ich heute nicht mehr. Ich will es nicht einmal mehr. Ich will nur dich.«

Er hörte, was sie sagte, und versuchte, es anzunehmen. Er war zum Invaliden geworden, als sie vierzehn Jahre alt gewesen war, lange nach dem Tag, an dem er die Gruppe Schulkinder gerügt hatte, die ihr das Leben schwer gemacht hatte. Er wusste, dass er und Deborah an einem Punkt angekommen waren, wo es seine Aufgabe war, auf die Stärke zu vertrauen, die sie gemeinsam besaßen. Er war nur nicht sicher, dass er das schaffen würde.

Dieser Moment war für ihn wie eine Grenzüberschreitung. Er konnte die Grenze erkennen, aber nicht, was dahinter war. Man brauchte Vertrauen, um in Neuland aufzubrechen. Er wusste nicht, woher solches Vertrauen kam.

»Ich werde mich irgendwie in dein Erwachsensein hineinarbeiten müssen, Deborah«, sagte er schließlich. »Mehr schaffe ich im Augenblick nicht, und selbst da werde ich wahrscheinlich ständig ins Fettnäpfchen treten. Kannst du das aushalten? *Willst* du es aushalten?«

Sie drehte ihre Hand in der seinen und umfasste seine Finger. »Es ist ein Anfang«, antwortete sie. »Und ich bin vollauf zufrieden mit einem Anfang.«

# 31

Am dritten Tag nach der Explosion fuhr St. James nach *Le Reposoir* und traf Ruth Brouard und ihren Neffen an, die gerade an den Stallungen vorbei zum Haus gingen. Sie waren auf dem Rückweg von der Koppel, wo Ruth sich den Dolmen angesehen hatte. Sie hatte natürlich von seiner Existenz gewusst, aber für sie war er stets nur »der alte Grabhügel« gewesen. Dass ihr Bruder ihn freigelegt, den Eingang gefunden und den alten Bau als Versteck benutzt hatte... Das alles hatte sie nicht gewusst. Und Adrian ebenso wenig, wie St. James feststellte.

Sie hatten die Explosion in der Stille der Nacht gehört, aber sie hatten keine Ahnung gehabt, wo sie stattgefunden und was sie verursacht hatte. Von dem Donnerschlag aus dem Schlaf gerissen, waren sie beide aus ihren Zimmern gestürzt und im Korridor zusammengetroffen. Ruth bekannte St. James gegenüber – mit einem verlegenen Lachen –, dass sie in der ersten Verwirrung geglaubt hatte, der entsetzliche Lärm stünde in direktem Zusammenhang mit Adrians Rückkehr nach *Le Reposoir*. Sie hatte intuitiv gewusst, dass irgendwo jemand eine Bombe gezündet hatte, und hatte dies mit Adrians ungewohnter Fürsorge am Abend in Verbindung gebracht, als er höchstpersönlich am Herd gestanden und sich um ihr Essen gekümmert und später unnachgiebig darauf bestanden hatte, dass sie etwas von dem Gericht zu sich nahm. Sie hatte geglaubt, er hätte ihr etwas ins Essen gegeben, um ihren Schlaf zu fördern. Sie hatte daher, als sie, von der Erschütterung des Hauses durch die Druckwellen geweckt und aus ihrem Zimmer gelaufen war, überhaupt nicht damit gerechnet, im Korridor auf ihren Neffen zu stoßen, der im Pyjama herumrannte und etwas von Flugzeugabstürzen, Gasexplosionen, arabischen Terroristen und der IRA schrie.

Sie hatte geglaubt, er hätte einen zerstörerischen Angriff auf Haus und Grund vorgehabt, gestand sie. Wenn er den Besitz nicht erbte, würde er ihn eben vernichten. Aber sie war eines Besseren belehrt worden, als sie gesehen hatte, wie er sich nach der

Explosion um alles gekümmert hatte. Er hatte sofort Polizei, Rettungsdienst und Feuerwehr alarmiert. Sie wisse gar nicht, wie sie ohne ihn zurechtgekommen wäre.

»Ich hätte es alles Kevin Duffy überlassen«, sagte sie. »Aber das lehnte Adrian ab. Er sagte: ›Er gehört nicht zur Familie. Wir wissen nicht, was hier vorgeht, und solange wir das nicht wissen, erledigen wir alles, was erledigt werden muss, selber.‹ Und das haben wir getan.«

»Warum hat sie meinen Vater getötet?«, fragte Adrian Brouard St. James.

Das brachte sie zu dem Gemälde, denn so weit St. James hatte feststellen können, war es China River um das Gemälde gegangen. Aber da er den Platz vor den Stallungen als Ort für ausführliche Erklärungen nicht geeignet fand, schlug er vor, ins Haus zu gehen und das Gespräch dort, in der Nähe der Dame mit dem Buch und der Feder, fortzusetzen.

Das Bild war oben in der Galerie, einem langen, holzgetäfelten Raum, der fast die ganze Ostseite des Hauses einnahm und den größten Teil von Brouards Sammlung moderner Ölgemälde enthielt. Die Dame mit dem Buch und der Feder wirkte hier fehl am Platz, ungerahmt auf einer Glasvitrine mit Miniaturen liegend.

»Was ist das?«, fragte Adrian und trat schnell vor die Vitrine, wo er eine Lampe einschaltete. Ihr Licht traf das glänzende volle Haar, das der Heiligen Barbara auf die Schultern herabfiel. »Nicht unbedingt ein Stück, das Dads Sammelleidenschaft angesprochen hätte.«

»Unter den Augen dieser Frau haben wir alle unsere Mahlzeiten gegessen«, erwiderte Ruth. »Sie hing in Paris in unserem Esszimmer, als wir Kinder waren.«

Adrian sah seine Tante an. »In Paris?« Sein Ton war ernst. »Aber nach Paris … Wo ist das Bild plötzlich wieder aufgetaucht?«

»Dein Vater hat es gesucht und gefunden. Ich glaube, er wollte mich damit überraschen.«

»Gefunden? Wie?«

»Das werde ich wohl nie erfahren. Mr. St. James und ich... Wir vermuten, er hat jemanden beauftragt. Das Bild verschwand nach dem Krieg, aber er hat es nie vergessen. So, wie er die Familie nie vergessen hat. Wir hatten nur das eine Foto, auf dem sie alle zusammen zu sehen waren, das bei deinem Vater im Arbeitszimmer stand, und dieses Gemälde hier ist auf der Aufnahme auch zu sehen. Da er die Familie nicht zurückholen konnte, wollte er wenigstens das Bild zurückholen, vermute ich. Und das hat er getan. Paul Fielder hatte es. Er hat es mir gegeben. Ich denke, Guy hat ihm gesagt, dass er das tun soll, wenn... nun, wenn er vor mir sterben sollte.«

Adrian Brouard sah St. James an. »Ist er deswegen getötet worden?«

Ruth sagte: »Das kann ich mir nicht vorstellen, mein Junge.« Sie stellte sich neben ihren Neffen und betrachtete das Bild. »Paul hatte es. Wie soll da China River von ihm gewusst haben. Und selbst wenn – wenn dein Vater ihr aus irgendeinem Grund davon erzählt hat –, es ist ein Stück von rein ideellem Wert, das Letzte, was uns von unserer Familie geblieben ist. Es stand für ein Versprechen, das er mir in der Kindheit gegeben hatte, als wir aus Frankreich fliehen mussten. Es war ein Versuch, etwas zurückzuholen, von dem wir beide wussten, dass es unersetzlich ist. Abgesehen davon ist es ein hübsches Bild, sicher, aber das ist auch alles. Nichts weiter als ein altes Bild. Was hätte es jemand anderem schon bedeuten können?«

Sie würde, dachte St. James, die Wahrheit bald genug erfahren, weil Kevin Duffy sie ihr früher oder später erzählen würde. Eines Tages würde er ins Haus kommen und das Bild sehen, in der Halle oder im Damenzimmer oder hier oben in der Galerie oder in Guy Brouards ehemaligem Arbeitszimmer. Er würde es sehen, und er würde sprechen müssen... es sei denn, er hörte von Ruth, dass dieses fragile Stück Leinwand nur ein Andenken an eine Zeit und ein Volk war, die von einem Krieg zerstört worden waren.

Bei Ruth Brouard würde das Gemälde gut aufgehoben sein, so wie zuvor in der Familie, als es nicht mehr gewesen war als das

Bild von der Dame mit dem Buch und der Feder, das vom Vater an den Sohn weitergereicht und dann von einer Besatzungsarmee gestohlen worden war. Es gehörte jetzt Ruth. So wie es in ihre Hände gelangt war, durch einen Zufall in der Folge der Ermordung ihres Bruders, galten für dieses Gemälde weder Brouards letzte Verfügungen noch irgendeine Absprache, die er vor seinem Tod mit seiner Schwester getroffen hatte. Ruth konnte also mit dem Bild tun, was sie wollte. Solange St. James Schweigen bewahrte.

Le Gallez wusste zwar von dem Gemälde, aber was wusste er schon? Einzig, dass China River ein Kunstwerk aus der Sammlung Guy Brouards hatte stehlen wollen. Mehr nicht. Was es für ein Kunstwerk war, wer es geschaffen hatte, woher es gekommen war, wie der Raubüberfall durchgeführt worden war ... das alles wusste nur St. James. Und er konnte über dieses Wissen verfügen, wie er wollte.

Ruth sagte: »Es wurde immer vom Vater an den ältesten Sohn weitergegeben. Es symbolisierte wahrscheinlich den Übertritt von der Generation der Jungen in die der Erwachsenen. Möchtest du es haben, mein Junge?«

Adrian schüttelte den Kopf. »Vielleicht später einmal«, sagte er. »Aber jetzt, nein. Dad hatte es für dich gewollt.«

Mit einer zärtlichen Geste berührte Ruth die Leinwand an jener Stelle, wo das Gewand der Heiligen Barbara in fließender Bewegung herabfiel. Hinter der Heiligen waren die Steinmetze am Werk und schichteten ihre gewaltigen Granitblöcke für die Ewigkeit auf. Ruth blickte lächelnd auf das heitere Antlitz der Heiligen und murmelte: *»Merci, mon frère. Merci. Tu as tenu cent fois la promesse que tu avais fait à Maman.«* Dann riss sie sich aus ihren Gedanken und sah St. James an. »Sie wollten sie noch einmal sehen. Warum?«

Die Antwort war einfach. »Weil sie schön ist«, sagte er, »und ich mich verabschieden wollte.«

Sie brachten ihn zur Treppe. Er versicherte, von hier würde er den Weg allein finden. Sie begleiteten ihn trotzdem einen Stock tiefer. Doch dort machten sie Halt. Ruth erklärte, sie wolle sich in ihrem Zimmer niederlegen. Ihre Kräfte ließen täglich ein wenig mehr nach.

Adrian sagte, er würde sie begleiten. »Nimm meinen Arm, Tante Ruth«, forderte er sie auf.

In einem unbequemen skandinavischen Sessel sitzend, erwartete Deborah den letzten Besuch ihres Neurologen. Nur diese Hürde musste sie noch nehmen, dann würde sie mit Simon nach England heimkehren können. Voll Zuversicht, dass der Arzt ihr seinen Segen geben würde, hatte sie sich bereits fertig angekleidet. Um keinen Zweifel an ihren Absichten aufkommen zu lassen, hatte sie sogar ihr Bett abgezogen.

Ihr Gehör wurde von Tag zu Tag besser. Ein Assistenzarzt hatte ihr die Fäden am Kinn gezogen. Die Blutergüsse verblassten langsam, die Schnitte und Schrammen in ihrem Gesicht verschwanden. Die seelischen Verletzungen würden langsamer verheilen. Sie hatte die Schmerzen bisher erfolgreich verdrängt, aber sie wusste, irgendwann würde sie sich ihnen stellen müssen.

Als die Tür geöffnet wurde, glaubte sie, es wäre der Arzt, und sprang auf, um ihm entgegenzugehen. Aber es war Cherokee River. Er sagte: »Ich wollte eigentlich gleich kommen, aber es – es war alles ein bisschen viel auf einmal. Und dann, als sich alles etwas beruhigte, wusste ich nicht, wie ich dir gegenübertreten soll. Was ich sagen soll. Und ich weiß es immer noch nicht. Aber ich musste kommen. Ich fliege in zwei Stunden.«

Sie bot ihm die Hand, aber er ergriff sie nicht. Sie ließ sie sinken und sagte: »Es tut mir so Leid.«

»Ich bringe sie nach Hause«, sagte er. »Mam wollte rüberkommen und mir helfen, aber ich hab ihr gesagt…« Er lachte ein wenig, aber es klang schmerzlich. Er fuhr sich mit der Hand durch das lockige Haar. »Sie würde Mam nicht hier haben wollen. Sie wollte sie nie in ihrer Nähe haben. Außerdem wäre es völlig sinnlos, dass sie herkommt. Den ganzen Flug, nur um gleich wieder zurückzufliegen. Aber sie wollte kommen. Sie hat sehr geweint. Sie hatten ewig nicht mehr miteinander geredet – ich weiß nicht, ein Jahr lang, vielleicht, oder zwei? China mochte es nicht… Ach, ich weiß nicht. Ich weiß eigentlich gar nicht genau, was China nicht mochte.«

Deborah drängte ihn, in dem niedrigen und unbequemen Sessel Platz zu nehmen. Aber er wehrte ab. »Nein, setz du dich.«

Sie sagte: »Ich setz mich aufs Bett« und hockte sich auf die Kante der unbezogenen Matratze. Cherokee setzte sich schließlich doch in den Sessel, auf seinen äußersten Rand, die Ellbogen auf die Knie gestützt. Deborah wartete darauf, dass er etwas sagen würde. Sie selbst wusste nicht, was sie sagen sollte. Sie konnte nur immer wieder ihren Schmerz über das Geschehene betonen.

Er sagte: »Ich versteh das alles nicht. Ich kann immer noch nicht glauben… Es gab überhaupt keinen Grund. Aber sie muss es von Anfang an geplant haben. Ich verstehe nur nicht, warum.«

»Sie wusste, dass du das Mohnöl hattest.«

»Gegen den Jetlag. Ich wusste nicht, was wir zu erwarten hatten, ob wir schlafen könnten, wenn wir hier ankämen. Ich hatte keine Ahnung… du weißt schon… wie lange wir brauchen würden, um uns an die Zeitumstellung zu gewöhnen. Darum hab ich mir zu Hause das Öl besorgt und mitgenommen. Ich hab ihr gesagt, wir könnten es ja, wenn nötig, beide nehmen. Aber ich hab's nie gebraucht.«

»Und hast vergessen, dass du es dabei hattest?«

»Vergessen nicht. Ich hab nur nicht daran gedacht. Ich wusste nicht, ob ich es noch hatte oder ob ich es ihr gegeben hatte. Keine Ahnung. Ich hab einfach nicht daran gedacht.« Er hatte bisher zu seinen Schuhen hinuntergeblickt, aber jetzt sah er hoch. »Als sie es benutzte, um Guy zu betäuben, muss sie vergessen haben, dass es meine Flasche war. Sie muss nicht daran gedacht haben, dass überall meine Fingerabdrücke darauf sein würden.«

Deborah wich seinem Blick aus. Sie fand an der Naht der Matratze einen losen Faden und wickelte ihn fest um ihren Finger und sah zu, wie der Nagel violett anlief. Sie sagte: »Auf der Flasche waren keine Fingerabdrücke von China. Nur deine.«

»Klar, aber dafür gibt's bestimmt eine Erklärung. Zum Beispiel, wie sie die Flasche gehalten hat. Oder so was.«

In seiner Stimme war so viel Hoffnung, dass Deborah es nicht über sich brachte, mehr zu tun, als ihn anzusehen. Ihr fehlten die Worte, ihm zu antworten, und als sie nichts sagte, entstand ein drückendes Schweigen zwischen ihnen. Sie hörte seinen Atem und dann Stimmen aus dem Korridor. Irgendjemand beschimpfte jemanden vom Personal, ein Mann, der ein Privatzimmer für seine Frau verlangte. Sie sei »Herrgott noch mal in diesem verdammten Kasten hier angestellt«, da könne sie ja wohl eine gewisse Rücksicht erwarten.

Als Cherokee schließlich sprach, klang seine Stimme rau. »Warum?«, sagte er.

Deborah fragte sich, ob sie die Worte finden würde, es ihm zu sagen. Sie hatte den Eindruck, dass bei den Geschwistern keiner dem anderen nachgegeben hatte, aber für begangene Verbrechen und erlittenen Schmerz gab es keinen Ausgleich und würde keinen geben, jetzt schon gar nicht.

Sie sagte: »Sie konnte eurer Mutter nicht verzeihen, nicht wahr? Wie sie zu euch war, als ihr Kinder wart. Dass sie nie eine richtige Mutter war. Die vielen Motels. Wo ihr eure Kleider einkaufen musstet. Nur ein einziges Paar Schuhe. Sie konnte nicht sehen, dass das nur *Äußerlichkeiten* waren, sonst nichts. Es bedeutete nicht mehr, als es war: ein Motel, Secondhand-Läden, Schuhe, eine Mutter, die nie länger da war, als vielleicht einen Tag oder eine Woche am Stück. Aber für sie hatte es eine ganz andere Bedeutung. Sie sah es als – als ein großes Unrecht, das ihr angetan wurde, und nicht als das, was es ganz einfach war: eine Hand voll Karten, die ihr gegeben wurden und mit denen sie anfangen konnte, was sie wollte. Verstehst du, was ich meine?«

»Und deshalb hat sie getötet... Deshalb wollte sie, dass die Polizei glaubt...« Cherokee konnte dem nicht ins Auge sehen, geschweige denn es aussprechen. »Nein, ich glaube, ich verstehe nicht.«

»Ich denke, sie hat dort Ungerechtigkeit gesehen, wo andere nur das Leben sehen«, erklärte Deborah. »Und sie konnte nicht über diese vermeintliche Ungerechtigkeit hinausdenken: was geschehen war, was ihr angetan worden war.«

»Ja. Gut«, sagte Cherokee. »Das kann ich sehen. Aber was hab ich je...? Nein. Als sie das Öl benutzte, dachte sie nicht daran... Sie wusste nicht... Ihr war nicht klar...« Er schwieg.

»Woher wusstest du, wo du uns in London finden konntest?«, fragte Deborah.

»Sie hatte eure Adresse. Sie sagte, wenn ich bei der Botschaft nicht weiterkäme, könnte ich euch um Hilfe bitten. Wir brauchen sie vielleicht, sagte sie, um der Wahrheit auf den Grund zu kommen.«

Und sie waren der Wahrheit tatsächlich auf den Grund gekommen, dachte Deborah. Nur nicht so, wie China sich das vorgestellt hatte. Sie hatte zweifellos damit gerechnet, dass Simon sich sofort zu ihrem Verteidiger ernennen und die einheimische Polizei solange bedrängen würde, bis diese die Opiatflasche fand, die sie platziert hatte. Sie hatte nie die Möglichkeit in Betracht gezogen, dass die Polizei ohne fremde Hilfe die Opiatflasche finden würde, während Simon einen völlig anderen Weg einschlagen und die Fakten über das Gemälde aufdecken würde, um dann mit diesem Gemälde als Köder eine Falle zu stellen.

»Sie hat dich also geschickt, uns zu holen«, sagte Deborah zu Cherokee. »Sie wusste, wie es werden würde, wenn wir kämen.«

»Dass ich...«

»Das wollte sie.«

»Mir einen Mord in die Schuhe schieben.« Cherokee sprang auf und ging zum Fenster, dessen Jalousie heruntergelassen war. Er riss an der Schnur. »Weil ich enden sollte... Wie? Wie ihr Vater, oder was? War das alles ein riesiger Rachetrip, weil ihr Vater im Knast ist und meiner nicht? Als könnte ich was dafür, dass ihr Vater ein Verlierer ist! So ein Quatsch. Außerdem war *mein* Vater auch nicht viel besser. Das war so ein Gutmensch, der dauernd damit beschäftigt war, die Wüstenschildkröte zu retten oder den gelben Salamander oder weiß der Teufel was. Mein Gott! Was spielt das denn für eine Rolle? Was hat es je für eine Rolle gespielt? Ich versteh's einfach nicht.«

»Musst du es denn verstehen?«

»Ja, verdammt noch mal. Sie war meine Schwester!«

Deborah stand vom Bett auf und ging zu ihm. Behutsam nahm sie ihm die Jalousienschnur aus der Hand, zog die Jalousie hoch und ließ das Tageslicht ins Zimmer. Die ferne Dezembersonne schien auf ihre Gesichter.

»Du hast ihre Unschuld an Matthew Whitecomb verkauft«, sagte Deborah. »Als sie das erfuhr, wollte sie dich dafür bezahlen lassen, Cherokee.«

Er antwortete nicht.

»Sie glaubte, Matt liebe sie. Er kam immer wieder zu ihr zurück, ganz gleich, was zwischen ihnen geschah, und sie glaubte, das bedeute das, was es nicht bedeutete. Sie wusste, dass er sie mit anderen Frauen betrog, aber sie glaubte fest, dass er dem allen irgendwann entwachsen und nur noch mit ihr leben wollen würde.«

Cherokee beugte sich vor und drückte die Stirn an die kühle Fensterscheibe. »Er *hat* sie betrogen, das stimmt«, murmelte er. »Aber er hat nicht wirklich sie betrogen. Er hat eine andere mit ihr betrogen. Was, zum Teufel, hat sie sich denn gedacht? Ein Wochenende im Monat. Zwei, wenn sie großes Glück hatte. Eine Reise nach Mexiko vor fünf Jahren, und eine Kreuzfahrt, als sie einundzwanzig war. Das Arschloch ist *verheiratet*, Debs. Seit anderthalb Jahren schon, und er hat's ihr nicht gesagt, dieses Schwein. Und sie hat gewartet und gewartet. Ich konnte ihr das doch nicht… Ich wollte nicht derjenige sein. Ich konnte ihr das nicht antun. Ich wollte nicht ihr Gesicht dabei sehen. Darum hab ich ihr erzählt, wie alles überhaupt zustande gekommen ist. Ich hoffte, das würde reichen, um sie so sauer zu machen, dass sie ihn in den Wind schießt.«

»Du meinst…?« Deborah brachte es kaum über sich, den Gedanken zu Ende zu denken, so grauenvoll war er in seinen Konsequenzen. »Du hast sie gar nicht verkauft? Sie *glaubte* es nur? Für fünfzig Dollar und ein Surfbrett? An Matt? So war es gar nicht?«

Er wandte sich ab und schaute zum Parkplatz vor dem Krankenhaus hinunter, wo ein Taxi vorfuhr. Sie sahen Simon aussteigen. Er sprach kurz mit dem Fahrer, und das Taxi blieb stehen, während er zum Eingang ging.

»Du bist frei«, sagte Cherokee.

Sie gab nicht nach. »Hast du sie nicht an Matt verkauft?«

Er sagte: »Hast du deine Sachen beisammen? Wir können ihm ins Foyer entgegengehen.«

»Cherokee!«, sagte sie.

Er antwortete: »Ach, zum Henker, ich wollte surfen. Ich brauchte ein Brett. Ein geliehenes hat mir nicht gereicht. Ich wollte mein eigenes.«

»O Gott«, sagte Deborah leise.

»Es gab überhaupt keinen Grund, so ein Drama daraus zu machen«, sagte Cherokee. »Matt hat's jedenfalls nicht so gesehen. Und für ein anderes Mädchen wär's auch keine große Sache gewesen. Woher hätte ich wissen sollen, was China daraus machen würde? Was ihrer Meinung nach daraus entstehen musste, wenn sie sich irgendeinem Loser ›hingab‹? Herrgott, Debs, es war nichts als eine Nummer.«

»Und du warst nichts als ein Zuhälter.«

»So war es nicht. Ich hab genau gemerkt, dass sie ihn mochte. Ich hab mir nichts Böses dabei gedacht. Sie hätte nie von der Geschichte erfahren, wenn sie sich diesem blöden Hund nicht so an den Hals geworfen und ihr Leben für ihn weggeschmissen hätte. Da musste ich es ihr sagen. Sie hat mir gar keine Wahl gelassen. Es war nur zu ihrem Besten.«

»Genau wie vorher das Geschäft mit Matt?«, fragte Deborah. »Ging's da nicht vielleicht um dich, Cherokee? Um das, was du wolltest, und wie du es dir auf Kosten deiner Schwester beschaffen konntest? War es nicht so?«

»Okay. Ja. So war's. Aber ich konnte doch nicht wissen, dass sie an dem Kerl hängen bleiben würde. Ich dachte, sie würde sich wieder lösen und ihr Leben in die Hand nehmen.«

»Genau. Aber sie hat sich nicht gelöst«, entgegnete Deborah. »Weil es schwer ist, sich zu lösen, wenn man die Fakten nicht kennt.«

»Aber sie *kannte* die verdammten Fakten. Sie wollte sie nur nicht sehen. Herrgott noch mal! Warum konnte sie nie loslassen? Immer hat sie alles in sich reingefressen. Und nie konnte sie sich damit abfinden, dass die Welt eben nicht so ist, wie sie fand, dass sie sein sollte.«

Deborah wusste, dass er zumindest in einer Hinsicht Recht hatte: China hatte immer aufgerechnet und immer das Gefühl gehabt, ihr stehe mehr zu als tatsächlich im Angebot war. Deborah hatte das auch in ihrem letzten Gespräch mit ihr erkannt: Sie hatte zu viel von den Menschen erwartet, vom Leben. Und in diesen Erwartungen hatte der Keim der Selbstzerstörung gelegen.

»Und das Schlimmste ist, dass sie es gar nicht hätte tun müssen, Debs«, sagte Cherokee. »Kein Mensch hat sie zu irgendwas gezwungen. Er hat's versucht, und ich hab die beiden zusammengebracht, ja. Aber sie hat mitgemacht. Sie hat immer weiter mitgemacht. Wo ist da bitte meine Schuld?«

Auf diese Frage hatte Deborah keine Antwort. Zu viele Schuldzuweisungen waren im Lauf der Jahre zwischen Angehörigen der Familie River hin und her geschoben worden.

Es klopfte kurz an der Tür, und dann trat Simon ins Zimmer. Er hatte, so hoffte sie, die Papiere bei sich, die zu ihrer Entlassung aus dem Princess Elizabeth Hospital nötig waren. Er nickte Cherokee zu, richtete seine Frage jedoch an Deborah.

»Bereit zum Heimflug?«

»So bereit wie nie«, sagte sie.

# 32

Frank Ouseley wartete bis zum 21. Dezember, dem kürzesten Tag des Jahres. Die Sonne würde früh untergehen, und er liebte den Sonnenuntergang. Er fühlte sich wohl in seinen langen Schatten, die ihn vor neugierigen Augen schützen würden. Er wollte bei diesem letzten Akt seines persönlichen Dramas nicht beobachtet werden.

Um halb vier nahm der das kleine Paket zur Hand. Die Pappschachtel stand auf dem Fernsehapparat, seit er sie von St. Sampson mit nach Hause gebracht hatte. Die Klappen waren mit Klebeband verschlossen gewesen, aber Frank hatte das Band zuvor abgelöst, um den Inhalt der Schachtel zu überprüfen. Was von seinem Vater geblieben war, war in einem Plastikbeutel verwahrt. Asche zu Asche und Staub zu Staub. Die Farbe der Substanz lag irgendwo zwischen diesen beiden, heller und dunkler zugleich, hier und dort von der scharfen Linie eines Knochensplitters durchzogen.

Er wusste, dass irgendwo im Orient die Leute die Asche der Toten säuberten. Die ganze Familie versammelte sich, und mit Stäbchen hoben sie alle Knochenreste heraus. Er wusste nicht, was sie mit diesen Knochenfragmenten anstellten – wahrscheinlich verwahrten sie sie in Reliquienschreinen, ähnlich wie man früher die Knochen der Märtyrer aufbewahrt hatte. Aber Derartiges hatte Frank mit der Asche seines Vaters nicht vor. Was an Knochensplittern noch in ihr enthalten war, würde dort seinen Platz finden, wo Frank die sterblichen Überreste seines Vaters zu hinterlassen zu gedachte.

Er hatte zuerst an den Stausee gedacht. Der Ort, wo seine Mutter ertrunken war, hätte seinen Vater mühelos aufnehmen können, selbst wenn er die Asche nicht ins Wasser streute. Dann zog er das Stück Land neben der St.-Saviour's-Kirche in Erwägung, wo das Kriegsmuseum hätte stehen sollen. Aber er fand, es wäre ein Sakrileg, seinen Vater an einem Ort zurückzulassen, wo Männer hatten geehrt werden sollen, die so gar nichts mit ihm gemein hatten.

Bedachtsam trug er seinen Vater zu seinem Peugeot hinaus und platzierte ihn auf dem Beifahrersitz, umwickelte ihn fürsorglich mit einem alten Badetuch, das er als Junge benützt hatte. Ebenso bedachtsam fuhr er aus Talbot Valley hinaus. Die Bäume waren jetzt kahl, nur die Steineichen am sanft ansteigenden Südhang des Tals waren noch belaubt. Aber selbst hier lagen reichlich Blätter auf dem Boden und bildeten einen Teppich in Safran und Umbra unter den dicken Stämmen der Bäume.

Im Talbot Valley, das tief in eine Landschaft sanfter Hügel eingebettet war, schwand das Tageslicht schneller als sonst irgendwo auf der Insel. In den Fenstern vereinzelter kleiner Häuser am Straßenrand brannten bereits die Lichter. Aber als Frank aus dem Tal herauskommend St. Andrew erreichte, veränderte sich die Landschaft und mit ihr die Beleuchtung. Weiden, auf denen die Guernsey-Rinder grasten, wichen landwirtschaftlich genutzten Gebieten und kleinen Dörfern, wo unzählige Gewächshäuser die letzten Strahlen der Sonne einfingen und reflektierten.

Er fuhr nach Osten und hinter dem Princess Elizabeth Hospital auf St. Peter Port zu. Von da war es nicht schwierig, nach Fort George zu gelangen. Obwohl es schon dunkel zu werden begann, war es für den Berufsverkehr noch zu früh, und der Verkehr war ohnehin um diese Jahrszeit erträglich. Die Straßen würden sich erst zu Ostern wieder füllen.

Am Ende der Prince Albert Road musste er kurz warten, um einen Traktor über die Kreuzung rumpeln zu lassen. Danach konnte er weiterfahren, und er passierte das massige steinerne Tor in dem Moment, als die untergehende Sonne die Panoramafenster der Häuser auf dem Gelände des ehemaligen Forts zum Leuchten brachten. Es wurde trotz seines Namens schon lange nicht mehr für militärische Zwecke genutzt, und seine verfallenden Mauern waren im Gegensatz zu denen anderer Festungen auf der Insel – von Doyle bis le Coq – nicht aus Granit und Backstein. Seine Nähe zu St. Peter Port und die prächtige Aussicht auf die Soldier's Bay hatten es zu einem bevorzugten Wohnort reicher Steuerflüchtlinge gemacht. Ihre Luxusvillen standen weit zurückgesetzt auf großen Rasenflächen, neben denen Autos wie Mercedes und Jaguar parkten, hinter hohen Buchsbaum- und Eibenhecken oder schmiedeeisernen Gittern mit elektronisch gesteuerten Toren.

Ein Wagen wie der alte Peugeot wäre mit Misstrauen beäugt worden, wäre Frank nicht auf dem kürzesten Weg zum Friedhof gefahren, der, wie die Ironie des Schicksals es wollte, am schönsten Aussichtspunkt der ganzen Gegend gelegen war. Er zog sich über einen Osthang am Südende des alten Militärgeländes. An seinem Eingang stand ein Kriegsdenkmal in Form eines enormen

Granitkreuzes mit einem in den Stein eingelagerten Schwert, in dem sich die Kreuzform wiederholte. Vielleicht war die Ironie beabsichtigt, das war durchaus möglich. Auf diesem Friedhof gedieh die Ironie.

Frank parkte gleich unterhalb des Denkmals und überquerte die Straße zum Eingang des Friedhofs. Von dort konnte er die kleineren Inseln Herm und Jethou erkennen, die sich jenseits einer beschaulich daliegenden Wasserfläche aus dem Dunst hoben. Von dort führte auch ein betonierter Weg – mit Rippen, damit nicht etwa bei feuchter Witterung ein Trauergast ausrutschte – den Hang hinunter zum Gräberfeld, das in mehreren Terrassen angelegt war. Im rechten Winkel zu diesen Terrassen stand eine Befestigungsmauer aus einem einheimischen Stein mit einem bronzenen Flachrelief von Menschen im Profil, vielleicht Bürger oder Soldaten oder Kriegsopfer. Frank konnte es nicht erkennen. Aber eine Inschrift – *Das Leben reicht über das Grab hinaus* – legte nahe, dass diese Bronzefiguren die Seelen der Toten darstellen sollten, die hier zur Ruhe gebettet waren. Das Relief selbst erwies sich als eine Tür, hinter der man, wenn man sie öffnete, die Namen der Toten lesen konnte.

Er las sie nicht. Er blieb nur stehen, stellte die Pappschachtel mit der Asche seines Vaters zu Boden und öffnete sie, um ihr den Plastikbeutel zu entnehmen.

Er stieg die Stufen zur ersten der Terrassen hinunter. Hier waren die tapferen Männer begraben, die im Ersten Weltkrieg ihr Leben geopfert hatten. Sie lagen unter alten Ulmen in schnurgeraden Reihen aus Ilex und Feuerdorn. Frank ging an ihnen vorüber und weiter abwärts.

Er wusste, an welcher Stelle des Gräberfelds er seine einsame Feier beginnen würde. Die Grabsteine dort schmückten Gräber jüngeren Datums, und einer sah aus wie der andere. Es waren schlichte weiße Steine, die einzige Dekoration war ein Kreuz, dessen Form auch ohne die eingemeißelten Namen zur Identifizierung gereicht hätte.

Zu dieser Gruppe von Gräbern stieg Frank hinunter. Es waren einhundertundelf an der Zahl. Einhundertundelf Mal würde er seine Hand in den Beutel mit der Asche tauchen und einhundertelf Mal würde er das, was von seinem Vater geblieben war, zwischen seinen Fingern hindurch auf die letzten Ruhestätten jener Deutschen hinunterrieseln lassen, die die Insel Guernsey besetzt hatten und auf ihr gestorben waren.

Er begann mit seinem Werk. Zunächst war es grauenvoll für ihn: seine Finger in direkter Berührung mit den verbrannten Überresten seines Vaters. Als er den ersten Knochensplitter in seiner Hand spürte, schauderte er, und er befürchtete, dass sich ihm der Magen umdrehen würde. Er machte eine Pause und bereitete sich auf den Rest der Aufgabe vor. Er las jeden Namen, jedes Geburts- und jedes Sterbedatum, während er seinen Vater der Gemeinde jener zurückgab, die er zu Kameraden gewählt hatte.

Er sah, dass manche von ihnen fast noch Kinder gewesen waren, Neunzehn- und Zwanzigjährige, die vielleicht das erste Mal von zu Hause fortgewesen waren. Er hätte gern gewusst, wie sie nach dem großen Land, aus dem sie gekommen waren, dieses kleine Fleckchen Erde namens Guernsey erlebt hatten. War es ihnen vorgekommen wie ein Vorposten zu einem anderen Planeten? Oder war es eine willkommene Zuflucht vor den blutigen Kämpfen an der Front gewesen? Wie musste es für sie gewesen sein, Macht zu besitzen und zugleich so tief verachtet zu werden?

Aber nicht von allen verachtet. Das war die Tragödie. Nicht alle hatten sie als den Feind gesehen, den man nur verachten konnte.

Frank schritt mechanisch von einem Grab zum anderen, stieg von einer Reihe in die Nächste ab, bis der Plastikbeutel leer war. Als er fertig war, ging er zu der Gedenktafel am Fuß des Friedhofs. Dort blieb er einen Moment stehen und sah den Hügel hinauf zu den Gräberreihen, ließ den Blick über den Weg schweifen, den er gekommen war.

Obwohl er auf jedem deutschen Soldatengrab ein wenig Asche seines Vaters hinterlassen hatte, war keine Spur von ihr geblieben. Sie hatte sich in den Efeu, den Ilex und den Cotoneaster gesetzt, die auf den Gräbern wuchsen, und sich dort in Staub verwandelt, der den ersten Windstoß nicht überleben würde.

Der Wind würde kommen und Regen mitbringen. Der Regen würde die Bäche anschwellen lassen, die von den Hängen ins Tal und von dort ins Meer rauschen würden. Ein Teil des Staubs, der sein Vater war, würde fortgerissen werden. Der Rest würde bleiben, Teil der Erde, die die Toten zudeckte. Teil der Erde, die die Lebendigen nährte.

# Danksagung

Wie immer schulde ich einer Anzahl von Menschen Dank, die mich bei der Arbeit an diesem Roman unterstützt haben.

Auf der schönen Kanalinsel Guernsey habe ich Inspector Trevor von der States Police zu danken, den freundlichen Leuten vom Citizens Advice Bureau und Mr. R. L. Heaume, dem Leiter des German Occupation Museum in Forest.

In Großbritannien stehe ich wie immer in der Schuld Sue Fletchers, meiner Lektorin bei Hodder & Stoughton, sowie ihrer kreativen Assistentin Swati Gamble. Ich danke auch Kate Brandice von der Amerikanischen Botschaft.

In Frankreich habe ich meiner Übersetzerin Marie-Claude Ferrer zu danken, die mir großzügigerweise bei der Abfassung einiger Dialoge mit Rat und Tat zur Seite stand, während in Deutschland Veronika Kreuzhage mir die nötigen Übersetzungen zu Gegenständen aus dem Zweiten Weltkrieg lieferte.

In den Vereinigten Staaten schulde ich Professor Jonathan Petropolous Dank, der sowohl persönlich als auch mit seinem Buch *The Faustian Bargain* zu meinem Verständnis der »Rückführung von Kunst ins Vaterland« durch die Nazis beigetragen hat. Dr. Tom Ruben hat mich großzügig mit medizinischen Informationen versorgt, wann immer notwendig, Bill Hull brachte mir den Beruf des Architekten näher, und mein Schriftstellerkollege Robert Crais ließ sich von mir bereitwillig über die Praktiken der Geldwäscher ausfragen. Besonders dankbar bin ich Susan Berner, die bereit war, einen frühen Entwurf dieses Buchs zu lesen, und ebenso meinem Mann Tom McCabe für seine Geduld und sein respektvolles Verständnis dafür, dass es Zeit braucht, einen

Roman zu schreiben. Schließlich hätte ich dieses Buch nicht einmal beginnen können, wenn ich nicht wie immer meine Assistentin Dannielle Azoulay mit ihrer Hilfsbereitschaft und ermutigenden Zuversicht an der Seite gehabt hätte.

Folgende Bücher fand ich hilfreich bei meiner Arbeit an diesem Roman: *The Faustian Bargain* von Jonathan Petropolous; *The Silent War* von Frank Falla; *Britische Inseln unterm Hakenkreuz* von Roy McLoughlin; *Building in the Town and Parish of St. Peter Port* von C.E.B. Brett; *Folklore of Guernsey* von Marie De Garis; *Landscape of the Channel Islands* von Nigel Jee; *Utrecht Painters of the Dutch Golden Age* von Christopher Brown und *Vermeer and Painting in Delft* von Alex Rüger.

Zum Schluss noch ein Wort über die Heilige Barbara. Kunsthistoriker werden wissen, dass das Gemälde, das ich in diesem Roman beschreibe, nicht existiert, die Skizze jedoch, die ich Pieter de Hooch zuschreibe, sehr wohl. Sie stammt allerdings nicht von der Hand Pieter de Hoochs, sondern von Jan van Eyck. Dass ich den Namen ihres wahren Schöpfers so kaltblütig mit einem anderen vertauscht habe, hat mit der Zeit zu tun, in der die Skizze angefertigt wurde und in der van Eyck malte. Hätte er die Heilige Barbara tatsächlich gemalt, so hätte er sein Werk auf Eichentafel geschaffen, wie das zu seiner Zeit üblich war. Für meinen Roman brauchte ich aber Leinwand, die erst einige Zeit später Verbreitung fand. Ich hoffe, man wird mir diesen etwas gewaltsamen Umgang mit der Kunstgeschichte verzeihen.

Selbstverständlich wird das Buch Fehler enthalten. Sie gehen alle auf mein Konto und sind keinesfalls den Menschen zuzuschreiben, die mir geholfen haben.